Initiation à la psychologie

Guy Parent
Pierre Cloutier

Consultation :

Annick Bève
collège Ahuntsic

Michael Daigneault
collège de Maisonneuve

Carmen Martinez
collège de Rosemont

Denis Monaghan
cégep de Sainte-Foy

Achetez en ligne*
www.cheneliere.ca

* Résidants du Canada
seulement.

Beauchemin
CHENELIÈRE ÉDUCATION

Initiation à la psychologie

Guy Parent et Pierre Cloutier

© 2009 Chenelière Éducation inc.

Édition : Luc Tousignant
Coordination : François Boutin et Lyne Larouche
Révision linguistique : Sylvie Bernard
Correction d'épreuves : Catherine Baron et Danielle Maire
Conception graphique : Josée Bégin et Ellen Lavoie
Infographie : Ellen Lavoie (Fenêtre sur cour)
Illustrations : Late Night Studio
Conception de la couverture : Sophie Lambert et Josée Brunelle
Impression : Imprimeries Transcontinental

Rédaction des activités interactives Odilon : Denis Monaghan

Dans cet ouvrage, le masculin est utilisé comme représentant des deux sexes, sans discrimination à l'égard des hommes et des femmes, et dans le seul but d'alléger le texte.

Des marques de commerce sont mentionnées ou illustrées dans cet ouvrage. L'Éditeur tient à préciser qu'il n'a reçu aucun revenu ni avantage conséquemment à la présence de ces marques. Celles-ci sont reproduites à la demande de l'auteur en vue d'appuyer le propos pédagogique ou scientifique de l'ouvrage.

**Catalogage avant publication
de Bibliothèque et Archives nationales du Québec
et Bibliothèque et Archives Canada**

Parent, Guy, 1946-

Initiation à la psychologie

Comprend des réf. bibliogr. et un index.
Pour les étudiants du niveau collégial.

ISBN 978-2-7616-4483-9

1. Psychologie.   2. Psychopathologie.   3. Psychophysiologie.
I. Cloutier, Pierre, 1953-   .   II. Titre.

BF122.P37 2009   150   C2009-940752-3

Beauchemin

CHENELIÈRE ÉDUCATION

7001, boul. Saint-Laurent
Montréal (Québec) Canada H2S 3E3
Téléphone : 514 273-1066
Télécopieur : 450 461-3834 / 1 888 460-3834
info@cheneliere.ca

ISBN 978-2-7616-4483-9

Dépôt légal : 1er trimestre 2009
Bibliothèque et Archives nationales du Québec
Bibliothèque et Archives Canada

Imprimé au Canada

2   3   4   5   ITIB   13   12   11   10

Nous reconnaissons l'aide financière du gouvernement du Canada par l'entremise du Programme d'aide au développement de l'industrie de l'édition (PADIÉ) pour nos activités d'édition.

Gouvernement du Québec – Programme de crédit d'impôt pour l'édition de livres – Gestion SODEC.

Membre du CERC

Membre de
l'Association nationale
des éditeurs de livres

ASSOCIATION NATIONALE DES ÉDITEURS DE LIVRES

Avant-propos

Entièrement québécois, le présent ouvrage a pour objet d'initier les étudiants du niveau collégial aux grandes bases de la psychologie, conformément au devis du ministère de l'Éducation, du Loisir et du Sport. Il est l'œuvre des auteurs qui ont dirigé l'adaptation de la cinquième édition du livre de Spencer A. Rathus; les nombreux utilisateurs de ce volume en retrouveront l'esprit. Ils devraient aussi en apprécier les nombreuses caractéristiques distinctives.

Afin d'éviter les redondances, la présentation des différentes approches faite en introduction se concentre sur les grandes idées et les situe dans leur contexte historique. Les approfondissements concernant des éléments plus précis sont abordés au long du volume, particulièrement dans le cadre des différentes approches thérapeutiques (*voir le chapitre 12*), lesquelles sont présentées selon les grandes orientations reconnues par l'Ordre des psychologues du Québec. C'est d'ailleurs dans ce chapitre que l'on retrouve les éléments des théories de la personnalité qui contribuent à faire comprendre les approches thérapeutiques qui en sont issues. On notera, par contre, que la question des troubles psychologiques est traitée dans un chapitre indépendant (le chapitre 11), ce qui correspond à l'esprit du *Diagnostic and Statistical Manual of Mental Disorders* (*DSM-IV-R*), où les différents troubles sont décrits sans recourir à une approche thérapeutique particulière.

En ce qui a trait à l'organisation interne des différents chapitres, chacun débute par une amorce présentant un cas réel, dont la fonction essentielle est de soulever des questions concernant le thème abordé. Dans l'exposé de la matière qui suit l'amorce, les auteurs ont opté pour une structuration visant à mettre en évidence les liens entre les divers sous-thèmes traités, tout en cherchant à l'illustrer de la façon la plus pertinente possible, à l'aide de photos, de tableaux et de figures. Ils ont également cherché à concilier deux objectifs : revaloriser les grands classiques en insistant sur l'influence qu'ils exercent encore actuellement dans les courants de recherche et présenter une mise à jour adaptée à l'étudiant de niveau collégial concernant les différents thèmes abordés.

Le corps du texte est accompagné d'encadrés parmi lesquels figure la rubrique «Paroles d'expert» qui met en valeur les travaux d'experts québécois et canadiens, dont plusieurs de renommée internationale. On trouve aussi, vers la fin de chaque chapitre, une rubrique intitulée «Regard vers le futur», qui jette un regard sur les perspectives d'avenir dans les différents champs de recherche en psychologie. Après la conclusion où l'on revient sur le cas présenté en amorce, quelques questions permettant à l'étudiant d'évaluer sa compréhension de la matière sont proposées, questions qui sont suivies par des suggestions commentées d'articles, de volumes et de documents audiovisuels.

Comme le manuscrit de chaque chapitre a été lu et commenté par au moins trois enseignants du niveau collégial ainsi que par un expert universitaire, l'étudiant peut être assuré d'avoir entre les mains un manuel de qualité, parfaitement adapté à ses besoins. Bonne lecture !

Remerciements

La rédaction d'un ouvrage comme celui-ci peut rarement être menée à terme sans l'aide de nombreux collaborateurs. Nous désirons leur exprimer toute notre reconnaissance.

Parmi les personnes à qui nous adressons nos remerciements, certaines ont joué un rôle de premier plan en lisant et en commentant le manuscrit. Il s'agit d'Annick Bève, du Collège Ahuntsic; de Michael Daigneault, du Collège de Maisonneuve; de Carmen Martinez, du Collège de Rosemont; enfin, de Karine Grenier, du Collège de Valleyfield, pour les trois derniers chapitres. Leurs judicieux commentaires nous ont été très utiles.

Outre ces personnes issues de l'enseignement collégial, des universitaires ont mis leur expertise à contribution en agissant à titre de réviseurs scientifiques. Ce sont: pour le chapitre 2, François Richer (Département de psychologie, UQAM); pour le chapitre 3, Jacques Lajoie (Département de psychologie, UQAM); pour le chapitre 4, Roger Godbout (Département de psychiatrie, Université de Montréal et Centre de recherche Fernand-Seguin); pour le chapitre 5, Patrick Gosselin (Département de psychologie, Université de Sherbrooke); pour le chapitre 6, Sébastien Tremblay (École de psychologie, Université Laval); pour le chapitre 7, Serge Larivée (École de psychoéducation, Université de Montréal); pour le chapitre 8, Luc G. Pelletier (École de psychologie, Université d'Ottawa); pour le chapitre 9, Gilles Kirouac (École de psychologie, Université Laval); pour le chapitre 10, Tania Schramek (Centre d'études sur le stress humain); pour le chapitre 11, Catherine Bégin (École de psychologie, Université Laval); enfin, pour le chapitre 12, Martin D. Provencher (École de psychologie, Université Laval).

Nous tenons également à souligner la contribution spéciale des personnes qui ont accepté de nous accorder une entrevue aux fins de la rubrique «Paroles d'expert». Ce sont, dans l'ordre d'apparition dans le livre: Rose-Marie Charest, présidente de l'Ordre des psychologues du Québec; Joanne Roy, neuropsychologue à l'Hôpital de l'Enfant-Jésus à Québec; Jacques Lajoie, professeur au département de psychologie de l'UQAM; Marie Dumont, codirectrice du Laboratoire de chronobiologie du Centre d'étude du sommeil et des rythmes biologiques à Montréal; Charles Morin, directeur du Centre d'étude des troubles du sommeil à Québec; Robert Leclerc, professeur agrégé à l'École de psychologie de l'Université d'Ottawa; Marie-Claude Guay, professeure au département de psychologie de l'UQAM et chercheuse associée à l'Hôpital Rivière-des-Prairies ainsi qu'au Centre jeunesse de Montréal; Brenda Milner, professeure-chercheuse à l'Institut et hôpital neurologiques de Montréal; Serge Larivée, professeur titulaire à l'École de psychoéducation de l'Université de Montréal; Robert J. Vallerand, directeur du Laboratoire de recherche sur le comportement social et professeur au département de psychologie de l'UQAM; Gilles Kirouac, professeur émérite de l'École de psychologie de l'Université Laval; Sonia Lupien, directrice du Centre d'études sur le stress humain à l'Institut Douglas; Alain Brunet, chercheur au Centre de recherche de l'Hôpital Douglas; Suzanne Bouchard, clinicienne d'approche psychanalytique; Stéphane Bouchard, titulaire de la Chaire de recherche du Canada en cyberpsychologie clinique et professeur au département de psychoéducation et de psychologie de l'Université du Québec en Outaouais; Marie Gingras, clinicienne d'orientation existentielle/humaniste et chargée de cours à l'Université d'Ottawa; enfin, Yves Gros-Louis, clinicien orienté vers la thérapie brève.

Nous remercions également nos collègues du Cégep de Sainte-Foy, en particulier Denis Monaghan, qui s'est chargé des questions de révision à la fin des chapitres ainsi que de tous les ateliers interactifs et des tests de lecture sur le site Odilon, de même qu'Amélie Carré, dont le travail de recherche documentaire nous a été très précieux.

Merci enfin à toute l'équipe de Chenelière Éducation pour la confiance qu'elle nous a témoignée pendant la réalisation de l'ouvrage, particulièrement Luc Tousignant (éditeur), Lyne Larouche et François Boutin (chargés de projet), Sylvie Bernard (réviseure) ainsi que Catherine Baron et Danielle Maire (correctrices).

Les caractéristiques de l'ouvrage

Cet ouvrage comporte de nombreuses caractéristiques destinées à faciliter l'apprentissage.

En début de chapitre, on trouve :

Un plan qui donne à l'étudiant une vue d'ensemble des notions qui seront abordées en vue de l'aider à structurer sa lecture et son étude.

Des «Cibles d'apprentissage» qui permettent à l'étudiant de cerner les connaissances et les habiletés qu'il devra acquérir au terme de sa lecture.

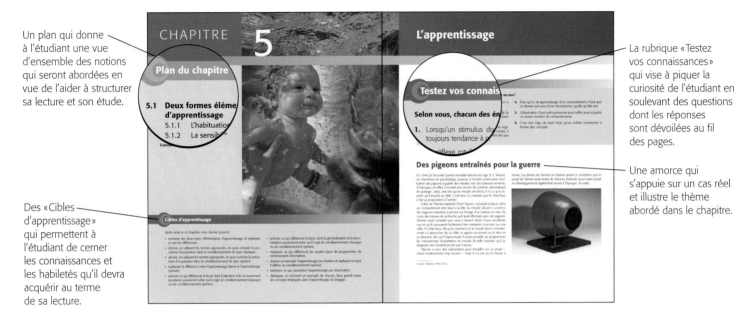

La rubrique «Testez vos connaissances» qui vise à piquer la curiosité de l'étudiant en soulevant des questions dont les réponses sont dévoilées au fil des pages.

Une amorce qui s'appuie sur un cas réel et illustre le thème abordé dans le chapitre.

À l'intérieur des chapitres :

De nombreux éléments visuels favorisent la compréhension de la matière tout en agrémentant la lecture du texte.

Les définitions en marge du texte aident l'étudiant à cerner le vocabulaire de base en psychologie. Toutes ces définitions se retrouvent également dans le glossaire, en fin de volume.

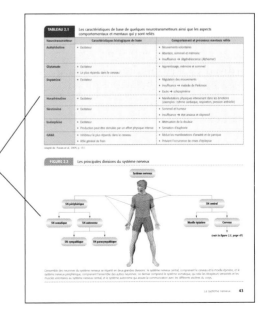

Les tableaux et les figures, accompagnés de légendes, facilitent la compréhension de la matière.

ENCADRÉ 9.1 **Approfondissement**

L'émergence des émotions : une mise au point graduelle

Le bébé naissant ne disposant pas du langage, seuls les indices non verbaux peuvent être utilisés pour établir les émotions qu'il est susceptible de ressentir. C'est pourquoi les chercheurs ont avant tout tenté de décrire les variations observables dans les manifestations non verbales qui semblent traduire un certain état émotionnel chez l'enfant. À partir de ces manifestations, on essaie ensuite, avec prudence, d'inférer les émotions sous-jacentes.

Une première constatation s'est imposée depuis longtemps : les états émotionnels reconnaissables à partir des indices non verbaux procèdent du simple au complexe. On pourrait également décrire ce développement comme une mise au point graduelle allant du flou au plus net. Ainsi, le registre des réactions émotionnelles observables se complexifie au fur et à mesure du développement, telle une image laissant graduellement apparaître des détails de plus en plus marqués.

Au tout début, les pleurs constituent pour ainsi dire la première, sinon la seule façon pour le nourrisson d'exprimer différentes émotions. On observe alors une simple alternance entre deux états : une agitation marquée par les pleurs, ceux-ci étant interprétés comme un état émotionnel de détresse, et un calme qui semble traduire un état de bien-être.

En ce qui concerne le sourire, l'une des premières expressions faciales associées à une émotion précise, on considérait jusqu'à maintenant qu'il apparaissait lors des deux ou trois premières semaines de la vie du nourrisson. Or, Belzung (2007) signale que des études récentes utilisant la technique d'échographie en trois dimensions[1] ont permis de mettre en évidence la présence de sourires, aussi bien que de pleurs, chez le fœtus (Kurjak *et al.*, 2003 ; Kurjak *et al.*, 2004). Évidemment, on doit rester prudent dans l'interprétation de ces manifestations, comme le font les auteurs en général au regard des premiers sourires observables chez le nourrisson au cours des deux ou trois premières semaines de vie. On considère en effet que ces sourires n'auraient pas de fonction sociale, mais découleraient simplement d'une activité corticale résultant du développement neuronal qui se poursuit dans le cerveau du nourrisson. Ils ne constitueraient donc pas un comportement de communication en tant que tel ; on dit communément que l'enfant « sourit aux anges ». C'est aux alentours de trois semaines que ce dernier ferait son premier sourire « social », c'est-à-dire un sourire en réaction à une personne qui lui parle.

Le sourire, une manifestation émotionnelle qui apparaît très tôt dans le développement de l'enfant.

À partir d'environ six mois, d'autres manifestations qui traduisent des émotions de base de plus en plus reconnaissables apparaissent : joie, surprise, colère, dégoût, etc. Ces dernières mettent en jeu les indices faciaux et ceux ayant trait à l'expression vocale. Des sujets adultes sont ainsi capables de reconnaître plusieurs de ces expressions faciales du bébé lorsqu'on les leur présente enregistrées sur cassette vidéo. Par ailleurs, on admet couramment que les parents en viennent par exemple à faire la différence entre les « pleurs de faim » et les « pleurs de colère » de leur enfant.

Évidemment, à mesure que le langage se développe, ce dernier permet à l'enfant de raffiner graduellement l'émotion qu'il ressent, ne serait-ce au début que par de simples mots tels que « bobo » pour dire qu'il a mal.

1. On a même développé tout récemment la technique d'échographie en quatre dimensions. Cette technique ajoute la dimension « temps » aux trois dimensions décrivant l'espace. Kurjak *et al.* (2007) expliquent cette technique ainsi que les avantages qu'elle présentera pour la recherche sur le comportement du fœtus.

ENCADRÉ 5.1 **Recherche classique**

Le petit Albert

Voulant démontrer que la plupart des réactions émotives provoquées par certaines situations (par exemple, la peur) étaient en fait apprises selon les principes du conditionnement classique, John B. Watson et sa collaboratrice Rosalie Rayner ont publié, en 1920, l'une de ces recherches classiques qui, de nos jours, ne seraient évidemment pas autorisées sur le plan éthique. Le sujet de leur recherche était un jeune garçon de 11 mois nommé Albert et considéré par toutes les personnes qui le côtoyaient comme remarquablement calme et peu enclin à des manifestations émotionnelles comme la rage ou la peur.

Les expérimentateurs ont d'abord déposé un rat blanc devant l'enfant qui a alors avancé la main vers l'animal. Or, au moment où l'enfant touchait le rat, les expérimentateurs ont donné un violent coup de marteau sur une barre de métal située juste derrière l'enfant, lequel a sursauté violemment. Watson avait déjà démontré qu'un bruit violent est un stimulus qui déclenche spontanément des réactions de sursaut et de peur chez la plupart des enfants. Quelques minutes plus tard, les expérimentateurs ont de nouveau présenté le rat et, au moment où l'enfant tentait de toucher l'animal, ils ont provoqué le même bruit violent : l'enfant a encore sursauté et, cette fois-ci, s'est mis à pleurnicher.

Une semaine après ces deux essais, Watson et Rayner ont recommencé la procédure et, après sept essais, l'enfant s'est mis à pleurer à la seule vue du rat. Cinq jours plus tard, les expérimentateurs ont présenté un lapin à l'enfant, et celui-ci s'est mis à pleurnicher ; par la suite, il a fait de même à la vue d'un chien, d'un morceau de fourrure et même d'un masque de père Noël, la réaction n'étant cependant pas aussi marquée qu'avec le rat. Watson et Rayner considéraient donc qu'ils avaient démontré qu'un stimulus peut provoquer des réactions de peur par simple conditionnement et, aussi, que cette réaction tend à se généraliser à d'autres stimuli ressemblant au stimulus présent dans la situation initiale.

Avant le conditionnement, le petit Albert tend sans crainte la main vers le rat.

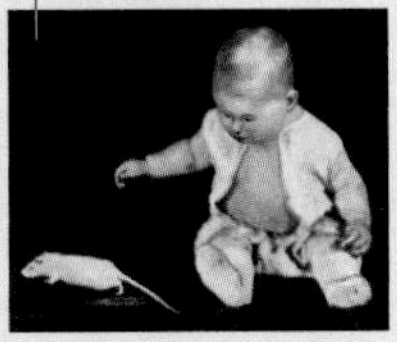

C'est à partir de cette expérience classique que les béhavioristes en sont venus à penser que la plupart des phobies sont apprises par conditionnement.

Différents types d'encadrés — « Approfondissement », « Recherche classique », « Paroles d'expert » et « Regard vers le futur » — apportent des compléments d'information pertinents.

ENCADRÉ 4.3 **Paroles d'expert**

« S'éveiller » au problème de l'insomnie

Après avoir achevé une maîtrise en psychologie à l'Université Laval au début des années 1980, Charles Morin part pour les États-Unis où il poursuit des études doctorales et postdoctorales. Il travaille par la suite à titre de professeur et directeur du Sleep Disorders Center au Medical College of Virginia, à la Virginia Commonwealth University. En 1994, il se joint à l'École de psychologie de l'Université Laval où il met sur pied le Centre d'étude des troubles du sommeil et la prestigieuse American Psychological Association lui décerne en 1995 le Distinguished Award for an Early Career pour sa contribution exceptionnelle à la psychologie de la santé.

C'est le traitement des troubles du sommeil, particulièrement de l'insomnie, qui constitue le champ d'intérêt de M. Morin. Si ce dernier s'est intéressé aux troubles du sommeil, c'est d'une part parce que ce sujet constitue à ses yeux un domaine particulièrement apte à combiner la recherche et l'intervention clinique et, d'autre part, confie-t-il, parce que plusieurs personnes de son entourage vivaient des problèmes de sommeil.

À vrai dire, ce dernier point étonne peu, étant donné qu'au moins 30 % de la population vit à l'occasion des périodes d'insomnie, et qu'environ 10 % en serait affectée sur une base hebdomadaire.

Même si les recherches sur l'insomnie ne datent pas d'hier, les connaissances n'ont pas encore permis d'aboutir à une façon efficace de la traiter. De l'avis de M. Morin, on a trop tendance, ou bien à s'en remettre aux médicaments comme solution facile, ou bien à rejeter les médicaments et à chercher la « cause psychologique » supposément à la source de l'insomnie. Ce qu'il faut plutôt, selon lui, c'est trouver comment combiner les deux approches de façon à intervenir plus efficacement.

Par ailleurs, guérir c'est bien, mais il faut aussi prévenir. C'est pourquoi, parallèlement à ses travaux sur le traitement de l'insomnie, M. Morin a mis en branle une étude épidémiologique auprès de 1 200 personnes, étude visant à mettre au jour les caractéristiques, tant individuelles que sociales, qui favorisent l'émergence de problèmes d'insomnies.

Cependant, ce genre d'étude demande non seulement beaucoup d'argent, mais également la collaboration des institutions qui leur envoient souvent, en s'en déchargeant par la suite, des personnes aux prises avec des problèmes d'insomnie.

Charles Morin,
Ph. D. en psychologie et directeur du Centre d'étude des troubles du sommeil.

« Aux États-Unis, souligne Charles Morin, il y a une clinique de sommeil dans pratiquement chaque hôpital. Ici au Québec, nous n'en avons que deux : une à Québec et une à Montréal. » Quant aux institutions politiques, elles ne sont pas davantage sensibilisées au problème, ne serait-ce qu'aux coûts sociaux de l'insomnie.

En « somme », il serait temps que l'on « s'éveille » au problème de l'insomnie !

ENCADRÉ 7.5 **Regard vers le futur**

Utiliser l'intelligence pour mieux comprendre… l'intelligence !

Avec le développement des neurosciences, beaucoup de recherches tentent de déterminer les structures et les mécanismes responsables de « l'intelligence ». Différentes avenues ont été explorées, telles que mesurer le lien entre, d'une part, l'intelligence et, d'autre part, la vitesse de communication ou encore la densité des synapses entre les neurones. L'établissement d'un lien entre l'intelligence et certains mécanismes physiologiques permettrait d'obtenir des mesures fiables du comportement intelligent. Il appert néanmoins qu'aucun résultat convaincant en ce sens n'a été obtenu à ce jour, même si la recherche fondamentale se poursuit fébrilement dans ce domaine.

Du côté de la recherche appliquée, l'intervention pédagogique tient et est appelée à tenir une place importante. On s'est beaucoup penché jusqu'à maintenant sur les enfants qui ont des difficultés d'apprentissage, ce qui est fort bien, mais il importe aussi de s'intéresser à une richesse naturelle importante : les enfants « surdoués », ce qui, de l'avis de Serge Larivée, a été trop négligé à ce jour.

En effet, parmi les élèves qui ne réussissent pas en classe, il y a effectivement ceux qui éprouvent des difficultés d'apprentissage, mais il y a également ceux qui ont des capacités au-dessus de la moyenne. Pour ces derniers, le problème proviendrait plutôt d'un manque d'intérêt en classe, soit parce qu'ils connaissent déjà ce dont il est question, soit parce que le rythme d'apprentissage est trop lent, l'élève ayant alors l'impression de perdre son temps ; cela peut amener ce dernier à décrocher du système scolaire ou encore à devenir un élément perturbateur en classe. Il importe donc, contrairement à ce qu'on pourrait croire, d'aider les élèves dont les capacités intellectuelles sont supérieures à la moyenne à se sentir plus motivés par le milieu scolaire, de façon que la société puisse bénéficier par la suite de leurs compétences.

Un autre aspect d'ordre plus théorique sur lequel les chercheurs seront appelés à se pencher est ce que l'on appelle l'*effet Flynn*, du nom du chercheur qui l'a mis en évidence : il s'agit de la constatation du fait que les résultats aux tests de QI tendent à augmenter dans la population des pays occidentaux, ainsi qu'au Japon qui adopte de plus en plus les valeurs occidentales (Flynn, 2007). Comment expliquer ce phénomène ? Que révèle-t-il concernant les facteurs liés aux capacités intellectuelles ? Le phénomène va-t-il éventuellement se stabiliser ? Autant de questions qui ont de quoi alimenter les futures recherches…

L'école de l'avenir aidera-t-elle nos surdoués à faire avancer les connaissances sur le fonctionnement de l'intelligence ?

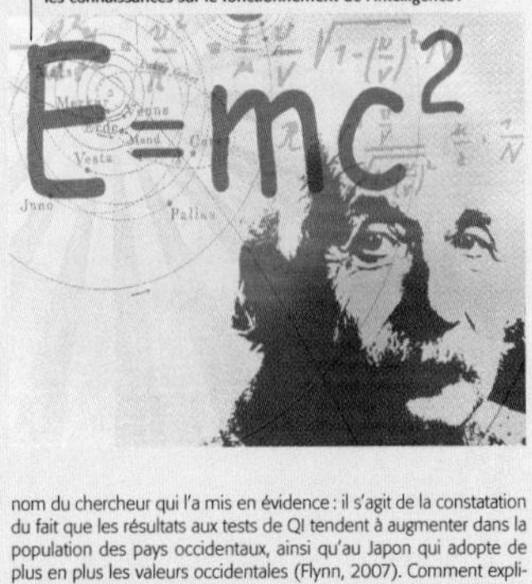

Des photos soigneusement sélectionnées — plus d'une centaine —, illustrent le propos et contribuent à dynamiser la présentation.

En fin de chapitre :

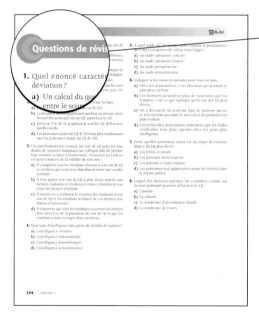

Des questions de révision permettent à l'étudiant d'évaluer sa compréhension de la matière.

La rubrique «Pour en connaître davantage» propose des ressources à l'étudiant qui souhaiterait approfondir ses connaissances. Un bref commentaire décrit les particularités et l'intérêt de chacune de ces ressources.

ODILON, votre complice Web

ODILON est un outil d'apprentissage interactif dont les activités pédagogiques variées et ludiques visent à vérifier l'atteinte de compétences dans des cours de niveau collégial. Odilon est aussi couplé à un dossier virtuel qui conserve la trace de toutes les visites de l'étudiant sur le site, ainsi que la note obtenue à chaque activité.

Concrètement, le complice Web Odilon propose des activités conçues par des enseignants et des auteurs expérimentés afin d'orienter les étudiants, à la maison comme en laboratoire informatique. Les questions et les réponses ont été préparées à partir du manuel. Chaque réponse est soumise à une correction automatique. En tant qu'enseignant, vous n'avez plus qu'à consulter les notes obtenues par vos étudiants et à suivre leurs progrès dans leurs moindres détails : le rendement fourni, la fréquence et la durée de leurs visites sur le site et les pages qu'ils ont consultées.

Les activités interactives et le matériel offerts par notre complice Web s'adressent exclusivement aux enseignants qui utilisent le volume *Initiation à la psychologie* comme manuel de base pour l'enseignement de leur cours ainsi qu'à leurs étudiants. L'inscription au complice Web est gratuite. Toutefois, le soutien fourni par notre service à la clientèle est réservé uniquement aux utilisateurs canadiens.

Que propose ODILON, votre complice Web, aux utilisateurs d'*Initiation à la psychologie* qui veulent accroître leurs connaissances et améliorer leur rendement scolaire ?

- Des ateliers interactifs sous forme de quiz ;
- Des tests de lecture ;
- Des grilles de mots croisés ;
- Des présentations PowerPoint qui schématisent l'ensemble de la matière ;
- Des réseaux de concepts ;
- Une banque des meilleurs sites Internet en psychologie.

Pour profiter d'une gamme d'ateliers stimulants et de documents utiles, consultez le site :

www.cheneliere.ca/parent-cloutier

Table des matières

CHAPITRE

1

Plan du chapitre

Cibles d'apprentissage

Après avoir lu ce chapitre, vous devriez pouvoir :

- préciser les deux événements ayant marqué les débuts de la psychologie en tant que discipline scientifique ;

- nommer les six principales approches que l'on rencontre en psychologie, préciser ce qui les caractérise et en nommer les principaux représentants ;

- définir la psychologie ;

- présenter les buts de la psychologie ;

- présenter les étapes de base de la démarche scientifique ;

- présenter les principales méthodes de recherche utilisées en psychologie et exposer brièvement ce qui les caractérise ;

- préciser les deux dimensions qui permettent de différencier les principaux secteurs de pratique de la psychologie ;

- présenter et illustrer, à l'aide d'exemples, les principaux secteurs de pratique de la psychologie ;

- préciser ce qui distingue le praticien en psychologie des autres « psys » que sont le psychiatre et le psychanalyste.

À la découverte de la psychologie

Comprendre l'humain, tout un défi!

13 septembre 2006: un individu ayant trois armes à feu en sa possession s'introduit au collège Dawson de Montréal et se met à tirer sur les étudiants présents! Bilan de la tragédie: 11 blessés et 2 morts. Les deux décès sont ceux d'Anastasia DeSousa, une étudiante qui en était à sa première année au collège, et du tireur qui a retourné son arme contre lui.

L'auteur de la fusillade, d'origine canadienne, était un jeune homme solitaire et tourmenté qui détestait les sportifs et la société en général. Il était, semble-t-il, un passionné d'un jeu vidéo interdit dans plusieurs pays en raison de son caractère violent. À première vue, ce n'est pas pour des motifs racistes ou pour promouvoir une cause politique qu'il aurait commis son geste.

Une telle tragédie soulève de nombreuses questions: comment le jeune tireur en est-il venu à percevoir le monde de façon si négative? A-t-il reproduit des comportements qu'il avait appris devant les nombreux cas de violence que nous rapportent quotidiennement les médias de toutes sortes? Qu'est-ce qui, au-delà de la souffrance qui habitait le jeune tireur, a pu le motiver à poser un tel geste? Peut-on estimer que le jeune tireur était atteint d'un des nombreux troubles psychologiques décrits dans le domaine de la maladie mentale? Autant d'interrogations qui conduisent fondamentalement à la grande question: comment comprendre la façon dont l'être humain pense et se comporte?

Force est de reconnaître que le présent manuel ne permettra pas de répondre entièrement à cette question, que ce soit dans le cas de la tragédie évoquée plus haut, ou simplement dans le cas d'événements auxquels nous sommes confrontés chaque jour et qui soulèvent des questions analogues sur l'agir humain. On y trouvera néanmoins des éléments de réponses sur notre façon d'interagir avec les autres, interaction qui fait intervenir nos perceptions, nos apprentissages, nos motivations et nos émotions. Ce faisant, nous serons à même de constater la complexité de ce qui fait l'objet de la psychologie. D'où l'importance d'apprendre à aborder les phénomènes humains de façon prudente et nuancée.

Source: <http://www.radio-canada.ca>.

On peut raisonnablement penser que dès les débuts de l'humanité, c'est-à-dire à mesure que se développait la conscience chez cet être qui allait devenir l'humain, ce dernier a commencé à formuler des questions relativement aux agissements d'un congénère : pourquoi m'attaque-t-il ? Comment a-t-il fait pour trouver sa route ? Les premiers questionnements étaient sans doute très concrets, les questions plus abstraites surgissant graduellement, à mesure que se raffinaient les capacités intellectuelles. C'est en étudiant les écrits des philosophes que l'on a pu retracer les premiers éléments de réponse aux questions que l'humain se posait face à lui-même, c'est-à-dire le cheminement qui a finalement conduit à la naissance de la psychologie en tant que science à l'aube du xxᵉ siècle. C'est ce que nous verrons brièvement dans la première partie de ce chapitre qui retracera les débuts de la psychologie. La deuxième partie traitera de l'émergence des grandes approches et donnera un aperçu des principaux points de vue sur la façon de répondre aux questionnements de l'humain sur son fonctionnement, approches théoriques qui se sont développées au début du xxᵉ siècle. Nous serons alors plus à même de comprendre ce qui a fait de la psychologie d'aujourd'hui une science aux multiples secteurs de pratique.

1.1 Les débuts de la psychologie

Le développement de cette discipline qu'on appelle *psychologie* a été long. Dans le survol que nous ferons de ses débuts, nous nous arrêterons d'abord brièvement sur les idées émises par les philosophes, les premiers «psychologues», concernant l'agir humain. Nous verrons ensuite comment se sont effectués les premiers pas vers une psychologie scientifique.

1.1.1 Les philosophes, les premiers « psychologues »

Tout comme les philosophes de l'Antiquité ont été les premiers physiciens, biologistes et mathématiciens, ce sont également eux qui, les premiers, ont «fait de la psychologie ». C'est ainsi que Socrate (470-399 av. J.-C.), célèbre pour son *Connais-toi toi-même*, de même que Platon (428-348 av. J.-C.) et Aristote (384-322 av. J.-C.) — pour ne nommer que trois des plus connus — ont écrit sur l'âme, laquelle constituait pour eux le siège des pensées et des émotions ; ces thèmes faisaient déjà partie du champ d'intérêt de la psychologie, même si le terme «psychologie» n'existait pas à l'époque. C'est en effet vers la fin du xviᵉ siècle ou au début du xviiᵉ que serait apparu le terme, bien que les auteurs ne s'entendent pas sur ce point ; chose certaine, il n'a pas été très utilisé avant la deuxième moitié du xixᵉ siècle.

Testez vos connaissances

1. Les physiciens sont les premiers à avoir fait de la psychologie.
Ce sont les philosophes qui ont été les premiers à faire de la psychologie, même si la discipline n'était pas, à l'époque, définie en tant que telle.

La psychologie a d'abord été définie comme la «science (ou étude) de l'âme». Le flou lié à la conception de l'âme ne pouvait cependant pas se prêter à une approche scientifique au même titre que des sciences naturelles alors bien établies comme la physique et la physiologie. Le terme «science», quant à lui, ne référait pas à la méthode scientifique en usage dans les sciences naturelles, mais avait plutôt une connotation générale de «connaissance, étude».

Nous pouvons ainsi facilement comprendre pourquoi la signification de l'expression «sciences de l'âme» est devenue impropre à définir la psychologie à partir du moment où l'on a voulu aborder cette dernière sous un angle scientifique.

1.1.2 Les premiers pas vers une psychologie scientifique

De nombreux travaux de recherche en avaient préparé l'avènement, mais c'est dans la deuxième partie du XIXe siècle que sont survenus les deux événements qui, de l'avis général des historiens, marquent les débuts et la reconnaissance de la psychologie comme discipline scientifique. On ne s'étonnera pas que les personnes à la source de ces événements aient été des chercheurs provenant de sciences déjà reconnues à l'époque, la psychologie n'ayant pas encore de statut officiel.

Le fait constituant le premier pas vers une psychologie scientifique est la publication, en 1860, d'un ouvrage intitulé *Éléments de psychophysique* (Fechner, 1860). Le terme **psychophysique** — une combinaison de « psychologie » et de « physique » — n'existait pas auparavant ; il a été inventé par l'auteur de l'ouvrage, l'Allemand Gustav Theodor Fechner. Pourquoi ? Il faut savoir qu'après avoir fait des études en biologie — il avait même obtenu un diplôme en médecine (Boring, 1950) —, en physique et en mathématiques, Fechner s'est tourné vers la philosophie, s'opposant ainsi au matérialisme qui niait le côté spirituel de l'humain. Il a ensuite formulé l'hypothèse selon laquelle l'esprit et la matière ne sont que deux aspects d'une même réalité (Boring, 1950 ; Bloch, 1999). C'est donc dans le but de démontrer le bien-fondé de son hypothèse que Fechner a créé cette « science exacte [...] des relations de dépendance entre le corps et l'esprit » (Boring, 1950, p. 281), d'où la combinaison des composantes « psycho » (l'esprit) et « physique » (le corps) pour la nommer. Ayant pour objet de définir la relation mathématique existant entre la mesure physique d'un phénomène (la force exercée sur le tympan par les vibrations sonores, par exemple) et sa perception (la force perçue du son), le champ d'études créé par Fechner a donné lieu à un flot d'études expérimentales qui se poursuivent encore aujourd'hui.

Aux yeux des historiens, l'Allemand Wilhelm Wundt (*voir la photo 1.1*) consacre les débuts de la psychologie scientifique en fondant le premier laboratoire officiel de psychologie expérimentale, en 1879, à Leipzig en Allemagne. Physiologiste de formation tout comme Fechner, Wundt publie en 1862 un volume intitulé *Essai sur la théorie de la perception* que Boring (1950) considère comme marquant le début de la psychologie expérimentale, non seulement en raison de son contenu, mais également parce que Wundt y plaide en faveur de l'utilisation de la méthode scientifique en psychologie. À la même époque, Wundt donne aussi une série de conférences sur la « psychologie envisagée comme une science naturelle[1] » (Boring, 1950, p. 321) d'où émerge, en 1874, un autre volume célèbre pour la psychologie moderne : *Éléments de psychologie physiologique.* C'est toutefois la mise sur pied du laboratoire en 1879 qui donne réellement à la psychologie scientifique ses lettres de noblesse.

Il est vrai qu'à la même époque aux États-Unis, d'autres chercheurs — entre autres William James (*voir la photo 1.2*) — commencent déjà à mener des expériences dans des locaux tenant lieu de laboratoires. Cependant, c'est essentiellement pour deux raisons que l'Histoire a retenu la création du laboratoire de Wundt. En premier lieu, le laboratoire de psychologie de Leipzig — dont le nom officiel était « Institut de psychologie » — constitue le premier laboratoire administrativement intégré à part entière à une université. En second lieu, le laboratoire de Wundt attire rapidement de nombreux chercheurs, ce qui amène ce dernier à fonder une revue permettant de publier les résultats des recherches qui s'y déroulent, faisant ainsi de plus en plus connaître l'existence de cette psychologie scientifique[2] que Wundt baptise la « psychologie physiologique ». Les travaux de ce laboratoire portent principalement sur la perception, le temps de réaction ainsi que, ce qui peut paraître surprenant à première vue, les sentiments (*feelings*).

---

1. Le texte original dit : « *psychology from the standpoint of natural science* ».
2. En fait, la première revue consacrée essentiellement à la psychologie est la revue britannique *Mind* lancée en Angleterre en 1876, mais elle n'a jamais eu le succès, ni même la régularité de la revue fondée par Wundt (Boring, 1950, p. 324-325).

Psychophysique
Étude des relations entre, d'une part, l'intensité d'une stimulation physique donnée et, d'autre part, la nature et l'intensité de la sensation perçue.

Wilhelm Wundt (1832-1920)
Wundt a fondé l'Institut de psychologie qu'on estime être le premier laboratoire officiel de psychologie, ce que les auteurs considèrent généralement comme le deuxième élément ayant marqué les débuts de la psychologie expérimentale.

Photo 1.1

William James (1842-1910)
Américain, il a lui aussi mis sur pied un laboratoire de psychologie, mais ce dernier n'a jamais eu la renommée de celui de Wundt.

Photo 1.2

On s'en doutera, Fechner et Wundt ne sont pas les seuls à avoir adopté l'approche scientifique dans le cadre de travaux de recherche portant sur des sujets qui font aujourd'hui partie du domaine de la psychologie. Par exemple, Hermann von Helmholtz (1821-1894) publie en 1867 — sept ans après Fechner — un traité sur l'optique qui demeurera longtemps une «bible» sur la physiologie de la sensation visuelle. Le chercheur y expose une théorie sur la perception de la couleur dont il sera question au chapitre 3. Un autre scientifique, Hermann Ebbinghaus (1850-1909), fait figure de pionnier dans l'étude de la mémoire — sujet qui n'avait pas été abordé par Wundt et ses collègues —, et les résultats de ses travaux, publiés en 1885, ont encore leur place dans la psychologie actuelle, comme nous le verrons au chapitre 6. C'est cependant dans le domaine particulier où ils ont travaillé que l'influence d'auteurs comme Helmholtz et Ebbinghaus s'est faite sentir, à la différence de Fechner et de Wundt dont les travaux ont marqué le développement de cette nouvelle science, la psychologie scientifique. Il est par ailleurs intéressant de souligner que les pionniers de la psychologie scientifique, ne serait-ce que par leur formation de base et les travaux de recherche qu'ils ont menés, ont posé les bases de l'approche biologique, une façon différente d'aborder les phénomènes de nature psychologique. Nous reparlerons plus loin de cette approche qui occupe d'ailleurs actuellement une place de plus en plus importante dans le champ de la psychologie.

1.2 L'émergence des grandes approches

C'est au XXᵉ siècle que sont conçues différentes approches théoriques qui favoriseront la progression de la démarche scientifique en psychologie, tant en ce qui concerne la façon de comprendre les faits psychologiques que les moyens d'utiliser les connaissances acquises pour traiter les problèmes psychologiques. Nous dresserons ici un portrait de ces approches tout en donnant pour chacune quelques repères historiques. Ces approches seront approfondies davantage dans les autres chapitres lorsque seront abordées les thématiques se rattachant plus particulièrement à l'une d'entre elles.

Parmi ces six grandes approches, nous retrouvons l'approche psychanalytique et la notion d'inconscient, l'approche béhavioriste et la psychologie définie comme la science du comportement, l'approche gestaltiste et l'unité de la personne, l'approche humaniste centrée sur la dimension humaine, l'approche cognitive et le traitement de l'information et, finalement, l'approche psychobiologique et la prise en considération du biologique. Nous mentionnerons par la suite quelques-unes des autres approches contemporaines et nous conclurons cette partie en attirant votre attention sur la convergence croissante des différentes approches.

1.2.1 L'approche psychanalytique et la notion d'inconscient

À l'aube du XXᵉ siècle, la psychologie scientifique a le vent dans les voiles. Jusqu'à maintenant, les travaux de recherche avaient porté principalement sur la sensation, la perception et l'apprentissage. Un autre champ d'intérêt qui bouleversera bientôt le monde de la psychologie commence toutefois à prendre de l'envergure : l'**inconscient**. À l'origine de ce bouleversement se trouve Sigmund Freud (*voir la photo 1.3*). On peut dire sans trop craindre de se tromper que le nom de ce médecin viennois est aujourd'hui aussi connu que celui d'Albert Einstein.

Sigmund Freud (1856-1939)
Médecin viennois d'origine juive, Freud a fondé la psychanalyse, une théorie de la personnalité et une approche thérapeutique basées sur l'inconscient.

Photo 1.3

Inconscient
En psychanalyse, réservoir des pulsions et désirs refoulés auxquels l'individu ne peut avoir accès directement et qui constitue la source première des explications du fonctionnement humain, plus particulièrement des motivations et des émotions.

Médecin de formation, Freud s'intéresse à la maladie mentale et fonde la **psychanalyse**, une théorie de la personnalité dans laquelle les **processus inconscients**, particulièrement ceux liés à la motivation et aux émotions, jouent un rôle crucial. Il en découlera une forme de thérapie dont il sera précisément question dans le chapitre 12. Au cours de ses études de médecine, Freud a travaillé sous la direction de Brücke, un physiologiste qui enseignait «que la psychologie est l'étude du système nerveux central, et que l'énergie psychique est de l'énergie physique créée par les cellules du cerveau» (Boring, 1950, p. 709). Cette façon de concevoir l'énergie psychique influera sur les idées que Freud développera au sujet des forces interagissant au sein de la personnalité.

Psychanalyse
Approche psychologique dont l'inconscient constitue le concept central. Comprend une théorie explicative de la personnalité et une forme de thérapie découlant de la théorie.

Processus inconscient
En psychanalyse, processus dynamique par lequel une pulsion ou un désir est refoulé ou intervient dans la vie comportementale et émotionnelle.

Testez vos connaissances

3. C'est Freud qui a fondé la psychanalyse.
Même si d'autres auteurs avaient parlé de processus inconscients avant Freud, c'est lui qui a fondé la psychanalyse en faisant de l'inconscient son concept central.

Après avoir obtenu son diplôme de médecine en 1881, Freud s'associe avec Breuer, un autre physiologiste et ancien élève de Brücke s'étant lui aussi tourné vers la médecine. À l'époque où Freud le rejoint, Breuer utilise l'hypnose pour tenter de traiter l'**hystérie**, trouble fréquemment rencontré à l'époque et dans lequel un problème physique semblait lié à une cause psychologique. Breuer avait découvert que, dans certains cas du moins, une personne amenée sous hypnose à verbaliser l'événement à l'origine de son problème d'hystérie pouvait se débarrasser de celui-ci. Breuer et Freud ont dès lors nommé ce traitement la **cure par la parole**[3].

Hystérie
Terme utilisé à l'époque de Freud pour désigner différents problèmes physiques ayant pour principal point commun de sembler s'expliquer par un problème psychologique.

Cure par la parole
En psychanalyse, forme de thérapie caractérisée par une verbalisation, faite par le patient, de l'histoire et de la manifestation de ses symptômes.

De 1885 à 1886, Freud étudie à Paris avec Jean-Martin Charcot (1825-1893). Premier à avoir tenté de traiter l'hystérie par l'hypnose, Charcot pensait que tous les cas d'hystérie étaient d'ordre sexuel. Freud revient ensuite à Vienne pour travailler avec Breuer. Les deux commencent alors à soupçonner la portée limitée de l'hypnose : d'une part, les effets du traitement s'estompent et les symptômes réapparaissent ; d'autre part, les patientes — car les cas d'hystérie étaient pour la plupart des femmes — tendent à tomber amoureuses du thérapeute, ce que Freud et Breuer nomment le **transfert**.

Transfert
En psychanalyse, processus par lequel un patient développe un lien affectif intense envers le thérapeute et en vient à attribuer à ce dernier ou à reporter sur lui des réactions émotionnelles associées à un conflit refoulé.

Devant les problèmes rencontrés, Breuer se tourne en 1895 vers d'autres sujets d'étude, tandis que Freud, de plus en plus passionné par la façon dont l'inconscient peut influencer l'agir de l'individu, continue de chercher une technique permettant de rejoindre cet inconscient qui résiste à se dévoiler. Freud en arrive ainsi à découvrir qu'au lieu d'utiliser l'hypnose pour provoquer la cure par la parole, on peut procéder en utilisant l'**association libre** — technique dans laquelle le patient dit le mot qui lui vient spontanément à l'esprit en réponse à un mot prononcé par le thérapeute — et en interprétant les rêves. Commence alors une période fertile où Freud, à partir de concepts qu'il avait déjà développés à l'époque de son association avec Breuer, élabore graduellement la psychanalyse, une théorie de la personnalité et une forme de thérapie qui donneront lieu à une nouvelle approche, l'**approche psychanalytique**, qui aura des répercussions importantes en psychologie.

Association libre
En psychanalyse, technique inventée par Freud et consistant à demander au patient de dire ce qui lui vient spontanément à l'esprit, c'est-à-dire sans restriction aucune, à la suite d'un mot prononcé par le thérapeute.

Approche psychanalytique
Façon d'aborder le fonctionnement de l'humain basée sur la psychanalyse.

Dans le chapitre 12, nous verrons en quoi consistent plus précisément la théorie conçue par Freud et la méthode thérapeutique qui en découle, mais rappelons pour l'instant l'idée centrale à la base de la théorie freudienne de la personnalité : ce qui

---

3. Il semblerait (Bloch *et al.* (Éds.), 1999, p. 609 ; Bormans, 2002) que l'expression «cure par la parole» provienne d'une suggestion d'Anna O., nom fictif donné à une patiente de Breuer dont l'histoire sera racontée en 1895 dans un ouvrage publié conjointement par Breuer et Freud (Freud & Breuer, 1895).

Énergie psychique

En psychanalyse, énergie d'où sont issus les pulsions et les désirs à la base de la vie comportementale et émotionnelle.

Archétype

En psychanalyse jungienne, stéréotype associé à un modèle ancien — « arché » venant du grec *archeos* qui signifie « ancien » — et universel auquel l'individu cherche inconsciemment à ressembler ou à s'opposer ; l'animus, l'anima et le héros sont des exemples d'archétypes.

Animus

Archétype jungien représentant l'idéal masculin.

Anima

Archétype jungien représentant l'idéal féminin.

Introspection

Activité d'une personne observant ce qu'elle ressent intérieurement pour tenter de le décrire le plus minutieusement possible.

Béhaviorisme

• Sens restreint : approche psychologique ne s'intéressant qu'aux comportements directement observables, ceux-ci étant considérés comme des réponses apprises en réaction aux stimuli provenant du milieu ; fondée par Watson cette approche ne se rencontre pratiquement plus actuellement.

• Sens large : approche psychologique s'intéressant autant aux comportements directement observables qu'aux processus mentaux observables indirectement, et considérant que les comportements sont des réponses apprises en réaction aux stimuli provenant du milieu. Comprend une théorie explicative de la personnalité et une forme de thérapie découlant de la théorie.

Stimulus (*au pluriel : stimuli*)

Objet, situation ou événement susceptible de provoquer une réponse, c'est-à-dire une réaction de la part d'un organisme.

John B. Watson (1878-1958)
Se basant sur les travaux de Pavlov, Watson a fondé le béhaviorisme, une approche qui considère que la plupart des comportements sont appris par conditionnement.

Photo 1.4

motive un individu, et ce qui explique non seulement les problèmes psychologiques qu'il vit, mais aussi l'ensemble de ses sentiments et de ses actions, provient de conflits inconscients non résolus entre différentes formes d'**énergie psychique**, l'énergie sexuelle étant la plus importante d'entre elles.

Même si les idées de Freud — particulièrement la place qu'il attribue à la sexualité — choquent plusieurs de ses contemporains et soulèvent de nombreuses critiques, elles gagnent néanmoins certains adeptes, dont les plus connus sont Alfred Adler et Gustav Carl Jung. Ces derniers finissent cependant par se dissocier de Freud, car ils en viennent à accorder beaucoup moins d'importance à l'énergie sexuelle dans les conflits inconscients : Adler pense que l'énergie fondamentale n'est pas la sexualité, mais le besoin de compenser un sentiment d'infériorité ressenti par le jeune enfant face à l'adulte, alors que pour Jung, les motivations fondamentales de l'individu prennent leur source dans un inconscient collectif formé d'**archétypes** ancestraux tels que l'**animus** et l'**anima**, lesquels représentent respectivement les stéréotypes universels inconscients du masculin et du féminin. Malgré les positions différentes qu'ils expriment, Adler et Jung — de même que bon nombre d'auteurs — s'inscrivent dans l'approche psychanalytique de par leur croyance dans l'existence de l'inconscient.

1.2.2 L'approche béhavioriste et la psychologie définie comme la science du comportement

Alors même que se développe la psychanalyse, la psychologie physiologique issue du courant de recherche créé par Wundt devient de plus en plus contestée en tant que science. Une des critiques formulées a trait à la méthode préconisée par Wundt : utiliser l'**introspection** — terme signifiant « regarder à l'intérieur » — pour tenter d'observer intérieurement et de décortiquer la sensation, c'est-à-dire l'impression subjective créée par la présentation d'une image, d'un son, etc. De plus en plus de chercheurs considèrent que cette façon de procéder n'est pas réellement scientifique parce qu'on ne peut communiquer objectivement une sensation ressentie subjectivement. La solution à ce manque d'objectivité se trouve dans des recherches menées par le physiologiste russe Ivan Pavlov.

Pavlov avait démontré que le réflexe de salivation, lequel est normalement déclenché par la présence de nourriture dans la bouche, peut être provoqué par ce que le chercheur russe avait appelé un *stimulus psychique* tel qu'un son ; autrement dit, un organisme peut être conditionné — nous le verrons plus en détail au chapitre 5 — à réagir à un stimulus auquel il ne réagissait pas auparavant. John B. Watson (*voir la photo 1.4*), un physiologiste américain qui étudiait le comportement animal et qui avait pris connaissance des travaux de Pavlov, commence à les utiliser pour ainsi faire faire à la psychologie un autre pas vers une approche résolument scientifique.

Réalisant que le phénomène étudié par Pavlov peut s'appliquer à de nombreux aspects du comportement, Watson publie, en 1913, un article intitulé « Psychology as the behaviorist views it » dans lequel il propose une autre définition de la psychologie et une nouvelle façon d'expliquer le comportement et la personnalité. Le contenu de cet article fondateur du **béhaviorisme** sera d'ailleurs repris plus en détail dans un volume que Watson publie en 1924, *Psychology from the standpoint of a behaviorist*. Selon Watson, mis à part quelques réflexes innés chez le bébé, presque tous les comportements sont appris et constituent une réponse à un **stimulus** (image, son, situation, etc.) qu'on peut définir objectivement. Pour comprendre les différences de personnalités, il suffit alors de connaître les situations auxquelles un individu a été exposé, ou quelles réponses il a appris à présenter en réaction à quels stimuli. Watson en arrive ainsi à définir la psychologie comme la science du comportement, laquelle porte exclusivement sur l'étude des relations entre stimuli et réponses, c'est-à-dire uniquement ce qui est observable, mesurable et quantifiable. Voulant faire de la psychologie une science tout à fait objective, il en exclut l'élément subjectif que constitue la conscience qu'il considère comme une boîte noire dont l'intérieur est impossible à observer objectivement.

4. Les premiers psychologues qui ont étudié l'apprentissage ont mis l'accent sur l'importance des processus conscients.

Les premiers psychologues qui ont mis l'accent sur l'apprentissage, avec à leur tête Watson, considéraient que les processus conscients ne sont pas directement accessibles par l'observation et qu'ils sont donc hors d'atteinte de l'approche scientifique.

Même si, d'après Boring (1950), les temps étaient propices à une plus grande objectivité en psychologie par rapport à l'approche préconisée par Wundt, le changement de cap que constitue l'**approche béhavioriste** proposé par Watson est radical. Il va même jusqu'à affirmer, dans un texte publié originellement en 1924 et maintes fois repris depuis :

> Donnez-moi une douzaine de nouveau-nés bien formés, ainsi qu'un environnement où je pourrais les éduquer selon mes critères, et je vous garantis qu'en en prenant un au hasard, je pourrai en faire n'importe quel type de spécialiste que j'aurai choisi — médecin, avocat, artiste, commerçant et, oui, même un mendiant et un voleur, quels que soient ses talents, ses domaines d'intérêt, ses habiletés, ses vocations et la race de ses ancêtres. (Watson, 1925, p. 82)

Il va de soi qu'aucun béhavioriste — même parmi ceux qui continuent à accorder une très grande importance aux influences de l'environnement — n'oserait actuellement souscrire entièrement à l'affirmation de Watson. D'ailleurs, même à cette époque, la position de Watson est qualifiée de «béhaviorisme naïf» (Boring, 1950, p. 645) en raison de son caractère radical. Malgré cela, l'accent qu'elle met sur le caractère objectif des liens stimulus-réponse intéresse nombre de chercheurs. Parmi eux, on compte Burrhus F. Skinner, devenu célèbre depuis par ses travaux sur une autre forme d'apprentissage dont il sera notamment question au chapitre 5 et qui est basée sur les conséquences — récompenses ou punitions — d'un comportement. Un autre chercheur, Albert Bandura, adopte l'approche béhavioriste, mais en mettant l'accent sur le fait que beaucoup de comportements sont appris par imitation, comme le jeune enfant qui apprend à se soucier de l'environnement en voyant ses parents recycler certains déchets domestiques. L'apprentissage par «observation de modèle» étudié par Bandura accorde ainsi une place importante à l'apprentissage social; on parle de **néobéhaviorisme** pour qualifier cet élargissement de l'approche béhavioriste. Cette dernière a beaucoup évolué depuis ses débuts, grâce non seulement à Bandura, mais également à beaucoup d'autres chercheurs. Les béhavioristes d'aujourd'hui ne rejettent plus, à priori, les faits de conscience, mais cherchent plutôt à les définir le plus objectivement possible, quitte à le faire de façon indirecte en observant par exemple l'activité électrique du cerveau lors du rêve.

L'évolution de l'approche béhavioriste ne s'est pas faite que sur le plan théorique. La recherche que cette approche a suscitée a en effet trouvé des applications dans différents domaines, en particulier dans la mise au point de différentes techniques de thérapie, comme nous le verrons au chapitre 12.

1.2.3 L'approche gestaltiste et l'unité de la personne

Le béhaviorisme n'est pas le seul courant de pensée qui naît en réaction à la façon dont Wundt prétend se servir de la méthode scientifique en psychologie. En même temps que le béhaviorisme se répand aux États-Unis, c'est-à-dire à partir de la deuxième décennie du XXe siècle, une autre approche prend naissance en Allemagne, principalement sous l'influence de trois chercheurs : Max Wertheimer, le chef du groupe (*voir la photo 1.5*), Wolfgang Köhler, qui allait devenir le plus connu grâce à ses travaux sur l'intelligence animale, et Kurt Koffka, le plus prolifique en termes de publications. Ces chercheurs s'opposent non pas tant à la méthode d'introspection de Wundt — à la différence des béhavioristes — qu'à la façon dont Wundt analyse les phénomènes perceptifs. Pour Wundt, l'analyse méticuleuse des perceptions à l'aide de

Approche béhavioriste
Façon d'aborder le fonctionnement de l'humain basée sur le béhaviorisme.

Néobéhaviorisme
Forme de béhaviorisme (pris au sens large) mettant particulièrement l'accent sur l'importance de l'imitation dans l'apprentissage des comportements.

Max Wertheimer (1880-1943)
Chef de file du groupe qui a fondé l'approche gestaltiste.

Photo 1.5

Gestalt
Terme d'origine allemande qui réfère à une forme en tant qu'entité organisée.
• En perception : ensemble structuré d'éléments constituant un tout, caractérisé par les relations entre les éléments et non par les éléments en tant que tels.
• En théorie de la personnalité : perception globale que l'individu a de lui-même, en tant que personne et dans ses relations avec son milieu.

Approche gestaltiste
Façon d'aborder le fonctionnement de l'humain basée sur la notion de gestalt et mettant l'accent sur les relations entre éléments plutôt que sur les éléments. Comprend, outre une approche particulière de la perception, une théorie explicative de la personnalité et une forme de thérapie découlant de la théorie.

l'introspection montre que ces dernières se réduisent à des sensations élémentaires qui constituent en quelque sorte les éléments de base de la conscience. Pour Wertheimer et ses collaborateurs, la perception porte d'abord et avant tout sur des **gestalts**, un terme d'origine allemande qui désigne essentiellement des ensembles structurés d'éléments où ce ne sont pas les éléments qui comptent, mais les relations qui existent entre eux ; en raison de la difficulté à traduire adéquatement le terme « gestalt », on l'a conservé et convenu d'appeler *gestaltistes* les tenants de cette nouvelle façon de voir, rapidement désignée **approche gestaltiste**.

L'un des exemples les plus simples et les plus fréquemment présentés pour illustrer ce que soutiennent les gestaltistes est la mélodie d'une chanson : qu'un air soit interprété par une femme à la voix aiguë ou par un homme à la voix plus grave, on reconnaît aisément la mélodie, dans un cas comme dans l'autre, bien que les deux interprètes n'utilisent pas les mêmes éléments, c'est-à-dire les mêmes notes, car on y retrouve la même gestalt, c'est-à-dire la même mélodie, les relations entre les notes étant identiques dans les deux cas. Ce ne sont donc pas les éléments en tant que tels qui sont importants, mais les relations entre ceux-ci. Il s'agit là d'une réalité bien connue des guitaristes, par exemple, lesquels sont habitués à transposer une chanson d'une tonalité à une autre afin de l'adapter à leur registre ou encore à celui d'un autre interprète. Les gestaltistes ont résumé ce phénomène par une phrase devenue classique : *Le tout est plus que la somme de ses parties.*

En plus de rejeter la conception élémentariste de Wundt, les gestaltistes s'opposent également à l'approche béhavioriste de Watson, approche qu'ils considèrent comme trop réductrice. Ainsi, alors que pour Watson, la psychologie scientifique se limite à étudier quels stimuli provoquent quelles réponses, comme l'illustre la figure 1.1a, les gestaltistes insistent sur le fait qu'un stimulus n'a pas forcément la même signification pour tout le monde et que c'est la relation entre le stimulus et l'organisme, c'est-à-dire la combinaison stimulus-organisme qui déterminera la réponse, ainsi que l'illustre le schéma de la figure 1.1b. Nous pourrions ici reprendre l'exemple de la mélodie et souligner qu'un même morceau de musique peut provoquer diverses réactions (se mettre à danser ou encore faire une moue de dépit) chez deux personnes différentes, selon qu'elles aiment ou non la mélodie en question.

Au chapitre 3, nous reverrons un peu plus en détail les principaux éléments mis de l'avant par les gestaltistes dans leurs études des phénomènes perceptifs. Il importe cependant de souligner ici que l'accent mis par les premiers gestaltistes sur les relations entre les éléments a été repris — « transposé », pourrait-on dire — par d'autres auteurs, entre autres par Frederick Perls dans le domaine de la psychothérapie. C'est ainsi qu'est née, vers 1940, la gestaltthérapie, une méthode de thérapie encore très

FIGURE 1.1	**La principale différence entre les schémas béhavioriste et gestaltiste**

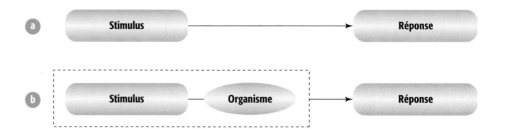

Schéma illustrant la façon de concevoir le lien entre le stimulus et la réponse selon les approches béhavioriste **ⓐ** et gestaltiste **ⓑ**.

actuelle, selon laquelle nombre de troubles psychologiques s'expliquent par des gestalts inachevées en raison de relations inappropriées entre différentes perceptions qu'un individu a de lui et des autres.

1.2.4 L'approche humaniste centrée sur la dimension humaine

Les approches béhavioriste et gestaltiste, malgré leurs divergences théoriques, partagent néanmoins le même point de vue général : la psychologie doit continuer à croître dans le cadre de la méthode scientifique. Même dans le cas de la psychanalyse freudienne que Boring (1950, p. 713) qualifie de « préscientifique » — considérant que cette dernière n'a pas conçu d'expériences soigneusement contrôlées —, on retrouve la même préoccupation que celle qui est à la base de la méthode scientifique : s'appuyer le plus possible sur l'observation des faits. Or, c'est vers les années 1940 — c'est-à-dire à l'époque même où Perls fonde la gestaltthérapie — qu'apparaît une autre approche qui mettra l'accent sur la dimension humaine, au détriment, s'il le faut, de l'objectivité et de la rigueur scientifique ; son principal représentant : le psychopédagogue Carl Rogers (*voir la photo 1.6*).

Après s'être intéressé aux sciences agricoles, Rogers entre à l'Union Theological Seminary pour devenir pasteur, mais il part après deux ans, voulant conserver sa liberté de pensée. S'intéressant aux enfants à problèmes, il s'inscrit en psychopédagogie clinique au Teacher's College de Columbia, où la formation insiste sur la méthodologie scientifique. Il y sera exposé non seulement au béhaviorisme, mais aussi à la psychanalyse.

Intéressé initialement par le béhaviorisme, Rogers projetait d'élever son premier enfant en suivant à la lettre les principes de cette approche ; heureusement, confie-t-il également dans son autobiographie, son épouse était moins stricte que lui (Rogers, 1971). Rogers se détache assez tôt du béhaviorisme dont il deviendra un farouche adversaire : selon lui, en se limitant à l'étude des stimuli et des comportements, cette approche est trop froide et ne s'intéresse pas réellement à ce qui est important pour la personne aux prises avec un problème.

En explorant l'inconscient de l'individu à partir de ce qu'exprime ce dernier, la psychanalyse semble au départ se préoccuper davantage de la personne. Cependant, travaillant auprès d'enfants marginaux et délinquants dans une clinique psychopédagogique de Rochester, Rogers en vient à considérer comme insatisfaisante l'approche psychanalytique. D'une part, cette approche « ne se rapproche pas des expériences individuelles, mais elle les interprète, les juge de l'extérieur, dans une perspective, à son avis peu authentique » (La Puente, 1970, p. 22) ; d'autre part, la psychanalyse ne fait pas de place aux facteurs sociaux dans l'explication des conflits personnels, facteurs qui, d'après ce que Rogers constate dans son travail, jouent un rôle crucial dans les problèmes des enfants qu'il rencontre. C'est ce cheminement qui amène Rogers à développer une approche qui le satisfait davantage, approche qui gagne d'ailleurs rapidement de nombreux adeptes.

Dans le chapitre 12 consacré à la psychothérapie, nous exposerons les principaux concepts caractérisant l'approche rogerienne et nous verrons comment la théorie de Rogers concernant la personnalité a amené ce dernier à mettre au point sa propre forme de thérapie qui, selon lui, doit être centrée sur la personne en tant qu'humain. Qu'il suffise pour l'instant de savoir que la position développée par Rogers a été influencée par un courant de pensée né autour de 1950 et baptisé **approche humaniste** par Abraham H. Maslow. Pour ce dernier, ce que l'individu cherche avant tout, c'est de donner un sens à sa vie afin d'en arriver à s'épanouir pleinement en tant que personne en exploitant au maximum toutes ses possibilités. Cette importance accordée aux désirs profonds de la personne correspond parfaitement à la vision de l'humain vers laquelle évolue Rogers, et ce dernier deviendra rapidement, avec Maslow, l'un des deux principaux représentants de l'approche humaniste. Bien que l'approche humaniste ait été beaucoup critiquée parce que « non scientifique », elle a été et demeure encore très populaire auprès des intervenants en psychologie.

Approche humaniste
Façon d'aborder le fonctionnement de l'humain mettant l'accent sur l'individu en tant que personne humaine dont le but ultime est de réaliser son plein potentiel. Comprend, outre une approche particulière de la motivation, une théorie explicative de la personnalité et une forme de thérapie découlant de la théorie.

1.2.5 L'approche cognitive et le traitement de l'information

À l'époque où l'approche humaniste prend de l'ampleur, c'est-à-dire vers le milieu du xxᵉ siècle, une autre approche plus théorique commence à émerger. L'essor de l'informatique et les progrès constants dans ce domaine permettent en effet de réaliser qu'un ordinateur adéquatement programmé peut exécuter des tâches qu'on croyait auparavant réservées à l'esprit humain : recueillir des connaissances et les mémoriser, jouer aux échecs, résoudre des problèmes mathématiques complexes, etc. Des chercheurs proposent alors d'étudier le cerveau en le considérant comme un organisme traitant de l'information et prenant des décisions en conséquence, un peu comme le fait un ordinateur.

Appelée à l'origine *théorie du traitement de l'information* (*information-processing theory*), cette approche a par la suite été désignée plus globalement **approche cognitive**, le terme « cognitif » provenant du mot latin *cognoscere* qui signifie « connaître ». On s'est en effet rendu compte qu'en prenant l'ordinateur comme modèle du cerveau, on étudiait essentiellement les processus cognitifs ou, plus précisément, la façon dont les connaissances sont acquises et jouent un rôle dans les actions prises par l'organisme. En raison de l'accent qu'elle met sur les processus d'acquisition des connaissances, l'approche cognitive en vient à inclure les travaux du Suisse Jean Piaget (*voir la photo 1.7*). Biologiste de formation, Piaget se tourne par la suite vers la psychologie de l'enfant et élabore ce qui demeure encore la théorie la plus complète sur le développement de l'intelligence — théorie dont nous reparlerons dans le chapitre 7, précisément consacré à l'intelligence. On considère également que les idées de Bandura, dont il a été question à propos du néobéhaviorisme, s'inscrivent en partie dans l'approche cognitive, les processus mentaux y étant vus comme jouant un rôle important dans l'observation des modèles à la base de l'apprentissage social.

Même si c'est sur le plan théorique que l'approche cognitive a d'abord été conçue — particulièrement dans le domaine de la mémoire —, elle a par la suite, à l'instar des autres approches, conduit à une approche thérapeutique. Fondée par Albert Ellis, l'approche cognitive s'articule autour de cette idée centrale : nombre de problèmes émotionnels dépendent de certaines connaissances ou « fausses croyances » que l'individu a acquises dans ses relations avec les autres, et la façon de corriger le problème consiste à rectifier les croyances en cause.

1.2.6 L'approche psychobiologique et la prise en considération du biologique

Qu'il s'agisse de Fechner, de Wundt, de Pavlov ou de Watson, les pionniers de l'approche scientifique en psychologie ont pour la plupart été formés en physiologie ou, de façon plus générale, en biologie. Rien d'étonnant à cela, si l'on considère que l'organisme qui perçoit, apprend et exprime des émotions, bref l'organisme que l'on étudie et avec lequel on est en contact, est d'abord et avant tout un organisme biologique. Rien d'étonnant non plus à ce que depuis les débuts de la psychologie scientifique, et alors même que se développaient différentes approches en psychologie, de nombreux chercheurs aient continué d'étudier les phénomènes psychologiques du point de vue de la biologie, en essayant de trouver à quoi correspond tel ou tel phénomène psychologique sur le plan biologique.

Au-delà de ce qui peut être observé directement, quels processus biologiques sont mis en jeu lorsqu'un individu identifie une couleur, lorsqu'il reconnaît un morceau de musique, lorsqu'il apprécie différemment un toucher selon qu'il est fait par la personne aimée ou par un médecin, ou lorsqu'il éclate de rire à la suite d'une phrase dite par un humoriste ? Autant de questions auxquelles s'intéressent les chercheurs qui adoptent l'**approche psychobiologique** dans leurs recherches sur le comportement et les faits de conscience. Comme l'indiquent les composantes « psycho » et

Approche cognitive
Façon d'aborder le fonctionnement de l'humain mettant l'accent sur les processus mentaux, plus particulièrement sur la façon dont ces derniers traitent l'information permettant l'acquisition de connaissances et influencent le comportement. Comprend une théorie explicative de la personnalité et une forme de thérapie découlant de la théorie.

Jean Piaget (1896-1980)
Biologiste avant de s'intéresser à la psychologie, Piaget a élaboré ce qui demeure encore la théorie la plus complète sur le développement de l'intelligence.

Photo 1.7

Approche psychobiologique
Façon d'aborder le fonctionnement de l'humain mettant l'accent sur les liens entre les phénomènes psychologiques et les structures et mécanismes biologiques sous-jacents (système nerveux, gènes, hormones). Comprend une théorie explicative de la personnalité et certaines techniques d'intervention découlant de la théorie.

«biologique» du terme la désignant, cette approche vise à faire le pont entre le volet biologique et le volet psychologique des phénomènes étudiés[4].

Même si certaines recherches sur des sujets appartenant au domaine de la psychobiologie ont été conduites auparavant, on considère généralement que c'est à partir du XXe siècle que cette approche a réellement démarré, notamment avec les travaux de Karl Lashley sur la mémoire. Dans les années 1940, ce dernier tente d'établir dans quelle partie du cerveau sont stockés les souvenirs d'un rat qui a appris à retrouver son chemin dans un labyrinthe. Les recherches de Lashley ne peuvent établir de lien précis entre un souvenir et un endroit dans le cerveau, mais de nouvelles données sont recueillies quelques années plus tard par le neurophysiologiste américain Wilder G. Penfield (*voir la photo 1.8*) : en traitant une patiente atteinte de crises d'anxiété inexplicables, Penfield constate qu'en stimulant une certaine région du cerveau, il peut faire ressurgir d'anciens souvenirs chez la patiente.

Depuis l'époque de Penfield, les recherches ont porté non seulement sur la mémoire, mais également sur des questions telles que : qu'arrive-t-il si l'on doit sectionner ou enlever une structure donnée pour prévenir une crise d'épilepsie ou pour traiter une tumeur au cerveau ? Que se passe-t-il lorsqu'une personne est atteinte d'amnésie à la suite d'un accident ? Comment un désordre hormonal peut-il être à la source de comportements agressifs ? De plus, avec l'arrivée de nouvelles technologies mises au service de l'observation du cerveau, les recherches permettent d'en apprendre sans cesse davantage sur ces questions. Présentant un volet à la fois biologique et psychologique, ces recherches seront reprises tout au long du manuel dans les chapitres concernés, mettant ainsi à contribution les notions qui sont exposées dans le chapitre 2, lequel porte précisément sur le système nerveux.

Le tableau 1.1 (*page 14*) résume ce qui caractérise les six principales approches.

1.2.7 Les autres approches contemporaines

Outre les approches dont il a été question précédemment, il en existe aujourd'hui de nombreuses qui visent à comprendre le fonctionnement de l'individu. Trois d'entre elles seront mentionnées ici, soit l'approche évolutionniste, l'approche écosystémique (ou écologique) et l'approche positive.

L'approche évolutionniste

Apparue à la fin des années 1980 et mise de l'avant par John Tooby et Leda Cosmides (*voir la photo 1.9*), l'**approche évolutionniste** vise à expliquer le développement des comportements et de la pensée humaine à partir de principes d'adaptation inspirés des théories de Darwin (Cosmides & Tooby, 1989 ; Tooby & Cosmides, 1992). Selon cette approche, les comportements et la pensée ont évolué de la même manière que les espèces, en s'adaptant aux contraintes de l'environnement. Un des principaux domaines où cette approche a été appliquée avec succès est celui visant à expliquer les différences observées entre les sexes, sur les plans tant biologique que comportemental, mental et culturel (Geary, 2003).

Wilder G. Penfield (1891-1976)
D'abord assistant de Lashley, Penfield a découvert que la stimulation de certaines régions du cerveau pouvait réveiller certains souvenirs.

Photo 1.8

Deux pionniers de l'approche évolutionniste
John Tooby et Leda Cosmides, les pionniers de l'approche évolutionniste en psychologie.

Photo 1.9

Approche évolutionniste
Approche inspirée de la sélection naturelle de Darwin et expliquant le développement des comportements et de la pensée humaine à partir du besoin de s'adapter aux contraintes de l'environnement.

---

4. L'approche psychobiologique est tantôt qualifiée de simplement *biologique,* tantôt dite *neuropsychologique,* mais le terme «psychobiologique» est ici préféré aux deux autres termes pour la raison suivante : alors que le simple qualificatif «biologique» omet de signaler le volet psychologique, le terme «neuropsychologique» laisse croire à tort que seul le système nerveux est impliqué, ce qui n'est pas le cas, le système hormonal l'étant également, de même que l'ensemble du corps ; le terme « biologique » est pour sa part plus englobant. Par ailleurs, le qualificatif «psychophysiologique» pourrait quant à lui être acceptable, mais il risquerait d'être confondu avec l'approche de Wundt, approche qui ne correspond pas exactement à ce dont il est question ici.

TABLEAU 1.1 — Les grandes approches ayant marqué l'histoire de la psychologie et dont les influences sont encore présentes

	Quelques personnages marquants	Concepts et notions de base	Approche thérapeutique
L'approche psychanalytique	• Freud • Adler • Jung	• L'inconscient comme concept central : – alimenté par l'énergie sexuelle, selon Freud – alimenté par le sentiment d'infériorité, selon Adler – constitué d'archétypes, selon Jung	• Retrouver dans l'inconscient les éléments qui sont sources de problèmes
L'approche béhavioriste	• Watson • Skinner • Bandura	• Psychologie = étude des comportements appris : – par association entre stimuli, selon Watson – par récompenses et punitions, selon Skinner – par imitation, selon Bandura (néobéhaviorisme)	• Agir sur l'interaction entre l'individu et l'environnement pour modifier le comportement
L'approche gestaltiste	• Wertheimer • Köhler • Koffka • Perls	• Perception portant sur des gestalts, c'est-à-dire des ensembles structurés d'éléments, et non sur des éléments	• Considérer la personne comme un tout
L'approche humaniste	• Maslow • Rogers	• Humain fondamentalement motivé par le désir de s'actualiser	• Se centrer sur la personne en tant qu'humain et non comme un cas
L'approche cognitive	• Piaget • Ellis	• Accent sur les processus mentaux dans l'acquisition des connaissances et dans les actions faites par l'organisme	• Corriger les fausses interprétations pour modifier les comportements
L'approche psychobiologique	• Lashley • Penfield	• Liens entre le volet biologique (système nerveux, gènes, hormones) et le volet psychologique	• Agir sur le biologique pour modifier le psychologique

Processus Mentaux

Approche écosystémique

Aussi appelée **Approche écologique**

Approche centrée sur la personne en tant qu'individu au cœur d'un environnement à couches multiples (famille, communauté rapprochée, société, environnement global), et où les couches de l'environnement ont d'autant plus d'influence sur l'individu qu'elles en sont rapprochées.

Psychologie positive

Approche psychologique mettant l'accent à la fois sur l'étude des forces et des vertus qui rendent les individus et les communautés aptes à s'épanouir pleinement, et sur l'importance de travailler dans le cadre de la méthode scientifique.

L'approche écosystémique

L'**approche écosystémique** (ou **écologique**) développée par Urie Bronfenbrenner (1979) est centrée sur la personne en tant qu'individu au cœur d'un environnement à couches multiples, comme schématisé dans la figure 1.2. L'environnement familial est celui qui influence l'individu de la façon la plus immédiate, cet environnement étant lui-même influencé par le réseau culturel communautaire formé d'éléments tels que l'école et les groupes de pairs, réseau dans lequel l'individu est inclus. Viennent ensuite les institutions sociales en général, puis les influences aux niveaux international et mondial. Pour Bronfenbrenner, les couches de l'environnement ont d'autant plus d'influence sur l'individu qu'elles en sont rapprochées.

La psychologie positive

En instaurant un séminaire intitulé *Positive Psychology* et en mettant sur pied le Positive Psychology Center à l'université de Pennsylvanie à la toute fin des années 1990, Martin E. P. Seligman (*voir la photo 1.10*) a fondé cette approche qu'on nomme actuellement **psychologie positive**. Celle-ci peut être définie comme « l'étude scientifique des forces et des vertus qui rendent les individus et les communautés aptes à s'épanouir pleinement » (Positive Psychology Center, 2007a).

Deux grands thèmes se dégagent de cette définition. D'une part, l'objectif de plein développement qu'on y retrouve est en continuité avec l'approche humaniste ; l'expression « psychologie positive » avait d'ailleurs déjà été utilisée par Maslow pour titrer un chapitre de son volume *Motivation and personality* (Maslow, 1954). En ce sens, la psychologie positive ne se présente pas comme un champ d'intérêt tout à fait nouveau. D'autre part, le caractère scientifique de la définition traduit une volonté de rendre « opérationnelle » l'étude de la tendance de l'humain à se réaliser, l'importance de la validation empirique ayant été, d'après les tenants de la psychologie positive,

FIGURE 1.2   Le modèle écosystémique de Bronfenbrenner

Environnement global

Société

Communauté/Culture

Famille

Individu

Selon le modèle écosystémique, l'individu est au cœur d'un environnement à couches multiples, les plus rapprochées exerçant sur lui davantage d'influence.

Martin E. P. Seligman (1942-)
Seligman, considéré comme le fondateur de la psychologie positive.

Photo 1.10

trop négligée par le mouvement humaniste (Seligman & Csikszentmihalyi, 2000 ; Positive Psychology Center, 2007b). Or, ces derniers considèrent que c'est surtout sur les problèmes que se sont traditionnellement concentrés les travaux de recherche à caractère empirique. Ils mettent ainsi de l'avant l'importance d'utiliser la même méthodologie pour étudier non seulement ce qui ne va pas, mais aussi le côté positif du fonctionnement humain. Selon eux, les efforts de recherche devraient se concentrer sur trois aspects principaux : établir l'importance des émotions positives dans le plein épanouissement de l'individu, déterminer les traits de caractère qu'on retrouve chez les personnes épanouies et définir les caractéristiques des environnements sociaux où évoluent les personnes épanouies. Selon les tenants de cette approche, on devrait ainsi en arriver à une compréhension scientifique plus complète et plus équilibrée de l'expérience humaine (Seligman, Steen, Park, & Peterson, 2005).

1.2.8   La convergence croissante des différentes approches

Quelle est la meilleure approche parmi celles qui viennent d'être présentées ? Il s'agit là d'une fausse question…

Tout comme il faut souvent regarder un objet complexe sous différents angles pour arriver à s'en faire une meilleure représentation globale, on peut en effet considérer qu'en mettant l'accent sur un aspect donné dans l'étude des faits psychologiques, chaque approche a contribué à enrichir — et continue à le faire — notre compréhension globale de l'être humain. Ce qui compte, donc, c'est d'abord et avant tout de voir quel est l'apport de chaque approche dans la compréhension des phénomènes psychologiques de la vie de tous les jours.

Il importe également de souligner que les différences entre les approches psychologiques sont aujourd'hui beaucoup moins marquées qu'elles ne l'étaient à l'origine. Ainsi, les béhavioristes ont évolué vers un néobéhaviorisme qui accepte d'inclure, à l'instar des gestaltistes, les processus mentaux et l'organisme percevant comme objet d'étude. De leur côté, les gestaltistes se sont efforcés de tendre, comme les béhavioristes, vers la plus grande objectivité possible. Ces deux approches ont elles-mêmes reconnu dans l'approche cognitive une nouvelle façon d'aller plus loin dans l'étude des processus mentaux. Par ailleurs, la psychanalyse est maintenant comprise dans l'approche psychodynamique, laquelle comprend non seulement la psychanalyse traditionnelle, mais aussi d'autres variantes qui s'en sont progressivement distinguées. En ce qui concerne l'approche psychobiologique, son évolution se poursuit parallèlement aux autres, car plus la recherche avance grâce aux progrès de la technologie, mieux on apprend à connaître les processus biologiques associés aux phénomènes psychologiques tels que la perception, l'apprentissage, la motivation, l'émotion et le stress.

1.3 La psychologie d'aujourd'hui : une science aux multiples secteurs de pratique

Des philosophes grecs jusqu'au xxe siècle, ce fut long mais la psychologie est enfin reconnue comme une science à part entière. Il y a donc lieu maintenant d'exposer ce qui caractérise la psychologie en tant que science et de présenter les multiples secteurs de pratique des professionnels en psychologie.

1.3.1 La psychologie en tant que science

Afin de bien saisir en quoi la psychologie peut être considérée comme une science, nous en donnerons d'abord une définition avant d'en préciser les buts, ce qui nous permettra de mieux étudier la façon dont est utilisée l'approche scientifique en psychologie.

La définition

Depuis la première définition de la psychologie en tant science, définition qui remonte à Watson et qui ne portait que sur les phénomènes directement observables, la façon de définir la psychologie s'est assouplie. Grâce entre autres aux gestaltistes et aux cognitivistes, cette définition inclut maintenant des phénomènes comme la mémorisation, les rêves, l'attention, la résolution de problèmes, etc. Même si ces phénomènes ne peuvent pas être observés directement — on ne peut par exemple « voir directement » le rêve d'une personne endormie, pas plus que les opérations par lesquelles un problème est résolu mentalement —, il est possible d'observer indirectement ces phénomènes à travers certaines manifestations qui leur sont associées, comme c'est le cas pour certains signes généralement associés à l'état de rêve — ainsi que nous le verrons au chapitre 4. On peut donc dire de la **psychologie** qu'elle est la « science du comportement et des processus mentaux ». Il y a lieu ici d'ajouter quelques remarques concernant cette définition...

On rencontre souvent l'expression « étude scientifique » au lieu de « science » dans la définition de la psychologie. Le terme « science » est ici préféré, étant donné que la psychologie, comme nous le verrons dans la section suivante, ne consiste pas seulement à étudier le comportement et les processus mentaux, mais également à utiliser, c'est-à-dire à appliquer dans le quotidien, les connaissances acquises.

Par ailleurs, il faut souligner que la psychologie n'est pas la seule discipline qui doit accepter d'inclure dans son objet d'étude des phénomènes qui ne sont observables qu'indirectement. La physique, qui constitue pour plusieurs le modèle scientifique par excellence, en est elle-même réduite à observer indirectement plusieurs des phénomènes qu'elle étudie, et ce, depuis de nombreuses années : on a admis l'existence de l'atome bien avant de pouvoir observer sa trace directement sur une plaque photographique. Quant à toutes les recherches qui se font de nos jours en physique sur les particules — de plus en plus petites —, personne n'oserait prétendre qu'elles ne sont pas scientifiques, même si l'existence des particules étudiées n'est admise qu'à travers des mesures indirectes. En psychologie, il en est de même pour de multiples processus mentaux dont l'existence et le fonctionnement ne peuvent être qu'indirectement déduits.

La troisième remarque concerne le fait que la définition formulée plus haut comprend aussi le comportement animal comme objet d'étude des psychologues. On s'est

Psychologie
Science du comportement et des processus mentaux.

en effet rendu compte que l'animal présente de nombreuses affinités avec l'humain sur les plans émotif, social et même perceptif et intellectuel ; mieux comprendre le comportement animal permettrait donc de mieux comprendre le comportement humain.

Les buts

Les buts de la psychologie en tant que science ne sont pas foncièrement différents de ceux des autres sciences. Il s'agit de décrire, d'expliquer, de prédire et d'« agir sur » les phénomènes auxquels on s'intéresse.

Cela va de soi, la description constitue le premier pas dans l'étude d'un phénomène. Le chercheur qui s'intéresse, par exemple, au manque de motivation à l'égard des études doit d'abord décrire l'objet de son étude, c'est-à-dire comment se manifeste ce phénomène (absence aux cours, retard dans les travaux, etc.). Il tentera ensuite d'expliquer ce qui cause le manque de motivation constaté, de façon à pouvoir prédire — si son explication est bonne — dans quelles conditions le manque de motivation est susceptible de se manifester. À partir de là, le chercheur essaiera, si cela est possible, d'« agir sur » le phénomène ; dans le présent exemple, le chercheur tentera de modifier les conditions influençant la motivation de façon que l'élève ait davantage le goût d'étudier.

Une simple remarque ici : lorsqu'on énonce les buts de la science, on dit généralement, à propos du quatrième, qu'on veut « contrôler ». Le terme est rigoureusement exact, mais il peut porter à confusion, surtout dans le domaine de la psychologie où l'on a habituellement affaire à des humains, et non à des objets. Le psychologue qui intervient auprès d'un élève qui avoue manquer de motivation à l'égard de ses études ne veut pas « contrôler » l'élève, mais travailler avec ce dernier à « contrôler », c'est-à-dire à « agir sur » les conditions susceptibles de l'amener à se sentir plus motivé. En somme, il s'agit d'amener la personne à mieux « contrôler » sa vie.

L'approche scientifique en psychologie

La façon d'utiliser l'approche scientifique en psychologie est essentiellement la même que dans les autres sciences. Certaines variantes s'imposent néanmoins, compte tenu de ce qui constitue la plupart du temps l'objet d'étude de la psychologie : l'être humain. Ainsi, afin de souligner quelques-unes de ces variantes, le texte qui suit rappelle d'abord les étapes de la démarche scientifique, puis présente les principales méthodes utilisées en psychologie et termine en soulignant quelques points qu'il importe de garder à l'esprit au sujet de l'éthique en psychologie.

Les étapes de la démarche scientifique À partir du moment où la psychologie est devenue une science, les chercheurs — malgré quelques tâtonnements au début — ont adopté la même façon de procéder, c'est-à-dire la même démarche que l'ensemble des scientifiques. Or, bien que la façon de subdiviser et de nommer ces différentes étapes varie d'un auteur à l'autre, la démarche elle-même demeure essentiellement la même. Afin de mieux garder à l'esprit l'ensemble de la démarche scientifique, cette dernière est présentée ici en cinq étapes de base : la construction de la problématique, la collecte des données, l'analyse des données, l'interprétation des résultats et, finalement, la communication des résultats.

La construction de la problématique Parfois pris dans un sens plus restreint, le terme **problématique** désigne ici le questionnement du chercheur qui vise à préciser ce sur quoi portera sa recherche. Pour y arriver, ce dernier formule d'abord sa question de départ, c'est-à-dire la question à l'origine de sa recherche, par exemple : qu'est-ce qui fait en sorte qu'un élève ne soit pas motivé à étudier ? Afin de profiter de ce qui est déjà connu sur le sujet, il procède ensuite à une recension des documents traitant de la question — par exemple, les volumes, articles et rapports ayant déjà abordé le sujet de la motivation scolaire —, en examinant dans quelle mesure ces éléments d'information sont valables et en les confrontant. Le chercheur précise

Problématique

Au sens large – celui qui est retenu dans ce manuel –, étape de recherche où le chercheur précise, de façon générale, ce sur quoi portera sa recherche et formule un objectif ou une hypothèse.

Hypothèse
Affirmation formulant la réponse anticipée à une question de recherche.

Collecte des données
Étape de recherche où le chercheur précise quelles seront les sources auprès desquelles il recueillera ses données, prépare le matériel dont il aura besoin et décide de la méthode qu'il utilisera pour recueillir ses données, pour ensuite procéder à la collecte des données elles-mêmes.

Analyse des données
Étape de recherche où le chercheur rassemble et organise ses données, habituellement à l'aide de tableaux et de graphiques, et effectue s'il y a lieu certains calculs statistiques, le tout afin de voir ce qui se dégage des données recueillies en fonction de l'hypothèse ou de l'objectif.

Interprétation des résultats
Étape de recherche où le chercheur dégage les implications des résultats obtenus, et ce, en fonction de l'hypothèse ou de l'objectif de recherche.

Communication des résultats
Étape de recherche où le chercheur diffuse les résultats de sa recherche dans la communauté scientifique.

ensuite sur quel point sera concentrée sa recherche en formulant une **hypothèse**, c'est-à-dire une affirmation contenant la réponse anticipée à une question qu'il cherchera ensuite à vérifier, ou encore en énonçant un objectif qu'il tentera d'atteindre.

La collecte des données Il s'agit ici de décider comment se fera la **collecte des données** qui permettront de vérifier le bien-fondé de l'hypothèse ou d'atteindre l'objectif, selon ce qui a été formulé à l'étape précédente et, cela va de soi, selon ce qui est faisable. Le chercheur doit préciser quelles seront les sources des données : s'agira-t-il de sujets humains (nombre, âge, sexe, etc.), de sujets animaux, de documents statistiques ou d'archives ? Il doit ensuite préparer le matériel dont il aura besoin et décider de la méthode à utiliser pour recueillir ses données. Nous verrons un peu plus loin quelles sont les méthodes les plus fréquemment utilisées dans les recherches en psychologie. Il faut finalement mettre en pratique ce qui a été décidé et préparé, c'est-à-dire procéder à la collecte des données.

L'analyse des données Une fois la collecte achevée, le chercheur doit procéder à l'**analyse des données** en traitant ces dernières de façon à évaluer dans quelle mesure elles permettent de vérifier le bien-fondé de l'hypothèse ou d'atteindre l'objectif. Il rassemble et organise ces données, habituellement à l'aide de tableaux et de graphiques, et effectue s'il y a lieu certains calculs statistiques (moyennes, médianes, etc.), le tout afin de voir ce qui se dégage des données recueillies en fonction de l'hypothèse ou de l'objectif.

Testez vos connaissances

5. C'est à l'étape de la construction de la problématique qu'on analyse les résultats d'une recherche pour savoir s'ils répondent au questionnement à l'origine de la recherche.

C'est à l'étape de l'analyse des données qu'on analyse les résultats de la recherche, alors que l'étape de la construction de la problématique permet de poser le problème sur lequel portera la recherche.

L'interprétation des résultats Quatrième étape de la recherche elle-même, l'**interprétation des résultats** consiste à dégager la signification ou les implications des résultats obtenus : permettent-ils de vérifier l'hypothèse, d'atteindre l'objectif ? Comment peut-on les expliquer, qu'ils soient conformes ou non à l'hypothèse ou à l'objectif ? Quelles en sont les conséquences théoriques ? Bref, il s'agit d'exposer ce qui se dégage de la recherche, tout en apportant les nuances appropriées.

La communication des résultats Alors que les quatre premières étapes de la démarche scientifique ont trait à la recherche elle-même, la cinquième concerne la **communication des résultats**. En effet, une fois la recherche complétée, le chercheur se doit d'en diffuser les résultats dans la communauté scientifique. Cette étape est tout aussi cruciale que les précédentes, puisque sans elle, aucun cumul de connaissances, donc aucun progrès dans le domaine, ne serait possible. Pour que cette transmission des connaissances soit efficace, les chercheurs ont convenu de suivre certaines règles, lesquelles font partie intégrante du contenu de tout manuel ou cours d'initiation à la méthodologie. Néanmoins, même si les règles s'avèrent essentiellement les mêmes pour l'ensemble des chercheurs, il faut savoir que certaines variantes existent, selon la discipline ou le moyen retenu (conférence, article de revue, etc.) ; le chercheur doit par conséquent en tenir compte au moment de publier ses résultats.

Le tableau 1.2 résume ce qui caractérise les grandes étapes de la démarche scientifique.

Les principales méthodes utilisées en psychologie Depuis les débuts de l'approche scientifique, les chercheurs ont été amenés à constater que la façon de procéder pour recueillir des données peut varier beaucoup d'une situation à l'autre. Elle peut en

TABLEAU 1.2	Les étapes de la démarche scientifique

	Opérations

La construction de la problématique (sens large)	• Formuler la question à l'origine de la recherche
	• Procéder à la recension critique des documents sur la question
	• Formuler une hypothèse
	  ou
	  Énoncer un objectif

La collecte des données	• Préciser la source des données • Préparer le matériel nécessaire • Décider de la méthode à utiliser et préciser la façon de procéder • Mettre en application ce qui a été décidé
L'analyse des données	• Rassembler et organiser les données (tableaux et graphiques, s'il y a lieu) • Effectuer, s'il y a lieu, les calculs et tests statistiques appropriés

L'interprétation des résultats	• Expliquer les résultats en fonction de l'hypothèse ou de l'objectif
	• Dégager les conséquences des résultats :
	  – sur le plan théorique
	  – pour de futures études

La communication des résultats	• Faire profiter la communauté scientifique des résultats en les diffusant : articles, affiches lors de colloques, etc.

effet varier selon que les données doivent être recueillies auprès de sujets humains ou animaux, selon la nature des données à recueillir ou encore selon ce qu'il est possible de faire, physiquement parlant ou d'un point de vue éthique, sujet qui sera abordé au point suivant. Différentes méthodes ont ainsi été mises au point par les chercheurs, certaines s'avérant plus appropriées dans certaines disciplines que dans d'autres.

Afin d'aider à comprendre comment ont été recueillies la plupart des connaissances qu'on trouve dans ce manuel, lesquelles font partie du corpus des connaissances en psychologie, nous présentons ci-après certaines des méthodes les plus fréquemment utilisées en psychologie, compte tenu des contraintes liées à cette discipline : l'observation, l'étude de cas, l'enquête, la méthode corrélationnelle ainsi que la méthode expérimentale. À noter que nous nous en tiendrons à l'essentiel concernant ces méthodes, un exposé plus détaillé des caractéristiques de chacune faisant plutôt l'objet d'un cours portant précisément sur la méthodologie. Par ailleurs, quelle que soit la méthode choisie, on y retrouve les mêmes étapes que celles de la démarche scientifique décrite précédemment.

L'observation Souvent utilisée pour décrire les comportements types sur lesquels on n'a encore que peu d'information, l'**observation** permet aussi au chercheur de jeter un regard neuf sur des comportements déjà étudiés dans des contextes trop limités. Bien que les manuels de méthodologie distinguent différentes formes d'observation, cette méthode consiste essentiellement — comme son nom l'indique — à observer et à noter tous les comportements survenant dans la situation à l'étude, sans intervenir, c'est-à-dire sans influencer le phénomène étudié. En fait, le principe de la méthode d'observation est simple, mais sa mise en application ne l'est pas toujours, la difficulté principale étant généralement de ne pas influer sur le phénomène observé. Un exemple de la façon dont on peut appliquer l'observation dans le cadre d'une recherche est présenté dans l'encadré 1.1 (*page 20*) sur les comportements non verbaux émis par une femme pour signaler à un homme qu'il l'intéresse.

Observation
Méthode de collecte des données consistant à observer et à noter, mais sans intervenir, tous les comportements survenant dans la situation faisant l'objet d'une étude.

L'observation des comportements féminins de sollicitation

Monica M. Moore a beaucoup étudié les comportements d'approche des hommes et des femmes, relativement entre autres à la façon dont une femme signale à un homme l'intérêt qu'elle lui porte. Dans le cadre d'une recherche utilisant la méthode d'observation, elle a d'abord établi un «catalogue» des comportements non verbaux de sollicitation émis par une femme dans un bar de célibataires; la chercheuse s'est ensuite servie des comportements répertoriés pour vérifier si leur fréquence variait selon le contexte (Moore, 1985).

Lors de la phase d'établissement du catalogue de comportements, 200 femmes qui semblaient âgées de 18 à 35 ans ont été observées, à leur insu, dans un bar de célibataires. Chaque femme a été choisie de façon aléatoire parmi celles qui se trouvaient dans le bar; pour être retenue comme sujet d'observation, la femme devait être seule. Chaque observation a duré 30 minutes et, «afin de retenir tous les exemples de comportements pertinents, les observateurs ont maintenu un compte rendu narratif continu de tous les comportements manifestés par un sujet, ainsi que les conséquences observables de ces actions[1]» (Moore, 1985). Les comportements considérés comme des «comportements non verbaux de sollicitation» ont été regroupés dans trois catégories de base: les expressions du visage et les mouvements de tête, les gestes et, finalement, les postures et mouvements de l'ensemble du corps.

La deuxième phase consistait à valider le catalogue, c'est-à-dire à vérifier si les comportements féminins considérés comme ayant pour fonction de solliciter l'intérêt d'un homme jouaient bel et bien ce rôle. Pour ce faire, on a observé 40 femmes appartenant à la même classe d'âge, et ce, dans 4 environnements différents: «un bar de célibataires, un casse-croûte universitaire, une bibliothèque universitaire, ainsi que lors de rencontres dans un centre universitaire pour femmes[2]». Dix femmes ont été observées, chacune pendant une heure, dans chaque environnement. Les résultats ont démontré que dans les contextes où les hommes étaient présents, plus une femme émettait de comportements non verbaux de sollicitation, plus le nombre d'approches de la part d'un homme était élevé; par ailleurs, les comportements non verbaux de sollicitation émis par les femmes étaient plus fréquents dans un bar, contexte propice à la sollicitation, que dans un casse-croûte ou une bibliothèque.

Le type de recherche mentionné ici contribue à illustrer comment la méthode de l'observation, qui consiste à noter ce qui se passe, mais sans intervenir, permet de recueillir de précieux éléments d'information sur un phénomène en milieu naturel, et ce, même si beaucoup d'éléments ne peuvent être contrôlés, à la différence de ce qu'on cherche à faire dans la méthode expérimentale.

Un simple regard peut en dire long, comme nous le démontre ici la méthode de l'observation.

1. «In order to record all instances of the relevant behaviors, observers kept a continuous narrative account of all behaviors exhibited by a single subject and the observable consequences of those actions.»
2. «a singles' bar, a university snack bar, a university library, and university Women's Center meetings»

Étude de cas
Aussi appelée **Histoire de cas**
Méthode de collecte des données consistant à recueillir le plus d'information possible concernant un sujet ou un groupe qui constitue un cas «particulièrement rare» ou encore «particulièrement représentatif» d'un phénomène donné.

Méthode clinique
Étude de cas menée en milieu clinique.

L'étude de cas En optant pour cette méthode, le chercheur tente de recueillir le plus d'information possible sur un individu ou un groupe qui constitue un cas «particulièrement rare» ou encore «particulièrement représentatif» d'un phénomène donné. L'**étude de cas** est une démarche intensive dans laquelle le chercheur note le plus grand nombre possible de comportements survenant spontanément chez l'individu ou le groupe qu'il étudie, de même que les réactions à certaines situations qu'il provoque sciemment. Ce type d'étude peut souvent s'étendre sur une longue période allant parfois jusqu'à plusieurs années.

L'étude de cas est surtout employée en clinique, raison pour laquelle plusieurs auteurs l'appellent la **méthode clinique**. On l'utilise lorsqu'on veut étudier à fond un problème psychologique particulier dans le but de mieux comprendre et de traiter le plus efficacement possible ce problème précis, et les autres cas du même type qu'on peut rencontrer. Un exemple célèbre d'étude de cas est celui d'Anna O.[5], jeune femme hystérique traitée par Breuer avec qui — nous l'avons souligné précédemment dans la section sur l'approche psychanalytique — Freud a longtemps travaillé. L'histoire d'Anna O. a donné lieu, avec quatre autres cas, à un ouvrage publié conjointement par Freud et Breuer sous le titre *Études sur l'hystérie* (Freud & Breuer, 1895).

---

5. Anna O. est un nom fictif utilisé pour protéger l'anonymat de la patiente de Breuer.

L'enquête Lorsqu'il est difficile, voire impossible, de procéder par observation, le chercheur utilise l'**enquête**, ce qui lui permet de connaître les comportements, opinions et attitudes typiques des individus appartenant à un groupe donné. Par exemple, sur le simple plan pratique, il serait impensable d'observer pendant un an les habitudes d'étude de deux cents cégépiens que l'on aurait sélectionnés à la grandeur du Québec ; il serait même impossible d'observer directement leur opinion concernant par exemple le fait d'avoir un emploi rémunéré durant l'année scolaire. Le chercheur peut alors utiliser l'enquête, laquelle consiste précisément à demander aux personnes les éléments d'information désirés à l'aide de questions directes ou indirectes. L'enquête peut être effectuée dans le cadre d'une entrevue ou en demandant aux personnes de répondre à un questionnaire.

La méthode corrélationnelle Lorsqu'on désire établir s'il y a un lien entre deux ou plusieurs phénomènes donnés sur lesquels il n'est toutefois pas possible d'agir, on utilise généralement la **méthode corrélationnelle**. Celle-ci consiste simplement à recueillir auprès de plusieurs sujets ou groupes de sujets une donnée concernant chacun des deux phénomènes. Les études sur le lien entre le degré de ressemblance génétique et le quotient intellectuel constituent de bons exemples de ce genre de recherche. On a ainsi pu démontrer — nous le verrons dans le chapitre 7 — que plus deux personnes sont similaires sur le plan génétique, plus les résultats qu'ils obtiennent à un test de quotient intellectuel se ressemblent. Il importe de souligner que la méthode corrélationnelle ne permet pas en soi d'établir un lien de cause à effet, même si elle peut le suggérer et éventuellement mener à une expérimentation destinée à le vérifier.

La méthode expérimentale Les méthodes présentées ci-dessus permettent de recueillir de précieux éléments d'information sur un phénomène et même, dans certains cas, de prédire ses conditions d'apparition. Par contre, lorsque vient le moment d'établir s'il y a un lien de cause à effet entre deux ou plusieurs phénomènes, la **méthode expérimentale** s'impose. En présence d'une situation où le chercheur suppose qu'un phénomène A influe sur un phénomène B, il :

- fait varier le phénomène A ;
- contrôle les autres facteurs susceptibles d'influer sur B (afin de s'assurer qu'ils n'interviendront pas ici) ;
- mesure le phénomène B afin de voir si les variations de A ont eu un effet.

En soi, le principe de base de la méthode expérimentale est simple, mais son application l'est beaucoup moins. Ainsi, le chercheur qui veut savoir si le fait d'étudier en écoutant de la musique nuit à l'étude des élèves devra :

- faire varier l'écoute de la musique (l'intensité, par exemple) ;
- contrôler le plus possible les autres facteurs (le style de musique écouté, la présence ou non de paroles, le fait que les sujets sont ou non habitués d'étudier avec de la musique, les différences individuelles d'un élève à l'autre, etc.) ;
- mesurer l'efficacité de l'étude (par le nombre de mots retenus sur une liste, par le nombre de bonnes réponses à un test de lecture, par le nombre de problèmes réussis, etc.).

Les cours et manuels de méthodologie exposent en détail les différents points à prendre en considération dans la mise sur pied d'une recherche de nature expérimentale, laquelle requiert souvent la mise au point d'un petit scénario, ainsi que l'illustre la recherche classique rapportée dans l'encadré 1.2 (*page 22*) portant sur la tendance, variable d'un humain à l'autre, à se conformer.

Le tableau 1.3 (*page 22*) résume ce qui caractérise les principales méthodes utilisées en psychologie pour faire la collecte des données.

Enquête
Méthode de collecte des données consistant à demander à des individus appartenant à un groupe dont on désire connaître les comportements, les opinions ou les attitudes typiques, les éléments d'information désirés à l'aide de questions directes ou indirectes. L'enquête peut être effectuée dans le cadre d'une entrevue ou en demandant aux personnes de répondre à un questionnaire.

Méthode corrélationnelle
Méthode de collecte des données consistant à recueillir auprès de plusieurs sujets ou groupes de sujets une donnée – quantitative ou non – concernant deux ou plus de deux phénomènes entre lesquels on désire vérifier s'il y a un lien. Note : ne doit pas être confondue avec l'un ou l'autre des procédés statistiques permettant de calculer la force du lien.

Méthode expérimentale
Méthode de collecte des données consistant à vérifier un possible lien de cause à effet entre un phénomène A et un phénomène B, cela en faisant varier A, tout en contrôlant les autres phénomènes susceptibles d'intervenir, puis en mesurant les effets possibles sur B.

Être d'accord ou non avec les autres…

Désireux d'étudier les facteurs qui influencent la tendance à se conformer, c'est-à-dire à agir et parfois même à penser comme les autres, Solomon Asch a utilisé la méthode expérimentale pour réaliser, dans les années 1950, une série de recherches à partir d'un scénario fort simple, maintenant devenu un classique.

Après avoir recruté des volontaires pour une expérience qu'il présentait comme portant sur la perception visuelle, Asch leur montrait, au cours de plusieurs essais, des cartes sur lesquelles figuraient des lignes organisées de la façon illustrée ci-contre. Devant chaque carte, les sujets devaient dire laquelle des trois lignes de comparaison était de la même longueur que la ligne standard. Dans chaque cas, la bonne réponse était évidente ; dans le cas présenté ici, par exemple, il est évident que la bonne réponse est la ligne 2.

Afin d'étudier si la tendance à se conformer aux autres pouvait dépendre, entre autres choses, d'un facteur aussi élémentaire que le nombre de personnes ayant émis une opinion donnée, Asch a d'abord présenté sa série de cartes à des sujets qui étaient seuls au moment de répondre, et ces derniers ont donné une mauvaise réponse dans moins de 1 % des cas, ce qui permettait de vérifier qu'il n'était pas difficile de bien répondre dans chaque cas.

Le chercheur a ensuite fait en sorte que les sujets répondent en présence d'autres personnes qui faisaient semblant de participer

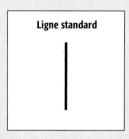

Ligne standard

Lignes de comparaison

1   2   3

également à l'expérience en tant que sujets, alors qu'ils étaient de connivence avec l'expérimentateur pour donner une même fausse réponse devant certaines cartes. Asch a alors constaté qu'en présence d'un seul complice, les sujets ont répondu pratiquement aussi bien que les sujets testés seuls, tandis qu'en présence de sept complices, les vrais sujets se sont conformés, c'est-à-dire qu'ils ont donné la même fausse réponse que les complices dans environ 37 % des cas (Asch, 1951).

Ayant pris soin de contrôler les autres facteurs susceptibles d'influencer les sujets (sexe des complices, âge, façon de répondre), Asch a ainsi pu démontrer, grâce à la méthode expérimentale, que le facteur «nombre de complices» a un effet sur le phénomène «tendance à se conformer».

TABLEAU 1.3	Les principales méthodes utilisées en psychologie pour recueillir les données	
	But	**Procédure de base et remarques**
L'observation	• Décrire les comportements types associés à une situation	• Noter tous les comportements observés dans la situation, sans intervenir
L'étude de cas	• Recueillir le plus d'information possible sur un cas particulièrement rare ou représentatif	• Noter le plus grand nombre possible de comportements survenant spontanément ou de façon provoquée • Remarques : – peut s'étendre sur une longue période – appelée *méthode clinique* quand elle porte sur un problème psychologique
L'enquête	• Connaître les comportements, opinions et attitudes typiques d'un groupe donné (lorsque l'observation est difficile ou impossible)	• Demander aux individus l'information désirée • Peut se faire par entrevue ou à l'aide d'un questionnaire
La méthode corrélationnelle	• Établir s'il y a un lien quelconque entre deux ou plusieurs phénomènes sur lesquels on ne peut intervenir directement	• Recueillir auprès de chaque sujet une donnée sur chacun des phénomènes étudiés • Remarque : ne permet pas en soi d'établir un lien de cause à effet
La méthode expérimentale	• Établir s'il y a un lien de cause à effet entre deux ou plusieurs phénomènes	• Comporte trois étapes : – faire varier le ou les phénomènes supposément causaux – contrôler les autres facteurs non étudiés – mesurer le phénomène censé être influencé

6. **L'enquête et la méthode expérimentale sont des méthodes très utilisées en psychologie pour étudier les liens entre deux ou plusieurs phénomènes.**

Ces deux méthodes sont effectivement très utilisées en psychologie. Par ailleurs, même s'il n'est pas toujours possible d'utiliser la méthode expérimentale, c'est la seule qui permet d'établir un lien de cause à effet entre deux ou plusieurs phénomènes.

L'éthique En 1975, la Rockefeller Commission mettait à jour les traitements qu'on avait fait subir à des soldats pour étudier les effets de certaines drogues, cela dans le cadre de recherches effectuées par l'armée américaine entre 1955 et 1975 (Answers.com, 2006). Dans le cadre du même programme, des recherches financées par la CIA (Central Intelligence Agency) sur le lavage de cerveau avaient également été réalisées dans différents établissements, dont le Allen Memorial Hospital à Montréal (Answers.com, 2006). Ces révélations remettaient à l'avant-plan, ici même en Amérique, les préoccupations d'ordre éthique qui avaient déjà cours dans l'opinion publique depuis qu'avaient été révélées les expériences conduites par des médecins nazis au cours de la Seconde Guerre mondiale. À la suite de tels événements, la communauté des chercheurs a admis qu'on ne pouvait, au nom de la science, faire n'importe quoi ou laisser au simple chercheur le soin de décider de ce qu'il pouvait ou ne pouvait pas faire : on devait se donner des règles d'éthique.

Considérer l'aspect éthique d'une recherche, c'est se demander dans quelle mesure ce qu'on envisage de faire est acceptable sur le plan moral, ce qui, à notre époque — et dans notre contexte social — revient généralement à évaluer dans quelle mesure la recherche respecte un certain code de déontologie. Or, la distinction entre éthique, morale et déontologie n'est pas aisée à établir, si l'on se base sur ce qu'en disent certains ouvrages de référence. Sans prétendre en fournir une définition formelle, il peut être utile d'indiquer ce à quoi réfère essentiellement chacun de ces trois termes. Ainsi, alors que la **morale** réfère fondamentalement aux notions de bien et de mal en vigueur dans une société, l'**éthique** correspond aux principes de base sur lesquels s'appuie cette morale. La **déontologie**, quant à elle, est la façon dont une discipline ou une profession exprime, sous forme de code, les comportements qui peuvent ou doivent être posés, et ceux qui ne le peuvent ou ne le doivent pas ; la déontologie est donc la formulation concrète de la façon dont une discipline ou une profession entend respecter l'éthique.

On peut se procurer, à partir du site de l'Ordre des psychologues du Québec (OPQ, 2008a), une copie du code de déontologie propre à la psychologie. Ce code vise à fournir au spécialiste en psychologie les balises devant l'aider à respecter l'équilibre entre deux choses : d'une part, le désir légitime d'acquérir des connaissances (en recherche) ou le mieux-être espéré pour une personne ou un groupe (en intervention) et, d'autre part, le devoir de ne pas causer de tort, physique ou psychologique, à tout individu ou groupe sur lequel la recherche ou l'intervention pourrait avoir des effets.

L'évaluation des gains estimés au regard des torts possibles demeurera toujours une question de pondération, donc toujours une question de jugement. C'est pourquoi tous les centres de recherche ont aujourd'hui un comité d'éthique auquel sont soumis les projets de recherche, qu'il s'agisse d'étudiants ou de chercheurs bien établis. L'expérience présentée à Radio-Canada dans le cadre de l'émission *Enjeux* en septembre et octobre 2006 (Radio-Canada, 2006), et dont l'encadré 1.3 (*page 24*) donne un bref aperçu, constitue un bel exemple de cas où les gains constatés sont apparus comme l'emportant sur certains torts qui avaient pu être causés à des individus.

Morale
De façon générale, « science du bien et du mal » (*Petit Robert,* 2009) en vigueur dans une société.

Éthique
Ensemble des principes de base sur lesquels s'appuie la morale d'une société.

Déontologie
Façon dont une discipline ou une profession convient de respecter l'éthique en exprimant sous forme de code les comportements qui peuvent ou doivent être posés et ceux qui ne le peuvent ou ne le doivent pas.

L'éthique en recherche : une question de jugement

Il n'est pas toujours aisé d'établir dans quelle mesure, sur le plan de l'éthique, les bienfaits escomptés d'une recherche l'emportent sur les inconvénients que pourraient éventuellement subir les participants. Une expérience présentée à Radio-Canada dans le cadre de l'émission *Enjeux,* à l'automne 2006, l'illustre parfaitement. Lors de cette recherche, une enseignante, avec «l'accord de tous les parents, de la commission scolaire et de la directrice de l'école […] a fait vivre la discrimination à ses élèves pendant deux jours […] se servant de la taille des enfants pour les séparer» (Radio-Canada, 2006). De plus, avant de commencer l'expérience, l'enseignante a demandé aux enfants s'ils voulaient participer à une expérience sur la discrimination, ce à quoi ils ont dit oui.

La première journée, prétextant que les élèves mesurant moins de 1,34 m sont généralement de meilleurs élèves d'après les recherches scientifiques, l'enseignante leur donne toutes sortes de privilèges. À la fin de la journée, elle envoie les plus petits à la maison et garde avec elle les plus grands pour leur expliquer la nature de l'expérience ; elle leur avoue alors qu'il n'est pas vrai qu'ils sont moins intelligents que les petits et qu'elle les aime toujours autant.

Le lendemain, de connivence avec les grands, elle annonce à l'ensemble du groupe qu'elle s'était trompée et que ce sont en réalité les grands qui sont plus intelligents et qui auront maintenant des privilèges.

À la fin des deux jours, l'enseignante avoue aux enfants que ce qu'elle leur avait dit concernant la différence entre les grands et les petits n'est pas vrai du tout, qu'elle a fait cette expérience pour les aider à comprendre ce que c'est que de se sentir discriminé.

La semaine suivant la présentation de la leçon de discrimination, un second reportage a fait état des réactions de certains enfants et d'un groupe de parents en présence de l'enseignante ayant mené

l'expérience. La quasi-totalité des personnes qui se sont prononcées, les enfants y compris, a convenu que dans l'ensemble, l'expérience avait été profitable, même si elle avait été difficile à vivre pour plusieurs des enfants.

Dans le quotidien, la taille n'est malheureusement pas la seule source possible de discrimination.

Il semblerait donc, à première vue, que l'expérience était justifiable sur plan de l'éthique ; mais peut-on vraiment en être sûr ? À cet effet, un groupe de professeurs universitaires a fait parvenir une lettre ouverte à *Cyberpresse* affirmant, en se basant sur le document *Éthique de la recherche avec des êtres humains* publié conjointement par les Instituts de recherche en santé du Canada, le Conseil de recherche en sciences naturelles et en génie du Canada et le Conseil de recherche en sciences humaines du Canada, qu'aucun comité d'éthique n'aurait approuvé une telle expérience. Les professeurs signalent qu'on peut notamment lire dans le document sur l'éthique que «tous les chercheurs travaillant avec des enfants doivent évaluer la possibilité que ceux-ci ne souffrent, ne subissent de blessures ou n'éprouvent de l'anxiété, puis instaurer et appliquer des précautions adaptées et des mesures correctrices» (dans Makdissi *et al.,* 2006).

Finalement, qu'en aurait-il été si l'expérience avait mal tourné ?

Testez vos connaissances

7. En raison de sa formation, un chercheur ayant un doctorat en psychologie ne mettrait jamais au point une recherche ou une intervention qui serait contraire à l'éthique.

Même si les recherches effectuées dans une université ou un centre de recherche spécialisé doivent aujourd'hui être soumises à un comité d'éthique, un chercheur pourrait malheureusement aller à l'encontre du comité d'éthique et effectuer la recherche par ses propres moyens.

1.3.2   De multiples secteurs de pratique

L'objet d'étude de la psychologie étant tellement vaste, il n'est pas surprenant de constater que les spécialistes de cette discipline exercent leur activité dans de nombreux secteurs. Afin de présenter le plus clairement possible ce qui caractérise chacun d'eux, nous préciserons d'abord les dimensions à prendre en considération pour ensuite passer en revue les principaux secteurs de pratique qu'on peut distinguer.

Les dimensions à prendre en considération

En faisant le tour des secteurs de pratique que l'on retrouve en psychologie, on constate qu'il est possible de les différencier en fonction de deux dimensions principales : d'une part, le sujet auquel le spécialiste s'intéresse et par rapport auquel il exerce son activité et, d'autre part, le type d'activité exercée.

Le sujet L'objet d'étude de la psychologie, à savoir le comportement et les processus mentaux, est extrêmement vaste ; le domaine particulier dans lequel un spécialiste choisit de travailler constitue ainsi une première dimension permettant de caractériser son secteur de pratique. Les troubles de comportement, la psychologie de l'enfant, le comportement d'un individu face à un groupe, les processus motivationnels, les méthodes d'apprentissage, voilà autant de domaines qui contribuent à caractériser les différents secteurs de pratique.

Le type d'activité Nous l'avons constaté quand nous nous sommes penchés sur la façon dont la psychologie est devenue une science, les personnages qui y ont contribué cherchaient soit à comprendre les phénomènes auxquels ils s'intéressaient, soit à intervenir sur ceux-ci. La recherche et l'intervention constituent encore, dans l'ensemble, les activités de base auxquelles se consacrent les spécialistes en psychologie, mais l'évaluation comme l'enseignement tiennent également aujourd'hui une place importante.

La recherche Celui qui fait de la recherche vise à comprendre un phénomène, et on distingue souvent à ce sujet la **recherche fondamentale** de la **recherche appliquée**. Alors que la première vise à comprendre les phénomènes dans leur fonctionnement de base en vue essentiellement d'élargir le champ des connaissances (par exemple, comprendre ce qui entoure le développement et l'expression des émotions), la seconde cherche principalement à résoudre des problèmes concrets (par exemple, comprendre ce qui provoque le désordre émotionnel survenant dans tel trouble psychologique afin de pouvoir le corriger). Il va de soi que la frontière entre les deux types de recherche n'est pas étanche, ainsi que l'illustre la figure 1.3, le caractère plus ou moins fondamental ou appliqué d'un champ de recherche dépendant en somme du sujet précis étudié et de l'orientation que le chercheur donne à son étude.

L'intervention À la différence du chercheur qui travaille sur un type de problème, celui qui fait de l'**intervention** part d'une situation concrète sur laquelle il désire agir, le terme « situation » étant ici entendu au sens large : ce peut être, à titre d'exemple, le problème de tel individu éprouvant une peur irrépressible lorsqu'il est dans une foule, l'incapacité de tel enfant à s'adapter à sa nouvelle école, ou encore l'agressivité de tel groupe de joueurs à l'égard de leur entraîneur. Dans les faits, l'intervention se rapproche souvent de la recherche appliquée, et il arrive fréquemment qu'un spécialiste profite d'une intervention pour recueillir des données lui permettant de faire de la recherche appliquée sur le type de problème auquel il est souvent confronté ; par ailleurs, une intervention peut également provenir des résultats d'une recherche appliquée.

Recherche fondamentale
Activité de recherche dont le but premier est d'élargir les bases des connaissances scientifiques.

Recherche appliquée
Activité de recherche dont le but premier est de résoudre des problèmes d'ordre pratique.

Intervention
Au sens professionnel, activité consistant à utiliser des connaissances issues de la recherche pour produire un changement désiré dans une situation concrète.

| FIGURE 1.3 | La recherche fondamentale et la recherche appliquée : un continuum |

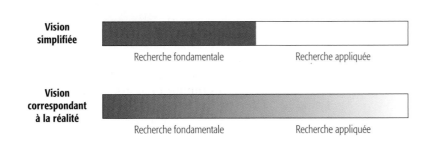

Contrairement à ce que suggère le schéma simplifié du haut, la différence entre recherche fondamentale et recherche appliquée repose plutôt sur un continuum, comme illustré par le schéma du bas.

L'évaluation Avant d'intervenir, le spécialiste en psychologie doit d'abord procéder à une évaluation de la situation, qu'il s'agisse de traiter des problèmes importants vécus par un individu ou un groupe, ou encore simplement d'améliorer le fonctionnement d'un individu ou d'un groupe dans un contexte donné. Même si cette phase est généralement de courte durée, son rôle est essentiel pour guider l'intervention.

L'enseignement Depuis les premiers cours donnés par Wundt, et ce, avant même que l'on parle de psychologie scientifique, l'enseignement, c'est-à-dire la transmission des connaissances en vue de former la relève, a été et demeure une partie intégrante de l'évolution de la psychologie, tout comme pour les autres disciplines. Même si cette tâche est plus connue du grand public que les précédentes, il convient de ne pas oublier le rôle crucial qu'elle joue, puisque c'est dans le cadre d'un cours que s'éveille, pour la majorité des futurs spécialistes en psychologie, l'intérêt pour cette discipline ; c'est également là que s'acquièrent les connaissances premières dans le domaine.

Les principaux secteurs de pratique

Les secteurs de pratique pouvant être regroupés de différentes façons, la présentation que nous en faisons ici est inspirée des regroupements proposés sur le site de l'Ordre des psychologues du Québec (OPQ, 2008b), cela afin de faciliter pour le lecteur le transfert entre le contenu du présent manuel et la façon actuelle d'envisager la psychologie au Québec en tant que discipline. Présentant un bref compte rendu d'une rencontre avec la présidente de l'Ordre des psychologues du Québec Rose-Marie Charest, l'encadré 1.4 apporte un éclairage intéressant sur la place qu'occupe actuellement la psychologie dans l'univers québécois.

ENCADRÉ 1.4 Paroles d'expert

Regard actuel sur la psychologie au Québec avec la présidente de l'Ordre des psychologues du Québec

Lors d'une entrevue qu'elle a accordée aux auteurs du présent manuel, Rose-Marie Charest, présidente de l'Ordre des psychologues du Québec depuis 1998, a bien voulu répondre à quelques questions sur certains aspects de la psychologie au Québec en ce début de troisième millénaire. Le texte qui suit constitue un condensé des réponses qu'elle a fournies.

D'entrée de jeu, la présidente de l'Ordre a souligné qu'aujourd'hui, les gens sont beaucoup mieux informés des connaissances en psychologie. Quand ils consultent un psychologue, c'est pour eux une démarche sérieuse : ils ont des critères de sélection et veulent pouvoir choisir le psychologue et l'approche qui correspondent le mieux à ces critères. Le praticien est vu comme un professionnel qui offre un service et dont ils ont désormais beaucoup moins peur ; consulter un psychologue n'est plus stigmatisé, mais au contraire est devenu plus acceptable, socialement parlant. « Auparavant, confie Mme Charest, quand j'arrivais à ma clinique, les gens qui m'attendaient se tenaient discrètement en retrait, alors qu'aujourd'hui ils se tiennent simplement dans la salle d'attente, comme avec tout autre spécialiste. » Par contre, souligne également Mme Charest, les gens veulent un résultat rapide, ce qui les amène souvent à focaliser sur une approche dans laquelle ils auront à s'engager sur une plus courte période. Malheureusement, dans beaucoup de cas, cette attitude ne correspond pas à la nature des problèmes en jeu ; il y a donc là une adaptation à faire de la part de la personne qui consulte…

Interrogée sur la pertinence d'enseigner les grandes approches dans les cours de psychologie au regard de la façon dont travaille le praticien aujourd'hui, la présidente de l'Ordre a répondu que les courants d'idées caractérisant les approches sont effectivement encore présents. Toutefois, les différences sont beaucoup moins marquées qu'avant, les tenants d'une approche étant de plus en plus conscients que leur façon de conduire une thérapie doit tenir compte de certains aspects sur lesquels insiste une autre approche. Un praticien plus à l'aise avec l'approche cognitive ou béhavioriste, par exemple, pourra intégrer la façon humaniste d'établir le contact avec un patient ; un psychanalyste pourra, pour sa part, tenir compte de l'accent que mettent sur l'ensemble les tenants de l'approche gestaltiste. Une recherche visant à comparer l'efficacité des différentes approches aurait d'ailleurs démontré que le facteur le plus important dans le succès d'une thérapie est la relation de confiance que le thérapeute établit avec son patient.

Considérant l'importance de la relation thérapeute-patient, la meilleure façon de choisir un thérapeute consiste, selon Mme Charest, à utiliser les références que l'on peut obtenir de la part de son entourage, c'est-à-dire de personnes ayant déjà consulté un psychologue, ou encore de son médecin de famille. La personne qui n'en trouve pas peut également utiliser le moteur de recherche offert à cet effet sur le site de l'OPQ. Dans un cas comme dans l'autre, la personne devrait initialement établir certains critères tels que le sexe, l'âge, la proximité, les années d'expérience du thérapeute et l'approche qu'il utilise. En dernier ressort, c'est en ayant une rencontre avec quelques psychologues sélectionnés sur la base de ces critères que la personne pourra décider quel thérapeute lui convient le mieux.

Rose-Marie Charest, présidente de l'Ordre des psychologues du Québec.

La psychologie clinique Le **psychologue clinicien** correspond probablement à l'image la plus répandue que le grand public se fait du psychologue. C'est d'ailleurs ce secteur de pratique qui attire le plus grand nombre de spécialistes en psychologie. La plupart d'entre eux — environ 36 %, selon le rapport 2006-2007 de l'Ordre des psychologues du Québec (OPQ, 2008c, p. 35) — travaillent en pratique privée, c'est-à-dire qu'ils reçoivent leurs clients dans un bureau de consultation. Le travail du clinicien consiste à se servir de ses connaissances en psychologie pour, d'une part, évaluer les problèmes d'ordre émotionnel et comportemental (dépression, maladie mentale, délinquance, conflits, etc.) vécus par «des individus (enfants, adultes, personnes âgées) ou des groupes (familles, patients souffrant de psychopathologies similaires)» (OPQ, 2008d) et, d'autre part, intervenir de façon à traiter les problèmes constatés. En somme, le clinicien s'intéresse de façon générale aux difficultés que rencontrent les individus à s'adapter au milieu où ils vivent et aux personnes qu'ils y rencontrent.

Psychologue clinicien
Psychologue qui évalue et traite les problèmes d'ordre émotionnel et comportemental (dépression, délinquance, conflits, etc.) vécus par «des individus (enfants, adultes, personnes âgées) ou des groupes (familles, patients souffrant de psychopathologies similaires)» (OPQ, 2008d).

Testez vos connaissances

8. Le secteur de pratique dans lequel on trouve le plus grand nombre de spécialistes en psychologie est la psychologie clinique.

La psychologie clinique axée sur le traitement des individus ou des groupes présentant un problème de fonctionnement est effectivement le secteur de pratique vers lequel se dirige le plus grand nombre de psychologues.

Lors de la phase d'évaluation, le clinicien tente de formuler un **diagnostic**, c'est-à-dire d'établir la nature du problème, ses causes ainsi que ses implications ; différentes formes d'entrevues ou types de tests peuvent l'aider dans cette tâche. Par ailleurs, dans la phase suivante, lorsque le clinicien intervient auprès d'un individu ou d'un groupe pour l'aider à résoudre ses problèmes, on dit qu'il le soumet à une **thérapie**. Comme nous le verrons au chapitre 12, on trouve une grande diversité dans les formes de thérapies adoptées par les cliniciens, les uns insistant fortement sur la nécessité de procéder de la façon la plus rigoureuse possible, alors que d'autres mettent davantage l'accent sur l'interaction avec le patient, quitte à sacrifier une partie de la rigueur scientifique idéalement souhaitable au profit d'un meilleur contact personnel.

Diagnostic
Évaluation de la nature d'un problème, de ses causes ainsi que de ses implications.

Thérapie
Intervention auprès d'un individu ou d'un groupe pour l'aider à résoudre son ou ses problèmes.

Le clinicien est donc celui auquel Monsieur ou Madame Tout-le-monde pense quand on parle du **psychologue**. Il faut cependant savoir que pour être légalement autorisé à porter le titre de psychologue, il ne suffit pas d'avoir acquis la formation universitaire correspondante : il faut avoir été accepté comme membre par l'Ordre des psychologues du Québec (OPQ), ce qui garantit au public que la personne se présentant comme psychologue possède bien la formation nécessaire. Par ailleurs, le psychologue n'est pas le seul «psy» dont on entend souvent parler. À titre d'information complémentaire à cet effet, le tableau 1.4 (*page 28*) précise ce qui différencie le psychologue, le psychiatre, le psychanalyste, le psychothérapeute et le psychoéducateur, cinq «psys» que le grand public a souvent du mal à distinguer. À noter qu'il faut être prudent à l'égard du terme «psychothérapeute». Il est évidemment possible qu'une personne se présentant comme psychothérapeute ait reçu la formation nécessaire pour conduire une thérapie ; toutefois, il se peut aussi que ladite personne se soit improvisée psychothérapeute sans pour autant avoir une formation dûment reconnue, le titre de psychothérapeute n'étant pas, pour le moment, protégé par la loi (OPQ, 2008e).

Psychologue
Professionnel qui détient un doctorat professionnel en psychologie et qui est membre de l'Ordre des psychologues du Québec.

Testez vos connaissances

9. Pour être reconnu comme psychologue, il faut avoir obtenu un doctorat en psychologie.

Pour être reconnu comme psychologue, il faut effectivement avoir obtenu un doctorat en psychologie. Cependant, cela ne suffit pas : il faut aussi faire partie de l'Ordre des psychologues du Québec, lequel se porte garant de la compétence de ses membres.

La psychologie de la médiation familiale Travaillant dans un secteur de pratique s'étant imposé à mesure que survenaient les changements sociaux qui ont remis en question les fondements traditionnels de la famille en faisant plus ou moins « éclater » cette dernière, le **psychologue médiateur** n'est cependant « pas un thérapeute ayant la mission de réconcilier le couple » (OPQ, 2008d). Comme son titre l'indique, sa tâche est essentiellement celle d'un médiateur travaillant à résoudre un problème qui se pose dans une famille. C'est généralement dans le cadre d'une séparation ou d'un divorce appréhendé que s'inscrit le travail du psychologue médiateur. Ne prenant parti pour aucun des membres de la famille, sa tâche consiste à faire en sorte que chacun d'eux contribue à trouver la meilleure solution possible au problème.

TABLEAU 1.4	Les principales caractéristiques du psychologue, du psychiatre, du psychanalyste, du psychothérapeute et du psychoéducateur		
	Formation	**Appartenance professionnelle**	**Modalités concernant la pratique**
Psychologue	• Doctorat en psychologie • Titre protégé par la loi	• Ordre des psychologues du Québec (OPQ)	• Thérapies psychologiques, c'est-à-dire utilisant une des approches développées en psychologie (psychanalytique, béhavioriste, etc.) • Peut soigner tous les types de problèmes psychologiques
Psychiatre	• Études postdoctorales en médecine • Spécialisation en psychiatrie • Titre protégé par la loi	• Collège des médecins du Québec (CMQ)	• Thérapies médicales (administration de médicaments, etc.) • Thérapies psychologiques (principalement l'approche psychanalytique) • Peut soigner tous les types de problèmes psychologiques
Psychanalyste	• Généralement psychologue ou psychiatre • Titre non protégé par la loi	• OPQ ou CMQ (selon qu'il est psychologue ou psychiatre)	• Thérapie basée sur l'approche psychanalytique
Psychothérapeute	• Peut avoir une formation universitaire, mais aucun diplôme exigé • Titre non protégé par la loi	• Plusieurs associations, dont l'Association des psychothérapeutes psychanalytiques du Québec et la Société québécoise des psychothérapeutes professionnels	• Très variable (peut varier de techniques reconnues jusqu'à des techniques sans aucun fondement scientifique)
Psychoéducateur	• Diplôme de 2e cycle en psychoéducation • Titre protégé par la loi	• OCCOPPQ (Ordre des conseillers et conseillères d'orientation et des psychoéducateurs et psychoéducatrices du Québec)	• Intervient auprès des personnes qui ont des difficultés d'adaptation variées : délinquance, troubles de comportement, agressivité, perte d'autonomie, etc.

Testez vos connaissances

10. La principale différence entre le psychologue et le psychiatre, c'est que ce dernier traite des cas plus lourds que le psychologue.

Même si le psychologue ne peut, par exemple, prescrire de médicament à un patient en crise, cela ne signifie pas qu'il ne puisse traiter des cas aussi lourds que le psychiatre : c'est le mode de traitement qui diffère, car, ainsi que nous le verrons au chapitre 12, le psychologue peut, autant que le psychiatre, traiter un problème sévère comme la schizophrénie.

Comme les honoraires du professionnel qu'est le psychologue médiateur pourraient constituer un handicap pour certaines familles à faible revenu, une loi a été adoptée en 1997 à cet effet. Ainsi, lors d'une demande de séparation ou de divorce, le «Service de médiation familiale offre à un couple qui a des enfants le paiement des honoraires d'un médiateur pour six séances» (Ministère de la Justice du Québec, 2005).

L'expertise devant les tribunaux Maintenant reconnu pour son expertise en matière de comportement humain au même titre que le psychiatre, le **psychologue expert** est appelé de plus en plus fréquemment à témoigner à la Cour pour donner son avis sur des questions telles que la garde d'enfants en cas de séparation ou de divorce, la responsabilité d'un individu ayant commis un acte condamnable par la loi (agression sexuelle, meurtre, etc.) ou l'admissibilité à une libération conditionnelle.

Étant donné la marge d'incertitude qui subsiste pratiquement toujours quand il s'agit de responsabilité et de comportement humain, le psychologue expert doit demeurer très prudent et nuancé dans le jugement qu'il porte en tant que professionnel : il doit garder à l'esprit que l'évaluation qu'il propose ne constitue qu'un élément parmi ceux qui sont soumis au tribunal appelé à se prononcer sur une cause (OPQ, 2008d).

La psychologie en milieu scolaire Le psychologue travaillant en milieu scolaire, couramment appelé le **psychologue scolaire**, a pour tâche non seulement d'aider les élèves qui éprouvent des problèmes d'apprentissage ou d'adaptation à l'environnement scolaire, mais aussi de prévenir, dans la mesure du possible, l'apparition de ce type de problème (OPQ, 2008f).

Dans son travail auprès d'un élève en difficulté, il peut se servir de certains tests, mais procède beaucoup par entrevue, non seulement avec l'élève, mais aussi avec les professeurs et les autres intervenants en contact avec l'élève. Il peut même, lorsque les difficultés semblent liées à des conditions extérieures à l'école (problèmes familiaux, violence dans le quartier environnant), travailler de concert avec les personnes concernées (parents, intervenants dans le quartier) en vue d'apporter des solutions à la situation et de minimiser l'impact de cette dernière sur l'élève en difficulté.

Afin d'être à même de bien accomplir sa tâche, le psychologue scolaire s'est spécialisé, au cours de sa formation universitaire, en psychologie du développement de l'enfance à l'adolescence, particulièrement en ce qui a trait à l'apprentissage, à la motivation et à l'adaptation à un groupe.

La psychologie du travail Les préoccupations se trouvant au cœur de la fonction de **psychologue du travail**, secteur de pratique encore en développement, étaient déjà présentes au début du xxᵉ siècle. C'est cependant à partir des années 1950 qu'elles se sont intensifiées à partir d'expériences pilotes en rapport avec l'influence de l'environnement physique sur le rendement du travailleur (Sillamy, 1983). La fonction comprend de nombreux volets, comme en fait foi la place qui y est consacrée sur le site de l'Ordre des psychologues du Québec, lequel distingue cinq grands champs d'action : «développement et changement organisationnel, sélection des ressources humaines, formation et orientation, évaluation du rendement et des compétences, santé et sécurité au travail et programme d'aide aux employés» (OPQ, 2008g).

Bien que le travail du psychologue qui œuvre en psychologie du travail et des organisations soit en général d'abord axé sur l'intervention, la recherche — essentiellement de nature appliquée — y tient également une place. Par ailleurs, il y a lieu de remarquer que l'action du psychologue dans ce domaine est au service tantôt de l'employé, tantôt de l'employeur, même si idéalement parlant, le bénéfice de l'un comme de l'autre devrait être recherché.

Psychologue expert
Psychologue qui témoigne à la Cour pour donner son avis sur des questions telles que la garde d'enfants en cas de séparation ou de divorce, la responsabilité d'un individu ayant commis un acte condamnable par la loi (agression sexuelle, meurtre, etc.), ou l'admissibilité à une libération conditionnelle.

Psychologue scolaire
Psychologue qui aide les élèves (du primaire au collégial) éprouvant des problèmes d'apprentissage ou d'adaptation à l'environnement scolaire, et qui cherche aussi à prévenir, dans la mesure du possible, l'apparition de ce type de problème (OPQ, 2008f).

Psychologue du travail
Psychologue qui fait principalement de l'intervention, mais aussi de la recherche dans l'un ou l'autre des cinq grands champs d'action suivants : «développement et changement organisationnel, sélection des ressources humaines, formation et orientation, évaluation du rendement et des compétences, santé et sécurité au travail et programme d'aide aux employés» (OPQ, 2008g).

L'enseignement et la recherche Alors que les personnes œuvrant dans les secteurs de pratique précédents font surtout de l'intervention, celles qui font de l'enseignement et de la recherche se consacrent principalement à l'acquisition et à la transmission de connaissances.

Bien que l'enseignement de la psychologie se fasse surtout au niveau universitaire, on trouve bon nombre d'enseignants de cette discipline au niveau collégial. En ce qui a trait à la recherche, il s'en fait au niveau collégial, mais très peu, et les études qu'on y effectue s'inscrivent dans le domaine de la recherche appliquée, la plupart explorant des problèmes touchant à la pédagogie et aux conditions d'apprentissage. C'est donc au niveau universitaire et dans les centres de recherche spécialisés qu'on retrouve la quasi-totalité des chercheurs. Par ailleurs, bien qu'un bon nombre de ces derniers fassent de la recherche appliquée, on peut dire sans trop craindre de se tromper que la plupart d'entre eux se consacrent à la recherche fondamentale dans des domaines tels que la sensation et la perception, le conditionnement et l'apprentissage, l'intelligence, la motivation et l'émotion, le stress et le développement, sans évidemment omettre les liens entre les facteurs biologiques et les phénomènes psychologiques. Qu'elle soit fondamentale ou appliquée, la recherche contribue à améliorer les techniques utilisées par les psychologues qui font de l'intervention en plus d'accroître les connaissances.

Il y a lieu de souligner, en ce qui concerne les secteurs de l'enseignement et de la recherche, que tout chercheur ou enseignant en psychologie n'est pas nécessairement psychologue. La loi oblige toute personne qui veut pouvoir porter le titre de psychologue à faire partie de l'Ordre des psychologues du Québec, cela ayant pour but de protéger le public en lui assurant qu'il a affaire à un professionnel reconnu. Toutefois, bon nombre de chercheurs en recherche fondamentale n'intervenant pas auprès du public ne sont tout simplement pas membres de l'Ordre des psychologues du Québec. Aussi curieux que cela puisse paraître, un individu peut détenir un doctorat en psychologie, et être reconnu comme chercheur, sans pouvoir se dire psychologue.

La neuropsychologie À la différence du psychologue clinicien qui vise à évaluer et à traiter le problème d'une personne en considérant que celui-ci est lié à des événements ou à des personnes qui l'ont marquée, le **neuropsychologue** a pour tâche d'évaluer dans quelle mesure un déficit comportemental ou, de façon générale, un mauvais fonctionnement psychologique «fait suite à un dommage au cerveau, que celui-ci soit diagnostiqué ou tout simplement suspecté» (OPQ, 2008h). C'est donc en quelque sorte un psychologue qui étudie la possibilité qu'un problème psychologique soit dû à un problème physique afin d'orienter d'éventuelles interventions. Pour procéder à l'évaluation d'un patient, le neuropsychologue dispose d'une batterie de tests qui ne cesse de s'accroître, au fur et à mesure que progresse la recherche appliquée en psychobiologie.

Il convient par ailleurs de souligner que même si son rôle principal en est un d'évaluation, le neuropsychologue peut également faire de l'intervention en mettant au point un programme de réadaptation pour la personne qui a perdu certaines capacités mentales à la suite d'un accident. Le neuropsychologue peut aussi, en diagnostiquant quelle structure du cerveau fonctionne mal compte tenu du déficit comportemental observé, orienter le médecin spécialiste vers un possible traitement médical.

Autres secteurs de pratique Les secteurs de pratique qui viennent d'être mentionnés ne sont évidemment pas les seuls dans lesquels on retrouve des spécialistes en psychologie. La psychologie du sport et la psychologie du consommateur, pour ne nommer que ceux-là, sont deux exemples de domaines qui prennent de plus en plus de place dans notre quotidien. De nombreux athlètes ou équipes sportives engagent maintenant un **psychologue sportif** pour les aider à améliorer leurs performances.

Neuropsychologue
Psychologue qui évalue dans quelle mesure un déficit comportemental ou, de façon générale, un mauvais fonctionnement psychologique «fait suite à un dommage au cerveau, que celui-ci soit diagnostiqué ou tout simplement suspecté» (OPQ, 2008h).

Psychologue sportif
Psychologue qui intervient auprès d'athlètes ou d'équipes sportives pour les aider à améliorer leurs performances en travaillant sur des aspects tels que les techniques d'entraînement et la gestion du stress.

Le **psychologue du consommateur** s'intéresse quant à lui aux motivations qui poussent à la consommation et aux facteurs qui déterminent le choix d'un produit, entre autres choses; il importe ici de souligner que les résultats de ce genre de recherche peuvent servir autant à augmenter les ventes d'une industrie donnée qu'à mettre le consommateur sur ses gardes!

Conclusion

Tout au long de ce chapitre, nous avons vu comment, de science de l'âme qu'elle était au début, la psychologie est devenue une science au sein de laquelle on trouve différentes approches permettant d'expliquer le comportement et les processus mentaux. Par ailleurs, la présence même des différentes approches témoigne de ce que la psychologie, pas plus que les autres sciences dans leurs domaines respectifs, n'a pas encore atteint le stade où elle peut offrir une compréhension complète de l'agir humain. Les explications qu'elle peut proposer pour rendre compte d'un événement dépendent encore beaucoup de l'approche adoptée.

Qu'est-ce qui, par exemple, a pu amener l'auteur de la fusillade rapportée au début du chapitre à agir ainsi? Pour un tenant de l'approche psychanalytique, ce pourrait être l'expression de désirs agressifs longtemps refoulés dans son inconscient, alors qu'un béhavioriste pourrait y voir la tendance à reprendre des comportements violents appris par imitation. Pour un gestaltiste, la violence pourrait résulter de la présence, chez le jeune homme, d'éléments disparates qu'il n'a jamais réussi à réconcilier en un tout, alors qu'un psychologue d'approche humaniste pourrait y voir le désespoir d'un individu qui s'est toujours senti impuissant à se réaliser comme personne. Pour un cognitiviste, le comportement du jeune homme pourrait provenir d'une interprétation déformée du monde qui l'entoure, qu'il voit «en noir» et perçoit comme devant être éliminé. Quant au tenant de l'approche psychophysiologique, il pourrait considérer le comportement en question comme dû à un mauvais fonctionnement de certaines structures nerveuses du cerveau, ce qui entraînerait une stimulation anormale des circuits liés à l'agressivité.

Ainsi que nous l'avons déjà signalé, les explications issues des différentes approches ne s'excluent pas nécessairement, mais de toute évidence, elles demeurent d'une certaine manière incomplètes. Il importe donc de poursuivre la recherche afin de départir, entre les différentes approches explicatives, ce qui est fondé et ce qui ne l'est pas. Pour ce faire, la méthodologie scientifique, malgré les limites — dont celles d'ordre éthique — qu'elle impose souvent, demeure encore la meilleure voie à suivre, différentes méthodes pouvant être adoptées selon les questions abordées.

Par ailleurs, ainsi que nous en avons donné un aperçu, le cheminement qu'elle a suivi a amené la psychologie à s'étendre dans de nombreux secteurs de pratique, tant du côté de la recherche que de celui de l'intervention. Il est en effet raisonnable de penser que cette évolution ne s'arrêtera pas là, ainsi que le suggère l'encadré 1.5 (*page 32*) à partir de propos recueillis à ce sujet auprès de la présidente de l'Ordre des psychologues du Québec.

Comme nous l'avons également mentionné, les sujets auxquels s'intéressent les chercheurs — et qui contribuent à améliorer les techniques d'intervention — sont très variés, les principaux faisant précisément l'objet des différents chapitres de ce manuel. La question des liens entre les mécanismes biologiques — particulièrement en ce qui concerne le système nerveux — et les phénomènes psychologiques étant sous-jacente, quel que soit le thème abordé, nous traiterons ce sujet dans le chapitre suivant consacré au système nerveux.

L'évolution de la psychologie au Québec, une affaire à suivre…

L'entrevue avec la présidente de l'Ordre des psychologues du Québec (*voir l'encadré 1.4, page 26*) a également permis de jeter un regard sur l'avenir de la psychologie comme profession au Québec…

Tel qu'approuvé par le gouvernement du Québec, les prochains psychologues devront détenir un doctorat professionnel, c'est-à-dire un doctorat axé sur les compétences professionnelles à acquérir, ce qui confirme que le titre de psychologue est de plus en plus respecté. Ils devront également s'adapter davantage aux besoins de la société, ceux-ci étant plus grands et plus complexes qu'auparavant. Sur ce point, Mme Charest attire l'attention sur le fait que deux domaines sont en pleine expansion : la psychologie de la santé[1] ainsi que la psychologie du travail et des organisations.

Les changements socioéconomiques qui affectent le Québec, tout comme le reste du monde d'ailleurs, entraînent des bouleversements qui sollicitent de plus en plus les capacités d'adaptation des gens ; nombreux sont ceux et celles qui n'arrivent pas à suivre le rythme de ces changements et à s'y ajuster, ce qui débouche trop souvent sur des troubles d'ordre psychologique. S'ils veulent être plus à même d'apporter de l'aide, les psychologues devront développer

davantage leur expertise dans ce domaine et, surtout, ils devront être plus nombreux s'y consacrer.

Dans le milieu scolaire, les besoins en matière d'expertise psychologique sont également énormes. Là encore, les changements sociaux se répercutent sur la vie de l'école. Le psychologue scolaire, qui faisait traditionnellement beaucoup d'évaluation, devra axer davantage son travail sur l'intervention et la prévention.

Sur le plan social, la reconnaissance de la psychologie devrait aller en s'accroissant. En effet, le *Plan d'action en santé mentale au Québec* situe le psychologue en première ligne comme expert dans l'évaluation des troubles mentaux, ce dernier étant alors appelé à travailler en étroite collaboration avec les médecins omnipraticiens.

Mme Charest a finalement soulevé un point des plus concrets : en tant que présidente de l'Ordre, elle a de plus en plus de difficulté à trouver un psychologue masculin lorsque lui parvient une demande requérant un homme comme thérapeute auprès, par exemple, d'un adolescent en crise d'identité. Actuellement, à peine 30 % des psychologues sont des hommes, et ce pourcentage va en diminuant. Si cette tendance se maintient, de plus en plus d'individus, jeunes ou vieux, qui auraient souhaité de se faire aider par un thérapeute masculin risquent d'en être privés.

---

1. La psychologie de la santé est abordée dans le chapitre 10.

Questions de révision

1. Parmi les énoncés ci-dessous concernant le premier laboratoire de psychologie, dites lequel est faux.

a) Il a été à l'origine de la naissance de la psychologie en tant que science.

b) Il a été mis sur pied par Wilhelm Wundt.

c) Il a été mis sur pied en 1879.

d) Il était situé en Angleterre.

2. Parmi les noms suivants, un seul n'est pas associé à la même approche théorique que les autres. Lequel ?

a) Bandura   **c)** Skinner

b) Rogers   **d)** Watson

3. Parmi les énoncés suivants, lequel définit le mieux ce qu'est la psychologie ?

a) L'étude et le traitement des troubles de comportement

b) L'étude rationnelle de la nature humaine

c) La science du comportement et des processus mentaux

d) Toute thérapie utilisant des procédés psychiques

4. Parmi les buts suivants de la psychologie, lequel est inexact ?

a) Commander les gens

b) Décrire un fait

c) Expliquer un comportement

d) Explorer un fait

5. Parmi les énoncés suivants, lequel est inexact ?

a) À l'étape de l'interprétation des résultats, le chercheur peut utiliser l'une des méthodes suivantes : l'observation, l'enquête, la méthode corrélationnelle ou la méthode expérimentale.

b) C'est à l'étape de l'analyse des données que le chercheur organise les données à l'aide de tableaux et de graphiques, et effectue s'il y a lieu certains calculs statistiques.

c) En recherche, la construction de la problématique précède la collecte de données.

d) Une hypothèse est une réponse anticipée à la question que le chercheur se pose.

6. Un chercheur veut savoir s'il y a un lien de cause à effet entre la privation de sommeil et les difficultés de concentration chez les gens. Quelle méthode devra-t-il utiliser ?

a) L'enquête

b) L'observation

c) La méthode corrélationnelle

d) La méthode expérimentale

7. Quelles sont les deux dimensions qui permettent de différencier les principaux secteurs de pratique des psychologues?

a) L'intervention et la recherche

b) La psychologie clinique et la psychologie expérimentale

c) La psychothérapie et la psychiatrie

d) Le sujet et le type d'activité

8. Lequel des psychologues suivants est-il préférable de consulter lorsqu'on désire divorcer et discuter du partage de la garde des enfants?

a) Le psychologue clinicien

b) Le psychologue expert

c) Le psychologue médiateur

d) Le psychologue scolaire

9. Indiquez si les énoncés suivants sont vrais ou faux.

a) Il est possible d'être à la fois psychologue et psychanalyste.

b) Les psychiatres possèdent tous un doctorat en psychologie.

c) Les psychologues peuvent prescrire des médicaments.

d) Pour porter le titre de psychologue, il faut être membre de l'Ordre des psychologues du Québec.

Pour en connaître davantage

Volumes et ouvrages de référence

Bloch, H. et al. (Éds.). (1999). Grand dictionnaire de la psychologie (2e éd.). Paris: Larousse-Bordas.

> Dictionnaire encyclopédique de la psychologie qui dresse un panorama de l'ensemble des connaissances en psychologie. On y trouve, entre autres, la définition de plus de 2 300 termes ainsi que des articles sur des thèmes et des personnages ayant marqué l'histoire de la psychologie.

Sillamy, N. (1983). Dictionnaire usuel de psychologie. Paris: Bordas.

> Dictionnaire encyclopédique qui se veut un instrument de culture générale visant à rendre accessible au grand public les principaux concepts et théories psychologiques.

Périodiques et journaux

American Psychologist

> Périodique publié neuf fois par année à partir de janvier, *American Psychologist* est la revue officielle de l'American Psychological Association. Les articles qu'on y trouve traitent des développements de la psychologie du point de vue de la recherche et de la pratique en général, de même qu'en ce qui a trait à son implication dans la société.
>
> Pour accéder à la table des matières de chacun des numéros depuis les débuts, en janvier 1946, consulter le site suivant:
>
> <http://www. apa.org/journals/amp/>.

Interactions

> Périodique semestriel publié sous la direction du Département de psychologie de l'Université de Sherbrooke, la revue présente des articles (études de cas, présentations de modèles d'intervention, etc.) susceptibles d'intéresser la personne qui se destine à travailler dans le domaine de la psychologie des relations humaines.
>
> Pour avoir un aperçu de l'orientation de la revue ainsi que la table des matières de chacun des numéros depuis les débuts (printemps 1997), consulter le site suivant:
>
> <http://www.usherbrooke.ca/psychologie/publication/>.

Journal des psychologues

> Publiée mensuellement en France, cette revue aborde tous les domaines de la psychologie (psychanalyse, cognitive, clinique, etc.) et présente des éléments de recherche, des notes cliniques, des nouvelles concernant l'actualité du métier de psychologue et plusieurs autres sujets d'intérêt pour le professionnel et l'étudiant.

Psychologie Québec

> Publiée six fois par année par l'Ordre des psychologues du Québec, la revue est distribuée gratuitement aux membres, le grand public ayant néanmoins la possibilité de s'y abonner. Les articles qu'on y trouve sont dans l'ensemble destinés à la personne désireuse de suivre l'évolution de la profession, particulièrement dans le contexte québécois; ils portent sur des sujets tels que la vie professionnelle, la déontologie, les décisions prises par les membres du Bureau de l'Odre des psychologues du Québec, les découvertes récentes en psychologie ainsi que la tenue de congrès, colloques et ateliers.
>
> Pour avoir un aperçu de l'orientation de la revue ainsi que la table des matières de chacun des numéros depuis septembre 2000, consulter le site suivant:
>
> <http://www.ordrepsy.qc.ca/fr/psycho_quebec/index.html>.

Revue québécoise de psychologie

> Paraissant trois fois par année (printemps, été et automne) depuis 1980, la revue publie des rapports de recherche, des études cliniques, des revues bibliographiques et des essais théoriques destinés à ceux et à celles qui s'intéressent à l'aspect appliqué de la psychologie.
>
> Pour accéder à la table des matières de chacun des numéros, consulter le site suivant:
>
> <http://www.rqpsy.qc.ca/>.

Audiovisuel

Huston, J. (1962). Freud, passions secrètes. États-Unis, 140 min, noir et blanc.

> Film biographique romancé sur la vie de Freud qui relate comment les travaux de Freud sur l'inconscient l'amènent en 1885 à des découvertes qui vont faire scandale et ébranler toute la médecine viennoise.

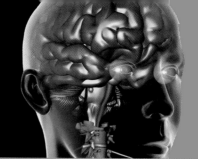

CHAPITRE 2

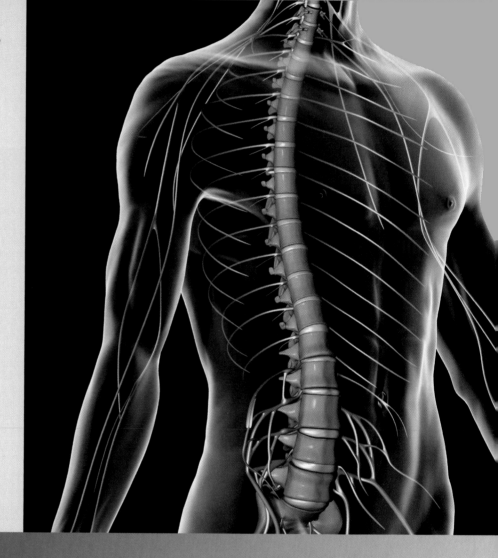

Cibles d'apprentissage

Après avoir lu ce chapitre, vous devriez pouvoir :

- nommer les principales composantes d'un neurone type et expliquer ce qui les caractérise ;

- expliquer comment l'influx nerveux permet aux neurones de communiquer entre eux ;

- nommer quelques-uns des principaux neurotransmetteurs et préciser le rôle principal de chacun ;

- préciser le rôle et les principales composantes du système nerveux somatique ;

- préciser le rôle et les principales composantes du système nerveux autonome ;

- nommer les principales structures du cerveau et préciser le rôle principal de chacune ;

- nommer et situer les principales aires du cortex cérébral et préciser le rôle principal de chacune ;

- expliquer en quoi et dans quelle mesure les hémisphères cérébraux présentent certaines spécialisations ;

- nommer et expliquer les stratégies de base utilisées pour étudier les liens entre le cerveau et les phénomènes psychologiques.

Le système nerveux

Le cerveau, un organe qui peut « redémarrer »

Dans son numéro d'août 2007, la réputée revue scientifique *Nature* rapporte qu'une équipe de médecins a réussi à «réveiller» un homme de 38 ans, déclaré «légume» depuis 6 ans après avoir eu le crâne fracassé et avoir été laissé pour mort lors d'un cambriolage. Le patient avait été soumis pendant six mois à un traitement consistant à stimuler à l'aide d'électrodes le thalamus, une structure qui joue un rôle important dans la régulation de l'activité cérébrale générale. Comme on peut le constater dans la figure ci-contre, le thalamus est situé dans une région au cœur du cerveau. Depuis qu'il est réveillé, le patient a recommencé à s'alimenter et à parler, à exprimer des émotions, à regarder des films…

Le cas rapporté ci-dessus n'est pas le seul exemple où un patient apparemment inconscient depuis plusieurs années reprend contact avec son entourage. Or, malgré certaines hypothèses émises par les chercheurs, la science n'arrive pas encore à expliquer un cas tel que celui qui est rapporté ci-dessus. Comment des séances de stimulations électriques peuvent-elles en arriver à faire «redémarrer» le cerveau de façon que la conscience revienne, comme si on remettait en marche un moteur qui n'a pas fonctionné depuis longtemps? Ce genre de questions amènent à s'interroger sur le rôle que joue le cerveau sur les divers aspects et manifestations du comportement, ce à quoi le présent chapitre tentera d'apporter certains éléments de réponse.

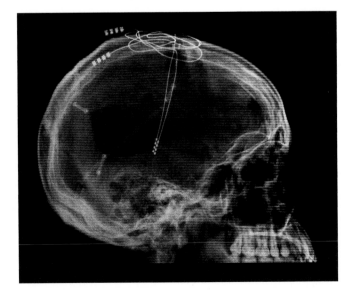

Source: Schiff *et al.*, 2007.

Chaque fois que nous nous pencherons sur un des thèmes dont il est question dans ce manuel (sensation et perception, états de conscience, apprentissage et mémoire, intelligence, motivation et émotion, stress, troubles psychologiques et leur traitement), nous serons amenés à nous interroger sur les mécanismes biologiques impliqués. Or, ce volet biologique est vaste et il serait difficile d'en traiter adéquatement tous les aspects dans un manuel d'initiation comme celui-ci. C'est pourquoi nous nous limiterons à ce qui, en général, est le plus directement lié à la compréhension des phénomènes psychologiques, à savoir le système nerveux; le présent chapitre vise précisément à paver la voie, en partie du moins, à cette compréhension.

Considérant l'objectif envisagé, nous présenterons d'abord le neurone, unité de base du système nerveux; nous exposerons ensuite les divisions du système nerveux, ce qui nous permettra de mieux nous concentrer sur les hémisphères cérébraux, la partie la plus évoluée du cerveau. Comme l'indique son titre, la section suivante, *Le cerveau et les processus psychologiques: techniques d'étude,* donnera un aperçu des techniques utilisées pour comprendre les liens entre les phénomènes psychologiques et les mécanismes physiologiques sous-jacents.

2.1 Le neurone: unité de base du système nerveux

Qu'il s'agisse d'un simple portable ou de l'énorme serveur d'une société, l'ordinateur n'est à la base qu'un arrangement de composantes reliées entre elles qui reçoivent, compilent et s'envoient des signaux. Cette composante de base, le transistor[1], est en quelque sorte l'équivalent du **neurone**, la cellule qui constitue l'unité de base du système nerveux. Le neurone est donc une cellule, mais une cellule spécialisée dans le traitement de l'information. Un peu comme le transistor, bien que beaucoup plus complexe et en nombre beaucoup plus grand — on estime que le système nerveux de l'adulte en contient environ 100 milliards (Bear *et al.,* 2002; Purves *et al.,* 2005) —, le neurone reçoit constamment des signaux d'autres cellules, les traite et, s'il y a lieu, transmet à d'autres cellules le résultat du traitement effectué.

> ### Testez vos connaissances
>
> **1. Le cerveau est composé d'environ 10 millions de cellules nerveuses.**
> On estime en fait que le cerveau en contient beaucoup plus, soit 100 milliards de cellules.

Afin de comprendre comment le neurone peut jouer son rôle clé, il y a lieu de considérer d'abord la structure générale du neurone, pour ensuite examiner la nature du signal qu'il traite, à savoir l'influx nerveux, et finalement se pencher sur la façon dont s'opère la communication entre neurones.

2.1.1 La structure générale du neurone

Comme permet de l'entrevoir la figure 2.1a, la forme d'un neurone peut varier beaucoup selon la région du corps où il se trouve et la fonction qu'il remplit. Malgré cette grande diversité, la plupart des neurones comprennent les mêmes composantes de base; ces dernières sont illustrées dans la figure 2.1b, laquelle donne un aperçu de la structure générale d'un neurone type. On peut d'abord y voir la partie principale, c'est-à-dire le **corps cellulaire**, au centre duquel se trouve le noyau cellulaire contenant notamment le code génétique. C'est le corps cellulaire qui, d'une part, effectue la compilation des signaux reçus par un neurone et qui, d'autre part, générera le signal transmis aux autres cellules. Deux types de prolongement du corps cellulaire remplissent ces

Neurone
Cellule constituant l'unité de base du système nerveux et dont l'action consiste à recevoir les signaux provenant d'autres cellules, à les compiler de façon à générer un nouveau signal et à transmettre ce signal aux autres cellules.

Corps cellulaire
Partie principale d'une cellule contenant entre autres le noyau cellulaire et à laquelle sont rattachés, dans le cas d'un neurone, les prolongements que sont les dendrites et l'axone.

---

1. Voir le site Web <http://zabaque.uqac.ca/ordinateur/ord06/transistor.htm>.

FIGURE 2.1 Le neurone : diversité des formes et structure type

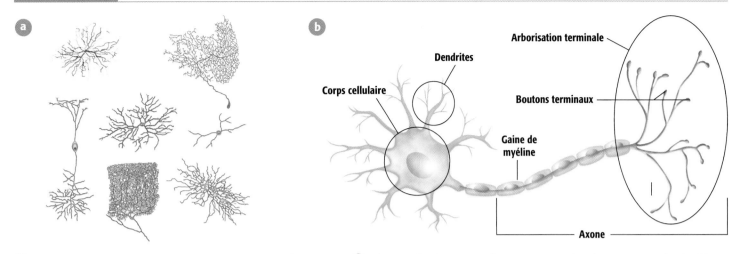

a Illustration de la diversité des formes que peuvent présenter les neurones. b Schéma et fonctionnement d'un neurone type : les signaux reçus par les dendrites sont traités par le corps cellulaire, ce dernier transmettant par la suite le signal qui en résulte à d'autres cellules situées le long de l'axone et sur son arborisation terminale.

fonctions et leur rôle est fondamental dans la communication avec les autres cellules : les dendrites et l'axone.

Les **dendrites** sont en quelque sorte des extensions de la **membrane cellulaire** du neurone. Elles forment des ramifications présentant des **sites récepteurs** qui permettent, comme leur nom l'indique, de recevoir des signaux en provenance d'autres cellules. Cette réception ne se fait pas uniquement à partir des dendrites, car la membrane cellulaire possède elle-même des sites récepteurs sensibles aux signaux provenant d'autres cellules.

Outre les dendrites, le neurone présente un autre type de prolongement : l'**axone**. Contrairement aux dendrites, il n'y a qu'un seul axone par neurone et son rôle consiste à transmettre aux autres cellules le signal qui est généré par le neurone à la suite de la compilation effectuée à partir des signaux reçus. Toutefois, tout comme les dendrites, l'axone présente des ramifications qui vont permettre de transmettre à plusieurs cellules à la fois le signal généré par le neurone ; on parle d'**arborisation terminale** pour désigner cette ramification qui termine l'axone. En raison de son aspect légèrement renflé, on appelle **bouton terminal** chacune des extrémités de l'arborisation terminale, là où s'effectue la transmission du signal vers les autres cellules.

Il y a lieu de souligner que contrairement aux dendrites dont la longueur ne s'étend généralement que sur une infime fraction de mètre, la distance sur laquelle s'étend un axone varie beaucoup. Elle peut être très courte, à l'instar de celle des dendrites, ou encore mesurer un mètre ou plus ; c'est le cas par exemple de certains neurones dont le corps cellulaire est situé dans la moelle épinière et dont l'axone se prolonge jusqu'au bout du pied.

Dendrite
Extension de la membrane cellulaire d'un neurone formant des ramifications qui permettent de recevoir des signaux en provenance d'autres cellules.

Membrane cellulaire
Membrane renfermant le corps cellulaire.

Site récepteur
Point qui, sur une dendrite ou sur la membrane cellulaire d'un neurone, est sensible au signal provenant d'une autre cellule.

Axone
Prolongement qui, dans le neurone type, part du corps cellulaire et propage l'influx nerveux vers d'autres cellules le long de l'arborisation terminale.

Arborisation terminale
Ramifications de l'axone qui permettent de transmettre à plusieurs cellules à la fois le signal généré par un neurone.

Bouton terminal
Chacune des extrémités de l'arborisation terminale d'un axone, là où s'effectue la transmission aux autres cellules du signal généré par un neurone.

Testez vos connaissances

2. **Certaines parties d'une cellule nerveuse peuvent mesurer plus de un mètre.**
   C'est effectivement le cas pour certains axones qui s'étendent de la moelle épinière jusqu'au bout du pied.

Le temps pris par un influx nerveux pour se rendre d'un bout à l'autre de l'axone pourrait souffrir de la longueur de certains axones, mais une autre composante

Gaine de myéline
Sorte de recouvrement graisseux entourant l'axone de certains neurones et permettant au signal de voyager plus rapidement le long de l'axone.

Nœud de Ranvier
Endroit où la gaine de myéline présente un amincissement autour de l'axone.

Influx nerveux
Aussi appelé **Impulsion nerveuse**
Signal de nature électrochimique qui est créé par un neurone à la suite de signaux reçus et qui est ensuite transmis le long de l'axone vers d'autres cellules ; correspond au passage du potentiel de repos au potentiel d'action.

Période réfractaire
Période suivant la génération d'un influx nerveux et au cours de laquelle un nouvel influx nerveux ne peut pas être généré ou ne peut l'être que si le signal est assez intense.

Taux spontané d'activité
Rythme auquel un neurone génère spontanément des influx nerveux en l'absence de tout signal en provenance d'autres cellules.

Loi du tout ou rien
Dans le cas de l'influx nerveux, loi qui fait que l'influx est créé ou non selon que la différence de charge électrique entre l'intérieur et l'extérieur de l'axone passe ou non de négative à positive.

anatomique, la **gaine de myéline**, permet de minimiser cet inconvénient. Sorte de recouvrement graisseux entourant l'axone de la plupart des neurones, interrompu à certains endroits appelés **nœuds de Ranvier**, la gaine de myéline permet au signal de voyager plus rapidement en sautant d'un nœud de Ranvier à l'autre. Lorsque cette gaine se désagrège autour des axones qui en possèdent normalement une, les effets peuvent être dramatiques, comme dans le cas de certaines maladies — la sclérose en plaques (Campbell, 2004) — où la coordination motrice et les sensations d'un individu deviennent gravement compromises en raison de la lenteur de la transmission dans certains axones.

Même si la structure et le fonctionnement types d'un neurone sont tels que nous venons de les décrire, il importe de savoir que cela n'est pas vrai pour tous les neurones. Certains neurones, par exemple, n'ont pas d'axone et communiquent avec les cellules environnantes uniquement au moyen de dendrites, celles-ci agissant à la fois comme récepteurs et comme transmetteurs de messages. D'autres neurones, par contre, n'ont aucune dendrite rattachée au corps cellulaire, mais possèdent soit deux axones, soit un seul se divisant en deux branches. Nous reviendrons sur ces types de neurones plus loin, quand il sera question des structures du système nerveux où on les retrouve.

2.1.2 L'influx nerveux

On appelle **influx nerveux** le signal généré, de façon générale, par un neurone à la suite des signaux reçus et qui est ensuite transmis le long de l'axone vers d'autres cellules. La façon dont se crée et se transmet l'influx nerveux provient du fait qu'en l'absence de tout signal, il y a une différence entre les charges électriques à l'intérieur et à l'extérieur de l'axone, comme le schématise l'encadré 2.1. Lorsqu'un signal est produit par le corps cellulaire, des modifications chimiques font que la différence de charge électrique dans la région de l'axone près du corps cellulaire s'inverse, puis revient à ce qu'elle était auparavant, mais seulement après avoir produit à son tour une inversion de la différence de charge dans la partie voisine de l'axone, et ainsi de suite jusqu'aux boutons terminaux. C'est cette perturbation électrique qui constitue l'influx nerveux ; comme ce sont des éléments chimiques qui en sont à l'origine, on dit de l'influx nerveux qu'il est de nature électrochimique.

Avant d'aller plus loin, deux points méritent d'être soulignés. Le premier a trait au fait qu'immédiatement après avoir généré un influx nerveux, le neurone ne peut en générer un autre avant que ne se soit écoulée une période donnée : c'est la **période réfractaire** ; le neurone doit en quelque sorte « reprendre son souffle » ! Le second point, lequel peut surprendre à première vue, est celui-ci : un peu comme un moteur d'auto qui tourne au ralenti même si l'on ne pèse pas sur l'accélérateur, un neurone n'est jamais — sauf en cas de pathologie — complètement inactif ; il génère constamment des influx nerveux à un rythme plus ou moins marqué, ce qu'on appelle le **taux spontané d'activité**.

Quelle que soit la source à l'origine d'un influx nerveux, on pourrait comparer la façon dont ce dernier voyage le long de l'axone à la façon dont se propage, le long d'une série de dominos, la chute de l'un d'entre eux sur le suivant, à cette différence près qu'après être tombé, un domino ne se relève pas de lui-même, alors que la différence de charge électrique entre l'extérieur et l'intérieur de l'axone se rétablit d'elle-même. Cela dit, le signal qui produit l'influx nerveux doit être assez fort pour que celui-ci se propage le long de l'axone à l'instar de la force minimale requise pour faire chuter le premier domino et entraîner la propagation aux autres. Si le signal n'est pas suffisant, alors rien ne se passe : c'est ce qu'on appelle la **loi du tout ou rien**.

Par ailleurs, une fois l'influx nerveux déclenché, la vitesse à laquelle il se propage le long de l'axone varie selon le type de neurone, et ce, en fonction de facteurs tels que le diamètre de l'axone ou encore la présence ou non d'une gaine de myéline. D'environ 0,5 m/s dans le cas de certains neurones, cette vitesse peut atteindre de 80 à 120 m/s pour d'autres (Ramachandran, 2002), la moyenne étant d'environ 10 m/s

La nature et la propagation de l'influx nerveux

Au repos, c'est-à-dire en l'absence de tout signal, la charge électrique à l'intérieur d'un axone est inférieure à la charge électrique qui prévaut à l'extérieur; cette différence, qu'on appelle **potentiel de repos**, est due à la concentration, plus grande à l'intérieur qu'à l'extérieur, d'ions négatifs, c'est-à-dire de molécules ou d'atomes électriquement chargés.

Lorsque le corps cellulaire reçoit des signaux qui l'amènent à réagir à son tour, des ions positifs traversent la membrane séparant l'intérieur de l'extérieur de l'axone. La différence de charge s'inverse alors, devenant momentanément positive; on appelle **potentiel d'action** cette différence maintenant positive entre l'intérieur et l'extérieur de la membrane; on parle de **dépolarisation** pour désigner le phénomène par lequel s'opère ce passage du potentiel de repos au potentiel d'action. C'est ce changement de potentiel qui constitue l'influx nerveux.

Dans l'instant qui suit l'apparition du potentiel d'action, la différence de charge électrique revient à ce qu'elle était auparavant, et c'est dans la région voisine qu'apparaît alors le potentiel d'action, et ainsi de suite d'un point de l'axone au suivant: ce déplacement, schématiquement illustré par la figure ci-contre, va entraîner la propagation de l'influx nerveux le long de l'axone jusqu'aux boutons terminaux. Parce que l'apparition et le déplacement du potentiel d'action correspondant à l'influx nerveux sont produits par un déplacement d'ions positifs, on dit de l'influx nerveux qu'il est de nature électrochimique.

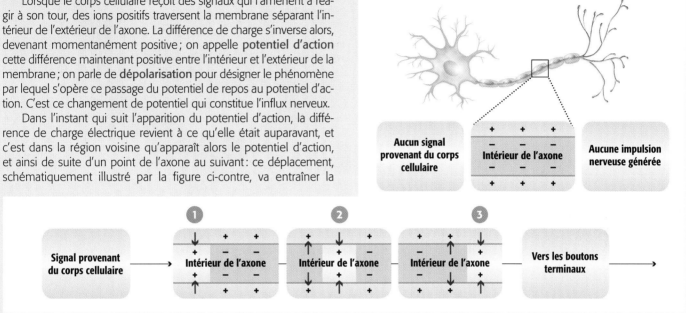

(Bear *et al.,* 2002). En dépit de la rapidité surprenante avec laquelle une impulsion peut se déplacer d'une extrémité à l'autre d'un neurone, il faut que les neurones puissent communiquer efficacement entre eux pour que nous puissions réagir adéquatement aux événements qui surviennent dans l'environnement. Cela est d'autant plus vrai quand la situation exige une réaction rapide: pour permettre à un joueur de baseball de frapper une balle rapide, par exemple, les signaux reçus par l'œil doivent être efficacement transmis aux neurones qui commanderont au joueur de s'élancer...

2.1.3   La communication entre neurones

La communication entre deux neurones est assurée par la synapse et les neurotransmetteurs. Pour que le processus se poursuive, il faut que le neurone récepteur effectue la compilation des signaux reçus au moyen des neurotransmetteurs, ce qui est d'abord expliqué dans le présent point. Nous y présentons ensuite quelques neurotransmetteurs qui jouent un rôle relativement important dans les différentes thématiques qui seront abordées plus tard.

La synapse et les neurotransmetteurs

Lorsqu'un influx nerveux parvient à l'arborisation terminale, il se propage dans toutes ses ramifications pour finalement atteindre l'extrémité de chacune et le bouton terminal qui s'y trouve. C'est là que le signal sera transmis à une autre cellule (un autre neurone, un muscle ou un organe).

On appelle **synapse** le point où l'influx nerveux est transmis à un autre neurone. La figure 2.2 (*page 40*) illustre la façon dont cette transmission s'effectue. Ainsi, lorsqu'un influx nerveux en provenance d'un neurone transmetteur parvient au bouton terminal,

Synapse
Point où un influx nerveux est transmis à une autre cellule (neurone ou autre).

FIGURE 2.2   La synapse et son fonctionnement

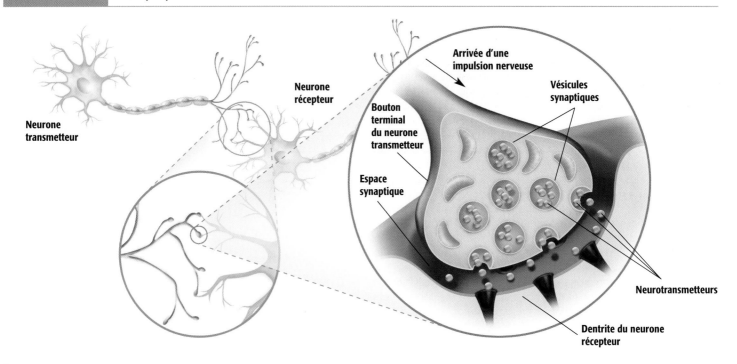

À l'arrivée d'un influx nerveux en provenance d'un neurone transmetteur, les vésicules synaptiques contenant les neurotransmetteurs migrent vers l'espace synaptique ; les neurotransmetteurs y sont alors libérés vers le neurone récepteur, où une série de réactions peut conduire à un nouvel influx nerveux.

Vésicule synaptique
Structure située dans un bouton terminal et contenant des neurotransmetteurs.

Espace synaptique
Espace séparant un bouton terminal d'un neurone transmetteur et une dendrite, ou la membrane cellulaire, d'un neurone récepteur.

Neurotransmetteur
Molécule libérée dans l'espace synaptique à l'arrivée d'un influx nerveux à un bouton terminal et qui produit un nouvel influx nerveux dans le neurone qu'il atteint.

Facilitateur
Qualifie un neurotransmetteur dont l'action tend à faire générer un influx nerveux par le corps cellulaire.

Inhibiteur
Qualifie un neurotransmetteur dont l'action tend à empêcher le corps cellulaire de générer un influx nerveux.

de petits contenants appelés **vésicules synaptiques** se déplacent vers la membrane du bouton terminal, pour s'ouvrir dans l'**espace synaptique** entre les deux cellules. En s'ouvrant, les vésicules libèrent des **neurotransmetteurs**, lesquels vont se déplacer vers un site récepteur situé soit sur une dendrite, soit sur la membrane cellulaire du neurone récepteur ; une nouvelle impulsion est alors créée par ce neurone et le processus se poursuit.

La compilation des signaux reçus

Comme nous l'avons souligné précédemment, chaque neurone reçoit des signaux de plusieurs autres cellules, mais il n'a qu'un seul axone pour transmettre à son tour un signal. Il faut donc que le corps cellulaire procède à une sorte de compilation des signaux reçus. Or, contrairement à certains neurotransmetteurs qui sont **facilitateurs**, c'est-à-dire qu'ils tendent à ce que le corps cellulaire génère un influx nerveux dans l'axone, d'autres sont dits **inhibiteurs**, car ces derniers tendent à empêcher l'impulsion d'être déclenchée. Le corps cellulaire doit donc en quelque sorte effectuer la compilation des « + » (les effets dus aux neurotransmetteurs facilitateurs) et des « – » (les effets dus aux neurotransmetteurs inhibiteurs). Il faut que les « + » l'emportent de façon probante sur les « – » pour que l'impulsion soit déclenchée.

Revenons à notre frappeur de baseball. Les neurones transmettant l'image doivent la véhiculer le long de leur axone, la transmettre par de nombreuses synapses à d'autres neurones qui vont l'analyser en tenant compte de la vitesse et de la position de la balle, des habitudes du lanceur, des indices perçus avant le lancer et du risque de rater la balle. Les neurones ayant participé à cette analyse enverront leur résultat sous forme d'impulsions nerveuses aux neurones qui commandent les mouvements, lesquels généreront alors ou non les impulsions nerveuses appropriées. Quand on considère tout ce processus, il apparaît fascinant qu'il puisse s'effectuer en une fraction de seconde ! Et pourtant, comme la petite démonstration suggérée dans l'encadré 2.2 permet de le constater, il arrive qu'on ne puisse réagir suffisamment vite dans des situations qui, à première vue, semblent faciles…

Une limite de vitesse !

Les impulsions nerveuses ont une limite de vitesse qu'elles ne peuvent dépasser, ce qui restreint par le fait même la vitesse à laquelle on peut réagir à un événement impossible à prévoir. La situation illustrée par la figure ci-contre permet de s'en rendre compte.

Prenez un billet de banque, tenez-le à la verticale par l'extrémité supérieure, puis demandez à un ami de placer la main à mi-hauteur du billet de la façon indiquée dans la figure. Après vous être assuré qu'il y a un espace minimal d'environ 2,5 cm de part et d'autre du billet, prévenez-le que vous allez lâcher le billet dans quelques secondes et qu'il doit, dès que le billet se mettra à tomber, tenter de l'attraper en fermant simplement la main, sans déplacer le bras vers le bas.

Si votre ami suit parfaitement vos instructions, et si vous prenez garde de ne pas lui donner d'indice avant de relâcher le billet, ce dernier lui glissera immanquablement entre les doigts ! On peut ainsi comprendre pourquoi, dans la conduite automobile, «prévoir» est tout aussi important que «réagir».

Une expérience simple sur le temps de réaction.

Adapté de : Zimbardo *et al.,* 2003.

Quelques neurotransmetteurs

Selon la façon de les définir, on dénombre actuellement plus d'une centaine de neurotransmetteurs ayant chacun sa propre structure chimique, et les recherches nous amènent à en découvrir d'autres continuellement. De plus, on sait aujourd'hui que de nombreux neurones libèrent deux neurotransmetteurs différents, voire davantage (Bear *et al.,* 2002 ; Purves *et al.,* 2003). Nous en mentionnons ici quelques-uns qui présentent un intérêt particulier au regard des thèmes qui seront abordés dans le présent manuel.

L'acétylcholine　Premier neurotransmetteur à avoir été découvert pour son rôle dans les mouvements volontaires, l'acétylcholine interviendrait également dans les processus liés à l'attention, au sommeil et à la mémoire — thèmes qui seront abordés respectivement dans les chapitres 3, 4 et 6. On sait par ailleurs que les neurones produisant l'acétylcholine meurent graduellement chez les patients atteints de la maladie d'Alzheimer.

Le glutamate　Ce neurotransmetteur, qui interviendrait également pour faciliter l'apprentissage, la mémoire et le sommeil, serait le neurotransmetteur «le plus important pour le fonctionnement normal du cerveau» (Purves *et al.,* 2005, p. 137). On estime qu'il intervient dans plus de la moitié des transmissions synaptiques qui ont lieu dans le cerveau ; on considère ainsi qu'il est l'excitateur le plus répandu dans le système nerveux.

La dopamine　Cet autre neurotransmetteur joue un rôle central dans la régulation des mouvements, c'est-à-dire dans la capacité d'effectuer de façon bien synchronisée un mouvement complexe, aussi banal soit-il, comme saisir une tasse de café et la porter à ses lèvres. On sait par exemple que la maladie de Parkinson, qui se manifeste par de la difficulté à faire des mouvements harmonieux, des tremblements musculaires et de la rigidité, est causée par la mort des neurones du tronc cérébral qui produisent de la dopamine.

Par ailleurs, la dopamine interviendrait également dans les processus cognitifs et émotifs. On a en effet constaté que la dopamine est présente en trop grande quantité chez les individus atteints de schizophrénie, trouble qui se manifeste par une perception déformée de l'environnement, de même que par des façons inappropriées d'y réagir sur le plan émotif (*voir le chapitre 12*).

La noradrénaline　En tant que neurotransmetteur, la noradrénaline intervient dans des manifestations physiques telles que l'accélération du rythme cardiaque, la respiration, l'élévation de la pression artérielle et la libération de sucre dans le sang. Ces modifications du métabolisme cellulaire qui préparent l'organisme à réagir à un stress (fuite ou lutte) se retrouvent également dans les manifestations des émotions (*voir le chapitre 9*).

Testez vos connaissances

3. La noradrénaline est le neurotransmetteur le plus répandu dans le système nerveux.

La noradrénaline est peut-être le neurotransmetteur le plus connu mais, comme indiqué précédemment, c'est le glutamate qui est le neurotransmetteur le plus répandu dans le système nerveux.

La sérotonine Outre le fait qu'elle contribue au bon déroulement du sommeil, la sérotonine agirait sur l'humeur, une déficience de ce neurotransmetteur entraînant un état dépressif et anxieux. Lorsque l'état dépressif devient pathologique, certains médicaments peuvent compenser cette lacune mais, nous le verrons au chapitre 12, le traitement ne doit pas s'arrêter là : dans ce type de situation, il importe en effet de trouver la cause du manque de sérotonine.

L'endorphine L'effet premier de l'endorphine est d'atténuer, et parfois même de faire disparaître complètement, les sensations liées à la douleur. Certaines situations, un effort musculaire soutenu par exemple, stimulent naturellement la production d'endorphines. C'est ce qui se passe lorsqu'un coureur de longue distance qui avait commencé à ressentir la fatigue et certaines douleurs dans les jambes constate, après un certain temps, que ces sensations douloureuses ont disparu et qu'il ressent même une certaine euphorie. Certaines recherches visent à mieux connaître les conditions stimulant la production d'endorphines en vue, espère-t-on, de soulager la douleur dans le cas de maladies pour lesquelles les médicaments antidouleur sont encore sans effet.

Le GABA Tout comme le glutamate, le GABA[2] est extrêmement important pour le bon fonctionnement général du système nerveux. Toutefois, contrairement au glutamate qui comme la plupart des autres neurotransmetteurs a un effet excitateur, le GABA a un effet inhibiteur. On le trouve dans environ 33 % des synapses qui se situent dans le cerveau ; on considère même que c'est le plus important inhibiteur dans cette partie importante du système nerveux (Purves *et al.*, 2005 ; Zimbardo *et al.*, 2003 ; Zwanzger & Rupprecht, 2006). En raison de ce côté inhibiteur et du fait qu'il est très répandu dans le système nerveux, le GABA serait la contrepartie du glutamate et jouerait un rôle fondamental de frein dans le système nerveux pour que l'activité neuronale ne s'emballe pas trop (Golcberg, 2006). On a ainsi constaté que certaines manifestations d'anxiété et de panique correspondent à une baisse de GABA dans le système nerveux et qu'inversement, les produits qui stimulent la présence de GABA réduisent ces troubles, de même que l'occurrence de crises d'épilepsie (Golcberg, 2006 ; Zimbardo *et al.*, 2003).

Le tableau 2.1 rappelle les principales caractéristiques associées aux neurotransmetteurs que nous venons de décrire brièvement.

2.2 Les divisions du système nerveux

Un peu comme les personnes travaillant dans une grande entreprise y occupent différentes fonctions, les unités fondamentales que sont les neurones sont regroupées dans différentes structures ayant chacune leurs fonctions à remplir, et l'ensemble de ces structures constitue le système nerveux. Étant donné que nous nous référerons régulièrement à l'une ou à l'autre de ces structures selon le sujet abordé dans ce manuel, il importe d'en connaître les grandes divisions.

---

2. GABA est l'acronyme de l'expression anglaise *gamma-aminobutyric acid*.

TABLEAU 2.1

Les caractéristiques de base de quelques neurotransmetteurs ainsi que les aspects comportementaux et mentaux qui y sont reliés

Neurotransmetteur	Caractéristiques biologiques de base	Comportement et processus mentaux reliés
Acétylcholine	• Excitateur	• Mouvements volontaires • Attention, sommeil et mémoire • Insuffisance → dégénérescence (Alzheimer)
Glutamate	• Excitateur • Le plus répandu dans le cerveau	• Apprentissage, mémoire et sommeil
Dopamine	• Excitateur	• Régulation des mouvements • Insuffisance → maladie de Parkinson • Excès → schizophrénie
Noradrénaline	• Excitateur	• Manifestations physiques intervenant dans les émotions (exemples : rythme cardiaque, respiration, pression artérielle)
Sérotonine	• Excitateur	• Sommeil et humeur • Insuffisance → état anxieux et dépressif
Endorphine	• Excitateur • Production peut être stimulée par un effort physique intense	• Atténuation de la douleur • Sensation d'euphorie
GABA	• Inhibiteur le plus répandu dans le cerveau • Rôle général de frein	• Réduit les manifestations d'anxiété et de panique • Prévient l'occurrence de crises d'épilepsie

Adapté de : Purves *et al.*, 2005, p. 131.

FIGURE 2.3   Les principales divisions du système nerveux

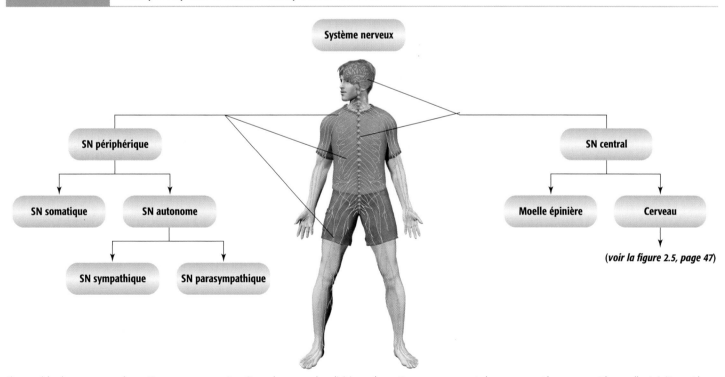

(voir la figure 2.5, page 47)

L'ensemble des neurones du système nerveux se répartit en deux grandes divisions : le système nerveux central, comprenant le cerveau et la moelle épinière, et le système nerveux périphérique, comprenant l'ensemble des autres neurones ; ce dernier comprend le système somatique, qui relie les récepteurs sensoriels et les muscles volontaires au système nerveux central, et le système autonome qui assure la communication avec les différents viscères du corps.

Comme le laisse voir la figure 2.3 (*page 43*), on divise le système nerveux en deux grandes parties : le système nerveux périphérique et le système nerveux central.

2.2.1 Le système nerveux périphérique

Le **système nerveux périphérique** correspond à la division du système nerveux composée des parties assurant la communication entre, d'une part, le cerveau ou la moelle épinière et, d'autre part, le reste du corps. On pourrait le comparer à l'ensemble des périphériques d'un ordinateur grâce auxquels ce dernier peut traiter l'information fournie par l'usager et réagir en conséquence.

Comme illustré dans la figure 2.3, le système nerveux périphérique se divise lui-même en deux ensembles de circuits, le système nerveux somatique et le système nerveux autonome.

Le système nerveux somatique

Dénommé à partir du terme grec *soma* qui signifie « corps », le **système nerveux somatique** est constitué de l'ensemble des neurones qui communiquent avec les parties du corps interagissant avec l'environnement ; par analogie avec l'ordinateur, on pourrait dire qu'il s'agit de l'ensemble des « périphériques et câblages d'entrée et de sortie ». Considérant le sens dans lequel voyagent les influx nerveux, on distingue les neurones sensoriels des neurones moteurs.

Le cerveau et la moelle épinière reçoivent de l'information sur l'environnement grâce aux **neurones sensoriels**, lesquels transportent jusqu'à la moelle épinière et au cerveau les influx nerveux provenant des divers organes sensoriels. La plus grande partie de ce trajet se fait par les **nerfs**, ce terme étant utilisé pour désigner un groupe d'axones réunis dans un même faisceau, un peu comme un groupe de fils réunis dans un câble électrique. Ainsi, les nerfs qui renferment les axones de neurones sensoriels reliant la jambe à la moelle épinière transmettent à cette dernière les influx nerveux générés par les récepteurs de la peau lorsque nous apprécions, par exemple, les sensations produites par un bon massage ; par contre, les influx transmis par le nerf optique — lequel est constitué des axones de neurones se trouvant dans l'œil (*voir le chapitre 3*) — se rendent directement au cerveau.

En plus de transmettre de l'information en provenance de l'environnement, le système nerveux somatique permet, grâce aux **neurones moteurs**, de transmettre des commandes aux muscles attachés au squelette, muscles sur lesquels nous avons, dans la majorité des cas, un contrôle volontaire.

> **Testez vos connaissances**
>
> 4. **La transmission au cerveau de l'information en provenance du corps et la transmission à l'ensemble du corps des commandes du cerveau sont effectuées par les mêmes cellules.**
>
>   La transmission de l'information en provenance du corps est effectuée par les neurones sensoriels, alors que la transmission à l'ensemble du corps des commandes du cerveau est effectuée par les neurones moteurs.

Le système nerveux autonome

Outre le système somatique véhiculant l'information sensorielle en provenance de l'ensemble du corps et les commandes à envoyer aux muscles du squelette pour exécuter certaines actions, le système périphérique comprend également un ensemble de neurones qui veillent non seulement à maintenir l'organisme en vie, mais aussi à réguler les dépenses d'énergie nécessaires pour s'ajuster efficacement à l'environnement. Ainsi, lorsque nous dégustons un bon repas, notre système digestif se met au travail sans que nous ayons à lui en donner l'ordre consciemment. De même, lorsque nous nous lançons à fond de train dans une attaque en direction du but adverse lors

Système nerveux périphérique
Division du système nerveux qui assure la communication entre, d'une part, le cerveau ou la moelle épinière et, d'autre part, le reste du corps.

Système nerveux somatique
Branche du système nerveux périphérique constituée par l'ensemble des neurones qui communiquent avec les parties du corps interagissant avec l'environnement, à savoir les récepteurs sensoriels et les muscles volontaires (rattachés aux différentes parties du squelette) ; inclut des neurones sensoriels et des neurones moteurs.

Neurone sensoriel
Aussi appelé **Neurone afférent**
Neurone transmettant à la moelle épinière ou au cerveau les influx nerveux provenant des autres parties du corps.

Nerf
Groupe d'axones réunis dans un même faisceau.

Neurone moteur
Aussi appelé **Neurone efférent**
Neurone transmettant aux différentes parties du corps (muscles et viscères) les commandes provenant de la moelle épinière et du cerveau.

d'une partie de hockey, nous n'avons pas à commander à notre cœur de battre plus vite pour fournir aux muscles le surplus d'oxygène nécessaire : la réaction se fait automatiquement. Comme il fonctionne par lui-même, sans qu'on ait à y penser, on a baptisé **système nerveux autonome (SNA)** le réseau de neurones qui commandent l'activité de ces organes dont le rôle est d'assurer le bon fonctionnement du métabolisme ; ces organes sont, notamment, le foie et les autres organes du système digestif, le cœur, les poumons, les reins, les glandes, etc.

Comme schématisé dans la figure 2.3 (*page 43*), le SNA est principalement constitué des neurones qui relient la moelle épinière ou le cerveau aux différents organes du corps (cœur, poumons, estomac, etc.). Le SNA peut cependant opérer de deux façons sur ces organes. Ainsi, un peu comme une automobile qui est munie d'un système d'alimentation lui permettant d'accélérer et d'avancer et d'un système de freinage permettant d'exercer une action dans le sens contraire, le SNA se divise en deux branches qui ont pour fonction soit d'augmenter l'activité, soit de la ralentir. Ces deux subdivisions sont le système sympathique et le système parasympathique.

Ces deux sous-systèmes, dont il sera davantage question dans le chapitre 9 sur les émotions, ont des effets contraires, mais exercent tous deux des fonctions liées à la survie face à l'environnement. Ainsi, le **système nerveux sympathique** produit des réactions visant à mettre de l'énergie à la disposition de l'organisme (accélération du rythme cardiaque et de la respiration, libération de sucre dans le sang, etc.) pour l'aider à agir (par exemple, lutter ou fuir devant une situation menaçante). Le **système nerveux parasympathique** vise quant à lui à permettre soit la reconstitution des réserves d'énergie utilisées lors d'une activation marquée du système sympathique, soit l'emmagasinage d'énergie en vue de sollicitations futures (ralentissement du rythme cardiaque et de la respiration, activité du système digestif, etc.).

Pour que le SNA puisse effectuer correctement son travail, c'est-à-dire savoir quelle fonction — sympathique ou parasympathique — activer, il doit être informé de l'état du corps. On y trouve donc, comme dans le cas du système périphérique, des neurones sensoriels qui transmettent l'information sur ce qui se passe au niveau des organes, et des neurones moteurs qui envoient aux organes les commandes appropriées.

Généralement, le fonctionnement autonome du SNA est tout à fait avantageux, mais il y a lieu de signaler que, dans certaines situations, cela peut s'avérer un inconvénient : c'est le cas par exemple lorsqu'un étudiant qui doit faire un exposé devant la classe n'arrive pas à abaisser comme il le voudrait son niveau de stress (*voir le chapitre 10*) ou encore lorsqu'une personne est sujette à des crises d'angoisse insurmontables, trouble qui sera abordé dans le chapitre 12.

2.2.2 Le système nerveux central

On pourrait comparer le **système nerveux central (SNC)**, lequel comprend la moelle épinière et le cerveau, à l'unité centrale d'un ordinateur, là où s'effectue principalement le traitement de l'information en provenance des périphériques et d'où partent les instructions s'y dirigeant.

La moelle épinière

La **moelle épinière** est principalement formée d'axones logés dans la colonne vertébrale qui assurent la communication entre le cerveau et la partie du système périphérique qui n'y est pas directement reliée. On utilise souvent — comme nous le ferons ici — le terme **fibre nerveuse** pour parler de ces axones qui, même s'ils ne sont pas des nerfs, s'étendent sur une certaine distance (comme c'est le cas dans la moelle épinière). On distingue ainsi, d'une part, les **fibres sensorielles** qui acheminent au cerveau l'information provenant du système périphérique et, d'autre part, les **fibres motrices** qui transmettent au système périphérique les commandes générées par le cerveau devant être acheminées aux muscles et aux organes. Sur le plan fonctionnel, on peut donc dire que la moelle épinière est, de façon générale, cette partie du système nerveux central qui joue le rôle d'intermédiaire entre le cerveau et l'ensemble

Système nerveux autonome (SNA)
Branche du système nerveux périphérique constituée par l'ensemble des neurones qui communiquent avec les différents organes du corps ; inclut des neurones sensoriels et des neurones moteurs.

Système nerveux sympathique
Branche du système nerveux autonome qui produit des réactions visant à mettre de l'énergie à la disposition de l'organisme pour l'aider à agir (par exemple, lutter ou fuir devant une situation menaçante).

Système nerveux parasympathique
Branche du système nerveux autonome qui produit des réactions visant à permettre soit la récupération de l'énergie utilisée pour combattre un danger ou y échapper, soit l'emmagasinage d'énergie en vue de nouvelles sollicitations.

Système nerveux central (SNC)
Division du système nerveux constituée des neurones contenus dans le cerveau et la moelle épinière.

Moelle épinière
Partie du système nerveux central formée principalement d'axones logés dans la colonne vertébrale et assurant la communication entre le cerveau et la partie du système périphérique qui n'y est pas directement reliée.

Fibre nerveuse
Terme général utilisé pour désigner un axone qui, même s'il ne fait pas partie d'un nerf, s'étend sur une certaine distance (comme c'est le cas par exemple dans la moelle épinière).

Fibre sensorielle
Aussi appelée **Fibre sensitive** *ou* **afférente**
Fibre nerveuse d'un neurone sensoriel.

Fibre motrice
Aussi appelée **Fibre efférente**
Fibre nerveuse d'un neurone moteur.

du corps, sauf en ce qui concerne la région au-dessus du cou, là où certains récepteurs sensoriels et certains muscles communiquent directement avec le cerveau.

En plus de transmettre les influx du système périphérique vers le cerveau et vice-versa, la moelle épinière est également le siège de connexions qui, comme l'illustre la figure 2.4, permettent ce qu'on appelle un **arc réflexe**. Ce dernier est rendu possible par la présence d'un neurone qui capte un signal provenant d'un neurone sensoriel et qui stimule, directement ou par l'intermédiaire d'un autre neurone, un neurone moteur, lequel provoquera alors la réponse motrice appropriée. Le réflexe bien connu qui fait bouger la jambe lorsqu'on frappe sous la rotule du genou constitue un bon exemple d'arc réflexe ; la réaction consistant à lever automatiquement le pied en réaction à la sensation douloureuse provoquée par le fait d'avoir marché sur un objet pointu est un autre exemple de réflexe dû à ce type de circuit qu'on appelle un arc réflexe.

| **FIGURE 2.4** | L'arc réflexe |

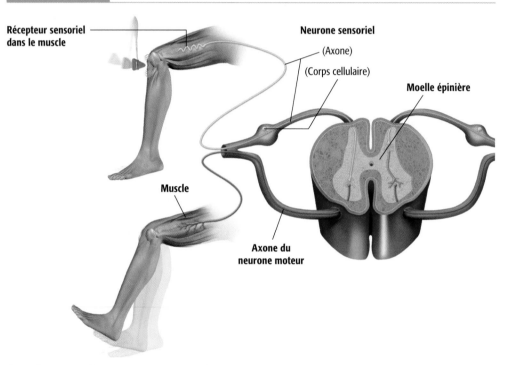

L'arc réflexe est produit par une connexion s'effectuant au niveau de la moelle épinière, soit directement, comme dans le cas de la jambe qu'on soulève en réaction au coup frappé sous la rotule, soit par l'intermédiaire d'un autre neurone (situation illustrée dans la partie droite du schéma de la moelle), comme c'est le cas lorsqu'on réagit automatiquement à une sensation douloureuse détectée par la peau.

Notons que même si le signal transmis par le neurone sensoriel se rend tout de même au cerveau, la réaction motrice se produit sans le concours de ce dernier. Ceci est particulièrement frappant dans le cas de personnes paraplégiques dont la moelle épinière peut déclencher une réaction, en dépit du fait que les fibres nerveuses entre la moelle et le cerveau ont été endommagées. C'est ainsi que la stimulation des organes génitaux d'un individu paraplégique peut provoquer l'érection du pénis ou du clitoris et, « pour les deux sexes, des contractions des muscles du périnée lors de l'orgasme[3] » (Purves *et al.*, 2005, p. 496), et ce, même si la personne ne ressent rien.

3. Lors d'une entrevue diffusée sur une chaîne de télévision américaine, l'acteur Christopher Reeves, qui avait incarné Superman et qui était devenu paraplégique en 1995 à la suite d'une chute de cheval, a confirmé la possibilité de provoquer une érection grâce à des stimulations appropriées !

5. Une femme paraplégique peut avoir un orgasme.

Même si la femme ne le sent pas, les contractions des muscles du périnée qui sont observées lors de l'orgasme peuvent se produire grâce à l'arc réflexe au niveau de la moelle épinière.

Le cerveau

Ce qu'on entend par «cerveau» varie selon les auteurs et le contexte dans lequel ils en parlent. Dans le présent manuel, le terme **cerveau** sera employé au sens large (Purves *et al.,* 2005) pour désigner ce qui correspond à l'ensemble des structures contenues dans la boîte crânienne, à partir de l'endroit où se termine la moelle épinière.

Par ailleurs, il importe de savoir que même la façon de décrire et de classer les différentes structures constituant le cerveau varie selon le point de vue adopté. Compte tenu de l'extrême complexité de cet organe, nous nous contenterons ici de présenter les structures de base auxquelles nous nous référerons dans le présent manuel. Nous nous limiterons également à souligner la fonction principale de chacune d'elles — étant entendu que la plupart des structures qui seront mentionnées peuvent intervenir dans plusieurs aspects. À noter finalement que nous avons associé un numéro à chacune des structures mentionnées dans le texte de base, ceci afin d'en faciliter le repérage dans les figures où elles sont représentées.

Le cervelet ❶ Comme permet de le voir la figure 2.5, le **cervelet** est situé à la base du cerveau, tout juste à l'arrière du haut de la moelle épinière. Son nom, qui signifie «petit cerveau», lui vient de sa forme qui rappelle de façon générale celle de l'ensemble du cerveau. Son rôle fondamental est d'assurer la coordination motrice des mouvements qui sont commandés par les centres supérieurs du cerveau, et il peut accomplir cette tâche grâce à la réception constante d'informations sur la position des différentes parties du corps les unes par rapport aux autres, la vision et le centre de l'équilibre. Il permet à un athlète comme Alexandre Despatie d'accomplir un plongeon complexe à partir d'un tremplin de dix mètres ou de marcher tout simplement en direction de son centre d'entraînement. Il suffit d'ailleurs de regarder un enfant qui apprend à marcher pour réaliser la complexité de cette activité motrice en apparence très simple et le travail de coordination constamment effectué par le cervelet, sans même que l'on ait à y penser.

Cerveau

Terme désignant, au sens large – tel qu'employé dans le présent manuel –, l'ensemble des structures contenues dans la boîte crânienne, à partir de l'endroit où se termine la moelle épinière.

Cervelet

Structure située à la base du cerveau, tout juste à l'arrière du haut de la moelle épinière, dont le rôle fondamental est d'assurer la coordination motrice des mouvements qui sont commandés par les centres supérieurs du cerveau.

FIGURE 2.5   Les principales structures du cerveau

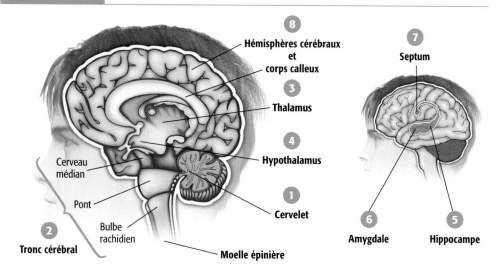

Schéma de base des principales structures que l'on retrouve dans le cerveau, la partie la plus complexe du système nerveux central.

Tronc cérébral
Ensemble de trois structures comprenant le cerveau médian, le bulbe rachidien et le pont, et qui, de façon générale, assure le passage de l'information sensorielle et motrice entre la moelle épinière et l'ensemble du cerveau, tout en étant impliqué dans une multitude de fonctions métaboliques importantes. À noter que certains auteurs incluent également le thalamus et l'hypothalamus dans le tronc cérébral.

Bulbe rachidien
Structure du tronc cérébral qui contribue à gérer certaines fonctions vitales assurées par la branche autonome du système nerveux périphérique comme, entre autres, le rythme cardiaque, la respiration, la tension artérielle, etc.

Pont
Structure du tronc cérébral dont une des fonctions consiste à servir d'intermédiaire entre, d'une part, le cervelet et, d'autre part, les centres supérieurs et le système nerveux somatique.

Thalamus
Structure située au cœur du cerveau et constituant une importante station de relais qui distribue aux structures appropriées les influx nerveux lui parvenant, notamment ceux en provenance des récepteurs sensoriels.

Noyaux gris centraux
Aussi appelés **Ganglions de la base**
Groupes de neurones situés dans la région autour du thalamus et jouant un rôle important dans la transmission des commandes motrices au cervelet et à l'ensemble du corps.

Le tronc cérébral ❷ Situé tout en haut de la moelle épinière, le **tronc cérébral** assure le passage de l'information sensorielle et motrice entre la moelle épinière et l'ensemble du cerveau, tout en étant impliqué dans une multitude de fonctions métaboliques importantes. Outre le cerveau médian, que nous ne faisons que mentionner ici, le tronc cérébral comprend le bulbe rachidien et le pont (Purves *et al.,* 2003). On mentionne souvent une autre structure, la formation réticulée (ou formation réticulaire), qui fait également partie du tronc cérébral. Cette structure ne constituerait cependant pas une composante anatomique bien circonscrite, mais plutôt un réseau de cellules diffus dans l'ensemble du tronc cérébral (Purves *et al.,* 2003). Il en sera question plus loin, notamment lorsque le thème du sommeil sera abordé.

Une fonction importante du **bulbe rachidien** consiste à gérer certaines fonctions vitales assurées par la branche autonome du système nerveux périphérique dont le rythme cardiaque, la respiration et la tension artérielle. Comme ces fonctions physiologiques fluctuent selon les demandes de l'organisme pour réagir à son environnement, le bulbe doit lui aussi moduler son action. Il est intéressant d'ajouter ici que la plupart des fibres sensorielles et motrices qui traversent le bulbe rachidien le font en changeant de côté; c'est ce qui explique, comme nous le verrons plus loin à propos du cortex cérébral, que la moitié gauche du corps est contrôlée par la partie droite du cerveau et vice-versa.

Le rôle du **pont** semble quant à lui moins spécifique, du moins en ce qui concerne les thèmes qui seront abordés dans ce manuel. Nous pouvons tout de même signaler qu'en raison de ses nombreuses connexions nerveuses avec le cervelet, le pont aide ce dernier à assurer la synchronisation des mouvements. Pour que le cervelet puisse assurer la coordination des mouvements qui lui sont commandés par le cerveau, il doit tout d'abord prendre connaissance de ces commandes puis, comme nous l'avons souligné plus haut, recevoir constamment de l'information concernant la position des différentes parties du corps les unes par rapport aux autres, la vision et le centre de l'équilibre. En raison de ce rôle d'intermédiaire entre, d'une part, le cervelet et, d'autre part, les centres supérieurs et le système nerveux somatique, le pont agirait «comme un commutateur important» (Bear *et al.,* 2002, p. 194) entre le cervelet et le cerveau.

Le thalamus ❸ Ayant un peu la forme d'un ballon de football, le **thalamus** est enfoui au cœur du cerveau, au-dessus du tronc cérébral. Ce dernier joue principalement le rôle d'une station de relais qui distribue aux structures appropriées les influx lui parvenant, un peu comme le fait une centrale téléphonique. Ce travail de relais du thalamus s'effectue dans les deux sens. C'est là par exemple que les messages sensoriels provenant de l'œil ou encore de l'oreille sont relayés aux parties du cerveau aptes à les traiter.

Les noyaux gris centraux Situés dans la région autour du thalamus — mais non représentés dans la figure 2.5 (*page 47*) —, les **noyaux gris centraux** sont un important groupe de neurones qui jouent un rôle de commutateur entre les commandes motrices provenant des centres supérieurs du cerveau et l'ensemble du corps. Comme nous l'avons mentionné précédemment, le cervelet intervient également dans les mouvements, mais la différence principale entre son rôle et celui des noyaux dont il est ici question est celle-ci: alors que le cervelet synchronise les différents mouvements participant à une action complexe, les noyaux gris centraux rendent possible ou non le passage des commandes motrices. La dopamine est un transmetteur important qui leur permet de jouer ce rôle: lorsque les neurones de ces noyaux n'arrivent plus à produire suffisamment de dopamine, les signaux moteurs n'arrivent plus à passer, ce qui rend la production des mouvements de plus en plus difficile. C'est ce qui se passe dans le cas de la maladie de Parkinson, laquelle est liée, comme nous l'avons mentionné précédemment dans la section sur les neurotransmetteurs, à une insuffisance de dopamine. L'encadré 2.3 rappelle les premières applications de la L.Dopa, un médicament qui compense en partie cette insuffisance.

La L.Dopa et la maladie de Parkinson

Dans son ouvrage *L'éveil* porté à l'écran en 1990, le neurologue Oliver Sacks raconte l'histoire de ce qui allait conduire à l'une des plus spectaculaires applications d'un médicament aujourd'hui bien connu, la L.Dopa.

Dès son arrivée au Mount Carmel Hospital de New York en 1966, Oliver Sacks est confronté à 80 patients souffrant de parkinsonisme postencéphalique, une forme de parkinsonisme sévère face à laquelle il se sent totalement impuissant. En fait, «un peu moins de la moitié de ces patients ne parlaient ou ne bougeaient presque plus ; ils demeuraient plongés en permanence dans un "sommeil" pathologique, et devaient être totalement pris en charge pour ce qui était de leurs besoins les plus élémentaires» (Sacks, 1993, p. 57-58).

Même après avoir lu une demi-douzaine de rapports publiés en 1967 et 1968 qui faisaient état de résultats encourageants dans le traitement du parkinsonisme grâce à la L.Dopa, une substance qui remplace la dopamine déficiente dans le cerveau des parkinsoniens, Sacks hésite encore à utiliser le produit, car il craint des effets secondaires indésirables. Il se décide néanmoins à expérimenter la L.Dopa sur un premier patient en mars 1969.

Les effets de la L.Dopa sont des plus surprenants et imprévisibles, tant d'un individu à l'autre que d'un moment à un autre pour un même individu. Des patients qui n'avaient ni parlé ni bougé depuis des années se mettent à «revivre». Ainsi, une femme d'une soixantaine d'années confia qu'elle avait l'impression d'avoir vingt et un ans, âge auquel la maladie l'avait frappée, comme si elle n'avait aucun souvenir de la période écoulée depuis cette époque. Malheureusement, les effets positifs ne se sont pas maintenus à long terme et la plupart des patients ont éprouvé des effets négatifs, variant tant par leur intensité que par la forme qu'ils prenaient.

La L.Dopa n'a donc pas été, chez ces patients très particuliers, le remède miracle auquel on avait cru un moment, mais l'aventure a enseigné quelque chose qu'on n'aurait pas osé prédire auparavant : il est possible de provoquer l'«éveil» d'un esprit qui semble à jamais endormi ! Depuis, les recherches ne cessent de progresser ; la greffe de cellules souches, en faveur de laquelle milite l'acteur Michael J. Fox, lui-même atteint de la maladie de Parkinson, semble actuellement une avenue des plus prometteuses.

Il faut malgré tout mentionner que la L.Dopa fonctionne relativement bien chez les parkinsoniens «standards», même si ses effets ont tendance à s'estomper avec le temps.

Michael J. Fox
Il a créé une fondation qui porte son nom et dont les sommes contribuent à la recherche sur la maladie de Parkinson.

Source : Sacks, 1993.

L'hypothalamus ❹ Situé juste sous le thalamus, mais pas plus gros que l'extrémité du petit doigt, l'**hypothalamus** est souvent comparé à un thermostat assurant l'**homéostasie**. Il intervient dans le contrôle de la température, ainsi que dans des activités telles que manger, boire et s'engager dans une activité sexuelle. L'hypothalamus joue un rôle clé dans ces activités qui sont à la base de motivations fondamentales visant à assurer le maintien de l'organisme et de l'espèce ; il en sera d'ailleurs question à nouveau dans le chapitre 8 traitant de la motivation.

L'hippocampe ❺ Pour qu'on puisse se remémorer un souvenir, il faut d'abord que celui-ci ait été emmagasiné : c'est la tâche de l'**hippocampe**. On pourrait comparer son rôle à celui des circuits qui, dans un ordinateur, permettent de sauvegarder un texte : si ces circuits ne sont pas activés de façon appropriée (soit parce qu'on ne le désire pas, soit en raison d'une panne de courant), une copie du travail fait ne pourra pas être enregistrée à long terme (sur un disque dur ou un autre support). De même, si l'hippocampe n'est pas activé correctement, par exemple parce qu'on n'a pas fait ce qu'il fallait pour mémoriser une information ou encore à cause d'une maladie, comme la maladie d'Alzheimer dont il sera question au chapitre 6 sur la mémoire, la personne ne peut créer un nouveau souvenir auquel elle pourra accéder plus tard.

Hypothalamus
Groupe de neurones situé juste sous le thalamus et dont le rôle principal est d'assurer l'homéostasie des processus vitaux tels que le contrôle de la température, et le fait de manger, de boire et de s'engager dans des activités sexuelles.

Homéostasie
Tendance du corps à maintenir constant l'état interne de l'organisme (par exemple, la température) en assurant un fonctionnement équilibré des mécanismes physiologiques qui y contribuent.

Hippocampe
Structure du cerveau qui joue un rôle important dans l'emmagasinage à long terme des souvenirs.

Testez vos connaissances

6. **Il existe une structure du cerveau dont le rôle peut se comparer à celui des circuits qui, dans un ordinateur, permettent de sauvegarder un texte.**

Le rôle de l'hippocampe, une structure du système limbique impliquée dans les processus de mémorisation, peut en effet être comparé à celui des circuits qui, dans un ordinateur, assurent la sauvegarde d'un texte.

Amygdale

Structure qui jouerait un rôle clé dans la gestion des souvenirs liés aux émotions, en particulier la peur, et dans la coordination des aspects viscéraux, moteurs et cognitifs des émotions.

Septum

Structure qui jouerait un rôle clé dans les réponses émotionnelles, en particulier dans celles liées au plaisir.

L'amygdale ⑥ Beaucoup de souvenirs que nous emmagasinons ont, à des degrés divers, une connotation émotive. L'**amygdale** jouerait un rôle clé dans la gestion des souvenirs liés aux émotions ainsi que dans l'expression de ces émotions[4]. Elle constituerait entre autres « un centre cérébral de première importance pour l'expérience subjective de la peur » (Purves *et al.*, 2005, p. 702), une émotion fondamentale pour la survie de l'individu. Comme nous le verrons dans le chapitre sur l'émotion, des recherches récentes ont montré que l'anxiété liée à la résurgence de souvenirs douloureux éprouvée par des vétérans de guerre met en cause un fonctionnement inapproprié de l'amygdale.

Le septum ⑦ Tout comme l'amygdale, le **septum** serait lui aussi impliqué dans les réponses émotionnelles, particulièrement dans celles liées au plaisir. Des recherches effectuées par James Olds et Peter Milner au milieu du xxᵉ siècle avec des rats ont démontré que le septum pourrait, lorsqu'il est stimulé électriquement en certains endroits, agir comme une sorte de « centre du plaisir », l'organisme ayant tendance à répéter ce qu'il faut pour produire à nouveau la stimulation (Olds & Milner, 1954). L'encadré 2.4 rappelle brièvement le contexte où ont été effectuées ces recherches devenues classiques depuis, même si on sait aujourd'hui que le septum n'est pas la seule structure dont la stimulation aurait un effet de récompense. Comme le souligne également l'encadré, certaines données en ce sens ont été recueillies par le neurophysiologiste José Delgado auprès de certains patients, lesquels ont pu donner — contrairement aux rats — une description verbale de ce qu'ils ressentaient.

ENCADRÉ 2.4 | **Recherche classique**

Un « centre du plaisir » mis au jour

En 1954, James Olds et Peter Milner, deux chercheurs de l'Université McGill qui s'intéressaient aux effets consécutifs à la stimulation électrique du cerveau, publient des résultats pour le moins spectaculaires. Après avoir implanté, dans différentes structures du cerveau d'un rat, une électrode dont la position variait d'un rat à l'autre (*voir l'illustration ci-contre*), ils ont fait en sorte qu'en appuyant sur un levier relié à l'électrode, le rat s'envoie lui-même une impulsion électrique. Les chercheurs ont alors constaté que la tendance du rat à appuyer sur le levier dépendait considérablement de la région où se trouvait l'électrode : alors que le rat n'était pas ou peu porté à appuyer dans certains cas, ceux dont l'électrode se trouvait dans une région donnée du septum présentaient un taux très élevé de pressions. Un animal a même appuyé au-delà de 7 500 fois en 12 heures ! (Olds & Milner, 1954).

Dans un texte publié quatre ans plus tard, Olds (1958) a rapporté d'autres recherches effectuées par la suite et ayant démontré que les régions pouvant produire un effet de récompense faisaient partie d'un système plus complexe que celui qui avait d'abord été identifié. C'est d'ailleurs ce que les recherches ont confirmé par la suite.

Devant ces résultats, on peut se demander si les mêmes observations ont été faites à partir de sujets humains. Même si l'éthique interdirait évidemment d'implanter de telles électrodes chez des humains dans le seul but de recueillir des connaissances, des données

quant aux effets de la stimulation du cerveau chez l'humain ont toutefois pu être obtenues dans le cadre d'interventions chirurgicales — à noter ici que ce genre d'intervention peut se faire sous anesthésie locale, la personne demeurant ainsi consciente. Or, le neurophysiologiste José M. R. Delgado rapporte de nombreux témoignages de personnes sur leurs impressions à la suite de la stimulation de certaines régions de leur cerveau.

Pour certains patients adultes ayant eu des électrodes implantées dans la partie antérieure du cerveau, « les réactions ont été décrites par le terme d'"orgasme", parce que les patients exprimaient d'abord leur jouissance puis se trouvaient subitement complètement satisfaits » (Delgado, 1972, p. 190).

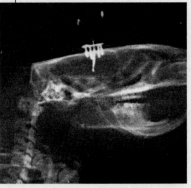

Radiographie indiquant l'emplacement des électrodes implantées chez le rat, qui ont amené Olds et Milner (1954) à parler de « centre du plaisir ».

Sources : Delgado, 1972 ; Olds, 1958 ; Olds & Milner, 1954.

---

4. À noter que l'amygdale fait partie du système limbique, lequel ne constitue pas à proprement parler une composante anatomique bien circonscrite, mais plutôt un ensemble qui en contient plusieurs ; il en sera d'ailleurs question dans le chapitre consacré aux émotions.

Les hémisphères cérébraux et le corps calleux ⑧ Les hémisphères cérébraux et le corps calleux coiffent l'ensemble des structures que nous venons de décrire.

Les **hémisphères cérébraux** sont les structures les plus évoluées du cerveau et c'est chez l'être humain que cette évolution a atteint le plus haut niveau. Ils sont constitués de neurones, mais aussi de cellules contribuant à soutenir et à assister les neurones. Comme l'illustre la figure 2.6, les hémisphères cérébraux ressemblent à une grande pièce de tissu épais qu'on aurait repliée et comprimée pour la faire entrer dans un volume restreint ; on appelle **circonvolutions** les nombreux replis ainsi observables, et **sillons**, les creux qui les séparent. La figure permet également de constater pourquoi on parle «des» hémisphères cérébraux : il s'agit en fait de deux parties qui sont anatomiquement séparées l'une de l'autre, mais retenues par les liens qu'elles ont avec les structures du cerveau décrites précédemment, ainsi que par le corps calleux.

En effet, même si les hémisphères cérébraux correspondent à deux ensembles de cellules distincts, ils communiquent entre eux par le **corps calleux**, une structure située entre les hémisphères, comme le laisse voir la figure 2.5 (*page 47*). Constitué d'une épaisse bande d'axones, le corps calleux a essentiellement pour tâche de transférer les influx nerveux d'un hémisphère à l'autre. On peut se demander ce qu'il adviendrait si cette structure était sectionnée : ce phénomène a effectivement été étudié dans le cas de patients dont le corps calleux a été sectionné pour des raisons médicales. On a constaté que l'individu peut fonctionner normalement avec un corps calleux sectionné, même si cela donne lieu dans certaines conditions à de curieuses observations (Gazzaniga *et al.*, 2001).

Comme le laisse voir la figure 2.6, les hémisphères cérébraux contiennent deux couches. La première de ces couches, celle qui apparaît lorsqu'on met le cerveau à découvert, est grisâtre, d'où son nom de **substance grise** — communément appelée *matière grise*. Contenant des corps cellulaires et des axones dépourvus de gaine de myéline, la substance grise correspond au **cortex cérébral**[5]. La seconde couche, située sous la substance grise, est essentiellement constituée d'axones myélinisés ; elle présente une couleur blanche, couleur qui lui vient du composant graisseux des gaines de myéline, d'où le nom de **substance blanche**.

| FIGURE 2.6 | Les hémisphères cérébraux et le cortex cérébral |

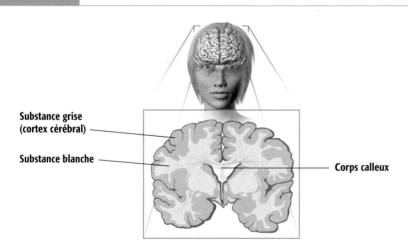

Le tissu des hémisphères cérébraux comprend deux couches principales : la substance grise (qui correspond à ce qu'on appelle communément la *matière grise*) et la substance blanche. C'est la substance grise qui constitue le cortex cérébral.

---

5. Il arrive que dans certains contextes, l'expression «cortex cérébral» soit utilisée pour désigner l'ensemble constitué par les deux couches, à savoir la substance grise et la substance blanche. On devra alors se rappeler qu'il s'agit là d'une utilisation impropre.

Hémisphères cérébraux
Regroupements de neurones constituant les structures les plus évoluées du cerveau et qui se présentent comme un ensemble de plis et de replis ; les hémisphères sont au nombre de deux, le gauche et le droit, chacun comprenant quatre divisions principales, les lobes.

Circonvolution
Aussi appelée **Gyrus**
Chacun des replis observables à la surface des hémisphères cérébraux.

Sillon
Aussi appelé **Scissure**
Chacun des creux qui séparent les circonvolutions constituant les hémisphères cérébraux.

Corps calleux
Épaisse bande constituée d'axones et reliant les deux hémisphères, permettant ainsi de transmettre les influx nerveux d'un hémisphère à l'autre.

Substance grise
Terme générique désignant, dans le cas des deux hémisphères cérébraux, la plus externe des deux couches principales constituant chacun des hémisphères ; correspondant au cortex cérébral, elle comprend des corps cellulaires et des axones dépourvus de gaine de myéline.

Cortex cérébral
Correspond à la substance grise dans chaque hémisphère.

Substance blanche
Terme générique désignant, dans le cas des deux hémisphères cérébraux, la plus interne des deux couches principales constituant chacun des hémisphères ; elle est essentiellement formée d'axones myélinisés.

Qu'en est-il maintenant du rôle des hémisphères cérébraux et, particulièrement, du cortex cérébral qui s'y trouve ? Ces structures étant, comme nous l'avons mentionné précédemment, les structures les plus évoluées du système nerveux, ce sont elles qui permettent les opérations les plus complexes en matière d'adaptation à l'environnement ; le rôle joué par les différentes subdivisions méritant un examen plus attentif, nous en ferons la description au point suivant.

2.3 Les hémisphères cérébraux : la partie la plus évoluée du cerveau

De façon générale, on considère que plus un organisme peut s'adapter à des environnements variés, plus son cortex cérébral est développé. Or, l'espèce humaine étant celle qui a démontré les plus grandes capacités d'adaptation, ne serait-ce que par le raffinement dont elle a fait preuve dans le développement des moyens de communication, on ne sera pas étonné de constater que c'est chez l'humain que le cortex cérébral est le plus évolué.

Afin de comprendre le rôle joué par les différentes parties du cortex cérébral, nous verrons d'abord ces grandes divisions anatomiques que constituent les lobes du cortex cérébral, pour ensuite situer, par rapport à ces lobes, les aires du cortex cérébral ayant certaines fonctions particulières reconnues ; nous terminerons cette section par des considérations sur la spécialisation des deux hémisphères, sujet fort intéressant qu'il faut se garder de simplifier.

2.3.1 Les lobes du cortex cérébral

Les **lobes** du cortex cérébral sont des divisions anatomiques constituées par des regroupements de neurones relativement séparés les uns des autres. Chaque hémisphère est divisé en quatre lobes principaux, les mêmes dans les deux hémisphères. Dénommés d'après les os du crâne près desquels ils se trouvent, ce sont les lobes occipitaux, les lobes temporaux, les lobes pariétaux et les lobes frontaux.

Comme le montre la figure 2.7, les **lobes occipitaux** (un pour chaque hémisphère, ne l'oublions pas) sont situés dans la partie arrière du cerveau. Quoique leur délimitation ne soit pas visuellement évidente, ils se distinguent néanmoins des autres lobes par l'organisation des neurones qu'on y trouve et par la fonction qu'ils jouent ; ils exercent en effet un rôle de premier plan dans le traitement de l'information visuelle.

Les **lobes temporaux**, situés de chaque côté de la tête, approximativement à la hauteur des tempes et des oreilles, sont davantage délimités que les lobes occipitaux avec lesquels ils sont en contact. On y trouve notamment les neurones responsables du traitement de l'information auditive.

Au-dessus des lobes occipitaux et temporaux se trouvent les **lobes pariétaux**, dont la séparation avec les lobes temporaux est relativement aisée à repérer, bien qu'elle le soit moins avec les lobes occipitaux. C'est dans les lobes pariétaux qu'on retrouve des groupes de neurones intervenant dans la sensibilité générale du corps.

Situés derrière l'os frontal et séparés des lobes pariétaux par un pli très accentué appelé le **sillon central**, les **lobes frontaux** sont de loin les lobes les plus volumineux, représentant environ un tiers de tout le cortex cérébral (Gazzaniga *et al.*, 2001). Ils sont présents chez tous les mammifères, mais considérablement plus développés chez l'espèce humaine, ce qui est particulièrement vrai de la région à l'avant qu'on appelle le **cortex préfrontal** et qui, chez l'homme, représente environ la moitié du cortex frontal. C'est ce développement qui donne à penser que cette région du cortex jouerait un rôle fondamental dans les diverses fonctions cognitives supérieures d'intégration des connaissances.

Lobe
Chacune des divisions anatomiques de chaque hémisphère ; les quatre principaux lobes sont le lobe occipital, le lobe temporal, le lobe pariétal et le lobe frontal.

Lobe occipital
Chacun des lobes situés, l'un du côté gauche et l'autre du côté droit, dans la partie arrière du cerveau.

Lobe temporal
Chacun des lobes situés, l'un du côté gauche et l'autre du côté droit, dans la partie du cerveau qui se trouve près de la tempe et des oreilles.

Lobe pariétal
Chacun des lobes situés, l'un du côté gauche et l'autre du côté droit, dans la partie supérieure du cerveau, un peu vers l'arrière de la tête.

Sillon central
Aussi appelé **Scissure centrale**
Sillon clairement visible séparant le lobe frontal du lobe pariétal.

Lobe frontal
Chacun des lobes situés, l'un du côté gauche et l'autre du côté droit, dans la partie du cerveau qui se trouve derrière l'os frontal.

Cortex préfrontal
Région du cortex frontal la plus récente dans l'évolution et qui est considérablement plus développée chez l'espèce humaine que chez les autres.

FIGURE 2.7 Les lobes et les aires du cortex cérébral

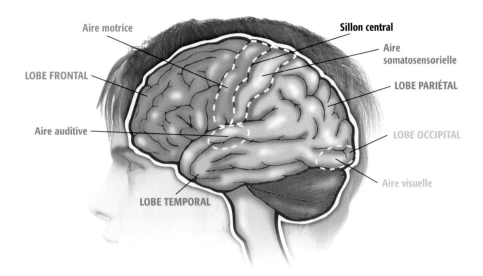

Chaque hémisphère est divisé en quatre lobes principaux à l'intérieur desquels on retrouve différentes aires liées à des fonctions spécifiques ; celles qui sont illustrées ici concernent les aspects sensoriels et moteurs.

2.3.2 Les aires du cortex cérébral

À partir de caractères anatomiques commun, on a divisé les différents lobes du cortex cérébral en régions appelées **aires corticales**. On a ainsi pu associer une fonction relativement précise à certaines de ces aires, ce qui est le cas pour les aires visuelles, auditives, somatosensorielles et motrices ; la situation est toutefois plus complexe pour les aires associatives.

Les aires visuelles

Les **aires visuelles** sont les régions qui reçoivent et traitent les influx nerveux en provenance de l'œil, plus particulièrement l'information sensorielle de base (couleurs, lignes, angles, etc.). Ces aires ne permettent pas la perception d'objets significatifs, ce traitement s'effectuant dans d'autres régions du cerveau. Ainsi que l'illustre la figure 2.7, les aires visuelles sont sises dans la partie postérieure du lobe occipital ; il est à noter que cette aire est plus étendue qu'elle n'y paraît, car elle se poursuit à l'intérieur du repli situé entre les deux hémisphères.

Les aires auditives

C'est dans les lobes temporaux qu'on trouve les **aires auditives** (*voir la figure 2.7*) consacrées au traitement de l'information en provenance de l'oreille. Ce sont elles qui donnent lieu aux sensations auditives de base qui permettent, par exemple, de distinguer les différentes notes d'un morceau de musique, de même que la variation du volume de la radio. Ce sont cependant d'autres régions qui amènent une personne à reconnaître, par exemple, qu'il s'agit de sa pièce musicale préférée et non de celle d'un de ses amis.

Les aires somatosensorielles

C'est dans les **aires somatosensorielles** que les influx nerveux en provenance des récepteurs distribués sur l'ensemble de la surface du corps et transmis par le système somatique sont transformés en sensations. Comme l'illustre la figure 2.7, ces aires occupent une grande partie des lobes pariétaux et sont situées le long du sillon central qui sépare dans chaque hémisphère le lobe pariétal du lobe frontal.

Aires corticales
Régions du cortex cérébral présentant certains caractères anatomiques donnés et à laquelle on a pu, pour certaines d'entre elles, associer une fonction particulière.

Aire visuelle
Région du cortex cérébral, située dans la partie arrière du lobe occipital de chaque hémisphère, qui reçoit et traite les influx nerveux en provenance de l'œil.

Aire auditive
Région du cortex cérébral, située approximativement au centre de la partie supérieure du lobe temporal de chaque hémisphère, qui reçoit et traite les influx nerveux en provenance de l'oreille.

Aire somatosensorielle
Aussi appelée **Aire somesthésique**
Région du cortex cérébral, située dans le lobe pariétal et le long du sillon central de chaque hémisphère, qui reçoit et traite les influx nerveux en provenance des récepteurs distribués sur l'ensemble de la surface du corps.

Concernant les aires somatosensorielles, deux points intéressants sont à noter. Tout d'abord, non seulement chaque partie du corps est reliée à une région donnée de l'aire somatosensorielle, mais l'étendue de l'aire consacrée au traitement des influx nerveux qui en proviennent varie également selon la partie du corps. Par exemple, comme illustré schématiquement dans la partie droite de la figure 2.8, le visage — en particulier la région des lèvres — correspond en proportion à une étendue beaucoup plus grande de l'aire somatosensorielle que le dos, ou encore la jambe ; la main, quant à elle, occupe en proportion davantage d'espace que le bras. On constate ainsi que plus une partie du corps fournit une information riche et détaillée dans le processus de communication avec l'environnement, plus grand est le nombre de neurones requis pour traiter cette information et plus grande est la partie du cortex qui lui est consacrée.

Testez vos connaissances

7. Toutes proportions gardées, la partie du cerveau consacrée au traitement des sensations provenant du visage et des lèvres est plus grande que celle traitant les sensations provenant de l'ensemble du dos.

Étant donné que le visage, et en particulier les lèvres, jouent un rôle crucial dans le processus de communication avec l'environnement en transmettant au cerveau des sensations très riches, une plus grande partie du cortex doit être consacrée au traitement des sensations qui en proviennent.

Le second point digne d'intérêt prend en considération un élément mentionné précédemment, à savoir que les fibres sensorielles transmettant les influx en provenance du système nerveux somatique changent de côté au niveau du bulbe rachidien. Conséquemment à cela, c'est dans l'aire somatosensorielle droite du cortex qu'est produite la sensation d'avoir été touché au bras gauche, et vice-versa. C'est ce qui fait, par exemple, qu'une personne victime d'un AVC (accident vasculaire cérébral) qui a endommagé l'aire somatosensorielle du côté droit du cerveau pourra éprouver une

| **FIGURE 2.8** | Les aires somatosensorielles et motrices |

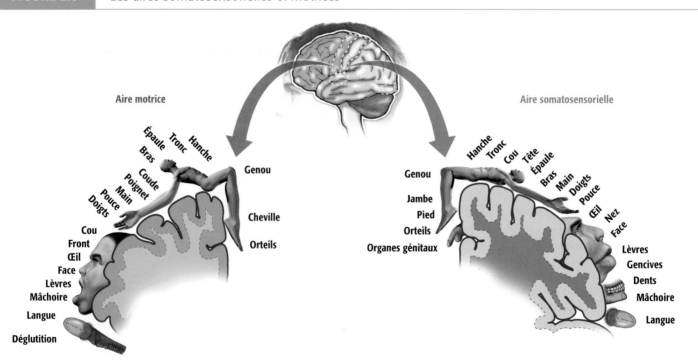

Représentation spatiale des différentes parties du corps dans les aires motrices et somatosensorielles ; à noter la différence entre les deux représentations en ce qui concerne la main.

perte de sensibilité du côté gauche, l'étendue de l'insensibilité dépendant évidemment de l'étendue des dommages au cerveau. Ce phénomène d'inversion peut paraître étrange à première vue, mais nous verrons, quand il sera question des voies visuelles au chapitre 3, qu'il est tout à fait pratique sur le plan adaptatif.

Testez vos connaissances

8. **Une personne devenue insensible du côté droit à la suite d'un AVC (accident vasculaire cérébral) a le côté gauche du cerveau endommagé.**

En raison du fait que les fibres des neurones sensoriels changent de côté au niveau du bulbe rachidien, l'insensibilité se manifeste du côté du corps opposé à celui de l'hémisphère atteint par l'AVC.

Les aires motrices

Également situées le long du sillon central mais du côté des lobes frontaux, comme on peut le voir dans la figure 2.7 (*page 53*), les **aires motrices** commandent les mouvements transmis aux muscles par les fibres motrices du système nerveux somatique. Tout comme pour les aires somatosensorielles, les différentes parties du corps y sont représentées en fonction de la finesse des mouvements requis. Encore ici, le visage et la main y occupent une étendue proportionnellement plus grande que les autres parties du corps. Comme permet de le constater la partie gauche de la figure 2.8 (*page 54*), la région du cortex consacrée à la main est ici aussi étendue que celle correspondant au visage. Par ailleurs, les fibres motrices changeant également de côté au niveau du bulbe rachidien, c'est l'aire motrice gauche qui commande les mouvements du côté droit du corps, et vice-versa. C'est ce qui fait, par exemple, qu'une personne victime d'un AVC ayant endommagé l'aire motrice du côté droit de son cerveau pourrait paralyser du côté gauche.

Les aires associatives

Les régions du cortex autres que celles dont il vient d'être question, et qui constituent la majeure partie du cortex cérébral, sont appelées **aires associatives** et «prennent essentiellement en charge les traitements complexes qui s'effectuent entre l'arrivée des entrées sensorielles dans les cortex primaires et l'élaboration des comportements» (Purves *et al.*, 2005, p. 613). Autrement dit, ces aires sont au cœur des processus permettant à l'organisme de tenir compte des stimulations externes et des états internes (motivationnels et émotionnels), et d'évaluer l'importance relative de ces différents éléments, de façon à y répondre de manière pertinente et à s'adapter efficacement à la situation. Parmi les aires associatives, les aires du langage sont celles qui sont actuellement les mieux connues.

On considère généralement que les aires du langage ne sont présentes que dans un seul hémisphère, le gauche chez la plupart des gens. La première à avoir été mise en évidence est l'aire responsable de l'élocution, l'**aire de Broca**, ainsi désignée d'après le nom du chirurgien, Paul Broca, qui l'a localisée le premier en 1861. Broca a fait cette découverte en examinant le cerveau d'un patient qui, de son vivant, était incapable de s'exprimer verbalement — il ne pouvait dire que le mot «tan». Ayant remarqué qu'une zone du cortex était lésée, Broca a supposé que cette région située dans le lobe frontal gauche, près de la partie où l'aire motrice commande les muscles de la bouche (*voir la figure 2.9, page 56*), était responsable de l'émission de la parole. Broca a résumé plus tard ses conclusions de la façon suivante : «On parle avec l'hémisphère gauche» (dans Purves *et al.*, 2005, p. 639). Même si les recherches subséquentes ont confirmé par la suite que sur le fond, Broca avait raison, on sait par contre maintenant que la situation n'est pas aussi simple.

Compte tenu du rôle de l'aire de Broca dans l'élocution, on parle d'**aphasie de Broca** pour désigner l'incapacité de s'exprimer en raison d'une lésion à l'aire de Broca. Cependant, contrairement à ce qu'on rencontre souvent dans les ouvrages, Gazzaniga

Aire motrice
Région du cortex cérébral située dans le lobe frontal et le long du sillon central de chaque hémisphère, et qui envoie des commandes aux muscles volontaires rattachés au squelette, mais ne donne pas lieu à des mouvements organisés.

Aire associative
Aussi appelée **Aire d'association**
Région située dans l'un ou l'autre des lobes frontal, pariétal ou temporal et participant aux processus permettant à l'organisme de tenir compte des stimulations externes et des états internes (motivationnels et émotionnels), d'évaluer l'importance relative de ces différents éléments de façon à pouvoir y répondre de manière pertinente et s'adapter efficacement à la situation.

Aire de Broca
Aire située dans le lobe frontal et responsable de l'élocution ; ainsi dénommée d'après le nom du chirurgien Paul Broca qui l'a localisée le premier en 1861.

Aphasie de Broca
Aussi appelée **Aphasie motrice** *ou encore* **Aphasie d'expression**
Problème de langage se traduisant par une élocution lente et hésitante, une difficulté à trouver les mots et à les arranger en séquences grammaticalement correctes ainsi que par certains problèmes de compréhension liés à la grammaire.

FIGURE 2.9   Les aires du langage

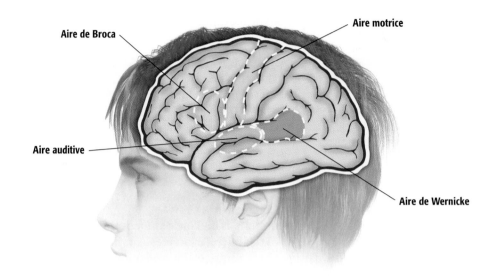

Aire de Broca

Aire motrice

Aire auditive

Aire de Wernicke

Pour la plupart des gens, les aires du langage sont situées dans l'hémisphère gauche, l'aire de Broca, dans le lobe frontal près de l'aire motrice, et l'aire de Wernicke, dans le lobe temporal près de l'aire auditive.

Aire de Wernicke
Aire corticale située dans le lobe temporal, entre l'aire auditive et sa jonction avec le lobe pariétal, et responsable de la compréhension du langage ; ainsi dénommée d'après le nom du chercheur qui l'a identifiée le premier.

Aphasie de Wernicke
Aussi appelée **Aphasie sensorielle** *ou encore* **Aphasie de réception**
Problème de langage se traduisant par l'émission d'un discours grammaticalement correct mais dénué de sens.

et al. (2001) affirment que «la conception selon laquelle l'aphasie de Broca ne serait qu'un trouble de l'expression est inexacte ; elle comporte aussi des déficits de compréhension» (p. 307) et ce déficit porterait principalement sur la grammaire. En entendant la phrase «le garçon a mangé le biscuit», la personne atteinte d'une aphasie de Broca n'aura pas de difficulté à saisir le sens de la phrase, car il est évident que le garçon n'a pas «été mangé» par le biscuit ; par contre, dans la phrase «le garçon a été frappé par la fille», elle sera incapable de savoir qui, du garçon ou de la fille, a frappé l'autre.

L'**aire de Wernicke**, encore ici nommée d'après le chercheur qui l'a identifiée, est une autre aire étroitement associée au langage. Alors que la fonction principale de l'aire de Broca est relativement bien connue, à savoir activer l'aire motrice commandant les muscles de la bouche de façon à ce que celle-ci prononce les mots voulus, celle de l'aire de Wernicke, de même que sa localisation, semble un peu plus difficile à établir. Située dans le lobe temporal entre l'aire auditive et sa jonction avec le lobe pariétal (*également illustrée dans la figure 2.9*), l'aire de Wernicke est d'emblée liée à la compréhension du langage. Ainsi, les personnes atteintes d'**aphasie de Wernicke** en raison, en partie du moins, d'une lésion à cette aire, n'ont pas de difficulté à parler et à former des phrases tout à fait correctes sur le plan grammatical, mais le problème lié à la signification des mots se traduit par un discours plus ou moins incompréhensible selon la sévérité de l'aphasie. L'encadré 2.5, qui fournit des exemples de discours de patients atteints l'un, d'aphasie de Broca et l'autre, d'aphasie de Wernicke, peut aider à voir la différence entre les deux. Il va de soi qu'une personne peut malheureusement être affectée des deux types d'aphasie (Purves *et al.,* 2003).

Les autres aires associatives qui font partie du cortex associatif ne semblent pas avoir une fonction aussi précise que les aires du langage, ce qui ne signifie pas que leur importance soit moindre, bien au contraire. Alors que les aires du langage interviennent dans un aspect relativement bien circonscrit de la cognition, les autres aires associatives seraient impliquées dans ces fonctions cognitives complexes que sont le raisonnement et la créativité. C'est même particulièrement sur celles situées dans le cortex préfrontal que reposeraient les différents aspects caractérisant ce qu'on appelle la personnalité d'un individu. Suggérée par le développement particulièrement marqué

Des exemples d'aphasies

Les exemples ci-dessous donnent une idée du genre de discours que peuvent tenir les personnes atteintes d'aphasie. Les deux proviennent de données recueillies auprès de patients par Howard Gardner, spécialiste entre autres en psychologie cognitive et en neuropsychologie.

Le premier exemple est extrait d'un dialogue entre Gardner et un opérateur radio des garde-côtes prénommé Ford qui est atteint d'une aphasie de Broca consécutive à une «attaque» dans la partie postérieure du lobe frontal gauche. Le texte permet de constater les nombreuses hésitations traduisant la difficulté du patient à trouver ses mots et à former des phrases grammaticalement correctes.

«Je suis opé… non, … pérateur… euh, bon, … encore.» Ces mots étaient dits lentement et avec difficulté. Ils n'étaient pas articulés nettement; chaque syllabe était émise d'une voix rauque, gutturale, saccadée. À la longue, on arrivait à le comprendre, mais j'eus au début beaucoup de difficultés. «Laissez-moi vous aidez [sic]», lui dis-je. «Vous étiez opérateur…», «Opé-rateur-radio, oui», Ford compléta ma phrase d'un air triomphant. «Vous étiez dans les gardes-côtes?» «Non, euh, si, si, bateau, garde-côtes… Massachu… chusetts… ans.» Il leva ses mains, deux fois, en indiquant le nombre dix-neuf.

Le second exemple est extrait du discours d'un boucher à la retraite atteint d'une aphasie de Wernicke consécutive à un AVC au niveau du lobe temporal postérieur. Contrairement au texte précédent, les phrases sont parfaitement bien construites et dénuées d'hésitation, mais le discours est décousu en ce qui concerne la signification.

Ça va, allez-y, n'importe quel vieux pensage que vous voudrez. Si je le pouvais, je voudrais. Oh, je m'y prends à l'envers avec ce mot pour dire, tous les coiffeurs par ici chaque fois qu'ils vous arrêtent c'est aller dans tous les coins, dans tous les coins, si vous voyez ce que je veux dire, c'est attacher et attacher pour répuquer, la répuquération, bon, on a fait du mieux qu'on a pu alors qu'une autre fois c'était la même chose avec les lits de là-bas…

Source: Gardner, 1974, p. 60-61; dans Purves *et al.*, 2005, p. 644.

du cortex préfrontal chez l'espèce humaine, cette interprétation va dans le sens de différentes observations cliniques qui ont pu être faites à la suite de dommages subis par les régions préfrontales du cortex : l'encadré 2.6 (*page 58*) concernant un homme qui a vu son crâne transpercé par une barre de métal, et ce, sans perdre la vie, est particulièrement éloquent à ce sujet !

On sait depuis longtemps que sauf quelques rares individus ambidextres, les gens utilisent de préférence les membres d'un côté du corps pour effectuer une tâche demandant un certain degré de précision, l'hémisphère correspondant étant alors appelé **hémisphère dominant** : pour les droitiers, c'est-à-dire pour environ 90 % (Gazzaniga *et al.,* 2001) des gens, c'est l'hémisphère gauche, alors que pour les gauchers, c'est-à-dire 7 à 8 % de la population en général, c'est le droit. Pour la plupart des gens, les aires du langage se trouvent dans l'hémisphère gauche. On peut donc dire que ce dernier correspond habituellement à l'hémisphère dominant.

Hémisphère dominant
Hémisphère commandant les muscles des membres situés du côté du corps dont se sert préférablement l'individu.

Testez vos connaissances

9. **Pour les droitiers, c'est-à-dire environ 90 % des gens, le côté dominant du cerveau est le droit, alors que pour les gauchers, c'est le gauche.**

    Les fibres des neurones moteurs changeant également de côté au niveau du bulbe rachidien, l'hémisphère dominant des droitiers, qui représentent effectivement 90 % des gens, est donc le gauche, alors que pour les autres, il s'agit du droit.

Il semble y avoir une certaine spécialisation d'un hémisphère par rapport à l'autre, ce qui nous amène tout naturellement à nous poser des questions telles que : jusqu'où va cette spécialisation? Existe-t-il à ce sujet des différences entre les femmes et les hommes? Et si oui, en quoi? Roger Sperry et Michael Gazzaniga ont été des pionniers dans le domaine. Une grande partie des recherches conduites par ces auteurs et par

Phineas Gage, l'homme qui n'était plus le même!

En arrivant à son travail un jour de fin d'été de 1848, Phineas Gage, jeune contremaître de 25 ans responsable d'une équipe qui travaille à la construction d'une ligne de chemin de fer, ne se doute pas qu'un accident va changer à jamais sa personnalité. Lors d'une explosion destinée à faire éclater un rocher, une barre de métal d'environ 3 cm de diamètre lui transperce le crâne : après être entrée par la joue sous l'œil gauche, la barre est ressortie par le haut de la tête, ainsi que l'illustre la figure ci-contre, reconstituée par Hanna Damasio et ses collègues (Damasio *et al.,* 1994) à partir du crâne de Phineas Gage qui a été conservé dans un musée de la Harvard Medical School.

Aussi étonnant que cela puisse paraître, Gage n'est pas mort : conscient, quoiqu'un peu étourdi, il est agité de convulsions qui s'apaisent après quelques minutes. Il se met alors à parler à ses hommes et ceux-ci l'emmènent immédiatement à l'hôpital du village le plus proche. Deux mois plus tard, il reçoit son congé de l'hôpital : ses blessures physiques sont guéries, mais sa personnalité a changé…

Alors qu'avant son accident, Gage était travailleur, consciencieux, intelligent et respectueux des autres, il est devenu par la suite infantile, inconstant, incapable de contrôler son impulsivité et poussant des jurons grossiers à propos de tout et de rien. Bref, quelqu'un de tout à fait différent. La compagnie a même dû le congédier, et Gage a passé le reste de sa vie à changer d'endroit et d'emploi. Il est mort à 38 ans d'une crise d'épilepsie consécutive aux dommages subis par son cerveau lors de l'accident.

Source : Damasio *et al.,* 1994 ; Gazzaniga *et al.,* 2001.

Après avoir effectué, sur le crâne de Gage, de minutieuses mesures qu'ils ont ensuite entrées dans un programme informatique, Damasio *et al.* (1994) ont pu créer une représentation tridimensionnelle des parties du cerveau qui avaient été détruites, à savoir une grande partie «des régions les plus antérieures du cortex frontal des hémisphères droit et gauche» (Gazzaniga *et al.,* 2001, p. 424). Ni les aires motrices ni les aires du langage n'avaient été endommagées, ce qui concorde avec le fait que Gage n'avait pas eu de problèmes moteurs ou éprouvé de difficulté à communiquer verbalement. Seules avaient été touchées les aires frontales d'association qui, semble-t-il, étaient responsables de sa «personnalité d'avant».

Devant une histoire comme celle de Phineas Gage, il est difficile de ne pas se demander : «Est-on libre d'être ce que l'on est?» La réponse n'est sûrement pas simple…

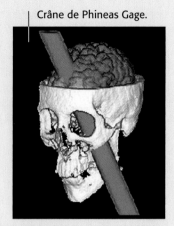

Crâne de Phineas Gage.

---

ceux qui se sont intéressés à la même question a consisté à recueillir des observations auprès de patients qui avaient eu le corps calleux sectionné pour des raisons chirurgicales — on désigne couramment dans la littérature ce type de cas par l'expression «cerveau divisé» — ou chez qui des lésions avaient été diagnostiquées, ainsi qu'à partir d'animaux avec lesquels des expérimentations plus poussées ont pu être menées. On a pu également, en utilisant certaines procédures expérimentales sophistiquées, recueillir des données à partir d'individus dont le cerveau n'était pas lésé.

En ce qui a trait aux différences pouvant d'abord exister entre les deux hémisphères quant aux fonctions et au type d'information traitée, on considère habituellement que l'hémisphère dominant, le gauche en général, serait davantage verbal et fonctionnerait de façon analytique et séquentielle, tandis que le droit serait plutôt spatial et davantage caractérisé par un fonctionnement global et parallèle. Lorsqu'on regarde, par exemple, une affiche publicitaire, l'hémisphère gauche serait plus porté à parcourir l'un après l'autre les différents détails et à les décrire en mots, tandis que le droit tendrait davantage à réagir à la représentation globale de l'affiche, les détails se fondant dans la vision d'ensemble. On présente ainsi l'hémisphère gauche comme étant plus doué pour le raisonnement et les mathématiques, alors que le droit serait plus intuitif et créatif.

Face au portrait qui vient d'être présenté et auquel la littérature réfère de plus en plus souvent, Gazzaniga *et al.* (2001) attirent l'attention sur le fait que les ouvrages de psychologie populaire ont tendance à simplifier les différences entre les deux hémisphères, comme si l'hémisphère droit n'était que créatif et intuitif, et l'hémisphère gauche, uniquement analytique et logique. Sans nier les différences fonctionnelles entre les hémisphères, il importe de garder à l'esprit que «les deux hémisphères travaillent de concert pour exécuter une tâche, même si chacun n'y contribue pas dans les mêmes proportions» (Gazzaniga *et al.,* 2001, p. 345). Cela s'applique même dans le cas du langage : en effet, même si, pour la majorité des individus, le langage est géré par l'hémisphère gauche en ce qui a trait aux aspects grammaire et signification des mots, « son contenu émotionnel et affectif est en grande partie sous le contrôle de l'hémisphère droit » (Purves *et al.*, 2005, p. 637).

En ce qui concerne la question des différences hémisphériques entre les femmes et les hommes, les recherches en ont dégagé certaines, même s'il n'est pas aisé de déterminer dans quelle mesure ces dernières sont dues à des facteurs biologiques ou environnementaux. Quoi qu'il en soit, les deux domaines où ces différences sont les plus régulièrement rapportées sont le langage et les habiletés visuo-spatiales (Inglis & Lawson, 1982; MacCoby & Jacklin, 1974 : dans Gazzaniga *et al.*, 2001), les femmes étant supérieures en ce qui a trait au langage, et les hommes, en ce qui touche le traitement visuo-spatial. La figure 2.10 donne à ce sujet deux exemples d'habiletés où femmes et hommes diffèrent. Outre le fait qu'elles commencent à parler en moyenne un mois avant les garçons, les filles obtiennent en général de meilleurs résultats aux tests impliquant la compréhension, l'analyse et la production de textes; de leur côté, les garçons sont meilleurs que les filles dans les tâches liées à la manipulation et à la représentation de formes géométriques, aptitudes qui expliqueraient peut-être pourquoi, dans l'ensemble, les garçons sont également meilleurs dans les tâches mathématiques.

Il importe ici de garder à l'esprit la remarque suivante : « La différence entre les sexes n'est pas considérable [...] mais elle est systématique » (Gazzaniga *et al.*, 2001, p. 365). Même si les différences entre filles et garçons sont statistiquement réelles, il faut éviter de trop les exagérer, car cela peut conduire à renforcer des stéréotypes et entraîner des effets indésirables. Une fille pourrait par exemple être amenée à manquer de confiance en elle en mathématique parce qu'elle est « censée » être moins bonne; un garçon pourrait aussi renoncer à faire des efforts dans la rédaction d'un texte parce qu'il n'est pas « censé » être bon dans ce domaine.

Testez vos connaissances

10. En général, les femmes sont supérieures aux hommes quand il s'agit du langage et les hommes le sont pour ce qui est des capacités visuo-spatiales.

Même si la différence n'est pas considérable, les femmes sont en général supérieures aux hommes quand il s'agit du langage, les hommes l'étant pour ce qui est du visuo-spatial.

FIGURE 2.10 Les différences entre les sexes

Tâche d'aptitudes verbales

1. M_____ V_____ P_____ Q_____ R
2. S_____ I_____ F_____ T_____ C
3. L_____ R_____ E_____ A_____ B

Tâche d'aptitudes spatiales

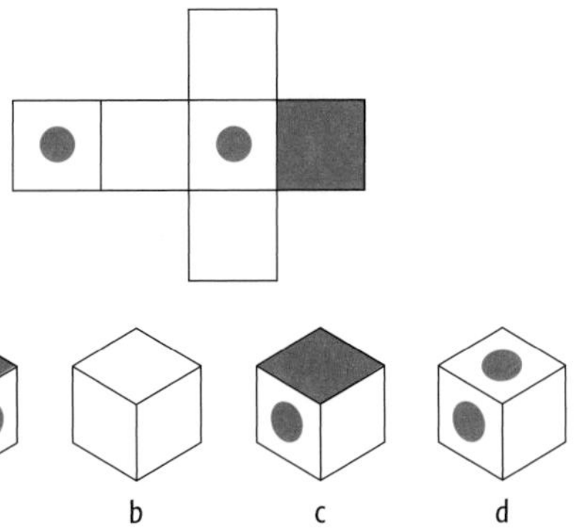

Exemple de tâches où l'on observe une différence entre les sexes : alors que les femmes réussissent en général mieux dans la tâche verbale consistant à faire une phrase où chaque mot commence par les lettres indiquées, les hommes sont meilleurs dans la tâche spatiale consistant à dire laquelle des formes tridimensionnelles on obtiendrait en repliant la surface indiquée plus haut.

2.4 Le cerveau et les processus psychologiques : techniques d'étude

Comment procède-t-on pour assimiler des connaissances comme celles présentées dans les sections précédentes ? Pour ce qui est des descriptions d'ordre anatomique, les méthodes classiques de dissection demeurent évidemment tout indiquées. En ce qui concerne par contre la question du lien entre le fonctionnement des différentes structures du système nerveux, particulièrement du cerveau, et les processus psychologiques dans lesquels elles interviennent, la façon de faire est loin d'être aussi simple. Pourtant, les connaissances recueillies en ce domaine ont entre autres permis l'émergence de la neuropsychologie, secteur d'intervention qui a déjà été présenté au chapitre 1, et dont l'encadré 2.7 traite de nouveau, cette fois-ci à partir d'une entrevue accordée par la psychologue spécialisée en neuropsychologie Joanne Roy.

Il paraît donc intéressant d'avoir une idée de la méthodologie suivie par les chercheurs en ce domaine. Pour ce faire, nous présenterons d'abord les procédures de base utilisées dans l'étude des liens entre l'activité du cerveau et les divers phénomènes psychologiques. Nous exposerons ensuite brièvement les principales techniques d'observation du cerveau employées pour mettre en parallèle l'activité du cerveau et le phénomène psychologique.

ENCADRÉ 2.7 **Paroles d'expert**

Une rencontre avec une spécialiste en neuropsychologie

Lorsqu'un neurologue envisage de pratiquer une intervention sur le cerveau d'un patient atteint d'un problème tel que, par exemple, l'épilepsie et qu'il juge important d'avoir au préalable une évaluation psychologique de la personne, il fait généralement appel à une professionnelle comme Mme Joanne Roy, psychologue spécialisée en neuropsychologie. Celle-ci fait d'ailleurs remarquer que c'est là son titre officiel, puisque le terme «neuropsychologue» n'est pas un titre protégé, même si on l'utilise souvent dans le quotidien au lieu de dire chaque fois «psychologue spécialisé en neuropsychologie».

C'est un intérêt marqué à l'endroit des problèmes psychologiques liés à un désordre cérébral qui a amené Mme Roy à la neuropsychologie, domaine dans lequel elle possède actuellement une quinzaine d'années d'expérience. Même si son lieu de travail est l'hôpital de l'Enfant-Jésus à Québec, certains de ses collègues peuvent également œuvrer dans d'autres milieux que les hôpitaux, comme des centres de réadaptation ou encore des centres hospitaliers de soins de longue durée.

Quand on demande à Mme Roy en quoi consiste son travail, elle le compare d'abord à celui d'un détective à la recherche d'indices. En effet, les personnes qu'elle rencontre sont des personnes qui se posent des questions sur des aspects de leur fonctionnement qui les inquiètent. Elles peuvent aussi être envoyées par des médecins qui ont constaté des problèmes de fonctionnement tels que des pertes d'attention, des déficits attentionnels, des perturbations de l'humeur, et qui désirent une évaluation des causes possibles des problèmes observés. Un peu comme un enquêteur qui recueille systématiquement des indices, la psychologue utilisera divers tests standardisés afin de débusquer la source des problèmes : s'agit-il d'une condition physique transitoire ou d'un dommage neurologique qui risque d'être permanent ? Peut-on repérer, dans l'histoire de la personne, des événements d'ordre individuel ou familial qui renseigneraient sur le problème ? Puisque les personnes appelées à passer les tests sont souvent au départ plus ou moins inquiètes à cette perspective, la plupart des tests qu'utilise la neuropsychologue ont été conçus sous forme de jeux ; cela évite de les rendre menaçants et contribue à ce que les personnes qui s'y soumettent soient le plus à l'aise possible.

Une fois achevé son travail de détective, la psychologue présente au médecin ainsi qu'au patient ou, s'il y a lieu, aux personnes qui le côtoient, ses recommandations concernant le traitement qui semble indiqué, tels des exercices ciblant une fonction donnée (par exemple, des exercices sur la mémoire), un suivi en thérapie ou des examens neurologiques supplémentaires. L'étendue des modes d'intervention qu'elle est alors susceptible de suggérer met davantage en évidence, à ce stade, le côté «psychologue» de la professionnelle.

Lorsqu'on l'écoute parler des aspects de son travail qui reposent sur la connaissance du cerveau, on lui pose parfois la question : «Mais, ce que vous faites, n'est-ce pas plus de la médecine que de la psychologie ?» À cela, la psychologue répond qu'en fait, la neuropsychologie, c'est à la fois l'une et l'autre. On ne peut pas dissocier complètement biologie et psychologie, les deux faisant partie d'un même continuum. Cela se manifeste de façon particulièrement frappante quand on cherche à comprendre les problèmes qui peuvent se poser lorsqu'on désire traiter les gens qui en sont affectés ; il faut alors tenir compte à la fois du corps et de l'esprit. C'est là un des aspects qui, aux yeux de Mme Roy, font de la neuropsychologie un domaine passionnant !

Joanne Roy, psychologue spécialisée en neuropsychologie.

2.4.1 Les procédures de base

Les procédures de base suivies dans l'étude des liens entre une structure donnée du cerveau et le rôle qu'elle joue sur le plan psychologique consistent soit à observer dans quelle mesure une modification de l'activité cérébrale semble produire un effet sur le plan psychologique, soit à faire varier certaines conditions psychologiques et à observer les effets de cette variation sur l'activité cérébrale.

Les modifications de l'activité cérébrale et leurs effets psychologiques

Les recherches permettant d'étudier les effets des modifications de l'activité cérébrale comprennent, dans l'ensemble, deux catégories principales : les études à partir de lésions présentes chez l'individu et les études à partir de stimulations intentionnelles de cellules.

Les études à partir de lésions Les lésions susceptibles d'endommager une structure donnée du cerveau, et par conséquent de nuire à son activité, peuvent être la conséquence d'événements survenus de façon imprévue ou encore avoir été provoquées. De telles lésions peuvent provenir de certaines maladies. C'est le cas par exemple de la maladie d'Alzheimer, laquelle est due à une dégénérescence de cellules du cerveau et se manifeste par une désorganisation graduelle des fonctions cognitives d'abord (mémoire, représentation spatiale, langage, etc.) et, par la suite, de l'ensemble du comportement. Des lésions peuvent également avoir été causées par des blessures survenues lors d'accidents à la suite desquels le comportement d'une personne est perturbé : incapacité de parler, pertes de mémoire systématiques, fonctionnement affectif perturbé, etc.[6]. Il arrive même que certaines lésions soient produites pour des raisons médicales, ce qui est par exemple le cas lors d'interventions chirurgicales destinées à retirer des cellules cancéreuses ou responsables de crises d'épilepsie. Néanmoins, quelle que soit la cause des lésions, leur occurrence fournit l'occasion d'étudier dans quelle mesure un déficit observé sur le plan du comportement peut être attribué à la lésion, ce qui tend à suggérer le rôle que la structure lésée remplit normalement.

Les études à partir de stimulations Une autre façon de produire une modification de l'activité cérébrale afin d'en étudier les effets possibles consiste à stimuler électriquement des cellules auxquelles on s'intéresse (*voir la photo 2.1*), puis à observer dans quelle mesure la variation de l'activité cérébrale provoquée correspond à des effets observables sur le plan psychologique. Chez les humains, cela a généralement lieu dans le cadre d'interventions chirurgicales. On peut par exemple vouloir s'assurer, avant de retirer les cellules d'une région donnée, qu'il ne s'agit pas de cellules saines, mais bien de cellules ne fonctionnant pas normalement. Il est d'ailleurs intéressant de savoir que ce genre d'intervention est souvent — ce qui peut surprendre à priori — pratiqué sous anesthésie locale, les neurones étant insensibles à la douleur ; le patient peut alors demeurer parfaitement conscient et communiquer avec le spécialiste pratiquant l'intervention.

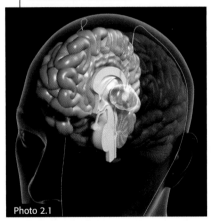

Lorsque les autres méthodes se sont avérées inefficaces, la stimulation de certaines parties du cerveau, notamment à l'aide d'électrodes implantés en permanence, est de plus en plus utilisée pour traiter des problèmes tels que la dépression, le trouble obsessionnel-compulsif ou encore les tremblements continuels comme ceux que l'on rencontre dans la maladie de Parkinson.

Photo 2.1

La variation des conditions psychologiques et son effet sur l'activité cérébrale

À l'inverse de la procédure basée sur l'étude à partir de lésions ou de stimulations électriques du cerveau, on peut également faire varier certaines conditions psychologiques et en observer les effets sur l'activité cérébrale. Par exemple, on pourra étudier les variations de l'activité cérébrale selon que le sujet est concentré sur une tâche ou selon qu'il dort, selon qu'il écoute de la musique ou qu'il résout un problème de mathématique, ou encore selon qu'il se remémore un événement joyeux ou douloureux. En observant quelles régions du cerveau présentent — si c'est le cas — des variations dans l'activité cérébrale et quelle forme prennent ces variations, on tente de cerner le rôle des structures du système nerveux sur lesquelles les variations psychologiques semblent avoir eu un effet.

---

6. Les accidents sportifs sont une cause fréquente de lésions au cerveau, comme en témoignent de nombreuses recherches, dont celles effectuées par la chercheuse Maryse Lassonde (Lassonde *et al.*, 2003).

2.4.2 Les principales techniques

L'étude des liens entre le système nerveux et les phénomènes psychologiques requérant généralement que l'on puisse observer à la fois l'activité cérébrale et le volet psychologique, il est pertinent de se demander comment cela peut se faire sur le plan technique. Nous présenterons brièvement ici les principales techniques, à savoir l'électroencéphalographie, la plus connue, ainsi que quelques-unes des autres techniques plus récentes.

L'électroencéphalographie

Électroencéphalographie (EEG)
Technique consistant à enregistrer les variations de l'activité électrique en un point donné du crâne par rapport à celle d'un point électriquement neutre (le lobe de l'oreille, par exemple).

L'**électroencéphalographie (EEG)** est la plus ancienne des techniques utilisées pour observer l'activité du cerveau. Comme l'illustre la figure 2.11, le principe en est simple : sachant que l'activité des neurones est de nature bioélectrique, on place une électrode sur la partie externe du crâne, près de la région dont on veut observer l'activité, et une autre électrode, qui servira de référence, sur une partie du corps relativement neutre, comme le lobe de l'oreille ou le menton. En reliant les électrodes à un appareil enregistrant la différence de potentiel électrique entre les neurones de la région sélectionnée et le point de référence, on obtient alors un tracé présentant des oscillations qui illustrent les variations d'activité au niveau du cerveau. Selon le nombre d'oscillations à la seconde, ce qui se mesure en Hertz, et selon l'amplitude des oscillations, on essaie d'établir un lien entre l'activité électrique observée et les phénomènes psychologiques.

Bien que d'autres techniques d'observation du cerveau aient été mises au point depuis les premières observations faites grâce à l'EEG, il n'en demeure pas moins que cette technique est encore très utilisée dans certaines recherches, notamment celles sur le sommeil dont il sera question au chapitre 4. Heureusement, la science dispose aujourd'hui d'autres techniques qui permettent en général d'obtenir une information beaucoup plus précise que ne le permet l'EEG.

D'autres techniques plus récentes

Décrire en détail le fonctionnement des nouvelles techniques mises au point pour visualiser tant les structures du cerveau que l'activité se déroulant dans les différentes régions déborderait le cadre du présent manuel. Nous nous contenterons ici de donner le principe de base de trois des techniques les plus connues actuellement et de souligner en quoi chacune est particulièrement utile.

FIGURE 2.11   L'enregistrement de l'EEG

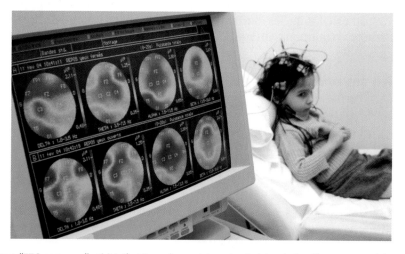

L'enregistreur d'EEG compare l'activité électrique d'un point neutre (le lobe de l'oreille, par exemple) avec celle des divers points dont on veut enregistrer l'activité cérébrale. Il traduit ensuite les variations enregistrées en fonction du temps sous la forme d'un tracé analogue à celui qui est représenté sur l'écran.

La **tomodensitométrie (TDM)**, couramment appelée *scanner,* pourrait être comparée à un appareil à rayons X sophistiqué qui, en tournant autour de la tête, permet d'obtenir une image tridimensionnelle des structures du cerveau à l'aide d'un ordinateur. Ces images sont particulièrement utiles dans l'évaluation de lésions affectant certaines parties du cerveau.

La **tomographie par émission de positons (TEP)** est basée sur l'injection dans le sang d'un produit qui, lorsqu'il arrive au cerveau, réagit différemment selon que les neurones d'une région donnée sont plus ou moins actifs. Un appareil capable de détecter la réaction du produit à l'activité des cellules permet de dresser un portrait des régions les plus actives à un moment donné. Illustré dans la figure 2.12a, ce genre de « portrait » est particulièrement utile pour comparer le degré d'activité observable dans telle ou telle région du cerveau, selon la tâche exécutée par la personne, ou pour effectuer une comparaison entre une personne normale et une autre atteinte de schizophrénie ou en période dépressive.

L'**imagerie par résonance magnétique (IRM)**, la technique la plus avancée, se sert du fait que les différentes structures du cerveau réagissent différemment lorsqu'on les soumet à un champ magnétique (tout à fait inoffensif pour la personne): grâce à un appareil permettant de détecter la façon dont réagissent les différentes structures, on peut en dresser une image très précise, ainsi que le laisse voir la figure 2.12b.

| FIGURE 2.12 | Des exemples d'images obtenues par la TEP et l'IRM |

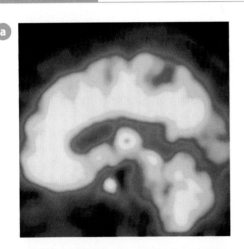

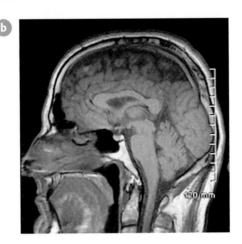

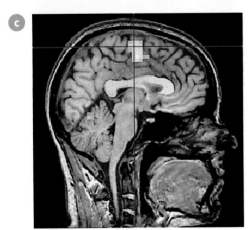

Illustration du genre d'images fournies par : **a** la tomographie par émission de positons (TEP) ; **b** l'imagerie par résonance magnétique (IRM) et **c** l'imagerie par résonance magnétique fonctionnelle (IRMf).

Conclusion

Nous avons amorcé le présent chapitre en rapportant le cas d'une personne qu'on avait ramenée à la conscience après qu'elle eut passé six ans dans un état neuro-végétatif dit «légume», où seules semblaient subsister ses fonctions vitales de base. On rencontre en fait, dans la littérature médicale, de nombreux cas analogues tout aussi étonnants où un individu se réveille après avoir passé une longue période dans un état où il semblait totalement inconscient du monde qui l'entourait.

Même si la science est actuellement impuissante à véritablement expliquer comment se remettent en marche les mécanismes du cerveau qui rendent possible la conscience, on peut d'ores et déjà penser qu'il n'en sera pas toujours ainsi. En effet, l'aperçu qu'a donné le présent chapitre sur le système nerveux — particulièrement en ce qui a trait au fonctionnement du neurone et au rôle des différentes structures du cerveau — suffit pour percevoir à quel point nos connaissances sur les mécanismes en jeu et leurs liens avec le fonctionnement psychologique sont encore très limitées. Il y a donc place à l'accroissement des connaissances dans ce domaine, connaissances qui permettront de mieux comprendre des phénomènes difficilement explicables sur la base de la science actuelle, tels que le coma. À ce sujet, les nouvelles techniques d'étude du cerveau sont appelées à jouer un rôle clé, ainsi que l'illustre la recherche menée par Owen *et al.* (2006). Pendant qu'ils enregistraient l'activité cérébrale d'une patiente considérée comme dans un état végétatif persistant à l'aide d'un appareil d'imagerie par résonance magnétique, les chercheurs ont demandé à la personne de s'imaginer en train de jouer au tennis et de se balader dans son salon. Ils ont alors observé une activité cérébrale identique à celles de volontaires sains auxquels on avait demandé la même chose; ils ont conclu que la patiente était consciente, même si tous les signes cliniques «reconnus» indiquaient le contraire!

Il est dès lors aisé de voir pourquoi de nombreux chercheurs en psychologie choisissent l'approche psychobiologique. Nous avons en effet pu avoir un aperçu de l'importance du système nerveux dans la compréhension des phénomènes psychologiques. Par ailleurs, il est tout aussi important de réaliser que cette approche ne s'oppose pas à celles qui ont été présentées dans le chapitre 1 et sur lesquelles nous reviendrons au fur et à mesure que seront abordés les différents thèmes du présent manuel. L'approche psychobiologique sera néanmoins souvent présente, complétant ainsi la compréhension des phénomènes étudiés en fournissant son éclairage propre, de concert avec celui des autres approches.

Au moment de clore le présent chapitre, il reste à ajouter qu'en raison des liens qu'elle explore entre la psychologie et la physiologie du système nerveux, l'approche psychobiologique fait partie de la grande famille des sciences du cerveau qu'on appelle les **neurosciences**. Alors que certains s'y intéressent en tant que chercheurs, d'autres le font avec pour objectif d'appliquer les découvertes des neurosciences au traitement des personnes ayant subi divers traumatismes; c'est précisément le cas des psychologues spécialisés en neuropsychologie dont le travail a fait l'objet de l'encadré 2.7 (*page 60*). Par ailleurs, grâce aux nouvelles techniques d'étude et d'intervention qui apparaissent sans cesse, la neuropsychologie est un domaine appelé à se développer de façon notable dans les prochaines années, ainsi que le souligne l'encadré 2.8.

Neurosciences
Ensemble des disciplines centrées sur le fonctionnement du système nerveux en lien avec les phénomènes psychologiques.

La neuropsychologie, une spécialité qui a de l'avenir!

La psychologue spécialisée en neuropsychologie Joanne Roy croit que la neuropsychologie tiendra une place de plus en plus grande du côté de la psychiatrie et de la neurologie fine lors de la prochaine décennie.

Les médecins reconnaissent maintenant l'apport essentiel de la neuropsychologie, puisque ce sont eux qui font appel aux neuropsychologues dès qu'il s'agit d'évaluer la condition psychologique des patients qu'ils rencontrent. Les neuropsychologues sont actuellement soit généralistes (ils traitent un peu tous les types de problèmes qu'on peut leur adresser), soit spécialisés (ils traitent davantage certains types de problèmes tels que, par exemple, ceux liés à l'épilepsie, à la neurochirurgie, ou encore à la neurochimie). La consultation d'un neuropsychologue dans le domaine de la psychiatrie prend de plus en plus de place, même si elle est encore peu répandue.

Mme Roy attribue cette tendance au fait que l'ensemble des intervenants en santé reconnaît de plus en plus que la psychologie et la biologie sont deux volets intimement liés d'une même réalité. Ce mouvement est même en voie de se concrétiser sur le plan socio-politique à la suite des recommandations du rapport du comité d'experts présidé par Jean-Bernard Trudeau et intitulé *Modernisation de la pratique professionnelle en santé mentale et en relations humaines* (Office des professions du Québec, 2005): selon le rapport, le psychologue «constitue une ressource professionnelle importante au sein de l'équipe de santé mentale en première ligne...».

Cette importance accrue du rôle accordé au psychologue spécialisé en neuropsychologie ira évidemment de pair avec une formation scolaire et pratique mieux encadrée. Alors qu'à l'époque où Mme Roy a choisi la neuropsychologie, on n'exigeait qu'une maîtrise et certains cours axés sur la neurophysiologie, le programme conduisant à une reconnaissance officielle en neuropsychologie exige désormais un doctorat et un profil de cours précis visant à offrir la meilleure formation possible au futur professionnel. On peut donc dire: exigences plus élevées, mais rôle davantage reconnu.

1. Où retrouve-t-on les sites récepteurs sur un neurone ?

   a) Sur l'axone

   b) Sur la gaine de myéline

   c) Sur les boutons terminaux

   d) Sur les dendrites

2. Comment appelle-t-on le point où l'influx nerveux est transmis à une autre cellule ?

   a) La dendrite

   b) La jonction

   c) La synapse

   d) Le bouton terminal

3. Parmi les éléments ci-dessous, lequel n'est pas un neurotransmetteur ?

   a) La dopamine

   b) La progestérone

   c) La sérotonine

   d) Le GABA

4. Quel est le nom du système nerveux constitué de l'ensemble des neurones qui communiquent avec les parties du corps interagissant avec l'environnement ?

   a) Le système nerveux autonome

   b) Le système nerveux central

   c) Le système nerveux parasympathique

   d) Le système nerveux somatique

5. Quelle est la fonction du système nerveux sympathique ?

   a) Il assure l'homéostasie de certains processus vitaux.

   b) Il est responsable des communications sociales harmonieuses.

   c) Il met de l'énergie à la disposition de l'organisme afin que celui-ci réagisse rapidement.

   d) Il produit des réactions permettant à l'organisme de récupérer de l'énergie.

6. Indiquez si chacun de ces énoncés est vrai ou faux.

   a) L'hippocampe est la structure du cerveau qui permet d'enregistrer des éléments en mémoire.

   b) L'hypothalamus joue un rôle important dans la régulation de la faim et de la soif, et dans le comportement sexuel.

   c) La substance grise correspond au cortex cérébral.

   d) Le thalamus assure la régulation de la température du corps.

   e) Le bulbe rachidien, le pont et la formation réticulée font partie du tronc cérébral.

7. Dorothée comprend tout ce qu'on lui dit, mais elle est incapable de combiner des sons et des mots pour en faire des phrases. Elle souffre d'aphasie. Dans quelle aire de son cerveau un neuropsychologue diagnostiquera-t-il une lésion ?

   a) L'aire auditive

   b) L'aire de Broca

   c) L'aire de Wernicke

   d) L'aire visuelle

8. Laquelle de ces fonctions est remplie par l'hémisphère gauche chez la plupart des gens ?

   a) L'analyse globale des formes visuelles

   b) L'intuition

   c) La créativité

   d) Le langage

9. Parmi les techniques d'étude du cerveau présentées ci-dessous, laquelle est communément appelée *scanner* ?

   a) L'électroencéphalographie (EEG)

   b) L'imagerie par résonance magnétique (IRM)

   c) La tomodensitométrie (TDM)

   d) La tomographie par émission de positons (TEP)

Volumes et ouvrages de référence

Bear, M.F., Connors, B.W., & Paradiso, M.A. (2002). *Neurosciences : à la découverte du cerveau.* **(Traduction française par André Nieoullon). Paris : Éditions Pradel.**

> Ouvrage sous la forme d'un manuel pour un cours de niveau universitaire. Outre le contenu portant sur la matière en tant que telle, on trouve à la fin de chaque chapitre un rappel des mots clés ainsi que des questions pouvant guider la révision du contenu.

Delgado, J. M. R. (1972). *Le conditionnement du cerveau et la liberté de l'esprit.* **Bruxelles : Charles Dessart.**

> Même s'il est paru il y a déjà plus d'une trentaine d'années et qu'il ne serait pas à jour pour le spécialiste, ce volume rédigé à l'attention du grand public rend compte de recherches qui ont encore de quoi soulever l'intérêt de ce dernier. Les témoignages de patients ayant eu des électrodes implantées dans le cerveau ne laissent pas indifférents.

Gazzaniga, M. S., Ivry, R. B., & Mangun, G. R. (2001). *Neurosciences cognitives : la biologie de l'esprit.* **Bruxelles : De Boeck.**

> Rédigé par trois chercheurs en neurosciences, dont Michael S. Gazzaniga, un pionnier avec Roger Sperry des recherches sur le rôle du corps calleux, ce traité est l'un des plus complets sur la façon dont collaborent les deux hémisphères dans les mécanismes d'adaptation à l'environnement. Le dernier chapitre intitulé *Le problème de la conscience*, aborde la question fascinante des liens entre le corps et l'esprit.

Institut européen de bioéthique (2006). « Les personnes en état végétatif persistant sont-elles des "légumes" » ? *Les dossiers de l'Institut européen de bioéthique,* **octobre (n° 6).**

> Document qui s'interroge sur la nature de ce qu'on entend par *coma végétatif* et sur ses implications, à partir de témoignages et de travaux de recherche récents sur le sujet. On y pose des questions telles que : Dans quelle mesure les personnes considérées comme étant dans le coma sont-elles conscientes ? Du point de vue de l'éthique, les droits d'une personne dépendent-ils de sa capacité à communiquer ? Excellent dossier qu'on peut se procurer en format PDF à l'adresse suivante :
>
> <http://www.genethique.org/doss_theme/dossiers/euthanasie/etat-vegetatif.pdf>.

Purves, D. *et al.* (2005). *Neurosciences,* **3e éd. Bruxelles : De Boeck.**

> Excellent traité auquel ont participé de nombreux collaborateurs en neurosciences. Très étoffé et présenté avec classe, l'ouvrage propose, à la fin de chaque chapitre, des suggestions de lectures complémentaires pour quiconque veut en savoir davantage.

Sacks, O. (1993). *L'éveil.* **Paris : Éditions du Seuil.**

> Récit plusieurs fois réédité des expériences faites à partir de 1969 par Oliver Sacks. Le médecin espérait traiter des patients atteints d'une forme extrêmement sévère de la maladie de Parkinson à l'aide de la L.Dopa (*voir l'encadré 2.3 à la page 49*). Porté à l'écran en 1990 (*voir la section* Audiovisuel).

Sacks, O. (1988). *L'homme qui prenait sa femme pour un chapeau.* **Paris : Éditions du Seuil.**

Sacks, O. (1996). *Un anthropologue sur Mars.* **Paris : Éditions du Seuil.**

> Dans ces deux volumes, Oliver Sacks présente, de brillante façon, de nombreux cas étranges dans le monde de la neurologie. Le Dr Sacks rappelle que ces gens, en raison de leurs affections particulières, nous permettent d'explorer des territoires quasi inconnus de la psyché humaine. Écrits dans un langage neuropsychologique accessible.

Périodiques et journaux

Cerveau & Psycho

> Périodique publié par les mêmes éditeurs que la revue *Pour la Science,* la collection *Cerveau & Psycho* présente de nombreux articles recouvrant dans des proportions variables les secteurs de la neurophysiologie et de la psychologie. Les articles sont destinés à un grand public curieux.
>
> Le site Web de la revue permet d'accéder à des archives donnant le sommaire des différents numéros et un résumé des articles ; on peut y avoir accès à l'adresse suivante :
>
> <http://www.cerveauetpsycho.com/>.

Audiovisuel

Marshall, P. (1990). *Awakenings.* **États-Unis, 121 min, couleur. (Version française :** *L'éveil,* **1991).**

> Film basé sur le livre *L'éveil* publié par Oliver Sacks et mettant en vedette Robin Williams et Robert De Niro (*voir l'encadré 2.3 à la page 49*).

CHAPITRE 3

Cibles d'apprentissage

Après avoir lu ce chapitre, vous devriez pouvoir :

- expliquer la différence entre la captation et la transduction ;
- nommer et décrire les dimensions perceptives de la couleur et expliquer quels sont les facteurs qui les influencent ;
- nommer et décrire les dimensions perceptives du son et expliquer quels sont les facteurs qui les influencent ;
- expliquer comment le goût et l'odorat contribuent à apprécier un aliment ;
- nommer et décrire les types de sensations qui permettent à un athlète de percevoir son corps dans l'espace ;
- expliquer pourquoi l'image rétinienne n'est pas le seul facteur déterminant la taille et la forme perçues d'un objet ;
- nommer et décrire les principaux indices qui permettent d'estimer la distance des objets ;
- nommer et décrire les principaux facteurs qui sont impliqués dans la perception du mouvement ;
- nommer et décrire les principaux facteurs intervenant dans la sélection des stimuli ;
- nommer et décrire les principaux facteurs qui interviennent dans l'organisation perceptive.

La perception: de la sensation au milieu environnant

Tourner le dos au sourire…

Nous sommes au début des années 1990. Suzanne Giroux, une artiste beauceronne qui fait des collages à partir d'éléments découpés dans des affiches célèbres, trouve l'image ci-contre (*à gauche*) à travers différents éléments découpés la veille : elle y perçoit le dos d'un jeune homme, nu des épaules jusqu'aux fesses. Intriguée, elle cherche à retrouver de quelle affiche provient cette image et réalise qu'il s'agit en réalité du sourire de la Joconde incliné de 90 degrés vers la gauche, ainsi que nous pouvons le vérifier en considérant attentivement la représentation complète du visage à droite.

En ayant involontairement sélectionné et considéré sous un angle inhabituel le sourire de la célèbre Joconde, l'artiste avait-elle découvert le secret de l'énigmatique sourire en proposant une nouvelle façon de le percevoir ? Les Français en ont été tellement emballés que le dos «nouvellement découvert» a trôné au centre du Grand Palais durant la Foire internationale d'art contemporain qui s'est tenue à Paris en 1992. L'interprétation est d'ailleurs plausible, sachant qu'il était coutumier, à l'époque de Léonard de Vinci,

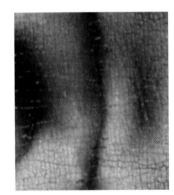 

de camoufler des images dans les peintures. De Vinci était un peintre de génie qui aimait bien, dit-on, s'entourer de jeunes peintres souvent plus beaux que talentueux ! Comme c'est souvent le cas en matière de perception, nous ne connaîtrons peut-être jamais la réponse, ce qui n'enlève rien au côté intriguant du phénomène…

Source : Charest, 1993.

La «découverte» concernant le sourire de la Joconde illustre bien comment se pose le problème de la perception : selon ce qu'on sélectionne dans la stimulation reçue et selon l'angle duquel on la considère, on peut avoir des perceptions complètement différentes. Tout cela, dirait-on, à partir de simples sensations! En fait, le caractère immédiat des sensations peut facilement laisser croire que ces dernières utilisent des mécanismes relativement simples. Cette croyance expliquerait en partie que le monde des sensations et de la perception ait été l'un des premiers sujets d'étude de la méthode scientifique dans ce qui allait devenir la psychologie au xixe siècle (*voir le chapitre 1*).

De fait, même si la perception que l'on peut avoir du monde se construit à partir des sensations, on a longtemps considéré que la production de ces dernières n'était que le résultat de l'activation d'un organe sensoriel par l'énergie physique appropriée ; en ce sens, on croyait que la sensation était de nature physiologique, la perception en constituant le volet psychologique. On sait aujourd'hui que la situation est loin d'être aussi simple.

Sensation
Domaine de la perception qui ne concerne précisément que les impressions élémentaires associées à un sens donné.

Dans le présent manuel, le terme **sensation** sera utilisé pour référer à ce domaine de la perception qui ne concerne précisément que les impressions élémentaires associées à un sens donné. À titre d'exemples, la perception d'une couleur telle que le rouge ne concerne que la vision, tout comme la perception du sucré ne concerne que le goût. On parle alors de *sensation* pour désigner ce niveau de perception. Par contre, une forme comme le carré n'est pas liée à une modalité sensorielle donnée, puisqu'elle est perceptible autant visuellement que tactilement.

Perception
Processus par lequel nous prenons connaissance de notre environnement en sélectionnant, en organisant et en interprétant l'information reçue par l'intermédiaire de nos sens.

Le terme **perception** fera quant à lui référence à la façon dont nous prenons connaissance de notre environnement en sélectionnant, en organisant et en interprétant les éléments d'information reçus par l'intermédiaire de nos sens. À noter que le terme «environnement» renvoie ici non seulement au milieu extérieur, mais également au milieu intérieur, c'est-à-dire au corps de l'organisme percevant.

Dans la première partie du présent chapitre, nous présenterons les données de base concernant la perception des différents aspects de l'environnement. Cela permettra par la suite de mieux voir, dans la deuxième partie intitulée *La perception : un processus en trois temps*, en quoi la perception est un phénomène plus complexe qu'il n'y paraît à première vue.

3.1 La perception des différents aspects de l'environnement

Nous ferons ici un survol des mécanismes impliqués dans la perception des principaux aspects de l'environnement que sont la perception des sensations produites par les stimulations de l'environnement, la perception de la taille et de la forme des objets, la perception de l'espace tridimensionnel caractérisant l'environnement ainsi que la perception du mouvement animant les objets qui s'y déplacent.

3.1.1 La perception des sensations

Il existe plus d'une façon de classer les sensations ; nous les regrouperons ici à l'intérieur de catégories relativement connues, à savoir les sensations visuelles, auditives, olfactives, gustatives, cutanées, kinesthésiques et vestibulaires.

Captation
Saisie d'une forme d'énergie donnée par un organe sensoriel.

Transduction
Transformation en influx nerveux d'une énergie captée par un organe sensoriel.

Pour chacune de ces modalités sensorielles, nous présenterons d'abord un aperçu du processus général conduisant à la perception d'une sensation. Comme nous le verrons, ce processus commence toujours par la **captation**, c'est-à-dire la saisie d'une forme d'énergie donnée par l'organe sensoriel. Cette énergie est ensuite transformée en influx nerveux, ce qu'on nomme la **transduction** ; les influx sont alors acheminés vers le cerveau où est finalement produite la sensation elle-même, à savoir l'impression subjective ressentie. Nous distinguerons ensuite les principales dimensions perceptives, c'est-à-dire les aspects qui différencient les sensations à l'intérieur d'une même modalité sensorielle. Nous terminerons par la présentation des principaux facteurs influençant la perception des dimensions perceptives mentionnées.

Il est à noter que c'est l'aspect visuel qui fera l'objet du traitement le plus important, cette modalité sensorielle ayant longtemps été la plus étudiée. Cela ne signifie nullement que les autres soient moins importantes. En effet, de plus en plus de recherches portent sur d'autres modalités que la vision.

Les sensations visuelles

Les mécanismes visuels de base La lumière captée par l'œil, est la forme d'énergie à la source des sensations visuelles. Ainsi que l'illustre la figure 3.1, la lumière est essentiellement de même nature que ces autres formes d'énergie que sont, par exemple, les rayons X utilisés par le dentiste, les rayons ultraviolets qui nous font bronzer, les rayons infrarouges produits par les fours à micro-ondes, les ondes radio qui nous permettent de communiquer, etc. Dans tous ces cas, il s'agit de variations électromagnétiques qui se déplacent dans l'espace à la vitesse de 300 000 km/s et qu'on peut représenter sous la forme d'une onde. Les noms des différentes formes de cette énergie proviennent de ce que les propriétés physiques mesurables de l'**énergie électromagnétique (EM)** changent selon la **longueur d'onde**, laquelle se mesure par la distance entre deux crêtes successives. Lorsque la longueur d'onde varie entre 400 et 700 nm[1] environ, l'énergie EM peut stimuler l'œil, créant ainsi les différentes sensations visuelles. C'est ainsi qu'on parle de *lumière* pour désigner cette forme d'énergie et de **spectre visible** pour désigner la partie du spectre EM qui y correspond.

Énergie électromagnétique (EM)
Énergie physique composée d'un champ électrique et magnétique dont les variations se propagent dans le vide à la vitesse de 300 000 km/s. Selon la longueur d'onde d'un rayonnement électromagnétique, l'énergie EM a des propriétés différentes caractérisant différentes formes d'énergie, la lumière étant l'une d'elles.

Longueur d'onde
Caractéristique d'une onde électromagnétique (EM) correspondant à la distance entre deux crêtes successives d'une onde.

Spectre visible
Ensemble des longueurs d'onde électromagnétique aptes à stimuler l'œil.

| FIGURE 3.1 | Les longueurs d'onde et la lumière |

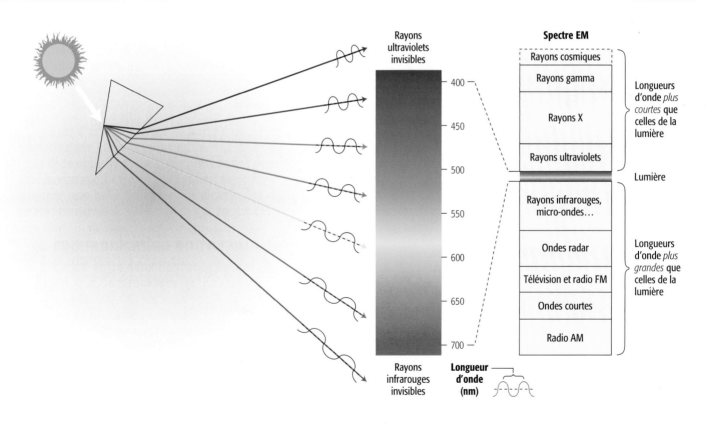

Le prisme sépare les différentes longueurs d'onde de l'énergie électromagnétique en provenance du soleil, l'ensemble de ces longueurs d'onde constituant le spectre électromagnétique (EM). Les longueurs d'onde aptes à stimuler l'œil constituent le spectre visible, ou la partie visible du spectre, et correspondent à cette forme d'énergie qu'on appelle *lumière*. On aperçoit également comment les différentes longueurs d'onde sont associées à différentes tonalités.

---

1. «Nm» est le symbole de «nanomètre», 1 nm correspondant à 10^{-9} m, c'est-à-dire à 1/1 000 000 000 mètre.

Rétine
Couche qui tapisse l'intérieur de l'œil et à l'intérieur de laquelle se trouvent les photorécepteurs.

Photorécepteurs
Cellules situées dans la rétine et qui effectuent la transduction de la lumière en influx nerveux ; comprennent deux types : les cônes et les bâtonnets.

Bâtonnet
Type de photorécepteur permettant de percevoir la brillance d'une couleur.

Cône
Type de photorécepteur rendant possible la perception des différentes tonalités.

Cellules bipolaires
Cellules situées à l'intérieur de la rétine et qui transmettent aux cellules ganglionnaires les influx nerveux générés par les photorécepteurs.

Cellules ganglionnaires
Cellules situées à l'intérieur de la rétine et dont les axones se réunissent pour former le nerf optique et transmettre au cerveau les messages nerveux reçus des cellules bipolaires.

Point aveugle
Région de la rétine où se réunissent les fibres nerveuses formant le nerf optique et qui est dénuée de photorécepteurs.

Tonalité
Aussi appelée **Teinte**
Dimension perceptive qui correspond aux impressions perceptives qu'on décrit à l'aide d'étiquettes telles que rouge, jaune, vert, bleu, etc.

Brillance
Aussi appelée **Clarté**
Dimension perceptive qui varie du noir (clarté quasi nulle) au blanc (clarté quasi maximale) en passant par tous les gris de clarté intermédiaire.

Comme l'illustre la figure 3.2a, la lumière qui atteint la cornée traverse d'abord l'humeur aqueuse, puis pénètre dans l'œil à travers la pupille, c'est-à-dire l'ouverture au centre de l'iris ; elle traverse ensuite le cristallin et l'humeur vitrée pour arriver finalement à la **rétine**. Celle-ci tapisse l'intérieur de l'œil et contient entre autres les **photorécepteurs**, des neurones qui effectuent la transduction, ou en d'autres termes la conversion de l'énergie lumineuse en influx nerveux. Comme indiqué dans la figure, on distingue deux classes de photorécepteurs, les **bâtonnets** et les **cônes**, lesquels jouent un rôle différent dans la perception des sensations visuelles, ainsi que nous le verrons un peu plus loin. Les influx nerveux générés par les photorécepteurs sont ensuite transmis à d'autres couches de cellules dans la rétine, dont les **cellules bipolaires** puis les **cellules ganglionnaires** ; réunis, les axones de ces dernières forment le nerf optique qui part en direction du cerveau. À l'endroit où se forme le nerf optique, il n'y a aucun photorécepteur : c'est le **point aveugle**, ainsi qu'on peut aisément s'en rendre compte en suivant les instructions de l'encadré 3.1.

Le schéma de la figure 3.2b montre que les signaux en provenance de l'œil sont transmis par le nerf optique à d'autres neurones au niveau du thalamus. Comme nous l'avons vu au chapitre 2, le thalamus constitue le centre de relais de nombreux influx nerveux en provenance des sens. Les influx nerveux générés par les neurones de relais situés dans le thalamus sont alors transmis à l'aire visuelle dans le cortex occipital. La sensation visuelle correspondante n'est donc créée qu'à cet endroit, par le cortex. Ainsi, on ne pourrait percevoir aucune couleur si notre aire visuelle était endommagée !

Les dimensions perceptives de la couleur La couleur est l'aspect le plus frappant de la sensation visuelle. Afin de comprendre ce qui fait qu'on perçoit telle ou telle couleur, il importe de pouvoir décrire les trois dimensions fondamentales de la couleur, à savoir la tonalité, la brillance et la saturation.

La **tonalité** est la dimension perceptive qui correspond le plus souvent à notre définition du terme « couleur », c'est-à-dire aux impressions perceptives décrites à l'aide d'étiquettes telles que rouge, jaune, vert, bleu, etc. Ainsi, c'est la présence ou l'absence de tonalités qui, dans le langage courant, fait dire d'une photo, d'une émission de télévision ou d'un film qu'il est « en couleurs » ou « en noir et blanc ».

Par ailleurs, dans une photo présentant une grande variété de couleurs, et quelle que soit leur tonalité, on peut en remarquer de plus pâles, qui tendent vers le blanc, alors que d'autres sont plus foncées, s'approchant du noir. On emploie les termes **brillance** ou encore **clarté** de la couleur pour désigner cette dimension perceptive qui varie du pâle au foncé : plus grand est le degré de clarté, plus la brillance est dite *élevée* ; à l'inverse, plus la couleur est foncée, plus la brillance est dite *faible*. Ainsi, lorsqu'on imprime en noir et blanc une image qui présente plusieurs couleurs à l'écran de l'ordinateur, tout ce qui reste, ce sont les variations de brillance.

ENCADRÉ 3.1 **Approfondissement**

« Voir » le point aveugle

L'endroit de l'œil où les fibres nerveuses se réunissent pour former le nerf optique qui se dirige vers le cerveau est appelé *point aveugle* parce que les rayons lumineux qui y arrivent ne stimulent aucun photorécepteur. On n'y perçoit donc aucune sensation. Pourquoi alors ne voit-on pas un point noir à cet endroit ? Tout simplement parce que le cerveau remplit le vide avec ce qu'il y a autour.

Pour vérifier le phénomène, tenez ce livre à environ 30 cm de vos yeux. Fermez ensuite l'œil droit puis dirigez le regard de votre œil gauche sur la photo ci-dessous de l'œil qui vous regarde : si l'autre œil ne disparaît pas, rapprochez ou éloignez lentement la page de votre visage jusqu'à ce que la disparition s'opère…

FIGURE 3.2   L'œil et les voies visuelles

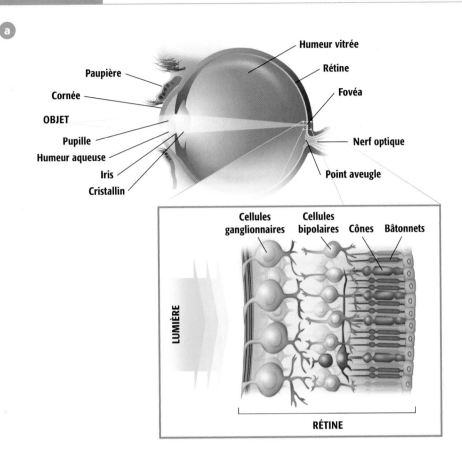

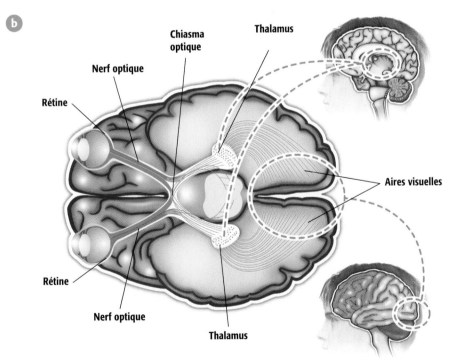

a Un schéma simplifié de l'œil situant la rétine où se trouvent les photorécepteurs sensibles à la lumière.
b Les axones constituant le nerf optique communiquent avec des neurones dont le corps cellulaire se trouve dans le thalamus, important centre de relais des voies sensorielles, et les signaux générés par ces neurones sont ensuite transmis à l'aire visuelle primaire.

Saturation
Degré de richesse d'une couleur, qui traduit à quel point la tonalité d'une couleur est accentuée.

Un troisième aspect permettant de différencier les couleurs les unes des autres est la **saturation**, c'est-à-dire le degré de richesse d'une couleur. Comparé par exemple à un bleu très riche, un autre bleu peut paraître beaucoup plus fade, c'est-à-dire ni plus pâle ni plus foncé, mais tout simplement moins bleu : dans le premier cas, la saturation est plus élevée, alors qu'elle est plus faible dans le second.

Testez vos connaissances

1. **Il n'y a pas de couleurs dans une photo noir et blanc.**

   Une photo dite *noir et blanc* contient des couleurs, mais ce n'est que leur brillance qui varie. Le terme «couleur» doit donc ici être pris dans un sens plus complet que celui que nous utilisons dans la vie de tous les jours.

Les facteurs influençant la perception de la couleur Si nous consultons de nouveau la figure 3.1 (*page 71*), nous constatons que la tonalité varie en fonction de la longueur d'onde de la lumière. Mais comment passe-t-on de la longueur d'onde, une variable physique caractérisant la lumière, à la tonalité, une dimension perceptive caractérisant la sensation générée au niveau du cortex ? Qu'est-ce qui influe sur la saturation, la brillance ?

Un premier élément de réponse vient de ce que les photorécepteurs responsables de la transduction au niveau de la rétine se répartissent en deux classes, les bâtonnets et les cônes, appelés ainsi en raison de leur forme, laquelle est illustrée dans la figure 3.3. Les bâtonnets, sensibles à l'ensemble du spectre visible comme le montre la courbe en trait discontinu de la figure 3.4, n'influencent que la perception de la brillance. Ils sont ainsi capables de réagir à des intensités de lumière plus faibles que les cônes, ce qui nous permet de voir lorsque l'éclairage est très faible, même si nous ne pouvons distinguer aucune tonalité. Par ailleurs, ce sont les cônes qui rendent possible la perception des différentes tonalités, et ce, grâce au fait que ces photorécepteurs se divisent eux-mêmes en trois types, chacun réagissant de façon préférentielle à une partie donnée du spectre visible (MacNichol, 1964 ; Wald, 1964). Comme illustré dans la figure 3.4, un premier type de cône réagit principalement dans la région des courtes longueurs d'onde du spectre visible, un deuxième, dans la région des moyennes longueurs d'onde et le troisième, dans celle des grandes longueurs d'onde.

FIGURE 3.3   Les cônes et les bâtonnets

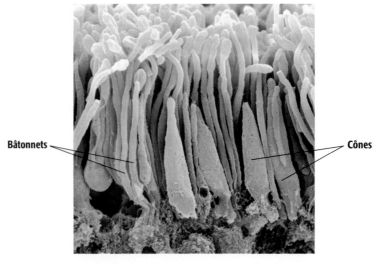

Bâtonnets — Cônes

La forme caractéristique des cônes et des bâtonnets.

FIGURE 3.4   Les courbes de sensibilité des photorécepteurs

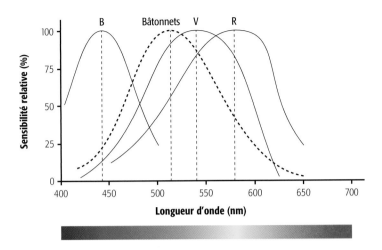

La courbe de sensibilité des bâtonnets, ainsi que celle de chacun des trois types de cônes : le cône B a son maximum de sensibilité dans la région associée au bleu, le cône V dans la région associée au vert, tandis que le cône R, le seul sensible dans la région du rouge, a néanmoins son maximum dans la région du jaune.

Testez vos connaissances

2. **L'œil contient deux grandes classes de cellules qui réagissent à la lumière.**

   Les cellules réagissant à la lumière, appelées *photorécepteurs*, comprennent les bâtonnets, qui détectent les différences de brillance, et les cônes, qui permettent de percevoir les tonalités.

La couleur perçue dépend ainsi de la proportion dans laquelle chacun des trois types de cônes est stimulé. Si l'un des cônes est nettement plus stimulé que les autres, on tend à percevoir une couleur dont la tonalité sera très marquée, donc présentant une saturation élevée. Par ailleurs, si les trois cônes sont également stimulés, aucune tonalité n'est perçue : on tend à percevoir du blanc[2] si la stimulation est forte, ou alors du gris plus ou moins foncé, si cette dernière est plus ou moins faible. C'est pourquoi il suffit de combiner trois couleurs judicieusement choisies pour être en mesure de faire percevoir tout l'éventail des couleurs. C'est d'ailleurs le procédé utilisé sur un écran couleur d'ordinateur ou de télévision ; l'encadré 3.2 (*page 76*) explique brièvement comment on peut produire une perception de jaune à partir de rouge et de vert.

Testez vos connaissances

3. **Il suffit de trois couleurs judicieusement choisies pour reproduire tout l'éventail des couleurs perceptibles, comme dans un téléviseur couleur.**

   Comme nous percevons les couleurs à partir de trois sortes de cônes seulement, trois couleurs bien choisies sont nécessaires pour reproduire toutes les couleurs pouvant être perçues, ainsi que l'illustre la figure 3.4.

---

2. C'est pourquoi on parle de *lumière blanche* pour désigner un faisceau de lumière contenant toutes les longueurs d'onde visibles, lequel a pour effet de stimuler les trois types de cônes.

L'écran d'ordinateur : trois pour toutes…

L'écran couleur de votre ordinateur constitue un excellent exemple d'un objet familier qui reproduit toutes les couleurs à partir de seulement trois. En effet, les multiples points qui composent l'écran n'appartiennent qu'à trois tonalités, les trois tonalités additives de base : soit rouge, vert et bleu.

On sait, d'une part, que l'œil est constamment animé de mouvements oscillatoires très rapides et que, d'autre part, le milieu dans lequel voyagent les rayons lumineux tend à les faire dévier un peu. En raison du fait qu'ils sont très rapprochés, les faisceaux lumineux de deux points juxtaposés se superposent une fois rendus à l'œil : par exemple, si les faisceaux superposés sont ceux d'un point rouge et d'un point vert, on percevra du jaune, conformément à ce qu'illustre la figure ci-contre.

Pour vérifier ce phénomène, approchez-vous de votre écran d'ordinateur — en utilisant une loupe, si vous en avez une — et examinez-le

attentivement : là où vous avez une perception globale de jaune, ce sont les points rouges et verts qui émettent de la lumière ; là où vous percevez un objet blanc, les points des trois tonalités sont actifs !

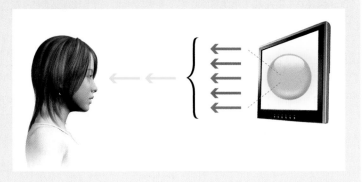

Un deuxième élément expliquant les mécanismes de perception de la couleur vient de ce que les influx nerveux générés par les trois types de cônes ne sont pas transmis « tels quels » au cerveau : au cours de leur transmission par les cellules bipolaires et ganglionnaires au niveau de la rétine, ainsi que par les cellules de relais au niveau du thalamus, les influx nerveux sont combinés de façon à générer des paires de tonalités complémentaires. Cette notion de tonalités complémentaires peut facilement être illustrée à l'aide de la figure 3.5a : fixer son regard de façon prolongée sur une tonalité donnée entraîne une tendance à en percevoir par la suite une autre, la tonalité complémentaire de celle précédemment fixée.

Bien que la notion de tonalités complémentaires soit connue depuis longtemps, ce n'est qu'au milieu du XXe siècle qu'on a mis en évidence l'existence de neurones qui fonctionnent par paires complémentaires : il s'agit de cellules qui réagissent aux signaux

---

FIGURE 3.5 Les tonalités complémentaires et les neurones à processus antagoniste

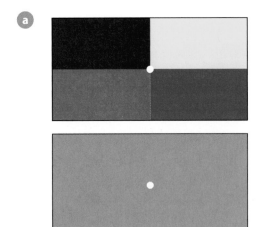

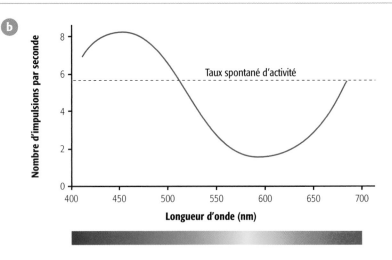

(a) En fixant pendant une trentaine de secondes le point blanc au centre du rectangle formé de quatre couleurs, puis en fixant le point au centre du rectangle « gris », on fait apparaître la tonalité complémentaire de chacune des tonalités observées précédemment. (b) La courbe de sensibilité simplifiée d'un neurone du thalamus qui réagit en augmentant ou en diminuant son activité selon que la lumière stimulant l'œil se trouve dans les courtes ou les grandes longueurs d'onde.

reçus, soit par une augmentation, soit par une diminution de leur taux spontané d'activité (DeValois *et al.*, 1966). À titre d'exemple, le graphique de la figure 3.5b présente la courbe de sensibilité d'un neurone du thalamus qui réagit par une augmentation de son taux d'activité lorsque les longueurs d'onde stimulant l'œil se situent principalement dans la région du bleu ; à l'inverse, des longueurs d'onde situées principalement dans la région du jaune entraînent une diminution du taux d'activité. Le même type de fonctionnement a pu être démontré avec d'autres cellules opposant les régions du vert et du rouge, ou encore la présence et l'absence de lumière, traduisant ainsi une simple différence de brillance.

La couleur perçue d'un objet ne dépend pas seulement de la lumière qui en provient, mais du contexte où elle est présentée. Dans la figure 3.5a, nous avons vu comment la perception d'une couleur peut résulter du fait d'en avoir observé préalablement une autre. La figure 3.6 présente une autre situation où la couleur perçue est influencée par le contexte. Dans la figure 3.6a, le carré A paraît plus foncé que le carré B, alors que les deux réfléchissent la même quantité de lumière ; dans la figure 3.6b, les éléments composant le losange réfléchissent tous la même lumière en direction de l'œil mais la moitié gauche, superposée aux barres vertes, paraît rosâtre (tonalité complémentaire du vert) alors que la moitié droite, superposée aux lignes rouges, paraît verdâtre (tonalité complémentaire du rouge).

FIGURE 3.6 L'effet de contraste simultané

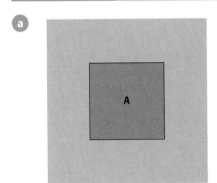
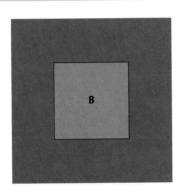
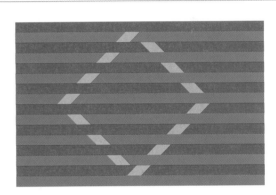

(a) Les carrés A et B sont identiques, mais l'accentuation de la différence de brillance entre chaque carré central et son fond entraîne un effet de contraste simultané de brillance : le carré A paraît plus foncé que le carré B. (b) Tous les éléments constituant le losange sont d'un même gris, mais la moitié gauche superposée à un fond de lignes vertes paraît rosée tandis que la moitié droite, superposée à un fond de lignes rouges, paraît verdâtre, d'où le contraste simultané chromatique qu'on observe.

La perception de la couleur peut également être influencée par certaines différences individuelles, dont le fait par exemple d'être atteint de **daltonisme**. Chez les personnes ayant cette anomalie, la cécité à certaines couleurs vient de l'absence partielle ou totale d'un type ou l'autre de cône, absence due à une défectuosité au niveau du chromosome «X» de la paire de chromosomes déterminant le sexe. Ce problème, qui peut être détecté à l'aide de cartes telle que celle illustrée dans la figure 3.7 (*page 78*), est surtout présent chez les hommes. On le rencontre également chez les femmes, mais uniquement si les deux chromosomes «X» de la femme sont touchés.

Daltonisme
Terme général utilisé pour désigner une difficulté ou une incapacité à percevoir correctement certaines couleurs ; la forme la plus répandue porte sur la distinction entre le rouge et le vert.

Testez vos connaissances

4. Le daltonisme affecte uniquement les hommes.
Même s'il est vrai que ce problème affecte davantage les hommes, certaines femmes peuvent également en être affectées si les deux chromosomes «X» de la paire de chromosomes déterminant le sexe sont défectueux.

FIGURE 3.7   La cécité aux couleurs

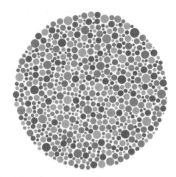

Dans les cartes utilisées pour tester la vision des couleurs, la grandeur des points et la brillance sont distribuées au hasard, mais non la tonalité, celle-ci permettant d'y reconnaître un nombre, sauf si la personne est incapable de différencier le rouge et le vert.

Les sensations auditives

Les mécanismes auditifs de base La stimulation physique donnant lieu à la perception d'un son est de nature mécanique. Comme l'illustre la figure 3.8, cette stimulation est produite par une source sonore, c'est-à-dire un objet qui, en vibrant, transmet ses vibrations au milieu environnant (air, eau, etc.) en y créant une succession de compressions et de raréfactions des molécules constituant le milieu. Ce sont ces vibrations qui sont captées par l'oreille et qui vont éventuellement donner lieu à la perception d'un son. Pour cette raison, nous parlons de *vibrations sonores*.

FIGURE 3.8   Les vibrations et les ondes sonores produites par une source sonore

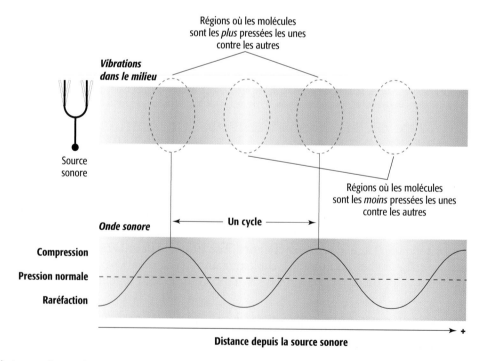

À chaque vibration du diapason, les molécules du milieu ambiant (air, eau, etc.) subissent une compression puis une décompression par rapport à la pression normale. Cette succession de vibrations, qui peut être représentée sous forme d'onde où chaque vibration correspond à un cycle, se déplace dans le milieu pour être éventuellement captée par l'oreille.

La captation s'effectue lorsque les vibrations en provenance de la source sonore font à leur tour vibrer le tympan situé au fond du canal auditif, comme illustré par la figure 3.9a. Les vibrations du tympan mettent à leur tour en mouvement trois osselets. Les mouvements de ces derniers sont ensuite transmis au liquide contenu dans la **cochlée**, sorte de canal osseux en forme de spirale à l'intérieur duquel se trouve une membrane qui oscillera elle aussi en fonction de ces mouvements (*voir la figure 3.9b*). Rattaché à cette membrane se trouve l'**organe de Corti**, lequel contient des cellules ciliées, sortes de cellules nerveuses qui génèrent des influx nerveux dès qu'elles sont soumises à des vibrations, jouant ainsi le même rôle de **transduction** que les photorécepteurs de la rétine pour la vision.

Cochlée
Partie de l'oreille interne à l'intérieur de laquelle s'opère la transformation des vibrations sonores en influx nerveux.

Organe de Corti
Structure située dans la cochlée et contenant les cellules nerveuses qui effectuent la transduction des vibrations sonores en influx nerveux.

Transduction
Transformation en influx nerveux d'une énergie captée par un organe sensoriel.

FIGURE 3.9	L'oreille et le son

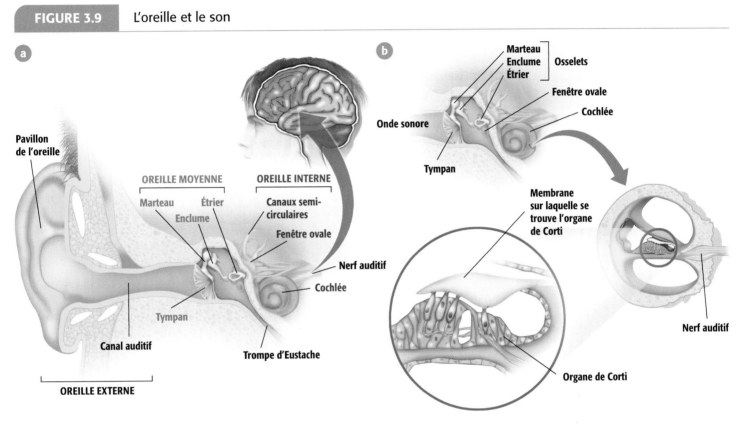

ⓐ Schéma du mécanisme général de réaction de l'oreille aux vibrations sonores. **ⓑ** Précision sommaire de la façon dont les vibrations sont transformées en influx au niveau de l'oreille interne.

Les axones des neurones contenus dans l'organe de Corti sont réunis pour former le nerf auditif et transmettre les signaux ainsi produits jusqu'à l'aire auditive dans le lobe temporal. Le cheminement de ces signaux est plus complexe que dans le cas des signaux visuels, mais ces derniers passent par la même station de relais, à savoir le thalamus.

Testez vos connaissances

5. **Les vibrations sonores sont transformées en influx nerveux par les trois osselets situés derrière le tympan.**

   C'est plutôt l'organe de Corti, situé dans la cochlée de l'oreille interne, qui transforme en influx nerveux les vibrations sonores parvenues au tympan et transmises par les osselets de l'oreille moyenne.

Fréquence

Nombre de cycles ou vibrations par seconde caractérisant une onde sonore.

Hertz (Hz)

Unité de mesure de fréquence ; un Hertz correspond à une vibration par seconde.

Onde sonore

Série de compressions et de raréfactions d'un milieu en contact avec le tympan aptes à donner lieu à la perception d'un son.

Hauteur tonale

Aussi appelée **Tonie**

Dimension perceptive qui correspond au caractère aigu (ou haut) par opposition au caractère grave (ou bas) d'un son.

Sonie

Dimension perceptive correspondant au caractère fort par opposition au caractère faible d'un son, c'est-à-dire à la force d'un son telle qu'elle est perçue.

Timbre

Dimension perceptive selon laquelle un son paraît qualitativement différent d'un autre son de même hauteur tonale et de même sonie.

Les vibrations du milieu ambiant captées par l'oreille sont habituellement représentées sous la forme d'une onde, comme illustré par la figure 3.8 (*page 78*). À l'instar des longueurs d'onde du spectre EM qui ne stimulent pas toutes l'œil, les ondes correspondant aux vibrations du milieu ambiant ne sont pas toutes aptes à stimuler l'oreille. Cela dépend de la vitesse à laquelle se succèdent ces vibrations, vitesse que l'on mesure par la **fréquence**, c'est-à-dire le nombre de vibrations par seconde ; l'unité de mesure de la fréquence est le **Hertz (Hz)**, un Hz correspondant à une vibration (cycle) par seconde. C'est ainsi que seules les ondes dont la fréquence est située entre approximativement 20 et 20 000 Hz peuvent donner lieu à la perception d'un son : on parle alors d'**ondes sonores** pour désigner ces ondes et de *fréquences audibles* pour désigner les fréquences correspondantes.

Les dimensions perceptives des sons Malgré la grande diversité des sons perçus, nous pouvons les décrire à partir de trois dimensions perceptives fondamentales, tout comme nous l'avons fait pour les sensations visuelles. Il s'agit de la hauteur tonale, de la sonie et du timbre.

La **hauteur tonale** est la dimension perceptive qui correspond au caractère aigu (ou haut) par opposition au caractère grave (ou bas) d'un son. Quand on pince différentes cordes d'une guitare, ce sont des différences de hauteur qui sont perçues, comme lorsqu'on compare les grognements graves d'un gros chien aux aboiements aigus d'un chiot. Dans les deux cas, la dimension perceptive en jeu est la hauteur tonale.

Une deuxième dimension perceptive, la **sonie**, correspond au caractère fort par opposition au caractère faible d'un son. Quand nous comparons le bruit assourdissant d'un avion à réaction qui passe au-dessus de notre tête au bruit à peine perceptible produit par le même avion lorsqu'il s'est éloigné, nous comparons les deux situations d'après la sonie, c'est-à-dire la force avec laquelle nous percevons l'un et l'autre son. La sonie correspond en somme à l'intensité perçue ; c'est en quelque sorte l'équivalent sonore de la brillance sur le plan visuel.

Lorsque deux instruments de musique, le piano et le violon par exemple, jouent la même mélodie, les mêmes notes sont utilisées, mais ce qu'on perçoit comme différence correspond au **timbre**. Ce dernier constitue la dimension perceptive selon laquelle un son paraît qualitativement différent d'un autre son de même hauteur tonale et de même sonie. On pourrait dire du timbre qu'il est la « signature sonore » de la sensation. C'est également le timbre qui vous permet de distinguer les voix de deux de vos amis, même si aucun des deux n'a une voix plus grave que l'autre.

Testez vos connaissances

6. **C'est le timbre qui permet de distinguer deux instruments de musique qui jouent la même note.**

On appelle effectivement *timbre* la dimension perceptive du son qui permet de reconnaître le son particulier d'un instrument de musique, tout comme on pourrait reconnaître la voix de deux personnes chantant les mêmes notes de musique.

Les facteurs influençant la perception des sons Parmi l'étendue des fréquences audibles, une variation de fréquence entraîne une variation dans la hauteur perçue du son, les fréquences basses donnant lieu à la perception de sons bas, et les fréquences élevées, à celle de sons aigus. Les mécanismes en jeu ici sont complexes, mais on sait que de façon générale, la partie de l'organe de Corti qui repose sur la section de la membrane située près des osselets est stimulée par les sons de fréquence élevée, alors que les fréquences basses stimulent davantage la partie de l'organe de Corti qui se trouve vers l'autre extrémité de la membrane basilaire. Selon la partie stimulée, les influx nerveux véhiculés par le nerf auditif activent différentes parties du cortex auditif où sont générées les sensations correspondant aux diverses notes d'une mélodie.

En ce qui concerne la sonie, elle dépend principalement de l'intensité physique du son, c'est-à-dire de la force des compressions et raréfactions qui influent sur le milieu en vibration. L'intensité correspond à l'amplitude de l'onde sonore, et on la mesure habituellement en **décibels (dB)**. Cette échelle est basée sur un rapport de grandeur entre le son dont on veut établir l'intensité et un son de référence, lequel correspond en fait à un son à peine audible. Afin de représenter schématiquement l'échelle des décibels, la figure 3.10 situe sur cette échelle quelques bruits familiers. Comme nous pouvons le constater, une intensité physique plus grande correspond à une sonie plus élevée, ce qui est dû au nombre d'influx nerveux transmis le long du nerf auditif.

Pour ce qui est du timbre, la troisième dimension perceptive définie plus haut, il provient de la multitude de fréquences dont sont composées la plupart des ondes sonores qui parviennent à nos oreilles. En d'autres termes, c'est précisément la composition de l'onde sonore, c'est-à-dire quelles fréquences y sont présentes et avec quelle intensité, qui détermine le timbre. Si la sensation correspondant au timbre du

Décibel (dB)
Unité de mesure de l'intensité d'une onde sonore basée sur le rapport de grandeur entre la pression exercée au niveau du tympan par le son qu'on veut mesurer et la pression exercée par un son de référence, lequel correspond généralement à un son à peine audible.

FIGURE 3.10 L'échelle des décibels

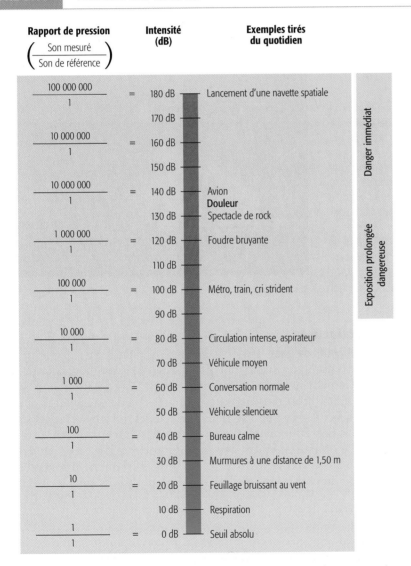

L'échelle des décibels est basée sur le rapport entre la pression exercée au niveau du tympan par le son qu'on veut mesurer et celle exercée par le plus faible son perceptible pris comme son de référence. On peut ainsi constater que les ondes sonores produites par un spectacle rock peuvent exercer sur le tympan une pression plus de 1 000 fois supérieure à celles produites par une conversation normale. Le fait que le nombre de décibels ne soit qu'environ deux fois plus élevé avec le spectacle rock est donc trompeur.

piano est différente de celle correspondant au timbre de la guitare, c'est que les deux instruments produisent des ondes sonores contenant des combinaisons différentes de fréquences. C'est d'ailleurs en créant de nouvelles combinaisons de fréquences que les synthétiseurs électroniques utilisés par les musiciens permettent de créer de nouveaux sons, c'est-à-dire de nouveaux timbres.

Outre les caractéristiques physiques de l'onde sonore parvenant à l'oreille, la façon dont on s'expose aux sons, entre autres en utilisant les nouveaux et populaires dispositifs portables de musique, peut influer sur sa perception. Cependant, de plus en plus de recherches qui étudient les effets de la musique à intensité élevée incitent à la prudence sur ce point (*voir l'encadré 3.3*). Il en est de même pour les travailleurs d'usine exposés à des environnements où le nombre de décibels est élevé.

La musique adoucit les mœurs, mais...

Dans toutes les sociétés, la musique tient une place importante dans le quotidien des gens. De nos jours, cela est d'autant plus vrai qu'elle est désormais pratiquement toujours disponible grâce à l'arrivée des baladeurs et de la musique en format MP3. Bonne nouvelle, donc ! Toutefois, s'il veut jouir le mieux et le plus longtemps possible du plaisir d'en écouter, l'amateur de musique doit être informé des dangers possibles liés à certaines conditions d'utilisation.

Comme le fait remarquer Christian Meyer-Bish, « l'écoute de la musique fortement amplifiée peut être responsable de lésions à l'audition de même nature que celles provoquées par les bruits industriels ou les traumatismes sonores en général. Ces lésions sont presque toujours définitives et posent un problème de santé publique » (Agudo, 1996). Dans le cadre d'une impressionnante étude menée auprès de 1 553 personnes âgées de 14 à 45 ans, le Cercle d'étude et de développement de Nancy a relevé des pertes d'audition qui incitent à être prudent dans l'écoute de la musique à fort volume.

Contrairement à ce qu'on pourrait penser, ce n'est pas le tympan qui risque d'être endommagé, mais la cochlée, là où se trouvent les récepteurs qui transforment les vibrations sonores en influx nerveux.

Dans l'état actuel de la technologie médicale, il n'est pas possible de réparer les dommages causés à l'organe de Corti.

Les sensations olfactives

Les mécanismes olfactifs de base L'énergie associée à l'olfaction est de nature chimique, mais les molécules chimiques susceptibles de stimuler le système olfactif doivent être sous forme gazeuse pour produire différentes odeurs. La captation de ces molécules et leur transduction en influx nerveux sont effectuées par les récepteurs olfactifs logés dans l'épithélium olfactif, c'est-à-dire la couche de cellules qui tapisse la partie supérieure des cavités nasales. Les influx nerveux générés par les récepteurs sont transmis aux neurones du bulbe olfactif, une excroissance du cortex située très près des cavités nasales, comme le laisse voir la figure 3.11. De là, ils se rendent directement dans les régions primitives[3] du cortex cérébral, et seulement ensuite dans le thalamus, alors que tous les autres systèmes sensoriels font l'inverse (Bear *et al.*, 2002). Cette particularité semble venir du fait que l'odorat est le sens le plus lié aux comportements primitifs de survie. L'olfaction jouerait ainsi un rôle de toute première importance sur le plan adaptatif, puisque la plupart des mammifères l'utilisent pour chercher de la nourriture ou un partenaire sexuel, ou encore afin d'éviter des aliments toxiques ou un ennemi menaçant leur survie.

---

3. Il s'agit ici des premières couches du cortex à s'être développées et qui gèrent les comportements adaptatifs de base.

FIGURE 3.11   Les mécanismes de base de l'olfaction

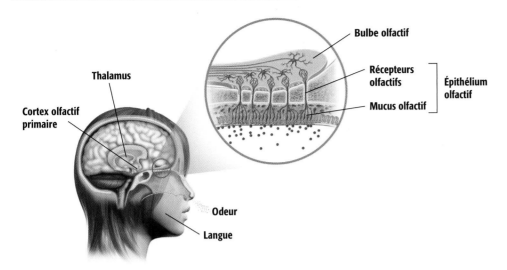

Thalamus

Cortex olfactif primaire

Bulbe olfactif

Récepteurs olfactifs

Épithélium olfactif

Mucus olfactif

Odeur

Langue

Qu'elles aient été inspirées ou qu'elles aient remonté de la bouche par l'arrière-gorge, les odeurs stimulent les récepteurs olfactifs situés dans l'épithélium olfactif. Les messages nerveux sont alors transmis au bulbe olfactif, puis au cortex olfactif primaire et, par la suite, au thalamus et à de nombreuses autres régions du cerveau.

Les dimensions perceptives des odeurs   En ce qui a trait aux dimensions perceptives des différentes **odeurs**, la situation est complexe. Au temps des Grecs, « Aristote avait déjà remarqué qu'il n'existait pas de vocabulaire spécifique des odeurs comparable à celui du goût » (Bonnet, 2003, p. 186). Depuis, les différentes tentatives de classification proposées pour les odeurs sont demeurées insatisfaisantes. Il n'y a donc aucun consensus sur cette question.

Les mécanismes de perception des différentes odeurs   Contrairement à la vision où il n'y a que trois sortes de cônes, on dénombrerait au moins un millier de récepteurs différents pour l'odorat. Chaque récepteur ne serait stimulé que par une sorte de molécule odorante, mais une même molécule pourrait stimuler plusieurs récepteurs différents à des degrés divers (Pichersky, 2005), un peu comme un passe-partout peut ouvrir plusieurs portes, même s'il fonctionne mieux avec certaines d'entre elles. L'odeur perçue par le cortex olfactif dépendrait de la combinaison de messages nerveux reçus par les différents récepteurs : le nombre de ces mélanges étant extrêmement élevé — on l'estime à plus de 10 000 —, on peut aisément comprendre pourquoi l'olfaction est si subtile et si difficile à étudier. Il semble d'ailleurs que cette complexité soit l'une des raisons pour laquelle l'odeur perçue est facilement influencée par les attentes et la vue. Ainsi, une même odeur peut être perçue comme agréable et stimuler l'appétit, ou alors provoquer le dégoût, selon qu'on la présente comme celle d'un fromage bleu réputé ou encore comme l'odeur émanant d'un bas trempé de sueur !

Les sensations gustatives

Les mécanismes gustatifs de base   Tout comme pour l'odorat, l'énergie associée au goût est de nature chimique. Les molécules chimiques susceptibles de stimuler le système gustatif doivent toutefois être solubles dans l'eau pour pouvoir produire les différentes saveurs. La captation de ces molécules et leur transduction en influx nerveux sont effectuées par les récepteurs du goût que sont les papilles gustatives situées sur la langue et le palais ainsi que dans le fond de la gorge. Les influx nerveux générés par les papilles sont ensuite transmis au cortex suivant un cheminement qui comprend plusieurs voies passant finalement toutes, comme pour les autres sensations, par le thalamus. L'aire corticale où sont produites les sensations gustatives est située dans le lobe pariétal, près de la partie de l'aire somesthésique concernant les sensations tactiles de la langue.

Odeur
Terme référant aux différentes dimensions olfactives détectables par les récepteurs de l'odorat situés dans les cavités nasales.

Saveur
Terme référant aux différentes dimensions perceptives détectables par les récepteurs du goût situés sur la langue, le palais et l'arrière-gorge.

Les dimensions perceptives des saveurs Depuis Henning (1916), on considère en général qu'il n'y aurait que quatre **saveurs** primaires détectées par les papilles de la bouche : le sucré, le salé, l'acide et l'amer (ou l'amertume). Le sucré et le salé sont des saveurs bien connues. Pour ce qui est de l'acide, on n'a qu'à songer à du jus de pamplemousse non sucré, alors que le café noir est perçu comme très amer. Une cinquième saveur, l'umami — qui signifie « délicieux » en japonais —, a été proposée pour décrire la sensation du glutamate très utilisé en cuisine. Cependant, certains experts contestent qu'il puisse s'agir d'une saveur primaire au même titre que les quatre autres.

Il importe de souligner ici que dans le langage de tous les jours, le terme « saveur » réfère souvent à la sensation globale créée par le goût et l'odeur d'un aliment. Sur le plan scientifique toutefois, il importe de ne pas confondre saveur et odeur : ainsi, le terme « saveur » désigne au sens strict les sensations créées par les récepteurs du goût, et le terme « odeur » renvoie aux sensations dues aux récepteurs de l'odorat. Cette confusion vient de ce que les molécules gazeuses stimulant les récepteurs olfactifs peuvent être contenues non seulement dans l'air inspiré, mais également dans les effluves dégagés lorsqu'on mastique les aliments, ces dernières remontant dans les cavités nasales par l'arrière-bouche. Ainsi, les odeurs dégagées par les aliments que l'on ingère sont spontanément associées aux saveurs produites par les récepteurs du goût, se fondant en une sensation globale, d'où la tendance à confondre les deux types de sensations ; on devrait plutôt parler de **flaveur** pour désigner cette sensation globale résultant de l'activation conjointe des récepteurs gustatifs et olfactifs. Quand on a le nez congestionné et qu'on trouve que la nourriture « ne goûte rien », on devrait plutôt dire qu'elle « ne sent rien ».

Flaveur
Sensation globale résultant de l'activation conjointe de récepteurs gustatifs et olfactifs.

Testez vos connaissances

7. Quand on a le rhume, la langue ne goûte rien des aliments.
C'est plutôt l'olfaction qui ne peut fonctionner normalement, étant donné que les molécules véhiculant les odeurs ne peuvent se rendre dans les cavités nasales obstruées.

Les mécanismes de perception des différentes saveurs On distingue généralement quatre types de neurones agissant comme récepteurs gustatifs, chacun étant associé à l'une des saveurs primaires, d'après la substance de base à laquelle il est particulièrement sensible. Il faut cependant savoir que chaque récepteur est également sensible aux autres substances de base, tout comme chacun des cônes dans l'œil est sensible à une étendue de plusieurs longueurs d'onde, même s'il l'est de façon particulière pour certaines. « La saveur dépend donc de l'activité relative de différents types de neurones, chacun contribuant au profil global de l'activité gustative. » (Smith & Margolskee, 2003) Par ailleurs, contrairement à ce qu'on affirmait encore tout récemment dans de nombreux volumes et articles traitant de la question, on sait depuis une vingtaine d'années (Bartoshuk, 1988, dans Halpern, 2002) que toutes les saveurs peuvent être perçues dans toutes les parties de la langue.

Tout comme l'odorat, le goût est très influencé par d'autres facteurs tels que l'expérience passée, les effets d'attente et la présentation visuelle de ce qu'on ingère. C'est pour cette raison que les dégustations de vins doivent se faire à l'aveugle, c'est-à-dire sans que le goûteur sache si le vin est un grand cru ou un vin de marque commune, et s'il a coûté cher ou non. Il arrive ainsi fréquemment que des vins peu coûteux soient, à l'aveugle, plus appréciés que d'autres plus chers et supposément plus raffinés !

Les sensations cutanées

Les mécanismes de base des sensations cutanées
Lorsqu'on parle de **sensations cutanées**, on désigne l'ensemble des sensations qui renseignent sur ce qui entre en contact avec la peau. La nature de l'énergie physique véhiculée par les objets et produisant les sensations cutanées varie selon l'objet, mais elle est généralement

Sensations cutanées
Ensemble des sensations qui renseignent sur ce qui entre en contact avec la peau.

mécanique ou thermique. Elle est captée par la peau, et la transduction de cette énergie est effectuée par les récepteurs cutanés situés dans les couches superficielles de la peau. Les influx nerveux produits par ces récepteurs sont alors transmis par les nerfs afférents du système périphérique jusqu'à l'aire somatosensorielle située dans le lobe pariétal, après avoir été relayés ici aussi par le thalamus. Encore une fois, c'est au niveau du cortex que sont créées les sensations cutanées, ce qui explique le phénomène du «membre fantôme» dont il est question dans l'encadré 3.4.

Il est à noter que les récepteurs cutanés sont répartis de façon inégale sur le corps, étant plus abondants aux extrémités des membres, particulièrement aux mains, ainsi qu'au visage, surtout au niveau des lèvres. À ce sujet, il peut être utile de revoir la façon dont les différentes parties du corps sont représentées au niveau de l'aire somatosensorielle illustrée à la figure 2.8 (*page 54*).

Les dimensions perceptives des sensations cutanées Les dimensions perceptives qu'on distingue sont le toucher, la température et la douleur. À l'intérieur de chacune de ces catégories, il y a de multiples variantes. En ce qui a trait au toucher, il y a entre autres le fait de sentir une pression plus ou moins forte sur la peau, ou encore la sensation de rugosité opposée à celle de douceur. La sensation de température, pour sa part, se ramène simplement à une question de chaud ou de froid, tandis que la douleur présente de nombreux aspects pas toujours simples à décrire : sensations de pincement, de brûlure, de piqûre, de démangeaison, etc.

Les mécanismes de perception des différentes sensations cutanées Nous savons qu'il existe des récepteurs réagissant de façon unique à l'énergie mécanique provenant du contact avec un objet. D'autres réagissent à l'énergie thermique, c'est-à-dire au fait que la température de l'objet soit plus élevée ou plus basse que celle de la peau ; c'est ce qui fait qu'un même stimulus, un objet tiède par exemple, pourra évoquer une sensation de chaud ou de froid selon que la température de la peau est relativement froide ou chaude. Par ailleurs, les récepteurs de la température se répartissent eux-mêmes en deux catégories. Certains, les récepteurs du froid, sont stimulés facilement

ENCADRÉ 3.4   **Approfondissement**

Le membre fantôme : comme s'il était là !

Les gens qui perdent un membre ou une partie d'un membre à la suite d'un accident ou d'une maladie sont fréquemment victimes de ce qu'on appelle le *membre fantôme*. Par exemple, une personne qui n'a plus que la partie du bras comprise entre l'épaule et le coude pourra continuer à avoir des sensations «provenant de sa main», même si elle ne l'a plus ! Une autre pourra, dans les premiers temps suivant une amputation, tenter de se lever de son lit en essayant de s'appuyer sur une jambe qui n'existe plus… mais qu'elle sent encore !

Bien que surprenant à première vue, ce phénomène est parfaitement explicable si l'on se rappelle que c'est dans l'aire somatosensorielle que sont créées les sensations. La fibre nerveuse qui transmettait au cerveau le signal des récepteurs de la main passait, et passe encore, par le coude. Lorsque l'extrémité de cette fibre est stimulée par le contact, le cerveau interprète le signal reçu comme il l'a toujours fait, c'est-à-dire comme provenant de la main.

Il semble toutefois que cette interprétation se réajuste graduellement. En effet, ainsi que l'illustre la figure ci-contre, il semble qu'une certaine «reprogrammation» s'effectue au niveau du cerveau : alors que, dans les premiers temps après la perte du membre, la partie manquante est perçue là où elle se trouvait auparavant, sa perception tend graduellement à se rapprocher de la partie restante, ainsi que le représente schématiquement la partie droite de la figure.

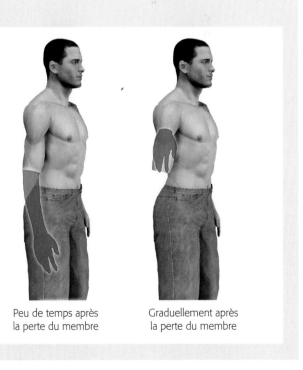

Peu de temps après la perte du membre   Graduellement après la perte du membre

par les objets dont la température est relativement faible, mais ils le sont également par des objets dont la température est très élevée ; d'autres, les récepteurs du chaud, sont stimulés facilement par les objets chauds, mais ils le sont également par des objets très froids. La sensation de chaleur brûlante proviendrait ainsi de la stimulation simultanée des récepteurs du chaud et du froid par un objet très chaud ou très froid.

Les formes d'énergie qui peuvent provoquer la douleur sont diverses : mécanique, thermique, électrique, chimique, etc. L'intensité relativement trop grande de l'une ou l'autre de ces diverses formes d'énergie serait responsable des sensations douloureuses. La douleur aurait ainsi un caractère adaptatif : considérant que la plupart des formes d'énergie qui nous atteignent peuvent devenir nocives et éventuellement mettre en danger l'organisme lorsqu'elles sont trop intenses, le fait qu'elles engendrent une sensation douloureuse pousse l'organisme à fuir la source de la stimulation afin d'assurer sa survie. Il y a lieu de remarquer ici que les sensations de douleur ont en quelque sorte un statut particulier : elles font partie des sensations cutanées mais pas uniquement, étant donné que de nombreuses sensations douloureuses peuvent provenir de l'intérieur du corps. Toutefois, même dans ce dernier cas, les douleurs peuvent avoir une fonction adaptative : perçue comme le signal d'une menace pour l'intégrité physique, une douleur provenant de l'intérieur du corps pousse l'individu à éliminer, si possible, la cause de cette menace.

Les sensations kinesthésiques

Les mécanismes de base des sensations kinesthésiques Les **sensations kinesthésiques** renseignent sur la position ainsi que sur la vitesse et la direction de déplacement des différents segments du corps les uns par rapport aux autres. L'énergie qui produit les sensations kinesthésiques est de nature mécanique. Les récepteurs qui y sont sensibles sont situés dans les muscles, les tendons et les articulations ou autour de ces derniers. Ils enregistrent le degré d'extension ou de contraction des muscles, des tendons, ou encore des tissus situés au niveau des articulations. Après avoir été relayée par différentes structures, dont le thalamus, l'information détectée par les récepteurs kinesthésiques est transmise à l'aire somatosensorielle dans le lobe pariétal (*voir la figure 2.10, page 59*), tout comme celle provenant des récepteurs cutanés (Bear *et al.*, 2002).

Les dimensions perceptives des sensations kinesthésiques Aucune terminologie particulière n'a été créée pour décrire les différentes dimensions perceptives des sensations kinesthésiques. Il semble tout simplement y avoir autant de sensations différentes qu'il y a de positions différentes d'un membre par rapport à un autre.

La fonction adaptative des sensations kinesthésiques C'est l'intégration des différents éléments d'information kinesthésique qui rend possible la coordination des muscles dans pratiquement toutes les activités motrices, de la plus banale, comme marcher, jusqu'aux activités plus complexes telles que patiner ou encore exécuter un plongeon avec double vrille d'un tremplin de dix mètres. C'est ce type d'information qui permet à un plongeur olympique tel qu'Alexandre Despatie d'effectuer les prouesses qui font de lui un champion !

Les sensations vestibulaires

Les mécanismes de base des sensations vestibulaires Alors que les sensations kinesthésiques renseignent sur la position des parties du corps les unes par rapport aux autres, les **sensations vestibulaires** renseignent sur la position du corps par rapport à l'environnement extérieur ; elles correspondent à ce qu'on appelle couramment le *sens de l'équilibre*. Assez curieusement, les récepteurs à l'origine de ces sensations sont situés dans l'oreille interne, plus particulièrement dans des renflements à la base des **canaux semi-circulaires**, dont l'emplacement est illustré dans la figure 3.9 (*page 79*).

Les dimensions perceptives des sensations vestibulaires À l'instar des sensations kinesthésiques, aucune terminologie particulière n'a été créée pour décrire les différentes dimensions perceptives des sensations vestibulaires. Nous pouvons quand

Sensations kinesthésiques
Sensations renseignant sur la position des membres ainsi que sur la vitesse et la direction de déplacement des différents segments du corps les uns par rapport aux autres ; provient de récepteurs situés dans les muscles, les tendons et les articulations ou autour de ces derniers.

Sensations vestibulaires
Type de sensations renseignant sur la position du corps par rapport à l'environnement extérieur et sur son orientation par rapport à la gravité (d'où le terme courant de « sens de l'équilibre ») ; proviennent de récepteurs situés dans les canaux semi-circulaires de l'oreille interne, plus précisément à la base de ces derniers.

Canaux semi-circulaires
Structures en boucle à l'intérieur et à la base desquelles se trouvent les récepteurs générant les sensations vestibulaires.

même préciser que ces dernières renseignent sur deux aspects donnés : les déplacements de la tête (rotation, accélération et décélération) et la position de la tête par rapport à la verticale, plus précisément par rapport à la gravité.

Les mécanismes de perception des différentes sensations vestibulaires Alors que certains récepteurs ne réagissent qu'à l'aspect «déplacement», d'autres réagissent en plus à la force gravitationnelle ; ces derniers peuvent par conséquent signaler la position (inclinée ou non) de la tête, même si celle-ci ne bouge pas.

Il est à noter que l'information fournie par les sensations vestibulaires peut être facilement prise en défaut, notamment par l'information visuelle. Lorsqu'on assiste par exemple à une projection en cinérama (cinéma Imax), confortablement assis dans son fauteuil, les récepteurs vestibulaires ne sont pas stimulés, mais la grandeur de l'écran peut créer la «sensation» qu'on se déplace ou qu'on est incliné. Alors que les illusions de mouvements créées au cinéma s'avèrent une source de plaisir, la situation n'est pas la même dans d'autres domaines tels que l'aviation. C'est d'ailleurs pourquoi les instructeurs de vol mettent en garde les futurs pilotes à ce sujet et leur disent qu'en présence d'éléments d'information contradictoires, il est préférable de se fier davantage aux instruments qu'aux impressions provenant des récepteurs de l'oreille interne.

Le tableau 3.1 résume la forme d'énergie, les types de récepteurs, les principales dimensions perceptives ainsi que les caractéristiques physiques du stimulus pour chacune des différentes modalités sensorielles.

TABLEAU 3.1	**Les modalités sensorielles : rappel des notions**			
Type de sensation	**Forme d'énergie**	**Récepteurs**	**Dimensions perceptives principales**	**Caractéristiques physiques du stimulus**
Vision	• Électromagnétique	• Photorécepteurs (situés dans la rétine)	• Tonalité • Brillance • Saturation	• Longueur d'onde • Intensité • Composition du faisceau lumineux
Audition	• Mécanique	• Organe de Corti (situé dans la cochlée)	• Hauteur tonale • Sonie • Timbre	• Fréquence • Intensité • Composition du son
Odorat	• Chimique (sous forme gazeuse)	• Récepteurs olfactifs (situés dans les cavités nasales)	• Estimées à plus d'un millier	• Milliers de molécules différentes
Goût	• Chimique (sous forme soluble)	• Récepteurs gustatifs (situés dans la bouche, le palais et l'arrière-bouche)	• Sucré • Amer • Salé • Umami • Acide	• Plus d'une molécule pouvant stimuler chaque récepteur
Sens cutané	• Mécanique ou thermique	• Récepteurs cutanés (situés sous la surface de la peau)	• Toucher • Température • Douleur	• Contact ou non • Différence de température par rapport à la peau • Intensité très élevée ou non
Sens kinesthésique	• Mécanique	• Récepteurs kinesthésiques (situés dans les muscles, tendons et articulations)	• Autant qu'il y a de positions des muscles, tendons et articulations	• Autant qu'il y a de positions des muscles, tendons et articulations
Sens vestibulaire	• Mécanique	• Récepteurs vestibulaires (situés à la base des canaux semi-circulaires)	• Mouvement ressenti par rapport à l'environnement • Position ressentie par rapport à la verticale	• Déplacements du corps (tête) • Orientation par rapport à la gravité

Les différentes sensations : des modalités complètement séparées ?

Le philosophe John Locke s'est fait un jour demander par un de ses amis «si une personne aveugle de naissance qui recouvrerait soudainement la vue pourrait distinguer immédiatement, par la vision, une sphère d'un cube, en supposant que cette personne sache différencier tactilement les deux objets» (Delorme & Flückiger, 2003, p. 199). Relativement peu étudiée à ce jour, cette question des liens entre les modalités sensorielles fait l'objet de plus en plus de recherches. L'encadré 3.5 en fournit un exemple à la fois simple et concret.

ENCADRÉ 3.5 **Approfondissement**

Le dénominateur commun : d'une sensation à l'autre !

Un de vos amis passionné des langues anciennes vous montre les formes A et B ci-dessous. Il vous explique ensuite qu'il s'agit de deux symboles appartenant à une langue peu connue. D'après ce qu'il a appris des indigènes parlant cette langue, il sait que l'un des deux symboles se prononce «moulamu» et l'autre, «kratéki». Il ajoute que les noms conviennent très bien aux formes visuelles, puis vous demande de dire spontanément lequel des deux, d'après vous, est un «moulamou» et lequel est un «kratéki» : que lui répondriez-vous ?

A　　　　**B**

Si vous y allez spontanément comme vous le demande votre ami, il y a de fortes chances que vous attribuiez «moulamou» au symbole B et «kratéki» au symbole A, comme si les sensations auditives associées à «moulamou» partageaient la même «douceur» que les courbes de la forme B, et les sensations du terme «kratéki», la même «brusquerie» que les angles pointus de la forme A : nous avons là un exemple de ce qu'on appelle la **synesthésie**, c'est-à-dire la présence de caractères communs entre deux sensations de modalités différentes. Quoique difficiles à définir, ces caractères communs semblent bien réels.

On peut donc penser que lorsqu'on décrit l'impression de sentir «l'harmonisation qui existe entre une musique et les arabesques d'une danseuse» (Delorme & Flückiger, 2003, p. 198), ce n'est peut-être pas simplement une belle formulation mais, au contraire, une description qui rejoint une certaine réalité…

3.1.2 La perception de la taille et de la forme des objets

Il va de soi que la familiarité, c'est-à-dire la taille qu'un objet est censé avoir, peut contribuer à le faire percevoir de la bonne taille, mais c'est loin d'être toujours le cas. Par exemple, même si l'on sait que la lune a un diamètre d'environ 3 500 km, il est impossible de la percevoir de cette taille lorsqu'on la contemple dans le ciel. Il y a donc lieu de se demander quels facteurs nous permettent de percevoir correctement la taille et la forme d'un objet. Parmi ces facteurs, on reconnaît entre autres la taille et la forme de l'image rétinienne, la distance et l'orientation perçues ainsi que le contexte, à savoir le contexte visuel immédiat, les autres éléments d'information sensorielle et le contexte cognitif par rapport auquel ces éléments d'information sont interprétés.

La taille et la forme de l'image rétinienne

L'image rétinienne, c'est-à-dire l'image qui parvient à la rétine, constitue évidemment l'information première dont le système perceptif tient compte dans l'estimation de la taille et de la forme des objets. Comme l'illustre le schéma de la figure 3.12, lorsque deux objets de tailles différentes sont situés à la même distance de l'œil, l'objet le plus grand forme une image plus grande sur la rétine ; dans une telle situation, si les deux objets sont correctement perçus à la même distance, l'objet dont l'image rétinienne est la plus grande sera également perçu plus grand.

La distance et l'orientation perçues

Si l'on pouvait mesurer facilement l'image qu'un objet projette sur la rétine, on constaterait que cette image se mesure en millimètres, quelle que soit la taille de l'objet. Comment se fait-il alors qu'on perçoive un objet comme ayant 2 cm ou encore 2 m de hauteur ? En fait, comme l'illustre la figure 3.12, le système perceptif se sert de la distance perçue, c'est-à-dire de la distance à laquelle l'objet semble se trouver, pour évaluer sa taille ; il considère ainsi que pour l'angle correspondant à une image rétinienne donnée, la taille perçue varie en fonction de la distance perçue, ce qu'on a appelé la **loi d'Emmert**.

Loi d'Emmert
Loi spécifiant que pour l'angle correspondant à une image rétinienne donnée, la taille perçue varie en fonction de la distance perçue.

FIGURE 3.12	L'image rétinienne, la distance perçue et la grandeur perçue

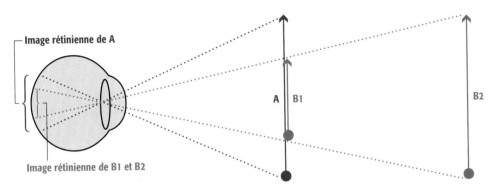

Image rétinienne de A

Image rétinienne de B1 et B2

A B1 B2

De deux objets situés à la même distance de l'observateur et perçus comme tels, celui qui est plus petit produit une image rétinienne plus petite et est effectivement perçu de plus petite taille ; de deux objets produisant la même image rétinienne, celui qui est perçu plus loin est perçu plus grand.

La loi d'Emmert permet de rendre compte du phénomène de **constance de la taille**, phénomène selon lequel la taille d'un objet est perçue comme constante malgré la diminution de l'image rétinienne, cette dernière étant due à l'éloignement de l'objet par rapport à l'observateur. C'est en vertu de cette loi qu'une personne ne semble pas diminuer de taille quand elle s'éloigne de l'observateur, même si son image rétinienne diminue. La loi d'Emmert permettrait également de comprendre, selon la plus répandue et la mieux appuyée des explications proposées, pourquoi la lune paraît plus petite qu'en réalité : ce serait parce que nous n'arrivons pas à la percevoir aussi loin qu'elle l'est en réalité.

En ce qui concerne la forme que semble avoir un objet, ce n'est pas la distance, mais l'orientation perçue qui intervient. Une forme trapézoïdale comme celle illustrée dans la figure 3.13 apparaîtra rectangulaire dans la mesure où elle est perçue comme appartenant

Constance de la taille
Aussi appelée **Constance de la grandeur**
Phénomène selon lequel la taille d'un objet est perçue comme constante malgré la diminution de l'image rétinienne due au fait que l'objet s'éloigne.

FIGURE 3.13	La constance de la forme

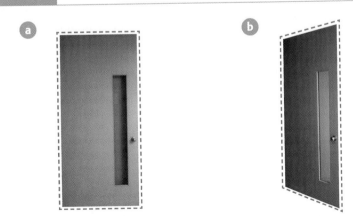

La porte est perçue comme rectangulaire autant en **a** qu'en **b**. Toutefois, dans ce dernier cas, elle est perçue comme en biais par rapport à l'observateur.

à un mur incliné par rapport à l'observateur. À noter que même si la forme de l'image rétinienne change, l'angle d'inclinaison du plan sur lequel elle se trouve ayant changé par rapport à l'observateur, la forme semble rester la même, ce qu'on nomme la **constance de la forme.**

Le contexte

Le contexte visuel immédiat En dépit de ce que nous venons de mentionner, la présence de certains éléments dans le contexte visuel immédiat peut entraîner des erreurs de perception. Mettant en évidence la question des relations entre un élément et son contexte (question sur laquelle ont beaucoup insisté les gestaltistes), ce genre de phénomène est particulièrement frappant dans le cas des **illusions géométriques.** Il s'agit en fait de configurations géométriques simples — la figure 3.14 en donne quelques exemples — qui produisent systématiquement certaines erreurs de perception quant à la longueur (3.14a), l'orientation (3.14b), la surface (3.14c) ou la forme (3.14d) de certains éléments.

FIGURE 3.14 — Quelques illusions géométriques

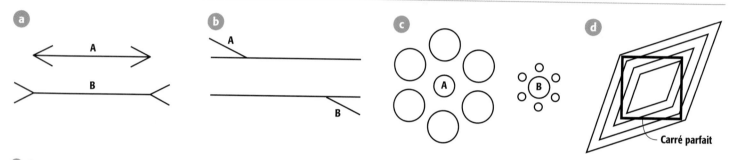

ⓐ Illusion de Müller-Lyer : les segments A et B sont de la même longueur, même si le segment A paraît plus court. ⓑ Illusion de Poggendorff : les segments A et B sont parfaitement alignés, même s'ils n'en ont pas l'air. ⓒ Illusion de Titchener : les cercles A et B ont la même surface, même si la cercle A paraît moins grand. ⓓ Variante d'une illusion de Hering : la figure centrale est un carré parfait, même si on la perçoit plutôt comme un losange.

Le contexte immédiat peut également intervenir dans des situations très près du quotidien. Une personne mesurant six pieds sera perçue comme grande dans un groupe d'adultes en général, mais elle le semblera beaucoup moins au milieu d'un groupe de joueurs de basket-ball : nous avons ici un exemple de contraste dans un autre domaine que la couleur.

Testez vos connaissances

8. **On peut observer des erreurs de perception portant sur la grandeur dans certaines figures géométriques spéciales, mais non dans la vie de tous les jours.**

   On observe également beaucoup d'illusions dans la vie quotidienne. Ainsi, il suffit qu'une personne se trouve en compagnie de personnes plus grandes ou plus petites que la moyenne pour qu'elle semble plus petite ou plus grande qu'elle ne l'est réellement.

Les autres éléments d'information sensorielle La taille et la forme des objets peuvent être perçues autrement que par la vision, entre autres à partir des sensations tactiles et kinesthésiques. C'est d'ailleurs par le toucher, et particulièrement à l'aide de sa bouche, que l'enfant explore les objets au tout début de son développement. C'est également un moyen privilégié par les personnes ayant perdu, ou n'ayant jamais eu l'usage de la vue. La façon dont cette information est intégrée demeure toutefois plus complexe à analyser que celle concernant l'information visuelle.

Le contexte cognitif Comme nous l'avons mentionné précédemment, la taille perçue peut également être influencée par ce que nous savons d'un objet. Cet aspect joue évidemment beaucoup plus lorsque les autres éléments d'information disponibles ne renseignent pas assez sur la distance perçue de l'objet. Le contexte cognitif peut aussi se manifester quand l'objet est associé entre autres à certains aspects qui lui donnent de l'importance. Un exemple bien connu en psychologie sociale est le fait que les hommes politiques ou autres personnages importants sont souvent perçus plus grands qu'ils ne le sont en réalité.

3.1.3 La perception de l'espace tridimensionnel

Contrairement à la taille et à la forme des objets, la perception de la distance à laquelle se trouvent les objets dans l'univers tridimensionnel n'est pas une information sensorielle directe : elle doit être inférée à partir de différents éléments d'information sensorielle. Nous nous contenterons ici de l'information visuelle, auditive, tactile et kinesthésique.

L'information visuelle

Sur le plan visuel, on parle généralement d'*indices* et on distingue les indices monoculaires et les indices binoculaires.

Les indices monoculaires Quand on parle d'**indices de distance**, on réfère à des caractéristiques normalement associées à la distance à laquelle se trouve un objet par rapport à l'observateur ou par rapport à un autre objet. Les **indices monoculaires** sont ceux qui correspondent à une information dont la détection ne requiert qu'un seul œil.

> **Testez vos connaissances**
>
> 9. **Un indice monoculaire de distance est un indice qui peut être utilisé uniquement par une personne ne possédant qu'un seul œil.**
>
> Il suffit d'un œil pour détecter l'information fournie par un indice monoculaire, mais une personne possédant deux yeux y a autant accès qu'une personne n'ayant qu'un œil.

Nous pouvons résumer ainsi les caractéristiques des principaux indices monoculaires. En vertu de :

- l'indice **interposition**, un objet dont le contour est interrompu par un autre tend à être perçu comme étant situé derrière, comme l'illustre la figure 3.15a (*page 92*), où B est perçu derrière A ;
- l'indice **perspective linéaire**, plus la partie d'une image est rapprochée du point vers lequel convergent un ensemble de lignes, plus elle tend à être perçue comme étant éloignée de l'observateur, comme l'illustre la figure 3.15b, où B est perçu derrière A ;
- l'indice **taille relative**, un objet formant une image rétinienne plus petite qu'un autre tend à être perçu comme étant plus éloigné de l'observateur, comme l'illustre la figure 3.15c, où B est perçu plus éloigné que A ;
- l'indice **netteté relative**, un objet dont le contour est flou tend à être perçu comme étant plus éloigné de l'observateur qu'un objet dont le contour est net, comme l'illustre la figure 3.15d, où B est perçu plus éloigné que A ;
- l'indice **brillance relative**, un objet dont la brillance est plus basse tend à être perçu comme étant plus éloigné de l'observateur qu'un autre dont la brillance est plus élevée, comme l'illustre la figure 3.15e, où B est perçu plus éloigné que A ;
- l'indice **gradient de texture**, la partie d'une image qui présente un motif de texture plus fin tend à être perçue comme étant plus éloignée de l'observateur qu'une partie qui présente un motif plus grossier, comme l'illustre la figure 3.15f, où B est perçu plus éloigné que A ;

Indice de distance
Aussi appelé **Indice de profondeur**
Caractéristique normalement associée à la distance à laquelle se trouve un objet par rapport à l'observateur ou par rapport à un autre objet.

Indice monoculaire
Indice correspondant à une information dont la détection ne requiert qu'un seul œil.

Interposition
Indice monoculaire en vertu duquel un objet dont le contour est interrompu par un autre tend à être perçu comme étant situé derrière.

Perspective linéaire
Indice monoculaire en vertu duquel plus la partie d'une image se trouve rapprochée du point vers lequel convergent un ensemble de lignes, plus elle tend à être perçue comme étant éloignée de l'observateur.

Taille relative
Aussi appelée **Grandeur relative**
Indice monoculaire en vertu duquel un objet formant une image rétinienne plus petite qu'un autre tend à être perçu comme étant plus éloigné de l'observateur.

Netteté relative
Indice monoculaire en vertu duquel un objet dont le contour est flou tend à être perçu comme étant plus éloigné de l'observateur qu'un objet dont le contour est net.

Brillance relative
Indice monoculaire en vertu duquel un objet dont la brillance est plus basse tend à être perçu comme étant plus éloigné de l'observateur qu'un autre dont la brillance est plus élevée.

Gradient de texture
Indice monoculaire en vertu duquel la partie d'une image qui présente un motif de texture plus fin tend à être perçue comme étant plus éloignée de l'observateur qu'une partie qui présente un motif plus grossier.

Ombrage

Indice monoculaire en vertu duquel une forme qui présente une variation graduelle de brillance tend à être perçue comme présentant un relief ou une dépression, le système perceptif supposant que la lumière éclairant la forme vient du haut.

- l'indice **ombrage**, une forme qui présente une variation graduelle de brillance tend à être perçue comme présentant un relief ou un creux, le système perceptif supposant que la lumière éclairant la forme vient du haut, comme l'illustre la figure 3.15g, où les éléments en B sont perçus comme des creux dont le fond semble plus éloigné que le relief des éléments en A.

Il est à noter que le système perceptif utilise d'autres indices monoculaires tels que la hauteur relative dans le champ visuel, le degré d'accommodation requis de la part du cristallin pour que l'image soit la plus nette possible, ou encore la façon dont l'image d'un objet se déplace dans le champ visuel selon la distance à laquelle se trouve l'objet. Ces indices étant plus complexes à expliquer ou à représenter, nous ne nous y arrêterons pas ici. Par ailleurs, la façon dont le système perceptif interprète les indices monoculaires de profondeur peut entraîner certaines erreurs à la fois sur la distance et la grandeur des objets ; l'encadré 3.6 en donne un exemple devenu classique.

Les indices binoculaires Les **indices binoculaires** sont ceux qui correspondent à une information dont la détection requiert la participation des deux yeux ; on en reconnaît essentiellement deux : l'angle de convergence et la disparité rétinienne.

Indice binoculaire

Indice correspondant à une information dont la détection requiert la participation des deux yeux.

Quand on dirige son regard sur un point devant soi, on continue à percevoir l'ensemble de la scène devant laquelle on se trouve, mais on ne peut en examiner tous les détails. Pour ce faire, il faut diriger son regard vers le point auquel on désire prêter

---

FIGURE 3.15   Les principaux indices monoculaires

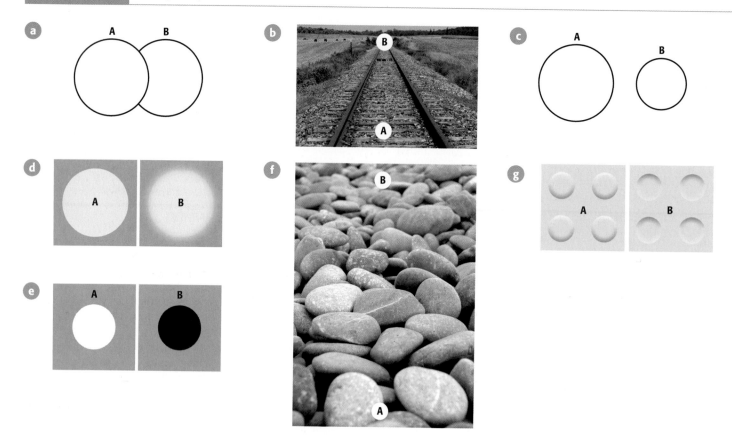

Dans le cas des six premiers indices illustrés ci-dessus, à savoir : **ⓐ** interposition ; **ⓑ** perspective linéaire ; **ⓒ** taille relative ; **ⓓ** netteté relative ; **ⓔ** brillance relative et **ⓕ** gradient de texture, la partie B tend à être perçue comme plus éloignée de l'observateur que la partie A. Dans le cas de l'indice ombragé illustré en **ⓖ**, on tend à percevoir des éléments en relief ou en creux selon la façon dont l'ombrage est dessiné (en inversant l'ombrage de haut en bas, les éléments en relief deviennent des creux et vice-versa).

Quand la perspective nous trompe

Au milieu du XXe siècle, l'Américain Adelbert Ames a mis au point une série de démonstrations, devenues par la suite classiques, concernant la façon dont nous percevons la troisième dimension. Celle qui est illustrée dans la photo ci-dessous, baptisée «la chambre de Ames», est l'une des démonstrations les plus frappantes qu'il a élaborées.

En conséquence, puisque l'angle visuel des personnages varie en raison de la différence de distance réelle à laquelle chacun se trouve, l'erreur sur la distance perçue entraîne une erreur sur la taille perçue. Ainsi, en vertu de la loi d'Emmert, le personnage de gauche paraît plus petit qu'il n'est en réalité, tandis que celui de droite paraît plus grand.

Un observateur est invité à regarder avec un œil à travers une ouverture pratiquée dans un mur et à décrire spontanément ce qu'il y voit. Quand on regarde la photo, on perçoit une pièce rectangulaire dans laquelle se trouvent trois personnages, celui de gauche apparaissant anormalement petit, et celui de droite, anormalement grand.

En fait, comme l'illustre le schéma ci-contre où les personnages sont simplement représentés par des cercles, la pièce est déformée, mais de façon telle qu'elle projette sur l'œil la même image que le ferait une pièce normale, représentée par un trait brisé sur le schéma.

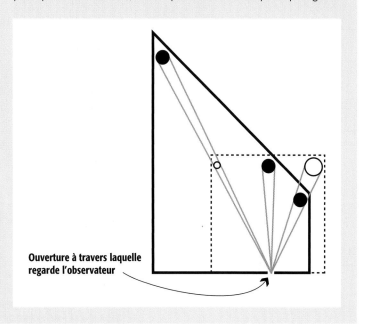

Ouverture à travers laquelle regarde l'observateur

plus particulièrement attention. À ce moment, on fait automatiquement en sorte que l'image de ce qu'on regarde arrive directement au centre de la rétine, à un endroit appelé **fovéa**, une région ne contenant que des cônes et où la vision est la plus précise. Or, comme le montre la figure 3.16a (*page 94*), l'orientation des yeux doit changer selon la distance à laquelle se trouve l'objet. Pour le vérifier, placez-vous devant un ami, demandez-lui de fixer votre index et rapprochez lentement ce dernier de son visage : vous verrez ses yeux s'orienter de plus en plus vers l'intérieur. L'angle ainsi formé par la direction du regard de chaque œil vers le point de fixation constitue cet indice binoculaire qu'on nomme l'**angle de convergence**. Le système perceptif «prend en note» cet angle pour faire percevoir l'objet à la distance appropriée : ainsi, plus l'angle de convergence est grand, plus l'objet est perçu comme étant rapproché.

Lorsqu'on regarde un objet ou, de façon générale, une scène présentant une certaine profondeur, le simple fait que chaque œil voit la scène d'un angle légèrement différent fait en sorte que l'image rétinienne d'un œil n'est pas exactement la même que celle de l'autre œil : c'est ce qu'on appelle la **disparité rétinienne**. La figure 3.16b illustre comment, par exemple, un verre dont l'intérieur est tourné vers un observateur projette une image différente sur la rétine de chacun des deux yeux : loin d'embrouiller la perception, cette différence d'images rétiniennes est utilisée par le système perceptif pour «reconstruire» l'impression de profondeur. C'est ce procédé qu'utilise le cinéma 3D pour produire des effets de profondeur saisissants.

Il est à noter que les indices binoculaires, à savoir l'angle de convergence et la disparité rétinienne, sont surtout efficaces pour de courtes distances, c'est-à-dire en deçà d'une dizaine de mètres.

Fovéa
Région située au centre de la rétine et où la vision est la plus précise ; ne contenant que des bâtonnets, elle correspond approximativement à l'image de l'ongle du pouce tenu à bout de bras.

Angle de convergence
Indice binoculaire en vertu duquel plus l'angle formé par la direction du regard de chaque œil vers le point de fixation est grand, plus l'objet est perçu comme rapproché.

Disparité rétinienne
Indice binoculaire en vertu duquel la position relative des différentes parties d'une scène tridimensionnelle est reconstruite sur le plan perceptif à partir de la disparité observée entre les images rétiniennes, disparité découlant du fait que les deux yeux voient la scène d'un point de vue physiquement différent.

FIGURE 3.16   Les indices binoculaires

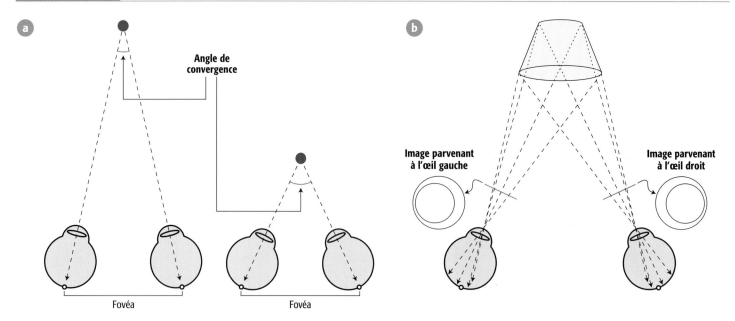

a L'angle de convergence : l'angle requis pour que chaque œil soit orienté vers l'objet fixé est utilisé comme indice par le système perceptif pour estimer la distance de l'objet. **b** La disparité rétinienne : la différence des images reçues par chaque œil (différence qui s'inverse au niveau de la rétine) est utilisée comme indice par le système perceptif pour estimer la distance des différentes parties de l'objet.

Testez vos connaissances

10. Chaque œil reçoit une image différente d'un objet tridimensionnel, mais cette différence ne brouille pas la vision, car elle est ignorée par le système perceptif.

Il est vrai que chaque œil reçoit une image différente d'un objet tridimensionnel, mais, loin de brouiller la vision, ce phénomène appelé *disparité rétinienne* aide plutôt à voir le monde en trois dimensions.

L'information auditive

Bien que la vision soit le sens qui nous renseigne habituellement le plus sur l'espace tridimensionnel qui nous entoure, l'audition peut également, comme le savent bien les gens atteints de cécité, fournir des éléments d'information sur, entre autres, la direction d'où proviennent les sons. En effet, le déplacement d'une onde sonore n'étant pas instantané, un son provenant par exemple de la gauche parvient à l'oreille droite une fraction de seconde après avoir atteint l'oreille gauche. De plus, comme l'intensité de l'onde sonore diminue au fur et à mesure qu'elle se déplace, son intensité est moindre quand elle parvient à l'oreille la plus éloignée de la source. Même si nous n'en sommes pas conscients, ces différences de temps et d'intensité constituent des indices détectés et analysés par le système perceptif pour nous indiquer si un son provient de la gauche ou de la droite. Il est même possible de percevoir un changement de distance avec l'oreille. Par exemple, si vous fermez les yeux et que vous vous approchez lentement d'un mur en tapant régulièrement dans vos mains, vous « sentirez » le mur de plus en plus proche, simplement parce que le son produit vous reviendra plus rapidement.

L'information tactile et kinesthésique

L'information tactile et kinesthésique permet également de percevoir le caractère tridimensionnel de l'espace et des objets qui nous entourent. Évidemment, l'apport de ces éléments d'information est moindre que pour la vision, en raison des limites de ce qui est à la portée du toucher. Par exemple, on peut percevoir visuellement la distance à laquelle se trouve un objet, même si celui-ci est hors de notre portée. Les personnes atteintes de cécité peuvent quant à elles développer une facilité plus grande que les personnes dotées d'une vision normale dans la façon non seulement d'analyser l'information tactile, kinesthésique et vestibulaire, mais également de se représenter l'espace.

3.1.4 La perception du mouvement

À l'instar des autres aspects abordés jusqu'ici, la perception du mouvement implique plusieurs facteurs dont les principaux sont les changements de l'image rétinienne, les mouvements des yeux, le contexte visuel immédiat et les autres éléments d'information sensorielle.

Les changements de l'image rétinienne

Lorsqu'on fixe son regard dans une direction donnée, le déplacement d'une image d'un point à un autre sur la rétine fait percevoir l'objet à l'origine de cette image comme étant en mouvement. Il n'est toutefois pas nécessaire que l'image de l'objet passe par tous les points intermédiaires entre le départ et l'arrivée. En effet, un simple changement de position s'effectuant à une vitesse suffisante peut entraîner la perception que l'objet s'est déplacé d'un point à un autre (*voir la figure 3.17a*); alors que s'il s'agit d'un changement d'orientation, comme dans la figure 3.17b, le mouvement perçu peut être rotatoire. C'est exactement de cette façon que fonctionne le projecteur cinématographique afin de nous faire percevoir le mouvement. Dans un cas comme dans l'autre, ce que l'œil reçoit, c'est une succession d'images fixes, et c'est le système perceptif qui crée l'impression d'avoir perçu les images intermédiaires. Selon le type de mouvement perçu et la manière de le créer, la production d'un mouvement perçu à partir d'images fixes a reçu plusieurs noms, entre autres **mouvement stroboscopique**, mais l'important ici est de comprendre que l'impression de continuité dans le mouvement est «créée» par le système perceptif.

Mouvement stroboscopique
Aussi appelé **Mouvement phi**
Phénomène selon lequel une succession suffisamment rapide d'images fixes mais différentes sur la rétine donne l'impression qu'il s'agit du même objet en mouvement (déplacement ou rotation).

FIGURE 3.17   Des exemples de mouvement apparent

a Un mouvement apparent de déplacement : si la lumière 1 s'allume d'abord, puis s'éteint, et que la lumière 2 s'allume ensuite rapidement, l'observateur aura l'impression que c'est la même lumière qui s'est déplacée de gauche à droite. **b** Un mouvement apparent de rotation : si la lumière verticale s'allume d'abord, puis s'éteint, et que la lumière horizontale s'allume ensuite rapidement, l'observateur aura l'impression que la même lumière a effectué un mouvement de rotation.

Les mouvements des yeux

Ainsi, un objet dont l'image se déplace sur la rétine d'un œil immobile est perçu en mouvement, tel que le montre la figure 3.18a (*page 96*). À l'inverse, lorsque nous déplaçons notre regard, le mouvement de nos yeux fait que l'image provenant de l'environnement immobile se déplace sur notre rétine; nous n'avons pourtant pas l'impression que le monde bouge! Le système perceptif tient compte en effet du déplacement réalisé et considère que, si le regard se déplace dans un sens, il est normal que l'image d'un objet immobile se déplace dans le sens contraire sur la rétine (*voir la figure 3.18b*). Pour décider si un objet est immobile ou se déplace, le système perceptif a donc besoin de savoir ce qui se passe sur la rétine et si l'œil est fixe ou en mouvement.

FIGURE 3.18   La perception visuelle du mouvement

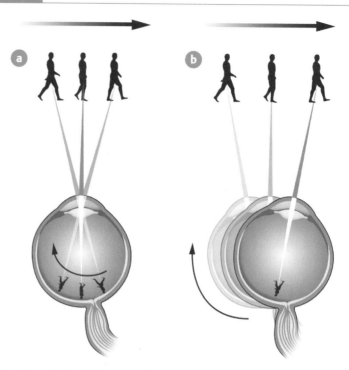

ⓐ Lorsque l'œil est immobile, le déplacement d'une image sur la rétine est perçu comme correspondant à un mouvement de l'objet produisant l'image. **ⓑ** Lorsque l'œil suit un objet en mouvement, le cerveau prend en considération le mouvement que l'œil doit faire et l'objet dont l'image est immobile sur la rétine est perçu comme en mouvement.

Testez vos connaissances

11. **Quand l'image d'un objet se déplace sur la rétine, l'objet est toujours perçu en mouvement.**
Cela est vrai uniquement si le système perceptif considère que l'œil est immobile.

Le contexte visuel immédiat

Le contexte visuel immédiat peut influencer la perception d'un mouvement. Par exemple, en apercevant la lune à travers les nuages qui se déplacent dans le ciel, on a l'impression que c'est la lune qui bouge et non les nuages, parce que lorsque deux objets se déplacent l'un par rapport à l'autre, le système perceptif tend à supposer que c'est celui qui occupe la plus grande partie du champ visuel qui est immobile. On appelle **mouvement induit** ce phénomène selon lequel le système perceptif tend à supposer immobile un objet en mouvement qui occupe une grande partie du champ visuel (par exemple, les nuages). Cela amène à interpréter comme en mouvement les objets immobiles (par exemple, la lune) dont la position change par rapport à l'objet réellement en mouvement, mais supposé immobile.

Le mouvement induit peut également intervenir entre l'observateur et le contexte où il se trouve. Par exemple, lorsque nous attendons le départ de notre autobus et que celui près du nôtre se met lentement en marche, nous pouvons avoir l'impression que c'est le nôtre qui se met en marche. Le même effet se retrouve au cinérama, où l'écran occupe pratiquement tout le champ visuel; l'observateur tend alors à percevoir le contexte comme étant immobile et a l'impression que c'est lui qui se déplace à travers l'environnement, et non l'inverse!

Mouvement induit
Phénomène selon lequel un objet immobile est perçu en mouvement dû au déplacement du contexte général où se trouve l'objet.

Les autres éléments d'information sensorielle

Tout comme ils permettent la perception de l'espace et de la profondeur, les éléments d'information auditive, tactile, kinesthésique et vestibulaire peuvent contribuer à percevoir le mouvement des objets autour de soi, ou encore à se percevoir en mouvement par rapport à l'environnement. Il y a lieu de répéter, tout de même, que l'information vestibulaire peut être facilement «trompée». Ainsi, même si cette information ne signale aucune accélération, l'importance du contexte visuel peut créer l'impression d'être en mouvement, et ce, de façon aussi saisissante que si nous étions réellement sur place, comme nous l'avons vu avec l'exemple du cinérama.

3.2 La perception : un processus en trois temps

Quels que soient les aspects sur lesquels porte la perception, c'est-à-dire qu'il s'agisse de sensations (telles que la tonalité d'une couleur ou l'intensité d'un son) ou de caractéristiques plus complexes à décrire (telles que la forme d'un visage ou la démarche d'une personne), le phénomène en jeu est complexe. Dans l'étude qu'on en fait, on peut l'aborder comme un processus en trois temps : la sélection, l'organisation et l'interprétation de l'information captée et transmise par les canaux sensoriels.

3.2.1 La sélection

Nos récepteurs sensoriels étant constamment stimulés par différentes formes d'énergie, il est impossible de toutes les traiter. Le système perceptif doit donc sélectionner, c'est-à-dire porter son attention sur certains éléments d'information qu'il organisera par la suite afin de les interpréter. La sélection peut s'opérer à différents niveaux. On peut ainsi sélectionner un canal sensoriel particulier. À l'intérieur d'un canal donné, l'audition par exemple, on peut s'arrêter au timbre de la voix d'une personne dans une fête. On peut également prêter attention aux gestes de tous les individus qui, dans un groupe, se trouvent près d'un endroit donné, ou encore aux éléments qui, dans un discours, font allusion à la politique. Bref, la sélection de l'information est une étape qui s'effectue à tous les niveaux d'organisation de l'expérience perceptive, de la simple sensation jusqu'aux objets de l'environnement.

S'intéresser à la sélection de l'information, c'est en fait s'interroger sur les facteurs qui interviennent dans le processus de l'attention, à savoir les caractéristiques des stimuli, l'expérience passée et l'attention volontaire.

Les caractéristiques des stimuli

Pour qu'on puisse prêter attention à un stimulus, ce dernier doit être au minimum perceptible par les organes sensoriels. On appelle **seuil absolu** la quantité minimale d'énergie requise pour donner lieu à une sensation. Les chercheurs ont cependant été amenés à constater que le seuil absolu ne délimitait pas une transition entre «non perçu» et «perçu», mais correspondait plutôt au centre d'une étendue de valeurs où la tendance des individus à rapporter qu'ils perçoivent quelque chose varie entre «pratiquement jamais» et «tout le temps».

Seuil absolu
Valeur correspondant à la quantité minimale d'énergie requise pour donner lieu à une sensation.

Défini à l'époque de Fechner, le concept de «seuil» a été popularisé vers 1950 par James Vicary, un publicitaire américain qui prétendait qu'en introduisant dans un film des messages trop rapides pour être consciemment perçus, il pouvait mousser les ventes de maïs soufflé ou de boisson gazeuse (Ziegler, 1994). On parle de **perception subliminale** — c'est-à-dire de perception «sous le seuil» — pour désigner ce phénomène selon lequel un stimulus trop faible pour être consciemment perçu pourrait néanmoins l'être à un niveau inconscient et influencer le comportement. De nombreux chercheurs ont tenté d'appliquer ce concept, mais Vicary a lui-même avoué en 1962 que ses prétendus résultats étaient en fait une fraude (Chevalier, 1993). Toutefois, même si les recherches sur la perception subliminale n'ont pas encore abouti à un consensus parmi les chercheurs, la question demeure d'actualité, comme en témoignent les récentes recherches sur la «vision aveugle» (Channouf, 2000 ; Merikle & Daneman, 1998). Au-delà du débat visant à établir si un stimulus subliminal est effectivement

Perception subliminale
Phénomène selon lequel un stimulus trop faible pour être consciemment perçu (c'est-à-dire dont l'énergie est inférieure au seuil) pourrait néanmoins l'être à un niveau inconscient et influencer le comportement.

transmis au cerveau, ce que semblent indiquer certaines recherches récentes, dont celle de Baharami *et al.* (2007), la question principale demeure la suivante : de tels stimuli peuvent-ils influencer le comportement et, par exemple, pousser inconsciemment un consommateur à acheter un produit ? Cette question de motivation « inconsciente » sera d'ailleurs reprise dans le chapitre 8 sur la motivation.

Adaptation sensorielle
Tendance d'un récepteur sensoriel à répondre de moins en moins à une stimulation.

La capacité à sélectionner ou non des stimuli dépend également du niveau d'**adaptation sensorielle**, lequel est lui-même fonction de la durée pendant laquelle on a été soumis à une stimulation donnée. Il suffit par exemple d'entrer dans une salle de cinéma obscure par un bel après-midi ensoleillé pour s'en rendre compte. Au début, on ne distingue pratiquement rien mais, après à peine quelques minutes, les photo-récepteurs, en particulier les bâtonnets, s'adaptent : leur seuil, c'est-à-dire la quantité minimale de lumière à laquelle ils peuvent réagir, s'abaisse. On est alors en mesure de distinguer les sièges vides et d'en « sélectionner » un qui convient.

L'adaptation sensorielle ne touche cependant pas uniquement la vision. L'odorat, par exemple, s'adapte assez rapidement, ce qui est très pratique dans certains cas. Voyageant un jour en vélo dans la région des Cantons-de-l'Est, un cycliste s'est retrouvé en quelques minutes au cœur d'une localité où se trouvait une usine de papier et où régnait une forte odeur de soufre, communément comparée à celle des œufs pourris. Quelques minutes plus tard, il ne sentait presque plus l'odeur de soufre : heureusement pour lui… et encore davantage pour les gens qui y demeurent en permanence ! Même si l'adaptation est particulièrement rapide dans le cas de l'odorat, ce phénomène existe en fait pour la plupart des sens. Il y a toutefois lieu de noter qu'on s'adapte beaucoup moins à la douleur qu'aux autres formes de sensations ; on pourrait y voir là une valeur adaptative, car cela forcerait le sujet à fuir le stimulus douloureux, lequel est habituellement nocif et menaçant pour sa survie.

D'autres facteurs peuvent également influer sur la sélection des stimuli. Il y a fort à **PARIER** que le mot « parier » que vous venez de lire aura attiré votre attention. On constate en effet que tout stimulus qui se démarque des autres d'une façon ou d'une autre attire l'attention, qu'il s'agisse d'un mot plus gros que les autres à un endroit inattendu, ou encore d'un mot prononcé à voix haute par un élève dans une classe. Qui plus est, le système perceptif tend à atténuer les sensations associées aux autres organes sensoriels ou même à les bloquer complètement dans certains cas.

L'expérience passée

Si un guitariste rock écoute un morceau de musique d'un autre groupe, son attention sera fort probablement attirée par les sons du guitariste, alors qu'un batteur sera sans doute davantage porté à remarquer le jeu de l'autre batteur. Ce simple exemple permet d'illustrer que l'expérience passée, c'est-à-dire le bagage d'expériences vécues par une personne, oriente d'emblée la façon dont sont sélectionnées les sensations auxquelles un organisme prête attention. L'expérience passée peut même amener à détecter des sensations que d'autres n'auraient pas remarquées. Il suffit par exemple de regarder un film plusieurs fois pour remarquer des détails qu'on n'avait pas vus lors du premier visionnement.

L'attention volontaire

Même si de nombreux facteurs, dont ceux mentionnés ci-dessus, amènent à sélectionner spontanément certains aspects de l'information, ce qu'on appelle souvent l'**attention involontaire**, cette sélection peut également être dirigée par l'**attention volontaire**, c'est-à-dire par le fait de choisir consciemment les éléments de la stimulation sur lesquels on focalisera son attention. Par exemple, l'attention volontaire peut faire en sorte qu'un batteur remarque le jeu du guitariste sur lequel son partenaire de groupe a attiré son attention ou encore que dans une soirée animée, une personne soit attentive à une autre conversation que celle des personnes qui se trouvent près d'elle.

L'attention volontaire peut même créer des attentes, c'est-à-dire amener quelqu'un à percevoir quelque chose auquel ne correspond aucun stimulus physique. Ce phénomène a d'ailleurs posé problème quand on a voulu mesurer les seuils de détection. Par exemple, lorsqu'on a cherché à mesurer le seuil absolu du son, il arrivait qu'un sujet déclare entendre un son alors que ce dernier était manifestement trop faible pour être audible. Des chercheurs qui voulaient en avoir le cœur net ont présenté à des sujets des verres contenant de l'eau distillée, donc de l'eau tout à fait pure, et ont demandé aux sujets s'ils détectaient un léger goût de sel : 82 % des sujets ont répondu au moins une fois trouver l'eau pure légèrement salée (Juhasz & Sarbin, 1966). En somme, l'attention volontaire peut faire en sorte que l'on «sélectionne» des stimuli qui ne sont pas là !

Attention involontaire
Tendance à porter attention à un aspect de la stimulation en réaction à une caractéristique donnée d'un stimulus ; s'oppose à l'attention volontaire.

Attention volontaire
Fait de porter attention à un aspect de la stimulation parce qu'on a choisi de s'y arrêter ; s'oppose à l'attention involontaire.

3.2.2 L'organisation

Quels que soient les éléments (sensations élémentaires, objets, etc.) qui sont sélectionnés, le système perceptif tend à les organiser de façon à les interpréter correctement. Les premiers à se pencher systématiquement sur cette question ont été les tenants de l'approche gestaltiste. Comme nous l'avons mentionné dans le premier chapitre, les gestaltistes ont mis l'accent sur un problème central dans l'étude de la perception ; ils voulaient comprendre comment s'établissent les relations entre les éléments composant un même objet et celles unissant un objet à son contexte. Ils ont ainsi été amenés à définir certains principes d'organisation perceptive dont plusieurs ont été intégrés depuis aux notions issues des autres approches. Nous présenterons tout d'abord les principes de base comme les lois du regroupement perceptif et la différenciation figure-fond ; nous soulignerons ensuite l'aspect dynamique de l'organisation perceptive et nous terminerons par un retour sur la notion de gestalt et l'approche gestaltiste.

Les lois du regroupement perceptif

Lorsque nous nous trouvons devant une scène comprenant des éléments relativement connus, il est difficile de prendre conscience des processus de regroupement perceptif à l'œuvre. Par contre, si nous regardons la figure 3.19 (*page 100*), nous y percevons «automatiquement» une forme irrégulière sur un fond dont le motif est régulier. Pourquoi ? Parce que les éléments constituant la forme ont quelque chose en commun qui les différencie du reste. Les gestaltistes ont énoncé certaines lois visant à préciser quel est ce «quelque chose en commun» qui fait que nous regroupons certains éléments et les considérons comme faisant partie d'un même objet ou d'un même ensemble.

Afin d'aider à faire ressortir ce que ces lois ont elles-mêmes en commun, nous pouvons les résumer en disant que dans un ensemble donné d'éléments, on tend à regrouper ensemble, comme s'ils appartenaient à un même sous-ensemble :

FIGURE 3.19 Un exemple de base illustrant le regroupement perceptif

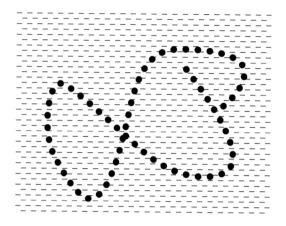

Lorsqu'on regarde le dessin ci-dessus, on perçoit «automatiquement» une forme irrégulière sur un fond dont le motif est régulier : pourquoi?

Loi de la proximité

Loi de l'organisation perceptive spécifiant que dans un ensemble donné d'éléments, on tend à regrouper ensemble, comme s'ils appartenaient à un même sous-ensemble, les éléments qui sont plus rapprochés, que ce soit dans l'espace ou dans le temps.

Loi de la similitude

Aussi appelée **Loi de la ressemblance**

Loi de l'organisation perceptive spécifiant que dans un ensemble donné d'éléments, on tend à regrouper ensemble, comme s'ils appartenaient à un même sous-ensemble, les éléments qui se ressemblent par rapport à un aspect donné.

Loi de la bonne continuation

Loi de l'organisation perceptive spécifiant que dans un ensemble donné d'éléments, on tend à regrouper ensemble les éléments qui s'inscrivent en continuité les uns avec les autres.

Loi de la fermeture

Loi de l'organisation perceptive spécifiant que dans un ensemble donné d'éléments, on tend à regrouper ensemble, comme s'ils appartenaient à un même sous-ensemble, les éléments qui forment ou tendent à former une figure fermée.

Loi du mouvement commun

Aussi appelée **Loi du sort commun**

Loi de l'organisation perceptive spécifiant que dans un ensemble donné d'éléments, on tend à regrouper ensemble, comme s'ils appartenaient à un même sous-ensemble, les éléments dont la position relative change de la même façon par rapport aux autres.

Différenciation figure-fond

Tendance à percevoir spontanément un groupe d'éléments comme constituant une figure se détachant sur un fond constitué du reste des éléments.

- les éléments qui sont plus rapprochés, que ce soit dans l'espace ou dans le temps : c'est la **loi de la proximité**, illustrée par la figure 3.20a ;
- les éléments qui se ressemblent par rapport à un aspect donné : c'est la **loi de la similitude**, illustrée par la figure 3.20b ;
- les éléments qui s'inscrivent en continuité les uns avec les autres : c'est la **loi de la bonne continuation**, illustrée par la figure 3.20c ;
- les éléments qui forment ou tendent à former une figure fermée : c'est la **loi de la fermeture**, illustrée par la figure 3.20d ;
- les éléments dont la position relative change de la même façon par rapport aux autres : c'est la **loi du mouvement commun**[4] ; ainsi, dans une scène de film prise du haut des airs, une personne marchant lentement à travers une foule affolée sera facilement repérée.

La différenciation figure-fond

Les gestaltistes ont énoncé un deuxième principe de base qui va plus loin que le simple regroupement «ce qui va avec quoi» : c'est la **différenciation figure-fond**. En observant la figure 3.19, par exemple, nous ne faisons pas que regrouper, d'une part, l'ensemble des points et, d'autre part, l'ensemble des traits : nous percevons spontanément le premier ensemble comme une figure de forme irrégulière se détachant sur un fond, même si le tracé de la figure ne correspond à aucun objet en particulier. Il est important de souligner que le terme «figure» ne désigne pas ici un visage ou un dessin quelconque, mais plutôt ce qui est perçu comme «quelque chose» se détachant du fond, et ce, même si nous n'arrivons pas à attribuer une signification particulière à ce «quelque chose». Évidemment, quand il s'agit d'un objet significatif, comme le texte que vous être en train de lire par exemple, la distinction figure-fond est plus claire : l'ensemble des lettres qui constituent le texte correspondant à l'élément «figure», et le blanc de la page, au fond.

Le phénomène de différenciation figure-fond est également présent dans les autres modalités sensorielles. Quand vous prêtez par exemple attention à une pièce de musique que vous percevez à travers le bruit d'une fête, les sons de la musique constituent l'élément «figure» sur le fond sonore qu'est le bruit présent dans la pièce où vous vous trouvez.

---

4. L'expression anglaise dit *common fate,* ce qui signifie «destin commun».

FIGURE 3.20 | Quelques lois du regroupement perceptif

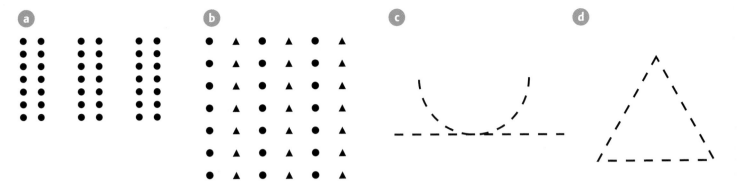

a La loi de la proximité : on tend à voir trois paires de colonnes verticales. **b** La loi de la similitude : on tend à voir des colonnes de points et de triangles. **c** La loi de la bonne continuation : on tend à continuer une droite par une droite et une courbe par une courbe. **d** La loi de la fermeture : on tend à compléter la ligne brisée pour voir un triangle fermé.

L'aspect dynamique de l'organisation perceptive

Un des points sur lesquels les gestaltistes ont beaucoup insisté est le caractère dynamique de l'organisation perceptive. Le vase de Rubin, illustré par la figure 3.21a, est un classique à ce sujet. Si l'on choisit le noir comme l'élément figure, on perçoit alors un vase noir se détachant sur un fond blanc. Si l'on opte plutôt pour le blanc, on perçoit deux profils blancs se faisant face sur un fond noir. À partir du moment où une personne a vu les deux possibilités, les perceptions alternent sans cesse. Le même phénomène peut être observé sur le plan auditif. En effet, si l'on répète continuellement les sons « pi » et « tou », on percevra tantôt « pitou », tantôt « toupie »! Ces exemples illustrent bien le caractère dynamique de l'organisation perceptive, puisque ce qui est perçu change alors que le stimulus demeure le même.

Par ailleurs, comme nous pouvons déjà nous en rendre compte, l'expérience passée, les attentes et l'attention volontaire interagissent continuellement avec les principes de base gestaltistes dans l'organisation perceptive. Par exemple, quelqu'un qui n'aurait jamais appris à lire ne pourrait voir autre chose que des taches noires dans la figure 3.21b. Par contre, si l'on suggère à une personne sachant lire de prêter attention aux parties blanches entre les taches noires, elle pourra aisément y lire le mot « ALLO ».

FIGURE 3.21 | La différenciation figure-fond

a

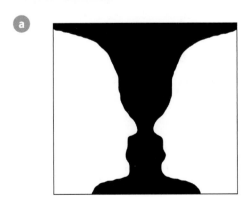

b

a Le vase de Rubin, démonstration classique de la différenciation figure-fond : selon que c'est le noir ou encore le blanc qui est perçu comme figure, on perçoit un vase sur un fond blanc ou deux profils sur un fond noir. **b** L'influence de l'expérience passée : une personne ayant appris à lire peut voir le mot « ALLO », alors qu'une personne analphabète ne verrait que des taches noires.

14. À toutes les fois qu'une personne regarde une même image, elle perçoit toujours la même chose.

Beaucoup d'images peuvent être perçues de différentes façons, selon ce sur quoi nous portons notre attention, le degré d'ambiguïté de l'image, etc.

La notion de gestalt et l'approche gestaltiste

Les travaux des gestaltistes visaient à démontrer que ce que nous percevons d'abord et avant tout, ce sont des *gestalts*, lesquelles sont essentiellement basées sur les relations entre les éléments, ces relations faisant en sorte que le tout, c'est-à-dire ce qui est perçu, est plus que la somme de ses parties. Un des exemples favoris des gestaltistes pour illustrer cette notion est celui, déjà mentionné dans le chapitre 1, de la mélodie reconnaissable quel que soit le ton sur lequel on la chante, pourvu que les relations de hauteur tonale et de durée soient conservées. La figure 3.22 en donne un autre exemple simple : on perçoit un carré dans chaque partie de la figure, même si les éléments sont des points dans un cas et des triangles dans l'autre.

| FIGURE 3.22 | Les éléments et la gestalt |

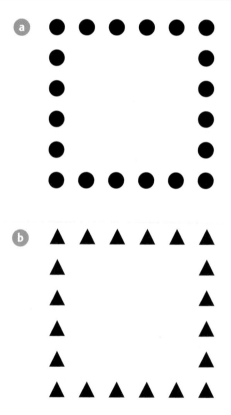

Même si les éléments constituant la forme sont des points en **a** et des triangles en **b**, on perçoit la même *gestalt*, c'est-à-dire un carré, dans les deux cas.

3.2.3 L'interprétation

L'interprétation est en quelque sorte l'aboutissement du processus de perception par lequel un organisme prend connaissance de son milieu, ce qui constitue un enjeu fondamental pour pouvoir s'adapter. Or, comme le souligne Jacques Lajoie dans l'encadré 3.7 qui lui est consacré, plus la recherche en perception progresse, plus

Jacques Lajoie, féru de perception à tous les niveaux

Professeur titulaire au Département de psychologie de l'UQAM, Jacques Lajoie a d'abord obtenu une maîtrise à l'Université Laval avant de compléter un Ph. D. à l'Université McGill. Enseignant la perception depuis 30 ans, il est demeuré constamment à l'affût de nouvelles découvertes et applications à intégrer à son enseignement.

Au début de ses études, le chercheur était attiré par l'approche béhavioriste, mais il s'est rendu compte que cette approche évacuait complètement, à cette époque du moins, ce qui se passait entre les deux oreilles. Par exemple, alors qu'il était étudiant, il avait mis au point un labyrinthe pour étudier l'apprentissage chez des rats… et dès le second essai, ces charmantes petites bêtes ont sauté par-dessus les parois du labyrinthe et se sont rendues directement là où était la nourriture. Évidemment, la perception et l'orientation spatiale jouaient un rôle plus important que le stimulus renforçateur.

À McGill, Jacques Lajoie a découvert le monde fascinant de la neuropsychologie (à travers les travaux de Donald Hebb, un neuropsychologue de réputation mondiale qui a eu une influence déterminante sur les neurosciences). Il a alors compris qu'il fallait fusionner le biologique (le *hardware* ou les réseaux de neurones), le fonctionnel (le *software* ou la cognition) et le vécu intérieur (la représentation subjective).

Pour M. Lajoie, le domaine de la perception et des processus cognitifs qui s'y rattachent est fascinant, car il met en jeu l'étude de la relation entre l'œil et le cerveau, relation qui aboutit à la représentation visuelle interne et à la conscience. Le chercheur se considère comme privilégié de vivre à l'époque la plus stimulante et la plus riche de l'histoire de la recherche scientifique. Pour lui, les 25 dernières années ont résolu une foule de mystères sur le fonctionnement du cerveau et des processus perceptifs. L'apport de l'informatique pour la simulation de processus complexes, la disparition des préjugés sur les différences entre les humains et les autres espèces animales (Gazzaniga, 2008), la facilité de communication entre les chercheurs grâce à Internet, tout cela a contribué à accélérer le développement de la recherche et à simplifier l'enseignement.

Si l'on demande à M. Lajoie pourquoi le fait de chercher à comprendre les sensations — par exemple comment on voit de la couleur — serait du ressort de la psychologie, et pas simplement une question de physique et de biologie, le chercheur rappelle que même les philosophes s'intéressent à la couleur (Eliasmith, 2004). Bien que

les aspects physiques et biologiques soient bien connus, nous commençons à peine à comprendre la suite du phénomène qui se déroule dans le cortex, en particulier le lien entre l'activité du cortex et l'impression phénoménale qui en résulte. En effet, la couleur «perçue» est totalement virtuelle, une construction de notre cerveau. Ainsi, on peut se poser la question suivante: d'où viennent les couleurs que nous percevons dans notre imagination ou lorsque nous rêvons? La réponse dépasse le phénomène de la couleur. Il s'étend à toutes les sensations et à toutes les pensées.

Jacques Lajoie, Ph. D., professeur au Département de psychologie de l'UQAM.

Une étude qui illustre éloquemment où en est rendue la recherche en perception est celle effectuée sur des chats, où l'on a réussi à faire apparaître sur un écran la scène visuelle (en noir et blanc) que le chat regardait (Stanley *et al.,* 1999). Des électrodes implantées dans certains neurones du thalamus (le premier relais après la rétine) permettaient d'enregistrer les réponses fréquentielles des cellules ganglionnaires et, donc, des champs récepteurs de la rétine. Un programme informatique traduisait sur l'écran la brillance en fonction de la fréquence des influx nerveux générés par les neurones ainsi que leur position spatiale. L'expérimentateur a eu la surprise de se voir sur l'écran, car le chat le regardait. On peut ainsi imaginer que, dans quelques années, il pourra être possible de traduire sur l'écran les images mentales conscientes d'un sujet humain.

Pour Jacques Lajoie, une recherche comme celle rapportée ci-dessus témoigne bien du fait que la perception, en tant que processus permettant de prendre connaissance de notre environnement, est un domaine en pleine effervescence. Et les développements récents des neurosciences semblent devoir y contribuer d'une façon de plus en plus marquée…

---

l'aspect «interprétation» joue un rôle clé entre la stimulation reçue par les organes sensoriels et l'expérience subjective qui en résulte. Et cela vaut même pour des sensations, comme la couleur, qu'on aurait été porté à considérer comme reflétant de simples réponses physiologiques de la part des organes sensoriels.

Les exemples de la figure 3.23 (*page 104*) peuvent aider à illustrer ce point. Dans la figure 3.23a, qui n'est constituée que de trois disques noirs auxquels il manque un secteur, la disposition des éléments de la figure amène à percevoir un triangle blanc qui masque en partie chacun des disques. L'«interprétation» des parties manquantes révèle la présence d'un objet partiellement superposé aux disques noirs; on a même l'impression de percevoir l'ensemble du contour du triangle, même si, à l'exception des éléments en noir, le fond est uniformément blanc. La figure 3.23b présente un exemple encore plus frappant: l'impression d'y percevoir une pyramide en trois dimensions est totalement illusoire et simplement due à la disposition particulière des disques noirs et des losanges concentriques!

FIGURE 3.23   Les contours subjectifs et l'interposition

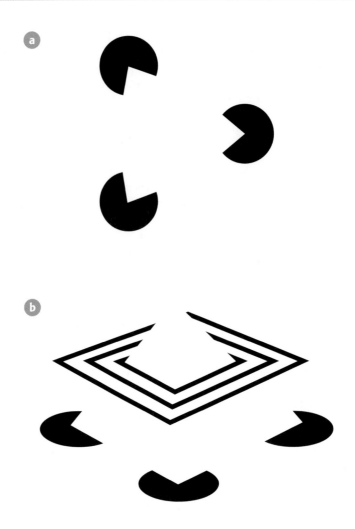

Sous certaines conditions, l'indice « interposition » peut provenir de contours subjectifs dus à la présence de formes incomplètes et donner l'impression que ces dernières sont partiellement cachées par un objet plat **a** ou tridimensionnel **b** s'interposant entre elles et l'observateur.

Au-delà de leur caractère surprenant, les phénomènes qu'on observe dans la figure 3.23 (*page 104*) sont-ils vraiment « illusoires » ? Si l'on regardait de loin un mur blanc sur lequel se trouvent trois disques noirs partiellement cachés par un « vrai » triangle d'un blanc exactement semblable à celui du mur, ce qu'on verrait ressemblerait tout à fait à la figure 3.23a. Se basant sur l'indice « interposition » vu précédemment et estimant peu probable la présence de trois formes incomplètes dont les éléments manquants seraient alignés exactement comme ils le sont, le système perceptif interprète l'image reçue de la manière suivante : il s'agit de trois disques partiellement cachés par un triangle. Une telle interprétation n'a rien de surprenant, considérant que le masquage partiel d'un objet par un autre est omniprésent autour de soi : c'est probablement le cas de la surface sur laquelle se trouve actuellement votre manuel.

En fait, que la perception porte sur une sensation d'apparence simple (couleur, caresse, etc.), la taille qu'un objet semble avoir, la distance à laquelle semble se trouver la lune, ou la forme d'un visage ou d'un animal qu'on croit reconnaître, l'interprétation est omniprésente dans ce qui est perçu. Les indices fournis par la stimulation, l'expérience passée et ce à quoi nous portons volontairement attention sont tous des facteurs qui influencent la façon dont nous interprétons la stimulation reçue.

En ce qui a trait à l'attention, son rôle aux différentes étapes du processus de perception, processus qui culmine avec l'interprétation de la stimulation, ne se limite pas à influer sur ce qui *est perçu,* mais également à influer sur ce qui *n'est pas perçu.* Il s'agit ici de son rôle de *filtre,* lequel a fait l'objet de nombreuses études et aurait pu, à lui seul, mériter un chapitre dans le présent manuel.

Rappelons qu'en raison de l'énorme quantité de stimulation dont nous sommes bombardés la plupart du temps, il est vital, sur le plan adaptatif, de pouvoir filtrer l'information qui sera traitée et qui aboutira à une interprétation portant sur un aspect du réel. L'organisme qui appréhende l'arrivée d'un ennemi ou qui doit repérer des objets vitaux pour sa survie doit pouvoir écarter rapidement et efficacement les stimuli qui ne seraient pas directement reliés à son besoin actuel de survie. Or, les études dans le domaine de l'attention ont démontré que l'expression « ne pas prêter attention » va bien au-delà de la figure de style : il y a effectivement un blocage ou du moins une atténuation, plus ou moins complète selon la situation, d'une partie de la stimulation en provenance de l'environnement.

Une des premières études mettant en évidence un tel blocage est celle de Cherry (1953) dans laquelle on a mis des écouteurs à des sujets en les prévenant qu'ils entendraient un texte différent dans chaque oreille. Leur tâche consistait simplement à répéter à haute voix le texte provenant d'un des écouteurs. Or, une fois l'écoute terminée, le chercheur a interrogé les sujets sur ce qu'ils avaient retenu de *l'autre texte,* c'est-à-dire celui auquel ils ne prêtaient pas attention. Il a alors constaté que les sujets n'avaient retenu que peu de choses du texte qu'ils n'avaient pas répété à haute voix. Ils pouvaient se rappeler certaines caractéristiques de base concernant les sons émis (par exemple, le passage de sons graves à des sons aigus, ou encore le passage d'une voix de femme à une voix d'homme), mais ils n'avaient pratiquement rien retenu du contenu et n'avaient même pas remarqué que le texte était passé entre-temps de l'anglais à l'allemand.

Treisman (1964) présente un excellent compte-rendu des travaux qui ont été menés dans les années qui ont suivi l'expérience de Cherry (1953). Même s'il en est ressorti un certain nombre de divergences de points de vue portant sur l'importance du filtrage dû à l'attention et sur la façon dont ce dernier opérerait, certains éléments communs semblent se dégager : entre autres, plus un stimulus ou une tâche demande de la concentration, plus elle tend à bloquer le traitement des autres stimuli. De tels résultats nous ramènent à un point au cœur de notre quotidien, à savoir le téléphone cellulaire au volant.

En effet, maintenant qu'il est possible, grâce à l'amélioration des simulateurs de conduite, de mener des études sécuritaires sur les effets d'entretenir une conversation en conduisant, de plus en plus de résultats démontrent les effets néfastes de l'utilisation du cellulaire au volant. Ainsi, Strayer et Drews (2004) ont constaté qu'un groupe de jeunes adultes dont l'âge variait de 18 à 25 ans et qui conversaient au téléphone en conduisant ont obtenu un temps de réaction semblable à celui de personnes âgées entre 65 et 74 ans qui n'utilisaient pas de téléphone au volant. Une autre recherche a par ailleurs établi que le fait de parler au téléphone en conduisant entraîne un temps de réaction à ce qui se passe sur la route plus long que celui d'une personne qui a 0,08 mg d'alcool dans le sang, et ce, même s'il s'agit du téléphone « mains libres » (Strayer, Drews, & Crouch, 2006). En somme, converser au téléphone diminue la capacité d'un conducteur à intégrer et interpréter efficacement les stimuli en provenance de la route. Ainsi, aussi paradoxal que cela puisse paraître, plus l'appel qu'un conducteur désire faire est important, moins il devrait le faire... sauf s'il a la sagesse de stationner son véhicule !

Conclusion

Nous avons pu constater, tout au long du présent chapitre, que la perception est un processus complexe de sélection, d'organisation et d'interprétation des éléments d'information, tant sensoriels que cognitifs, dont nous disposons à tout moment. Le fait que nous percevions spontanément un dos nu — et non le sourire de la Joconde vu de côté — dans la figure de gauche présentée en amorce au chapitre est représentatif à cet égard.

Ainsi, et cela va de soi ici, la perception suivant l'observation de la figure mentionnée ci-dessus est d'abord fonction des variations — de brillance, de tonalité et de saturation — que présente la stimulation lumineuse en provenance de l'image sélectionnée. Ces variations de stimulation doivent cependant, comme l'ont souligné les gestaltistes, être organisées. C'est ce qui fait, entre autres choses, qu'en vertu de la similitude du degré de brillance, les parties foncées définissent un contour approximativement vertical de haut en bas et une région sombre dans la partie gauche; la même loi de regroupement perceptif fait également en sorte que les régions plus claires situées dans le bas de l'image sont «perceptiblement» organisées comme appartenant à un sous-groupe d'éléments. Or, cette organisation de la stimulation n'explique pas en elle-même pourquoi la figure est perçue comme un dos nu et non comme le sourire de la Joconde : pour cela, elle doit être interprétée !

En effet, même si les principes à la base de l'organisation perceptive peuvent suffire dans certains cas à entraîner la perception d'une forme signifiante (comme celle d'un carré dans la figure 3.22, *page 102*), l'interprétation à donner aux stimuli qui parviennent à nos organes sensoriels dépend généralement du contexte dans lequel est présenté le stimulus. Cet aspect «contexte», sur lequel ont beaucoup insisté les gestaltistes, implique à la fois l'ensemble de la stimulation et la dimension cognitive liée, entre autres, aux apprentissages antérieurs. Le fait que la partie correspondant au sourire de la Joconde soit présentée seule et dans une orientation inhabituelle modifie le contexte familier de reconnaissance d'un sourire : une bouche intégrée dans un visage présenté verticalement, comme dans l'image de la Joconde. Le système perceptif tend alors à reconnaître dans «le sourire» de l'image de gauche une forme plus habituelle pour un tel contexte modifié, à savoir un dos nu. Il faut néanmoins souligner que les mécanismes attentionnels peuvent également intervenir : en effet, une fois qu'on a fixé notre attention sur le fait qu'il s'agit du sourire de la Joconde, il est aisé de percevoir ce sourire, et ce, sans même avoir à pencher la tête de 90 degrés.

En somme, comme nous l'avons vu au cours du présent chapitre, le monde perçu est une construction du cerveau développée à partir des données provenant des systèmes sensoriels et de la mémoire. Tandis que les gestaltistes se sont surtout concentrés sur la façon dont les stimulations sensorielles sont spontanément organisées par le système perceptif, les cognitivistes ont contribué à mettre en lumière la façon dont l'information reçue est traitée conjointement avec l'information provenant des structures mettant en jeu la mémoire et l'attention.

Par ailleurs, l'une et l'autre approche a donné lieu à une approche thérapeutique. En effet, même si les travaux des premiers gestaltistes ont surtout porté sur la perception de l'environnement physique, d'autres, comme Perls dont le nom a été mentionné dans le chapitre 1, ont «transposé» les concepts de «gestalt» et de «relations entre éléments» sur le plan du fonctionnement social et émotionnel. Ainsi, tout comme un carré peut paraître déformé par le contexte où il se trouve, le comportement d'une personne peut être interprété différemment selon le contexte social où il est émis, ou encore évoquer une émotion différente selon le contexte formé par le vécu de la personne. C'est cette application des idées gestaltistes au fonctionnement social et émotionnel qui a conduit Perls à créer l'une des approches thérapeutiques dont il sera question au chapitre 12. En ce qui concerne les tenants de l'approche cognitive, la comparaison qu'ils ont établie entre le fonctionnement de l'ordinateur et celui du cerveau leur a permis de mieux comprendre comment les connaissances peuvent intervenir dans le traitement des éléments d'information reçus par les sens et, par le fait même, influer sur la perception qui en résulte. L'insistance qu'on retrouve au cœur de l'approche cognitive sur la notion d'interprétation a aussi donné naissance à une approche thérapeutique, la thérapie cognitivo-rationnelle d'Ellis, dont il sera également question au chapitre 12.

En terminant ce chapitre, il y a lieu de souligner que lorsque nous nous intéressons à la perception sociale, c'est-à-dire à la perception de la personnalité, des motivations et des émotions des autres, nous prenons conscience que les mêmes facteurs (information de base, contexte) doivent être pris en considération. Nous voyons également que là aussi, nous pouvons être sujets à des illusions tout aussi tenaces. Une différence importante demeure cependant : il est plus simple de réaliser que nous nous trompons quand il suffit de mesurer une ligne que quand il s'agit de vérifier le bien-fondé ou non de la motivation que nous prêtons à quelqu'un !

La perception constitue finalement un champ d'intérêt fascinant en raison non seulement des questions qu'elle soulève, mais aussi des applications tant présentes que futures auxquelles elle est susceptible de se prêter, ainsi que le laisse entrevoir l'encadré 3.8.

ENCADRÉ 3.8   Regard vers le futur

La perception : des connaissances à la robotique

Pour Jacques Lajoie de l'UQAM, le domaine de recherche que constitue la perception a été fortement influencé — et le sera de plus en plus — par le développement fulgurant de la cybernétique et de l'informatique.

Il existe en effet beaucoup de liens entre le fonctionnement du cerveau et les modèles cybernétiques. Par exemple, des microprocesseurs simulant le fonctionnement de la rétine sont sur le point d'être implantés dans un œil humain, comme en témoignent les travaux du Boston Retinal Implant Project (2007). Ce projet vise à mettre au point une prothèse visuelle (*voir la figure ci-contre*) qui permettrait de restaurer la vision chez des personnes atteintes de différentes formes de déficiences visuelles. Comme le rappelle implicitement la figure, un tel projet requiert le concours de plusieurs disciplines afin que puisse être traduite en percept (aspect cognitif) la stimulation (aspect sensoriel) générée par un dispositif réagissant à une image (aspect ingénierie).

En fait, comme le souligne M. Lajoie, les avancées du côté de la recherche vont dans toutes les directions. Tout d'abord, le développement de la robotique, dans le cadre par exemple de projets comme celui qui vient d'être mentionné, va sûrement s'accélérer dans les prochaines décennies. La plus grande difficulté à laquelle sont confrontés actuellement les chercheurs est celle de la reconnaissance de scènes visuelles, laquelle demande beaucoup de puissance de traitement. Ce n'est en effet pas sans raison qu'environ 80 % du cortex humain est impliqué dans la perception visuelle.

Par ailleurs, du côté de la recherche appliquée, la réalité virtuelle est déjà utilisée par les psychologues cliniciens. Le laboratoire de cyberpsychologie de l'Université du Québec en Outaouais a incorporé la réalité virtuelle dans le traitement des phobies (Bouchard, 2008)[1].

Malgré l'importance qu'occupe la vision, elle n'est pas, bien entendu, la seule modalité sensorielle à être l'objet de progrès à venir dans le domaine de la robotique. On peut déjà prévoir que les prothèses sensorielles seront de plus en plus efficaces, et ce, non seulement pour la vision, mais aussi pour tous les sens : audition, olfaction, kinesthésie, etc., sans oublier la motricité.

Il importe ici de souligner que les développements dans les secteurs de la robotique et de la réalité virtuelle s'appuient sur les connaissances issues de la recherche fondamentale, entre autres celles obtenues dans le domaine des neurosciences.

Il est donc aisé de constater qu'un étudiant qui s'intéresse à la perception et qui voudrait faire autre chose que de l'enseignement a un avenir dans ce domaine, et ce, autant en recherche fondamentale que dans le développement des applications. Les travaux de recherche sur les applications se font généralement en milieu universitaire d'abord, mais se poursuivent ensuite de concert avec des entreprises qui ont les moyens de les développer et de les rentabiliser.

Le schéma de l'implant rétinien que vise à mettre au point le Boston Retinal Implant Project (2007).

PERCEPTION

Microprocesseurs

STIMULATION

IMAGE

---

1. Il sera davantage question de cette application dans l'encadré 12.6 (*page 417*) sur Stéphane Bouchard dans le chapitre 12.

1. Comment nomme-t-on le processus de transformation de l'énergie en influx nerveux ?

   a) La captation

   b) La perception

   c) La sensation

   d) La transduction

2. Quelle dimension de la couleur varie en fonction de la longueur d'onde de la lumière ?

   a) La brillance

   b) La chaleur

   c) La saturation

   d) La tonalité

3. La sonie est une dimension perceptive du son. Selon quelle unité la mesure-t-on ?

   a) Les cycles/seconde

   b) Les décibels

   c) Les hertz

   d) Les volts

4. Lequel de ces énoncés est vrai ?

   a) La flaveur résulte de l'activation conjointe de récepteurs gustatifs et olfactifs.

   b) La saveur implique un mécanisme plus complexe que la détection de la flaveur.

   c) Le goût et l'odorat fonctionnent de façon indépendante.

   d) Les trois saveurs primaires sont le sucré, le salé et l'amer.

5. Un plongeur doit toujours savoir dans quelle position son corps se trouve tout au long de son plongeon. Il analyse donc deux types de sensations. Lesquelles ?

   a) Les sensations cutanées

   b) Les sensations thermo-mécaniques

   c) Les sensations kinesthésiques

   d) Les sensations vestibulaires

6. Deux personnes que vous connaissez bien (Alain et Benoît) sont de même grandeur. Alain se tient à 2 mètres de vous, et Benoît, à 10 mètres plus loin. Étant donné cette situation, chacun des énoncés ci-dessous est-il vrai ou faux ?

   a) Sur la rétine de votre œil, les images d'Alain et de Benoît sont de même grandeur.

   b) Alain et Benoît vous apparaissent nécessairement de la même grandeur malgré leur éloignement.

   c) Vous tenez compte de la distance perçue entre Alain et Benoît pour évaluer leur grandeur.

7. Quel élément parmi les suivants n'est pas un indice monoculaire de perception de la profondeur ?

   a) La disparité rétinienne

   b) Le gradient de texture

   c) L'interposition

   d) La perspective linéaire

8. Dans un clip vidéo que vous regardez sur votre ordinateur, vous voyez une voiture en mouvement. Lequel de ces énoncés n'explique pas votre perception du mouvement de cette voiture ?

   a) C'est votre système perceptif qui crée l'impression de continuité dans le mouvement.

   b) Il s'agit d'un mouvement stroboscopique.

   c) Il s'agit d'une série d'images fixes présentées en succession rapide.

   d) Vos yeux bougent, ce qui permet de percevoir le mouvement.

9. Parmi les facteurs énoncés ci-après, lequel ne vous aiderait pas à porter une attention sélective à un stimulus particulier ?

   a) L'adaptation sensorielle

   b) L'attention volontaire

   c) L'intensité élevée du stimulus

   d) Votre expérience de ce stimulus

10. Laquelle de ces lois n'est pas une loi de l'organisation perceptive ?

    a) La loi de l'effet

    b) La loi de la fermeture

    c) La loi de la proximité

    d) La loi de la similitude

Volumes et ouvrages de référence

Delorme, A., & Flückiger, M. (2003). *Perception et réalité : introduction à la psychologie des perceptions.* **Boucherville : Gaëtan Morin.**

> Ouvrage rédigé par une quinzaine d'auteurs québécois et européens. Il s'agit d'une référence francophone privilégiée pour une mise à jour des connaissances actuelles en perception.

Gregory, R. L. (1966). *L'œil et le cerveau.* **Paris : Hachette.**

> Classique toujours de mise pour s'initier au domaine de la perception. L'auteur a proposé une des théories les plus connues sur les illusions géométriques.

Lechevalier, B., Platel, H., & Eustache, F. (2006). *Le cerveau musicien : neuropsychologie et psychologie cognitive de la perception musicale.* **Bruxelles : De Boeck.**

> Ouvrage qui rassemble les textes d'une trentaine de spécialistes de différentes disciplines et propose une synthèse des dernières découvertes en neurosciences sur la perception musicale et ses bases neuronales. Accompagné d'un cédérom permettant au lecteur de bénéficier des illustrations sonores proposées par les auteurs dans leur volume.

Périodiques et journaux

Les illusions des sens

> Dossier *Pour la science*, Hors série, avril-juin 2003.

> Superbe dossier sur les illusions perceptives. Particulièrement intéressant dû au fait qu'il accorde beaucoup de place aux modalités autres que la vision : sur les 27 articles du numéro, 15 portent sur les modalités auditives, tactiles, gustatives et olfactives.

Le site Web de la revue permet d'accéder à des archives donnant le sommaire des différents numéros et un résumé des articles ; on peut y avoir accès à l'adresse suivante :

<http://www.pourlascience.com/>.

Québec Science

> Périodique québécois de vulgarisation scientifique. On y présente régulièrement des articles portant sur la perception.

Le site Web de la revue permet d'accéder au sommaire du dernier numéro. On peut y avoir accès à l'adresse suivante :

<http://www.cybersciences.com/cyber/fr/index.html>.

À consulter en particulier :

• l'article «Tombé dans l'œil», dans le numéro de juin 2000 ;

• l'article «Le cerveau maître des illusions», dans le numéro de mars 1999.

La recherche

> Périodique français de vulgarisation scientifique. On y présente régulièrement des articles portant sur la perception.

Le site Web de la revue permet d'accéder à des archives donnant le sommaire des différents numéros et un résumé des articles, mais il faut s'inscrire. On peut y avoir accès à l'adresse suivante :

<http://www.larecherche.fr/>.

À consulter en particulier, le numéro spécial 374 de 2004 portant sur la conscience et la perception.

Sciences Humaines

> Périodique portant sur les sciences humaines en général, dont la psychologie. On y trouve plus fréquemment des articles sur la perception et l'approche tend à y être davantage appliquée.

Le site Web de la revue permet d'accéder à des archives donnant le sommaire des différents numéros et un résumé des articles depuis 1998, mais il faut payer pour un article donné. On peut y avoir accès à l'adresse suivante :

<http://www.scienceshumaines.com/>.

À consulter en particulier, le numéro hors série 43 de décembre 2003/janvier-février 2004, *Le monde de l'image*.

Audiovisuel

Caillat, F. (1994). *Le troisième œil.* **France, 56 min, couleur, DVD.**

> Film qui traite des processus de construction des images dans notre cerveau. L'image vue, l'image mémorisée et l'image rêvée mettent en jeu tout le cerveau. Les phénomènes complexes associés à la fabrication des images commencent à être connus. Les professeurs Edelman (New York), Imbert (Paris), Jouvet (Lyon), Singer (Francfort) et Zeki (Londres) nous font part de l'état des connaissances dans ce domaine.

Lechevalier, B., Platel, H., & Eustache, F. (2006). **Cédérom accompagnant le volume** *Le cerveau musicien : neuropsychologie et psychologie cognitive de la perception musicale.* **Bruxelles : De Boeck.**

> Cédérom qui accompagne le volume mentionné plus haut et qui permet au lecteur de bénéficier des illustrations sonores proposées par les auteurs dans leur volume.

Taylor, G., & Kleeman, L. (2006). **Cédérom accompagnant le volume** *Visual perception and robotic manipulation : 3D object recognition, tracking and hand-eye coordination.* **Berlin : Springer.**

> Cédérom qui présente un abondant matériel multimédia qui aide à saisir les difficultés à surmonter, tant sur le plan théorique que sur le plan pratique, pour amener un robot domestique à percevoir correctement, à partir de l'information visuelle qu'il reçoit et de l'environnement où il se trouve.

CHAPITRE 4

Plan du chapitre

Cibles d'apprentissage

Après avoir lu ce chapitre, vous devriez pouvoir :

- nommer et expliquer brièvement les trois niveaux de conscience du modèle freudien de la conscience ;
- expliquer ce qu'on entend par rythme circadien ;
- décrire le caractère cyclique des différents stades du sommeil ;
- expliquer la différence entre le sommeil MOR et le sommeil NMOR ;
- présenter sommairement deux des fonctions proposées pour expliquer les rêves ;
- nommer et décrire cinq troubles du sommeil ;

- présenter quelques applications de l'hypnose, avec les risques qui y sont associés ;
- expliquer ce que signifient les termes « dépendance », « tolérance » et « syndrome de sevrage » ;
- nommer les principales catégories de psychotropes et leurs effets ;
- nommer quelques raisons qui peuvent amener une personne à consommer un psychotrope.

Les états de conscience

Testez vos connaissances

Selon vous, chacun des énoncés suivants est-il fondé ou non ?

1. Selon le modèle freudien, le conscient constitue le plus grand des trois niveaux de conscience.

2. L'hypnose et l'usage de psychotropes peuvent amener un individu dans un état altéré de conscience.

3. Un rythme circadien correspond exactement à un cycle de 24 heures.

4. Les symptômes ressentis par une personne vivant un décalage horaire sont principalement causés par la fatigue du voyage.

5. Les ondes émises par le cerveau en état de détente sont appelées *ondes alpha*.

6. Une personne commence habituellement à rêver environ 30 minutes après s'être endormie.

7. Certaines personnes peuvent tomber endormies de façon subite et irrépressible au cours d'une période normale d'éveil.

8. Le somnambulisme survient habituellement durant une période de rêves.

9. Les faits rapportés sous hypnose sont toujours fiables.

10. Le phénomène de tolérance atténue les effets de la dépendance.

11. Le cannabis est la substance illicite dont l'usage est le plus répandu dans le monde.

12. On peut utiliser un psychotrope pour traiter les effets d'un autre psychotrope.

Relaxer chez le dentiste…

Le dentiste m'a amenée à me concentrer sur mon pouce. J'ai fermé les yeux. Je n'ai jamais perdu conscience de ce qui m'entourait. Je pensais perdre la carte. Ce n'est pas du tout ça. […] C'était une sensation très agréable. Je n'avais même pas le goût de revenir. J'étais tellement détendue. […] On se sent parti, mais on entend tout. Je n'ai jamais dormi. Et pendant qu'il prenait mes empreintes, le Dr Thériault me parlait. Je n'étais pas du tout affolée. C'est vraiment particulier. […] Il faut le vivre pour le croire. Sous hypnose, tu ne feras rien que tu ne veux pas faire, ni dire ce que tu ne veux pas dire. J'ai senti tout le temps que j'étais en contrôle. L'hypnose, c'est une belle sensation.

Tiré d'un article paru dans le journal *Le Soleil* du 14 mars 2007, le témoignage ci-dessus est celui d'une infirmière qui a toujours eu «une peur bleue du dentiste» et qui, après une séance d'essai d'hypnose avec le sien, a pu faire prendre ses empreintes dentaires sans aucun stress.

Le type d'intervention pouvant être fait sous hypnose dépend du degré de confiance que le patient a envers l'hypnose ; ainsi, une patiente très sensible des gencives fait faire son nettoyage dentaire sous hypnose, mais préfère l'anesthésie pour les autres traitements tels que les obturations. L'emploi de l'hypnose dépend également de celui qui pratique l'intervention ; l'un des dentistes mentionnés dans l'article souligne que lorsqu'il s'agit de chirurgies de la bouche relativement longues, il complète l'hypnose par une anesthésie locale, en utilisant une quantité d'anesthésiant bien moindre que s'il procédait sans hypnose.

Non, l'hypnose n'est pas un mythe…

Source : Lemieux, 2007.

Le chapitre 3 traitait de sensation et de perception. Or, quand on aborde un tel sujet, on touche en même temps à celui de la conscience. En effet, il faut être conscient pour décrire adéquatement une scène qu'on observe. Mais alors, que veut dire «être conscient»? Qu'est-ce qui fait qu'on est conscient de certains aspects et non de certains autres? La réponse à cette question n'est pas simple, ainsi qu'en témoigne l'utilisation de l'hypnose rapportée au début du présent chapitre: comment une personne peut-elle percevoir consciemment l'environnement où elle se trouve sans percevoir de sensations douloureuses au niveau de la bouche?

Comme l'illustre de façon très concrète le phénomène de l'hypnose, ce qu'on entend en général par «conscience» est difficile à définir du point de vue des scientifiques, c'est-à-dire d'une façon qui soit observable et mesurable, directement ou indirectement. On pourrait faire remonter cette préoccupation à Watson, le fondateur du béhaviorisme, qui allait même jusqu'à nier la conscience en tant que phénomène à la portée de la science. Cette réticence du mouvement béhavioriste a fait en sorte que dans l'ensemble de la communauté des chercheurs, l'existence même de la conscience humaine en est venue «à ressembler à un tabou scientifique» (Baars, 2003, p. 1). La situation est maintenant en train de changer, et rapidement. Cependant, plus la recherche progresse, plus la complexité du problème posé par la conscience est mise au jour. Dans le cadre du présent chapitre, nous nous contenterons donc de définir la **conscience** comme le phénomène par lequel l'individu a une connaissance directe de lui-même et de ses perceptions, le caractère direct de cette connaissance constituant le principal dénominateur commun des différentes définitions de la conscience.

Dans la première section du chapitre, intitulée *La conscience, deux modes d'approche*, nous présenterons les deux principaux angles sous lesquels le problème de la conscience est envisagé en général dans la littérature, à savoir les niveaux et les états de conscience. Les sections suivantes seront consacrées à certains états de conscience particulièrement étudiés. C'est ainsi que nous aborderons d'abord l'éveil et le sommeil, deux états de conscience qui font partie de l'expérience quotidienne de tout un chacun. Nous traiterons par la suite d'états qui, contrairement aux précédents, ne surviennent pas naturellement, entre autres l'hypnose, dont il a été question au début de ce chapitre, ainsi que les multiples états de conscience liés à l'usage de psychotropes.

4.1 La conscience, deux modes d'approche

Comme mentionné ci-dessus, deux approches principales peuvent être distinguées dans l'étude de la conscience selon ce sur quoi elles mettent l'accent, à savoir: les niveaux de conscience ou les états de conscience.

4.1.1 Les niveaux de conscience

La première façon d'approcher la conscience repose sur l'idée que l'organisme n'est conscient qu'à divers degrés des éléments qui l'influencent, que ceux-ci proviennent du monde extérieur ou de lui-même. Dans cette perspective, nous mentionnerons tout d'abord le modèle de Freud dont les idées influencent encore aujourd'hui la réflexion à ce sujet. Le second point, intitulé *La conscience, un continuum*, soulignera la continuité sous-tendant les différents niveaux de conscience.

Le modèle de Freud

Freud distingue trois principaux niveaux de conscience: le conscient, le préconscient et l'inconscient. La figure 4.1, qui reprend l'image désormais classique de l'iceberg utilisée par Freud lui-même, permet d'illustrer comment ce dernier concevait ces trois niveaux de conscience.

Le **conscient** correspond à ce dont l'individu est conscient à un moment donné. Le fait d'être conscient de lire un manuel de cours, de jouer au basket-ball ou de regarder un film appartient au domaine du conscient: c'est la partie visible de l'iceberg, celle se trouvant au-dessus de l'eau.

Conscience
Phénomène par lequel l'individu a une connaissance directe de lui-même et de ses perceptions.

Conscient
En psychanalyse, correspond à ce à quoi l'individu a directement accès à un moment donné.

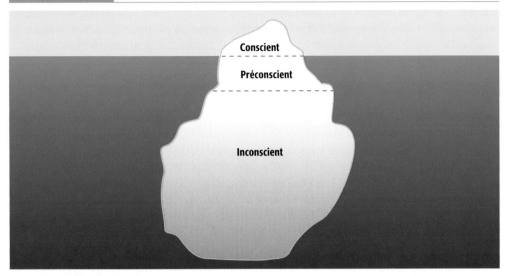

Alors que le conscient correspond à ce qui est directement accessible à un moment donné, et le préconscient, à ce qui peut le devenir si l'on regarde «juste sous l'eau», les souvenirs constituant l'inconscient sont hors d'atteinte parce qu'enfouis trop profondément en raison de leur connotation négative.

Contrairement au conscient, le **préconscient** n'est pas immédiatement accessible, mais il peut tout de même le devenir jusqu'à un certain point si la personne s'y attarde. C'est le cas des souvenirs, récents ou anciens, qu'il est possible de se rémémorer si l'on en fait l'effort. Dans la comparaison de l'iceberg, le préconscient correspond à ce qui se trouve juste sous la surface de l'eau, mais demeure accessible si l'on y prête attention.

Comme nous l'avons vu dans le premier chapitre, l'inconscient correspond quant à lui à la plus grande partie de l'iceberg, celle qui est profondément immergée. Il contient tous les souvenirs refoulés profondément, en raison de la charge émotive négative qui leur est associée, souvenirs auxquels il est normalement impossible d'avoir accès directement. Selon Freud, il est néanmoins possible d'en prendre connaissance indirectement en interprétant par exemple les rêves, comme l'a exposé le médecin dans son célèbre ouvrage *L'interprétation des rêves* (Freud, 1900/1976).

Préconscient
En psychanalyse, correspond à ce qui n'est pas immédiatement accessible, mais peut tout de même le devenir jusqu'à un certain point, si la personne s'y arrête.

Testez vos connaissances

1. **Selon le modèle freudien, le conscient constitue le plus grand des trois niveaux de conscience.**

   C'est plutôt l'inconscient qui constitue le plus grand des trois niveaux de conscience, celui constitué par l'ensemble des souvenirs refoulés auquel le conscient n'a pas accès directement.

La conscience, un continuum

Bien que le modèle original de Freud soit moins utilisé aujourd'hui qu'à l'époque où la psychanalyse dominait la scène en psychologie, la notion de niveaux de conscience est encore utilisée par les chercheurs, quoique sous un angle différent de celui abordé par Freud.

Tout d'abord, l'idée que certains processus puissent se dérouler sans que nous en soyons conscients ne date pas de Freud. Le physiologiste Helmholtz a aussi beaucoup étudié la perception et a proposé, entre autres, une théorie sur les couleurs. Vers le milieu du XIXe siècle, il parlait déjà d'inférences inconscientes pour expliquer les mécanismes qui nous permettent de percevoir le monde environnant (Warren & Warren, 1968). Et même si le sens que Freud avait donné à l'inconscient, celui de réservoir de souvenirs refoulés, n'est plus retenu par la plupart des scientifiques, la majorité — pour ne pas dire la presque totalité — reconnaît néanmoins l'existence de mécanismes dont on ne peut prendre conscience.

En fait, c'est principalement sous l'angle des processus attentionnels qu'on aborde aujourd'hui la question des niveaux de conscience. On admet généralement que ce dont on est conscient à un moment donné, c'est-à-dire ce à quoi l'on prête attention à ce moment-là, peut en fait se situer sur une infinité de plans. Quand, par exemple, on conduit une automobile tout en conversant avec la passagère assise à sa droite, de quoi est-on conscient? De la chemise rouge de son interlocutrice? De son allure générale? De ce qu'elle dit? Des connotations émotives de son discours? Du fait qu'il y a deux personnes dans la voiture? Des feux de circulation? Des voitures et des piétons dans l'environnement immédiat? Du simple fait d'être éveillé? D'être soi? D'un peu tout cela au fond, mais à des degrés divers.

C'est ainsi que les chercheurs s'intéressant aux processus attentionnels ont été amenés à considérer que ce dont on peut être conscient à un moment donné appartient à un continuum qui va du très spécifique et concret (le rouge de la chemise de son interlocutrice) au très général et conceptuel (le fait d'être conscient de soi). C'est pourquoi, même si de nombreux auteurs ont proposé de distinguer différents niveaux de conscience selon ce qui fait l'objet du conscient (conscience sensorielle, conscience intérieure directe, conscience de soi), et même si ces distinctions s'avèrent utiles dans certains contextes, l'idée générale que nous retiendrons ici est celle d'un continuum sous-tendant les différents niveaux de conscience.

Par ailleurs, l'attention — ou degré de conscience — qu'on accorde à chacun de ces niveaux se répartit en fonction de leur importance à un moment donné et varie constamment d'un instant à l'autre. Ainsi, tout en concentrant une bonne part de son attention sur ce que dit sa passagère, on doit demeurer conscient de la vitesse à laquelle on roule et des autres automobiles qui se trouvent sur la route, de façon à réagir rapidement à tout imprévu.

4.1.2 Les états de conscience

L'approche des états de conscience ne s'oppose pas à celle des niveaux de conscience: elle consiste simplement en une façon d'aborder la question de la conscience sous un angle différent. On entend ainsi par **état de conscience** un état associé à un niveau de conscience donné, lequel est caractérisé par certaines manifestations objectivement vérifiables.

État de conscience
État associé à l'une des significations que peut avoir le terme «conscience», mais caractérisé par certaines manifestations objectivement vérifiables.

Ces manifestations peuvent inclure des éléments comportementaux directement observables, mais les données d'ordre physiologique sont de plus en plus déterminantes, surtout avec l'avancement des techniques d'observation du cerveau. Ainsi, dans le domaine des neurosciences, les efforts des chercheurs visent à préciser les **corrélats neuronaux** caractéristiques d'un état de conscience donné, c'est-à-dire le schéma d'activité observable au niveau des neurones lorsque l'organisme est dans un état de conscience donné, et uniquement à ce moment-là.

Corrélats neuronaux
Dans le cas d'un état de conscience, schéma d'activité observable au niveau des neurones lorsque l'organisme est dans un état de conscience donné, et uniquement à ce moment-là.

Les manifestations caractérisant un état de conscience donné seront présentées pour chacun des états que nous aborderons, à savoir l'éveil par rapport au sommeil et ces états «altérés» de conscience que sont l'hypnose et l'état de conscience lié à l'usage de drogues. À noter que par **état altéré de conscience**, nous entendons ici un état qui ne survient pas naturellement, mais qui est induit par une technique ou par un produit «altérant» le fonctionnement normal de la conscience, contrairement à ce qu'on rencontre dans le cas de l'alternance éveil-sommeil.

État altéré de conscience
État de conscience induit par une technique ou un produit «altérant» le fonctionnement normal de la conscience.

2. L'hypnose et l'usage de psychotropes peuvent amener un individu dans un état altéré de conscience.

L'utilisation d'une technique telle que l'hypnose ainsi que la consommation de psychotropes sont deux des façons par lesquelles il est possible d'induire un état altéré de conscience.

4.2 L'éveil et le sommeil

Un peu comme le terme «conscience», le terme «éveil» est défini de multiples façons dans la littérature. C'est pourquoi, à l'instar de Koch (2006), nous considérerons ici que l'éveil correspond tout simplement à «l'état de sensation qui commence lorsqu'on se réveille le matin et persiste toute la journée, jusqu'à ce qu'on se rendorme, qu'on tombe dans le coma ou qu'on décède» (p. 27). On peut donc dire que dans le cours du fonctionnement normal d'un organisme vivant, l'état d'éveil se définit principalement par son rapport au sommeil. Bien qu'il fasse partie du déroulement normal du quotidien, le sommeil a toujours fasciné l'humain (*voir la photo 4.1*). Le fait qu'on n'ait pas accès à cet état aussi directement qu'à celui dans lequel on se trouve lorsqu'on est éveillé contribue sans doute au caractère mystérieux de ce phénomène. Il n'en demeure pas moins que le sommeil est un état qui s'inscrit dans le fonctionnement normal de la conscience ; c'est pourquoi il n'est pas considéré ici comme un état altéré de conscience au même titre que ceux liés à l'hypnose et à l'usage des psychotropes, au contraire de ce qu'on lit dans plusieurs manuels.

Dans le survol que nous en ferons dans le présent chapitre, nous parlerons d'abord de son aspect le plus global, à savoir l'alternance éveil-sommeil, puis nous apprendrons à différencier l'état d'éveil des stades du sommeil. Nous nous interrogerons ensuite sur les mécanismes du sommeil et sur les fonctions du sommeil, pour terminer avec un phénomène très présent dans la société : les troubles du sommeil.

Une peinture de Pierre Puvis de Chavannes (1824-1898) représentant symboliquement un moment du rêve d'une dormeuse.

Photo 4.1

4.2.1 L'alternance éveil-sommeil

On considère que tous les animaux suivent un cycle où alternent l'éveil et le sommeil. Ce cycle, qui serait réglé par une horloge biologique, se reproduit sur une période d'environ vingt-quatre heures. On parle de **rythme circadien** pour qualifier ce rythme biologique qui, tout comme l'alternance jour-nuit, présente une périodicité d'environ vingt-quatre heures. Le mot «circadien» vient des termes latins *circa* et *dies* qui signifient respectivement «environ» et «jour»; en fait, tout rythme variant de 20 à 28 heures peut être qualifié de «circadien» (Bloch *et al.*, 1999).

Rythme circadien
Rythme biologique présentant une périodicité d'environ vingt-quatre heures à l'instar de l'alternance jour-nuit (du latin *circa*: «environ», et *dies*: «jour»).

3. Un rythme circadien correspond exactement à un cycle de 24 heures.

Un rythme circadien est un rythme qui couvre «environ» 24 heures, mais qui peut varier de 20 à 28 heures.

L'horloge biologique contrôlant le rythme circadien serait située dans l'hypothalamus (Bear *et al.*, 2002 ; Carey, 2005 ; Purves *et al.*, 2005). Elle serait réglée à la fois par certains gènes fonctionnant sur une base de 24 heures (Carey, 2005) et par les variations de lumière, grâce à des fibres nerveuses qui relient directement l'hypothalamus à certaines cellules contenues dans la rétine — autres cependant que les cônes et les bâtonnets. Différents indicateurs physiologiques peuvent être utilisés pour suivre l'influence de l'horloge biologique sur l'évolution du rythme circadien au cours du cycle éveil-sommeil. Dans les recherches portant sur l'humain, les deux indicateurs les plus utilisés sont la température du corps, plus élevée en général en après-midi et en début de soirée, ainsi que la concentration de mélatonine, une hormone favorisant le sommeil et dont la synthèse atteint son apogée entre 2 et 4 heures de la nuit, pour une personne dormant en général de minuit à 8 heures (Dumont, 2003).

Jusqu'à tout récemment, les scientifiques considéraient qu'un individu est porté à adopter un rythme éveil-sommeil couvrant une période d'environ 25 heures (Aldrich, 1999) lorsqu'il est mis dans une situation où il n'a plus accès aux repères que constituent les variations de lumière dues à l'alternance jour-nuit. On a ainsi cru que c'est le contexte dans lequel il vit qui amène l'organisme à corriger son rythme « naturel » de 25 heures pour un rythme de 24 heures. Or, d'après Lavie (2001), les dernières recherches indiqueraient plutôt que l'alternance éveil-sommeil se déroule sur une période dépassant à peine 24 heures, soit 24 heures 12 minutes en moyenne (Dumont, 2003). Ces données incitent donc à penser que c'est davantage l'horloge biologique qui réglerait la longueur du cycle d'alternance éveil-sommeil.

Par ailleurs, outre le débat entourant la longueur de la période couverte par le rythme circadien de l'éveil-sommeil, une question beaucoup plus près du quotidien se pose : quelles sont les conséquences liées au fait d'adopter un rythme d'activité décalé par rapport au rythme naturel de l'alternance jour-nuit ? C'est le cas entre autres chez les voyageurs transméridiens, c'est-à-dire les personnes dont les déplacements en avion entraînent un changement de fuseau horaire important en l'espace de quelques heures ; c'est aussi le cas chez les travailleurs de nuit ou ceux dont l'horaire change fréquemment (jour, soir ou nuit). De nombreuses études se sont penchées sur ce problème, dont celles de la chercheuse Marie Dumont qui dirige un important centre d'étude sur le sommeil, comme en témoigne l'encadré 4.1 qui lui est consacré.

En ce qui concerne le décalage horaire vécu par les voyageurs transméridiens, les symptômes les plus souvent rapportés sont de la fatigue, de la difficulté à dormir la nuit, des problèmes d'appétit et de digestion, des maux de tête, de l'irritabilité et des difficultés de concentration (Dumont, 2003). La source de ces symptômes réside principalement non pas dans la fatigue du voyage, mais dans le fait que le rythme circadien réglé par l'horloge biologique est incapable de s'adapter instantanément au nouvel horaire ; c'est d'ailleurs pourquoi les symptômes sont absents lors des voyages dans le sens nord-sud. Si le décalage horaire est de quatre heures ou moins, le rythme circadien pourra s'adapter assez rapidement, alors que la phase d'adaptation pourra durer plusieurs jours dans le cas d'un décalage important. De plus, cette adaptation sera plus longue si le décalage résulte d'un déplacement vers l'est : le voyageur est alors incité à se coucher et à se lever plus tôt, ce à quoi l'horloge biologique s'adapte moins facilement que lorsqu'il faut « étirer » le cycle, comme lorsqu'on se déplace vers l'ouest (Dumont, 2003).

> **Testez vos connaissances**
>
> **4. Les symptômes ressentis par une personne vivant un décalage horaire sont principalement causés par la fatigue du voyage.**
>
> Même si la fatigue du voyage peut avoir créé un certain inconfort, c'est principalement l'incapacité du rythme circadien à s'adapter instantanément au nouvel horaire qui est à l'origine des symptômes associés au décalage horaire.

Le problème se pose différemment chez les travailleurs de nuit. Alors que le voyageur transméridien finit par synchroniser son rythme circadien à l'alternance jour-nuit de son nouvel environnement, le travailleur de nuit n'y arrive généralement pas, car son horaire lui demande d'être éveillé à un moment où son horloge biologique, influencée par le cycle naturel de la lumière, l'incite à s'endormir et à dormir (Dumont, 2003) ; la figure 4.2 permet de visualiser cette opposition entre la propension à l'éveil associée au rythme circadien et les périodes d'éveil et de sommeil auxquelles est astreint le travailleur de nuit.

La régulation du sommeil et de l'éveil

Comment le cerveau est-il impliqué dans la régulation de notre horloge biologique? Pourquoi certaines personnes ont-elles besoin de beaucoup d'heures de sommeil pour être efficaces durant la journée, alors que d'autres n'ont besoin que de quelques heures? Voilà, entre autres, des questions qui ont amené la chercheuse Marie Dumont à s'intéresser à l'étude du sommeil chez l'homme.

Professeure titulaire de psychiatrie à l'Université de Montréal, Marie Dumont travaille également à l'Hôpital du Sacré-Cœur de Montréal et dirige, avec Julie Carrier, le laboratoire de chronobiologie du Centre d'étude du sommeil et des rythmes biologiques. La chercheuse fait remarquer que nous passons environ le tiers de notre vie à dormir. Or, bien qu'on ne sache pas encore exactement pourquoi on a besoin de dormir, la science reconnaît que le sommeil remplit certaines fonctions biologiques et psychologiques importantes. En effet, si l'on manque de sommeil, on ressent assez rapidement certains problèmes d'ordre psychologique, notamment une plus grande difficulté à se concentrer, une plus grande irritabilité, une baisse de la performance générale, des difficultés d'apprentissage. Réciproquement, bon nombre de problèmes psychologiques comme l'anxiété, le stress et la dépression mèneront la plupart des gens à souffrir de problèmes de sommeil.

Le domaine de la recherche sur le sommeil et sur tout ce qui l'entoure est en pleine expansion. Le nombre de chercheurs et de publications sur le sujet croît à un rythme soutenu, et ce, partout dans le monde occidental. Actuellement, l'intérêt principal est la nature multidisciplinaire de l'étude sur le sommeil. Ainsi, des chercheurs de différentes spécialités (cardiologie, biologie, pneumologie, psychologie, et autres) travaillent en étroite collaboration pour trouver des réponses ou des solutions à différents problèmes qui pourraient être liés au sommeil.

Par exemple, des recherches en cours ont pour objectif de vérifier s'il existerait un lien entre l'obésité et le sommeil. Les premiers résultats montrent que la plupart des personnes obèses manquent de sommeil, ce qui amènerait leur organisme à interpréter cette situation comme un manque d'énergie et conduirait les individus à compenser en mangeant davantage.

Marie Dumont s'intéresse d'une façon particulière aux conséquences des perturbations du cycle éveil-sommeil. Par exemple, les travailleurs de nuit, qui doivent dormir le jour, ont-ils les mêmes capacités d'attention que les travailleurs de jour? Font-ils plus d'erreurs? Sont-ils plus lents à réagir à une situation de danger?

La chercheuse essaie également de comprendre pourquoi certaines personnes fonctionnent mieux le matin, tandis que d'autres fonctionnent mieux le soir. Ainsi, après avoir constitué un groupe de personnes du type «matin» et un autre du type «soir», la chercheuse et les membres de son équipe ont soumis chaque groupe à un sommeil fragmenté pendant deux nuits consécutives: l'horaire habituel des dormeurs était respecté, mais on les réveillait pendant 5 minutes, toutes les 30 minutes.

En observant attentivement l'EEG des dormeurs au cours de ces nuits et au cours de celles qui ont suivi, les chercheurs se sont concentrés sur la puissance — évaluée à partir de la fréquence et de l'amplitude — des ondes lentes produites par le cerveau des dormeurs. Ils ont alors remarqué que la majorité des personnes du type «matin» ressentaient plus rapidement un manque de sommeil, mais que ce manque disparaissait plus vite, contrairement à celles du type «soir».

Ces quelques exemples de recherches illustrent en quoi le sommeil est un phénomène plus complexe qu'on pourrait le croire à priori, ce qui en fait un domaine d'étude tout à fait fascinant.

Marie Dumont, Ph. D. en psychologie, codirectrice du laboratoire de chronobiologie du Centre d'étude du sommeil et des rythmes biologiques.

FIGURE 4.2   La propension circadienne à l'éveil chez le travailleur de nuit

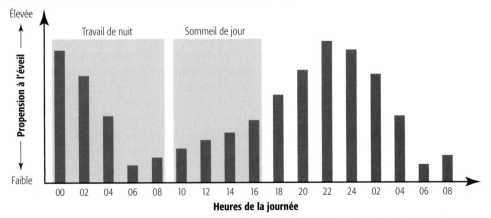

Représentation schématique de la propension circadienne à l'éveil chez un travailleur de nuit, durant ses heures de travail (minuit à 8 heures) et durant ses heures de sommeil (9 heures à 16 heures) (Dumont, 2003).

En conséquence, la plupart des travailleurs de nuit ont des problèmes de sommeil : ils s'endorment facilement après leur quart de travail, mais ils dorment moins longtemps et se plaignent d'un sommeil moins récupérateur (Dumont, 2003 ; Muecke, 2005). Outre les problèmes directement liés au sommeil, les travailleurs de nuit prennent davantage de congés de maladie, ont plus de problèmes de santé (obésité, maladies cardiovasculaires, gastro-intestinales, désordres menstruels) et tendent à commettre davantage d'erreurs au travail (temps de réaction moins bon, moins bonne capacité de prendre des décisions appropriées) (Muercke, 2005).

Fait à noter, les inconvénients dus au travail de nuit sont moins marqués chez ceux qui sont toujours de nuit que chez ceux qui changent souvent d'horaire. En effet, pour ces derniers, des changements d'horaire surviennent alors que le rythme circadien tente de s'ajuster, ce qui requiert en général deux ou trois semaines. L'organisme est donc toujours en train de se réajuster.

Même si l'on sait qu'en général, une perturbation du rythme circadien affecte davantage les gens de 40 ans et plus (Muercke, 2005), il existe certaines différences individuelles dans la capacité à s'adapter au travail de nuit. On sait par exemple qu'une minorité de travailleurs (environ 15 %) n'ont pas de difficulté à travailler la nuit et à dormir le jour (Dumont, 2003) ; malheureusement, la société exige ce type de travail d'un nombre beaucoup plus grand de personnes.

4.2.2 L'état d'éveil et les stades du sommeil

Avant que ne se développe la technique de l'observation de l'activité électrique du cerveau au moyen de l'EEG, le sommeil était perçu comme un état global où le cerveau était en quelque sorte au repos. Des phénomènes comme le rêve, les cauchemars et le somnambulisme étaient vus comme des événements survenant sur un fond de sommeil relativement uniforme. Or, on sait depuis les travaux d'Aserinsky et Kleitman (1953) qu'il n'en est rien : non seulement le cerveau est très actif lorsqu'on dort, mais cette activité présente également des variations donnant lieu à différents stades que les chercheurs ont appris à reconnaître. Ces derniers sont présentés succinctement dans la figure 4.3a.

Lorsqu'on est dans un état d'éveil attentif, le tracé EEG affiche des **ondes bêta** dont la fréquence varie de 13 à 50 Hz[1], mais cette fréquence s'abaisse aux environs de 8 à 12 Hz lorsqu'on est détendu et qu'on a les yeux fermés. Les ondes associées à cet état étant les premières à avoir été observées, on les a nommées **ondes alpha**.

> **Testez vos connaissances**
>
> **5. Les ondes émises par le cerveau en état de détente sont appelées *ondes alpha*.**
>
> Les ondes alpha, les premières à avoir été enregistrées et dont la fréquence varie de 8 à 12 Hz, correspondent effectivement aux ondes observées en état de détente.

Au moment où s'amorce le sommeil, la fréquence de l'EEG ralentit aux environs de 4 à 7 Hz ; on parle alors d'**ondes thêta** pour désigner cette première phase du sommeil, appelée *stade 1*. Suit alors le stade 2, période où, entrecoupant le tracé des ondes thêta, apparaissent des **fuseaux de sommeil**, c'est-à-dire de brèves périodes (1 ou 2 secondes) durant lesquelles la fréquence est plus rapide que le reste du tracé (environ 8 à 12 Hz), ainsi que des **complexes K**, c'est-à-dire des oscillations dont l'amplitude est plus grande que le reste du tracé (*voir la figure 4.3a*). Au cours des deux premiers stades, l'individu demeure relativement facile à réveiller ; on parle ainsi de **sommeil léger** pour les caractériser.

Onde bêta
Onde EEG associée à un état d'éveil attentif et dont la fréquence se situe entre 13 et 50 Hz.

Onde alpha
Onde EEG associée à un état d'éveil détendu et dont la fréquence est d'environ 8 à 12 Hz.

Onde thêta
Onde EEG présente dans les trois premiers stades du sommeil lent et dont la fréquence est d'environ 4 à 7 Hz.

Fuseau de sommeil
Brève période (1 ou 2 secondes) survenant au cours du stade 2 et dont la fréquence est plus rapide (environ 8 à 12 Hz) que le reste du tracé.

Complexe K
Onde survenant au cours du stade 2 et dont l'amplitude est nettement plus grande que le reste du tracé.

Sommeil léger
Sommeil au cours duquel il est relativement facile de réveiller le dormeur ; comprend les stades 1 et 2.

---

1. Rappel : 1 Hz = 1 cycle (c'est-à-dire ici une oscillation) par seconde.

FIGURE 4.3   Les stades du sommeil

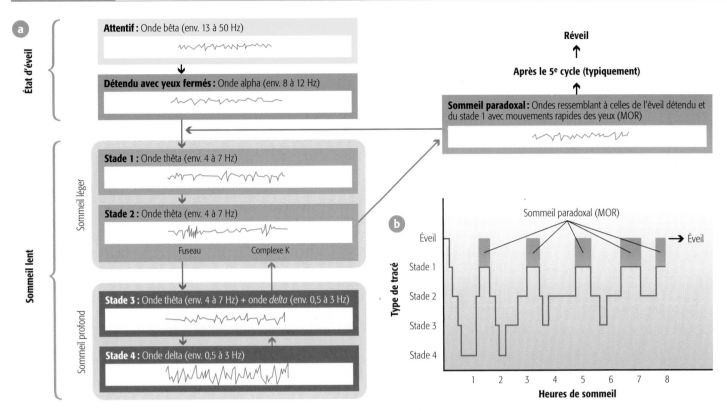

ⓐ Variations de l'EEG en fonction des différents stades du sommeil à partir de l'état d'éveil. **ⓑ** Évolution des différents stades du sommeil en fonction du temps, au cours d'une nuit de sommeil type.

Par la suite, de lentes oscillations d'environ 0,5 à 3 Hz, appelées **ondes delta**, commencent à s'insérer dans le tracé de base encore constitué d'ondes thêta : c'est le stade 3, suivi du stade 4, caractérisé par un tracé principalement constitué d'ondes delta. Étant donné qu'il est beaucoup plus difficile de réveiller le dormeur au cours des stades 3 et 4 qu'au cours des deux premiers stades, le sommeil caractérisant ces deux stades est appelé **sommeil profond**.

Au fur et à mesure que le dormeur progresse du stade 1 au stade 4, le tonus musculaire se relâche graduellement. En même temps, le métabolisme se met « en mode détente » (réduction de la fréquence cardiaque et respiratoire, de la pression artérielle, du métabolisme et de la température), le stade 4 étant celui où la détente est la plus complète. Or, après avoir passé environ une trentaine de minutes dans ce stade, le dormeur se met à régresser vers les premiers. Toutefois, après être repassé par le stade 2, il entre généralement dans un état particulier caractérisé par les éléments suivants :

1. L'EEG présente un tracé qui ressemble à la fois à celui du stade 1 et à celui caractérisant un état d'éveil détendu ; le dormeur est toutefois profondément endormi, d'où l'appellation fréquente de **sommeil paradoxal**.

2. L'état de relaxation qui avait cours aux stades précédents fait place à un état tout à fait différent : on observe une perte quasi complète du tonus musculaire, ce qui entraîne une paralysie presque totale de l'ensemble de la musculature. En même temps, on constate un état de « stress » caractérisé par une augmentation générale de la fréquence cardiaque et respiratoire, de la pression artérielle, du métabolisme et de la température, de même que par de nombreuses arythmies cardiaques et respiratoires. On note également à ce stade l'érection du pénis chez l'homme et du clitoris chez la femme, sans pour autant que cela ne soit lié à des rêves érotiques.

Onde delta
Onde EEG présente au cours du sommeil profond (surtout le stade 4) et dont la fréquence est d'environ 0,5 à 3 Hz.

Sommeil profond
Sommeil au cours duquel il est relativement difficile de réveiller le dormeur ; comprend les stades 3 et 4.

Sommeil paradoxal
Aussi appelé **Sommeil MOR**
Sommeil caractérisé par la présence d'ondes ressemblant à la fois à celles du stade 1 et à celles de l'éveil détendu, malgré un état d'endormissement profond, par la présence de mouvements oculaires rapides (MOR) et par le fait qu'un sujet réveillé à ce stade rapporte habituellement qu'il rêvait.

3. Contrastant avec la paralysie générale du corps, on observe des mouvements oculaires rapides (MOR) sous les paupières, ce pour quoi on appelle souvent ce stade le *sommeil MOR* (ou, en anglais, REM, pour « *rapid eye movement* »).

4. Lorsqu'on le réveille à ce moment, le dormeur rapporte la plupart du temps qu'il était en train de rêver (90 à 95 % des personnes, d'après Bear *et al.*, 2002). L'impression d'avoir rêvé peut également survenir si le dormeur est réveillé durant l'un ou l'autre des autres stades, mais les souvenirs qu'il en a sont généralement moins vifs et plus vagues.

Le stade du sommeil paradoxal complète un premier cycle de sommeil au cours duquel il s'est généralement écoulé de 70 à 120 minutes depuis le début de la nuit. Le dormeur replonge alors habituellement dans le sommeil de stade 1 et passe à nouveau par les autres stades. Il est à noter, comme l'indique la figure 4.3a (*page 119*), que le sommeil léger (stades 1 et 2) ainsi que le sommeil profond (stades 3 et 4) sont souvent regroupés sous l'appellation **sommeil lent**, par opposition au sommeil paradoxal dont les ondes sont en général plus rapides ; par ailleurs, le sommeil à ondes lentes est aussi appelé *sommeil NMOR*, en référence au fait qu'on n'y retrouve pas les mouvements oculaires rapides (MOR) caractéristiques du sommeil paradoxal.

Sommeil lent
Aussi appelé **Sommeil à ondes lentes** *ou encore* **Sommeil NMOR**
Sommeil caractérisé par des ondes en général plus lentes que celles du sommeil paradoxal et par l'absence de mouvements oculaires rapides (MOR), d'où l'appellation fréquente de *sommeil NMOR* ; regroupe le sommeil léger (stades 1 et 2) et le sommeil profond (stades 3 et 4).

> **Testez vos connaissances**
>
> 6. **Une personne commence habituellement à rêver environ 30 minutes après s'être endormie.**
>
>   Ce n'est qu'après 70 à 120 minutes environ que le dormeur entre dans le sommeil paradoxal, celui où surviennent habituellement les rêves.

La figure 4.3b (*page 119*) laisse voir la façon dont se succèdent les différents stades au cours d'une nuit type d'environ huit heures. On peut y retrouver, en fonction du temps, les étapes du premier cycle qui vient d'être décrit, de même que la façon dont le dormeur repasse à travers les autres stades au cours des autres cycles. On peut ainsi constater :

1. qu'une nuit de sommeil type comprend en moyenne cinq cycles, chacun se terminant par une période de sommeil paradoxal ;

2. que les périodes de sommeil profond (stades 3 et 4) surviennent principalement dans la première moitié de la nuit ;

3. que les périodes de sommeil paradoxal, plus courtes (10 à 15 minutes) et plus espacées dans le temps durant la première moitié du sommeil, deviennent plus longues (30 à 50 minutes) et plus rapprochées vers la fin de la nuit.

Le tableau 4.1 résume les principales caractéristiques physiques de l'état d'éveil et des stades du sommeil.

4.2.3 Les mécanismes du sommeil

Comme nous venons de le voir, le cerveau est très actif au cours du sommeil, mais ce que traduit l'EEG, c'est essentiellement l'activité du cortex. Une question se pose alors : quelles sont les structures physiologiques qui produisent les variations de cette activité et par quels mécanismes cela s'opère-t-il ? Compte tenu du fait que l'hypothalamus contribue au contrôle du rythme circadien, comme nous l'avons mentionné précédemment, il va de soi qu'il intervient dans les mécanismes du sommeil. Il reste maintenant à savoir dans quelle mesure il joue un rôle dans les changements caractérisant les différents stades du sommeil.

TABLEAU 4.1	Les principales caractéristiques de l'éveil et des stades du sommeil				
	État d'éveil		**Sommeil lent (à ondes lentes)**		**Sommeil paradoxal**
	Attentif	**Détendu avec yeux fermés**	**Léger (stades 1 et 2)**	**Profond (stades 3 et 4)**	
EEG	Dominé par ondes bêta (13 Hz et plus)	Dominé par ondes alpha (8 à 12 Hz)	Dominé par ondes thêta (4 à 7 Hz)	Dominé par ondes delta (0,5 à 3 Hz)	Fréquence ressemblant à celles de l'éveil détendu et du stade 1
Tonus musculaire	Variable selon la situation		Relaxation graduelle / Relaxation maximale		Paralysie quasi totale des muscles
MOR	Variables selon la situation		Absents		Présents
Présence du stade	—		Tout le long de la nuit	Principalement dans la 1re moitié de la nuit	Plus fréquent dans la 2e partie de la nuit

D'après ce qu'on sait actuellement, l'influence de l'hypothalamus s'exercerait conjointement avec celle du tronc cérébral (Purves *et al.,* 2005), particulièrement de la **formation réticulée**. Cette dernière, constituée par un réseau complexe de neurones allant de la base du tronc cérébral jusqu'au cerveau moyen (*voir la figure 4.4*), joue en effet un rôle crucial dans le déroulement du sommeil.

Formation réticulée
Aussi appelée **Formation réticulaire** *ou encore* **Système activateur réticulaire**
Réseau complexe de neurones qui va de la base du tronc cérébral jusqu'au cerveau moyen.

FIGURE 4.4	La formation réticulée et l'activation du cortex durant le sommeil paradoxal

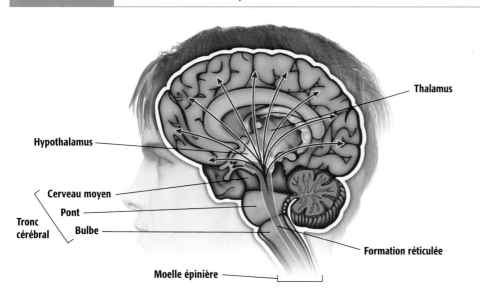

Le réseau constituant la formation réticulée (illustrée schématiquement en bleu) part de la base du tronc cérébral, au niveau du bulbe, et s'étend jusqu'au cerveau moyen, sous le thalamus, à proximité de l'hypothalamus. Au cours du sommeil paradoxal, des neurones de la région du pont activent l'ensemble du cortex cérébral.

On ne sait pas encore exactement ce qui provoque le sommeil lent, mais il serait associé à une baisse d'activité de certains neurones du tronc cérébral (Bear *et al.*, 2002). Il semble de plus que la formation réticulée contribuerait à bloquer les influx nerveux en provenance des fibres sensorielles du système périphérique par l'action inhibitrice de neurones libérant le neurotransmetteur GABA (Purves *et al.*, 2005). Cela empêcherait ainsi le dormeur d'être «dérangé» par les stimulations sensorielles, tant celles issues de l'environnement que celles provenant de l'intérieur du corps. Ce blocage n'est cependant pas total; les stimulations intenses, plus significatives sur le plan adaptatif (cris de détresse, son d'un détecteur de fumée, etc.), peuvent ainsi être détectées par l'organisme, permettant à ce dernier d'y réagir au besoin.

Au cours du sommeil paradoxal, un groupe de neurones appartenant à la formation réticulée — situés à la base du tronc cérébral entre le bulbe rachidien et le pont — génèrent des influx nerveux produisant les mouvements oculaires rapides et d'autres qui transitent par le thalamus pour exciter l'ensemble du cortex cérébral (Jouvet, 2000; Purves *et al.*, 2005). Ainsi, au niveau du cortex, tout se passe comme si l'organisme était dans un environnement où il reçoit beaucoup de stimulations et où il est très actif, sauf que le corps est alors pratiquement paralysé, exception faite des mouvements des yeux. En fait, si l'on demeure pratiquement immobile, en dépit du fait que l'aire motrice est stimulée comme le sont à ce moment-là les autres aires du cortex, c'est que les influx nerveux transmettant les commandes motrices à l'ensemble des muscles sont inhibés par un autre groupe de neurones situés également dans le tronc cérébral. C'est le chercheur Michel Jouvet qui a localisé la source de ce blocage sans lequel un individu se mettrait à bouger dès qu'il entre dans le sommeil paradoxal. L'encadré 4.2 souligne ces expériences devenues classiques où l'on pouvait, selon l'interprétation de Jouvet lui-même, «voir rêver un chat».

En ce qui concerne l'état général du corps, Bear *et al.* (2002) présentent l'état de relaxation qui caractérise le sommeil lent comme traduisant le fait qu'au cours de cette période, c'est la branche parasympathique du système nerveux central qui est dominante. En revanche, lors du stade paradoxal, l'action prépondérante du système sympathique expliquerait l'activité fébrile des différents processus (rythme cardiaque,

---

Voir rêver un chat…?

Dans un entretien qu'il accordait en 1990, Michel Jouvet déclarait: «Un jour, en 1958, en plaçant une électrode dans le cerveau d'un chat, on a eu de la chance: deux ou trois ans plus tard, on a su à peu près 80% de ce que l'on sait sur le sommeil paradoxal. Mais en trente ans, on a peu avancé…» (Jouvet, 1992, p. 13) L'enregistrement de l'activité EEG avait déjà amené des chercheurs à distinguer le sommeil léger et le sommeil profond. On avait également noté la présence de mouvements oculaires rapides qui semblaient associés au rêve, mais ce dernier était considéré comme survenant au cours du sommeil léger. C'est Jouvet qui, le premier, a mis en évidence que le sommeil paradoxal — expression créée par Jouvet, d'ailleurs — constituait un stade tout à fait différent des autres: l'EEG traduisait une activité élevée de l'ensemble du cerveau, comme s'il s'agissait d'un organisme éveillé, en même temps qu'on observait une absence presque totale de mouvements dans l'ensemble du corps.

En travaillant avec le chat et en procédant par lésions systématiques de différentes structures du cerveau, Jouvet a pu isoler, au niveau du tronc cérébral et plus particulièrement au niveau du pont et du bulbe, deux groupes de cellules qui concouraient, l'un, à produire l'élévation d'activité observée dans l'ensemble du cerveau, l'autre, à freiner les impulsions alors émises par le cortex moteur.

C'est ainsi qu'après avoir détruit un groupe de cellules responsable du «frein moteur» dans le tronc cérébral, Jouvet a pu démontrer, séquences filmées à l'appui, que l'animal continuait de s'endormir normalement. Toutefois, au moment d'entrer dans le sommeil paradoxal, le chat se mettait à bouger comme s'il attrapait une souris imaginaire ou se battait contre un autre animal (*voir la position dans la photo ci-contre*). Au bout d'environ six minutes, durée moyenne du sommeil paradoxal chez le chat, ce dernier se recouchait et poursuivait un sommeil qui, en fait, n'avait pas été interrompu: Jouvet venait-il d'observer à quoi rêve un chat? C'est l'interprétation qu'il a proposée, même si tous ne sont pas d'accord sur ce point…

Une des positions d'un chat éveillé en train de se battre et que Jouvet a observée chez un chat *endormi* auquel on avait détruit les noyaux qui empêchent normalement de bouger lors de la phase de sommeil paradoxal.

respiration, etc.) qui en dépendent. On constate ici à nouveau l'importance du tronc cérébral et de l'hypothalamus dans le sommeil, ces structures participant de près à la régulation du métabolisme.

4.2.4 Les fonctions du sommeil

Après avoir pris connaissance de ce qui caractérise les différents stades du sommeil et eu un aperçu des mécanismes physiologiques sous-jacents, nous sommes amenés à nous interroger sur les fonctions du sommeil. Plus précisément : à quoi cela sert-il de dormir ? À l'instar de ce que font la plupart des auteurs abordant cette question, nous examinerons d'abord le sommeil en général, à savoir «pourquoi dort-on ?», puis nous nous arrêterons sur ce qui concerne particulièrement les rêves, en tentant de répondre à la question «pourquoi rêve-t-on ?»

Pourquoi dort-on ?

Quand on pose la question «pourquoi dort-on ?», la plupart des gens sont généralement portés à répondre que c'est tout simplement pour se reposer. Par contre, l'idée la plus répandue chez les spécialistes est que le sommeil profond aurait une fonction récupératrice. Mais de quoi a-t-on besoin de récupérer ? À ce sujet, Bear *et al.* (2002) soulignent que «personne n'a encore pu identifier clairement un processus physiologique reconstitué par le sommeil, une substance essentielle produite ou une toxine détruite au cours du sommeil» (p. 647). Sur le plan psychologique, on a constaté que les effets généraux du manque de sommeil comprennent des troubles de la mémoire et, dans l'ensemble, une réduction des performances cognitives. Chez certains individus, mais pas tous, un manque de sommeil plus marqué peut même provoquer des sautes d'humeur et des hallucinations (Purves *et al.,* 2005).

Pourquoi rêve-t-on ?

Si le sommeil paradoxal au cours duquel survient généralement le rêve n'est pas indispensable pour survivre, à quoi sert alors le rêve ? Encore ici, aucune hypothèse explicative n'a rallié à ce jour les spécialistes dans le domaine. On mentionne ci-après les trois types d'explications les plus souvent données sur la fonction du rêve.

L'approche psychanalytique Freud considérait que tout rêve est l'expression d'un désir refoulé et fait partie de l'inconscient, lequel renferme tout ce qui n'est pas accessible à la conscience parce que lié à des aspects inavouables. Une objection souvent apportée à l'endroit de cette explication peut être formulée comme suit : comment peut-on «désirer faire un cauchemar» ? Dans son ouvrage *L'interprétation des rêves* (Freud, 1900/1976), Freud répond à cette objection à partir de nombreux exemples, en affirmant qu'une analyse «correcte» d'un cauchemar finit par dévoiler le désir qui en était à l'origine. Même si la version de Freud n'est pas la seule explication du rêve faisant appel à la notion d'inconscient, bien qu'elle soit la plus connue, celle-ci n'a plus aujourd'hui qu'une valeur historique pour la majorité des scientifiques, particulièrement ceux qui travaillent dans le domaine des neurosciences cognitives.

L'approche cognitive Pour certains tenants de l'approche cognitive, le rêve aurait pour but de «mettre de l'ordre» dans les éléments d'information accumulés au cours des heures d'éveil, de façon à éliminer les souvenirs inutiles et, de là, à mieux intégrer et consolider l'information utile. Cette hypothèse s'appuie entre autres sur deux faits. D'une part, une privation sélective de sommeil paradoxal diminue, dans les heures qui suivent, les capacités d'apprentissage dans différentes tâches ; d'autre part, lorsque des sujets sont soumis à des sessions intensives d'apprentissage, la durée de leur sommeil paradoxal est par la suite plus grande qu'en temps normal (Bear *et al.,* 2002). Cette explication est appuyée par le fait que le sommeil paradoxal occupe environ 20 à 25 % de la durée totale du sommeil des adultes, alors que chez les nouveau-nés, environ 50 % de la période de sommeil y est consacrée (Zimbardo, 2003), ces derniers ayant beaucoup à apprendre et à intégrer. Par ailleurs, si l'on réveille des sujets chaque fois qu'ils entrent dans le sommeil paradoxal, et ce, pendant plusieurs nuits, on observe par la suite un **effet de rebondissement MOR** : dès qu'on laisse dormir

Effet de rebondissement MOR
Tendance à rattraper le sommeil MOR perdu en y passant plus de temps que lors d'une nuit normale.

les sujets sans interrompre leur sommeil, ils tendent à rattraper le sommeil MOR perdu en y passant plus de temps que lors d'une nuit normale.

L'approche biologique À la différence des hypothèses précédentes, une explication s'inscrivant dans l'approche biologique, à savoir la théorie de l'activation-synthèse, ne voit aucune finalité dans le rêve. Cette explication part du fait que l'activation du cortex qui survient durant le rêve est provoquée par des influx nerveux provenant du pont et qui sont relayés par le thalamus. Ces influx stimuleraient de façon plus ou moins aléatoire les neurones de différentes aires du cortex et, ce faisant, activeraient des images et des émotions normalement associées aux régions stimulées. Le cortex essaierait alors d'effectuer la synthèse de ces différentes stimulations en une histoire, cette dernière étant la plus sensée possible. Bien que cette hypothèse apporte une explication plausible au caractère étrange de certains rêves, elle n'explique pas comment le cerveau fait pour créer une histoire et, surtout, comment certains rêves peuvent revenir de façon systématique alors que l'activité qui les a déclenchés est aléatoire (Bear *et al.*, 2002).

4.2.5 Les troubles du sommeil

Les troubles du sommeil perturbent le quotidien d'une grande partie de la population et se manifestent sous de nombreuses formes (American Sleep Disorders Association, 1997). Nous présentons ci-après les troubles les plus importants : l'insomnie, la narcolepsie, l'apnée du sommeil ainsi que les principales parasomnies.

L'insomnie

L'insomnie est le trouble du sommeil le plus répandu. « Environ 10 % de la population adulte se plaint d'insomnie chronique et la prévalence est plus élevée chez les femmes, les aînés, les travailleurs de nuit et les personnes souffrant de troubles psychologiques ou médicaux. » (Morin, 2004, p. 18) Si l'on tenait compte des gens qui vivent à l'occasion des périodes d'insomnie, ce pourcentage atteindrait 36 % de la population américaine (Gallup Organization, 1991, d'après Billiard, 1997). L'**insomnie** se caractérise par une difficulté à s'endormir (*voir la photo 4.2*), une difficulté à rester endormi, des réveils spontanés trop tôt le matin ou une combinaison de ces symptômes (Morin, 2004). Dans tous ces cas, le sommeil est insatisfaisant et peut nuire à la qualité de vie durant l'éveil, tant sur les plans psychologique, familial, social et professionnel qu'en ce qui concerne la santé physique elle-même. S'il n'est pas traité, le problème peut conduire à des problèmes plus graves tels que la dépression et une dépendance aux somnifères (Morin, 2004).

Bien que l'insomnie soit parfois d'origine médicale, elle provient généralement de situations contextuelles stressantes ou perçues comme telles par l'individu ; la personnalité de ce dernier est donc un élément important dans l'apparition de ce trouble. L'état de fatigue qui en découle entraîne alors souvent la personne dans un cercle vicieux : moins résistant au stress durant les périodes d'éveil — ce dont il sera question au chapitre 9 —, l'insomniaque est davantage tendu, ce qui augmente, ou du moins maintient, son insomnie.

Parmi les différentes méthodes utilisées pour traiter l'insomnie, on trouve évidemment la prise de somnifères. Cependant, même si cette dernière peut être indiquée en période de crise (décès, séparation), les techniques cognitivo-comportementales sont plus efficaces à long terme pour 70 à 80 % des personnes souffrant d'insomnie (Morin, 2004). L'encadré 4.3 présente le point de vue de Charles Morin, chercheur québécois de renommée internationale dont la carrière est principalement axée sur le problème de l'insomnie.

Les techniques cognitivo-comportementales mises au point par les psychologues se concentrent sur la réorganisation des habitudes ainsi que sur les croyances associées

Insomnie

Trouble du sommeil caractérisé par des difficultés à s'endormir, à rester endormi, des réveils spontanés trop tôt le matin ou une combinaison de ces symptômes.

La difficulté à s'endormir : l'une des trois principales formes que peut prendre l'insomnie.

Photo 4.2

« S'éveiller » au problème de l'insomnie

Après avoir achevé une maîtrise en psychologie à l'Université Laval au début des années 1980, Charles Morin part pour les États-Unis où il poursuit des études doctorales et postdoctorales. Il travaille par la suite à titre de professeur et directeur du Sleep Disorders Center au Medical College of Virginia, à la Virginia Commonwealth University. En 1994, il se joint à l'École de psychologie de l'Université Laval où il met sur pied le Centre d'étude des troubles du sommeil et la prestigieuse American Psychological Association lui décerne en 1995 le Distinguished Award for an Early Career pour sa contribution exceptionnelle à la psychologie de la santé.

C'est le traitement des troubles du sommeil, particulièrement de l'insomnie, qui constitue le champ d'intérêt de M. Morin. Si ce dernier s'est intéressé aux troubles du sommeil, c'est d'une part parce que ce sujet constitue à ses yeux un domaine particulièrement apte à combiner la recherche et l'intervention clinique et, d'autre part, confie-t-il, parce que plusieurs personnes de son entourage vivaient des problèmes de sommeil.

À vrai dire, ce dernier point étonne peu, étant donné qu'au moins 30 % de la population vit à l'occasion des périodes d'insomnie, et qu'environ 10 % en serait affectée sur une base hebdomadaire.

Même si les recherches sur l'insomnie ne datent pas d'hier, les connaissances n'ont pas encore permis d'aboutir à une façon efficace de la traiter. De l'avis de M. Morin, on a trop tendance, ou bien à s'en remettre aux médicaments comme solution facile, ou bien à rejeter les médicaments et à chercher la « cause psychologique » supposément à la source de l'insomnie. Ce qu'il faut plutôt, selon lui, c'est trouver comment combiner les deux approches de façon à intervenir plus efficacement.

Charles Morin,
Ph. D. en psychologie et directeur du Centre d'étude des troubles du sommeil.

Par ailleurs, guérir c'est bien, mais il faut aussi prévenir. C'est pourquoi, parallèlement à ses travaux sur le traitement de l'insomnie, M. Morin a mis en branle une étude épidémiologique auprès de 1 200 personnes, étude visant à mettre au jour les caractéristiques, tant individuelles que sociales, qui favorisent l'émergence de problèmes d'insomnies.

Cependant, ce genre d'étude demande non seulement beaucoup d'argent, mais également la collaboration des institutions qui leur envoient souvent, en s'en déchargeant par la suite, des personnes aux prises avec des problèmes d'insomnie.

« Aux États-Unis, souligne Charles Morin, il y a une clinique de sommeil dans pratiquement chaque hôpital. Ici au Québec, nous n'en avons que deux : une à Québec et une à Montréal. » Quant aux institutions politiques, elles ne sont pas davantage sensibilisées au problème, ne serait-ce qu'aux coûts sociaux de l'insomnie.

En « somme », il serait temps que l'on « s'éveille » au problème de l'insomnie !

---

au sommeil. Sur le plan comportemental, il s'agit d'apprendre à l'insomniaque à réduire l'activité de son système nerveux sympathique et de l'amener d'une part « à créer une nouvelle association entre l'heure du coucher, la chambre et un endormissement rapide et, d'autre part à établir un horaire de sommeil régulier » (Morin, 2004 p. 3). Du côté cognitif, il s'agit d'amener l'individu à se défaire de croyances fréquentes chez les insomniaques : « Je dois dormir huit heures pour être en santé » ou encore : « Si j'ai perdu des heures de sommeil, je dois toutes les reprendre. » En aidant l'insomniaque à se débarrasser de telles croyances, on l'aide à éliminer le stress qui les accompagne et, de là, on contribue à retrouver un sommeil régulier.

La narcolepsie

Moins connue et moins fréquente, compte tenu des différentes variantes qu'elle peut présenter, la narcolepsie affecterait de 0,02 à 0,065 % — c'est-à-dire moins de 1 % — de la population en Europe et aux États-Unis (Billiard, 1997).

Chez les personnes affectées de sa forme la plus extrême, la **narcolepsie** se caractérise par le fait de tomber endormi de façon subite et irrépressible au cours d'une période normale d'éveil. Cet endormissement s'accompagne d'une perte complète de tonus musculaire analogue à ce qu'on observe chez un dormeur lors du sommeil paradoxal. Sous cette forme, les accès de sommeil provoqués par la narcolepsie durent généralement de 10 à 20 minutes, mais peuvent aller jusqu'à une heure (American Psychiatric Association, 1996) et tendent à se présenter suivant la même périodicité que le sommeil paradoxal au cours de la nuit.

Narcolepsie
Trouble du sommeil qui, dans sa forme extrême, est caractérisé par le fait de tomber endormi de façon subite et irrépressible au cours d'une période normale d'éveil. L'endormissement s'accompagne d'une perte complète de tonus musculaire analogue à ce qui se passe lors du sommeil paradoxal.

7. **Certaines personnes peuvent tomber endormies de façon subite et irrépressible au cours d'une période normale d'éveil.**

Il existe en effet un trouble du sommeil, appelé *narcolepsie*, caractérisé par le fait de tomber endormi, alors qu'on devrait normalement être éveillé, ainsi que par la perte de tonus musculaire qu'on observe typiquement au cours du sommeil paradoxal.

Chez certaines personnes souffrant d'une forme moins marquée de narcolepsie, celle-ci se manifeste uniquement par la perte du tonus musculaire. La personne demeure donc parfaitement consciente, ce qui peut être angoissant lorsque cela lui arrive sans qu'elle sache encore ce qu'il en est. Là encore, la durée est généralement d'une quinzaine de minutes. Qu'on observe ou non la périodicité mentionnée au paragraphe précédent, les accès de sommeil dus à la narcolepsie peuvent être provoqués par des situations chargées d'émotion ou, au contraire, par un contexte ennuyeux et répétitif, sans compter le simple manque de sommeil dont les effets sont plus marqués chez les personnes sujettes à la narcolepsie.

Compte tenu du fait qu'on est ici en présence d'un sommeil survenant au cours de l'éveil, la narcolepsie est considérée par certains auteurs comme un trouble de l'éveil plutôt que comme un trouble du sommeil. Quoi qu'il en soit, en raison du caractère subit et irrépressible des accès de sommeil ou même simplement des pertes de tonus musculaire qui la caractérise, la narcolepsie peut représenter un réel danger dans certains cas (par exemple, si la personne tombe endormie au volant) et requiert alors un traitement. Quoique la cause exacte de ce trouble soit encore mal connue, la médication semble actuellement la meilleure avenue de traitement (Billiard, 1997; Morin, 2004).

L'apnée du sommeil

L'apnée du sommeil consiste dans un arrêt plus ou moins marqué de la respiration au cours du sommeil. Ce trouble proviendrait d'un relâchement des muscles de la gorge qui tendront à obstruer les voies respiratoires ou d'une anormalité des neurones qui contrôlent la respiration. L'apnée du sommeil peut survenir plusieurs fois par nuit, la durée d'un épisode pouvant varier de quelques secondes à plus d'une minute. Présent chez 1 à 2 % de la population en général, ce trouble du sommeil affecte davantage les hommes obèses ayant atteint la cinquantaine, et davantage les hommes que les femmes; en effet, ce trouble toucherait environ huit fois plus d'hommes que de femmes (Billiard, 1997).

Il existe différents traitements visant à traiter l'apnée. Lorsque l'apnée est due à une obstruction des voies respiratoires, le traitement le plus courant est la perte de poids, puisque la première cause de ce trouble est l'obésité. On utilise également le port d'un masque nasal qui exerce une pression sur les voies respiratoires et aide à les maintenir dégagées pendant le sommeil (*voir la photo 4.3*). Dans certains cas extrêmes, on peut même recourir à la chirurgie afin de mieux dégager les voies respiratoires en enlevant, par exemple, les amygdales situées au fond de la gorge.

Les parasomnies

On regroupe communément sous le terme **parasomnie** certains troubles qui, sans perturber le déroulement et la qualité du sommeil lui-même aussi directement que l'insomnie et la narcolepsie, peuvent néanmoins affecter à des degrés divers le dormeur ou, souvent davantage, son entourage.

Le somnambulisme Le terme **somnambulisme** désigne une parasomnie se caractérisant par le fait de se déplacer et d'accomplir certains gestes quotidiens, tout en étant endormi. Cette forme de parasomnie se rencontre à des degrés divers chez environ 15 à 30 % des enfants de 5 à 12 ans. Le phénomène disparaît habituellement de lui-même à l'adolescence, même s'il perdure chez environ 1 % des adultes (Billiard, 1997).

Un exemple d'appareil utilisé pour traiter l'apnée du sommeil : le masque exerce une pression qui empêche les voies respiratoires de s'obstruer.

Photo 4.3

Apnée du sommeil
Trouble du sommeil consistant dans un arrêt plus ou moins marqué de la respiration au cours du sommeil.

Parasomnie
Terme générique désignant un ensemble de troubles qui, sans perturber le déroulement et la qualité du sommeil lui-même, peuvent néanmoins affecter le dormeur à des degrés divers ou, souvent davantage, son entourage.

Somnambulisme
Parasomnie consistant à se déplacer en dormant et survenant généralement au cours du sommeil profond.

Contrairement à ce que l'on pourrait penser, le somnambulisme ne se manifeste pas au cours des périodes de rêves. Car, comme nous l'avons vu, les rêves sont principalement associés au sommeil paradoxal, période pendant laquelle l'ensemble du corps est pratiquement paralysé. En fait, c'est généralement au cours du sommeil profond (stades 3 et 4) qu'on observe le somnambulisme. Si un dormeur se réveille alors qu'il était somnambule, il se demande «ce qu'il fait là», n'ayant habituellement aucun souvenir de ce qui vient de se passer. Par ailleurs, bien qu'il n'y ait pas de danger à réveiller un somnambule, contrairement à la croyance populaire, Morin (2004) suggère de ne pas le faire, mais plutôt de le guider calmement pour qu'il retourne à son lit. Des mesures préventives telles que retirer de la chambre les objets potentiellement dangereux et verrouiller la porte peuvent également être prises pour minimiser les risques de blessures.

Testez vos connaissances

8. **Le somnambulisme survient habituellement durant une période de rêves.**
   C'est plutôt lors du sommeil profond que survient le somnambulisme. De plus, contrairement à la croyance populaire, ce comportement n'est associé à aucun rêve, et la personne n'a généralement aucun souvenir des mouvements et des gestes effectués alors qu'elle était somnambule.

La somniloquie Plus fréquente chez les jeunes adultes et surtout les enfants, mais commune dans l'ensemble de la population, la **somniloquie** est une parasomnie consistant à parler ou à émettre des sons en dormant. Elle peut se manifester par de simples émissions vocales inintelligibles ou encore par un discours plus organisé. Dans certains cas, le dormeur peut même entretenir un dialogue avec une personne éveillée, ce qui ne veut pas dire qu'on puisse se fier à ce qu'il répond. En fait, le sommeil du dormeur n'est aucunement perturbé : c'est plutôt celui de l'entourage qui risque de l'être à l'occasion.

À la différence du somnambulisme, la somniloquie peut survenir non seulement au cours du sommeil lent, mais aussi au cours du sommeil paradoxal. Dans le premier cas, elle serait liée à des événements récents dans la vie du dormeur, alors que la somniloquie du sommeil paradoxal est souvent plus organisée et refléterait le rêve du dormeur. Il n'existerait actuellement aucun traitement à ce problème bénin.

Somniloquie
Parasomnie consistant à parler ou à émettre des sons en dormant et pouvant survenir au cours du sommeil lent ou du sommeil paradoxal.

La terreur nocturne La **terreur nocturne** est un trouble caractérisé par une agitation présentant les signes d'une intense frayeur (cris, pleurs, gestes de défense), suivie d'un réveil brutal. Présente chez 1 à 5 % des enfants d'âge scolaire et disparaissant généralement avec l'adolescence (Billiard, 1997), il s'agit essentiellement d'une augmentation de l'activation corporelle. La terreur nocturne survient au cours du sommeil profond (stades 3 ou 4) et ne laisse aucun souvenir, malgré ses manifestations impressionnantes. Ainsi, une fois réveillé, l'enfant ne peut dire pourquoi il était ainsi agité. Généralement temporaire, la terreur nocturne ne requiert aucun traitement autre qu'un réconfort de la part des parents.

Terreur nocturne
Trouble du sommeil survenant au cours du sommeil profond et qui est caractérisé par une agitation accompagnée de cris et de pleurs, suivie d'un réveil brutal.

Le cauchemar Le **cauchemar** est un rêve associé à des émotions négatives assez fortes pour réveiller le dormeur. Puisqu'il s'agit d'un rêve, il survient durant le sommeil paradoxal et, une fois réveillé, l'individu se souvient très clairement de l'objet de son cauchemar, contrairement à ce qui se passe dans le cas de la terreur nocturne. Alors que ce trouble est fréquent chez 10 à 50 % des enfants de 3 à 5 ans, approximativement 50 % des adultes y sont sujets à l'occasion (Billiard, 1997). Dans le cas de cauchemars persistants qui peuvent être le signe d'un stress excessif, un traitement psychologique basé sur l'apprentissage de nouveaux comportements — technique dont il sera question au chapitre 12 — peut donner de bons résultats (Morin, 2004).

Cauchemar
Trouble du sommeil survenant au cours du sommeil paradoxal et correspondant à un rêve associé à des émotions négatives assez fortes pour réveiller le dormeur.

Énurésie

Trouble du sommeil survenant au cours du stade 3 ou 4 du sommeil et qui est caractérisé par le fait de mouiller son lit, en raison du relâchement du sphincter responsable de l'élimination de l'urine.

L'énurésie Correspondant à ce qu'on désigne communément par « faire pipi au lit », l'**énurésie** est un trouble caractérisé par le fait de mouiller son lit au cours du sommeil, en raison du relâchement des sphincters contrôlant l'élimination de l'urine. Normale durant l'enfance, l'énurésie est encore présente chez environ 15 % des enfants de 5 ans, le pourcentage de ceux chez qui elle survient n'étant plus que de 5 % à l'âge de 10 ans ; il s'agit d'un trouble deux fois plus fréquent chez les garçons que chez les filles (Jenkins, 2004).

L'immaturité des mécanismes contrôlant les sphincters est une cause fréquente d'énurésie, laquelle survient plus fréquemment chez les enfants ayant un sommeil profond prolongé (Billiard, 1997). En raison de cette immaturité physiologique, l'état de relaxation qui caractérise entre autres le sommeil profond entraînerait alors un relâchement indu des sphincters retenant l'urine. La présence de stress dans la vie d'un enfant peut également contribuer à l'apparition de l'énurésie. L'hérédité jouerait aussi un rôle dans certains cas car, si l'un des parents mouillait son lit, la possibilité que l'enfant mouille le sien s'élève à 25 %, probabilité qui atteint 65 % si les deux parents mouillaient leur lit (Jenkins, 2004).

Même si le problème finit généralement par disparaître de lui-même, différentes méthodes allant de la médication à la rééducation du comportement urinaire existent pour le traiter. On peut par exemple mettre sur pied un traitement qui amènera le système nerveux central à « apprendre » à provoquer le réveil avant le relâchement des sphincters (*voir le chapitre 5*). Le choix adopté dépendra de l'analyse des causes possibles qui aura été faite par le professionnel de la santé, de concert avec les parents. Quel que soit le traitement adopté, on doit éviter de blâmer ou de punir l'enfant, ce qui risquerait d'aggraver le problème.

Autres troubles du sommeil Parmi les autres troubles fréquemment rencontrés (Billiard, 1997) se trouve le ronflement dont la fréquence est très variable, mais néanmoins plus élevée chez les hommes que chez les femmes. Moins connu, le **bruxisme** consiste dans le fait de grincer fortement des dents au cours du sommeil ; on le rencontre chez 5 à 20 % de la population. Également peu connu, le trouble appelé l'**impatience des jambes** s'avère tout aussi dérangeant (en anglais : *restless legs*). Survenant alors que l'individu commence à ressentir de la fatigue avant le coucher, ou encore au début du sommeil, ce trouble consiste dans une impression de démangeaison « interne » qui entraîne une obligation quasi insurmontable de bouger.

Bruxisme

Trouble du sommeil consistant dans le fait de grincer fortement des dents au cours du sommeil.

Impatience des jambes

En anglais : *restless legs*.
Trouble du sommeil qui survient avant le coucher, ou tout au début de l'endormissement, et qui consiste dans une impression de démangeaison « interne » qui entraîne une quasi irrésistible envie de bouger.

En raison des nombreuses variantes que présentent ces problèmes, la personne aura intérêt à consulter un professionnel de la santé pour examiner les différentes possibilités de traitement.

Par ailleurs, l'encadré 4.4 jette un regard sur ce qui attend les spécialistes du sommeil dans les années à venir.

Charcot donnant une leçon d'hypnose à La Salpêtrière.

Photo 4.4

4.3 L'hypnose

Quand on parle d'*hypnose*, on réfère tantôt à un état de l'organisme, tantôt à l'une ou l'autre des différentes techniques pouvant induire un état d'hypnose, tantôt au phénomène qui permet d'entrer dans cet état. Dans le présent chapitre, nous considérerons l'hypnose en tant qu'état, plus précisément en tant qu'état altéré de conscience. Afin de voir ce qu'il en est, nous indiquerons d'abord ce que nous savons concernant les caractéristiques de l'hypnose, puis nous présenterons quelques applications de l'hypnose, pour terminer en rappelant les risques qui y sont associés.

4.3.1 Les caractéristiques de l'hypnose

Bien qu'il y ait encore beaucoup de divergences entre les chercheurs concernant la façon de définir et d'expliquer le phénomène, la plupart reconnaissent que dans certains cas du moins, l'hypnose peut être considérée comme une altération de la conscience (Baruss, 2003). Dès lors, compte tenu de ce qu'on a pu observer à ce jour

Les spécialistes sur le sommeil auront-ils le temps de dormir?

Dans les prochaines années, le mode de vie occidental fera en sorte que les praticiens et les chercheurs dans le domaine du sommeil seront très occupés, ce qui les amènera à être de plus en plus nombreux s'ils veulent suffire à la tâche. En effet, les gens recherchent de plus en plus de l'aide pour des troubles liés au sommeil, que ce soit en interrogeant leur médecin de famille, en se rendant dans un CLSC pour rencontrer une personne spécialisée dans l'hygiène du sommeil (ce qu'il faut faire ou éviter pour bien dormir) ou encore en obtenant une consultation avec un psychologue ou un psychiatre dans un bureau privé ou dans un hôpital.

En ce qui concerne la recherche sur le sommeil, le Québec possède parmi les plus gros laboratoires en Amérique et leur développement est en pleine expansion, les principaux se trouvant à Montréal, à Québec et à Sherbrooke. De plus, parmi les chercheurs québécois sur le sommeil se trouvent des sommités reconnues mondialement, dont Charles Morin et Jacques Montplaisir. Les idées et les projets de recherche sont nombreux et ne cessent d'intéresser tout le domaine de la santé publique dans le monde. En voici quelques exemples.

Les gens voyagent beaucoup plus souvent autour de la planète et ils se rendent toujours plus loin. Ils vivent ainsi plus fréquemment des décalages horaires et ceux-ci sont de plus en plus longs, ce qui requiert de l'organisme une adaptation plus grande. Dernièrement, la NASA a décidé de financer plusieurs projets de recherche sur ce sujet afin de connaître les effets du décalage horaire et de l'irrégularité du cycle éveil-sommeil sur les astronautes, ainsi que sur les gens qui séjournent ou séjourneront de plus en plus longtemps dans l'espace. Il faut en effet se rappeler que les personnes vivant dans l'espace n'ont plus de point de référence par rapport au rythme lumière-obscurité et que leur cycle d'activité travail-repos est très différent celui que l'on suit habituellement sur Terre. On a ainsi demandé à des chercheurs de mener différentes expérimentations pour vérifier les effets de ce type de sommeil sur les comportements humains à court, moyen ou long terme.

On pense maintenant à combiner l'EEG et les nouvelles techniques d'observation du cerveau pour voir ce qui se passe dans les différentes aires du cerveau des dormeurs pendant toutes leurs périodes de sommeil et pour repérer les structures qui sont alors les plus actives.

Des recherches sur la relation entre le sommeil et le vieillissement commencent également à voir le jour. Des scientifiques pensent que certaines maladies dégénératives pourraient se manifester dans le sommeil avant même qu'on en discerne les symptômes en état d'éveil; si cette hypothèse était confirmée, on pourrait alors diagnostiquer plus tôt la maladie et, en conséquence, mieux aider les personnes qui en souffrent. Actuellement, d'autres scientifiques tentent de vérifier si une molécule précise dans notre organisme nous permettrait d'augmenter notre période de sommeil profond et, de ce fait, de ralentir le processus de vieillissement.

Enfin, d'autres recherches seront bientôt mises en branle pour tenter de savoir comment éviter les différentes maladies liées au sommeil ou comment aider les personnes qui sont déjà aux prises avec l'une d'elles.

On connaît encore mal tous les effets à long terme que pourront avoir les conditions de vie dans l'espace sur le sommeil des astronautes.

---

sur le sujet, on peut définir l'**hypnose** comme un état de conscience caractérisé par une sensibilité accrue aux suggestions de l'hypnotiseur concernant des gestes à faire ou à ne pas faire, ou encore des perceptions, impressions, émotions ou souvenirs pouvant correspondre ou non à la réalité. Cela dit, les caractéristiques de l'hypnose ne sont pas simples à préciser.

Un premier point concerne l'**induction**, c'est-à-dire le processus par lequel on amène un individu dans un état hypnotique. Cela se déroule typiquement en demandant au sujet de fermer les yeux, de prêter attention à la voix de l'hypnotiseur et de se détendre. Utilisant différentes techniques dont celles de dire au sujet que son bras lui paraîtra de plus en plus lourd, l'hypnotiseur suggère à la personne qu'au moment où il donnera un certain signal (à la fin d'un décompte, par exemple), celle-ci tombera dans un profond sommeil où elle se sentira tout à fait bien (*voir la photo 4.4, page 128*). La session hypnotique, c'est-à-dire le temps passé en état d'hypnose, se termine généralement par une suggestion indiquant au sujet qu'à un signal donné, il « se réveillera ».

Il est à noter que l'induction peut se faire de façon individuelle ou en groupe, de façon graduelle (ce qui est le cas le plus fréquent) ou abrupte (à la suite d'une suggestion précédente, par exemple), ou encore à partir d'un enregistrement réalisé par l'hypnotiseur, qui n'a pas alors à être présent. Une personne peut même être à la fois hypnotiseur et sujet, ce qu'on appelle l'**autohypnose**, soit en utilisant un enregistrement qu'elle a elle-même effectué précédemment, soit en mettant en pratique un

Hypnose
État de conscience caractérisé par une sensibilité accrue aux suggestions concernant des gestes à faire ou à ne pas faire, ou encore des perceptions, impressions, émotions ou souvenirs pouvant correspondre ou non à la réalité.

Induction
Processus par lequel on amène un individu dans un état hypnotique.

Autohypnose
Technique d'induction hypnotique où une personne s'hypnotise elle-même, tenant à la fois le rôle d'hypnotiseur et celui de sujet.

entraînement approprié suivi auparavant (Baruss, 2003). Il est généralement admis que la facilité avec laquelle un individu peut être induit en état d'hypnose est variable parmi la population ; ainsi, 10 à 20 % des personnes seraient faciles à hypnotiser, alors que 10 % ne seraient pas du tout hypnotisables (Hilgard, 1977). À partir de critiques concernant les échelles de mesure utilisées pour répartir les individus selon cet aspect, Baruss (2003) se demande si la population ne se diviserait pas simplement en deux : les personnes qui sont hypnotisables et celles qui ne le sont pas.

Quelle que soit la façon dont se sera déroulée l'induction, une question demeure : quel est donc cet état dans lequel la personne hypnotisée a été induite ? Bien que les suggestions utilisées pour induire l'état hypnotique réfèrent typiquement au fait de « s'endormir », et malgré les points communs qui ont été historiquement rapportés entre l'hypnose et le sommeil (Hilgard, 1987), il faut demeurer prudent concernant le rapprochement que l'on peut faire entre les deux phénomènes (Spiegel & Spiegel, 1978), l'état hypnotique n'étant pas la même chose que le sommeil type. Par ailleurs, le terme « transe » souvent utilisé pour décrire cet état n'éclaire pas davantage, car il réfère à une variété d'états de conscience où une personne donnant l'impression d'être éveillée effectue des mouvements involontaires et semble moins réagir à l'environnement, comme c'est le cas au cours du sommeil (Pekala & Kumar, 2000).

Bref, ce que nous pouvons retenir pour l'instant, c'est que l'état hypnotique serait un état différent à la fois de l'éveil et du sommeil. C'est d'ailleurs ce que semblent confirmer les travaux du chercheur Pierre Rainville de l'Université de Montréal, le premier à avoir utilisé l'IRM pour observer l'activité du cerveau d'un sujet en état d'hypnose : l'état hypnotique présente une combinaison de manifestations caractéristiques, certaines de l'état d'éveil, d'autres du sommeil. Plus récemment, d'autres données recueillies à l'aide de l'EEG vont dans le même sens (Fingelkurts *et al.,* 2007 ; Shepovalnikov *et al.,* 2005).

Qu'en est-il de ce qui caractérise essentiellement l'hypnose, à savoir le caractère accru de la suggestibilité manifestée par le sujet ? Autrement dit, dans quelle mesure la suggestibilité caractéristique de l'hypnose sort-elle de l'ordinaire ? Alors que pour certains, ce serait effectivement le cas, pour d'autres (Spanos, 1991), la suggestibilité ne serait qu'une manifestation exacerbée de la tendance naturelle de l'humain à répondre dans le sens de ce qu'on attend de lui dans différentes situations, tendance bien connue dans le domaine de la conformité en psychologie sociale. En fait, les explications qui ont été proposées concernant la suggestibilité hypnotique sont très variables, et aucune n'a fait consensus à ce jour.

4.3.2 Quelques applications de l'hypnose

La plupart des gens ont déjà, sinon vu, du moins entendu parler de spectacles où l'on utilise les suggestions hypnotiques pour épater un public friand de phénomènes sortant de l'ordinaire. L'hypnose a par ailleurs été utilisée à des fins plus sérieuses dont la récupération de souvenirs, la maîtrise de la douleur ou dans des applications thérapeutiques.

La récupération de souvenirs

Une des applications les plus souvent mentionnées concernant l'hypnose est celle consistant à retrouver des souvenirs auxquels l'individu est incapable d'avoir accès en état d'éveil normal. Un cas célèbre rapporté fréquemment est celui du conducteur d'un autobus qui avait été enlevé avec les enfants qu'il conduisait et transporté en automobile à plus de 100 milles. Plus tard, le conducteur a pu, sous hypnose, se rappeler tous les chiffres, sauf un seul, de la plaque d'immatriculation du véhicule d'un des ravisseurs (Giannelli, 1995).

Dans le cas que nous venons de mentionner, il s'agissait de retrouver des souvenirs d'un événement récent vécu à un âge où l'individu est normalement capable de garder en mémoire ce qu'il vit. Or, en suggérant à un individu de régresser dans le temps, on a tenté de démontrer qu'il était possible de retrouver des souvenirs remontant avant l'âge de deux ou trois ans, période généralement reconnue comme ne laissant aucun souvenir chez l'adulte.

Cependant, le rappel de souvenirs rapportés en état d'hypnose soulève certains problèmes, le premier ayant trait à la difficulté de valider les faits rapportés (Baruss, 2003). Ainsi, pour des souvenirs remontant à la période située entre la conception et l'âge de deux ou trois ans, certains faits rapportés semblent conformes à la réalité passée, mais des doutes subsistent quant à la procédure utilisée : par exemple, il est impossible de vérifier si la mère ou quelqu'un de l'entourage qui était au courant du fait rapporté ne l'aurait pas, sans s'en rendre compte, divulgué directement ou indirectement au sujet lorsqu'il était enfant.

Une autre difficulté provient de ce que les faits rapportés sous hypnose ne sont pas nécessairement fiables, en dépit de la conviction avec laquelle des sujets maintiennent leur témoignage alors même qu'on dispose de preuves allant à l'encontre de ce qu'ils affirment (Baruss, 2003). Cette insistance étonne d'autant plus qu'il peut s'agir de faits purement fictifs suggérés par l'hypnotiseur. Ainsi, après avoir enregistré le témoignage d'un sujet affirmant que sa nuit de sommeil précédente s'était déroulée sans que rien vienne la troubler, un hypnotiseur a suggéré au sujet induit en état d'hypnose que sa nuit précédente avait été perturbée au petit matin par des bruits ressemblant à des coups de feu : une fois sorti de son état hypnotique, le sujet a raconté que sa nuit précédente avait été interrompue par des coups de feu et il a maintenu son affirmation, même après avoir entendu ce qu'il avait lui-même confié avant la séance d'hypnose !

Testez vos connaissances

9. Les faits rapportés sous hypnose sont toujours fiables.

Malgré ce que croient beaucoup de gens, un témoignage fait sous hypnose n'est pas un gage de vérité ; un sujet sous hypnose a effectivement fortement tendance à inventer des faits dans le sens des attentes qu'il sent chez l'hypnotiseur.

Il semble donc qu'on puisse effectivement appliquer l'hypnose à la récupération de souvenirs « perdus », mais on doit garder à l'esprit qu'il est souvent impossible de faire le partage entre ce qui est vrai et ce qui va à l'encontre du réel (Baruss, 2003). Les faits rapportés sous hypnose peuvent néanmoins orienter les recherches dans certaines situations, ce qui a été le cas dans l'histoire d'enlèvement rapportée plus haut.

La maîtrise de la douleur

La capacité de neutraliser la douleur est une autre application de l'hypnose, clairement confirmée celle-là, tant en laboratoire que dans des conditions cliniques (Baruss, 2003). En effet, il a été démontré que l'hypnose pouvait annuler ou réduire considérablement la douleur dans des cas tels que l'accouchement (Zekri, 2004), les migraines, les rhumatismes et les brûlures (Patterson & Ptacek, 1997). L'hypnose peut également remplacer l'anesthésie chez le dentiste, comme nous avons pu le constater tout au début du chapitre, ou dans certains cas de chirurgie majeure (Hilgard, 1987). Un avantage de l'hypnose est qu'elle n'a aucun des effets secondaires indésirables qui découlent souvent d'une anesthésie générale.

Un chirurgien aurait même pratiqué une intervention de liposuccion sur lui-même après s'être autohypnotisé (Botta, 1999, p. 299, rapporté par Baruss, 2003). Par ailleurs, Wood et Sexton (1997) signalent que l'autohypnose aurait été utilisée dans le cadre de programmes militaires visant à permettre à des soldats de mieux supporter les sévices qu'ils pourraient subir s'ils étaient capturés.

Des applications thérapeutiques

L'hypnose se prêterait également à certaines applications d'ordre thérapeutique. Sur le plan médical, elle pourrait par exemple accélérer la cicatrisation de blessures et entraîner la disparition de verrues, aider à cesser de fumer (Lynn *et al.,* 2000) ou même agir sur certaines cellules du système immunitaire (Gruzelier, 1999 ; Ruzyla-Smith *et al.,* 1995).

Concernant les applications possibles dans le cadre de thérapies psychologiques, Baruss (2003) signale que dans des domaines tels que l'obésité, l'insomnie, l'anxiété, la douleur et l'hypertension (Lynn *et al.,* 2000), l'hypnose combinée avec un traitement psychologique basé sur les approches cognitive et béhaviorale est plus efficace que le traitement psychologique seul. De façon générale, l'hypnose fournirait un bon complément à la psychothérapie (Spiegel & Spiegel, 1978). Nous pouvons finalement mentionner que l'hypnose est utilisée dans le traitement du somnambulisme (Hurwitz *et al.,* 1991).

4.3.3 Les risques associés à l'hypnose

Bien que l'hypnose ait un apport positif sur divers problèmes, il importe de garder certains risques à l'esprit. Parmi ceux-ci, on peut signaler une crédibilité indue aux contenus des témoignages, ainsi que les dangers de manipulation de la part de l'hypnotiseur.

Une crédibilité indue

Compte tenu des difficultés soulevées concernant la validation des témoignages recueillis sous hypnose, il faut se garder de leur accorder une crédibilité indue, ce qui pourrait par exemple mener à de fausses accusations contre une personne (Schacter, 1995).

Martin Orne a consacré sa vie à l'étude scientifique de l'hypnose et a été consultant pour de nombreux organismes, dont le U.S. Department of Justice de 1981 à 1985. Ce dernier est particulièrement soucieux du danger de commettre des injustices en se servant de l'hypnose. Dans une entrevue qu'il accordait au *U.S. News & World Report* en 1983, Orne affirme entre autres choses que « même des personnes profondément hypnotisées peuvent résister à des suggestions et sont donc capables de mentir si elles choisissent de le faire. Une personne peut aussi simuler l'hypnose d'une façon impossible à détecter, sauf à l'aide de tests spéciaux » (Orne, 1983).

Cette mise en garde demeure valide même si les gens sont de bonne foi ; ils peuvent, comme nous l'avons vu précédemment, soutenir de façon très convaincante de fausses affirmations (Hibler, 1995). Elle est d'autant plus importante à prendre en considération que « les sujets tendent à se rappeler plus d'information lorsqu'ils sont hypnotisés, mais qu'une grande partie de l'information additionnelle rapportée est incorrecte » (Baruss, 2003, p. 126, basé sur Frankel & Covino, 1997 ; Wagstaff, 1984) ; ce phénomène est d'autant plus marqué qu'on insiste pour demander des détails. Giannelli (1995) considère même qu'en général, les souvenirs retrouvés sous hypnose ne sont pas fiables. Ces derniers ne devraient donc pas être considérés comme autre chose que des indices demandant à être confirmés, qu'il s'agisse de crimes tels que le meurtre ou le vol, ou encore de sévices sexuels (Schacter, 1995). La Cour suprême du Canada considère d'ailleurs que même si cela s'est fait pendant des décennies, les témoignages recueillis sous hypnose ne peuvent plus être retenus en cour (Radio-Canada, 2007).

Les dangers de manipulation

Même si différents auteurs considèrent généralement que le sujet hypnotisé demeure maître de ses actes et ne ferait pas quelque chose qui va carrément à l'encontre de ses principes (Orne, 1983), d'autres émettent des doutes sur ce point, considérant qu'un certain danger de manipulation demeure toujours possible. On doit toujours se rappeler en effet que l'appellation « hypnotiseur » n'est pas un titre protégé. C'est pourquoi, quel que soit le contexte où elle accepte de se faire hypnotiser, une personne devrait toujours s'assurer de l'intégrité de l'individu qui dirige la séance (*voir la photo 4.5*).

Une scène du film *Le sortilège du scorpion de jade* (2001) du réalisateur Woody Allen dans lequel un enquêteur d'assurances tombe sous l'emprise d'un hypnotiseur.

Photo 4.5

4.4 Les états de conscience liés à l'usage de psychotropes

Contrairement à l'état hypnotique qui ne fait appel qu'à l'application d'une technique particulière, d'autres états de conscience dits *altérés* peuvent être induits par l'ingestion de psychotropes, également appelés *substances* ou *drogues psychoactives*. Bien que la définition que l'on en donne puisse varier d'un auteur à l'autre, on entend généralement par **psychotrope** toute substance qui, en agissant sur le système nerveux, a pour effet d'altérer l'état de conscience, c'est-à-dire de modifier le niveau de vigilance, l'humeur ou les processus mentaux d'un individu, ainsi que le comportement qui en découle.

Par ailleurs, il n'y a pas un seul mais plusieurs états de conscience pouvant découler de la consommation de psychotropes. Puisque ces états constituent l'objet principal du chapitre, il convient de commencer par préciser de quels états il sera question, c'est-à-dire quels sont, de façon générale, les différents états de conscience induits par les psychotropes. Nous soulignerons ensuite les problèmes potentiels liés à l'usage de psychotropes chez les individus recherchant ces états altérés de conscience. Nous serons alors en mesure de présenter les principaux psychotropes et leurs effets, c'est-à-dire comment chacun altère la conscience et est susceptible, s'il y a lieu, d'entraîner des problèmes à long terme. Nous aborderons par la suite les raisons de consommer ces substances et terminerons par les avenues possibles de traitement pour un individu qui veut se libérer d'une dépendance aux psychotropes.

4.4.1 Les différents états de conscience induits par les psychotropes

Les différents états de conscience consécutifs à la consommation d'un psychotrope présentent de nombreuses variations. Préciser ce qui les différencie revient essentiellement à préciser ce qui caractérise les effets à court terme produits par la substance ingérée. En ce qui a trait aux comportements et aux processus mentaux, nous pouvons regrouper ces effets en quatre catégories de base pouvant se résumer comme suit :

1. Un ralentissement de l'activité : le ralentissement peut porter principalement sur l'activité motrice ou sur l'activité mentale, l'individu adoptant un comportement et une attitude typiques d'un état relaxé qui peut même aller jusqu'à l'endormissement.

2. Une augmentation de l'activité : correspondant de façon générale à une activation accrue du système nerveux central, le comportement de l'individu est marqué par la fébrilité — qu'il s'agisse d'une tâche mentale ou motrice — et par une attention accrue pouvant même témoigner d'un état de stress évident.

3. Une perturbation des fonctions cognitives ou motrices : il peut s'agir de perturbations nuisant à la qualité du contact avec l'environnement (hallucinations d'ordre sensoriel, interprétations erronées qui peuvent faire craindre un danger inexistant ou au contraire ignorer un danger réel, etc.) ou encore de perturbations dans l'ajustement moteur à l'environnement.

4. Une perturbation de l'humeur : souvent liée aux perturbations cognitives, il s'agit ici d'un effet tendant à rendre l'individu exagérément joyeux et indifférent, ou encore triste et anxieux.

Il est très important de noter ici que les différents types d'effets décrits sommairement ci-dessus ne sont pas forcément exclusifs. Ainsi, même s'il va de soi qu'une substance ne peut à la fois augmenter et diminuer la tension manifestée par un individu, une augmentation du stress n'est pas incompatible avec la présence d'hallucinations, par exemple. Il en ressort que les différents états altérés de conscience susceptibles d'être induits par les psychotropes peuvent être caractérisés soit à partir des multiples variantes d'un seul des types d'effets décrits plus haut, soit à partir d'une des nombreuses combinaisons de certains de ces effets.

Psychotrope
Aussi appelé **Substance psychoactive**
ou encore **Drogue psychoactive**
Substance qui, en agissant sur le système nerveux, a pour effet de modifier le niveau de vigilance, l'humeur ou les processus mentaux d'un individu, ainsi que le comportement qui en découle.

4.4.2 Les problèmes potentiels liés à l'usage de psychotropes

Alors que la présentation des différents états de conscience pouvant être induits par les psychotropes portait sur les effets à court terme, la question des problèmes pouvant découler de la consommation de psychotropes amène à se pencher sur leurs effets à long terme.

Le principal effet à long terme susceptible de survenir et de causer un problème est celui de la dépendance. Résumant les critères proposés par l'American Psychiatric Association pour diagnostiquer la **dépendance**, Brisson (2000) souligne que la dépendance se manifeste « par la recherche et l'utilisation de drogue de façon répétée, chronique et pratiquement irrépressible, malgré un impact négatif significatif sur la santé et sur la situation familiale, sociale et professionnelle » (p. 176).

On parle typiquement d'état de manque (*craving*) pour désigner le besoin irrépressible de consommer, caractéristique de la dépendance (*voir la photo 4.6*). Par ailleurs, la dépendance peut se présenter sous deux formes : psychologique et physique. La **dépendance psychologique** provient du besoin de soulager un malaise psychologique pouvant aller jusqu'à la dépression et l'angoisse. La **dépendance physique** provient quant à elle de malaises physiques et se manifeste de façon aiguë, lors de l'arrêt brusque de la consommation du produit, par l'apparition d'un ensemble de réactions physiques (spasmes musculaires, convulsions, sueurs) qu'on appelle le **syndrome de sevrage**. Quoique ce ne soit pas nécessairement le cas, le syndrome de sevrage s'accompagne souvent de réactions psychologiques telles que de l'insomnie et un sentiment d'angoisse.

Les problèmes liés à la dépendance sont amplifiés lorsque l'organisme développe une **tolérance** au produit, phénomène selon lequel la consommation régulière d'un psychotrope fait en sorte qu'une quantité de plus en plus grande est requise pour produire le même effet ou, réciproquement, qu'une quantité donnée produit de moins en moins d'effet. L'amplification des problèmes associés à la dépendance vient alors de ce que l'individu doit consacrer de plus en plus de temps et d'argent à la recherche d'un produit qui fait de moins en moins d'effet.

> **Testez vos connaissances**
>
> **10. Le phénomène de tolérance atténue les effets de la dépendance.**
>
> Le produit faisant de moins en moins d'effet en raison de la tolérance, les problèmes dus à la dépendance sont accrus car l'individu doit consacrer plus de temps et d'argent à sa recherche.

Poussée à l'extrême, la dépendance à un psychotrope peut conduire l'individu à la **toxicomanie**, c'est-à-dire à un état de dépendance physique et psychologique qui pousse à une consommation quasi quotidienne d'un produit dont la recherche est devenue prioritaire, celle-ci passant même avant la satisfaction des besoins fondamentaux tels que boire, manger et dormir. Plus un psychotrope dont l'individu est devenu dépendant crée une tolérance au produit, plus les symptômes du sevrage sont sévères et plus la recherche du produit devient prioritaire dans le quotidien de la personne. Le toxicomane en arrive ainsi à négliger puis à délaisser son travail, ses obligations familiales et sociales, etc. (*voir la photo 4.7*). S'il ne trouve pas une façon d'arrêter sa consommation, il est voué à une fin prématurée à plus ou moins long terme.

L'importance des problèmes potentiellement liés à l'usage de psychotropes dépend entre autres du type de produit. Le point suivant aborde précisément ce sujet en donnant un aperçu des effets pouvant découler des principaux psychotropes.

4.4.3 Les principaux psychotropes et leurs effets

Les principaux psychotropes peuvent être classés selon l'origine, le type d'usage, les lois, les caractéristiques chimiques, les mécanismes d'action, les indications thérapeutiques,

Dépendance
État découlant de la consommation de psychotropes et qui se manifeste par la recherche et l'utilisation de drogue de façon répétée, chronique et pratiquement irrépressible, malgré un impact négatif significatif sur la santé et sur la situation familiale, sociale et professionnelle.

Dépendance psychologique
Dépendance provenant du besoin de soulager un malaise psychologique.

Dépendance physique
Dépendance provenant de malaises physiques et se manifestant de façon aiguë par l'apparition du syndrome de sevrage lors de l'arrêt brusque de la consommation du produit.

Syndrome de sevrage
Aussi appelé **Sevrage**
Ensemble de réactions physiques et psychologiques pénibles survenant lorsqu'un individu cesse brusquement de consommer un psychotrope dont il était devenu dépendant et auquel son organisme avait développé un haut niveau de tolérance.

Tolérance
Phénomène selon lequel une quantité de plus en plus grande d'un psychotrope est requise pour produire le même effet ou, réciproquement, selon lequel une quantité donnée produit de moins en moins d'effet.

Toxicomanie
État de dépendance physique et psychologique qui pousse à une consommation quasi quotidienne d'un produit dont la recherche est devenue prioritaire, celle-ci passant même avant les besoins fondamentaux tels que boire, manger et dormir.

Au stade de la dépendance, l'individu ressent un besoin irrépressible de consommer.

Photo 4.6

le potentiel toxicomanogène ou les effets pharmacologiques. Dans le présent chapitre, nous utiliserons la classification basée sur les principaux effets pharmacologiques, laquelle inclut les quatre catégories principales que sont les dépresseurs, les stimulants, les perturbateurs ainsi que les médicaments psychothérapeutiques.

Les androgènes et les stéroïdes anabolisants, déjà inclus parmi les médicaments psychothérapeutiques par Brisson (2000), sont considérés par Léonard et Ben Amar (2002) comme constituant une cinquième catégorie, tandis qu'ils sont ignorés par le rapport de l'Organisation mondiale de la santé (WHO, 2004). Considérant le caractère particulier de cette cinquième catégorie, et étant donné que le présent chapitre porte essentiellement sur la conscience et les états de conscience alors que le but premier des androgènes et des stéroïdes anabolisants est d'agir sur l'aspect physique du corps et sur la capacité musculaire, seules les quatre premières catégories seront traitées dans le texte ci-après. Toutefois, comme la consommation à long terme de ces substances peut aussi avoir certains effets secondaires sur l'état de conscience, elles sont malgré tout abordées brièvement dans l'encadré 4.5.

Il faut également garder à l'esprit que l'effet produit par une substance psychoactive dépend non seulement du type de substance consommée et de sa quantité, mais également des caractéristiques individuelles du consommateur ainsi que du contexte dans lequel s'effectue la consommation. Par ailleurs, compte tenu de la multiplicité des psychotropes existant actuellement et de leurs effets, nous devrons nous en tenir, dans notre présentation, aux éléments d'ordre général. Ainsi, pour chaque grande catégorie de psychotropes, nous indiquerons d'abord en quoi l'état de conscience est altéré, quels sont les principaux produits qui entrent dans la catégorie en question, ainsi que quelques statistiques donnant une idée de leur incidence. Nous terminerons

Un couple de toxicomanes réduits à des conditions de vie misérables.

Photo 4.7

ENCADRÉ 4.5   Approfondissement

Les androgènes et les stéroïdes anabolisants : des risques sous-estimés

Les androgènes, parmi lesquels on trouve la testostérone, sont les hormones mâles responsables de l'apparition des caractères sexuels masculins, dont un développement musculaire plus marqué chez les hommes. Les stéroïdes anabolisants, par contre, sont des versions synthétiques de la testostérone qui visent à recréer les effets de cette dernière en augmentant la masse musculaire sans avoir les effets indésirables de la masculinisation. Comme les deux classes de produits ont la même structure chimique de base, on les désigne souvent du terme générique « stéroïde » (Léonard & Ben Amar, 2002).

Bien qu'ils aient certaines applications thérapeutiques licites, les stéroïdes sont employés de façon illicite par beaucoup d'athlètes dans le but d'augmenter leur masse musculaire et leur poids, leur endurance physique ainsi que leur motivation et leur combativité à l'entraînement. On parle alors de *dopage*.

On ne connaît pas précisément la proportion de personnes qui utilisent des stéroïdes, même si on sait que cette pratique illégale est fort répandue, qu'il s'agisse de l'athlète qui y est « encouragé » s'il veut se classer parmi les meilleurs ou de l'individu qui y voit le moyen d'améliorer ses performances ou son aspect physique sur le plan musculaire.

Se basant sur diverses études, Léonard et Ben Amar (2002) considèrent qu'il est difficile d'estimer la proportion de personnes qui consomment des stéroïdes de façon illicite et abusive. Il semblerait néanmoins, d'après un rapport officiel des États-Unis, qu'« un tiers des sportifs (et dans certaines disciplines olympiques jusqu'à 80-90 %) font usage de substances chimiques interdites » (Léonard & Ben Amar, 2002, p. 811).

Il importe de savoir que les effets des stéroïdes varient beaucoup selon le sexe et l'âge des individus ; l'augmentation de la masse musculaire, par exemple, ne s'observe que chez certaines personnes. D'autre part, outre les nombreux effets néfastes d'ordre physique (apparition de caractères sexuels non désirés, troubles hépatiques, problèmes cardiovasculaires) qui peuvent découler d'un usage abusif de stéroïdes, la consommation à long terme de ces substances peut entraîner divers problèmes d'ordre psychologique tels que l'agressivité (le terme *roid*, qui vient de l'argot anglais, signifie d'ailleurs « rage »), l'anxiété, l'insomnie et la dépression. On comprend ici pourquoi ces substances sont souvent abordées en même temps que les psychotropes, même si leur effet est d'abord d'ordre physique.

Compte tenu des nombreux effets néfastes pouvant résulter de la consommation de stéroïdes, étant donné surtout que ces effets sont trop souvent sous-estimés dans l'espoir d'une augmentation de la performance, on comprend pourquoi une spécialiste de renommée mondiale comme la chercheuse québécoise Christiane Ayotte, qui est régulièrement consultée par l'Agence mondiale antidopage, poursuit sa lutte contre la pratique du dopage dans le sport.

Christiane Ayotte, spécialiste mondiale du dopage sportif.

par un mot sur les risques de développer une dépendance ou une tolérance à leur égard, sachant que les psychotropes n'en induisent pas tous. À noter que le tableau 4.2 résume, pour chaque grande catégorie de psychotropes, les caractéristiques de base, les principaux produits, quelques statistiques ainsi que des éléments concernant les aspects «tolérance», «dépendance» et «sevrage».

Les dépresseurs

On regroupe sous le terme **dépresseur** un ensemble de substances psychoactives dont l'effet général est de ralentir l'activité du système nerveux central, ce qui favorise la relaxation et le sommeil, mais peut également entraîner la baisse des inhibitions ainsi qu'une diminution du contrôle des fonctions motrices et cognitives.

Dans ce groupe, on retrouve l'alcool (le plus courant), ainsi que les tranquillisants de type sédatif et hypnotique (les «pilules pour dormir»), les plus utilisés étant les benzodiazépines qui ont remplacé les barbituriques depuis les années 1960. Le même

Dépresseur
Substance psychoactive dont l'effet général est de ralentir l'activité du système nerveux central, ce qui favorise la relaxation et le sommeil, mais peut également entraîner la baisse des inhibitions ainsi qu'une diminution du contrôle des fonctions motrices et cognitives.

TABLEAU 4.2	Les types de psychotropes		
	Caractéristiques de base	**Produits inclus**	**Tolérance, dépendance et sevrage**
Dépresseurs	• Effet général : ralentissement de l'activité du SNC (favorisant relaxation et sommeil) • Autres effets possibles : – baisse des inhibitions – diminution du contrôle des fonctions motrices et cognitives	• Alcool • Tranquillisants («pilules pour dormir») de type sédatif et hypnotique (surtout les benzodiazépines) • Substances volatiles (essence à moteur, vernis à ongles, colle, etc.) • GHB • Opiacés (surtout héroïne et morphine, mais aussi méthadone)	• Alcool : – tolérance et dépendance lentes à se développer – sevrage difficile si dépendance marquée • Tranquillisants : – tolérance plus rapide que pour l'alcool – sevrage : insomnie, irritabilité, anxiété • Opiacés : – tolérance marquée et forte dépendance – sevrage : un des plus sévères de ceux dus aux psychotropes
Stimulants	• Effet général : activation accrue des fonctions normalement sous le contrôle du système nerveux sympathique • Autres effets possibles : – sentiment d'euphorie – impression de puissance (plan sexuel, moteur ou intellectuel) – augmentation du niveau d'attention – angoisse et panique	• Stimulants mineurs : caféine, nicotine • Stimulants majeurs : amphétamines, cocaïne (dont le crack, un de ses dérivés)	• Nicotine : tolérance et dépendance rapides à se développer, mais sevrage moins sévère que pour les autres stimulants • Amphétamines : tolérance et dépendance rapides à se développer, et sevrage plus sévère que pour la nicotine • Cocaïne et dérivés : pas de développement de tolérance, mais sevrage sévère (irritabilité et sentiment dépressif)
Perturbateurs	• Effets généraux : hallucinations, sentiment intense de conscience de soi, déficits moteurs et cognitifs • Note : effets variant beaucoup plus d'un individu à l'autre que pour les autres classes de psychotropes	• Cannabis et dérivés : marijuana, haschich • Hallucinogènes de type : – LSD (mescaline, etc.) – stimulant (MDMA ou «ecstasy», nexus, kétamine, etc.) – anesthésique dissociatif (PCP, ecstasy ou «angel dust», etc.)	• De façon générale : – développement rapide de la tolérance – pas de dépendance – aucun syndrome particulier lié au sevrage
Médicaments psycho-thérapeutiques	• Effet général : faire disparaître ou atténuer une souffrance psychologique	• Antidépresseurs • Antipsychotiques • Stabilisateurs de l'humeur	• Pas de dépendance physique significative • Possibilité de dépendance psychologique

groupe comprend également certaines substances volatiles dont la consommation se fait par inhalation (essence à moteur, vernis à ongles, colle, etc.), le GHB (gammahydroxybutyrate) ou «drogue du viol», ainsi que les **opiacés**, ces derniers se caractérisant par leur teneur en opium (Léonard & Ben Amar, 2002 ; Comité permanent de lutte à la toxicomanie, 2003). Les deux principaux psychotropes considérés comme des opiacés sont l'héroïne et la morphine qui produisent un afflux de chaleur et de sensations que les usagers décrivent comme un *rush*, ainsi qu'un effet euphorique, analgésique ou sédatif ; la méthadone fait également partie des opiacés.

Voici quelques statistiques :

- Alcool : d'après Statistique Canada (2001), 20 % des Canadiens de 15 ans et plus recensés entre 1998 et 1999 rapportent avoir abusé de l'alcool mensuellement.

- Tranquillisants : d'après l'Institut de la statistique du Québec, 3,7 % des Québécois âgés de 15 ans et plus ont pris des tranquillisants ou des somnifères au cours de l'année précédant 1998 (Chevalier & Lemoine, 2000).

- Substances volatiles : d'après une enquête effectuée au Québec en 2000 auprès de jeunes du secondaire, 2,9 % d'entre eux ont consommé au moins une fois des solvants durant les 12 derniers mois (Comité permanent de lutte à la toxicomanie, 2003).

- GHB : dans le cadre d'une étude conduite en 2002, 18,6 % des participants à des fêtes techno (*party rave*) tenues à Montréal affirment avoir déjà consommé du GHB (Comité permanent de lutte à la toxicomanie, 2003). Malgré son appellation de «drogue du viol» et sa popularité, le GHB est loin d'être «la» drogue du viol, comme le souligne l'encadré 4.6 (*page 138*) sur les fêtes techno.

- Opiacés : d'après une étude effectuée auprès de 1 808 jeunes Québécois âgés de 14 à 17 ans, 1,6 % des filles et 1,4 % des garçons ont déjà essayé des opiacés (Zoccolillo, Vitaro & Tremblay, 1999).

Alors qu'elle se développe plus lentement dans le cas de l'alcool, la tolérance aux sédatifs et hypnotiques se manifeste assez rapidement. Par ailleurs, le syndrome de sevrage chez un individu qui a développé une forte dépendance et un haut niveau de tolérance à l'alcool se manifeste de façon très violente et peut durer de 5 à 7 jours (WHO, 2004, p. 72). Dans le cas des tranquillisants, le sevrage tend à produire des effets contraires à ceux du psychotrope : insomnie, irritabilité, anxiété. En ce qui concerne les opiacés, leur consommation entraîne le développement d'un effet de tolérance marqué ainsi qu'une forte dépendance au produit. Le syndrome de sevrage aux opiacés est l'un des plus sévères parmi ceux qui découlent de la consommation prolongée de psychotropes. Il est caractérisé par un ensemble d'effets aussi variés que pénibles tels que, entre autres, sueurs, fébrilité, irritabilité, tremblements, nausées, vomissement, diarrhée, augmentation de la pression sanguine et du rythme cardiaque, frissons, crampes et douleurs musculaires ; qui plus est, ces effets mettent de 7 à 10 jours à disparaître.

Les stimulants

Les **stimulants** sont des substances qui, de façon générale, ont d'abord pour effet de produire une activation accrue des fonctions normalement sous le contrôle du système nerveux sympathique (accélération du rythme cardiaque et respiratoire). De plus, selon le type de stimulant, on peut observer diverses réactions, dont un sentiment d'euphorie, une impression de puissance sur le plan sexuel, moteur ou intellectuel, une augmentation du niveau d'attention et de concentration, ainsi que de l'angoisse et des réactions de panique.

Nous distinguons ici les stimulants mineurs et les stimulants majeurs. Alors que la caféine (qu'on retrouve dans des produits tels que le café, le thé et le cacao) et la nicotine sont considérées comme faisant partie des stimulants mineurs, les amphétamines, la cocaïne et le crack, l'un de ses dérivés, font partie des stimulants majeurs (Léonard & Ben Amar, 2002 ; Comité permanent de lutte à la toxicomanie, 2003). À

Opiacé
Substance produisant d'une part un afflux de chaleur et de sensations (*rush*) et, d'autre part, un effet euphorique, analgésique ou sédatif.

Stimulant
Substance qui a d'abord pour effet de produire une activation accrue du système nerveux central et qui peut également entraîner diverses réactions telles qu'un sentiment d'euphorie, une impression de puissance sur le plan sexuel, moteur ou intellectuel, une augmentation du niveau d'attention et de concentration, de l'angoisse et des réactions de panique.

Les fêtes techno : s'amuser, mais… lucidement !

C'est avec l'émergence de la musique techno que sont apparues les fêtes techno (*party rave*) où les participants, les technos (*ravers*), prennent plaisir à danser de façon continue pendant des heures. Pour un grand nombre d'entre eux, à savoir au moins 75 % d'après Joanie Houde du GRIP-Québec (Groupe de recherche et d'intervention psychosociale), la participation aux fêtes techno s'accompagne de consommation de drogue (Fleury, 2007b).

La substance qui a été typiquement associée à l'arrivée des fêtes techno est l'ecstasy ou MDMA (la 3,4-méthylènedioxymétamphé-tamine), un perturbateur de type hallucinogène stimulant qui provoque une excitation et un sentiment de puissance physique et mentale, tout en supprimant la fatigue, la faim et la douleur.

Plus récemment est apparu le GHB, caractérisé par une action rapide entraînant typiquement un état semblable à l'ébriété, une désinhibition sexuelle ainsi qu'une certaine forme d'amnésie. L'appellation «drogue du viol» donnée au GHB en raison de certains cas qui ont fait la manchette, lui vient précisément de ce qu'une personne peut ne pas se souvenir d'une relation à laquelle elle n'aurait pas résisté en raison de la désinhibition sexuelle due au GHB. Pourtant, de l'avis de Guy O'Connor, spécialiste des drogues à la GRC, l'alcool demeure LA plus importante «drogue du viol» (Fleury, 2007a).

Par ailleurs, outre le fait que les individus ne réagissent pas tous de la même façon à une substance, les risques associés à la consommation sont augmentés en raison des mélanges, mais aussi parce que la composition des produits vendus est souvent, pour ne pas dire la plupart du temps, très variable. Ainsi, la MDMA n'est pas toujours présente dans ce qui est vendu comme de l'ecstasy et celle-ci peut contenir des amphétamines, du PCP, du nexus, de la caféine, des stéroïdes anabolisants, des analgésiques, des détergents et du savon : un agent double de la GRC a même déjà acheté un comprimé censé être de l'ecstasy, mais qui était composé à 100 % de naphtaline, le composant principal des «boules à mites» (Fleury, 2007b) !

Désireux de sensibiliser les technos aux risques associés à la consommation irréfléchie de drogue dans les fêtes techno, des intervenants du GRIP-Québec vont régulièrement dans ces fêtes afin de distribuer de l'information sur le sujet. Leur but n'est pas de faire la morale, mais simplement d'amener les jeunes à adopter une attitude éclairée à l'égard de la consommation de drogues, conformément au slogan de leur organisme : «Si tu choisis de consommer, choisis aussi de t'informer» (Fleury, 2007b, p. 13).

Une fête techno, l'occasion pour bon nombre de jeunes de consommer de la drogue.

---

noter cependant que l'alcool, classé précédemment en tant que dépresseur, se comporte également comme un stimulant mineur lorsque pris à faible dose ; ce n'est que dans un deuxième temps, c'est-à-dire si l'individu poursuit la consommation, que son effet devient dépresseur.

Voici quelques statistiques :

- Nicotine : en 2001, selon Statistique Canada, 24,9 % des Québécois étaient des fumeurs quotidiens (Comité permanent de lutte à la toxicomanie, 2003).

- Amphétamines : d'après une étude menée en l'an 2000, 7 % des élèves québécois du secondaire rapportent avoir consommé au moins une fois des amphétamines durant les 12 derniers mois (Comité permanent de lutte à la toxicomanie, 2003).

- Cocaïne : l'étude signalée ci-dessus révèle également que 5,2 % des élèves québécois du secondaire rapportent avoir consommé au moins une fois de la cocaïne durant les 12 derniers mois (Comité permanent de lutte à la toxicomanie, 2003).

Alors que certains stimulants comme la nicotine et les amphétamines entraînent le développement rapide d'une tolérance, ce n'est pas le cas pour d'autres, comme la cocaïne. Par contre, les effets de la cocaïne et des amphétamines étant plus forts que ceux de la nicotine, les effets du sevrage (irritabilité, sentiment dépressif, etc.) le sont également.

Les perturbateurs

Perturbateur
Substance entraînant des effets dont les plus typiques sont des hallucinations, un sentiment intense de conscience de soi ainsi que des déficits moteurs et cognitifs ; ces effets varient considérablement selon le type de substance.

Les psychotropes regroupés dans la classe des **perturbateurs** entraînent des effets dont les plus typiques sont des hallucinations, un sentiment intense de conscience de soi ainsi que des déficits moteurs et cognitifs. Il y a lieu ici d'ajouter que l'effet des perturbateurs varie beaucoup d'un individu à l'autre, davantage semble-t-il que pour les autres classes de psychotropes.

Les perturbateurs comprennent le cannabis et ses dérivés (haschich, marijuana), mais leurs effets ne sont pas aussi marqués que les autres perturbateurs comme les hallucinogènes de type LSD (mescaline, champignons magiques), les hallucinogènes de type stimulant (ecstasy, nexus, kétamine) et les hallucinogènes de type anesthésique dissociatif (1-phénylcyclohexylpipéridine ou PCP, également appelé *angel dust*, ou encore *mess* ou *peace pill*). À noter que la mescaline n'est pas disponible au Canada : ce que nous désignons ici par mescaline est en fait du PCP.

Voici quelques statistiques :

- Cannabis et dérivés : le cannabis est la substance illicite (c'est-à-dire interdite par la loi sauf sous prescription médicale[2]) dont l'usage est le plus répandu dans le monde. D'après une étude menée en 2000, 40,6 % des élèves québécois du secondaire confient avoir consommé au moins une fois du cannabis durant les 12 derniers mois (Comité permanent de lutte à la toxicomanie, 2003).

- Hallucinogènes : les hallucinogènes forment la deuxième catégorie de substance illicite la plus consommée. Une enquête effectuée au Québec a révélé qu'en 1999, 20,5 % des filles et 19,1 % des garçons ont consommé du LSD ou un autre hallucinogène (Zoccolillo, Vitaro, & Tremblay, 1999). En particulier, une étude conduite en 1997 a révélé que 8,5 % des étudiants montréalais de niveau secondaire mentionnent avoir déjà consommé du PCP au cours de leur vie (Comité permanent de lutte à la toxicomanie, 2003). Par ailleurs, selon une étude conduite en 2002, 65 % des 210 personnes interrogées lors de fêtes techno à Montréal ont affirmé avoir déjà consommé de l'ecstasy au cours de leur vie (Comité permanent de lutte à la toxicomanie, 2003).

> **Testez vos connaissances**
>
> **11. Le cannabis est la substance illicite dont l'usage est le plus répandu dans le monde.**
>
> Même si l'alcool est davantage consommé que le cannabis, il s'agit d'une substance licite (permise par la loi), alors que le cannabis demeure la substance psychoactive illicite effectivement la plus consommée dans le monde.

De façon générale, la tolérance se développe rapidement lors de la consommation de perturbateurs. Par contre, ils n'entraînent pas de dépendance et le sevrage ne provoque aucun syndrome particulier.

Les médicaments psychothérapeutiques

Les **médicaments psychothérapeutiques** (ou **médicaments psychoactifs**) sont des substances psychoactives normalement consommées sous prescriptions médicales dans le cadre d'une thérapie afin de faire disparaître ou d'atténuer une souffrance psychologique (dépression, anxiété, angoisse, etc.).

Le groupe des médicaments psychothérapeutiques comprend principalement les antidépresseurs, les antipsychotiques et les stabilisateurs de l'humeur.

Voici quelques statistiques :

- En général : au Québec, deux fois plus d'ordonnances de médicaments psychothérapeutiques sont délivrées à des femmes qu'à des hommes ; ce rapport est même de 3 pour 1 chez les personnes âgées (Comité permanent de lutte à la toxicomanie, 2003).

Médicament psychothérapeutique
Aussi appelé **Médicament psychoactif**
Substance psychoactive normalement consommée sous prescription médicale, dans le cadre d'une thérapie, afin de faire disparaître ou d'atténuer une souffrance psychologique.

---

2. Même si de nombreuses pressions se poursuivent en vue de légaliser et de décriminaliser la marijuana, il s'agit encore d'une drogue dont la possession et le trafic sont illégaux (Centre de recherche et d'information sur le Canada, 2007). Par ailleurs, la réglementation adoptée au Canada en 2001 sur le cannabis à des fins médicales ne concerne que le cannabis lui-même (marijuana) et non ses dérivés tel le haschich ; pour une information détaillée de la réglementation entourant l'usage médical du cannabis, on peut consulter le document produit par le Comité spécial du Sénat sur les drogues illicites (2002).

- Antidépresseurs : en 1996, 3,6 % des Canadiens déclaraient avoir utilisé un anti-dépresseur au cours des trente derniers jours (Comité permanent de lutte à la toxicomanie, 2003).

De façon générale, les médicaments psychothérapeutiques n'entraînent pas de dépendance physique significative lorsque leur arrêt se fait graduellement sous supervision médicale. Une certaine dépendance psychologique est cependant possible, d'où l'importance d'accompagner la cessation de consommer d'un suivi médical et psychologique.

4.4.4 Les raisons de consommer

À la vue des problèmes potentiellement liés à l'usage de psychotropes, problèmes pour la plupart connus du grand public, nous sommes amenés à nous demander ce qui motive un individu à consommer ce type de produits. À cet effet, il peut être utile d'aborder la question sous deux angles : tout d'abord «pourquoi commence-t-on à consommer ?» et, ensuite, «pourquoi et dans quelle mesure continue-t-on de consommer ?»

Pourquoi commence-t-on à consommer ?

La curiosité Pour plusieurs, la simple curiosité de connaître l'état d'euphorie, par exemple, ou encore le sentiment de puissance sexuelle qu'est censé procurer un psychotrope donné peut constituer le déclencheur de la première consommation du produit (*voir la photo 4.8*). Mais alors, qu'est-ce qui suscite cette curiosité ? Ce que peuvent en dire les différentes sources d'information disponibles en général, bien sûr, mais surtout ce que racontent les amis qui l'ont essayé et qui ont mentionné avoir «tripé».

La pression sociale Qu'il s'agisse d'une simple cigarette, d'un joint ou d'un psychotrope aux effets plus forts, la pression sociale exercée par les amis et le besoin de montrer aux autres qu'on est «cool» est un motif très puissant et très répandu qui peut pousser à consommer une première fois. Que l'incitation à consommer soit formulée explicitement ou non par les pairs, l'individu la ressent et n'arrive pas toujours à y résister. Par ailleurs, la banalisation sociale de plus en plus rattachée à la prise de psychotropes n'aide en rien à prévenir la surconsommation de ces produits.

Le soulagement d'un mal-être psychologique Certains individus commencent à consommer un produit — l'alcool étant le plus répandu — parce qu'il est censé les soulager d'un mal de vivre (perte affective, faible estime de soi, etc.) ou de situations pénibles qu'ils doivent affronter (par exemple, la prostitution). L'environnement social immédiat peut également jouer un rôle ici, non seulement en créant la promesse d'un soulagement, mais également en fournissant le produit. Les *dealers* profitent souvent de ces personnes qui cherchent désespérément à faire disparaître un mal-être psychologique en fournissant même, dans certains cas, une première dose gratuite. Par contre, quand il s'agit de médicaments psychothérapeutiques prescrits par un médecin (par exemple, les antidépresseurs), la prise de ces substances vise à retrouver un mieux-être psychologique et non à fuir la réalité.

La compagnie de pairs suscite souvent la curiosité de connaître les effets supposés euphorisants de la drogue.

Photo 4.8

Le soulagement de la douleur physique Le pouvoir de la morphine à soulager la douleur est connu depuis longtemps. Dans le monde médical, ce psychotrope est principalement utilisé pour soulager la douleur pénible liée à certaines maladies (par exemple, le cancer des os), particulièrement en phase terminale, en raison de la tolérance qui se développe rapidement. Par ailleurs, comme le souligne l'Organisation mondiale de la santé, de nombreuses études ont démontré que le cannabis, un autre psychotrope, a des effets thérapeutiques en aidant, par exemple, à contrôler les nausées et le vomissement chez certains individus atteints d'un cancer ou du VIH (virus de l'immunodéficience humaine) (WHO, 2004). C'est ce qui a amené le Canada à permettre, en 2001, la consommation de cannabis à des fins médicales (Comité spécial du Sénat sur les drogues illicites, 2002). Le soulagement de la douleur constitue donc une autre raison qui peut motiver la première consommation d'un psychotrope.

Pourquoi et dans quelle mesure continue-t-on de consommer?

Dans l'ensemble, les mêmes facteurs qui ont poussé à une première consommation d'un produit — sauf la curiosité, bien entendu — interviennent également dans la motivation à poursuivre, dans la mesure évidemment où les effets, immédiats du moins, ont été agréables. Or, c'est à ce moment que peut se développer une dépendance au produit, elle-même susceptible d'entraîner une augmentation de la consommation. Dans la brochure *Les drogues : faits et méfaits,* Santé Canada parle d'un continuum pour souligner qu'entre la première consommation et la toxicomanie, on trouve de nombreux «degrés» de consommation, chacun étant associé à un risque de plus en plus grand que l'individu devienne dépendant, avec les problèmes qui s'ensuivent (Santé Canada, 2000).

Qu'est-ce qui fait qu'un individu adoptera un mode de consommation occasionnel ou plus régulier? En quoi son mode de consommation risque-t-il de lui créer des problèmes dans les différentes sphères de sa vie? Il y a évidemment le type de produit consommé, la dépendance s'installant très rapidement pour certains et très graduellement pour d'autres, ainsi que nous en avons eu un aperçu au point 4.4.3 (*page 134*). Par contre, les différences individuelles jouent beaucoup dans la façon avec laquelle l'individu compose avec les raisons de consommer mentionnées précédemment comme, entre autres, le contexte social et le mal-être psychologique. Il semble de plus que «l'exposition à des substances psychoactives pourrait avoir un effet beaucoup plus grand sur quelqu'un qui transporte des gènes le rendant vulnérable à la dépendance à une substance, que sur quelqu'un qui ne transporte pas ces gènes» (WHO, 2004, p. 125). L'influence génétique interviendrait ainsi dans la dépendance au tabac, à l'alcool et, de façon très marquée, aux opiacés. Toutefois, ce qu'il importe avant tout de saisir ici, c'est que la présence de tels gènes n'entraînerait pas à elle seule une dépendance, mais qu'elle en faciliterait le développement en fonction de l'environnement social où évolue l'individu (WHO, 2004).

4.4.5   Les avenues possibles de traitement

Bien que ce ne soit pas vrai de façon absolue, on peut en général traiter d'autant mieux un problème si on le comprend bien. Différentes explications ont été proposées pour tenter de rendre compte du phénomène de dépendance au cœur des problèmes issus de la consommation de psychotropes. Les recherches actuelles dans le domaine des neurosciences tendent vers une explication qui combine des éléments provenant principalement de l'approche béhaviorale et de l'approche biologique.

On a ainsi pu établir que même si les différents psychotropes impliquent certains mécanismes qui leur sont propres, ils activent pratiquement tous un «système de récompense» qui utilise la dopamine comme neurotransmetteur et qui se trouve à correspondre aux mêmes circuits que ceux intervenant normalement dans l'apprentissage des comportements ayant eu des effets agréables (WHO, 2004, p. 43).

On a cependant découvert que les effets résultant de la consommation de drogue auraient des répercussions physiologiques beaucoup plus marquées au sein de ce système de récompense que les événements ayant une conséquence agréable dans la vie quotidienne. Ainsi, lors de mesures effectuées dans ce système par Hernandez et Hoebel (1988), la prise d'un repas a augmenté le niveau de dopamine de 45 % dans un groupe particulier de neurones, alors que l'amphétamine et la cocaïne ont augmenté le niveau de dopamine de 500 % (WHO, 2004). Une question se pose alors : pourquoi la libération de dopamine produite par certains psychotropes entraînant un effet de dépendance diffère-t-elle à ce point de celle produite par les autres psychotropes et les stimuli qui, dans le quotidien, ont un effet de récompense, tel qu'un repas, par exemple? C'est là une des avenues dans lesquelles se poursuit la recherche visant à traiter les problèmes de dépendance.

Par ailleurs, alors que certaines méthodes de traitement travaillent sur la façon de prévenir la dépendance aux psychotropes, d'autres se concentrent sur la façon de faire disparaître la dépendance au produit ou encore de minimiser les manifestations

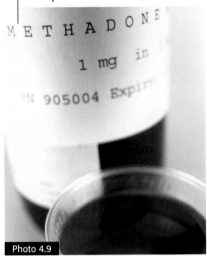

La méthadone, un produit utilisé pour amortir les effets du sevrage des opiacés.

Photo 4.9

pénibles du syndrome du sevrage. L'utilisation des timbres de nicotine pour les fumeurs ou encore de méthadone (*voir la photo 4.9*) pour amortir les effets du sevrage aux opiacés (comme l'héroïne) en est un exemple.

Testez vos connaissances

12. On peut utiliser un psychotrope pour traiter les effets d'un autre psychotrope.
La méthadone, par exemple, est utilisée pour amortir les effets du sevrage aux opiacés (comme l'héroïne).

Toutefois, l'élimination de la dépendance n'est souvent qu'un aspect de ce qui doit être traité, particulièrement dans le cas des toxicomanes qui avaient commencé à consommer pour soulager un mal de vivre : une thérapie d'ordre psychologique est alors de mise, ce sur quoi nous reviendrons au chapitre 12.

Conclusion

Comme nous l'avons vu, l'ensemble des questions abordant la conscience et les différents états de conscience est vaste. La grande diversité des significations qu'on donne au terme «conscience» de même que les nombreuses tentatives qui ont été faites pour définir ce qu'on entend par *conscience* sont éloquentes à cet égard. D'où, sans doute, la tendance des scientifiques à parler non pas de *conscience*, mais plutôt d'*états de conscience* définissables à partir de divers indicateurs.

Il n'en demeure pas moins que le sommeil, cet état de conscience qui fait partie du quotidien, demeure mystérieux sur bien des points. D'une part, il ne s'agit pas d'un état uniforme entre l'endormissement et le réveil. D'autre part, même si la forme de conscience qu'on retrouve au cours du sommeil diffère de façon marquée de l'état d'éveil, on y retrouve néanmoins un certain niveau de conscience en raison, entre autres, des souvenirs associés aux rêves.

L'état d'hypnose est par ailleurs beaucoup plus intrigant, ainsi qu'en témoignent les propos de la patiente traitée chez le dentiste rapportés en amorce. D'une part, la patiente soutient qu'elle n'était pas endormie, témoignage verbal qui va dans le même sens que ce que suggèrent les études enregistrant l'activité du cerveau d'une personne en état d'hypnose. D'autre part, dans l'état de veille qui caractérise l'état hypnotique et où la personne hypnotisée rapporte avoir conscience de tout et tout entendre, on retrouve une insensibilité à certains stimuli (tels que des sensations de douleur aux gencives) auxquels la personne aurait réagi en état de veille «normal», insensibilité sélective qui côtoie une réactivité accrue aux suggestions de la personne qui hypnotise. En fait, d'après les observations faites à ce jour sur l'activité du cerveau en état d'hypnose, ce dernier correspondrait à une sorte d'état «mixte», au sens où l'on y retrouve des manifestations cérébrales typiques, les unes du sommeil, les autres de l'éveil. Toutefois, les chercheurs sont encore loin de pouvoir fournir une explication claire et satisfaisante du phénomène.

En ce qui a trait aux états de conscience induits par les psychotropes, ils ne présentent pas le même caractère paradoxal que l'hypnose. Ils demeurent néanmoins tout aussi intrigants dans ce qu'ils révèlent concernant le lien étroit entre la conscience en tant que perception directe de soi et de son environnement, et les processus biochimiques à la base du système nerveux. Par ailleurs, compte tenu des conséquences néfastes auxquelles peut conduire l'abus de psychotropes, nous pouvons nous demander dans quelle mesure le toxicomane est libre de ses comportements.

Finalement, au-delà de ce qui caractérise les principaux états de conscience étudiés dans ce chapitre — sommeil, hypnose ou état induit par des psychotropes —, nous savons déjà qu'il est possible d'exercer une certaine maîtrise sur ces phénomènes en dirigeant l'apprentissage des comportements qui y sont liés. Or, le prochain chapitre se penche justement sur la façon dont l'apprentissage intervient dans l'acquisition des comportements.

Questions de révision

1. Selon le modèle freudien de la conscience, quel niveau contient tous les souvenirs refoulés profondément?

  a) L'inconscient

  b) Le conscient

  c) Le préconscient

  d) Le subconscient

2. Qu'est-ce qu'un rythme circadien?

  a) Un rythme biologique qui présente une périodicité d'environ vingt-quatre heures.

  b) Un rythme correspondant à l'apparition cyclique des différents stades du sommeil.

  c) Un rythme personnel dans l'exécution de tâches quotidiennes.

  d) Un rythme variant sur une période d'une année complète et ayant une incidence sur l'humeur de la personne.

3. Les énoncés qui suivent se rapportent au sommeil. Lequel est inexact?

  a) Les périodes de rêve correspondent plus particulièrement au sommeil profond.

  b) Les périodes de sommeil paradoxal deviennent plus longues et plus rapprochées vers la fin de la nuit.

  c) Les périodes de sommeil profond surviennent principalement dans la première moitié de la nuit.

  d) Une nuit de sommeil typique comprend en moyenne cinq cycles.

4. Lequel des énoncés suivants concernant le sommeil MOR est vrai?

  a) Le sommeil MOR correspond habituellement à une période de sommeil sans rêves.

  b) Le sommeil MOR est associé à une agitation de la personne qui dort.

  c) Le sommeil MOR est aussi appelé *sommeil paradoxal*.

  d) Le sommeil MOR est un stade de sommeil à ondes lentes.

5. Selon l'approche cognitive, quelle serait une fonction du rêve?

  a) Exprimer les désirs inconscients.

  b) Mieux intégrer et consolider l'information utile.

  c) Prévoir le déroulement d'événements futurs.

  d) Synthétiser les stimulations du cortex cérébral.

6. Quel trouble du sommeil se caractérise par le fait de tomber endormi de façon subite et irrépressible au cours d'une période normale d'éveil?

  a) L'apnée du sommeil

  b) L'hypersomnie

  c) L'insomnie

  d) La narcolepsie

7. Indiquez si les énoncés suivants sont vrais ou faux.

  a) L'hypnose permet d'accélérer la cicatrisation de blessures.

  b) L'hypnose permet de contrôler le comportement des criminels.

  c) L'hypnose permet la récupération de souvenirs d'enfance exacts et fiables.

  d) L'hypnose peut remplacer l'anesthésie chez le dentiste.

8. De quel phénomène parle-t-on quand on dit qu'un individu a tendance à augmenter la dose de drogue dont il a besoin?

  a) La dépendance

  b) Le sevrage

  c) La tolérance

  d) La toxicomanie

9. Lequel des énoncés suivants est exact?

  a) L'alcool est un stimulant.

  b) L'héroïne et la cocaïne sont des dérivés de l'opium.

  c) La caféine et la nicotine ne sont pas considérées comme des psychotropes.

  d) Le cannabis est un perturbateur, tout comme l'ecstasy.

10. Laquelle des raisons suivantes ne peut être invoquée pour expliquer qu'une personne commence à consommer des psychotropes?

  a) La curiosité

  b) La dépendance

  c) La pression sociale

  d) Le soulagement d'un mal-être psychologique

Pour en connaître davantage

Volumes et ouvrages de référence

Brisson, P. (Éd.) (2000). *L'usage des drogues et la toxicomanie, vol. III.* **Montréal : Gaëtan Morin.**

> Écrit par une brochette de 28 auteurs de formations différentes (médecine, philosophie, pharmacie, psychologie, sociologie, travail social, etc.) œuvrant dans des secteurs liés à la toxicomanie, l'ouvrage propose une approche pluridisciplinaire du problème de la drogue. Systématique et adapté au Québec.

Comité permanent de lutte à la toxicomanie. (2003). *Drogues. Savoir plus. Risquer moins.* **Montréal : Comité permanent de lutte à la toxicomanie.**

> Sans répondre à toutes les questions, ce livre aisé à consulter donne des repères essentiels, ce qu'on ne regarde pas toujours pour comprendre et pour agir. On y trouve des explications sur :
> - les différents psychotropes ;
> - leurs effets ;
> - les traitements ;
> - les chiffres de notre réalité québécoise ;
> - les lois ;
> - l'aide disponible.

Jouvet, M. (2000). *Le sommeil et le rêve.* **Paris : Odile Jacob.**

> Ouvrage classique de vulgarisation par Michel Jouvet, le pionnier dans l'étude du rêve et le premier à avoir décrit les caractéristiques physiologiques du sommeil paradoxal au cours duquel survient typiquement le rêve.

Koch, C. (2006). *À la recherche de la conscience : une enquête neurobiologique.* **Paris : Odile Jacob.**

> Professeur de biologie de la cognition et du comportement au California Institute of Technology, l'auteur plonge le lecteur au cœur du débat sur la conscience, comme l'abordent actuellement les spécialistes en neurosciences. Pas de préalables scientifiques requis : seulement la curiosité à l'égard du sujet.

Léonard, L., & Ben Amar, M. (2002). *Les psychotropes : pharmacologie et toxicomanie.* **Montréal : Les Presses de l'Université de Montréal.**

> Ce traité constitue une somme de données scientifiques sur la pharmacologie et la toxicomanie des psychotropes. Il présente des notions d'anatomie, de physiologie, de pharmacologie et de toxicomanie, et analyse les concepts d'abus, de tolérance, de pharmacodépendance et de sevrage.

WHO. (2004). *Neuroscience of psychoactive substance use and dependance.* **Genève : World Health Organization.**

> Publié par l'Organisation mondiale de la santé, cet ouvrage qui porte sur la dépendance aux drogues est le fruit du travail d'un nombre impressionnant de chercheurs dans le domaine des neurosciences. Systématique et extrêmement bien organisé.
>
> Une version intégrale en anglais ainsi qu'une version résumée en français sont disponibles à l'adresse suivante :
>
> <http://www.who.int/substance_abuse/publications/psychoactives/en/index.html>.

Périodiques et journaux

Cerveau & Psycho, Dossier « Vaincre les insomnies », n° 23, octobre 2007, 53-77.

> Excellent dossier sur les insomnies comprenant une introduction au problème, suivie des quatre articles suivants :
> - Dauvilliers, Y. : « Veille et sommeil : un équilibre dynamique », 54-61 ;
> - Brion, A. : « Une insomnie plurielle », 62-67 ;
> - Palazzolo, J. : « Insomnie et troubles psychiques », 68-71 ;
> - Fortier-Brochu, É., Beaulieu-Bonneau, S. & Morin, C. M. « Pour ne plus compter les moutons », 72-77.
>
> À noter que le quatrième article est co-signé par Charles Morin, l'expert québécois que nous avons présenté dans l'encadré 4.3 (*page 125*).

Psychotropes : revue internationale des toxicomanies

> Revue d'approche multidisciplinaire qui traite des substances psychotropes, de leur usage et, en particulier, des dépendances qui en découlent.
>
> Tous les numéros depuis 2001 sont disponibles en ligne en texte intégral à partir de la page Web suivante :
>
> <http://universite.deboeck.com/revues/psychotropes/?>.

Science et avenir (numéro hors série Le rêve, décembre 1996.)

> Numéro spécial consacré au sommeil et au rêve contenant une trentaine d'articles sur le sujet écrits par des spécialistes, dont deux par Michel Jouvet, le pionnier dans l'étude du sommeil paradoxal.

Sommeil et vigilance

> Revue publiée par la Société française de recherche et médecine du sommeil consacrée tant à l'aspect fondamental qu'à l'aspect appliqué de ce qui a trait au sommeil.

Audiovisuel

Grenier, C. (1998). *Party rave-ecstasy.* **Canada : Société Radio-Canada. (VHS 1/2 po, 13 min, son, couleur). [Document produit dans le cadre de la série télévisée Découverte].**

> Après avoir décrit les effets stimulants de l'ecstasy ou MDMA, une drogue chimique très populaire dans les soirées *technos*, le reportage souligne les dangers qui sont associés à cette drogue illégale dont on ne peut jamais être assuré de la qualité : psychoses, troubles rénaux, hémorragie fatale.

Lebel, A. (1989). *Les troubles du sommeil.* **Québec : Opson inc., Trois-Rivières : Productions CEFEM. (Vidéocassette format VHS, 26 min, son, couleur).**

> Le spécialiste Jacques Montplaisir a agi à titre de consultant scientifique pour ce documentaire sur les troubles du sommeil répartis en trois catégories : l'insomnie, les parasomnies (somnambulisme et énurésie) et l'hypersomnie (narcolepsie et apnée du sommeil) ; conseils pratiques et traitements disponibles pour résoudre ces problèmes.

Payette, D. (1999). *Le paresseux et le sommeil.* **Montréal : Groupe Icotop, Montréal : Télé-Québec. (Vidéocassette format VHS, 25 min, son, couleur).**

> Documentaire sur la relation entre les cycles biologiques et le sommeil, abordant entre autres la question de la privation du sommeil et les incidences du travail de nuit sur le sommeil.

Télé-Québec (2002). *Adieu douleur, bonjour hypnose.* **Canada : Télé-Québec. (VHS 1/2 po, 43 min, son, couleur). [Première vidéocas-sette d'une série de 4, comprenant au total 20 reportages produits dans le cadre de la série télévisée** *Zone science* **diffusée sur les ondes de Télé-Québec durant la saison 2001-2002].**

> Longtemps considérée comme l'apanage des praticiens d'approches médicales alternatives, la technique commence à faire son entrée en médecine traditionnelle où dentistes, psychologues et médecins y ont maintenant recours pour aider le patient à maîtriser la douleur.

Théoret, C. (1998). *Le ronflement.* **Canada : Société Radio-Canada. (VHS 1/2 po, 17 min, son, couleur). [Document produit dans le cadre de la série télévisée** *Découverte*].

> Reportage illustrant les nouvelles formes de traitement du ronflement sévère et de l'apnée obstructive du sommeil, une maladie très grave qui l'accompagne parfois.

Venkatarangam Jacob, S. (2004). *Troubles du sommeil de la petite enfance à l'adolescence.* **Canada : Hôpital Sainte-Justine, Centre hospitalier universitaire mère-enfant, Université de Montréal. (VHS 1/2 po, 61 min, son, couleur avec séquences noir et blanc).**

> Conférence présentée par Sheila Venkatarangam Jacob, pneumologue, Hôpital Sainte-Justine. L'auteure y décrit les troubles du sommeil de la petite enfance à l'adolescence : le développement du sommeil ; la classification internationale des troubles du sommeil ; les outils pour le diagnostic ; le traitement.

Weinstein, T. (2005). *Crystal meth, une drogue destructive.* **Canada : Société Radio-Canada. (DVD, 40 min, son, couleur). [Document produit dans le cadre de la série télévisée** *Grands reportages ;* **traduction de Donald Dodier du document produit par CBC dans le cadre de la série télévisée** *The Fifth Estate*].

> Documentaire sur le *crystal meth,* une nouvelle drogue qui est en fait de la méthamphétamine cristallisée. Provenant des États-Unis, cette drogue est six fois moins chère que la cocaïne et dix fois plus puissante que celle-ci. Plusieurs consommateurs prétendent qu'une seule dose peut-être suffisante pour créer une dépendance importante. Basé sur des entrevues conduites auprès d'utilisateurs, de parents, de travailleurs sociaux, de policiers et de spécialistes des drogues, le film dresse un portrait des conséquences de l'utilisation du *crystal.*

CHAPITRE 5

Cibles d'apprentissage

Après avoir lu ce chapitre, vous devriez pouvoir :

- nommer les deux types élémentaires d'apprentissage et expliquer ce qui les différencie ;

- décrire, en utilisant les termes appropriés, en quoi consiste la procédure d'acquisition dans le conditionnement de type classique ;

- décrire, en utilisant les termes appropriés, en quoi consiste la procédure d'acquisition dans le conditionnement de type opérant ;

- expliquer la différence entre l'apprentissage latent et l'apprentissage opérant ;

- préciser ce qui différencie la façon dont l'extinction et le recouvrement spontané surviennent selon qu'il s'agit de conditionnement classique ou de conditionnement opérant ;

- préciser ce qui différencie la façon dont la généralisation et la discrimination surviennent selon qu'il s'agit de conditionnement classique ou de conditionnement opérant ;

- expliquer ce qui différencie les quatre types de programmes de renforcement intermittent ;

- donner un exemple d'apprentissage par intuition et expliquer en quoi il diffère du conditionnement opérant ;

- expliquer ce qui caractérise l'apprentissage par observation ;

- distinguer, en donnant un exemple de chacun, deux grands types de concepts impliqués dans l'apprentissage du langage.

L'apprentissage

Des pigeons entraînés pour la guerre

En 1944, la Seconde Guerre mondiale fait encore rage. B. F. Skinner, un chercheur en psychologie, propose à l'armée américaine d'entraîner des pigeons à guider des missiles vers des bateaux ennemis. À l'époque, en effet, il n'existe pas encore de système automatique de guidage; ainsi, une fois qu'un missile est lancé, il n'y a qu'à espérer qu'il touche sa cible. C'est dans ce contexte que le chercheur a fait sa proposition à l'armée.

L'idée de Skinner, baptisée *Projet Pigeon,* consistait à placer, dans un compartiment vitré situé à la tête du missile (*illustré ci-contre*), des pigeons entraînés à picorer sur l'image d'un bateau en mer. Au cours des travaux de recherche qu'il avait effectués avec des pigeons, Skinner avait constaté que ceux-ci étaient dotés d'une excellente vue et qu'ils pouvaient facilement être entraînés à picorer sur une cible. Il s'était donc dit qu'au moment où le missile lancé commencerait à s'approcher de sa cible, le pigeon picorerait sur la vitre en sa direction dès qu'il l'apercevrait. Il serait possible de programmer les mécanismes d'orientation du missile de telle manière qu'il se dirigerait vers l'endroit picoré par l'oiseau.

Skinner a reçu des subventions pour travailler sur ce projet — classé évidemment «top secret» — mais il n'a pas pu le mener à terme. Les ténors de l'armée en étaient arrivés à considérer que le projet de Skinner avait moins de chances d'aboutir qu'un autre projet en développement également secret à l'époque : le radar.

Source : Skinner, 1959/1972.

En dépit de son caractère inusité, le projet de Skinner utilisait les mécanismes de l'apprentissage connus à l'époque. Ce thème, traité dans le présent chapitre, a déjà été évoqué à plusieurs reprises depuis le début de cet ouvrage. Ainsi, nous avons souligné dans le premier chapitre que le béhaviorisme, l'une des approches explicatives du comportement, était basé sur l'apprentissage. En outre, lors de la présentation générale du système nerveux, dans le chapitre 2, nous avons mentionné ce phénomène quand nous avons parlé entre autres de l'hippocampe, une structure qui joue un rôle important dans l'apprentissage et la mémoire. Même si nous nous sommes contentés de présenter les processus perceptifs de base dans le chapitre 3, ce que nous en avons dit suffit pour réaliser que la perception implique, à des degrés divers, un apprentissage dans la façon d'interpréter les indices environnementaux. Comme nous le verrons dans les prochains chapitres, l'apprentissage intervient également dans d'autres aspects du comportement tels que la motivation, l'émotion, le stress ainsi que l'intégration sociale et culturelle ; il est maintenant temps de s'y arrêter afin d'étudier plus en détail ce phénomène fascinant.

Un enfant qui accourt parce qu'il a reconnu la voix de ses parents qui viennent d'arriver, un adolescent qui montre à ses amis le nouveau saut auquel il s'est exercé la veille sur sa planche à roulettes, un étudiant qui vit en appartement et qui a pu cuisiner une sauce à spaghetti exactement comme il l'aime, un finissant qui réussit un examen portant sur une matière qu'il a passé deux jours à étudier, voilà quelques exemples de situations témoignant d'un apprentissage. Que veut-on dire par là ? Selon le contexte, on définit habituellement l'**apprentissage** soit comme une modification relativement durable du comportement et des processus mentaux, laquelle résulte d'expériences répétées, soit comme le processus d'entraînement qui conduit à la modification de ce comportement.

Il y a lieu de préciser que le terme « comportement » est pris ici au sens large de « ce qui est observable », que ce soit un geste posé, une réponse fournie, ou encore une variation de l'activité de telle partie du cerveau révélée par l'EEG ou l'imagerie par résonance magnétique. Le terme « durable » met quant à lui l'accent sur le fait que la modification fait partie du répertoire comportemental de l'organisme, comme dans le cas d'un étudiant qui s'est habitué à utiliser le transport en commun de la ville où il vient de s'installer pour poursuivre des études au cégep.

L'exemple précédent souligne le but premier de l'apprentissage, à savoir permettre l'adaptation. Un organisme qui serait incapable d'apprendre et dont tous les comportements seraient héréditaires, c'est-à-dire déterminés par les gènes hérités des parents, serait incapable de s'adapter : il ne pourrait survivre que dans l'environnement où il est né, et ce, à condition que cet environnement ne change pas. Il semble par ailleurs que tous les animaux soient capables d'apprentissage. Toutefois, même si c'est indéniablement chez l'humain que ces capacités ont atteint leur plus haut niveau de développement, les principes de base qui les régissent sont les mêmes que dans le cas des autres espèces animales. Ce sont ces principes de base qui sont abordés dans le présent chapitre.

Après avoir présenté brièvement deux formes élémentaires d'apprentissage, nous nous pencherons sur les apprentissages de type associatif, ceux dont l'étude a donné naissance à l'approche béhavioriste présentée au chapitre 1 et qui, même s'ils ont d'abord été mis en évidence chez les animaux, ont permis la mise au jour des mécanismes de conditionnement que l'on retrouve chez l'espèce humaine. Nous aborderons ensuite les apprentissages de type cognitif, lesquels concernent davantage les processus mentaux et culminent avec l'apprentissage du langage et des concepts que ce dernier permet de manier.

5.1 Deux formes élémentaires d'apprentissage

Les sens reçoivent constamment des stimulations, qu'elles soient de nature visuelle, auditive ou autre. Or, ces stimulations ne sont pas toujours pertinentes d'un point de vue adaptatif. Ainsi, lorsqu'un stimulus atteint l'un des sens pour la première fois,

Apprentissage

Modification relativement durable du comportement et des processus mentaux, laquelle résulte d'expériences répétées, ou processus d'entraînement qui conduit à la modification de ce comportement.

son caractère nouveau tend à attirer l'attention, sauf si l'organisme est occupé à traiter d'autres éléments d'information. Deux phénomènes peuvent alors se produire : l'habituation ou la sensibilisation.

5.1.1 L'habituation

Si le stimulus qui a capté l'attention d'une personne (par exemple, le bruit d'un ventilateur qui se met soudain en marche dans une pièce) ne requiert aucune action particulière et s'avère sans importance d'un point de vue adaptatif pour cet individu, ce dernier risque fort de développer rapidement une **habituation** face à ce stimulus, c'est-à-dire que son système perceptif apprendra à ne plus le signaler. C'est encore l'habituation qui fait qu'on ne se réveille plus à cause du bruit provenant de la rue sur laquelle se trouve l'appartement où l'on vient d'emménager, alors qu'on l'était fréquemment les premières nuits : le système a appris à ne plus s'occuper de ces bruits, même en dormant.

Habituation
Forme élémentaire d'apprentissage selon laquelle le système perceptif en vient à ne plus réagir à un stimulus constant.

5.1.2 La sensibilisation

Par contre, si le stimulus qui a capté l'attention est perçu comme significatif soit parce qu'il est perçu comme indésirable, soit parce qu'il requiert une action, le phénomène inverse peut se produire : la **sensibilisation** au stimulus signifie que le système perceptif devient de plus en plus sensible au stimulus. Par exemple, si l'on a remarqué à quelques reprises que les nouveaux locataires de l'appartement voisin étaient quelque peu bruyants le soir, on peut développer une sensibilisation de plus en plus accrue au moindre bruit qui en provient, bruit qu'une personne de passage ne remarquera même pas. La sensibilisation peut aussi avoir ses bons côtés lorsque l'on devient, par exemple, de plus en plus sensible au charme d'une personne nouvellement rencontrée…

Sensibilisation
Forme élémentaire d'apprentissage selon laquelle le système perceptif en vient à réagir de plus en plus à un stimulus constant.

> **Testez vos connaissances**
>
> 1. **Lorsqu'un stimulus donné se répète plusieurs fois, on a toujours tendance à moins y réagir.**
>
>   Cela est souvent vrai. On parle alors d'*habituation*, mais il est faux de dire que c'est toujours le cas. Un stimulus qui se répète peut aussi produire de la sensibilisation.

Qu'est-ce qui détermine le fait qu'un organisme s'habitue ou, au contraire, devient de plus en plus sensible à un stimulus ? Tout dépend de la valeur adaptative que chacun accorde au stimulus dans l'environnement où il se produit. Alors que l'habituation entrera rapidement en jeu pour une personne, une autre peut acquérir une sensibilisation négative vis-à-vis du même stimulus. Par exemple, un locataire dans un immeuble d'habitation peut devenir de plus en plus irrité par la musique que fait jouer son voisin de palier, et donc présenter une sensibilisation accrue au stimulus « musique », alors qu'un autre, auquel cette musique ne déplaît pas, pourra au contraire s'y habituer au point de ne plus la remarquer. En fait, les deux formes d'apprentissage sont intimement liées à la façon dont on perçoit les stimulations de l'environnement et à l'attention qu'on leur accorde.

5.2 Les apprentissages de type associatif

Alors que les formes élémentaires d'apprentissage que sont l'habituation et la sensibilisation ne mettent en jeu qu'un stimulus et la façon dont le système perceptif y répond, les apprentissages de type associatif portent sur la manière dont certains comportements deviennent associés à des stimuli auxquels ils n'étaient pas reliés auparavant. Comme ces liens se créent dans la mesure où certaines conditions sont satisfaites, on parle de *conditionnement* à propos de ces types d'apprentissage. On parle ainsi de **conditionnement** pour désigner une procédure qui amène un organisme à adopter un comportement dans une situation où il ne le faisait pas auparavant ou,

Conditionnement
Procédure qui amène un organisme à adopter un comportement dans une situation où il ne le faisait pas auparavant ou, à l'inverse, à ne plus émettre un comportement dans une situation où il le faisait précédemment.

à l'inverse, à ne plus émettre un comportement dans une situation où il le faisait précédemment. Ainsi, c'est l'association d'un stimulus ou d'une condition extérieure et d'une réponse (réaction ou comportement de l'individu) qui constitue le conditionnement.

La notion de conditionnement est largement connue du grand public. Il faut toutefois reconnaître qu'elle est en même temps très mal comprise et qu'elle a souvent mauvaise presse, comme si l'idée de conditionner signifiait en quelque sorte «forcer à», c'est-à-dire «brimer la liberté». Une explication précise du conditionnement devrait permettre d'éclairer la question.

On distingue deux types de conditionnement, à savoir le conditionnement classique et le conditionnement opérant, chacun correspondant à une façon bien précise de faire apprendre un comportement à un organisme. Après avoir présenté ces deux types de conditionnement, nous terminerons par certaines considérations rappelant ce qui les différencie.

5.2.1 Le conditionnement classique

Ce type de conditionnement a été le premier à être étudié scientifiquement, d'où l'appellation «conditionnement classique» souvent utilisée. Le mérite en revient au physiologiste russe Ivan Pavlov (*voir la photo 5.1*) qui en a exposé les principes pour la première fois lors d'une célèbre conférence tenue à Madrid en 1903 (Pavlov, 1903), ce pour quoi on appelle également ce type de conditionnement le *conditionnement pavlovien*.

C'est en s'intéressant au réflexe de salivation, réflexe par lequel les glandes salivaires libèrent de la salive dès qu'on se met à mastiquer de la nourriture que Pavlov est exposé tout d'abord au conditionnement. Il choisit d'utiliser un chien afin d'avoir un sujet bien docile pour étudier comment la salivation varie en fonction de facteurs tels que la quantité de nourriture, le type de nourriture, etc. Afin de maîtriser l'animal pendant qu'il procède à ses mesures, le chercheur l'installe dans un harnais qui le maintient en place, ainsi que l'illustre la figure 5.1. Or, après quelques sessions, Pavlov remarque que le chien se met à saliver dès que lui ou l'un de ses assistants s'approche. Pavlov est alors intrigué, puisque d'un point de vue physiologique, c'est la présence de nourriture dans la bouche qui doit normalement déclencher le réflexe de salivation. Il en vient à supposer que ce réflexe peut également survenir en réponse à ce qu'il appelle alors un *stimulus psychique*.

Ayant constaté fortuitement que le réflexe de salivation peut être provoqué par un stimulus autre que la simple nourriture, Pavlov se met à expérimenter sur ce nouveau phénomène afin de voir s'il peut le reproduire à volonté, et dans quelles conditions. C'est ainsi qu'il met au jour les fondements du conditionnement classique, à savoir les principes concernant l'acquisition d'une réponse, l'extinction et le recouvrement spontané, la généralisation et la discrimination, ainsi que le conditionnement d'ordre supérieur.

L'acquisition d'une réponse

Pavlov a pu démontrer qu'en suivant une procédure bien précise, il pouvait amener un chien à saliver en réponse à un stimulus qui, au départ, ne provoquait pas la réponse en question. La procédure à suivre est en fait très simple et, ainsi que l'illustrent les schémas de la figure 5.2, se résume essentiellement en trois étapes.

Dans un premier temps (*voir la figure 5.2a*), on constate qu'avant de procéder au conditionnement, le stimulus à partir duquel on veut amener l'animal à saliver, ici le son d'une cloche, ne provoque pas cette réponse (salivation), mais tout au plus une réponse d'orientation : le chien tourne la tête en direction de la source sonore. La cloche est ici considérée comme un **stimulus neutre (SN)**, puisqu'elle ne provoque pas la réponse à conditionner. La nourriture, par contre, déclenche immédiatement la salivation. Par référence au fait qu'elle provoque dès le départ la réponse qu'on veut conditionner, la nourriture est ici considérée comme un **stimulus inconditionnel (SI)** ; la salivation, la réponse au SI, est dite **réponse inconditionnelle (RI)**.

Ivan Pavlov (1849-1936), considéré comme le découvreur du conditionnement classique.

Photo 5.1

Stimulus neutre (SN)
Dans une procédure de conditionnement classique, stimulus qui ne provoque pas, au départ, la réponse qu'on veut soumettre au conditionnement.

Stimulus inconditionnel (SI)
Dans une procédure de conditionnement classique, stimulus qui provoque, dès le départ, la réponse qu'on veut soumettre au conditionnement.

Réponse inconditionnelle (RI)
Dans une procédure de conditionnement classique, réponse provoquée initialement par le stimulus inconditionnel.

FIGURE 5.1   Le dispositif utilisé par Pavlov

Le schéma du dispositif utilisé par Pavlov pour expérimenter le conditionnement classique avec le chien.

FIGURE 5.2   Le schéma d'une procédure de conditionnement classique

a

Avant le conditionnement

Cloche		Pas de salivation
	entraîne →	
SN		Aucune réponse ou
Stimulus neutre		réponse d'orientation

Nourriture		Salivation
	entraîne →	
SI		RI
Stimulus inconditionnel		Réponse inconditionnelle

b

Pendant le conditionnement

Cloche	Nourriture		Salivation
	suivie de	*entraîne* →	
SN	SI		RI
Stimulus neutre	Stimulus inconditionnel		Réponse inconditionnelle

c

Après le conditionnement

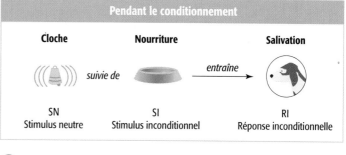

Cloche		Salivation
	entraîne →	
SC		RC
Stimulus conditionnel		Réponse conditionnelle

a Avant le conditionnement, la cloche est un stimulus neutre par rapport à la salivation. **b** Pendant la phase de conditionnement, la cloche est suivie de la nourriture, laquelle provoque la salivation. **c** Après le conditionnement, la cloche à elle seule provoque la salivation.

Acquisition

Phase d'une procédure de conditionnement pendant laquelle on amène un organisme à présenter une réponse dans une situation où il ne le faisait pas précédemment.

Dans le conditionnement classique, c'est la phase pendant laquelle le stimulus inconditionnel suit le stimulus neutre.

Stimulus conditionnel (SC)

Dans une procédure de conditionnement classique, stimulus initialement neutre qui a pour effet de provoquer une réponse après avoir été associé au stimulus inconditionnel qui, au départ, provoquait cette réponse.

Réponse conditionnelle (RC)

Dans une procédure de conditionnement classique, réponse provoquée à la fin de la procédure par le stimulus conditionnel.

Conditionnement classique

Aussi appelé **Conditionnement répondant**

Procédure faisant en sorte qu'un stimulus qui ne provoque pas au départ la réponse qu'on cherche à conditionner acquiert la propriété d'entraîner cette réponse à la suite du pairage avec un stimulus qui a initialement cette propriété.

Lors de la seconde phase (*voir la figure 5.2b, page 151*) qui constitue la phase d'**acquisition** proprement dite, on fait entendre le son de la cloche (SN) tout juste avant de présenter la nourriture (SI) au chien, nourriture qui provoque immédiatement la réponse de salivation (RI), comme elle le faisait auparavant.

Après avoir répété plusieurs fois cette procédure, on passe à la troisième phase. On fait entendre le son de la cloche sans le faire suivre par la présentation de nourriture (*voir la figure 5.2c*) et on constate que le chien se met à saliver: on dit alors qu'on a conditionné le chien à saliver au son de la cloche. L'animal a ainsi acquis une nouvelle réponse, puisqu'il réagit maintenant en salivant dans une situation où il ne le faisait pas auparavant. Par référence au fait que le son de la cloche a acquis, à la suite de la procédure de conditionnement, la propriété de provoquer la réponse de salivation, on l'appelle **stimulus conditionnel (SC)**; la réponse provoquée par la présentation du SC seul est appelée **réponse conditionnelle (RC)**.

Il importe ici de noter la différence entre RI et RC: quand la réponse apparaît en réaction au SI, c'est une RI, et quand elle apparaît à la suite du SC, c'est une RC. De plus, l'intensité de la RC est typiquement moins grande que celle de la RI; par exemple, la salivation sera moins forte en réponse au son de la cloche qu'à la nourriture.

On parle de **conditionnement classique** ou encore de **conditionnement répondant** pour désigner ce type de conditionnement où l'on amène un organisme à réagir à un stimulus par une réponse qu'il n'émettait pas auparavant. Autrement dit, le conditionnement classique est une procédure faisant en sorte qu'un stimulus, neutre au départ parce qu'il ne provoque pas initialement la réponse qu'on cherche à conditionner, acquiert la propriété d'entraîner la réponse en question à la suite du pairage avec un stimulus qui a initialement cette propriété. Lors de la phase de conditionnement proprement dite, le pairage correspond à l'opération consistant à présenter les deux stimuli de façon rapprochée, comme lorsque la nourriture est présentée immédiatement après le son de la cloche[1].

Comme nous l'avons souligné précédemment, plusieurs réponses autres que la salivation peuvent être conditionnées de façon classique. Le clignement de l'œil, qui survient automatiquement (RI) si l'on projette dans l'œil un jet d'air (SI), peut être conditionné à se produire (RC) si, à plusieurs reprises, on fait précéder le jet d'air par un son (SN qui devient SC). Le réflexe rotulien, c'est-à-dire le mouvement de la jambe qui se produit lorsqu'on frappe celle-ci sous la rotule, peut aussi être conditionné à se produire en réaction à un stimulus tel que le son.

> **Testez vos connaissances**
>
> **2. Le réflexe rotulien, c'est-à-dire le réflexe d'extension de la jambe lorsqu'on la frappe sous la rotule, peut se produire lorsqu'on allume une lumière.**
>
> Tout comme le réflexe de salivation, le réflexe rotulien peut être provoqué par un son ou un autre stimulus si l'on paire ce dernier avec le stimulus qui le produit de façon innée.

Beaucoup d'autres réponses, entre autres plusieurs de nos réactions émotionnelles et de nos goûts et dégoûts, s'expliqueraient par un apprentissage de type classique. Un cas célèbre illustrant comment on peut être conditionné à avoir peur de quelque chose qui ne provoquait pas la peur auparavant est celui du petit Albert, rapporté par Watson et résumé dans l'encadré 5.1. Nombre de peurs, comme celles des rats, des chats et des ascenseurs seraient ainsi apprises par une procédure de conditionnement classique, de la façon schématisée dans la figure 5.3.

---

1. Le type de pairage varie selon l'ordre de présentation des stimuli, l'intervalle séparant ces derniers de même que leur intensité, ce qui peut faciliter ou rendre plus difficile le conditionnement de la réponse.

Le petit Albert

Voulant démontrer que la plupart des réactions émotives provoquées par certaines situations (par exemple, la peur) étaient en fait apprises selon les principes du conditionnement classique, John B. Watson et sa collaboratrice Rosalie Rayner ont publié, en 1920, l'une de ces recherches classiques qui, de nos jours, ne seraient évidemment pas autorisées sur le plan éthique. Le sujet de leur recherche était un jeune garçon de 11 mois nommé Albert et considéré par toutes les personnes qui le côtoyaient comme remarquablement calme et peu enclin à des manifestations émotionnelles comme la rage ou la peur.

Les expérimentateurs ont d'abord déposé un rat blanc devant l'enfant qui a alors avancé la main vers l'animal. Or, au moment où l'enfant touchait le rat, les expérimentateurs ont donné un violent coup de marteau sur une barre de métal située juste derrière l'enfant, lequel a sursauté violemment. Watson avait déjà démontré qu'un bruit violent est un stimulus qui déclenche spontanément des réactions de sursaut et de peur chez la plupart des enfants. Quelques minutes plus tard, les expérimentateurs ont de nouveau présenté le rat et, au moment où l'enfant tentait de toucher l'animal, ils ont provoqué le même bruit violent : l'enfant a encore sursauté et, cette fois-ci, s'est mis à pleurnicher.

Une semaine après ces deux essais, Watson et Rayner ont recommencé la procédure et, après sept essais, l'enfant s'est mis à pleurer

à la seule vue du rat. Cinq jours plus tard, les expérimentateurs ont présenté un lapin à l'enfant, et celui-ci s'est mis à pleurnicher ; par la suite, il a fait de même à la vue d'un chien, d'un morceau de fourrure et même d'un masque de père Noël, la réaction n'étant cependant pas aussi marquée qu'avec le rat. Watson et Rayner

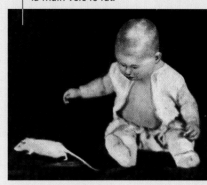

Avant le conditionnement, le petit Albert tend sans crainte la main vers le rat.

considéraient donc qu'ils avaient démontré qu'un stimulus peut provoquer des réactions de peur par simple conditionnement et, aussi, que cette réaction tend à se généraliser à d'autres stimuli ressemblant au stimulus présent dans la situation initiale.

C'est à partir de cette expérience classique que les béhavioristes en sont venus à penser que la plupart des phobies sont apprises par conditionnement.

FIGURE 5.3   Le conditionnement d'une réaction de peur

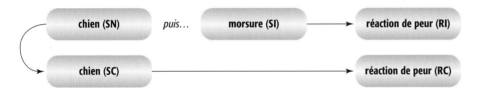

Pour les béhavioristes, la plupart des réactions de peur sont le résultat d'un processus de conditionnement classique.

Le conditionnement classique s'applique non seulement aux peurs, mais également aux émotions, aux goûts et aux autres réactions qui ont un caractère agréable. Par exemple, supposez que la première fois que vous avez entendu une pièce musicale donnée (SN), c'était dans une fête, juste avant de rencontrer une personne (SI) qui vous a particulièrement plu (RI). Il y a fort à parier que la prochaine fois que vous entendrez la pièce musicale en question (SC), celle-ci produise chez vous la même sensation agréable (RC), probablement un peu moins forte. Il est même possible que vous continuiez plus tard à aimer entendre cette musique, bien que vous ne pensiez plus au souvenir de la rencontre. Beaucoup de nos préférences peuvent s'expliquer de cette façon.

Dans le cas de réponses émotionnelles ou de réponses d'ordre gustatif, la répétition n'est pas toujours nécessaire pour produire une réponse conditionnée, surtout s'il s'agit d'expériences négatives. À titre d'exemple, une seule frayeur subie dans un ascenseur peut suffire à produire une réponse conditionnée de peur au fait de prendre l'ascenseur. Cela n'est cependant pas toujours le cas : tout dépend de l'intensité de la réaction désagréable éprouvée. La même chose peut se produire à la suite d'une expérience émotionnelle positive très forte : un seul essai peut s'avérer suffisant.

En somme, qu'il s'agisse de réactions agréables ou désagréables, beaucoup d'entre elles peuvent avoir été acquises au moyen du même mécanisme mis au jour par Pavlov lors de ses expérimentations sur le réflexe de salivation. Cela ne signifie toutefois pas qu'une telle réponse, une fois acquise, le demeurera par la suite.

L'extinction et le recouvrement spontané

L'extinction Après avoir conditionné un chien à saliver au son d'une cloche, Pavlov s'est demandé ce qui se passerait si, après avoir procédé à l'acquisition d'une réponse, il continuait à présenter le SC seul, c'est-à-dire s'il continuait à plusieurs reprises de faire entendre le son de la cloche sans le faire suivre par la nourriture. Comme son dispositif expérimental lui permettait non seulement de voir si l'animal salivait, mais en plus de mesurer la quantité de salivation produite, il a observé que cette dernière a diminué graduellement jusqu'à disparaître complètement. Pavlov venait de démontrer la façon de provoquer l'**extinction** d'une réponse, c'est-à-dire la diminution graduelle d'une réponse à la suite de la présentation répétée du SC non suivi du SI. Dans l'exemple mentionné précédemment à propos de la pièce musicale qui vous amenait à ressentir de nouveau la sensation agréable produite par la personne la première fois que vous l'aviez rencontrée, la réponse apprise pourra en venir à diminuer, et même à s'éteindre éventuellement, si la musique n'est plus suivie par la présence de la personne rencontrée ou d'une autre qui produit le même effet.

Le recouvrement spontané Au contraire de ce que l'on pourrait penser, le fait qu'une réponse a été éteinte ne signifie pas pour autant que cette dernière a été désapprise, ainsi que l'a démontré Pavlov. En effet, après avoir réinstallé dans le dispositif expérimental un animal chez qui la réponse de salivation avait été éteinte la journée précédente, le chercheur a constaté que le son de la cloche auquel l'animal ne réagissait plus la veille déclenchait à nouveau la salivation. La figure 5.4 montre que lorsqu'on a procédé à l'extinction d'une réponse puis qu'on a laissé s'écouler une certaine période de repos en retirant l'organisme de l'environnement expérimental, la RC réapparaît habituellement si l'on présente le SC seul de nouveau. On parle de **recouvrement spontané** pour désigner cette réapparition de la réponse. L'exemple de la pièce musicale peut encore une fois illustrer le phénomène : si vous avez été longtemps sans entendre « la » pièce (SC) et qu'un jour vous l'écoutez, il est très probable que vous ressentiez toujours l'agréable impression de la première fois…

FIGURE 5.4 L'extinction et le recouvrement spontané dans le conditionnement classique

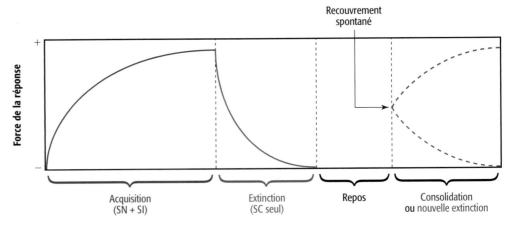

Le recouvrement spontané d'une réponse à la suite de son extinction suivie d'une période de repos au cours de laquelle le sujet avait été retiré du contexte expérimental : on peut alors consolider la réponse ou l'éteindre de nouveau, selon qu'on fait suivre ou non le SC par le SI.

La RC qui survient à la suite du recouvrement spontané est cependant plus faible qu'elle ne l'était avant l'extinction. Comme l'illustre la figure 5.4, deux choses peuvent se produire. D'un côté, si l'on présente de nouveau le SC seul à plusieurs reprises, on produira rapidement une nouvelle extinction de la réponse. D'un autre côté, si l'on fait suivre le SC par le SI, la RC augmentera encore une fois pour atteindre le niveau qu'elle avait avant l'extinction, ce qui entraîne une consolidation de la réponse aquise auparavant.

La généralisation et la discrimination

Le fait que les mécanismes du conditionnement classique permettent d'apprendre à reconnaître une situation associée par le passé à un événement agréable ou menaçant a de toute évidence un caractère éminemment adaptatif. Par ailleurs, comment l'organisme doit-il se comporter lorsque se présente une situation qui, tout en ressemblant à une autre précédemment rencontrée, n'est pas exactement la même ? La réponse à cette question amène à parler de généralisation et de discrimination.

La généralisation Pavlov a constaté qu'une association apprise de façon classique tend spontanément à se généraliser. En effet, après avoir appris au chien à saliver au son d'une cloche donnée, le chercheur a utilisé une autre cloche dont le son était quelque peu différent. Il a alors observé que l'animal était également porté à saliver au son de la nouvelle cloche, même s'il réagissait moins fortement qu'au son de celle utilisée lors du conditionnement initial. Pavlov venait ainsi d'illustrer le phénomène de **généralisation** d'une réponse selon lequel une réponse conditionnelle (RC) tend spontanément à se manifester en réaction à des stimuli qui ressemblent au stimulus conditionnel (SC) initial. La réponse est d'autant plus forte que le nouveau SC ressemble au SC initial et, à l'inverse, d'autant plus faible que le nouveau SC diffère du SC initial. On parle de **gradient de généralisation**, comme illustré dans la figure 5.5, pour désigner la relation entre, d'une part, le degré de ressemblance entre un SC et le SC initial et, d'autre part, la force de la RC. À titre d'exemple, citons celui d'une personne qui a appris à reconnaître une espèce de champignon réputé excellent pour la consommation et qui sera portée, lorsqu'elle rencontrera un spécimen d'une espèce qui lui ressemble, à le cueillir et à le consommer.

La discrimination La généralisation est un phénomène hautement adaptatif, puisqu'il évite d'avoir à réapprendre chaque fois qu'une situation n'est pas exactement pareille à la première. Ce n'est cependant pas toujours le cas. En effet, ce n'est pas parce que le chien du voisin est effectivement dangereux que tous les chiens le sont. Pavlov a

Généralisation

Dans le conditionnement classique, tendance d'une réponse conditionnelle à se manifester en réaction à des stimuli qui ressemblent au stimulus conditionnel initial.

Gradient de généralisation

Dans le conditionnement classique, phénomène selon lequel plus la ressemblance entre un stimulus donné et un stimulus conditionnel est élevée, plus la réponse conditionnelle est forte.

| FIGURE 5.5 | Le gradient de généralisation |

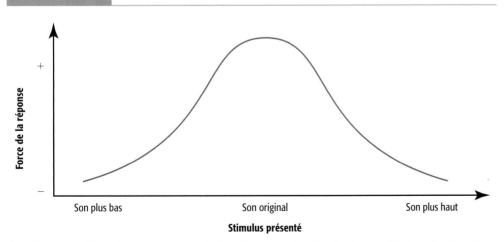

Une réponse conditionnelle est spontanément généralisée aux autres stimuli qui ressemblent au stimulus initial, mais plus le nouveau stimulus est différent du stimulus initial, moins la réponse est forte.

Discrimination

Dans le conditionnement classique, phase où l'on amène un organisme à ne répondre qu'à un stimulus conditionnel déterminé, et non aux autres qui lui ressemblent.

également démontré qu'on peut apprendre à réagir différemment devant deux stimuli qui se ressemblent. Ainsi, après avoir conditionné un chien à saliver au son d'une cloche donnée, il a effectué plusieurs essais où il présentait tantôt le SC suivi de la nourriture, tantôt un stimulus qui ressemblait au SC mais qui n'était pas suivi de nourriture. Au début, l'animal salivait en réaction aux deux sons de cloche, mais il s'est mis à saliver de moins en moins au deuxième son, tout en continuant à répondre régulièrement au SC initial. Pavlov avait ainsi mis en évidence comment un organisme peut en arriver à faire preuve de **discrimination**, c'est-à-dire apprendre à ne répondre qu'à un stimulus conditionnel déterminé et non à un autre qui lui ressemble. L'exemple donné plus haut concernant la reconnaissance d'un champignon peut servir ici à illustrer également la discrimination. La personne devra en effet apprendre à discriminer une espèce comestible et une autre toxique lui ressemblant.

Le conditionnement d'ordre supérieur

Conditionnement d'ordre supérieur

Dans le conditionnement classique, phase où l'on utilise, à titre de stimulus inconditionnel, un stimulus dont le pouvoir déclencheur a été acquis lors d'une procédure de conditionnement antérieure.

Dans son exploration du phénomène de conditionnement classique, Pavlov a démontré que des réactions apprises pouvaient « s'enchaîner ». Ainsi, après avoir conditionné un animal à saliver au son d'une cloche et avoir répété la procédure à plusieurs reprises de façon que l'association « cloche-salivation » soit bien établie, Pavlov a effectué plusieurs essais où il allumait une lumière et, immédiatement après, faisait entendre le son de la cloche, utilisant ici ce dernier à titre de stimulus inconditionnel. Or, après un certain temps, la lumière présentée seule a provoqué la réponse de salivation. On appelle **conditionnement d'ordre supérieur** une telle procédure où, pour conditionner un organisme à répondre à un stimulus conditionnel, on utilise comme stimulus inconditionnel un stimulus dont le pouvoir déclencheur a été acquis lors d'une procédure antérieure de conditionnement, comme schématisé dans la figure 5.6. Ainsi, une personne qui aurait appris à aimer une pièce musicale (SC $_{d'ordre\ 1}$) associée à une personne qui avait produit une sensation agréable pourra en venir à aimer fréquenter un lieu (SC $_{d'ordre\ 2}$) où joue souvent la pièce en question (SC $_{d'ordre\ 1}$).

| **FIGURE 5.6** | Le conditionnement d'ordre supérieur |

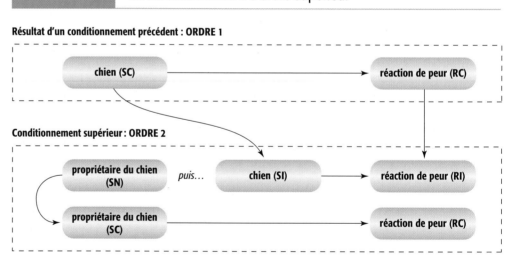

Résultat d'un conditionnement précédent : ORDRE 1

chien (SC) → réaction de peur (RC)

Conditionnement supérieur : ORDRE 2

propriétaire du chien (SN) → *puis...* → chien (SI) → réaction de peur (RI)

propriétaire du chien (SC) → réaction de peur (RC)

Dans le conditionnement d'ordre supérieur, on utilise à titre de SI un stimulus devenu SC dans une précédente phase de conditionnement.

5.2.2 Le conditionnement opérant

Conditionnement opérant

Aussi appelé **Conditionnement instrumental**

Procédure où l'on modifie un comportement survenant de lui-même en contrôlant ce qui survient après que le comportement a été émis.

Contrairement au conditionnement classique, où l'on modifie une réponse *provoquée* par un stimulus, et ce, en intervenant sur les événements survenant *avant* la réponse, le **conditionnement opérant**, ou encore **conditionnement instrumental**, est une procédure où l'on modifie un comportement *survenant de lui-même,* en intervenant sur ce qui survient *après* que le comportement a été émis.

B. F. Skinner est le chercheur dont le nom est associé au conditionnement opérant un peu de la même façon que celui de Pavlov est lié au conditionnement classique (*voir la photo 5.2*). Toutefois, contrairement à Pavlov qui a découvert un type de conditionnement à partir d'une observation qu'il avait lui-même faite, Skinner n'a pas découvert le conditionnement opérant. En effet, non seulement ce type de conditionnement obéit au principe de récompense-punition connu depuis longtemps par l'homme, mais ce type d'apprentissage avait également été exploré par certains chercheurs avant Skinner.

Un des principaux chercheurs à avoir étudié scientifiquement ce qui allait devenir la base du conditionnement opérant est Edward L. Thorndike. S'intéressant au comportement animal, Thorndike avait étudié comment, à la suite d'un processus d'essais et erreurs, un chat placé dans une boîte à problèmes (*puzzle box*) en arrivait, d'une fois à l'autre, à trouver de plus en plus rapidement comment ouvrir la porte de la cage afin d'atteindre la nourriture placée à sa vue, à l'extérieur de la cage. À la suite de cette série d'expériences devenues classiques, Thorndike avait formulé ce qu'il a appelé la **loi de l'effet**, laquelle s'énonce comme suit :

> Parmi plusieurs réponses émises dans une même situation, toutes choses étant égales par ailleurs, celles qui sont accompagnées ou suivies de près par une satisfaction pour l'animal seront liées plus fermement à la situation, de sorte que, lorsque cette dernière se reproduira, elles auront plus de chances de se reproduire ; toutes choses étant égales par ailleurs, celles qui sont accompagnées ou suivies de près par un inconfort pour l'animal verront leur lien avec la situation affaibli, de sorte que, lorsque cette dernière se reproduira, elles auront moins de chances de se reproduire. Plus la satisfaction ou l'inconfort est grand, plus le lien est renforcé ou affaibli. (Thorndike, 1911, p. 244)

Il est aisé de reconnaître, dans cet extrait, le principe de récompense-punition qu'on retrouve à la base du conditionnement opérant. Toutefois, malgré le souci que Thorndike avait mis à formuler ce principe en une loi du comportement, celle-ci demeurait, aux yeux de Skinner, beaucoup trop générale. Pour ce dernier, les études d'essais et erreurs menées par Thorndike ne permettaient pas de savoir ce qui se passait exactement : qu'est-ce qui amenait exactement l'animal à émettre les bonnes réponses ? Pouvait-on faire en sorte que ces réponses surviennent plus rapidement ? Pouvait-on les orienter, les raffiner ?

C'est afin d'étudier plus systématiquement ces questions que Skinner a commencé sa recherche ; nous allons présenter dans les pages suivantes les principales notions issues de ses travaux (Skinner, 1938) et de ceux des chercheurs qui ont travaillé sur le même sujet. Nous traiterons d'abord de ce qui caractérise le conditionnement opérant, à savoir le renforcement et la punition, puis nous présenterons comment se retrouvent également, dans ce deuxième type de conditionnement, des phénomènes déjà rencontrés dans le cas du conditionnement classique, à savoir l'extinction et le recouvrement spontané, la généralisation et la discrimination, ainsi que le conditionnement d'ordre supérieur. Nous compléterons enfin cette section par quelques mots sur les programmes de renforcement.

Le renforcement et la punition

Afin de pouvoir étudier le plus systématiquement possible dans quelles conditions un comportement bien précis peut être influencé par une conséquence donnée, Skinner a conçu un environnement relativement restreint constitué d'une cage où il pouvait contrôler les stimuli présentés à l'animal et mesurer avec précision le comportement à conditionner. Cet environnement, appelé depuis *boîte de Skinner* par les autres chercheurs et illustré à la photo 5.3 (*page 158*), était conçu pour travailler typiquement avec un rat ou un pigeon. Skinner a ainsi pu étudier comment la conséquence associée à un comportement pouvait provoquer l'augmentation ou la diminution de ce comportement.

Loi de l'effet
Loi formulée par Thorndike et stipulant de façon générale qu'un comportement tend à se reproduire ou à disparaître selon qu'il est récompensé ou puni.

Burrhus F. Skinner (1904-1990)
Skinner a découvert le conditionnement opérant.

Photo 5.2

La boîte de Skinner comprend un levier, ou un déclencheur quelconque, dont l'activation provoque l'arrivée d'un stimulus (exemple : boulette de nourriture) ayant pour effet d'augmenter ou de diminuer la fréquence d'apparition d'une réponse.

Photo 5.3

Renforcement
Toute procédure ayant pour effet d'augmenter la fréquence d'apparition d'une réponse.

Renforcement positif
Procédure consistant à faire suivre une réponse par la présentation d'un stimulus agréable, ce qui a pour effet d'entraîner une augmentation du débit de la réponse.

Agent de renforcement positif
Aussi appelé **Renforçateur**
Stimulus qui, lorsque présenté après une réponse, en augmente la probabilité d'apparition.

Le renforcement On appelle **renforcement** toute procédure ayant pour effet d'augmenter la fréquence d'apparition d'une réponse. Sur ce point, Skinner a distingué deux façons de procéder par renforcement : le renforcement positif et le renforcement négatif.

Le renforcement positif Si l'on place dans une cage un rat ayant été préalablement privé de nourriture pendant un certain temps, celui-ci se met à en explorer les différentes parties. Au cours de ses déplacements, il en vient éventuellement à poser la patte sur un levier placé sur l'un des côtés de la cage et, aussitôt, une boulette de nourriture tombe dans un petit récipient près du levier ; le rat aperçoit la boulette et la mange. Il recommence ensuite à explorer sa cage et, de nouveau, il en vient à peser sur le levier, ce qui entraîne l'arrivée d'une autre boulette. Après un certain nombre de fois, on observe que l'animal se met à peser de plus en plus rapidement sur le levier, dès qu'il a fini de manger une boulette : on dit alors qu'il a été conditionné à presser sur le levier pour obtenir sa nourriture.

La situation décrite ci-dessus illustre ce que Skinner a appelé le **renforcement positif** : il s'agit d'une procédure consistant à faire suivre une réponse préalablement choisie (par exemple, une pression sur un levier) par la présentation d'un stimulus agréable (par exemple, de la nourriture), ce qui a pour effet d'entraîner une augmentation du débit de la réponse, c'est-à-dire de la fréquence avec laquelle la réponse est émise par une unité de temps donnée. Dans cette procédure, le stimulus qui suit la réponse et qui a pour effet d'en augmenter la probabilité d'occurrence est appelé **agent de renforcement positif** ou **renforçateur**. Il importe ici de mentionner qu'un stimulus ne peut constituer un renforçateur qu'à la condition de répondre à une certaine motivation : une boulette de nourriture, par exemple, n'agira comme renforçateur que pour un rat qui en a été privé depuis un certain temps, alors que pour un rat privé d'eau, c'est plutôt celle-ci qui servirait de renforçateur.

La figure 5.7 schématise la séquence caractérisant ce type de renforcement, où l'on observe trois étapes :

1. L'émission d'une réponse préalablement choisie (le comportement cible que l'on veut modifier) ;

2. La présentation d'un stimulus agréable (agent de renforcement positif) ;

3. Une augmentation du débit de la réponse.

Les exemples de renforcements positifs pullulent dans la vie courante : le maître qui donne une gâterie à son chien lorsque celui-ci fait le beau, le parent qui emmène son enfant au cirque parce qu'il a bien travaillé à l'école, l'employeur qui dispense un salaire à l'employé qui a correctement effectué son boulot, etc. Bien que l'expression « renforcement positif » en constitue une appellation plus scientifique, il s'agit en fait du bon vieux procédé de récompense utilisé depuis toujours par l'homme pour influencer le comportement de son semblable. L'expression « renforcement positif » permet toutefois de situer cette procédure par rapport aux autres façons de modifier le comportement et de définir les conditions d'application de la procédure de façon plus systématique que le terme commun de « récompense ».

| FIGURE 5.7 | Le renforcement positif |

| **Émission d'une réponse** (exemple : pression sur le levier) | → | **Présentation d'un stimulus agréable** (exemple : nourriture) | → | **Augmentation de la réponse** |

La séquence type d'une procédure de renforcement positif.

Skinner a rapidement constaté que, dans beaucoup de situations, il pourrait être extrêmement difficile, voire impossible, de conditionner un organisme à poser une réponse si l'on attendait que l'organisme pose de lui-même le comportement désiré. Si, après avoir placé un rat dans une cage, on attend que l'animal presse le levier avant de lui donner un renforçateur, une boulette de nourriture par exemple, cela risque de prendre beaucoup de temps! Par contre, il est possible d'accélérer le processus.

Ainsi, comme nous l'avons déjà mentionné, on observe qu'une fois placé dans la cage, le rat se met à en explorer tous les coins et recoins. Si alors on laisse tomber de la nourriture chaque fois que l'animal se trouve du côté de la cage où se trouve le levier, il en viendra à se tenir davantage dans cet endroit, puisque c'est ce comportement qui entraîne l'arrivée du renforçateur. On passera alors à l'étape suivante, et l'on attendra que le rat se tienne près du levier ou qu'il ait les yeux tournés vers lui avant de procéder au renforcement. Les mouvements d'exploration du rat se porteront davantage vers le levier et, éventuellement, il esquissera le geste de lever une patte en direction du levier : on renforcera alors ce comportement, ce qui en augmentera la probabilité d'occurrence. On pourra ensuite ne donner un renforçateur que lorsque l'animal touche au levier avec sa patte, et finalement faire en sorte que le renforçateur n'arrive que si l'animal pèse de lui-même suffisamment fort pour faire bouger le levier.

On appelle **façonnement** cette façon de procéder par approximations successives qui consiste à renforcer des comportements se rapprochant de plus en plus de la réponse désirée ; on peut ainsi arriver beaucoup plus sûrement et rapidement à conditionner une réponse donnée. De nombreuses activités quotidiennes sont apprises par façonnement. Quand on apprend les mouvements précis liés à une activité sportive ou ceux permettant de jouer d'un instrument de musique, on commence par faire les gestes les plus simples et, à mesure qu'on les maîtrise, on en ajoute de plus complexes.

Façonnement
Procédure consistant à renforcer, par approximations successives, des comportements se rapprochant de plus en plus de la réponse désirée.

Le renforcement négatif Si l'on place dans une boîte de Skinner un animal qui n'a jamais appris auparavant à appuyer sur le levier et qu'on lui inflige une légère stimulation électrique à travers le plancher de la cage, l'animal esquissera divers mouvements dans sa tentative d'échapper à la stimulation. Il en arrivera éventuellement à peser sur le levier, de façon purement accidentelle la première fois. Si l'on a modifié les réglages de façon à ce que la pression du levier fasse cesser la décharge électrique, la probabilité que l'animal retourne dans le coin du levier et le presse à nouveau sera plus grande. L'animal réussira assez rapidement à appuyer sur le levier dès que survient la décharge, ce qui lui permettra d'y échapper.

Skinner a appelé **renforcement négatif** cette procédure consistant à faire suivre une réponse préalablement choisie (par exemple, une pression sur un levier) par le retrait d'un stimulus désagréable (par exemple, une décharge électrique), ce qui a pour effet d'entraîner une augmentation du débit de la réponse, c'est-à-dire de la fréquence avec laquelle la réponse est émise par une unité de temps donnée. Dans cette procédure, le stimulus qui disparaît à la suite de la réponse et qui a pour effet d'en augmenter la probabilité d'occurrence est appelé **agent de renforcement négatif**. Il est important de comprendre que dans l'expression « renforcement négatif », le terme « négatif » réfère au fait que le renforcement de la réponse est obtenu en retirant un stimulus, opération pouvant être qualifiée de « négative » puisqu'elle consiste à faire disparaître un stimulus.

Renforcement négatif
Procédure consistant à faire suivre une réponse par le retrait d'un stimulus désagréable, ce qui a pour effet d'entraîner une augmentation du débit de la réponse.

Agent de renforcement négatif
Stimulus qui, lorsque retiré après une réponse, en augmente la probabilité d'apparition.

La figure 5.8 (*page 160*) schématise la séquence caractérisant ce type de renforcement, où l'on observe trois étapes :

1. L'émission d'une réponse préalablement choisie (le comportement cible que l'on veut modifier) ;

2. Le retrait d'un stimulus désagréable déjà présent (agent de renforcement négatif) ;

3. Une augmentation du débit de la réponse.

FIGURE 5.8 Le renforcement négatif

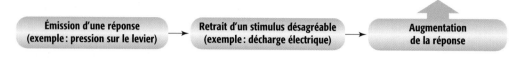

La séquence type d'une procédure de renforcement négatif.

À titre d'exemples de renforcement négatif dans la vie courante, on peut penser au parent qui dispense un adolescent d'une tâche considérée comme désagréable par celui-ci (par exemple, faire la vaisselle) parce qu'il a pelleté l'allée après une bordée de neige, ou l'alcoolique qui «oublie» ses problèmes dès qu'il va boire avec les copains à la taverne.

La punition On appelle **punition** toute procédure ayant pour effet de diminuer la fréquence d'apparition d'une réponse. Dans le cadre de ses recherches, Skinner a distingué deux façons de procéder par punition: la punition positive et la punition négative.

La punition positive Si l'on prend un rat à qui l'on a appris à peser sur le levier pour obtenir de la nourriture et qu'on le place dans la boîte de Skinner après l'avoir privé de nourriture un certain temps, le rat sera porté à faire ce qu'il a appris, c'est-à-dire à peser sur le levier. Toutefois, si l'on fait en sorte cette fois qu'il reçoive une décharge électrique au lieu d'une boulette de viande chaque fois qu'il appuie sur le levier, on constatera que le débit de réponse diminuera rapidement jusqu'à cesser presque complètement.

On appelle **punition positive** cette procédure consistant à faire suivre une réponse par la présentation d'un stimulus désagréable qui a pour effet de faire diminuer la probabilité d'occurrence de la réponse. Parler de «punition positive» peut sembler inusité de prime abord, mais il faut souligner que le terme «positive» renvoie au fait que la punition de la réponse est obtenue en «présentant» un stimulus, opération que l'on peut qualifier de «positive» puisqu'elle consiste à faire apparaître un stimulus. Dans cette procédure, le stimulus désagréable présenté à la suite de la réponse et qui a pour effet d'en diminuer la probabilité d'occurrence est appelé **agent de punition positive**.

La figure 5.9 schématise la séquence caractérisant ce type de renforcement, où l'on observe trois étapes:

1. L'émission d'une réponse préalablement choisie (le comportement cible que l'on veut modifier);

2. La présentation d'un stimulus désagréable (agent de punition positive);

3. Une diminution du débit de la réponse.

La fessée, les réprimandes, les amendes, etc. constituent des exemples de punitions positives très fréquents dans la vie courante.

Punition
Toute procédure ayant pour effet de diminuer la fréquence d'apparition d'une réponse.

Punition positive
Procédure consistant à faire suivre une réponse par la présentation d'un stimulus désagréable qui a pour effet de faire diminuer la probabilité d'occurrence de la réponse.

Agent de punition positive
Stimulus qui, lorsque présenté après une réponse, en diminue la probabilité d'apparition.

FIGURE 5.9 La punition positive

Émission d'une réponse (exemple: pression sur le levier)	Présentation d'un stimulus désagréable (exemple: décharge électrique)	Diminution de la réponse

La séquence type d'une procédure de punition positive.

La punition négative Si l'on prend de nouveau un rat à qui l'on a appris à peser sur le levier pour obtenir de la nourriture et qu'on le place dans la boîte de Skinner après l'avoir privé de nourriture un certain temps, le rat sera porté à faire ce qu'il avait appris, c'est-à-dire à peser sur le levier. Supposons cependant que, cette fois, une pression du levier entraîne, pendant 30 secondes, le retrait du plateau de nourriture dans lequel on faisait tomber «gratuitement» une boulette toutes les trente secondes. On constatera alors que la tendance à peser sur le levier diminuera rapidement jusqu'à disparaître complètement.

On appelle **punition négative** cette procédure consistant à faire suivre une réponse par le retrait d'un stimulus agréable déjà présent, retrait qui a pour effet de faire diminuer la probabilité d'occurrence de la réponse. Encore ici, il importe d'attirer l'attention sur le fait que le terme «négative» signifie que la punition de la réponse est obtenue en «retirant» un stimulus déjà présent, opération que l'on peut qualifier de «négative», puisqu'elle consiste à «faire disparaître» un stimulus. Dans cette procédure, le stimulus agréable qui disparaît à la suite de la réponse, et dont le retrait a pour effet de diminuer la probabilité d'occurrence de la réponse, est appelé **agent de punition négative**.

La figure 5.10 schématise la séquence caractérisant ce type de punition, où l'on observe trois étapes :

1. L'émission d'une réponse préalablement choisie (le comportement cible que l'on veut modifier);

2. Le retrait d'un stimulus agréable déjà présent (agent de punition négative);

3. Une diminution du débit de la réponse.

> **Punition négative**
> Procédure consistant à faire suivre une réponse par le retrait d'un stimulus agréable déjà présent, retrait qui a pour effet de faire diminuer la probabilité d'occurrence de la réponse.

> **Agent de punition négative**
> Stimulus agréable qui, lorsque retiré après une réponse, en diminue la probabilité d'apparition.

FIGURE 5.10 La punition négative

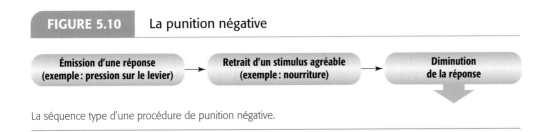

La séquence type d'une procédure de punition négative.

Les exemples de punitions négatives sont, du moins à première vue, moins fréquents que la punition positive; on peut néanmoins ranger dans cette catégorie la plupart des situations dans lesquelles l'émission d'une réponse a pour effet de retirer un privilège: suppression, pour un prisonnier, d'une promesse de libération conditionnelle, et pour un enfant, d'une sortie avec ses amis. En ce qui a trait à la punition, les nombreuses études de laboratoire sur le sujet tendent à démontrer que l'emploi inconsidéré de la punition, que ce soit sous sa forme positive ou négative, est loin de toujours produire les résultats escomptés, ainsi que l'explique l'encadré 5.2 (*page 162*).

Le tableau 5.1 présente les principales caractéristiques des différents types de renforcements et de punitions.

TABLEAU 5.1 Les types de renforcements et de punitions

		Effet observé	
		Augmentation de la réponse	**Diminution** de la réponse
Événement suivant la réponse	**Présentation d'un stimulus**	Renforcement positif	Punition positive
	Retrait d'un stimulus	Renforcement négatif	Punition négative

La punition : les plus et les moins

L'humain, qu'il s'agisse d'une personne ou d'une collectivité, semble spontanément porté à utiliser la punition lorsqu'il désire éliminer un comportement. Or, s'il est vrai que la punition peut souvent supprimer un comportement, ou du moins en diminuer la fréquence, il demeure que son efficacité de même que sa justification morale ont fait et font encore l'objet de travaux de recherche et de débats.

Concernant la question de l'efficacité, on a constaté que la punition peut souvent amener l'organisme à trouver des stratégies pour continuer à poser le comportement, tout en évitant la punition. L'exemple des contraventions pour excès de vitesse sur les routes est éloquent : au lieu de limiter sa vitesse à celle correspondant au maximum permis, le conducteur pris en défaut peut, après quelques minutes, retrouver la vitesse pour laquelle il a été puni mais, cette fois-ci, en surveillant attentivement la présence de voitures de police ! L'emprisonnement est un autre excellent exemple de situation où la punition a lamentablement échoué pour éteindre un comportement, comme en témoigne le rapport rédigé par Pierre Lalande pour la direction de l'administration et des programmes du ministère de la Sécurité publique (Lalande, 2000). Selon ce rapport, non seulement l'emprisonnement ne réduit pas la récidive, mais il semblerait même la favoriser. Dans les prisons québécoises, qui «seraient peuplées à 83 p. cent de récidivistes» (Rapport Prévost, 1970, p. 145), l'échec de la punition parle de lui-même.

Il est aussi possible que la punition n'ait aucun effet lorsque le stimulus utilisé comme agent de punition n'est pas adéquat. Par exemple, une travailleuse en service de garde qui réprimande un jeune enfant parce qu'il fait trop de bruit dans le local peut, sans s'en rendre compte, avoir renforcé le comportement de l'enfant si, pour ce dernier, le reproche est plutôt perçu comme de l'attention reçue de la part de l'intervenante.

Outre le fait qu'elle n'a pas toujours les effets escomptés, la punition peut entraîner des réactions indésirables. À court terme — et même au moment de son application —, elle peut entraîner des manifestations de colère telles que des protestations verbales et des gestes violents.

À moyen et à plus long terme, les effets sont plus difficiles à établir en raison des problèmes d'éthique que poserait la recherche de nature expérimentale. Une recherche faite par Aucoin et al. (2006) a néanmoins démontré que les enfants dont les parents ont souvent recours au châtiment corporel s'adaptent moins bien au contexte scolaire que les autres. Dans une autre recherche à plus long terme, Afifi et al. (2006) ont constaté que les individus qui ont été l'objet de châtiments corporels fréquents lorsqu'ils étaient plus jeunes ont plus de risques d'éprouver, une fois adultes, des problèmes de dépression et de dépendance à l'alcool, ainsi que des difficultés à extérioriser leurs sentiments.

Comme le soulignent les auteurs des études mentionnées, leurs analyses ont été effectuées à partir de données d'enquêtes, et il y a lieu de demeurer prudent sur l'interprétation des résultats en se demandant si les punitions reçues causent vraiment des problèmes d'adaptation à l'école et des problèmes psychologiques à l'âge adulte ou si, au contraire, les parents sont portés à utiliser davantage la punition parce qu'il s'agit au départ d'enfants plus difficiles. L'impossibilité, pour des raisons éthiques, d'utiliser la méthode expérimentale empêche d'établir le sens de la causalité.

Il n'en demeure pas moins qu'à une époque où les châtiments corporels sont de plus en plus contestés, l'importance de mener des études sur leurs effets s'impose de plus en plus.

L'amende pour excès de vitesse : une punition vraiment efficace ?

L'extinction et le recouvrement spontané

L'extinction Lorsqu'une réponse a été acquise par renforcement, on peut procéder à son extinction en cessant de la renforcer. Par exemple, si l'on cesse de faire suivre d'une boulette de nourriture le comportement de pression du levier, il y a graduellement **extinction** de ce comportement. De même, si une personne met de l'argent dans une machine distributrice pour obtenir une bouteille d'eau et que le produit désiré ne tombe pas dans le réceptacle prévu à cet effet, elle sera portée, après avoir récupéré son argent, à essayer encore quelques fois. Si le renforçateur n'apparaît toujours pas, la personne cessera d'essayer : le comportement aura été éteint.

Le recouvrement spontané Tout comme dans le cas du conditionnement classique, l'extinction d'une réponse ne signifie pas que celle-ci a été oubliée, car elle demeure sujette au **recouvrement spontané**. Ainsi, lorsqu'une réponse a été éteinte lors de sessions précédentes et qu'on a retiré l'animal de l'environnement expérimental pendant un certain temps, le fait de le replacer dans la situation où l'on avait procédé au conditionnement de la réponse entraîne souvent une réapparition de cette dernière : on dira alors qu'il y a eu recouvrement spontané de la réponse. L'exemple de la machine distributrice évoqué plus haut peut également servir ici. En effet, il est fort probable que, si la personne repasse devant la machine distributrice quelques jours plus tard et qu'elle veut de l'eau, elle sera de nouveau portée à l'utiliser.

Extinction
Phase d'une procédure de conditionnement pendant laquelle on amène un organisme à ne plus présenter une réponse acquise lors de la phase d'acquisition. Dans le conditionnement opérant, c'est la phase pendant laquelle la réponse n'est plus renforcée.

Recouvrement spontané
Dans le conditionnement opérant, réapparition d'une réponse précédemment éteinte qui survient lorsque, après une période de repos, on place de nouveau l'organisme dans la situation où il avait acquis la réponse.

La généralisation et la discrimination

La généralisation Le phénomène de généralisation observé dans le cadre du conditionnement classique se retrouve également en conditionnement opérant. Un rat qui aurait appris à peser sur un levier au-dessus duquel il y a une lumière allumée fera de même si l'on éteint la lumière, ou si l'on déplace le levier : on observera une généralisation à d'autres situations semblables à la situation initiale. Par ailleurs, lorsqu'il y a généralisation, plus la situation est semblable à la situation initiale, plus la réponse sera forte (si elle avait été renforcée) ou faible (si elle avait été punie), ce qui constitue une autre forme de **gradient de généralisation**. À titre d'exemple, lorsqu'on a appris à conduire une auto en particulier, on généralise spontanément aux autres modèles, et ce, d'autant plus facilement que l'intérieur de ces derniers ressemble à celui de la voiture avec laquelle on a appris à conduire.

La discrimination La généralisation, que ce soit en conditionnement classique ou opérant, se manifeste spontanément, sans aucun apprentissage. À l'opposé, un organisme doit apprendre à discriminer entre deux situations, et ce, dans les deux types de conditionnement.

En effet, si l'on présente un renforçateur à un rat chaque fois qu'il pèse sur le levier quand la lumière est allumée, et qu'on ne lui en donne pas lorsque la lumière est éteinte, le rat apprendra à peser sur le levier seulement quand la lumière est allumée. Dans un tel contexte, le stimulus indiquant que les réponses seront renforcées (c'est-à-dire la lumière allumée) est dit **stimulus discriminatif**. On parle ainsi de **discrimination** pour désigner ce processus par lequel un organisme apprend à répondre uniquement en présence d'un stimulus donné, le stimulus discriminatif. Par exemple, une personne qui a appris à conduire une voiture à transmission manuelle doit apprendre à discriminer ce type de voiture et celui à transmission automatique : elle doit apprendre à ne changer de vitesse de façon manuelle qu'en présence du stimulus discriminatif « pédale d'embrayage », lequel ne se retrouve pas dans une voiture à transmission automatique !

Les signaux routiers sont d'autres excellents exemples de stimuli discriminatifs : un feu vert est un stimulus discriminatif pour le comportement « franchir l'intersection », un feu rouge, pour le comportement « s'arrêter et attendre le feu vert », un panneau de signalisation « Arrêt », pour le comportement « s'arrêter et regarder s'il y a des voitures circulant dans l'autre sens », et ainsi de suite.

Le conditionnement d'ordre supérieur

On retrouve dans le conditionnement opérant un phénomène de conditionnement d'ordre supérieur analogue à ce que l'on observe dans le cas du conditionnement classique. Ainsi, en conditionnement opérant, un **conditionnement d'ordre supérieur** est un conditionnement où l'agent de renforcement (renforçateur) ou de punition est de type secondaire plutôt que primaire.

Un **renforçateur primaire** est un stimulus dont la propriété de renforcement est inhérente au stimulus lui-même, c'est-à-dire qu'elle n'a pas été apprise. C'est le cas de la plupart des éléments qui répondent à un besoin physiologique. L'arrivée d'une goutte d'eau pour un rat assoiffé et la disparition d'une décharge électrique sont d'excellents exemples de renforçateurs primaires. Par analogie avec la notion de renforçateur, un **agent de punition primaire** est un stimulus dont la propriété punitive est inhérente au stimulus lui-même, à savoir qu'elle n'a pas été apprise. Par exemple, la douleur ressentie en mettant la main sur un rond de poêle brûlant est un agent de punition primaire dont la propriété punitive est innée.

Un **renforçateur secondaire**, quant à lui, est un stimulus dont la propriété de renforcement a été apprise. Cette propriété a pu être acquise lors d'une procédure de type classique, par appariement avec un renforçateur primaire ou avec un renforçateur secondaire ayant déjà acquis sa propriété de renforcement. Par exemple, si l'on place un rat dans une cage et que le rat reçoit une boulette de nourriture chaque fois qu'on

Gradient de généralisation
Dans le conditionnement opérant, tendance d'une réponse à être d'autant plus forte (si elle avait été renforcée) ou plus faible (si elle avait été punie) que la situation est semblable à la situation initiale.

Stimulus discriminatif
Dans une procédure de conditionnement opérant, stimulus à la suite duquel une réponse déterminée sera renforcée.

Discrimination
Dans le conditionnement opérant, phase où l'on amène un organisme à ne répondre qu'à un stimulus discriminatif déterminé, et non aux autres qui lui ressemblent.

Conditionnement d'ordre supérieur
Dans le conditionnement opérant, phase où l'on utilise, à titre d'agent de renforcement ou de punition, un stimulus dont le pouvoir renforçant ou punitif a été acquis lors d'une procédure de conditionnement antérieure.

Renforçateur primaire
Contrairement à un renforçateur secondaire, stimulus dont la propriété de renforcement est inhérente au stimulus lui-même, n'ayant pas été apprise lors d'une procédure de conditionnement antérieure.

Agent de punition primaire
Stimulus dont la propriété punitive est inhérente au stimulus lui-même.

Renforçateur secondaire
Stimulus dont la propriété de renforcement a été apprise lors d'une procédure de conditionnement antérieure.

fait entendre un son, le rat apprendra après un certain temps à associer son et nourriture. On pourra alors utiliser le son comme renforçateur pour conditionner l'animal à presser sur un levier. Dans ce cas, le son est dit *renforçateur secondaire*, car c'est à la suite de l'appariement avec le renforçateur primaire «nourriture», qu'il est lui-même devenu renforçateur. Les exemples de renforçateurs secondaires abondent dans la vie de tous les jours : une somme d'argent, un trophée, un diplôme, le mot «félicitations» sont tous des renforçateurs qui ont acquis leur propriété de renforcement par apprentissage. Une somme d'argent, par exemple, peut être associée à des biens répondant à des renforçateurs primaires tels que la nourriture, les vêtements, etc. Nous reviendrons sur cette question de renforçateurs appris dans le chapitre 8 sur la motivation.

De façon analogue au renforçateur secondaire, un **agent de punition secondaire** est un stimulus dont la propriété punitive a été apprise. Par exemple, la personne qui s'est déjà brûlée sur un poêle évitera de le toucher, car elle a appris que le contact est douloureux.

Les programmes de renforcement

La nature du renforçateur, primaire ou secondaire, influence la rapidité et l'efficacité avec laquelle une réponse peut être apprise ou éteinte, mais cela dépend aussi beaucoup de ce que Skinner a appelé le **programme de renforcement**, c'est-à-dire l'ensemble des critères en fonction desquels le renforcement est effectué. On distingue ainsi le renforcement continu et le renforcement intermittent ; outre ce qui les différencie, il est intéressant, lorsqu'on veut les mettre en application, de connaître l'influence du type de renforcement sur l'acquisition et l'extinction d'un comportement.

Le renforcement continu Le **renforcement continu** consiste simplement à renforcer un organisme chaque fois qu'il émet la réponse que l'on attend de lui. Dans l'exemple du rat qui doit peser sur un levier pour obtenir de la nourriture, cela consiste à lui présenter une boulette de nourriture chaque fois qu'il appuie sur le levier ; un exemple simple de renforcement continu dans la vie quotidienne est celui d'une machine distributrice : cette dernière donne le produit désiré — si elle fonctionne adéquatement ! — chaque fois qu'on insère la somme requise.

Le renforcement intermittent Le **renforcement intermittent** consiste à présenter un renforçateur non pas chaque fois que l'organisme émet la réponse, mais seulement lorsque la réponse fournie obéit à un critère prédéterminé. Ce critère peut être basé soit sur le nombre de réponses émises, soit sur l'intervalle de temps écoulé depuis le dernier renforcement : dans le premier cas, on parle d'un *programme de renforcement à proportion,* dans le second cas, d'un *programme de renforcement à intervalle.*

Le renforcement à proportion Le **renforcement à proportion** consiste à attendre qu'un nombre donné de réponses aient été émises par un organisme avant de procéder au renforcement. Si ce nombre est fixe et qu'on attend par exemple toujours 10 réponses avant de renforcer, on parle de programme de **renforcement à proportion fixe** ; si, au contraire, le nombre est variable et qu'on attend par exemple 10 réponses en moyenne avant de renforcer (on pourrait renforcer après 12 réponses, puis après 8, puis 10, etc.), on parlera de **renforcement à proportion variable**.

En guise d'exemple de renforcement à proportion fixe, on peut donner le cas d'un joueur de hockey à qui le propriétaire de l'équipe aurait accepté de verser au cours de la saison un boni de 25 000 $ à chaque 5 points récoltés. Par ailleurs, la personne qui joue aux machines à sous est renforcée, pour sa part, selon un programme de renforcement à proportion variable, à savoir que le moment du renforcement est imprévisible. Cette proportion et la somme attribuée sont d'ailleurs calculées pour qu'à long terme, les machines récoltent davantage d'argent qu'elles n'en distribuent aux joueurs. Ainsi, la très grande majorité des joueurs perdent plus d'argent qu'ils n'en gagnent !

Le renforcement à intervalle Dans le **renforcement à intervalle**, on attend qu'un intervalle de temps donné se soit écoulé depuis le dernier renforcement avant de

---

Agent de punition secondaire
Stimulus dont la propriété punitive a été apprise.

Programme de renforcement
De façon générale, ensemble des critères en fonction desquels un renforcement est effectué.

Renforcement continu
Programme de renforcement consistant à renforcer un organisme chaque fois qu'il émet la réponse qu'on attend de lui.

Renforcement intermittent
Programme de renforcement consistant à renforcer un organisme seulement lors de certaines émissions de la réponse.

Renforcement à proportion
Programme de renforcement intermittent consistant à attendre, après chaque renforcement, l'émission d'un nombre donné de réponses avant de procéder au prochain renforcement.

Renforcement à proportion fixe
Programme de renforcement à proportion où le nombre de réponses requises avant de procéder au renforcement est fixe d'une fois à l'autre.

Renforcement à proportion variable
Programme de renforcement à proportion où le nombre de réponses requises avant de procéder au renforcement est variable d'une fois à l'autre.

Renforcement à intervalle
Programme de renforcement intermittent consistant à attendre, après chaque renforcement, l'écoulement d'un intervalle de temps donné avant de renforcer la prochaine réponse.

renforcer la prochaine réponse. Si cet intervalle est fixe, et qu'on attend par exemple toujours 30 secondes avant de renforcer la prochaine réponse, on parle de programme de **renforcement à intervalle fixe**; si, au contraire, l'intervalle est variable et qu'on attend par exemple 30 secondes en moyenne (on pourrait renforcer après 40 secondes, puis après 20, puis 30, etc.), on parlera de **renforcement à intervalle variable**. Un feu de circulation constitue une bonne illustration de situation où l'on a appris à fonctionner selon un renforcement à intervalle fixe : au début de l'intervalle où le feu est rouge, les autos attendent sagement mais, au fur et à mesure que les secondes s'écoulent, on observe une tendance à commencer à avancer, les automobilistes ayant appris que l'intervalle sera bientôt écoulé. Par ailleurs, le pêcheur qui a attrapé un poisson est renforcé mais, comme il ne peut prévoir d'une fois à l'autre quel intervalle de temps s'écoulera avant la prochaine prise, son comportement de pêche est maintenu par un renforcement à intervalle variable.

L'influence du type de renforcement sur l'acquisition et l'extinction Après avoir présenté chaque type de renforcement, nous pouvons constater que le renforcement continu est celui qui permet l'acquisition la plus rapide d'une réponse. En effet, si l'on procède par renforcement intermittent, l'acquisition sera plus lente car le sujet, du fait qu'il est renforcé moins souvent, mettra plus de temps à apprendre la relation entre la réponse et sa conséquence, le renforcement.

Testez vos connaissances

3. **Si l'on arrive à faire apprendre un comportement à un organisme en ne le récompensant que de temps en temps, il cessera plus rapidement d'émettre le comportement dès que l'on cessera complètement de le récompenser.**

   L'organisme aura alors été renforcé selon un programme de renforcement intermittent : avec ce type de renforcement, l'acquisition est plus lente, mais l'extinction est également plus difficile à établir.

Une fois l'acquisition faite cependant, le renforcement continu est moins économique et moins efficace pour maintenir la réponse, cette dernière étant ainsi plus sujette à l'extinction. Le renforcement continu risque d'entraîner un rassasiement plus rapide du sujet que lorsque le renforçateur est intermittent. Par ailleurs, lorsque l'arrêt complet de tout renforcement suit une période où l'organisme était renforcé de façon continue, le changement tranche davantage et l'extinction survient plus rapidement que lorsque le renforcement arrête après une période de renforcement intermittent; dans ce dernier cas, l'organisme avait déjà appris à ne pas être renforcé après chaque émission de réponse.

En somme, lorsqu'on veut faire adopter un comportement et rendre plus difficile son extinction, la meilleure stratégie consiste à le faire apprendre en utilisant d'abord le renforcement continu, puis en passant graduellement à un programme de renforcement intermittent. Les tenants du conditionnement opérant expliquent d'ailleurs la difficulté qu'éprouvent les joueurs compulsifs à arrêter de jouer par la grande résistance des réponses renforcées de façon intermittente face à l'extinction : le fait de gagner de temps à autre, après un nombre d'essais souvent grand mais variable, reproduit une procédure de renforcement à proportion variable, laquelle rend très difficile l'extinction de la réponse (*voir la photo 5.4*).

Comme nous venons de le voir, les façons d'utiliser le renforcement sont multiples. On peut s'en servir pour de nombreuses applications sans avoir recours à la punition, comme le rappellent les psychologues Robert Leclerc et Marie-Claude Guay dans les encadrés 5.3 et 5.4 (*pages 166 et 167*) qui leur sont respectivement consacrés.

Les machines à sous renforcent les joueurs selon un programme à proportion variable.

Photo 5.4

5.3 Les apprentissages de type cognitif

Les apprentissages de type associatif, dont il vient d'être question, mettent l'accent sur l'établissement d'une association entre deux stimuli (comme dans le conditionnement classique) ou encore entre une réponse et sa conséquence (comme dans le conditionnement opérant). À la différence de ces derniers, les apprentissages de type cognitif font appel à une organisation des connaissances liées à la situation, d'où l'expression **apprentissage cognitif**. On regroupe habituellement sous cette catégorie l'apprentissage latent, l'apprentissage par intuition, l'apprentissage par observation ainsi que l'apprentissage des concepts et du langage.

Apprentissage cognitif
Forme d'apprentissage faisant appel à une organisation des connaissances liées à la situation.

5.3.1 L'apprentissage latent

Dans sa volonté d'étudier systématiquement les principes à la base de la loi de l'effet de Thorndike, Skinner avait cherché à montrer en quoi l'apprentissage d'un comportement, selon qu'il était renforcé ou puni, dépendait de ses conséquences. Un autre chercheur, Edward C. Tolman, remet en question l'importance que la loi de l'effet accorde au fait qu'un comportement soit récompensé ou non. Afin d'étayer son point de vue, Tolman effectue une série d'expériences en compagnie de son collègue C. H. Honzik. Il reprend entre autres une recherche menée par Blodgett (1929) dans laquelle l'auteur considérait avoir démontré qu'il peut y avoir apprentissage en l'absence de toute récompense.

Ainsi, dans la recherche de Tolman et Honzik (1930), des rats préalablement privés de nourriture étaient placés dans un labyrinthe comprenant plusieurs culs-de-sac et au bout duquel pouvait se trouver ou non une boulette de nourriture. Les rats étaient

---

ENCADRÉ 5.3   Paroles d'expert

Robert Leclerc et le conditionnement au cœur du quotidien

Après avoir obtenu un baccalauréat en sciences à l'Université McGill, puis une maîtrise à l'Université de Moncton et un doctorat à l'Université Western Ontario (ces deux derniers diplômes étant en psychologie), Robert Leclerc, professeur agrégé à l'École de psychologie de l'Université d'Ottawa, mène depuis 30 ans une carrière d'enseignant et de chercheur-praticien dans le domaine du conditionnement et de l'apprentissage.

C'est lors de ses études collégiales que le professeur Leclerc s'est intéressé à l'étude du conditionnement. Attiré à la fois par la philosophie et par les sciences, M. Leclerc a trouvé dans le conditionnement un champ d'études qui se prêtait particulièrement bien à la compréhension du comportement humain sous les angles de ces deux disciplines. Comprendre notamment comment nous acquérons les habitudes à la base de notre comportement peut aider à réfléchir de façon plus éclairée sur un problème fondamental comme la liberté humaine.

Sur le plan scientifique, le conditionnement et l'apprentissage constituent des secteurs où les connaissances d'ordre théorique se prêtent presque naturellement à de nombreuses applications.

Dans le domaine de l'éducation, par exemple, la connaissance des principes à la base de l'apprentissage peut contribuer à structurer un environnement qui facilitera l'apprentissage des comportements désirables et l'élimination des comportements indésirables, et ce, sans avoir recours à la punition. Le travail auprès d'enfants ayant un handicap intellectuel ou touchés par un problème de santé mentale est d'ailleurs un champ d'intervention privilégié par M. Leclerc.

Du côté clinique, de nombreuses techniques d'intervention ont été mises au point, à partir des connaissances sur l'apprentissage, pour traiter des problèmes tels que ceux liés à l'anxiété (exemple : peurs irrationnelles) ou encore aux comportements autistiques (repli sur soi et manque de contact avec l'environnement). Il s'agit là d'un aspect dont nous parlerons davantage dans le chapitre 12.

Ainsi, comme le signale M. Leclerc, le terme «conditionnement» peut parfois être perçu comme négatif, souvent avec raison quand il est question de publicité ; cependant, il est très éclairant quand il s'agit de comprendre le comportement et d'aider à résoudre des problèmes, et ce, dans des situations où l'on ne s'y attendait pas, à priori. À titre d'exemple, les chercheurs Brian Iwata *et al.* (1994) ont démontré que même les comportements d'automutilation observables chez la plupart des enfants autistes sont acquis par renforcement !

Comme on peut le constater à la suite des propos de M. Leclerc, l'étude des principes à la base du conditionnement et de l'apprentissage n'est pas une question purement théorique : elle peut contribuer à comprendre et à traiter différents problèmes on ne peut plus concrets.

Robert Leclerc, Ph. D. en psychologie, professeur agrégé à l'École de psychologie de l'Université d'Ottawa.

Marie-Claude Guay : pour un meilleur développement cognitif chez l'enfant

Professeure et chercheuse au Département de psychologie de l'UQAM, et psychologue depuis une dizaine d'années, Marie-Claude Guay a obtenu son baccalauréat à l'Université Laval avant d'y compléter une maîtrise au Laboratoire de psychologie cognitive. D'abord intéressée par la recherche fondamentale et la neuropsychologie clinique dans le cadre de sa maîtrise, elle a par la suite poursuivi sa formation au doctorat à l'UQAM et, désireuse de parfaire sa formation clinique, s'est tournée vers la recherche appliquée selon l'orientation cognitivo-comportementale.

Tout en enseignant le cours d'apprentissage au premier cycle à l'UQAM, Mme Guay, qui fait partie de la section Approche cognitive et comportementale, supervise le premier stage de formation clinique que les étudiants au doctorat suivent au Centre de services psychologiques à l'UQAM, et qui porte sur la neuropsychologie chez l'enfant.

En tant que chercheuse, Mme Guay est associée à la Clinique des troubles de l'attention de l'Hôpital Rivière-des-Prairies ainsi qu'au Centre jeunesse de Montréal - Institut universitaire. Dans l'ensemble, les travaux de recherche qu'elle dirige et auxquels elle participe portent sur l'impact des thérapies cognitivo-comportementales[1] sur les fonctions cognitives et sur l'adaptation.

Bien que ces recherches se situent d'emblée dans un contexte clinique — l'un des sujets auxquels s'intéresse la chercheuse étant les troubles liés à l'attention et à l'hyperactivité —, une autre partie de ses recherches porte sur ce qui peut entraver le développement cognitif normal.

L'une d'entre elles s'avère particulièrement captivante ; elle traite des retards cognitifs constatés auprès de nombreux enfants d'immigrants originaires de pays en voie de développement. La recherche — qui fera sous peu l'objet d'une publication — a en effet démontré que ces retards, observables dès l'âge de trois ou quatre ans, dépendaient uniquement de variables d'ordre environnemental. Autrement dit, les retards observés étaient dus à la pauvreté de la stimulation provenant de l'environnement où évoluaient les enfants (par exemple, peu de jouets éducatifs à la maison), une pauvreté qui n'offre pas suffisamment d'occasions d'apprendre et, par conséquent, de s'épanouir pleinement sur le plan cognitif.

Marie-Claude Guay, Ph. D. en psychologie, professeure et chercheuse à l'UQAM.

À la suite de cette étude, Mme Guay et son équipe de recherche ont développé, grâce à une subvention du Conseil canadien sur l'apprentissage, le programme *ÉGALITÉ*. Implanté dans plusieurs quartiers de Montréal, ce programme vise à corriger les lacunes environnementales responsables des retards cognitifs observés chez les enfants provenant de ces milieux. On vise ainsi, entre autres choses, à outiller les parents afin qu'ils adoptent des stratégies éducatives plus efficaces.

Mme Guay fait remarquer que, de façon générale, les stratégies d'intervention auxquelles elle s'intéresse et qui s'inscrivent dans l'approche cognitivo-comportementale s'appuient à la base sur les principes généraux des formes d'apprentissage que sont le conditionnement classique et le conditionnement opérant. Par exemple, dans le développement de programmes portant sur la gestion des comportements problématiques, tels que ceux qu'on observe à la maison et à l'école, on doit se rappeler un principe mis en évidence par les théoriciens de l'apprentissage : pour modifier un comportement, il est préférable, sauf exception, de mettre l'accent sur le renforcement positif plutôt que sur la punition.

Pour la chercheuse, la convergence d'approches observable dans son domaine témoigne du dynamisme de la recherche qui s'y fait.

---

1. Il sera davantage question des thérapies cognitivo-comportementales dans le chapitre 12, lequel porte explicitement sur les différentes approches thérapeutiques.

(Photo : Gracieuseté de François L. Delagrave)

---

divisés en trois groupes. Pour les rats du premier groupe (le groupe récompensé), une boulette de nourriture était placée au point d'arrivée, et les rats qui y arrivaient avaient le temps de manger la boulette, après quoi ils étaient replacés au point de départ pour un nouvel essai. Pour ceux du deuxième groupe (le groupe non récompensé), il n'y avait jamais de nourriture, et l'on retirait et replaçait tout simplement au début les rats qui arrivaient au bout du labyrinthe au cours de leurs déplacements. Quant aux rats du troisième groupe (le groupe non récompensé-récompensé), ils ne trouvaient aucune nourriture les dix premiers jours mais, à partir du onzième jour, une boulette s'y trouvait. Comme l'indique la figure 5.11 (*page 168*), lors des dix premiers jours, les rats du groupe non récompensé-récompensé ont commis en moyenne le même nombre d'erreurs (c'est-à-dire d'entrées dans un cul-de-sac) que les rats du groupe non récompensé. Toutefois, à partir du onzième jour, c'est-à-dire à partir du moment où ils trouvaient de la nourriture, leur nombre moyen d'erreurs a rapidement diminué jusqu'à rejoindre celui du groupe récompensé, affichant même une meilleure performance que ces derniers.

FIGURE 5.11   L'apprentissage latent

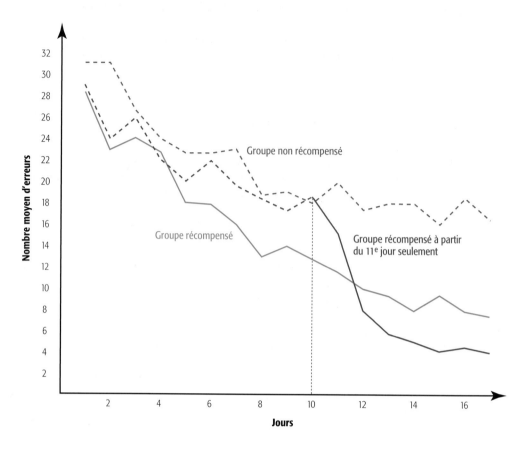

Dans l'expérience de Tolman et Honzik (1930), les rats qui n'ont été récompensés qu'à partir du onzième jour ont eu, au cours des dix premiers jours (section de la courbe en vert et en trait brisé), une performance comparable à ceux qui n'ont jamais été récompensés (section de la courbe en rouge et en trait brisé). Cependant, à partir du moment où ils l'ont été (section de la courbe en vert et en trait continu), ils ont rapidement rattrapé le groupe des rats qui avaient toujours été récompensés, affichant même une meilleure performance que ces derniers (section en bleu et en trait continu).

Apprentissage latent
Forme d'apprentissage survenant en l'absence de tout renforcement observable.

Les résultats obtenus par Tolman et Honzik confirmaient ceux de Blodgett, et Tolman les a interprétés de la même manière que l'avait fait Blodgett (1929) : lorsqu'ils se trouvaient dans le labyrinthe, les rats du groupe non récompensé-récompensé avaient commencé à en apprendre le trajet même s'ils ne recevaient aucun renforçateur, et cet apprentissage ne s'est manifesté que lorsqu'ils ont trouvé de la nourriture au bout du labyrinthe. Reprenant l'expression employée la première fois par Blodgett, Tolman a parlé d'**apprentissage latent** pour désigner ce type d'apprentissage qui s'effectue en l'absence de tout renforcement observable. Afin d'expliquer ce phénomène, il supposait que, même lors des essais où il n'était pas renforcé, le rat s'était malgré tout fait une sorte de représentation mentale ou carte cognitive du labyrinthe (Tolman, 1932). L'étudiant qui fait régulièrement le même trajet en autobus entre chez lui et le cégep se dessine, sans s'en rendre compte, une carte mentale du trajet, au point qu'il remarquera un matin qu'une maison située sur le trajet habituel a été repeinte durant le dernier week-end. La notion de carte cognitive proposée par Tolman pour expliquer l'apprentissage latent a fait de lui un béhavioriste moins radical que Watson et Skinner. Il est d'ailleurs considéré aujourd'hui comme le premier béhavioriste cognitif.

4. **Pour qu'il y ait apprentissage d'un comportement, il faut que ce dernier soit suivi d'une récompense, quelle qu'elle soit.**

   Pas nécessairement. Les expériences sur l'apprentissage latent ont démontré que le seul fait, par exemple, de se promener dans un labyrinthe suffit pour en apprendre en partie les tours et détours.

5.3.2 L'apprentissage par intuition

Avant même que Skinner ne se lance dans l'étude systématique de la loi de l'effet et Tolman, dans ses travaux de recherche sur l'apprentissage latent, les psychologues gestaltistes s'étaient interrogés sur les expériences menées par Thorndike avec sa boîte à problèmes. Ils considéraient que la situation dans laquelle le chercheur plaçait ses chats de même que les comportements d'essais et erreurs qui permettaient finalement aux animaux d'ouvrir la cage n'offraient que des possibilités limitées d'étude des phénomènes d'apprentissage.

Afin de montrer qu'un animal était capable d'un apprentissage plus complexe que le simple fait de procéder par essais et erreurs, Wolfgang Köhler, l'un des fondateurs de l'approche gestaltiste, a mené une série d'expériences avec des singes. Köhler a montré que des chimpanzés pouvaient résoudre un problème sans passer par une série de tâtonnements comme les chats de Thorndike, ainsi que l'illustre la figure 5.12. Le chercheur a ainsi mis en place une situation (*voir la figure 5.12a*) où une banane était suspendue à une hauteur impossible à atteindre, à moins d'empiler des boîtes qui se trouvaient dans la cage. Köhler a remarqué qu'après avoir vainement essayé d'atteindre la banane en sautant, un singe s'était arrêté un moment, avait regardé autour de lui, puis s'était levé tout à coup, avait empilé les boîtes et avait saisi la banane. Dans une autre situation (*voir la figure 5.12b*), le singe avait compris que pour atteindre un fruit

---

FIGURE 5.12   L'apprentissage par intuition

En **a**, le chimpanzé trouve soudainement qu'il doit empiler les boîtes pour atteindre la banane alors qu'en **b**, il doit utiliser le petit bâton pour atteindre le plus long qui lui permettra finalement d'amener le fruit vers lui.

inaccessible, il devait d'abord saisir un bâton court mais à sa portée ; celui-ci lui permettait d'atteindre un second bâton un peu plus long, puis, avec ce dernier, d'en atteindre un troisième grâce auquel il pouvait finalement atteindre un quatrième bâton qui lui permettait de tirer vers lui le fruit convoité (Köhler, 1925).

Köhler a remarqué que, chaque fois qu'un chimpanzé trouvait la solution, l'animal s'était auparavant arrêté, comme s'il «réfléchissait» et réorganisait sa perception de la situation ; la solution lui venait alors tout à coup, comme un éclair, phénomène que Köhler a baptisé du terme allemand *einsicht*, qu'on traduit habituellement en anglais par *insight* et en français, par «intuition». On parle ainsi d'**apprentissage par intuition** pour désigner ce type d'apprentissage qui se présente sous la forme d'une soudaine réorganisation cognitive permettant d'arriver à une solution. Köhler a beaucoup insisté sur cet aspect de réorganisation mentale des connaissances qui fait de l'apprentissage par intuition quelque chose qui va bien au-delà des apprentissages associatifs que sont le conditionnement classique et le conditionnement opérant. Le cas où l'on trouve subitement la solution à un problème après y avoir travaillé sans succès et l'avoir mis de côté un certain temps constitue un exemple d'apprentissage par intuition : même si l'on n'y pensait pas consciemment, le cerveau a continué à chercher une solution.

5.3.3 L'apprentissage par observation

Dans chacun des types d'apprentissage décrits jusqu'ici, l'organisme était impliqué activement dans la situation. Dans l'**apprentissage par observation**, où un organisme apprend un comportement simplement en observant la façon dont se comporte un modèle dans une situation donnée, c'est plutôt le contraire qui se produit. C'est Albert Bandura (*voir la photo 5.5*) qui a le plus contribué à souligner l'importance de ce type d'apprentissage dans le développement social de l'individu, notamment en ce qui concerne l'influence des modèles auxquels un enfant est exposé. Il a ainsi pu démontrer au cours de ses nombreuses études que beaucoup de comportements sociaux que présentent les enfants sont appris à partir de l'observation de modèles.

Dans une expérience classique résumée dans le tableau 5.2, Bandura et ses collègues (Bandura, Ross, & Ross, 1961) ont réparti 72 enfants d'âge préscolaire en trois groupes. Tout d'abord, les enfants du premier groupe, chaque fois individuellement, ont été amenés dans une pièce et conduits dans un des coins où se trouvaient différents dessins que l'enfant pouvait s'amuser à coller à sa guise. Le chercheur qui avait amené l'enfant quittait ensuite la pièce et l'enfant restait seul, sauf pour un adulte qui se trouvait dans un autre coin et qui, après avoir commencé à assembler des jouets, se mettait à injurier et à frapper un gros culbuto gonflable en forme de poupée — c'est-à-dire un ballon qui reprend automatiquement sa position d'origine après qu'on l'ait frappé (*voir la figure 5.13a*). Les enfants du deuxième groupe ont été placés dans la même situation, sauf pour l'adulte qui ne s'occupait pas du culbuto, se contentant d'assembler calmement les jouets à sa portée. Pour ce qui est du troisième groupe d'enfants, ils étaient seuls dans la pièce. Après cette première phase qui durait dix minutes, les enfants étaient amenés, toujours individuellement, dans une autre pièce où se trouvaient des jouets excitants tels qu'un camion de pompier, un train, une auto téléguidée, etc. avec lesquels il était invité à s'amuser. Après environ deux minutes, on induisait une certaine frustration chez l'enfant en lui disant qu'il n'avait plus le droit de s'amuser avec ces jouets et on l'emmenait dans une autre pièce où se trouvaient un culbuto gonflable ainsi que certains jouets qui pouvaient suggérer des comportements agressifs (par exemple, des fusils) et d'autres, plus inoffensifs (par exemple, du matériel pour colorier). Chaque enfant resté seul était alors observé pendant une vingtaine de minutes à travers un miroir unidirectionnel.

Après avoir classé les comportements émis dans le dernier 20 minutes, Bandura et ses collègues ont constaté non seulement que les enfants qui avaient vu l'adulte agir de façon agressive envers le culbuto ont posé beaucoup plus de gestes agressifs, mais aussi que beaucoup de ces gestes ressemblaient à ceux que le modèle adulte avait

Apprentissage par intuition
Forme d'apprentissage qui se présente sous la forme d'une soudaine réorganisation cognitive permettant d'arriver à une solution, et pour laquelle aucun façonnement n'a été effectué.

Apprentissage par observation
Forme d'apprentissage où un organisme apprend un comportement, simplement en observant la façon dont se comporte un modèle dans une situation donnée.

Albert Bandura (1925-)
Bandura, une figure de proue du néobéhaviorisme, souligne la place de l'apprentissage par observation dans le développement.

° Photo 5.5

TABLEAU 5.2

TABLEAU 5.2   L'apprentissage de l'agressivité par observation (Bandura, Ross, & Ross, 1961)

	Groupe 1	Groupe 2	Groupe 3
Phase 1 : présentation ou non du modèle (10 min)	Enfant + Adulte qui injurie et frappe un culbuto gonflable en forme de poupée	Enfant + Adulte qui assemble calmement des jouets	Enfant seul
Phase 2 : induction de l'agressivité (2 min)	Enfant et jouets avec lesquels il ne peut plus jouer après 2 minutes	Enfant et jouets avec lesquels il ne peut plus jouer après 2 minutes	Enfant et jouets avec lesquels il ne peut plus jouer après 2 minutes
Phase 3 : observation (20 min)	Enfant + Jouets agressifs et d'autres non agressifs + Culbuto gonflable = Comportements agressifs plus nombreux que dans les autres groupes et ressemblant à ceux de l'adulte lors de la phase 1	Enfant + Jouets agressifs et d'autres non agressifs + Culbuto gonflable = Comportements agressifs moins nombreux que dans le groupe 1	Enfant + Jouets agressifs et d'autres non agressifs + Culbuto gonflable = Comportements agressifs moins nombreux que dans le groupe 1

posés (*voir la figure 5.13b*). Aux yeux des chercheurs, ces résultats démontraient qu'un enfant peut apprendre un comportement simplement en observant la façon dont se comporte un modèle dans une situation donnée, même s'il n'a pas lui-même été l'acteur de la situation qu'il reproduit.

FIGURE 5.13   L'imitation d'un modèle agressif

Deux séquences extraites d'images prises par Bandura, Ross, et Ross (1961) pour illustrer l'apprentissage par observation. En **a**, le modèle adulte frappe le culbuto gonflable ; en **b**, un enfant reproduit le geste du modèle.

Testez vos connaissances

5. L'observation d'une autre personne peut suffire pour acquérir un certain nombre de comportements.

C'est précisément ce que Bandura a appelé l'*apprentissage par observation* : un enfant peut apprendre certains comportements simplement en observant un modèle adulte.

Faudrait-il bannir toute violence, que ce soit à la télévision, dans les jeux vidéo ou dans la cour d'école ? La réponse n'est pas simple, ainsi que le souligne l'encadré 5.5. En effet, selon Bandura, l'apprentissage par observation implique des processus cognitifs dont la complexité va bien au-delà des types d'apprentissage que sont le conditionnement classique et le conditionnement opérant. Ainsi, Bandura (1977) soutient que quatre conditions doivent être satisfaites en séquence pour que l'apprentissage par observation (par exemple, apprendre à résoudre pacifiquement un conflit) se produise :

1. L'observateur doit prêter attention au modèle afin de connaître le comportement susceptible d'être imité (par exemple, regarder comment le modèle s'y prend pour régler pacifiquement le conflit).

2. L'observateur doit pouvoir retenir le comportement et s'y exercer mentalement (par exemple, revoir mentalement la façon dont le modèle a résolu pacifiquement le conflit).

3. L'observateur doit être capable de reproduire le comportement (par exemple, posséder un degré minimal de maîtrise de soi et de connaissance de la situation pour trouver une solution pacifique au conflit).

4. Le modèle doit avoir été renforcé et il doit s'agir de quelqu'un auquel l'observateur s'identifie (par exemple, le comportement doit avoir été suivi d'une résolution fructueuse du conflit).

ENCADRÉ 5.5 | **Approfondissement**

La violence à la télévision et dans les jeux vidéo

La violence a toujours été présente à la télévision. En 1995, l'American Psychological Association Task Force on Television and American Society évaluait qu'à la fin du primaire, un enfant avait vu environ 8 000 meurtres et plus de 10 000 autres actes de violence à la télévision (Carter, 1995, rapporté par Chang, 2000). Comme la télévision est omniprésente, pas seulement aux États-Unis mais aussi au Québec, comme le nombre de chaînes offertes est de plus en plus élevé et que de nombreux films violents passent à des heures où les jeunes enfants ne sont pas encore couchés, il y a lieu de s'interroger sur les effets possibles de cette violence sur le comportement des jeunes enfants. La prolifération affolante des jeux vidéo, la plupart mettant en scène des combats violents dont les enfants sont cette fois-ci les acteurs, contribue à entretenir les inquiétudes des parents à propos de la violence et des jeunes.

Les enfants ne sont pas tous affectés de manière égale par la violence à la télévision. Grimes, Bergen et al. (2004) soulignent que c'est chez les enfants souffrant de troubles sévères du comportement[1] que la violence télévisée risque d'avoir le plus d'impact. Ces derniers seraient en effet moins aptes à comprendre la portée de la violence ; il faudrait donc se préoccuper d'eux en priorité.

En ce qui concerne les jeux vidéo, il semble que de façon générale, leur effet serait moins important que celui de la violence observée à la télévision (Sherry, 2001). Ainsi, l'apprentissage par observation étudié par Bandura influerait davantage sur l'apprentissage de la violence que le fait de participer à une activité violente dans un jeu vidéo. Par ailleurs, les enfants qui ont été beaucoup exposés à des jeux vidéo manifestent moins d'agressivité en général que ceux qui y ont été moins exposés (Sherry, 2001), mais semblent faire preuve d'une plus grande insensibilité à la violence (Funk et al., 2003).

D'après Sherry (2001), il n'y a pas encore de consensus au sein de la communauté des chercheurs relativement à l'influence des jeux vidéo à contenu violent sur les comportements agressifs. De son côté, Vallerand (2006) reconnaît que l'étude de cette question n'en est encore qu'à ses débuts. Il signale cependant que, d'après certains travaux récents, des facteurs tels que l'identification à l'agresseur et une désensibilisation aux stimuli violents pourraient influer davantage que la télévision sur la manifestation ultérieure de comportements agressifs. L'influence de la participation à des jeux vidéo violents tend d'ailleurs à être confirmée par une impressionnante étude effectuée par Anderson et al. (2008). Première recherche à long terme sur cette question — d'après les auteurs —, elle a été réalisée auprès de 1 595 sujets, dont 364 Américains âgés de 9 à 12 ans et 1 231 Japonais âgés de 12 à 18 ans. À partir des données recueillies, les chercheurs concluent que le fait de jouer à des jeux vidéo violents augmente de façon significative la tendance à poser par la suite des comportements agressifs sur des périodes allant de trois à six mois, et ce, même chez les Japonais dont la culture est considérée comme étant moins violente que la culture américaine. De tels résultats demanderont évidemment à être corroborés par d'autres études. Cela dit, il ne semblerait peut-être pas approprié pour les parents d'interdire dès maintenant et complètement les jeux vidéo violents ; il apparaît cependant de toute première importance, comme le suggérait déjà Chang (2000), d'en discuter avec les enfants et de convenir avec eux de certaines limites.

La violence à la télévision, des effets complexes à évaluer.

---

1. Traduction libre : *disruptive behavior disorders*.

Il est à noter que la dernière étape est essentielle pour que l'apprentissage soit complet. En effet, si le modèle n'est pas renforcé ou si l'observateur ne s'identifie pas au modèle, il n'y aura pas apprentissage. Cela peut rendre compte de certains résultats obtenus dès les années 1960, à savoir que le fait d'observer des actes de violence diminue dans certains cas la tendance à poser des gestes agressifs (Rosenbaum & DerCharms, 1960). Il reste néanmoins beaucoup à faire pour mieux comprendre les processus cognitifs par lesquels s'effectue le choix des modèles à imiter.

5.3.4 L'apprentissage des concepts et du langage

Bien que l'apprentissage des concepts et celui du langage ne soient pas identiques, les deux sont liés de très près. Ils le sont à un tel point que certains considèrent l'apprentissage de concepts comme nécessaire à l'acquisition du langage, tandis que d'autres considèrent au contraire que c'est l'apprentissage du langage qui permet l'acquisition des concepts. Il ne sera évidemment pas question ici de plonger dans cette polémique ; nous nous contenterons d'aborder la notion de concept et ce qu'elle implique, puis nous donnerons quelques détails sur les concepts et le développement du langage.

La notion de concept

Si l'on vous demande : «Qu'est-ce qu'un oiseau ?», il y a de fortes chances que vous répondiez ainsi : «C'est un animal qui pond des œufs et qui vole.» Pondre des œufs et voler sont effectivement des caractéristiques qui viennent spontanément à l'idée, mais ces caractéristiques sont-elles communes à tous les oiseaux ? Non, puisque le manchot ne vole pas, bien que ce soit un oiseau ; par ailleurs, le papillon vole sans être un oiseau, et l'ornithorynque pond des œufs tout en étant un mammifère. À moins que vous ne l'ayez mentionné plus tôt, vous ajouterez alors : «Un oiseau a des plumes !» Vous avez maintenant précisé les caractéristiques s'appliquant à tous les oiseaux et ainsi défini le concept «oiseau», à savoir «un animal qui a des plumes».

Bien qu'on puisse définir différents types de concepts selon ce à quoi ils réfèrent, nous nous contenterons ici d'en introduire deux. Dans l'exemple précédent, le concept «oiseau» désigne un élément concret et directement perceptible par les sens : c'est le premier type de concept. Le second type que nous distinguerons porte sur des éléments dont les caractéristiques ne sont pas essentiellement abstraites, c'est-à-dire ni concrètes, ni directement perceptibles par les sens.

L'expression «joueur professionnel» peut illustrer le concept du second type. Ainsi, ce n'est pas en regardant évoluer deux joueurs de basket-ball qu'on peut savoir si l'un des deux est un joueur professionnel. Ce concept signifie qu'un joueur fait du jeu son travail, ce qui ne constitue pas un attribut concret directement observable, contrairement à ce qui caractérise un oiseau. Si, par exemple, on vous demande ce qu'ont en commun le chat et le cheval présentés dans la figure 5.14a (*page 174*), vous pourrez faire appel avec raison au concept «animal domestique». Par contre, si l'on vous demande ce que le chat et le chien ont en commun avec les lettres «B» et «Z» de la figure 5.14b, la réponse est moins évidente. En vous y arrêtant quelques instants, vous proposerez le concept «au-dessus» : tout comme le chat et le cheval sont «au-dessus» de l'orignal et de l'ours, les lettres «B» et «Z» sont au-dessus du «N» et du «J». Dans cet exemple, ce sur quoi porte le concept est la relation spatiale entre les objets. La relation «avant» est un autre exemple de concept portant cette fois sur la relation temporelle entre deux événements.

Finalement, on pourrait vous demander à quoi correspond le concept de «stimulus conditionnel». Si vous répondez : «C'est comme la cloche dans l'expérience de Pavlov», vous en restez au cas concret et votre réponse ne précise pas ce que la cloche a en commun avec les autres exemples de stimuli conditionnels ; par contre, si vous indiquez que la caractéristique d'un stimulus conditionnel, c'est de pouvoir entraîner une réponse après avoir été présenté à plusieurs reprises avec un stimulus qui provoque déjà la réponse en question, vous avez bien cerné le concept.

FIGURE 5.14 L'illustration de concepts

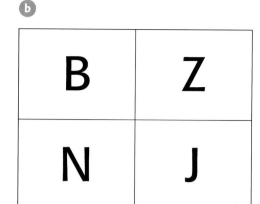

Un concept peut porter sur une relation. Dans le cas présent, le chat et le cheval de la figure **ⓐ** ainsi que les lettres « B » et « Z » de la figure **ⓑ** ont tous en commun la propriété « se trouver sur la rangée du haut », illustrant ainsi le concept « au-dessus » : tout comme le chat et le cheval sont au-dessus de l'orignal et de l'ours, les lettres « B » et « Z » sont au-dessus du « N » et du « J ».

Concept
Représentation abstraite d'une propriété ou d'un ensemble de propriétés caractérisant plusieurs éléments (objets, situations, relations, événements, etc.) désignés par le même terme ou la même expression.

À partir de ces exemples, on peut maintenant définir un **concept** comme une représentation abstraite d'une propriété ou d'un ensemble de propriétés caractérisant plusieurs objets, situations, relations, événements, etc. Il importe de garder à l'esprit que les concepts sont organisés hiérarchiquement et qu'on peut établir différentes hiérarchies selon les concepts utilisés. Ainsi, un chat peut être classé dans l'ensemble des animaux domestiques, lesquels font partie des animaux, ces derniers faisant partie des êtres vivants ; on pourrait également considérer le chat comme appartenant à l'ensemble des mammifères, lesquels font partie de la classe des animaux, eux-mêmes appartenant à l'ensemble des êtres vivants.

Les concepts et le développement du langage

Comment s'apprennent les concepts ? Une façon d'aborder cette question est de la mettre en parallèle avec l'apprentissage du langage.

Les premiers mois de sa vie, l'enfant ne fait qu'émettre des sons, seul avec lui-même à certains moments, en réponse aux personnes de son entourage en d'autres occasions. Aux alentours de six mois, il commence à émettre des syllabes simples, dont certaines peuvent ressembler à certains mots ; c'est ce qu'on appelle le **babillage**. Ce n'est pas à proprement parler du langage, car les mots ne sont pas encore associés à un élément donné. On pourrait dire que les mots n'ont pas plus de signification pour lui que pour un adulte qui répéterait un mot en russe ou qui retranscrirait un symbole japonais sans savoir ce que signifie le mot ou le symbole.

Babillage
Aussi appelé **Lallation**
Émission répétitive de syllabes composées d'une consonne et d'une voyelle, phénomène qui apparaît vers l'âge de six mois.

C'est vers l'âge de 10 à 12 mois que commence à s'instaurer graduellement le processus par lequel le langage deviendra un moyen de communication. Au début, l'enfant dira le mot « maman » en voyant arriver sa mère et le mot « papa », en voyant son père. Graduellement, il commencera à associer d'autres mots à des objets tels que « chat » en montrant le chat. Jusqu'ici, l'enfant n'a fait que de simples associations entre un mot et un élément donné du réel, apprentissage qui se fait en bonne partie suivant les lois du conditionnement. Il pourra même généraliser quand il aperçoit le chat des voisins et que les parents lui disent : « Oui, c'est un beau chat ! » Peut-on dire alors que l'enfant a appris ce qui caractérise un chat, autrement dit le concept « chat » ? On réalise que non quand s'approche un chien de la taille approximative des chats et que l'enfant s'exclame : « Chat ! » Ensuite, lorsque les parents disent : « Non, ça, c'est un chien ! », l'enfant doit apprendre à discriminer un chien et un chat.

En fait, pour savoir quand dire « chat » et quand dire « chien », l'enfant doit s'être fait une idée du stimulus discriminatif correspondant à chaque cas, autrement dit une représentation mentale de ce qui caractérise un chat et de ce qui caractérise un chien. Or, pour la plupart des mots que nous avons appris, on ne nous a pas donné de définition en bonne et due forme. Tout au plus, nous fait-on remarquer certaines caractéristiques, comme les parents qui font observer à l'enfant que le chien a jappé. Ainsi, l'enfant en arrive à remarquer de lui-même qu'un chien jappe au lieu de miauler, qu'il a une démarche généralement moins coulante que celle du chat, etc. En somme, il commence à être capable de former des concepts qu'il peut désigner avec des mots, ce qui suppose une capacité de représentation symbolique, laquelle survient vers 13 mois.

Le processus par lequel on repère une ou plusieurs caractéristiques définissant un concept donné s'effectue généralement de façon plus ou moins automatique. Cela est heureux, car s'il fallait définir tous les mots à un enfant pour qu'il ait une idée relativement juste de ce à quoi ils correspondent, l'apprentissage du langage serait laborieux. Par ailleurs, comme nous l'avons vu au point précédent, beaucoup de concepts sont définis à partir de caractéristiques non directement perceptibles, comme le fait de gagner ou non sa vie en jouant au basket-ball, ou encore le fait qu'un événement soit survenu avant ou après un autre, ou encore le fait qu'un nombre soit divisible ou non par deux.

Puisque certains concepts réfèrent à des éléments relativement près du concret, alors que d'autres font appel à des caractéristiques plus abstraites, il est aisé de prendre conscience que l'apprentissage des concepts et leur expression par le biais du langage vont bien au-delà d'une simple association entre deux stimuli, ou entre un stimulus et une réponse. L'apprentissage des concepts et le développement du langage vont de pair avec la maturation du cerveau et le développement des processus cognitifs et de l'intelligence ; c'est d'ailleurs sur ce dernier sujet que portera le chapitre 7.

Conclusion

Après avoir vu, en vertu des principes du conditionnement classique découverts par Pavlov, comment un stimulus originellement neutre peut en arriver à provoquer une réponse, comment cette réponse peut se généraliser à d'autres stimuli, comment un stimulus conditionnel peut lui-même, à son tour, servir à conditionner la réponse à un autre stimulus dans le conditionnement d'ordre supérieur, on comprend davantage ce qui a amené Watson à formuler son approche béhavioriste. Il en est venu à considérer qu'à l'exception de quelques comportements innés (comme sursauter à un bruit violent), chaque comportement est le résultat d'un enchaînement de réactions apprises selon les lois du conditionnement. Ainsi, malgré sa complexité apparente, notre personnalité s'exprimerait par des façons de réagir qui sont simplement, selon Watson, le résultat du grand nombre de situations auxquelles nous avons été soumis dès notre plus tendre enfance, lesquelles ont créé en nous des milliers d'associations par conditionnement.

Skinner, l'autre grande figure associée au béhaviorisme, partageait la même vision fondamentale que Watson, à savoir que le comportement est le résultat des conditionnements auxquels nous avons été soumis. Il a cependant concentré ses efforts sur l'importance des comportements appris par conditionnement opérant. Pour lui, l'importance du conditionnement opérant provenait non seulement des explications théoriques qu'il apportait, mais aussi des applications auxquelles il pouvait se prêter. De fait, même si le Projet Pigeon proposé par Skinner et rapporté dans l'amorce au début du chapitre n'a pas eu de suites, ce projet illustrait la façon dont le conditionnement pouvait être appliqué. Et même si le projet de Skinner se situait dans un contexte militaire et pourrait être considéré aujourd'hui comme étiquement peu recommandable, ce sont les mêmes principes de conditionnement qui, à la base, sont utilisés de nos jours pour entraîner les chiens-guides destinés à fournir aux personnes handicapées une plus grande autonomie. D'abord mis sur pied — au Québec, par la Fondation MIRA — pour fournir une aide aux personnes ayant un handicap visuel, les programmes d'entraînement ont par la suite été élargis afin d'aider les individus aux prises avec d'autres types de handicaps, tels qu'un handicap auditif ou moteur (Fondation MIRA, 2005).

Rappelons que Watson et Skinner rejetaient tous deux les faits de conscience et les processus cognitifs non directement observables qu'ils considéraient comme hors d'atteinte de la méthode scientifique. Cette position, appelée par la suite **béhaviorisme orthodoxe**, a eu le mérite d'insister sur l'importance de la méthodologie dans l'étude du comportement et sur le souci d'objectiver le plus possible les phénomènes étudiés. Ce souci d'objectivité est demeuré une préoccupation importante chez les tenants du néobéhaviorisme. On y regroupe actuellement l'ensemble des courants de recherche qui, tout en étant issus du béhaviorisme, incluent comme objet d'étude scientifique les faits de conscience et les mécanismes cognitifs rejetés par Watson et Skinner.

Le béhaviorisme cognitif, qu'on fait généralement remonter à Tolman, l'apprentissage de la résolution de problèmes par intuition de Köhler, l'apprentissage par observation de Bandura ainsi que l'apprentissage des concepts et du langage, voilà autant de champs de recherche où les approches béhavioriste, gestaltiste et cognitive convergent de plus en plus. Outre le domaine de recherche élargi que recouvre désormais le béhaviorisme, les possibilités d'application se sont également considérablement multipliées, entre autres en éducation, où l'on cherche à améliorer les méthodes pour favoriser l'apprentissage, et dans le domaine des thérapies, comme il en sera question au chapitre 12. C'est peut-être même du coté de l'application concrète que le béhaviorisme est le plus susceptible de prospérer dans les prochaines années, ainsi que le suggère l'encadré 5.6.

Par ailleurs, si l'on considère l'apprentissage en général, et non seulement les formes étudiées dans le cadre du béhaviorisme, un domaine en voie d'expansion est celui s'intéressant à la nature des mécanismes physiologiques qui permettent l'apprentissage. Les études qui abordent cette question en viennent presque inévitablement à parler de la mémoire, ce qui n'est pas étonnant, étant donné qu'il y a apprentissage dans la mesure où il y a rétention. C'est pourquoi nous reportons au chapitre suivant, portant sur la mémoire, la question des liens entre apprentissage, mémoire et mécanismes physiologiques.

Béhaviorisme orthodoxe
Tel qu'il a été formulé à l'origine par Watson et adopté ensuite par Skinner, béhaviorisme rejetant les faits de conscience et les processus cognitifs non directement observables, ces derniers étant considérés comme hors d'atteinte de la méthode scientifique.

Le domaine de l'apprentissage, plus que jamais appelé à se prêter à de nouvelles applications

De l'avis des professeurs Robert Leclerc (*voir l'encadré 5.3, page 166*) et Marie-Claude Guay (*voir l'encadré 5.4, page 167*), c'est surtout du côté des applications, notamment dans le secteur de l'éducation, que le domaine de l'apprentissage est appelé à prendre de l'expansion, et ce, même s'il faut s'attendre à de nouvelles avancées du côté de la recherche fondamentale.

Sur le plan théorique, Robert Leclerc souligne que les travaux de recherche visant à expliquer les fondements du conditionnement se retrouvent dispersés dans différents secteurs, entre autres celui des neurosciences où l'on essaie d'établir un parallèle entre un mécanisme donné de conditionnement et les structures et mécanismes physiologiques sous-jacents.

Marie-Claude Guay signale par ailleurs qu'on observe de plus en plus d'études qui marient les neurosciences et les thérapies cognitivo-comportementales. Ce « pont » entre théorie et pratique devrait contribuer à accélérer le développement de nouvelles approches d'intervention. À titre d'exemple, en collaboration avec Mme Carine Chartrand, psychologue à la Clinique des troubles de l'attention de l'Hôpital Rivière-des-Prairies, Mme Guay a développé un programme d'intervention novateur pour des enfants souffrant d'un trouble déficitaire de l'attention avec hyperactivité (TDAH) et d'un retard de langage en comorbidité[1]. Ce programme combine l'approche cognitivo-comportementale pour la gestion des comportements problématiques à la maison et la remédiation cognitive (entraînement cognitif spécifique qui vise à améliorer des fonctions cognitives déficitaires) pour stimuler le langage.

C'est en éducation, entre autres dans l'étude du décrochage scolaire et des facteurs de réussite, que les applications issues des théories sur l'apprentissage ont le plus de perspectives d'avenir.

En effet, il sera éventuellement possible de contrer de façon appréciable le décrochage en aménageant un environnement basé sur les principes de base de l'apprentissage. Différentes solutions en ce sens ont déjà été proposées, souligne Robert Leclerc, et on peut penser qu'elles seront effectivement appliquées même si elles se heurtent encore à certaines résistances, que celles-ci soient d'ordre philosophique, dues à l'incrédulité face aux résultats prévus ou à l'inertie des systèmes en place. Du côté des facteurs de réussite, des travaux de recherche, comme ceux auxquels participe Marie-Claude Guay et qui portent sur les facteurs qui entravent le développement cognitif, suggèrent d'importants progrès dans le domaine.

Robert Leclerc fait remarquer que, si l'on considère le terme « éducation » dans un sens plus large, les théories sur l'apprentissage pourraient servir à développer chez les gens des comportements témoignant d'un plus grand souci de l'environnement. Il s'agit là d'un point important, la lutte à la pollution et l'encouragement au recyclage s'imposant de plus en plus comme une nécessité dans notre société.

Étant donné les développements attendus dans le domaine de l'apprentissage et des processus cognitifs, les débouchés sont, il va sans dire, excellents. À ce sujet, Marie-Claude Guay souligne que beaucoup d'étudiants au doctorat sont embauchés (écoles, hôpitaux, organismes gouvernementaux) avant même d'avoir obtenu leur diplôme. Elle va même jusqu'à affirmer que l'étudiant qui complète son doctorat a 100 % de chances de se trouver un emploi dans son domaine et d'y mener une carrière dynamique.

Emma Watson, qui incarne Hermione dans *Harry Potter,* souffre du TDAH.

---

1. La comorbidité désigne la présence simultanée de deux ou plusieurs troubles psychologiques chez un même individu.

1. Comment nomme-t-on la forme d'apprentissage par laquelle un organisme apprend à ignorer une stimulation non essentielle à l'activité en cours?

a) Apprentissage par essais et erreurs

b) Fatigue

c) Habituation

d) Sensibilisation

2. Lorsque Suzie devient anxieuse à la vue de son dentiste parce qu'elle a terriblement souffert lors de son dernier traitement de canal, la vue du dentiste correspond à un:

a) stimulus conditionnel.

b) stimulus inconditionnel.

c) stimulus instinctif.

d) stimulus neutre.

3. Le rat, en appuyant sur un levier, peut éteindre un courant électrique qui passe dans le plancher de sa cage. Ceci est un exemple:

a) d'extinction.

b) de punition négative.

c) de renforcement négatif.

d) de renforcement positif.

4. De quelle façon l'apprentissage latent se distingue-t-il du conditionnement opérant?

a) L'apprentissage latent est beaucoup plus long que le conditionnement opérant.

b) L'apprentissage latent s'effectue en l'absence de tout renforcement observable.

c) L'apprentissage latent se fait de façon inconsciente alors que le conditionnement opérant est conscient.

d) Le stimulus provoque l'apprentissage latent, alors que le renforçateur entraîne le conditionnement opérant.

5. Dans une procédure de conditionnement opérant, l'extinction du comportement survient plus rapidement lorsque:

a) l'arrêt du renforcement suit une période de renforcement continu.

b) l'arrêt du renforcement survient après une période de renforcement intermittent.

c) le stimulus conditionnel est éliminé.

d) le stimulus inconditionnel est éliminé.

6. Vous avez la grippe et vous mangez une soupe aux tomates. Malheureusement, quelques minutes plus tard vous vous sentez mal et vous vomissez. Plus tard dans la semaine, vous vous sentez mieux et l'on vous offre une soupe au poulet. Encore une fois, vous avez mal au cœur en prenant la soupe au poulet. À quel phénomène peut-on associer cette réaction?

a) Une discrimination

b) Une généralisation

c) Un recouvrement spontané

d) Une sensibilisation

7. Quel exemple correspond le mieux à un programme de renforcement intermittent à proportion variable?

a) L'argent reçu pour chaque panier de fraises ramassées.

b) La paie reçue à chaque période de deux semaines.

c) Le gain réalisé en jouant aux machines à sous.

d) Le poisson qui mord à l'hameçon de temps en temps.

8. Archimède crie «Eurêka!» quand il trouve soudainement la solution à son problème. Quel type d'apprentissage décrit le mieux cette situation?

a) Apprentissage latent

b) Apprentissage par intuition

c) Conditionnement classique

d) Conditionnement opérant

9. Quelle condition doit être respectée pour qu'il y ait un apprentissage par observation?

a) L'apprentissage doit se faire de façon spontanée.

b) L'apprentissage doit se faire en présence d'un stimulus inconditionnel.

c) L'observateur doit recevoir un renforçateur.

d) Le modèle observé doit avoir été renforcé.

10. Quel énoncé est vrai?

a) Au contraire des concepts de type concret, les concepts de type abstrait nécessitent une représentation mentale.

b) Les concepts de type concret sont utilisés lors du babillage de l'enfant.

c) Les mots utilisés dans le langage sont forcément des concepts concrets.

d) Un concept abstrait est défini à partir de caractéristiques non directement perceptibles par les sens.

Volumes et ouvrages de référence

Clément, C. (2006). *Apprentissage et conditionnements.* **Paris : Dunod.**

> Exposé pédagogique clair sur les apprentissages (au sens de «conditionnements») et leurs mécanismes. L'auteur fait un excellent tour d'horizon des différentes théories, de leurs applications et des perspectives dans le domaine.

Doré, F. Y., & Mercier, P. (1992). *Les fondements de l'apprentissage et de la cognition.* **Boucherville : G. Morin ; Lille, France : Presses universitaires de Lille.**

> Ouvrage qui va au-delà des seules notions de base en apprentissage et en cognition, tout en demeurant tout à fait accessible pour le néophyte désireux de creuser quelque peu le sujet.

Skinner, B. F. (1972). *Par-delà la liberté et la dignité.* **Paris : Robert Laffont.**

> Ouvrage dans lequel Skinner présente sa vision de l'humain, une vision résolument béhavioriste. Ce livre peut offusquer, mais il s'avère intéressant pour voir ce que peut donner une conception de l'humain où celui-ci n'est que le résultat des conditionnements auxquels il a été soumis.

Périodiques et journaux

Biais, J.-M., & Saubaber, D. (2004). Comment on apprend. *L'express,* **nº 2774, 30 août 2004, 36-43.**

> Article qui présente un tour d'horizon des principaux mécanismes d'apprentissage.

Revue de recherche appliquée sur l'apprentissage (RRAA)

> Nouvelle revue de recherche, éditée depuis septembre 2007 et publiée deux fois l'an par le Conseil canadien sur l'apprentissage. Elle porte sur des problèmes précis et concrets touchant l'apprentissage, ainsi que sur la recherche appliquée se rapportant à l'apprentissage, et ce, dans un contexte canadien.

Audiovisuel

Archambault, J. (1990). *Apprentissage et comportements* **(Scénarisation : Georgette Goupil, Catherine Doré). Canada : Université du Québec à Montréal, 3 vidéocassettes (VHS), 31 min, son, couleur.**

> Documentaire qui présente une vingtaine de courtes dramatiques illustrant divers comportements : les renforcements négatif et positif, les punitions négative et positive, l'extinction du comportement. Cet ensemble veut souligner l'importance de la récompense ou de l'encouragement pour stimuler l'effort qui permet l'apprentissage.

Kubrick, S. (1971). *Orange mécanique.* **Angleterre, 137 min, son, couleur.**

> Film de fiction qui illustre, à travers le cas d'un jeune délinquant arrêté pour avoir commis de multiples crimes violents (vols, meurtres et viols), l'excès auquel peut conduire une application inconsidérée du conditionnement classique.

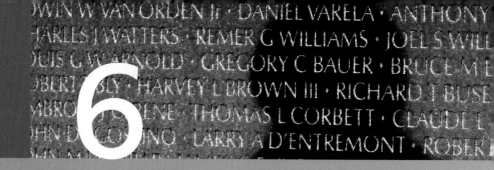

CHAPITRE 6

Cibles d'apprentissage

Après avoir lu ce chapitre, vous devriez pouvoir :

- nommer et expliquer brièvement les trois opérations de base de la mémorisation ;
- décrire les trois principales façons de mesurer la rétention ;
- nommer et expliquer les principales caractéristiques des trois sortes de mémoire selon la durée de rétention du contenu ;
- expliquer ce qui différencie la mémoire déclarative et la mémoire non déclarative ;
- nommer et expliquer deux effets qui peuvent influer sur la rétention par rapport au mode de présentation du matériel ;

- expliquer en quoi la rétention peut dépendre du contexte ;
- nommer et expliquer brièvement trois façons d'expliquer l'oubli dans le contexte du fonctionnement normal de la mémoire ;
- expliquer ce qui différencie l'amnésie rétrograde de l'amnésie antérograde.

La mémoire

Testez vos connaissances

D'après vous, chacun des énoncés suivants est-il fondé ou non?

1. L'hippocampe permet la mise en mémoire des souvenirs, un peu comme la commande «Enregistrer» d'un logiciel d'ordinateur.

2. En général, le nombre d'items que peut conserver la mémoire à court terme est d'environ 12, quel que soit le niveau d'intelligence de la personne.

3. La capacité de la mémoire à long terme est considérablement plus grande que celle de la mémoire à court terme, mais elle demeure limitée.

4. La mémoire à long terme ne restitue pas les souvenirs de façon fidèle comme le ferait un document audiovisuel.

5. Quand on doit se rappeler une série d'items, les premiers sont généralement les plus facilement retenus, les derniers étant les plus difficiles à mémoriser.

6. Dans certains cas, le rappel d'une liste de mots apprise sous l'effet de l'alcool s'effectue plus facilement lorsque les sujets ont repris de l'alcool que lorsqu'ils sont sobres.

7. Le simple fait de se représenter mentalement et à répétition un mouvement peut améliorer la performance d'un athlète.

8. Le fait d'avoir appris une langue dans un passé relativement éloigné peut nuire au rappel du vocabulaire d'une autre langue étudiée plus récemment.

9. Dans le film *À propos d'Henri*, un avocat incarné par Harrison Ford reçoit une balle à la tête; il en réchappe, mais a tout oublié de ce qu'était sa vie avant l'événement, ce qui constitue un excellent exemple d'amnésie.

Ces souvenirs qui s'installent d'eux-mêmes…

Où étiez-vous quand vous avez appris la tragédie du 11 septembre 2001? Si vous ne vous en souvenez pas, c'est vraisemblablement parce que vous étiez trop jeune. Si, par contre, vous êtes comme la majorité des gens, le souvenir du lieu et du moment où vous avez appris que deux avions pilotés par des membres du réseau Al-Qaïda avaient percuté les tours du World Trade Center s'est inscrit spontanément dans votre mémoire. Il n'en est cependant pas de même de tous les événements dont nous sommes témoins ou que nous vivons quotidiennement. Pourquoi?

Il est vrai que la date, le nom des tours, la ville où s'est passé l'événement, le nom du réseau qui l'a organisé, etc. sont des éléments d'information qui ont été maintes fois repris par les médias dans les jours, les semaines et les mois qui ont suivi, ce qui a permis de les retenir sans aucun effort. Toutefois, les données concernant le lieu où «vous» étiez et ce que «vous» faisiez à ce moment-là n'ont pas été reprises par les médias. Et pourtant, vous vous en souvenez, alors que vous oubliez chaque jour une multitude d'autres informations vous concernant également (par exemple, l'endroit où vous étiez la première fois que votre meilleur ami vous a appelé sur votre cellulaire la semaine précédente). Ce type d'observation permet de mettre en évidence que, parmi les facteurs pouvant influencer le souvenir des événements, le contexte, c'est-à-dire l'ensemble des circonstances entourant un événement donné, s'avère souvent très important, comme on le verra dans ce chapitre.

Si tout se retenait aussi simplement que l'information portant sur la tragédie du 11 septembre 2001, la vie pourrait sembler plus simple, surtout quand on doit se préparer pour un examen! Il n'en est cependant rien. Ainsi, quand on se penche sur la façon dont fonctionne la mémoire, on se rend compte que cette dernière tend généralement à ne conserver que l'information qui est significative pour soi. Qu'il s'agisse des personnes ou des événements marquants de notre vie sur le plan affectif comme sur celui des réalisations ou des échecs, ce sont les souvenirs conservés qui vont nous permettre de construire notre histoire personnelle et notre identité. La mémoire est en quelque sorte le «journal de bord» qui nous identifie. Reste à savoir comment s'inscrivent les éléments dans ce journal de bord, tant ceux qui s'inscrivent automatiquement que ceux que nous y entrons volontairement, et si ces éléments sont conservés longtemps et réutilisés facilement.

Avant d'entrer dans le vif du sujet, il importe de signaler que ce qu'on entend par *mémoire* peut, dans le quotidien, varier d'un contexte à l'autre. Quand on dit par exemple d'une personne «qu'elle a une très bonne mémoire», on conçoit la mémoire comme une capacité ou une aptitude à retenir de l'information; par contre, lorsqu'on parle de «mettre en mémoire», l'expression désigne l'espace où se trouve l'information et la façon dont cet espace est organisé, comme c'est le cas pour la mémoire d'un ordinateur. Malgré ces différences, le contexte permet généralement de savoir dans lequel de ces sens courants le mot est employé. Ainsi, on comprend aisément que c'est au sens usuel de «faculté» que réfère le terme «mémoire» dans le titre de ce chapitre.

D'un point de vue scientifique, la **mémoire** est définie plus précisément comme la capacité d'un système à encoder une information, à l'entreposer dans un format approprié et à la récupérer de façon efficace; c'est à l'explication de cette définition que sera consacrée la première section intitulée *La mémorisation, trois opérations de base*. La seconde section, intitulée cette fois *La mesure de la rétention*, présentera les principales techniques utilisées par les chercheurs pour mesurer ce qui a été retenu dans diverses conditions. Nous verrons ensuite quelles sont les sortes de mémoire distinguées habituellement par les chercheurs, et nous serons alors en mesure de nous pencher sur les facteurs influant sur la rétention, l'un des aspects les plus concrets de la question. Nous aborderons brièvement les explications de l'oubli.

6.1 La mémorisation, trois opérations de base

Parler de mémorisation, c'est parler du processus par lequel on en vient à retenir une information. Lorsque les chercheurs étudient ce processus, ils distinguent généralement trois opérations de base: l'encodage de l'information à retenir, l'entreposage de cette information et la récupération de l'information désirée.

6.1.1 L'encodage

Première phase du processus de mémorisation, l'**encodage** consiste à coder le matériel à retenir sous une forme différente, convenant davantage à sa mise en mémoire. Cette opération de base commence par la transduction en influx nerveux des signaux reçus au niveau des organes sensoriels. On peut ensuite recoder les signaux sous une autre forme plus appropriée. Par exemple, si l'on vous demande d'aller rapidement téléphoner au numéro «659-6600» qui est écrit sur un mur, vous pourrez recoder le signal visuel en signal auditif, sur le chemin du téléphone, en vous répétant à voix basse le numéro en question: ce faisant, vous avez transformé un **code visuel** en **code auditif**.

On peut même encoder un stimulus en s'appuyant non pas sur une modalité sensorielle donnée, mais sur la signification attachée au stimulus: on parle alors de **code sémantique**. À titre d'exemple, la phrase «Mon Vieux, Tu M'as Jeté Sur Une Nouvelle Planète» a longtemps servi de code sémantique pour retenir l'ordre des planètes du système solaire, à savoir Mercure, Vénus, Terre, Mars, Jupiter, Saturne, Uranus, Neptune et Pluton. Comme Pluton a perdu son statut de planète en août 2006, et que c'est

Mémoire
Capacité d'un système à encoder une information, à l'entreposer dans un format approprié et à la récupérer de façon efficace.

Encodage
Opération consistant à coder le matériel à retenir, c'est-à-dire à l'encoder sous une forme différente de sa forme initiale.

Code visuel
Code faisant appel à une représentation visuelle.

Code auditif
Code faisant appel à une représentation auditive.

Code sémantique
Code faisant appel à la signification attachée au stimulus.

désormais Sedna, découverte en 2004, qui est la planète la plus éloignée du Soleil, il suffirait de remplacer «Planète» par «Sensationnelle»; la phrase deviendrait alors: «Mon Vieux, Tu M'as Jeté Sur Une Nouvelle Sensationnelle.»

Les quelques exemples présentés ci-dessus suffisent déjà à illustrer que la mémorisation d'un matériel donné commence par son encodage. Par ailleurs, l'exemple donné pour le code sémantique met en évidence un point sur lequel nous reviendrons plus loin: le choix du code utilisé pour l'encodage — sensoriel (visuel, auditif, etc.) ou sémantique — implique une certaine réorganisation du matériel à retenir. Comme nous le verrons, la façon dont nous organisons l'information est un facteur central dans l'efficacité avec laquelle nous pouvons entreposer le matériel et le récupérer par la suite.

6.1.2 L'entreposage

Une fois l'information encodée, on doit procéder à son **entreposage** (ou **stockage**), c'est-à-dire à sa mise en mémoire. On pourrait comparer cette opération au fait d'enregistrer sur un ordinateur un texte qu'on a saisi ou une page Web qu'on a consultée. Pour effectuer cette opération, l'ordinateur doit pouvoir attribuer un nom et un emplacement au document. Pour l'humain, cela implique de relier l'information nouvelle à du matériel déjà en mémoire; ici encore, la façon d'organiser l'information en question joue un rôle extrêmement important, point sur lequel nous nous attarderons davantage plus loin.

Comme nous l'avons déjà vu au chapitre 2 et comme le rappelle la figure 6.1, c'est l'hippocampe, une structure située au cœur du cerveau, qui est principalement responsable du mécanisme d'entreposage des nouveaux éléments d'information, autrement dit, de la création de nouveaux souvenirs. L'hippocampe effectue en somme la même opération que la commande «Enregistrer» sur un ordinateur. Une personne dont l'hippocampe a été endommagé ne peut donc plus créer de nouveaux souvenirs: si elle discute avec une personne inconnue pendant un court moment, et que cette dernière quitte ensuite la pièce pour y revenir quelques minutes plus tard, la personne à l'hippocampe endommagé ne la reconnaîtra pas. Elle a été incapable d'entreposer la rencontre dans sa mémoire!

Entreposage

Aussi appelé **Stockage**

Mise en mémoire de l'information encodée.

FIGURE 6.1   L'hippocampe

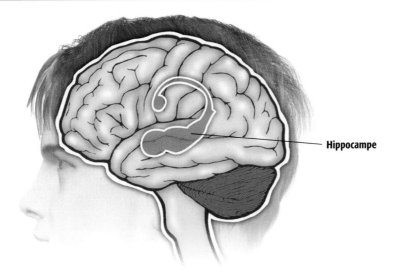

Hippocampe

La localisation approximative de l'hippocampe, structure qui joue un rôle central dans l'entreposage des souvenirs dans la mémoire déclarative.

1. **L'hippocampe permet la mise en mémoire des souvenirs, un peu comme la commande « Enregistrer » d'un logiciel d'ordinateur.**

   Même si ce n'est pas dans l'hippocampe que sont entreposés les souvenirs, cette structure permet effectivement leur entreposage ; sans cette mise en mémoire, les événements que l'on vit seraient oubliés après quelques minutes.

6.1.3   La récupération

Récupération

Aussi appelée **Repêchage**

Opération consistant à aller chercher l'information en mémoire pour la ramener à la conscience.

Encoder et entreposer l'information ne suffit pas pour que le processus de mémorisation soit complet : il faut pouvoir en effectuer la **récupération** (ou le **repêchage**), c'est-à-dire aller chercher l'information pour la ramener à la conscience. L'élève qui a un trou de mémoire lors d'un examen le sait bien.

On considère ainsi que la plupart des problèmes de mémoire sont davantage liés à la récupération qu'à l'encodage ou à l'entreposage, et ce, qu'il s'agisse de mémoire humaine ou virtuelle. La difficulté à récupérer une information provient généralement d'une mauvaise organisation au moment de l'entreposage et d'une insuffisance d'indices guidant l'accès à cette information. Le manque d'indices peut, dans certains cas, produire le phénomène bien connu du mot sur le bout de la langue, où l'on n'arrive pas à récupérer une information qu'on a l'impression d'avoir en mémoire, mais pour laquelle les indices semblent momentanément déficients ! Lorsque l'information revient finalement à la mémoire — ou que quelqu'un d'autre la donne —, on constate qu'elle avait bel et bien été entreposée.

6.2   La mesure de la rétention

Rétention

Terme qui, selon le contexte, peut prendre deux sens : 1. quantité d'information qui a été mémorisée ; 2. conservation de l'information en mémoire.

Dans toute recherche scientifique visant à comprendre le fonctionnement de la mémoire, il importe de préciser dès le départ une façon de mesurer la **rétention**, c'est-à-dire ici la quantité d'information qui a été mémorisée dans une situation donnée ; il est à noter cependant que le terme « rétention » peut aussi désigner, comme nous le verrons plus loin, l'action de conserver une information en mémoire. En ce qui concerne la façon de mesurer la rétention, les deux méthodes principalement utilisées sont le rappel et la reconnaissance ; mentionnons également une troisième méthode inventée par Ebbinghaus pour obtenir une mesure plus juste de la rétention : le réapprentissage.

6.2.1   Le rappel

Rappel

Méthode de mesure de la rétention utilisant le nombre d'items correctement rapportés par une personne procédant à la récupération.

Le **rappel** est la méthode qui vient le plus spontanément à l'esprit quand il est question de mesurer ce qui a été retenu ; celle-ci est d'ailleurs bien connue des étudiants. Le rappel consiste simplement à compter le nombre d'items correctement rapportés par une personne procédant à la récupération de ces derniers ; en reportant ce nombre sur le total d'items à rapporter, on peut alors calculer un pourcentage de rappel. Par exemple, si un enfant du primaire à qui l'on a demandé de nommer les 10 provinces du Canada en nomme correctement 8, on dira que son taux de rappel est de 8 sur 10, c'est-à-dire de 80 %. De même, si après avoir étudié pendant 30 secondes les 12 items présentés dans la figure 6.2 vous en rapportez correctement 4, la mesure de la rétention sera ici de 4 sur 12, c'est-à-dire de 33 %.

6.2.2   La reconnaissance

Reconnaissance

Méthode de mesure de la rétention utilisant le nombre d'items d'une série qui sont correctement rapportés parmi ceux ayant fait partie d'une série précédemment présentée.

La **reconnaissance**, la deuxième méthode de mesure de la rétention, est également bien connue. Comme pour un examen à choix multiples, la méthode consiste à insérer l'information appropriée parmi d'autres qui sont inexactes. Par exemple, si après vous avoir fait étudier la liste de la figure 6.2, on vous avait demandé non pas d'écrire les items dont vous vous souveniez mais plutôt d'indiquer, dans une liste de 50 items

FIGURE 6.2   La mesure de la rétention

QEW – QOS – PIW – ZAJ – MIF – GUX – KEZ –
XAJ – WUJ – FUH – TIK – POH

Un exemple d'une liste d'items permettant d'illustrer les trois façons principales de mesurer la rétention présentées dans ce chapitre : le rappel, la reconnaissance et le réapprentissage.

contenant ceux de la liste de la figure 6.2, où se trouvent ces derniers, votre résultat aurait vraisemblablement été supérieur à 4 ; en supposant que vous auriez correctement reconnu 10 des 12 items, votre taux de reconnaissance serait alors de 10 sur 12, c'est-à-dire environ 87 %.

6.2.3   Le réapprentissage

Comme nous venons de le voir, la méthode de rappel et celle basée sur la reconnaissance donnent des mesures différentes de la rétention. Reconnu comme le pionnier dans la recherche scientifique sur la mémoire, Hermann Ebbinghaus (*voir la photo 6.1*) considérait quant à lui ces deux mesures comme biaisées, quoique dans un sens contraire l'une de l'autre. Selon lui, la méthode du rappel est une mesure trop sévère, ne tenant pas compte de l'information entreposée qu'on n'arrive pas à récupérer et à ramener à la conscience ; à l'opposé, la reconnaissance donne une mesure de rétention trop généreuse, puisqu'elle permet de comptabiliser, « comme si on s'était rappelé au complet », certains items reconnus qui n'auraient pas pu être repêchés sans aide. C'est ce qui a amené Ebbinghaus à inventer une autre méthode de mesure de la rétention, le **réapprentissage**, lequel vise à donner une mesure plus juste de ce qui est retenu, c'est-à-dire à mesurer toute l'information mémorisée, mais pas plus (Ebbinghaus, 1885).

Bien qu'elle soit habituellement présentée dans les ouvrages classiques sur la mémoire, la méthode du réapprentissage est moins fréquemment utilisée, notamment parce que moins aisée à réaliser en pratique, c'est pourquoi nous en avons reporté la présentation dans l'encadré 6.1 (*page 186*).

6.3   Les sortes de mémoire

Comme nous le verrons au cours du présent chapitre, les opérations de base que sont l'encodage, l'entreposage et la récupération interviennent à des degrés divers dans les différentes sortes de mémoire que les chercheurs ont été amenés très tôt à différencier. Toutefois, lorsqu'on consulte la littérature sur la question, la façon dont on distingue les différentes « sortes » — ou « formes » ou « types » — de mémoire peut porter à confusion. Cela est généralement dû au contexte dans lequel le sujet est abordé. Nous nous en remettrons ici aux distinctions les plus communément apportées, à savoir les sortes de mémoire qu'on distingue selon la durée de rétention du contenu à mémoriser et selon la nature du contenu mémorisé ; il est à noter que le terme « rétention » est ici utilisé dans le sens de « conservation de l'information ».

6.3.1   Selon la durée de rétention du contenu

Le modèle le plus couramment admis pour distinguer les différentes sortes de mémoire en fonction de la durée de rétention du contenu est le modèle à trois paliers d'Atkinson et Shiffrin (1968). Comme l'illustre la figure 6.3 (*page 186*), ce modèle propose de différencier la mémoire sensorielle de la mémoire à court terme et de la mémoire à long terme.

Réapprentissage
Méthode de mesure de la rétention consistant à faire réapprendre le matériel préalablement appris, à noter la différence entre le nombre d'essais ou le temps pris la première fois et le nombre d'essais ou le temps pris lors du réapprentissage, et à mettre cette différence en rapport avec le nombre d'essais ou le temps pris lors du premier apprentissage.

Considéré comme le pionnier dans la recherche scientifique sur la mémoire, **Hermann Ebbinghaus (1850-1909)** s'est pris lui-même comme sujet dans plusieurs de ses études.

Photo 6.1

Le réapprentissage : une mesure plus juste de la rétention

Ebbinghaus considérait que les deux méthodes les plus couramment utilisées pour mesurer la rétention, le rappel et la reconnaissance, étaient l'une, trop sévère et l'autre, trop généreuse. C'est dans le but d'obtenir une mesure plus juste qu'ils a mis au point le réapprentissage.

Le réapprentissage consiste, comme son nom l'indique, à faire réapprendre le matériel préalablement appris, à noter le nombre d'essais ou le temps requis lors du réapprentissage et à mettre ce nombre en rapport avec le nombre d'essais ou le temps pris lors du premier apprentissage, selon la formule suivante :

$$\% \text{ de rétention} = \left[\frac{\left(\begin{array}{c}\text{Temps ou nombre} \\ \text{d'essais pris la} \\ \text{première fois}\end{array}\right) - \left(\begin{array}{c}\text{Temps ou nombre} \\ \text{d'essais pris la} \\ \text{deuxième fois}\end{array}\right)}{\left(\begin{array}{c}\text{Temps ou nombre} \\ \text{d'essais pris la} \\ \text{première fois}\end{array}\right)} \right] \times 100$$

Supposons, par exemple, qu'après avoir étudié pendant 30 secondes la liste de la figure 6.2 (*page 185*) et écrit les 4 items que vous avez pu vous rappeler après ce premier essai, vous refaites une autre période d'étude de 30 secondes et vous écrivez à nouveau les items dont vous vous rappelez, et ainsi de suite jusqu'à ce que vous obteniez le score parfait de 12, ce qui surviendra, disons, après 10 essais. Cinq jours plus tard, vous essayez de vous rappeler la liste et constatez, avant même de la revoir, que vous ne vous souvenez que de 4 items sur les 12 à apprendre, ce qui correspondrait à un taux de

rappel d'environ 33 %. Par contre, en refaisant d'autres essais de la même façon que précédemment, vous constatez que trois essais vous suffisent cette fois-ci pour vous rappeler la liste au complet. Selon la méthode du réapprentissage, on estime alors qu'avant de réapprendre la liste, la quantité d'information que vous aviez retenue est donnée par le calcul suivant :

$$\% \text{ de rétention} = \left[\frac{10 \text{ essais} - 3 \text{ essais}}{10 \text{ essais}} \right] \times 100 = \left[\frac{7}{10} \right] \times 100 = 70\%$$

La mesure de rétention basée sur le réapprentissage tient compte du fait que les huit items que vous ne vous rappeliez pas n'avaient pas été oubliés, et qu'il n'a fallu que trois essais pour compléter ce qui manquait.

La méthode du réapprentissage est en pratique plus compliquée à mettre en œuvre que les deux autres, et c'est là une des raisons pour lesquelles celle-ci est peu souvent utilisée, même si elle s'avère plus juste. Par ailleurs, cette méthode met en évidence qu'on n'a jamais oublié autant qu'on le croit, et c'est là une considération digne d'intérêt quand on évalue ce qu'on se rappelle de ce qu'on a appris sur les bancs d'école. Longtemps après avoir suivi un cours, on peut avoir l'impression qu'on ne se souvient plus de rien mais, si on en a besoin dans le cadre d'un travail et qu'on se replonge dans la matière, on est généralement surpris de ce qui revient et de la facilité avec laquelle on peut réapprendre le contenu précédemment mémorisé.

FIGURE 6.3   Le modèle à trois paliers d'Atkinson et Shiffrin

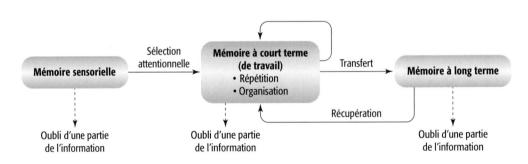

L'information sensorielle à laquelle l'organisme porte attention est transférée dans la mémoire à court terme (mémoire de travail) où la façon dont cette information est répétée et organisée détermine quelle partie de l'information sera finalement transférée dans la mémoire à long terme.

Mémoire sensorielle

Aussi appelée parfois **Mémoire à très court terme**

Mémoire dont l'encodage, l'entreposage et la récupération s'effectuent au niveau des organes sensoriels ; selon la modalité sensorielle, elle a une durée de rétention allant d'une fraction de seconde à quelques secondes.

La mémoire sensorielle

On pourrait dire de la **mémoire sensorielle** qu'elle est la mémoire sous sa forme la plus « primitive ». Comme son nom l'indique, elle réfère à la capacité d'encoder, d'entreposer et de récupérer l'information provenant de l'environnement au niveau des organes sensoriels.

L'encodage correspond simplement ici à la transduction des stimuli physiques en influx nerveux. Par ailleurs, l'activité nerveuse générée par un stimulus dure plus longtemps que le stimulus lui-même. Le cas du flash produit par un appareil photo, qui dure quelques secondes après l'extinction de la lumière elle-même, en est un exemple à la fois banal et frappant.

L'information est entreposée pendant un certain temps, même si ce temps est très court. Ce phénomène se produit pour tous les sens, même si la plupart des stimuli qui frappent régulièrement nos sens ne permettent pas de s'en rendre compte de façon aussi frappante ; on parle de **registre sensoriel** pour désigner l'ensemble des structures où est entreposée cette information.

Finalement, l'information momentanément entreposée au niveau des organes sensoriels peut être sujette à une récupération : si l'on présentait simultanément les lettres de la figure 6.2 (*page 185*) pendant un dixième de seconde, on constaterait qu'il est possible d'en rapporter un certain nombre, habituellement près de quatre. Cela signifie-t-il que le registre sensoriel ne peut en entreposer plus de quatre ? On sait aujourd'hui que ce n'est pas le cas, et ce, grâce à une expérience ingénieuse réalisée par George Sperling (1960) et rapportée dans l'encadré 6.2.

Il est à noter que la durée de la trace sensorielle, c'est-à-dire le temps durant lequel l'information demeure entreposée dans le registre sensoriel, est toujours très courte. Elle varie cependant d'une modalité sensorielle à l'autre : d'une fraction de seconde dans le cas de la vision jusqu'à plusieurs secondes dans le cas d'autres sens tels que l'audition. Sa durée est tout de même assez longue pour faire en sorte que les perceptions (images, sons, etc.) n'apparaissent pas saccadées, mais s'inscrivent dans une continuité perceptive, dans la mesure où les stimuli sont suffisamment rapprochés dans le temps. La courte durée de la trace sensorielle évite également qu'il y ait surcharge, puisque la trace des stimuli auxquels nous ne prêtons pas attention s'efface rapidement.

Registre sensoriel
Par analogie avec le langage informatique, ensemble des structures où est entreposée l'information de la mémoire sensorielle.

La mémoire à court terme

L'information contenue dans la mémoire sensorielle n'y demeure effectivement pas très longtemps. Elle est rapidement perdue, mis à part ce à quoi l'organisme prête attention, information qui passera alors dans ce qu'on appelle typiquement la

---

ENCADRÉ 6.2 **Recherche classique**

L'attention et la mémoire sensorielle

Afin de savoir si le fait de ne rapporter que quatre items signifiait qu'on ne pouvait prêter attention à plus de quatre éléments à la fois, George Sperling (1960) a élaboré une expérience simple mais ingénieuse.

À l'aide d'un tachistoscope, il présentait un ensemble de lettres analogues à ce qui est représenté dans la figure ci-dessous pendant 1/20 de seconde et, immédiatement après la disparition des stimuli, faisait entendre un son indiquant au sujet sur quelle rangée effectuer la récupération (son élevé pour la rangée du haut, son de hauteur moyenne pour la rangée du milieu et son bas pour la rangée du bas).

```
W   J   D   L

R   V   G   M

N   Q   F   S
```

Exemple de stimuli utilisés par Sperling (1960)

Contrairement aux sujets qui ne pouvaient rapporter qu'environ quatre ou cinq lettres quand ils n'avaient aucun indice, ceux qui entendaient un son précisant sur quelle rangée le rappel portait. réussissaient en général à nommer trois des quatre lettres de la rangée. Puisque les sujets ne connaissaient pas à l'avance la rangée qui serait demandée, le registre sensoriel semblait donc avoir conservé 75 % du matériel, quelle que soit la rangée ; cela correspondait alors à un nombre d'items nettement supérieur à quatre, à savoir au moins neuf (c'est-à-dire 75 % des quatre lettres sur chacune des trois rangées).

Sperling avait donc démontré que la mémoire sensorielle a une capacité très élevée, mais que la trace mnésique s'estompe rapidement. Ainsi, la limite de quatre ou cinq observée précédemment semblait due à une limite dans le nombre d'items auxquels il est possible de porter attention avant que la trace s'estompe complètement.

George Sperling, l'un des pionniers de l'étude sur la mémoire sensorielle.

mémoire à court terme. On peut ici se demander pourquoi cette appellation ne s'applique pas à la mémoire sensorielle, compte tenu de la courte durée de rétention de cette dernière. La raison est de nature historique: ce n'est qu'au XXe siècle que la mémoire sensorielle a été dûment considérée comme une sorte de mémoire. Or, l'appellation «mémoire à court terme» était déjà utilisée depuis le XIXe siècle pour désigner une forme de mémoire dont la durée de rétention de l'information varie de 30 secondes à quelques minutes, ce qui est relativement court en regard de celle de la mémoire à long terme, cette autre forme de mémoire qu'on connaissait également et dont il sera question au point suivant.

Il peut être intéressant de noter que la mémoire sensorielle est parfois appelée *mémoire à très court terme* pour la situer par rapport à la mémoire à court terme. Par ailleurs, la mémoire à court terme est elle-même souvent appelée **mémoire de travail**, par référence au fait que c'est principalement à cette étape que s'effectue le travail qui, ainsi que le schématise la figure 6.3 (*page 186*), permettra à l'information d'être transférée, en tout ou en partie, au troisième palier, la mémoire à long terme. Le travail effectué à l'étape de la mémoire à court terme doit toutefois tenir compte du fait que cette dernière a une capacité limitée...

Par exemple, si vous énumérez à un ami la série de lettres suivante au même rythme que vous le feriez pour les chiffres d'un numéro de téléphone,

$$P - K - Z - F - W - R - Q$$

et que vous lui demandez ensuite de la répéter, il y a de fortes chances que votre ami ait un score de 100 % ou qu'il n'ait oublié qu'une ou deux lettres tout au plus. Par contre, si vous refaites l'expérience avec la série

$$B - M - W - F - A - X - T - Q - S - C - D$$

il serait fort étonnant que votre ami ait un score supérieur à neuf. On sait en effet que le nombre d'items non significatifs différents que peut retenir la mémoire à court terme est environ de sept.

C'est Ebbinghaus (1885) qui a été le premier à constater cette limite de la mémoire à court terme. Travaillant avec des **trigrammes non significatifs**, c'est-à-dire des groupes de trois lettres constitués d'une voyelle entre deux consonnes (par exemple, VAJ) ne correspondant à aucun mot significatif, Ebbinghaus a noté que le nombre de trigrammes dont il pouvait se souvenir après une seule lecture était presque toujours de sept. Les études effectuées par la suite ont à maintes reprises confirmé le résultat d'Ebbinghaus, à savoir que le nombre d'items non significatifs qu'on peut normalement se rappeler après une seule lecture est de 7 ± 2, et ce, quel que soit le niveau d'intelligence de la personne. Fasciné par la constance de ce résultat, Miller (1956) a même consacré un article à ce qu'il a appelé le *nombre magique sept*!

Cette limite de la capacité de la mémoire à court terme, c'est-à-dire le nombre d'items qu'elle peut contenir, peut paraître surprenante étant donné la grande diversité qui existe entre les individus en ce qui a trait à la mémoire: en effet, s'il est vrai que certaines personnes reconnaissent volontiers avoir très peu de mémoire, comment se fait-il que d'autres soient capables de faire preuve de capacités beaucoup plus grandes que celles permettant de retenir environ sept items?

Une bonne partie de la réponse à cette question tient à la façon dont on organise l'information à retenir, et ce, dès le stade de la mémoire à court terme. Or, comme nous le verrons plus loin dans la section sur les facteurs influant sur la rétention, ce travail requiert en bonne partie d'aller récupérer dans la mémoire à long terme de l'information déjà entreposée de façon à la relier aux nouveaux éléments d'information.

2. En général, le nombre d'items que peut conserver la mémoire à court terme est d'environ 12, quel que soit le niveau d'intelligence de la personne.

Malgré les grandes différences d'ordre intellectuel d'un individu à l'autre, la capacité de la mémoire à court terme est environ de 7 ± 2 items, les différences de performance dans la rétention s'expliquant par la façon d'organiser l'information.

La mémoire à long terme

Quand nous avons signalé, en ouverture de chapitre, le rôle fondamental de la mémoire dans la construction de notre identité, c'est essentiellement à la **mémoire à long terme** que nous faisions référence. C'est en effet cette mémoire, dont la rétention s'étend sur des heures, des jours et même des années, qui nous permet de percevoir une continuité dans notre vie et de pouvoir y situer les événements que nous avons vécus, les connaissances que nous avons accumulées et les habiletés que nous avons développées. En plus de conserver l'information sur une période beaucoup plus longue, la mémoire à long terme se différencie de la mémoire à court terme sur deux points importants ayant trait, l'un à sa capacité, c'est-à-dire à la quantité d'éléments d'information qu'elle peut contenir, l'autre à l'exactitude des données qui y sont conservées.

Contrairement à la mémoire à court terme dont la capacité est environ de 7 ± 2 items différents, la capacité de la mémoire à long terme est pratiquement illimitée. Bien qu'il ne s'agisse pas d'un fait démontré scientifiquement, ce caractère illimité de la mémoire à long terme est une extrapolation qui semble aller de soi, étant donné qu'on n'a jamais constaté qu'une personne ne pouvait plus rien apprendre de nouveau, sauf pour des raisons liées à des problèmes neurologiques ou à la consommation de drogues. Les données recueillies concernant la façon dont sont emmagasinés les souvenirs semblent d'ailleurs confirmer ce caractère illimité: chaque souvenir semblant lié à l'activation de certaines synapses de certains neurones, et ce, dans un ordre et à des degrés divers (Purves *et al*, 2005), les combinaisons possibles apparaissent effectivement infinies.

Mémoire à long terme
Mémoire traitant une information en provenance de la mémoire à court terme; elle a une durée de rétention allant de quelques minutes à plusieurs années.

3. La capacité de la mémoire à long terme est considérablement plus grande que celle de la mémoire à court terme, mais elle demeure limitée.

Ce qu'on en sait actuellement semble indiquer que la mémoire à long terme a une capacité illimitée.

Le caractère illimité de la capacité de la mémoire à long terme en constitue une caractéristique fort intéressante qui ne cause normalement aucun problème. Ce n'est pas le cas de l'exactitude de l'information qui s'y trouve. En effet, plus on étudie la mémoire, plus on se rend compte que l'information contenue dans la mémoire à long terme ne peut être considérée comme une sorte de document audio-visuo-tactilo... correspondant exactement aux faits vécus par un individu.

Nous avons déjà fait allusion, dans le chapitre 4, à ce caractère potentiellement trompeur de la mémoire, quand il a été question des «souvenirs» rapportés sous hypnose. Or, il n'y a pas que l'hypnose qui puisse fausser les souvenirs. En effet, la façon même dont fonctionne normalement la mémoire peut y conduire. Ainsi, Loftus (1975) a démontré que la simple formulation d'une question peut modifier la façon dont une personne rapporte ce dont elle se souvient. Après avoir présenté une séquence de film illustrant un accident entre deux voitures, on a demandé aux sujets d'estimer à quelle vitesse roulaient les voitures lorsqu'elles sont «entrées en collision» (*smashed*) l'une avec l'autre, expression qui traduit une certaine violence de l'impact; les sujets ont rapporté en moyenne une vitesse plus élevée que ceux à qui l'on avait demandé à quelle vitesse roulaient les voitures lorsqu'elles se sont «heurtées» (*hit*), expression qui traduit une violence moindre.

On peut même «se souvenir» d'événements qui ne sont jamais arrivés. Un exemple désormais classique à ce sujet est celui fourni par le célèbre psychologue suisse, Jean Piaget, qui raconte comment il a eu longtemps le souvenir d'avoir été l'objet d'une tentative d'enlèvement étant tout jeune:

> Un de mes plus anciens souvenirs daterait, s'il était vrai, de ma seconde année. Je vois encore, en effet, avec une grande précision visuelle, la scène suivante à laquelle j'ai cru jusque vers 15 ans. J'étais assis dans une voiture de bébé, poussée par une nurse, aux Champs-Élysées (près du Grand-Palais), lorsqu'un individu a voulu m'enlever. La courroie de cuir serrée à la hauteur de mes hanches m'a retenu, tandis que la nurse cherchait courageusement à s'opposer à l'homme (elle en a même reçu quelques griffures et je vois encore vaguement son front égratigné). Un attroupement s'ensuivit, et un sergent de ville à petite pèlerine et à bâton blanc s'approcha, ce qui mit l'individu en fuite. Je vois encore toute la scène et la localise même près de la station du métro. Or, lorsque j'avais environ 15 ans, mes parents reçurent de mon ancienne nurse une lettre leur annonçant sa conversion à l'Armée du Salut, son désir d'avouer ses fautes anciennes et en particulier de restituer la montre reçue en récompense de cette histoire, entièrement inventée par elle (avec égratignures truquées). J'ai donc dû entendre comme enfant le récit des faits auxquels mes parents croyaient, et l'ai projeté dans le passé sous la forme d'un souvenir visuel, qui est donc un souvenir de souvenir, mais faux! Beaucoup de vrais souvenirs sont sans doute du même ordre. (Piaget, 1968, p. 199)

La façon dont les souvenirs peuvent non seulement être modifiés, mais aussi entièrement créés, a été étudiée de façon intensive par la chercheuse Elizabeth Loftus (1979/1996), qui a consacré sa carrière à cette question. Elle insiste d'ailleurs sur l'importance de mieux comprendre ce phénomène en raison des conséquences pratiques qui peuvent en découler. Dans le quotidien, cela peut éviter, lorsqu'on n'a aucun moyen de vérifier ce qu'on affirme, de s'éterniser dans une discussion qui pourrait devenir orageuse. Sur une note plus grave, un compte rendu inexact peut prendre une tournure dramatique lorsqu'il s'agit d'un témoignage en cour, comme nous l'avons déjà souligné concernant les «souvenirs» ravivés sous hypnose. Compte tenu de ce qu'on sait maintenant sur les déformations auxquelles peuvent être sujets les souvenirs, il importe de se pencher sur les implications pratiques de ces connaissances dans les domaines légal et judiciaire (Loftus, 1979/1996; 2003a; 2003b).

Testez vos connaissances

4. La mémoire à long terme ne restitue pas les souvenirs de façon fidèle comme le ferait un document audiovisuel.

Les études menées à ce jour ont amplement démontré que la mémoire à long terme ne fonctionne pas du tout comme un document audiovisuel: elle peut non seulement déformer les souvenirs, mais aussi en créer de toutes pièces.

Devant ce problème posé par la difficulté, l'impossibilité dans certains cas, de savoir si un souvenir est exact, on est alors amené à se poser différentes questions telles que «comment un tel phénomène est-il possible?», «pourquoi est-ce ainsi?», «comment faire la part des choses?». Ces questions poussent les chercheurs à se pencher sur les facteurs qui influent sur la rétention, aspect qui, en raison de son importance, fait l'objet d'une des sections principales de ce chapitre.

6.3.2 Selon la nature du contenu

Les distinctions présentées ici sur la base du contenu concernent généralement la mémoire à long terme. Toutefois, la façon dont en parlent les auteurs n'exclut pas que ces distinctions soient également valables pour la mémoire à court terme. C'est pourquoi elles sont traitées ici dans un point séparé du précédent, ce qui permet d'envisager que les distinctions de contenu puissent aussi s'appliquer à la mémoire à court terme[1].

Cela dit, les chercheurs s'entendent généralement (Squire & Kandel, 2002) pour reconnaître deux grandes sortes de mémoire : la mémoire déclarative et la mémoire non déclarative. Nous présenterons les caractéristiques de base de chacune d'elles, puis nous donnerons un aperçu des bases physiologiques qui les sous-tendent.

La mémoire déclarative

Les caractéristiques On parle de **mémoire déclarative** pour désigner cette sorte de mémoire portant sur un contenu qui peut être consciemment repêché et exprimé (c'est-à-dire «déclaré»). En somme, c'est la mémoire au sens courant du terme. Comme schématisé dans la figure 6.4, elle comprend deux formes : la mémoire épisodique et la mémoire sémantique.

La **mémoire épisodique** porte sur les événements vécus par un individu ou dont il a été témoin. Le souvenir de l'attentat du 11 septembre sur les tours du World Trade Center fait partie de la mémoire épisodique pour les New-Yorkais qui étaient sur place et qui ont vu les avions percuter les tours ; il l'est également pour une personne qui, ayant appris qu'un avion avait percuté l'une des tours, a immédiatement ouvert la télévision et a vu, en direct, un avion percuter la deuxième tour. Le souvenir de Piaget raconté précédemment constitue un exemple de faux souvenir épisodique : même si le souvenir était faux, il portait sur un événement dont Piaget avait l'impression d'avoir été témoin...

Mémoire déclarative
Mémoire portant sur un contenu qui peut être consciemment repêché et exprimé (c'est-à-dire «déclaré») ; comprend la mémoire épisodique et la mémoire sémantique.

Mémoire épisodique
Forme de mémoire déclarative qui porte sur les événements vécus par un individu ou dont il a été témoin.

FIGURE 6.4 Les sortes de mémoire selon la nature du contenu

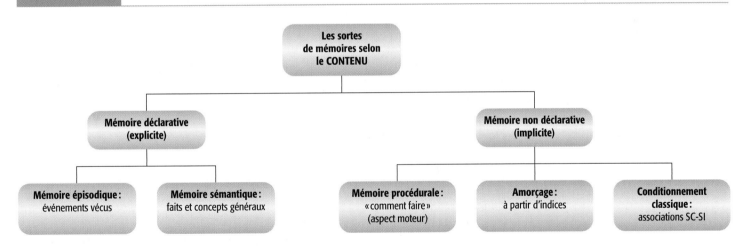

On différencie deux grandes sortes de mémoire selon le contenu : la mémoire déclarative (explicite), comprenant la mémoire épisodique et la mémoire sémantique, ainsi que la mémoire non déclarative (implicite), comprenant principalement l'apprentissage moteur et les autres formes d'apprentissage de base (d'après Squire & Kandel, 2002).

---

1. Certains cherchent également à faire correspondre les distinctions basées sur le contenu à des distinctions basées sur la structure nerveuse qui en est responsable, mais ce dernier critère n'a pas encore permis d'arriver à un consensus sur une classification exhaustive des sortes de mémoire. C'est pourquoi nous nous en tiendrons ici aux distinctions basées sur le contenu.

À la différence de la précédente, la **mémoire sémantique** porte sur des éléments de connaissance ou des faits généraux (concepts, mots, règles grammaticales, etc.) et non sur des événements en tant que tels. Pour quelqu'un qui n'a pas été témoin, ni directement, ni indirectement, de l'attentat sur les tours du World Trade Center, le fait de savoir que cette attaque a eu lieu et que c'était un 11 septembre fait partie du contenu de la mémoire sémantique. De même, le fait de savoir que c'était dans l'espoir de s'attirer une récompense que la nurse du jeune Piaget avait inventé l'histoire de l'enlèvement fait partie de la mémoire sémantique. Si vous avez bien compris la différence entre mémoire épisodique et mémoire sémantique, et si vous vous en souvenez plus tard, vous aurez ajouté cette connaissance à votre mémoire sémantique.

Les bases physiologiques Dans le chapitre 2 traitant du système nerveux, nous avons mentionné le rôle crucial de l'hippocampe dans la création de nouveaux souvenirs. Il y a lieu ici de préciser que cela ne vaut que pour la mémoire déclarative. Le **diencéphale**, qui comprend le thalamus et l'hypothalamus (*revoir la figure 2.5, page 47*), et le lobe temporal médian (partie du lobe temporal située près de la région entre les deux hémisphères) contribuent également à l'encodage et à la mise en mémoire des souvenirs déclaratifs. C'est toutefois dans différentes aires corticales associatives que seraient «probablement» entreposés ces derniers (Purves *et al*, 2005). Autrement dit, des lésions à l'hippocampe, au diencéphale ou encore au lobe temporal médian pourraient empêcher de créer de nouveaux souvenirs, mais ne détruiraient pas les anciens. Le lobe temporal médian contribuerait également à la récupération des souvenirs entreposés, de concert avec certaines régions du lobe frontal (Purves *et al*, 2005).

La mémoire non déclarative

Les caractéristiques La deuxième sorte de mémoire définie selon la nature du contenu, la **mémoire non déclarative**, porte principalement sur des contenus dont le rappel s'opère automatiquement, c'est-à-dire sans que l'on ait à y penser. Reconnue plus tard en tant que système mnémonique, la mémoire non déclarative demeure encore difficile à définir lorsqu'on cherche à préciser ses caractéristiques essentielles. La recherche a davantage porté sur ses différentes formes.

La forme de mémoire non déclarative la plus fréquemment mentionnée est la **mémoire procédurale**, laquelle porte essentiellement sur le savoir-faire moteur. Savoir comment marcher, aller à vélo, faire de la planche à roulettes, autant d'exemples qui font appel à la mémoire de type procédural. Il est important de noter que la mémoire procédurale porte sur un savoir-faire moteur et non sur un savoir-faire intellectuel. Se rappeler comment extraire une racine carrée ou comment traduire un texte du français à l'anglais ne tient pas de la mémoire procédurale, mais plutôt de la mémoire sémantique.

Parmi les autres formes de mémoire non déclarative se trouvent, entre autres, les types élémentaires d'apprentissage que sont l'habituation et la sensibilisation, ainsi que les apprentissages de type associatif que sont le conditionnement classique et le conditionnement opérant.

Les bases physiologiques Grâce aux travaux de la chercheuse de renommée internationale Brenda Milner, on sait aujourd'hui que les bases physiologiques de la mémoire non déclarative ne sont pas les mêmes que celles de la mémoire déclarative. Comme nous l'expliquons dans l'encadré 6.3, Mme Milner avait constaté que malgré l'ablation d'une partie importante de son hippocampe pour des raisons chirurgicales, un patient s'était montré capable d'apprendre, au cours de plusieurs sessions, une nouvelle tâche motrice, même si d'une fois à l'autre, il ne se rappelait pas avoir effectué la tâche. La chercheuse en est venue à la conclusion suivante : puisque certains apprentissages — en l'occurrence de type procédural — demeuraient possibles, il devait donc y avoir au moins deux formes générales de mémoire. Cette conclusion correspond depuis à la distinction entre mémoire déclarative et mémoire non déclarative.

Depuis l'époque de la découverte de Brenda Milner, plusieurs études ont permis de découvrir certaines des structures impliquées dans la localisation des apprentissages

Brenda Milner : quand l'âge n'atténue pas la passion pour la recherche

Au milieu du siècle dernier, Brenda Milner, originaire de l'Angleterre, s'inscrivait au département de psychologie de l'Université McGill pour y faire son doctorat sous la supervision de Donald Hebb, un pionnier de la recherche sur la façon dont les souvenirs sont emmagasinés dans le cerveau. Par la suite, encouragée par Hebb, elle entrait à l'Institut neurologique de Montréal (INM), fondé en 1934 par Wilder Penfield, célèbre pour avoir été le premier à démontrer qu'il est possible de raviver des souvenirs en stimulant électriquement certains neurones du cortex.

À son arrivée à McGill, la jeune chercheuse n'avait pas de champ d'intérêt particulier. Comme elle l'a confié lors d'une entrevue accordée en 2007, elle était « simplement curieuse de comprendre le fonctionnement de l'humain, sur le plan tant psychologique que psychophysiologique ». Or, à l'époque où elle commence à travailler sous la supervision de Penfield, ce dernier lui demande entre autres d'évaluer les conséquences psychologiques d'interventions chirurgicales effectuées sur certains patients.

Parmi les patients opérés par Penfield, certains avaient subi l'ablation d'une partie du cortex temporal afin d'empêcher de violentes crises d'épilepsie. Contrairement à ce qui prévaut aujourd'hui, on ne disposait pas encore à cette époque de médicaments permettant de prévenir ces crises. Comme ces dernières entraînent à la longue une détérioration de l'ensemble des fonctions motrices et cognitives, les opérations qu'effectuait Penfield constituaient alors le meilleur traitement disponible.

C'est lors de l'évaluation de l'un des patients de Penfield, patient devenu célèbre par la suite dans la littérature sous le nom de HM, que la jeune chercheuse Brenda Milner a fait une découverte qui allait orienter ses travaux, lesquels devaient plus tard lui assurer une renommée mondiale. Le patient HM avait subi l'ablation de certaines parties du cortex dans la région de l'hippocampe. Or, Mᵐᵉ Milner a constaté qu'à la suite de son intervention, HM, qui n'avait plus de crises d'épilepsie, avait cependant perdu la capacité d'emmagasiner de nouveaux souvenirs d'ordre épisodique ou sémantique, tout en demeurant capable d'apprendre de nouvelles tâches motrices.

Ainsi, placé devant une tâche consistant à suivre manuellement un tracé en forme d'étoile, et ce, en se guidant uniquement à l'aide d'un miroir, HM s'améliorait de jour en jour, même si chaque fois, il ne se rappelait pas avoir effectué la tâche ni même avoir rencontré Mᵐᵉ Milner ! La mémoire déclarative de HM avait donc été atteinte, mais sa mémoire motrice, qu'un chercheur a par la suite appelée *procédurale,* était demeurée intacte. Mᵐᵉ Milner venait de démontrer qu'il existe différents types de mémoire, ce que ses travaux ultérieurs ainsi que nombre d'autres ont confirmé par la suite.

Lorsqu'on l'écoute parler de ce qui a été au cœur de sa carrière, à savoir la mémoire humaine, on constate à quel point cette grande dame de la recherche qui est aujourd'hui reconnue comme l'une des fondatrices des neurosciences cognitives, est toujours aussi passionnée.

Brenda Milner, Ph. D. en psychologie, professeure titulaire au département de neurologie et de neurochirurgie de l'Université McGill et professeure-chercheuse à l'Institut neurologique de Montréal et à l'Hôpital neurologique de Montréal.

---

de type non déclaratif, à savoir les noyaux gris centraux, l'amygdale, le cortex préfrontal, le cortex sensoriel associatif et le cervelet. Ce dernier interviendrait de façon particulière dans le conditionnement classique, alors que les apprentissages moteurs complexes (donc, de type procédural) mettraient en jeu des circuits en boucle reliant les noyaux gris centraux et le cortex préfrontal (Purves *et al*, 2005). En ce qui a trait aux structures qui permettent la mise en mémoire de ces apprentissages — l'équivalent du rôle joué par l'hippocampe pour la mémoire déclarative —, on sait encore peu de choses sur le sujet, sauf que ces structures seraient vraisemblablement très dispersées.

6.4 Les facteurs influant sur la rétention

Ce que nous avons vu jusqu'ici a laissé entrevoir certains des facteurs qui influent sur la rétention. La présente section se penche précisément sur ces facteurs dont l'influence est à la fois fascinante et complexe, puisque les mêmes facteurs qui favorisent la mémorisation peuvent, dans certaines situations, nuire à son efficacité. En prenant d'abord connaissance des facteurs liés au matériel à retenir, à savoir la nature, le mode de présentation ainsi que le contexte de présentation du matériel, nous serons à même de mieux comprendre ensuite l'importance de la stratégie utilisée par celui qui cherche à mémoriser un contenu.

6.4.1 La nature du matériel

La nature de ce qui fait l'objet de la rétention varie beaucoup : texte, événements dont on a été témoin, savoir-faire moteur, etc. Il peut être utile de distinguer ici le matériel verbal et le matériel non verbal.

Le matériel verbal

On parle de **matériel verbal** pour désigner le matériel qui utilise un code symbolique comme les lettres et les chiffres. Or, le caractère significatif ou non de ce type de matériel intervient de façon importante dans la rétention. C'est d'ailleurs pour étudier la capacité à retenir une information de nature verbale dénuée de signification qu'Ebbinghaus avait fréquemment utilisé des trigrammes non significatifs du type de ceux montrés dans la figure 6.2 (*page 185*).

Non seulement Ebbinghaus a pu constater qu'une liste constituée de trigrammes non significatifs était plus difficile à retenir qu'une liste de trigrammes significatifs, c'est-à-dire correspondant à des mots existant réellement, mais il s'est aussi rendu compte — comme l'ont fait de nombreux chercheurs après lui — que plus les items à retenir sont significatifs, ou en d'autres termes familiers, plus il est facile de les retenir.

Par ailleurs, l'aspect « signification » peut intervenir de façon détournée. Par exemple, dans la liste de la figure 6.2, une personne pourra avoir retenu facilement le trigramme « TIK » parce qu'elle l'a associé phonétiquement, de façon spontanée, au mot connu « TIC » ; elle lui a donné un code sémantique. On observe ainsi une tendance à « mettre de la signification là où il n'y en a pas », tendance qu'on pourrait comparer à la généralisation déjà signalée à propos du conditionnement. Pour cette même raison, il est curieusement très difficile de composer des trigrammes qui n'ont aucune signification. En ce qui concerne le matériel verbal constitué de chiffres, il est plus difficile de leur attribuer une signification — en raison de leur caractère beaucoup plus général et formel que les lettres —, même si certaines stratégies peuvent aider sur ce point. Ainsi, dans certaines annonces publicitaires ou divers messages d'intérêt public, on donne un numéro de téléphone dont les chiffres constituent un mot. Un excellent exemple est le numéro de téléphone d'Opération Nez rouge : à partir du moment où l'on sait que le numéro commence par 1-877, il suffit de composer ensuite *NEZ-ROUG(E)*, ce qui donne 639-7684.

La tendance à utiliser un code sémantique peut même nuire dans certains cas où les éléments à retenir ont déjà une signification et où un rappel précis est requis. Par exemple, une personne cherchant à se rappeler les quatre types de saveurs détectées par la langue pourra dire *sure* au lieu de *acide* en raison du rapprochement sémantique. Dans un tout autre domaine, quelqu'un pourra dire *exact* alors qu'il aurait dû répondre *correct*.

Le matériel non verbal

On désigne par **matériel non verbal** tout ce qui ne correspond pas précisément aux items s'exprimant par les codes que sont les lettres et les chiffres, à savoir les stimuli et comportements de toutes sortes. De façon générale, le matériel non verbal évoque plus spontanément des images ou des représentations concrètes. Par conséquent, celui-ci se prête plus facilement aux différentes stratégies de mémorisation dont il sera question plus loin. Comme nous le verrons à ce moment, l'utilisation d'images mentales peut être très efficace pour favoriser la rétention. Ce n'est toutefois pas toujours le cas : si l'on vous montre une série de dix carrés ne différant que par la couleur, la rétention pourra se révéler aussi difficile, sinon plus, que si l'on vous avait présenté dix lettres, et ce, en raison de la stratégie utilisée.

Malgré son caractère au départ plus concret, le matériel non verbal peut également être sujet à des « déformations » au moment de la récupération, comme le montre la figure 6.5. Un mois après avoir montré à des sujets différentes formes telles que celle illustrée dans la figure 6.5a, on leur a demandé de les dessiner ; la réponse typique obtenue pour la figure 6.5a ressemblait à la forme illustrée en 6.5b; trois mois plus tard, les sujets dessinaient ce qui est illustré en 6.5c (Buckhout, 1974). La mémoire à long terme semblait donc avoir retenu la forme générale du triangle et avoir éliminé le fait que le triangle était incomplet. Ce type de standardisation peut être observé pour d'autres aspects, comme le temps qui se serait écoulé entre deux événements donnés. Même si le phénomène n'a aucune incidence particulière dans beaucoup de cas, il peut en être tout autrement si l'on s'intéresse à un détail qui serait crucial dans le témoignage d'un individu qu'on interrogerait plusieurs mois ou plusieurs années après un événement, comme cela survient souvent.

FIGURE 6.5 La standardisation d'un matériel non verbal

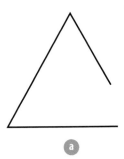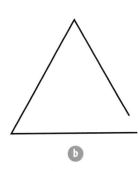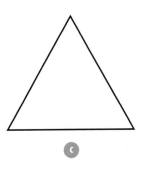

On a montré à des sujets différentes formes, dont celle illustrée en **a**. Lorsqu'on a demandé ensuite aux sujets de dessiner les formes vues précédemment, la réponse typique obtenue un mois plus tard pour la forme **a** est celle illustrée en **b**; trois mois plus tard, la forme est devenue celle illustrée en **c**.

6.4.2 Le mode de présentation du matériel

La rétention du matériel peut être facilitée ou, selon le cas, entravée par la façon dont il est présenté, comme la position d'un item dans une série, les caractéristiques attirant l'attention et l'organisation générale du matériel.

La position d'un item dans une série

Lorsque le matériel à retenir correspond à des items placés dans une série, la simple position d'un item dans la série influe sur la facilité avec laquelle l'item en question sera retenu. Cet effet a été démontré dans des tâches de rappel où l'on mesure la rétention par le nombre de fois qu'un item a été correctement rapporté. La figure 6.6 (*page 196*) permet d'illustrer la forme générale de la relation ainsi observée entre la position d'un item et la facilité à le retenir : en vertu de cette relation, appelée **effet de position sérielle**, les items les plus aisément retenus sont ceux qui, de façon générale, se trouvent au début et à la fin de la série ; les items se trouvant dans la partie centrale sont ceux pour lesquels la rétention est la plus difficile.

On nomme **effet de primauté** la tendance à retenir plus facilement les items se trouvant vers le début, et **effet de récence**, la tendance à retenir plus facilement les items se trouvant vers la fin d'une liste. L'effet de primauté serait dû au fait que les sujets auraient eu plus de temps pour se répéter les premiers mots de la liste, ce qui aurait facilité leur transfert dans la mémoire à long terme. L'effet de récence proviendrait quant à lui de ce que les derniers items sont encore dans la mémoire à court terme quand le rappel a lieu immédiatement après la fin de la présentation, ce qui fait qu'on peut s'en souvenir même s'ils n'ont pas encore été transférés dans la mémoire à long terme. Cette hypothèse est appuyée par le fait que si l'on demande à un sujet d'effectuer, avant le rappel, une tâche qui monopolise son attention pendant au moins 30 secondes et qui l'empêche de transférer les derniers items dans la mémoire à long terme, ils ne peuvent plus être rappelés, et l'effet de récence disparaît presque complètement.

Effet de position sérielle
Tendance à retenir plus facilement les items se trouvant au début et à la fin d'une liste.

Effet de primauté
Tendance à retenir plus facilement les items se trouvant au début d'une liste.

Effet de récence
Tendance à retenir plus facilement les items se trouvant à la fin d'une liste.

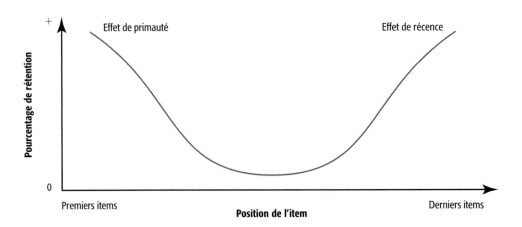

| FIGURE 6.6 | L'effet de position sérielle |

La courbe de base illustrant l'effet de position sérielle, en vertu de laquelle on retient plus facilement les items situés au début (effet de primauté) et à la fin (effet de récence) d'une liste.

Testez vos connaissances

5. **Quand on doit se rappeler une série d'items, les premiers sont généralement les plus facilement retenus, les derniers étant les plus difficiles à mémoriser.**

   En vertu de l'effet de position sérielle, les items les plus facilement retenus sont en général les premiers, mais aussi les derniers.

Les caractéristiques attirant l'attention

Le fait de porter attention à quelque chose en facilite la rétention. Il n'est cependant pas nécessaire que cette sélection d'information se fasse de façon volontaire, certaines caractéristiques de la stimulation attirant l'attention de façon «quasi réflexe». Par exemple, après avoir lu une fois la série de trigrammes ci-dessous, fermez le manuel et écrivez les items dont vous vous rappelez.

KIJ — QAF — WAS — *MOB* — ZUR — DIZ

Il y a de fortes chances que le trigramme «MOB», même s'il n'est ni au début ni à la fin de la liste, soit parmi ceux que vous avez retenus, le format de cet item — gras, italique et rouge — étant différent des autres. On appelle **effet Von Restorff** cet effet selon lequel dans une série, tout item qui se démarque des autres d'une façon quelconque (forme, couleur, grosseur, et même signification) tend à être retenu plus facilement. Il importe ici de ne pas confondre l'effet lui-même — à savoir la relation entre «caractère distinct» et «facilité de rétention» — avec la façon de l'expliquer. On peut néanmoins considérer que l'attention involontaire joue un rôle important dans l'effet Von Restorff.

La figure 6.7 donne quelques exemples supplémentaires, quoique simplifiés, de façons de produire un effet Von Restorff. Tandis que les figures 6.7a et 6.7b jouent avec la grosseur et le format «majuscule/minuscule» des caractères, la figure 6.7c rappelle qu'on crée un effet Von Restorff quand on utilise un surligneur pour mettre en évidence les mots importants d'un texte qu'on étudie. Évidemment, si l'on ne sélectionne pas d'abord ce qui est important et qu'on surligne plus de la moitié du texte, comme dans la figure 6.7d, l'effet ne fonctionne plus.

Afin qu'on se souvienne du produit de leur client, les concepteurs de messages publicitaires font une large utilisation des possibilités liées à la manipulation des stimuli, et ce, de façon parfois surprenante. Ainsi, dans un message publicitaire télévisé d'une

Effet Von Restorff
Tendance à retenir plus facilement un item qui se démarque des autres d'une façon quelconque.

FIGURE 6.7 L'effet Von Restorff

a KIJ – QAF – WAS – **MOB** – ZUR

c La rétention peut être facilitée par l'effet Von Restorff, à condition qu'on utilise cet effet de façon appropriée.

b KIJ – QAF – WAS – mob – ZUR

d La rétention peut être facilitée par l'effet Von Restorff, à condition qu'on utilise cet effet de façon appropriée.

En **a**, l'avant-dernier item se détache parce qu'il est plus gros que les autres, alors qu'en **b**, c'est parce qu'il est le seul à être en minuscules; en **c**, le surlignage permet de bien cibler l'élément important, ce qui n'est pas le cas en **d**.

marque de biscuits au chocolat et à la guimauve, il n'y avait aucun son! Cela avait pour effet de surprendre le téléspectateur qui, momentanément distrait de l'émission en cours, prêtait attention au téléviseur, se demandant ce qui se passait: son attention était alors monopolisée par les images annonçant le biscuit.

Les caractéristiques attirant l'attention peuvent aussi nuire à la rétention si elles ont pour effet de faire porter l'attention sur autre chose. Par exemple, si au moment même où l'un de vos amis vous présente une personne dans une soirée, vous êtes charmé par son regard, et si vous n'êtes pas en mesure sur le moment de converser quelques minutes avec «la» personne, il se peut très bien que vous ne reteniez pas son nom, son charme monopolisant votre attention. Gardez en tête cette possibilité la prochaine fois que quelqu'un ne se rappellera pas «votre» nom!

L'organisation générale du matériel

La façon dont est organisé le matériel à mémoriser influe de façon importante sur la capacité à le retenir. Une façon de contourner la limite d'environ sept items caractérisant la mémoire à court terme consiste à regrouper les items à retenir en paquets, ce que les auteurs appellent des **tronçons**.

Tronçon
Regroupement d'items facilitant la mémorisation.

La formation de tronçons peut se faire en tenant compte de la disposition. Si, par exemple, au lieu de présenter ainsi les lettres de la série suivante:

B — M — W — F — A — X — T — Q — S — C — D

vous les présentez en les regroupant comme suit:

BM — WFA — XTQ — SCD

il y a déjà plus de chances que le score soit supérieur à sept, et même à neuf (c'est-à-dire «7 + 2»). Ainsi, le simple fait de regrouper certains items en tronçons contribue déjà à améliorer la rétention.

Dans le cas ci-dessus, la tâche demeure relativement difficile étant donné que les regroupements d'items constitués en tronçons ne signifient pas grand-chose. Par contre, si l'on fait intervenir l'aspect «signification» et qu'on regroupe les mêmes items de la façon suivante:

BMW — FAX — TQS — CD

la tâche devient alors extrêmement simple: on n'a plus alors 11 items, c'est-à-dire 11 lettres à retenir, mais 4, à savoir 4 sigles déjà connus, dont on n'a alors qu'à donner les lettres!

Il va de soi qu'en facilitant sa rétention à court terme, l'organisation du matériel présenté facilitera également sa rétention à long terme. Par ailleurs, les caractéristiques selon lesquelles ce matériel peut avoir été organisé sont multiples: disposition dans l'espace, dans le temps, modalité sensorielle utilisée, caractère significatif ou non, catégorie de concepts, etc. Apprendre à mettre à profit l'organisation du matériel à retenir constitue d'ailleurs un aspect important à la base des différents **procédés mnémoniques** (du grec *mnêmé* qui signifie «mémoire»), c'est-à-dire les procédés aidant à la mémorisation, ce dont nous parlerons plus loin.

Procédé mnémonique
Tout procédé visant à favoriser la mémorisation.

6.4.3 Le contexte de présentation du matériel

Bien que son influence ne soit pas évidente à première vue, le contexte dans lequel est présentée une information joue un rôle non négligeable, parfois même déterminant, dans la rétention de cette dernière. Il est ici utile de distinguer le contexte lié à l'environnement externe et le contexte lié à l'état interne.

Le contexte lié à l'environnement externe

Le seul fait de se retrouver dans le contexte où l'on a appris quelque chose peut en faciliter le rappel, sinon le susciter spontanément. Il suffit par exemple de revenir à un lieu qu'on n'a pas vu depuis longtemps — notre première école, l'endroit où l'on est allé la première fois au cinéma, etc. — pour que des souvenirs ressurgissent spontanément à la mémoire, sans même qu'on ait cherché à les récupérer. Les souvenirs ainsi déclenchés peuvent être des éléments de la mémoire épisodique (par exemple, le temps qu'il faisait ce jour-là), de la mémoire sémantique (par exemple, le nom du premier professeur) ou encore, des souvenirs d'ordre émotif associés à la mémoire non déclarative (par exemple, la fierté ressentie quand votre père ou votre mère vous a déposé à l'entrée de l'école).

L'influence provenant du contexte joue également pour les souvenirs qui ne reviennent pas d'eux-mêmes. On sait en effet que, de façon générale, il est plus facile de récupérer une information lorsqu'on se trouve dans le même contexte de stimulations extérieures que celui où elle a été codée et entreposée. Le contexte constitue ainsi un indice puissant pour aider à récupérer l'information plus tard. Par exemple, l'étudiant qui étudie toujours dans la même pièce bien aménagée chez lui aura plus de facilité, d'une fois à l'autre, à se rappeler les notions apprises précédemment et à partir desquelles il doit organiser les nouvelles. Baddeley (2002) souligne d'ailleurs qu'au moment de se rappeler une information plus difficile à récupérer, le simple fait de prendre un moment pour se remettre mentalement dans le contexte où s'est fait l'apprentissage permet un rappel assez semblable à celui qu'on aurait si l'on se trouvait réellement dans le contexte d'apprentissage.

Le contexte lié à l'état interne

Le contexte n'est pas forcément situé en dehors de la personne. Ainsi, bien que les auteurs ne le soulignent pas toujours, l'état interne d'une personne, c'est-à-dire ce qui se passe à l'intérieur d'elle, constitue également un type de contexte susceptible de raviver un souvenir. Il semble de plus que l'effet varie selon que c'est l'état physique ou l'état psychologique qui est en cause.

L'état physique Une expérience menée par Goodwin *et al.* (1969 ; dans Baddeley, 2002) a montré que des sujets ayant appris une liste de mots alors qu'ils étaient sobres s'en souvenaient par la suite plus facilement s'ils étaient sobres lors du rappel que s'ils étaient légèrement ivres ; d'autres sujets qui avaient appris la même liste de mots alors qu'ils étaient légèrement ivres s'en souvenaient plus facilement si le rappel s'effectuait alors qu'ils avaient bu de nouveau. De nombreuses autres expériences ont confirmé cet effet de l'état physique sur le rappel (Eich, 1980 ; dans Baddeley, 2002).

L'état psychologique En apprenant le décès d'un second être cher dans votre vie, la peine ressentie pourra vous rappeler la première fois que cela vous est arrivé et faire ressurgir les souvenirs liés à cet événement; de même, la joie ressentie à la nouvelle du retour d'un être cher parti depuis longtemps pourra vous rappeler la première fois que vous avez vécu un tel événement. L'état psychologique, que les auteurs appellent souvent l'*humeur* et auquel se raccroche également l'état émotionnel, peut donc aussi constituer un indice susceptible de déclencher ou de faciliter le rappel de souvenirs en mémoire depuis longtemps. D'après l'ensemble des études effectuées sur la question, cet effet serait cependant moins marqué que celui de l'état physique (Baddeley, 2002). On peut toutefois se demander si cette conclusion n'est pas due au fait qu'il est difficile de provoquer expérimentalement des états émotionnels suffisamment forts pour pouvoir en étudier les effets réels sur la mémoire.

6.4.4 La stratégie utilisée

En plus de la façon dont le matériel est organisé et du contexte où il est présenté, la stratégie utilisée pour retenir l'information est très importante et devra tenir compte de ces différents facteurs. On peut distinguer à ce sujet deux principaux types de stratégies, à savoir l'autorépétition de maintien et l'autorépétition d'organisation. Il importe cependant de garder à l'esprit que les différentes stratégies ne s'excluent pas forcément; au contraire, elles se complètent fréquemment.

L'autorépétition de maintien

L'autorépétition de maintien est la plus utilisée et elle consiste simplement à répéter plusieurs fois l'information à retenir de façon à éviter de la perdre et à favoriser ainsi son maintien en mémoire.

Autorépétition de maintien
Stratégie visant à favoriser la rétention et consistant essentiellement à répéter le contenu à retenir.

Lorsque le matériel à retenir est de nature verbale, on tend généralement à effectuer cette répétition en utilisant un code acoustique. Par exemple, si l'on vous demande d'aller rapidement téléphoner au numéro 841-0542 et que vous n'avez rien pour le noter par écrit, vous aurez tout probablement tendance à vous répéter mentalement ou à mi-voix le numéro, jusqu'à ce que vous trouviez un appareil téléphonique à utiliser. À noter que la même stratégie de répétition pourrait aussi être utilisée avec du matériel non verbal, dans la mesure où ce dernier peut être directement traduit sous forme verbale. À titre d'exemple, si l'on place devant un sujet une série d'objets courants (une balle, une poupée, un marteau, etc.), la personne pourrait très bien se les répéter mentalement («balle», «poupée», «marteau», etc.) jusqu'à ce qu'on lui demande de les rapporter (*voir la photo 6.2*). Ce ne serait généralement pas la stratégie la plus efficace, mais elle pourrait être employée.

Lorsque la rétention d'une information implique la mémoire déclarative, comme dans les situations qui viennent d'être évoquées, et lorsque la tâche se situe dans le cadre d'un besoin à court terme, la répétition est relativement efficace, particulièrement sous forme acoustique. Elle peut l'être également pour certains éléments d'information susceptibles d'être utilisés à long terme, comme les tables de multiplication où le matériel présente un certain caractère répétitif.

Par ailleurs, lorsque le contenu à retenir implique la mémoire procédurale, l'autorépétition de maintien devient extrêmement importante. C'est même la méthode privilégiée dans tous les sports et autres activités physiques où il faut devenir plus précis dans l'exécution de certains mouvements. Il importe cependant de savoir que la façon de procéder à la répétition entre ici en ligne de compte. On a en effet démontré, depuis quelques années déjà, que la répétition peut se faire mentalement, c'est-à-dire en visualisant les mouvements plutôt qu'en les faisant réellement; comme le précise l'encadré 6.4 (*page 200*), il s'agit là d'une technique d'entraînement sportif de plus en plus utilisée.

Dans le jeu de Kim, il s'agit de retenir le plus grand nombre possible d'objets en quelques secondes.

Photo 6.2

La visualisation ou s'entraîner sans bouger

La façon traditionnelle d'utiliser l'autorépétition de maintien dans le sport consistait à faire répéter les mouvements à accomplir. Or, la répétition mentale fait désormais partie des stratégies d'entraînement mental d'un nombre de plus en plus grand d'athlètes. S'il en est ainsi, c'est que de nombreuses études affirment maintenant que la répétition mentale est un outil efficace pour améliorer la performance.

L'efficacité des entraînements basés sur la répétition mentale aurait été démontrée pour des activités aussi variées que le golf, le service au tennis, le lancer au basket-ball, le soccer, le service au volleyball, les quilles, le ski, le patinage et le plongeon. La répétition mentale aiderait à renforcer la coordination neurale propre aux mouvements à effectuer et aiderait à automatiser ces derniers, c'est-à-dire sans plus avoir à y penser consciemment.

L'aire motrice située dans le cortex préfrontal, laquelle est connue pour son rôle dans l'exécution des mouvements, interviendrait également dans la visualisation des mouvements, même lorsque ces derniers ne sont pas exécutés. Il faut cependant noter que la visualisation des mouvements ne suffit pas pour influer sur la performance : l'individu doit s'efforcer de reproduire dans sa tête, le plus complètement possible, l'environnement dans lequel il devra s'exécuter (stimulations visuelles ambiantes, sons, odeurs, impressions tactiles, etc.).

La façon de visualiser peut également se faire soit à la première personne, soit à la troisième personne, les deux modes utilisés en fait par les jeux vidéo. Le mode «troisième personne» peut aider l'individu à objectiver les mouvements à exécuter, mais c'est le mode «première personne» qui doit recevoir le plus d'attention, étant donné que c'est celui dans lequel se trouvera l'individu au moment de s'exécuter.

Il va de soi que la visualisation doit être précédée d'une maîtrise de base des mouvements à effectuer. Par ailleurs, en plus de contribuer à améliorer la performance, la visualisation a un avantage que beaucoup d'athlètes et d'entraîneurs apprécient, celui d'éviter un surentraînement, c'est-à-dire une sollicitation trop intense des muscles et, conséquemment, une augmentation des risques de blessures.

Tiger Woods, visualisant mentalement le prochain coup à exécuter.

Testez vos connaissances

7. Le simple fait de se représenter mentalement et à répétition un mouvement peut améliorer la performance d'un athlète.

La visualisation, qui consiste à appliquer mentalement l'autorépétition de maintien, est effectivement une technique d'entraînement de plus en plus utilisée par l'athlète qui veut améliorer sa performance.

Il faut toutefois se rappeler que, de façon générale, l'autorépétition de maintien ne crée pas d'associations et est ainsi moins efficace pour le maintien à long terme.

L'autorépétition d'organisation

En dépit de l'intérêt que peut présenter la répétition du matériel dans certaines situations, les études tendent à démontrer que la rétention sera meilleure à long terme si la personne a mis l'accent sur l'**autorépétition d'organisation**. Cette stratégie, qui en regroupe plusieurs, met l'accent sur la façon dont on organise l'information à retenir. Il s'agit ici de prendre le terme «organisation» au sens large, c'est-à-dire en considérant autant le choix du type d'encodage, la disposition du matériel à retenir que la création de liens avec l'information déjà en mémoire.

Le choix du type d'encodage Nous avons déjà souligné qu'un matériel pouvait être encodé sous différentes formes. Or, toutes les formes susceptibles d'être utilisées ne sont pas également efficaces. Au moment d'organiser l'information à retenir, il convient donc de choisir le type d'encodage qui semble le plus approprié.

Quand il s'agit d'un numéro de téléphone à retenir à court terme, comme dans l'exemple précédent, l'autorépétition s'effectue sur du matériel déjà encodé sous une forme acoustique. Par contre, dans d'autres situations, l'encodage visuel ou sémantique peut être très efficace et se prêter plus facilement à la création de liens entre les

Autorépétition d'organisation
Stratégie globale visant à favoriser la rétention à long terme et mettant l'accent sur la façon dont on organise l'information à retenir, en prenant en compte le choix du type d'encodage, la disposition du matériel à retenir ainsi que la création de liens avec l'information déjà en mémoire.

éléments à retenir et du matériel déjà en mémoire, lequel en facilitera la récupération. La technique bien connue consistant à distribuer mentalement les éléments à retenir le long d'un trajet qu'on connaît bien est applicable quand les objets sont concrets ; en refaisant mentalement le parcours, on peut aisément « revoir » les objets à rapporter.

La disposition du matériel à retenir La façon de procéder dépend de la nature du matériel à retenir ainsi que des exigences de la tâche.

S'il s'agit d'une suite d'éléments non significatifs dont il faut retenir l'ordre, on peut en faire des tronçons et les disposer en rangées par groupes de trois, comme dans la figure 6.8a ; si l'ordre n'est pas requis, on pourrait les regrouper en fonction de la voyelle se trouvant au centre, comme en 6.8b. Il va de soi qu'avec du matériel non significatif, les possibilités de regroupement demeurent limitées.

FIGURE 6.8   La disposition du matériel

Deux des façons possibles de réorganiser une liste de trigrammes significatifs pour en faciliter la rétention selon que **a** l'ordre est requis ou que **b**, il ne l'est pas.

Par contre, lorsqu'on doit retenir du matériel significatif, par exemple des images d'objets usuels, des sons familiers, des mots connus, etc., la signification attachée à ces items ouvre beaucoup de possibilités.

S'il faut retenir une série d'images d'objets dans l'ordre où elles sont présentées, on peut se construire mentalement un « film » où les images s'enchaînent l'une à la suite de l'autre ; plus on s'efforce de donner un caractère animé à cette séquence, meilleure sera la récupération par la suite. La même technique peut être utilisée dans le cas de mots représentant des objets relativement concrets. La séquence

$$B - M - W - F - A - X - T - Q - S - C - D$$

utilisée précédemment pour illustrer le regroupement en tronçons était courte et simple à retenir, à partir du moment où elle était regroupée en tronçons significatifs tels que

$$BMW - FAX - TQS - CD$$

On aurait néanmoins pu utiliser l'imagerie visuelle en se représentant « une moto BMW dont on envoie une image par FAX à un ami qui travaille à TQS et qui enregistre l'image sur son CD ». Cette technique peut paraître superflue pour retenir quatre items à court terme, mais si le nombre d'items est plus élevé et qu'on désire s'en souvenir à long terme, la supériorité de l'imagerie visuelle devient nettement avantageuse. Une façon simple de le tester serait de faire l'expérience suivante :

> Présentez les quatre tronçons à un ami et demandez-lui simplement de les répéter ; il les nommera sans doute correctement du premier coup. À un autre, présentez les items en lui suggérant d'utiliser la représentation visuelle proposée plus haut ; insistez pour qu'il visualise, même si cela lui semble inutile. Quelques jours plus tard, demandez à chacun de vos amis de vous nommer les items que vous leur aviez présentés : celui de vos amis qui avait utilisé l'imagerie visuelle devrait obtenir un meilleur score que l'autre...

Lorsqu'il n'est pas nécessaire de retenir l'ordre des éléments, on peut regrouper ces derniers selon différents critères tels que la catégorie conceptuelle ou d'autres propriétés communes à différents sous-groupes d'items. À titre d'exemple, les noms constituant la série de la figure 6.9 seront plus faciles à retenir, à long terme surtout, si on les regroupe en catégories comme dans la figure 6.10. On aurait également pu les regrouper par lieu d'origine (par exemple, ceux qui proviennent du Québec, tels que le chat, la pomme, etc., par rapport à ceux qui proviennent d'un autre pays, tels que le perroquet, la banane, etc.); on aurait même pu regrouper les mots de quatre lettres, ceux de cinq lettres, et ainsi de suite.

FIGURE 6.9 Une liste d'items non groupés

Érable – Chat – Pomme – Orange – Cocotier – Canard – Cheval – Banane –
Bouleau – Fraise – Zèbre – Autruche – Lion – Poule – Perroquet – Baobab

Une liste d'items présentés sans utiliser la possibilité de les regrouper en catégories : à comparer avec la figure 6.10.

La création de liens avec l'information déjà en mémoire Le seul fait d'utiliser l'aspect sémantique du matériel à retenir implique par définition la référence à de l'information déjà en mémoire concernant ce matériel.

Dans l'exemple de la figure 6.10, pour classer ensemble les items «Chat», «Cheval», «Lion» et «Zèbre», il faut déjà savoir qu'il s'agit de mammifères. Par contre, on peut procéder en créant des liens non pas tant entre les items à retenir eux-mêmes qu'entre le matériel et des items déjà en mémoire. C'est sur cet aspect qu'est basée la technique consistant à disposer mentalement une série d'objets concrets le long d'un trajet qu'on connaît bien afin de s'en rappeler dans l'ordre par la suite.

Même lorsque le matériel est plutôt de nature verbale et implique un élément purement associatif, la relation avec du matériel connu peut aider. Si vous allez en Hollande par exemple, vous constaterez rapidement qu'il est très facile de se rappeler que le mot «rue» s'y traduit par *straat,* étant donné la ressemblance avec le terme anglais bien connu *street* : on n'a qu'à se rappeler que la voyelle doublée est «a» au lieu de «e».

FIGURE 6.10 Le regroupement en catégories

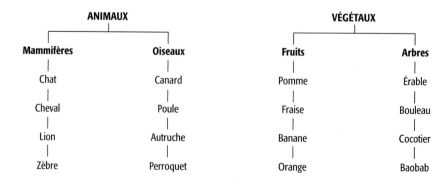

Une liste des items de la figure 6.9 regroupés en catégories conceptuelles qui en facilitent la rétention.

L'autorépétition d'organisation met donc à profit les différents facteurs influant sur la rétention, et les stratégies qui en découlent varient selon la façon dont ces différents facteurs sont utilisés pour encoder, entreposer et pouvoir par la suite récupérer efficacement l'information. Les nombreux volumes publiés sur les différentes façons d'améliorer sa mémoire ne font que détailler ces stratégies qu'utilisent d'ailleurs de façon spontanée les personnes dotées d'une mémoire exceptionnelle; un exemple célèbre de mémoire exceptionnelle est celui d'un Russe étudié pendant plusieurs années par le psychologue A. Luria et dont l'encadré 6.5 rappelle brièvement l'histoire.

Il y a lieu d'ajouter que, même si l'autorépétition d'organisation implique au départ une activité consciente de la personne, le travail de mise en relation des éléments se poursuit même si l'on n'y pense pas consciemment, et ce, particulièrement au cours du sommeil, comme l'ont démontré conjointement des chercheurs de l'Université McGill et de la Harvard Medical School (Ellenbogen *et al.,* 2007), ainsi qu'on peut le constater dans l'encadré 6.6 (*page 204*).

ENCADRÉ 6.5 | **Recherche classique**

Veniamin: un être à la mémoire prodigieuse

Vers les années 1920, A. R. Luria, chercheur dans une université en Russie, reçoit la visite inattendue d'un journaliste nommé Shereshevsky[1] qui lui permettra de réaliser, sur une période de trente ans, une étude de cas unique dans les annales de la psychologie. Luria relate ainsi la rencontre avec cet homme qu'il surnommera Veniamin.

> Cet homme, que nous nommerons Veniamin, était reporter dans un journal, et c'est à la suggestion de son rédacteur qu'il était venu me voir.
>
> Le matin, le rédacteur avait l'habitude de distribuer à ses collaborateurs le travail de la journée. Il leur donnait une liste des adresses où ils devaient se rendre et des renseignements qu'ils devaient y recueillir. Veniamin se trouvait parmi ces collaborateurs. La liste des adresses et des tâches à accomplir était assez longue, et le rédacteur fut surpris de constater que Veniamin n'avait rien noté par écrit. Il était sur le point de faire une observation à son subordonné distrait, mais il lui demanda d'abord de répéter ce qu'il venait de dire, ce que Veniamin fit très exactement. Le rédacteur voulut en savoir plus long et posa à Veniamin diverses questions concernant sa mémoire. Veniamin en fut étonné. Était-ce donc tellement inhabituel d'avoir retenu ce qu'il avait entendu? Les autres n'en font-ils pas autant? Il n'avait jamais remarqué que sa mémoire était différente de celle du commun des mortels.
>
> Le rédacteur lui suggéra alors de se rendre dans un laboratoire de psychologie pour faire examiner sa mémoire, et c'est ainsi que Veniamin vint me voir. (Luria, 1970, p. 17-18)

Après avoir effectué quelques tests, Luria réalise rapidement qu'il a devant lui un cas exceptionnel, et il demande à Vienamin s'il serait prêt à participer à différentes études sur la mémoire, ce que ce dernier accepte de faire. Commence alors, avec la collaboration de Veniamin, une étude qui s'étendra sur plusieurs années, période au cours de laquelle Veniamin essaie et abandonne divers emplois,

pour finir par donner des spectacles comme «mnémoniste» où, entre autres choses, les spectateurs peuvent arriver avec leur liste de matériel à retenir.

En plus de nombreux articles, Luria publiera un ouvrage racontant l'histoire de Veniamin à l'intention du grand public. D'abord paru en russe en 1965, le livre est ensuite traduit pour la première fois en français sous le titre *Une mémoire prodigieuse, étude psychobiographique* (Luria, 1970). Dans ce livre, Luria souligne entre autres que chez Veniamin, le phénomène de synesthésie (*voir l'encadré 3.5, page 88*)

Le psychologue **A. R. Luria (1902-1977),** qui a étudié pendant une trentaine d'années un homme à la mémoire prodigieuse.

— était continuellement présent, et ce, de façon très marquée. Ainsi, un jour que Luria, oubliant momentanément à qui il avait affaire, rappelait à Veniamin: «Vous n'oublierez pas le chemin pour aller à l'institut!», ce dernier lui répondit: «Bien sûr que non [...] comment le pourrais-je? Ce mur a un goût tellement salé, il est si rugueux et produit un son tellement strident...» (Luria, 1970, p. 38-39) En fait, Veniamin se servait abondamment de la synesthésie pour retenir l'information. Par contre, comme le mentionne également Luria quand il aborde des aspects plus généraux de la personnalité de Veniamin, la quasi-incapacité d'oublier de ce dernier lui faisait souvent éprouver certains problèmes tels qu'une difficulté à éliminer des sources de distraction et une avalanche d'associations indésirables qui pouvaient l'amener à fuir la compagnie des autres. Une trop grande mémoire peut donc comporter des avantages, certes, mais aussi des inconvénients.

---

1. On trouve différentes façons d'écrire ce nom dans la littérature, mais celle qui est employée ici semble la plus répandue parmi les textes en différentes langues, notamment le russe.

Une mémoire qui s'améliore avec le temps et... le sommeil

L'organisation des souvenirs, même si elle commence normalement de façon consciente, peut se poursuivre alors qu'on n'y pense plus consciemment, le cerveau continuant «en sourdine» à travailler sur le matériel appris. Cela peut même conduire à une amélioration des souvenirs, ainsi que l'a confirmé récemment une équipe de chercheurs (Ellenbogen *et al.*, 2007) travaillant sur ce qu'on appelle la *mémoire relationnelle*, c'est-à-dire la capacité à établir des relations entre des souvenirs.

Les chercheurs ont d'abord créé une série de symboles visuels qui pouvaient être mis en ordre selon un aspect donné, un peu comme les figures de la série suivante pourraient être ordonnées en fonction de la largeur du haut:

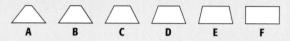

Ainsi, B est plus large dans le haut que A, mais moins large que C, et ainsi de suite. En fait, les symboles présentés ci-dessus sont plus simples que ceux qui ont été effectivement utilisés par les chercheurs; de même, la dimension «largeur du haut» permettant de les mettre en ordre est plus facile à saisir ici que l'aspect utilisé dans le cadre de l'étude. Ils peuvent néanmoins servir à présenter ce en quoi consistait essentiellement la recherche d'Ellenbogen et de ses collègues, recherche qui comprenait trois phases.

Lors de la première phase, la phase d'apprentissage, les chercheurs ont présenté à des sujets les différentes paires constituées de symboles qui se trouvaient, selon l'ordre établi, l'un à côté de l'autre. Compte tenu qu'il y avait cinq paires possibles d'éléments juxtaposés et que chaque élément pouvait être présenté à droite ou à gauche, on pouvait ainsi constituer les dix paires de symboles suivantes:

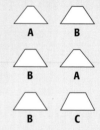

et ainsi de suite, jusqu'à

Pour chaque sujet, les paires étaient présentées une à la fois sur un écran d'ordinateur, et ce, dans un ordre aléatoire[1]. On indiquait au sujet que dans chaque paire, un des symboles constituait une «bonne réponse» qu'il devait découvrir. Chaque fois qu'il répondait, un symbole apparaissant sur l'écran lui indiquait s'il avait choisi la bonne réponse ou non. Dans le cas des symboles utilisés ici à titre d'exemple, le critère définissant la bonne réponse pouvait être: «symbole dont la largeur est la plus grande dans le haut». Au début, le sujet avait évidemment une chance sur deux de deviner la bonne réponse mais, au fur et à mesure que les essais se succédaient, il

finissait par répondre correctement de plus en plus souvent. On a ainsi poursuivi la phase d'apprentissage jusqu'à ce que le sujet réponde correctement à 75 % ou plus des paires «centrales», c'est-à-dire des paires ne contenant aucun des symboles A ou F situés à l'une ou l'autre des extrémités.

Une fois la phase d'apprentissage complétée, les chercheurs accordaient une pause de cinq minutes aux sujets, après quoi ils procédaient à la deuxième phase de l'expérience. Il s'agissait d'un prétest pendant lequel on présentait aux sujets les mêmes paires que précédemment, mais où, cette fois, aucune rétroaction n'indiquait si la réponse était correcte ou non. On visait ainsi à établir dans quelle mesure les sujets avaient pu découvrir le critère sous-jacent à l'ordre des symboles, afin de comparer les mesures avec celles de la phase suivante.

Le but de la troisième phase, la phase test, était de déterminer dans quelle mesure les sujets pourraient généraliser le critère découvert dans les phases précédentes à d'autres situations semblables. Pour ce faire, ils ont utilisé la même procédure que lors du prétest, mais en incluant, à travers les paires de symboles, des paires qui n'avaient jamais été présentées: il s'agissait de paires formées de symboles non juxtaposés dans la série originale, telles que les paires

B   D   ou encore   C   E

Même si la différence entre les symboles était plus marquée pour ces nouvelles paires[2], le critère ayant servi à déterminer la bonne réponse lors des phases précédentes était le même, et le sujet devait être en mesure de l'appliquer.

Les expérimentateurs ont procédé à la partie test 20 minutes après le prétest pour un groupe de sujets, 12 heures après pour deux autres groupes, l'un de ceux-ci ayant eu le temps de dormir et l'autre pas, puis finalement, 24 heures après pour un quatrième groupe qui avait pu dormir. Alors que les sujets testés après 20 minutes ont obtenu des résultats à peine supérieurs à 50 % pour les nouvelles paires — rappelons que, dans chaque cas, les sujets avaient une chance sur deux de deviner la bonne réponse —, les résultats ont été nettement supérieurs pour les sujets testés après 12 heures, et encore meilleurs après 24 heures. De plus, les sujets ayant dormi ont mieux réussi que ceux qui n'avaient pas eu la possibilité de le faire.

Les chercheurs ont interprété leurs résultats en disant que le cerveau a besoin de temps et de sommeil pour mieux établir des liens entre les éléments d'une structure logique: ce qui est retenu est mieux organisé. De tels résultats peuvent être vus comme une nouvelle illustration du phénomène de l'incubation, bien connu en résolution de problème: lorsqu'on a travaillé sur un problème qu'on n'a pas réussi à résoudre, le cerveau continue d'y travailler, même si l'on n'y pense plus consciemment; ainsi, lorsqu'on y revient, la solution est souvent plus facile à trouver. Il semble donc qu'un étudiant aurait avantage à étudier une matière au moins 24 heures avant la révision finale pour un examen. Cette stratégie devrait permettre à son cerveau de continuer à travailler pendant que lui-même va relaxer avec ses amis et, pourquoi pas, se permettre de bonnes heures de sommeil.

---

1. À noter que seuls les symboles étaient présentés; les lettres ne servent ici qu'à repérer plus facilement leur position relative dans la série.
2. Ne pas oublier que les symboles originaux étaient plus complexes!

6.5 Les explications de l'oubli

L'oubli désigne implicitement l'incapacité de récupérer une information qui a été entreposée. Il constitue en quelque sorte l'envers de la rétention ; ainsi, comprendre comment on retient une information, c'est aussi comprendre ce qui fait qu'on en oublie une partie, et pourquoi l'oubli survient si rapidement après l'apprentissage. En effet, dès 1885, Ebbinghaus avait constaté que c'est dans les minutes suivant un apprentissage que survient la plus grande perte d'information ; ses résultats sont reproduits à la figure 6.11.

La courbe de rétention d'Ebbinghaus

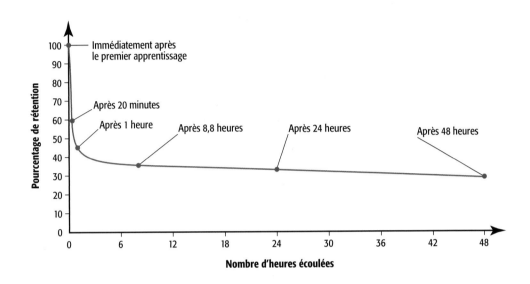

Les résultats obtenus par Hermann Ebbinghaus sur la rétention à long terme d'une liste de trigrammes non significatifs en fonction du temps : le pourcentage de rétention, calculé selon la méthode de réapprentissage élaborée par Ebbinghaus (le graphique est tracé à partir des données originales provenant de Ebbinghaus, 1885), permet de constater que c'est dans les premières minutes et les premières heures suivant l'apprentissage que l'oubli est le plus marqué.

Parmi les raisons invoquées pour rendre compte de l'oubli, la plus ancienne, et celle qui vient le plus naturellement à l'esprit, est celle basée sur l'estompage de l'information correspondant à un souvenir. On a proposé d'autres explications ayant comme prémisse que lorsqu'on cherche à récupérer un souvenir, l'information serait encore présente mais inaccessible, certains mécanismes entravant son rappel ; les plus importantes de ces explications sont les effets d'interférence, la théorie de l'encodage spécifique et la théorie de l'oubli motivé. Finalement, alors que les hypothèses précédentes se rapportent au phénomène de l'oubli tel qu'on peut le rencontrer dans le cadre d'un fonctionnement normal des mécanismes mnémoniques, d'autres portent plus précisément sur les traumatismes entraînant une amnésie, laquelle est ainsi associée à un fonctionnement anormal de la mémoire.

6.5.1 L'estompage

L'explication basée sur l'**estompage** (ou **détérioration spontanée**) suppose que l'**engramme**, c'est-à-dire la trace physique de l'information correspondant à un souvenir, s'efface graduellement avec le temps, un peu comme un chemin non utilisé disparaît petit à petit. C'est d'ailleurs pour étudier cette hypothèse et surtout pour mesurer ce qu'il restait de cette «trace» après un certain temps qu'Ebbinghaus a élaboré la méthode du réapprentissage présentée dans l'encadré 6.1 (*page 186*).

Estompage

Aussi appelé **Détérioration spontanée**
Phénomène selon lequel la trace physique de l'information correspondant à un souvenir s'efface graduellement avec le temps.

Engramme

Trace physique de l'information correspondant à un souvenir.

Bien que l'explication basée sur l'estompage semble «difficile à corroborer ou à réfuter empiriquement» (Westen, 2000, p. 348), des études sur la façon dont certaines voies neurales de l'hippocampe sont désactivées suggèrent «une possible base physiologique de la détérioration spontanée» (Westen, 2000, p. 348, basé sur Anderson, 1995). L'idée qu'une partie au moins de l'information puisse tout simplement se dégrader serait d'ailleurs actuellement partagée par la majorité des scientifiques (Squire & Kandel, 2002). Il est néanmoins généralement admis que ce sont les autres explications, celles qui font intervenir un mécanisme nuisant au rappel, qui contribueraient le plus à expliquer l'oubli; ce sont d'ailleurs celles qui ont été et demeurent les plus étudiées.

6.5.2 Les effets d'interférence

La **théorie de l'interférence** vise à expliquer les cas où l'oubli porte sur l'association entre deux items, plus précisément sur la difficulté à se rappeler un item, l'item-réponse (R), associé à un autre, l'item-stimulus (S). La théorie considère que la difficulté à se rappeler l'item-réponse associé à un item-stimulus donné provient de l'interférence due à une autre association déjà apprise entre un item-réponse différent et le même item-stimulus. Le rappel du vocabulaire lors de l'apprentissage de différentes langues est un exemple type de situation où peut survenir le phénomène de l'interférence.

Selon ce sur quoi porte le rappel, on peut observer deux sortes d'interférences: l'interférence rétroactive et l'interférence proactive.

L'interférence rétroactive

L'**interférence rétroactive** survient quand un matériel récemment appris tend à inhiber le rappel d'un matériel appris dans un passé plus éloigné, l'interférence s'exerçant sur ce dernier. Supposons, comme le schématise la figure 6.12, qu'après vous être familiarisé avec l'italien lors d'un séjour de deux mois en Italie, il y a de cela un an, vous vous êtes récemment inscrit à un cours d'espagnol. Lors d'une sortie en ville, vous rencontrez un Italien de passage au Québec et vous en profitez pour «rafraîchir» votre italien. Il y a de fortes chances qu'au début, du moins, vous éprouviez de la difficulté à vous rappeler certains mots italiens, en raison d'un effet d'interférence rétroactive dû à l'espagnol appris récemment, l'espagnol étant, tout comme l'italien, une langue d'origine latine.

L'effet d'interférence rétroactive peut intervenir non seulement avec du matériel verbal, comme dans l'exemple de l'italien avec l'espagnol, mais également avec du matériel non verbal. Supposons, par exemple, qu'après avoir appris à conduire avec l'automobile à transmission manuelle que vos parents avaient alors, vous vous habituez rapidement à l'automobile à transmission automatique qu'ils ont récemment acquise.

Théorie de l'interférence
Théorie explicative de l'oubli selon laquelle la difficulté à se rappeler l'item-réponse associé à un item-stimulus donné provient de l'interférence due à une autre association déjà apprise entre un item-réponse différent et le même item-stimulus.

Interférence rétroactive
Effet d'interférence survenant quand un matériel récemment appris tend à inhiber le rappel d'un matériel appris dans un passé plus éloigné.

| FIGURE 6.12 | L'interférence rétroactive |

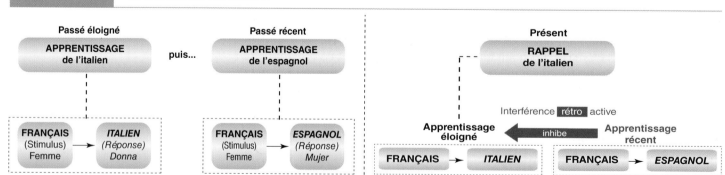

Le dernier matériel appris (espagnol) tend à inhiber le rappel de l'ancien (italien).

Lors d'un week-end, un de vos amis vous offre de conduire sa nouvelle voiture, laquelle a une transmission manuelle. Comme vous avez récemment pris l'habitude de ne pas devoir enfoncer la pédale d'embrayage pour conduire une automobile, ce mouvement risque de subir un effet d'interférence rétroactive et vous sembler, au début, plus difficile à exécuter.

L'interférence proactive

L'**interférence proactive** survient quand un matériel appris dans un passé plus éloigné tend à inhiber le rappel d'un matériel récemment appris. Reprenons l'exemple de l'italien par rapport à l'espagnol et supposons, comme le schématise la figure 6.13, que c'est un Espagnol que vous rencontrez cette fois-ci lors de vos vacances. Au début, vous pourriez avoir de la difficulté à vous rappeler certains mots d'espagnol, en raison d'un effet d'interférence proactive dû à l'italien que vous aviez appris avant, surtout si vous n'avez pas eu l'occasion de parler les deux langues depuis un certain temps. Tout comme pour l'effet précédent, celui lié à l'interférence proactive peut également intervenir avec du matériel non verbal. Dans l'exemple de la conduite d'une automobile, si vous n'avez pas pris le volant depuis un certain temps, et qu'un ami vous offre de conduire sa nouvelle voiture à transmission automatique, l'habitude de ne pas vous servir d'une pédale d'embrayage risque au début de subir un effet d'interférence proactive dû à l'habitude acquise auparavant d'enfoncer cette dernière pour changer manuellement de vitesse.

Interférence proactive
Effet d'interférence survenant quand un matériel appris dans un passé plus éloigné tend à inhiber le rappel d'un matériel récemment appris.

FIGURE 6.13   L'interférence proactive

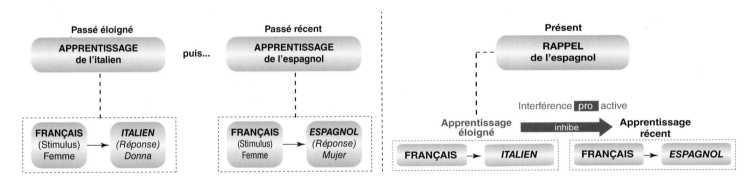

Le dernier matériel appris (italien) tend à inhiber le rappel de l'ancien (espagnol).

6.5.3 La théorie de l'encodage spécifique

Il est généralement admis, comme nous l'avons vu précédemment, que le simple fait de se retrouver dans un contexte donné entraîne le rappel de certains souvenirs. Des auteurs ont utilisé cette constatation pour expliquer l'oubli. Ainsi, pour Tulving *et al.* (1966), le fait que le contexte (qu'il soit physique ou psychologique) aide au rappel est dû à ce que ces auteurs ont appelé l'**encodage spécifique**. Il s'agirait d'un phénomène selon lequel un souvenir ne serait pratiquement jamais encodé seul, mais plutôt en

Encodage spécifique
Phénomène selon lequel un souvenir ne serait pratiquement jamais encodé seul, mais plutôt en étroite association avec les conditions qui prévalent au moment de l'entreposage.

étroite association avec les conditions qui prévalent au moment de l'entreposage. Dans cette optique, l'oubli surviendrait quand on ne peut retrouver les indices avec lesquels le souvenir a été spécifiquement encodé, dans le contexte où il l'avait été : c'est ce qu'on appelle la **théorie de l'encodage spécifique**.

6.5.4 La théorie de l'oubli motivé

Une des plus anciennes explications avancées pour rendre compte de l'oubli est celle qui a été proposée par Freud. Appelée **théorie de l'oubli motivé**, cette hypothèse suppose que beaucoup d'oublis sont causés par une motivation à ne pas se rappeler un souvenir, ce dernier étant lié à un événement générant de l'angoisse, de la culpabilité ou de la honte pour la personne. Le souvenir de l'événement n'aurait pas été effacé, mais refoulé dans ce que Freud appelle l'*inconscient* — comme défini dans le chapitre 4. L'oubli apparaît ainsi comme découlant du **refoulement**, un mécanisme de défense employé par l'organisme pour se protéger des sentiments douloureux liés au souvenir, d'où l'incapacité pour la conscience — le *moi*, en langage freudien — d'y avoir accès. C'est dans le domaine clinique que cette hypothèse est le plus souvent invoquée. Toutefois, on trouve peu d'études empiriques et rigoureuses pouvant la confirmer.

En raison de la difficulté à vérifier que des souvenirs « retrouvés » se sont effectivement passés, la théorie de l'oubli motivé a longtemps été — et est encore souvent — considérée comme difficile à démontrer scientifiquement. Certaines données commencent néanmoins à s'accumuler sur le fait que des souvenirs traumatisants auraient pu effectivement être oubliés. Westen (2000) rapporte que 38 % des femmes qui, lorsqu'elles étaient enfants, avaient été admises dans un hôpital pour avoir été l'objet d'agression sexuelle étaient « amnésiques » par rapport à l'événement 17 ans plus tard (Williams, 1994). Il semble donc que certains oublis puissent s'expliquer effectivement par une motivation à ne pas se souvenir d'événements traumatisants, bien qu'il soit difficile d'établir dans quelle proportion des cas cette explication peut être valide.

6.5.5 Les traumatismes entraînant une amnésie

Outre les explications proposées ci-dessus qui s'inscrivent dans le cadre du fonctionnement normal de la mémoire, on sait que certains problèmes de rétention sont dus à des traumatismes entraînant une **amnésie**, c'est-à-dire une incapacité de se rappeler certains souvenirs à la suite d'un traumatisme d'ordre psychologique ou neurologique. Le terme **traumatisme** renvoie de façon générale à une perturbation provoquée par un événement, psychologique ou physique, et touchant sévèrement une fonction donnée. Nous présentons ci-dessous les principales formes d'amnésie et donnons quelques indications sur les sources d'amnésie.

Les principales formes d'amnésie

On distingue typiquement deux formes d'amnésie, à savoir l'amnésie rétrograde et l'amnésie antérograde, comme schématisées dans la figure 6.14. Il est à noter que ces formes d'amnésie concernent typiquement la mémoire déclarative.

L'amnésie rétrograde L'incapacité de se souvenir de noms appris ou d'événements survenus avant un événement ayant provoqué un traumatisme est appelée **amnésie rétrograde**. Elle peut ne toucher qu'une période donnée (par exemple, une personne qui ne souvient pas de ce qui s'est passé dans le quart d'heure précédant un accident d'automobile) ou ce qui se rapporte plus précisément à une personne (par exemple, son conjoint) ou à un sujet donné (par exemple, la nouvelle d'une faillite personnelle). Dans les cas extrêmes, la personne peut même avoir tout oublié de sa vie avant le traumatisme.

Malgré son caractère fictif, le film *À propos d'Henri* (*voir la photo 6.3*), est un exemple qui illustre très bien un cas extrême d'amnésie rétrograde. Avec le temps et un suivi thérapeutique, le personnage incarné par Harrison Ford retrouve graduellement une

Théorie de l'encodage spécifique
Théorie explicative de l'oubli selon laquelle ce dernier surviendrait quand on ne peut retrouver les indices avec lesquels le souvenir a été spécifiquement encodé dans le contexte où il avait été appris.

Théorie de l'oubli motivé
Théorie explicative de l'oubli selon laquelle, d'après Freud, beaucoup d'oublis sont causés par une motivation à ne pas se rappeler un souvenir, parce que ce dernier est lié à un événement générant de l'angoisse, de la culpabilité ou de la honte pour la personne.

Refoulement
Mécanisme de défense employé par l'organisme pour se protéger des sentiments douloureux liés au souvenir, d'où l'incapacité de la conscience d'y avoir accès.

Amnésie
Incapacité de se rappeler certains souvenirs à la suite d'un traumatisme d'ordre psychologique ou neurologique.

Traumatisme
Perturbation provoquée par un événement, psychologique ou physique, et touchant sévèrement une fonction donnée.

Amnésie rétrograde
Forme d'amnésie portant sur des noms appris ou des événements survenus avant un événement ayant provoqué un traumatisme.

FIGURE 6.14   Les principales formes d'amnésie

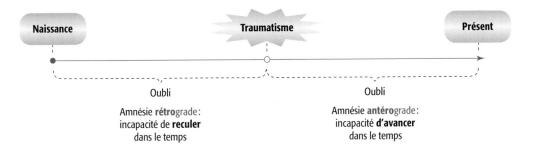

| Naissance | Traumatisme | Présent |

Oubli — Amnésie **rétro**grade : incapacité de **reculer** dans le temps

Oubli — Amnésie **antéro**grade : incapacité **d'avancer** dans le temps

Alors que l'amnésie rétrograde perturbe les souvenirs précédant un traumatisme, l'amnésie antérograde nuit à la capacité de créer de nouveaux souvenirs à partir du moment où est survenu le traumatisme.

partie de la mémoire de ce qui s'est passé avant son traumatisme. Toutefois, même si un tel retour des souvenirs peut effectivement se produire dans la réalité, ce n'est pas toujours le cas et cela dépend de la gravité du traumatisme ; de fait, il n'est pas facile de prédire si ce rappel s'effectuera ou non, ni dans quelle mesure.

Testez vos connaissances

9. **Dans le film *À propos d'Henri*, un avocat incarné par Harrison Ford reçoit une balle à la tête ; il en réchappe, mais a tout oublié de ce qu'était sa vie avant l'événement, ce qui constitue un excellent exemple d'amnésie.**

   Plus précisément, il s'agit d'un phénomène d'amnésie rétrograde ; si le personnage n'arrivait plus à créer de nouveaux souvenirs depuis son accident, il s'agirait d'amnésie antérograde.

L'amnésie antérograde   À la différence de l'autre forme d'amnésie, l'**amnésie antérograde** consiste dans l'incapacité de créer de nouveaux souvenirs de noms ou d'événements à partir de l'événement ayant provoqué un traumatisme. Le célèbre patient dénommé HM dont il a été question dans l'encadré 6.2 (*page 187*) est un exemple typique d'amnésie antérograde : à la suite d'une opération effectuée pour des raisons médicales, HM oubliait au fur et à mesure tout ce qui s'était passé au-delà de quelques minutes.

Les sources d'amnésie

Comme nous l'avons souligné dans les exemples mentionnés plus haut, l'amnésie rétrograde peut être provoquée par un traumatisme consécutif à un événement violent. Il peut s'agir d'un événement d'ordre physique (par exemple, un accident de la route) ou encore d'un événement impliquant un violent choc émotionnel (par exemple, la mort d'un être cher). Par ailleurs, les maladies ou les interventions médicales touchant les structures nerveuses qui interviennent dans l'entreposage des souvenirs, en particulier l'hippocampe, sont des causes typiques d'amnésie antérograde.

La maladie d'Alzheimer est une maladie dégénérative du cerveau qui touche entre autres l'hippocampe (d'où des problèmes d'amnésie antérograde) et le cortex associatif (d'où des problèmes d'amnésie rétrograde). On sait que les neurones produisant l'acétylcholine meurent graduellement chez les patients atteints de la maladie d'Alzheimer, mais les causes de cette dégénérescence des neurones sont encore mal connues. Il est à noter que cette maladie qui affecte de 5 à 10 % des personnes de plus de 65 ans et jusqu'à 45 % des personnes de plus de 85 ans (Purves *et al*, 2005), et dont l'évolution peut s'étendre sur 8 à 20 ans, touche principalement la mémoire déclarative (épisodique et sémantique), même si elle finit par toucher également la mémoire

Amnésie antérograde
Forme d'amnésie portant sur des noms appris ou des événements survenus après un événement ayant provoqué un traumatisme.

Dans le film *À propos d'Henri,* le personnage incarné par Harrison Ford est blessé d'une balle à la tête et est atteint d'amnésie rétrograde : ayant tout oublié de ce qui a précédé l'incident, il doit tout réapprendre.

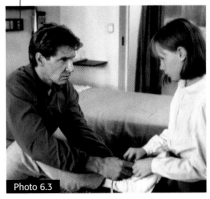

Photo 6.3

procédurale dans les derniers stades de la maladie. Certains médicaments peuvent en ralentir la progression, mais on n'a pas encore trouvé le moyen de la guérir, même si de nombreux chercheurs s'y emploient. L'encadré 6.7 signale quelques-unes des pistes de recherche susceptibles de s'ouvrir dans un proche avenir, tant en ce qui a trait aux problèmes liés à la mémoire qu'en vue d'en comprendre les mécanismes fondamentaux.

Conclusion

Avec la perception et les processus attentionnels, la mémoire est l'un des premiers domaines où a été introduite l'approche cognitive. Les tâches de base d'un ordinateur étant d'encoder, de classer et d'entreposer l'information, puis d'en permettre la réutilisation, l'analogie avec les processus mnémoniques est évidente. En raison de cette analogie, les concepts issus de l'informatique ont été très utiles dans l'expression des modèles qu'on peut se faire du fonctionnement de la mémoire, même si, de toute évidence, les structures nerveuses intervenant dans la mémoire et la façon dont elles interagissent révèlent une «programmation» extrêmement complexe.

En fait, le caractère dynamique avec lequel la mémoire organise l'information est encore loin d'avoir livré tous ses secrets. Et malgré les «erreurs» auxquelles la mémoire est sujette — ce qui peut sembler à première vue un inconvénient majeur — sa façon de fonctionner contribue à donner une cohérence à la relation que l'organisme entretient avec son environnement. En retenant plus facilement par exemple les éléments significatifs de son contact avec l'environnement, un individu est à même de prendre plus facilement et plus rapidement une décision lorsque la situation l'exige, ce qui revêt une valeur adaptative importante. Or, un facteur qui contribue beaucoup à rendre un élément significatif est sa teneur émotionnelle, par exemple celle attachée aux événements du 11 septembre évoqués en amorce du chapitre. Le fait de se rappeler où l'on était lorsqu'on a appris cette nouvelle met en jeu ce que nous avons appelé le *contexte lié à l'état interne,* c'est-à-dire ici à l'état psychologique. Le caractère inattendu et surtout menaçant d'un événement comme les attaques du 11 septembre met immédiatement en action des mécanismes destinés à conserver le plus possible d'information concernant les circonstances dans lesquelles est survenu l'événement. Évidemment, le fait qu'un individu se rappelle qu'il était dans son salon ou encore en compagnie de collègues de travail n'a aucune importance en soi dans l'exemple dont il est ici question. Il faut cependant se rappeler que le côté adaptatif des mécanismes mnémoniques s'est développé à une époque de l'évolution dans lesquelles l'individu était pratiquement toujours à l'endroit et au moment même où survenaient les événements susceptibles de menacer sa survie.

Par ailleurs, sur le plan adaptatif toujours, même l'oubli s'avère souvent utile. Le journaliste russe à la mémoire exceptionnelle étudié par Alexandre Luria était souvent perturbé par des souvenirs qui l'assaillaient à tout moment, en raison de son incapacité à oublier. Étant donné le grand nombre de souvenirs et de sensations qu'évoquait le moindre événement, en raison également du fait qu'il retenait pratiquement chaque détail de chaque situation, il avait souvent de la difficulté à extraire les éléments importants, à les organiser entre eux et à les interpréter en fonction du contexte. Il confiait par exemple qu'il avait souvent de la difficulté à reconnaître la voix d'une personne dû au fait que le « son exact » de la voix de cette personne pouvait changer plusieurs fois au cours d'une même journée (Squire & Kandel, 2002) !

Nous avons, d'une part, la mémoire humaine « normale » qui organise spontanément l'information, quitte à en oublier une grande partie, et, d'autre part, la mémoire du journaliste russe qui retenait tout, mais avait de la difficulté à organiser ses souvenirs. Ne serait-il pas intéressant de trouver une façon de jouir du meilleur de ces deux mondes : une mémoire qui sélectionne en fonction de ce qui est important pour nous à laquelle s'adjoindrait une mémoire informatique prête à nous rappeler tous les faits de notre vécu à tout moment ? L'encadré 6.8 (*page 212*) nous présente Gordon Bell, un homme ayant le projet de numériser sa vie ; que penser de ce projet ?

Les neurosciences, la voie d'avenir pour élucider l'énigme de la mémoire

Malgré les progrès réalisés dans le cadre des travaux de recherche effectués sur la mémoire, la maladie d'Alzheimer, une maladie dégénérative, n'a pas encore été vaincue. On peut cependant l'espérer, considérant le travail qui se fait actuellement sur le sujet et, surtout, l'arrivée de techniques qui, comme l'imagerie par résonance magnétique fonctionnelle (IRMf), permettent d'observer l'activité du cerveau beaucoup plus finement que ne pouvait le faire l'EEG.

La chercheuse Brenda Milner de l'Institut neurologique de Montréal (INM) croit que c'est dans l'étude du lien entre les niveaux moléculaire, cellulaire et psychologique que sont appelés à s'orienter les futurs travaux sur la mémoire. C'est d'ailleurs dans cette voie que se poursuit la recherche à l'INM, un institut spécialisé dans l'étude du système nerveux et des maladies neurologiques, et reconnu comme l'un des premiers centres en neurosciences au monde.

Parmi les études prometteuses, certaines ont mis en lumière un lien entre le stress et la mémoire. Ainsi, une chercheuse et son équipe ont pu mettre en évidence que le cortisol, une hormone produite par l'organisme lorsqu'il est soumis à un stress, diminue les capacités mnémoniques en altérant le bon fonctionnement de l'hippocampe (Lachapelle, 2003 ; Lupien *et al.,* 2005). On peut alors se demander s'il sera possible de fabriquer des pilules visant à augmenter la capacité de mémorisation d'une personne.

Des études effectuées sur des animaux au cours des années 1980 ont pu montrer que l'implantation de neurones provenant d'hippocampes de rats normaux chez des rats âgés devenus incapables d'apprendre de nouvelles tâches a restauré la capacité des rats âgés à se souvenir de certaines tâches impliquant une orientation spatiale (Bjorklund & Stenevi, 1984). De telles greffes seraient-elles

L'imagerie par résonance magnétique permet de voir que dans le cerveau de la personne atteinte de la maladie d'Alzheimer (*photo de droite*), l'hippocampe (représenté en rouge) est atrophié par rapport à l'hippocampe d'un sujet sain (*photo de gauche*).

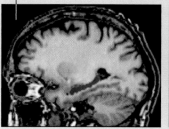 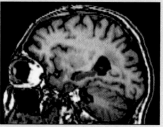

Sujet jeune sain   Malade d'Alzheimer

envisageables chez des personnes âgées dont l'hippocampe serait devenu déficient, comme dans le cas de personnes atteintes de la maladie d'Alzheimer ? Actuellement, la recherche semble plutôt s'orienter vers l'autogreffe, c'est-à-dire la greffe de cellules souches provenant de l'individu lui-même.

Au-delà de ces questions, une autre, quelque inusitée qu'elle puisse paraître, peut se poser : serait-il souhaitable, si cela devenait possible, de concevoir des techniques permettant de ne pratiquement rien oublier ? Rien n'est moins sûr, considérant les problèmes qu'éprouvait Veniamin, l'homme à la mémoire exceptionnelle dont il a été question à l'encadré 6.5 (*page 203*), en raison de son incapacité à éliminer des souvenirs. Il y a là un aspect important à ne pas « oublier » dans la recherche pour améliorer la mémoire.

Numériser sa vie, ou le meilleur des deux mondes?

À la fin de la Seconde Guerre mondiale, Vannevar Bush, alors directeur du U.S. Government Office proposa de fabriquer une machine basée sur microfilm qui serait en mesure de conserver tout ce qu'une personne lirait, ferait, dirait, verrait, écouterait, etc. Baptisé *Memex*, ce projet n'a finalement pas vu le jour, la technique d'alors le rendant irréalisable. La même idée a cependant été reprise par Gordon Bell, un expert en informatique du Microsoft Research.

En 1998, Bell a décidé d'éliminer tout ce qu'il possédait comme documents, notes, photos, enregistrements sonores, vidéos produits, etc., et de numériser le tout. Devant l'ampleur de la tâche, il a dû se résoudre à engager une personne pour l'aider. À mesure cependant que le travail avançait, divers problèmes se sont posés, lesquels avaient d'ailleurs été signalés 50 ans plus tôt par le concepteur du projet Memex: comment classer et, surtout, retrouver efficacement par la suite une information? Comment faire en sorte, une fois les documents existants classés, que le classement de la nouvelle information s'effectue automatiquement? Comment s'assurer que les données numérisées ne sont pas utilisées indûment par d'autres personnes? En 2001, Bell convainc les responsables du Microsoft Research de mettre sur pied un projet qui allait s'attaquer à ces problèmes, le projet MyLifeBits, un projet toujours en cours en 2008.

Un élément qui vient spontanément à l'idée devant un tel projet est celui de l'espace de mémoire requis, mais en se basant sur des estimations faites à partir des documents accumulés quotidiennement par Bell et en considérant le rythme auquel s'effectuent les progrès dans le domaine de la mémoire sur support informatique, le problème de la conservation de l'information apparaît comme le plus simple à résoudre. En effet, les participants au projet MyLifeBits ont calculé qu'un disque dur de 600$ serait suffisant pour enregistrer les 60 prochaines années de la vie de Bell et que, dans moins de 20 ans, le même 600$ permettra de se procurer un support permettant de conserver 100 ans d'une vie. Concernant l'enregistrement de l'information, Bell n'a plus besoin de numériser: une caméra suspendue à son cou prend régulièrement une photo de ce qu'il voit, un module «GPS» note où il se trouve, des capteurs corporels enregistrent différentes mesures physiques, un logiciel note tout ce qu'il fait sur son ordinateur, bref toute sa vie est enregistrée automatiquement. Pour classer et surtout retrouver rapidement et aisément tous ces éléments d'information, Bell utilise un logiciel en développement par Microsoft Research.

Gordon Bell avec, dans le cou, l'appareil qui lui permet de «numériser» sa vie.

Questions de révision

1. Dites si les affirmations suivantes à propos de la mémoire sont vraies ou fausses.

  a) Les trois opérations de base de la mémorisation sont dans l'ordre: l'entreposage, l'encodage et la récupération.

  b) Quand Geneviève fait un schéma pour résumer ses notes de cours, elle utilise un code sémantique et un code visuel.

  c) Le fait de se souvenir du titre du présent chapitre correspond à la récupération de l'information.

  d) L'hypophyse est une structure du cerveau qui permet l'entreposage de l'information.

  e) Les noms des personnes connues sont encodés de façon auditive plutôt que visuelle ou sémantique.

2. Cette question-ci correspond à quel type de mesure de la rétention?

  a) La mémoire à long terme

  b) La reconnaissance

  c) Le rappel

  d) Le réapprentissage

3. Pour se souvenir de l'adresse du restaurant où il doit rencontrer son frère, Louis se la répète plusieurs fois. Le lendemain, Louis se rappelle encore l'adresse. L'information est alors entreposée dans quel palier de la mémoire?

  a) La mémoire à court terme

  b) La mémoire à encodage spécifique

  c) La mémoire à long terme

  d) La mémoire sensorielle

4. Parmi les formes de mémoire suivantes, laquelle est qualifiée de *déclarative*?

  a) L'habituation

  b) La mémoire du savoir-faire

  c) La mémoire épisodique

  d) La mémoire procédurale

5. Vous avez une série d'items à retenir. Dans cette série, quels items risquez-vous d'oublier plus facilement ?

a) Ceux de la fin

b) Ceux du début

c) Ceux du milieu

d) Ceux qui se démarquent

6. Il est plus facile pour un étudiant de se souvenir de la matière lorsque l'examen a lieu dans la même classe où il a fait son apprentissage. De quel phénomène s'agit-il ?

a) Un phénomène d'état psychologique

b) Un phénomène de contexte externe

c) Un phénomène de contexte interne

d) Un phénomène de mémoire visuelle

7. Vous voulez donner votre nouveau code postal à un ami. Vous en êtes cependant incapable, il n'y a que votre ancien code postal qui vous revient à l'esprit. Quelle est la cause de cet oubli ?

a) L'effet de tronçonnage

b) L'estompage

c) Une interférence proactive

d) Une interférence rétroactive

8. Pour chacun des énoncés suivants, indiquez si, oui ou non, il illustre un cas d'amnésie antérograde.

a) Charlie ne se souvient plus d'avoir reçu un disque de Daniel Bélanger quelques mois après avoir été victime d'un accident vasculaire cérébral.

b) Frédéric ne se souvient plus de sa date de naissance depuis la mort de sa fiancée.

c) Diane ne peut plus se rappeler les nouvelles personnes qu'elle a rencontrées depuis qu'elle est tombée du toit et a subi une fracture du crâne.

d) Lian ne se rappelle plus qu'elle devait se rendre au Vietnam pour visiter sa famille depuis qu'elle a eu son accident d'automobile.

Pour en connaître davantage

Volumes et ouvrages de référence

Baddeley, A. (1993). *La mémoire humaine : théorie et pratique.* Grenoble : Presses universitaires de Grenoble.

> Traduction de l'édition anglaise de 1990, il s'agit ici d'un ouvrage qui demeure une bonne source de documentation pour qui s'intéresse à l'évolution de la recherche sur la mémoire.
>
> Chercheur réputé dans le domaine, Alan Baddeley a publié en 2002 une édition révisée de la version anglaise de l'ouvrage (*Human memory : Theory and practice*).

Cordier, F., & Gaonac'h, D. (2004). *Apprentissage et mémoire.* Paris : Nathan.

> Petit condensé qui, ainsi que l'indique son titre, met l'accent sur la relation de continuité entre le conditionnement, l'apprentissage et la mémoire. Malgré son caractère vulgarisateur, l'ouvrage n'hésite pas à appuyer les notions abordées par des références appropriées.

Dortier, J. F. (1999). *Le cerveau et la pensée : la révolution des sciences cognitives.* Auxerre : Sciences Humaines.

> Écrit par un collectif de spécialistes français et étrangers, le livre présente les principales découvertes issues de la psychologie cognitive et, ce faisant, brosse un tableau intéressant de la contribution de la mémoire à la représentation du monde extérieur.

Gaonac'h, D., & Larigauderie, P. (2000). *Mémoire et fonctionnement cognitif.* Paris : Armand Colin.

> Synthèse en français qui présente beaucoup de données sur le traitement de l'information et sur la neurologie de la mémoire.

Nicolas, S. (2002). *La mémoire.* Paris : Dunod.

> Ouvrage relativement court qui présente un résumé de l'état actuel des connaissances dans le domaine de la mémoire en attirant particulièrement l'attention sur ce qu'ont apporté les études sur les mémoires prodigieuses et les mémoires pathologiques.

Périodiques et journaux

Biais, J.-M. (2004). Les secrets de la mémoire. *L'express,* nº 2776, 13 sept. 2004, 50-57.

> Article qui met en relief le caractère reconstructif de la mémoire.

De Pracontal, M. (2003). Mémoire : les dernières découvertes qui changent tout. *Le nouvel observateur,* nº 2041, 18 déc. 2003, 4-12.

> Autre article portant plus précisément sur la physiologie de la mémoire.

Forget, D. (2004). Le cerveau, l'ultime frontière. *Découvrir,* 25, nº 3, mai-juin 2004, 36-48.

> Article qui porte plus précisément sur la physiologie de la mémoire.

Villedieu, Y. (2004). Mystérieuse mémoire. *L'actualité,* 29, nº 7, 1ᵉʳ mai 2004, 26-33.

> Autre article mettant en relief le caractère reconstructif de la mémoire.

Audiovisuel

Nichols, M. (1991). *À propos d'Henri.* États-Unis, 108 min, son, couleur.

> Film de fiction illustrant un cas d'amnésie rétrograde dans lequel un avocat véreux, atteint au cerveau par une balle, ne se rappelle plus qui il était auparavant.

Nolan, C. (2001). *Mémento.* (2001). États-Unis, 113 min, son, couleur.

> Film de fiction illustrant un cas d'amnésie antérograde dans lequel un homme blessé à la tête au cours d'un incident qui a entraîné la mort de sa femme veut se venger, mais ne peut plus créer de nouveaux souvenirs.

CHAPITRE 7

Plan du chapitre

Cibles d'apprentissage

Après avoir lu ce chapitre, vous devriez pouvoir :

- expliquer le mode de calcul du QI basé sur l'âge mental et du QI de déviation ;
- décrire la distribution du QI dans la population ;
- nommer et expliquer brièvement les principales caractéristiques d'un bon test ;
- nommer et décrire brièvement les principaux modèles théoriques de l'intelligence en tant qu'ensemble élargi de capacités ;
- nommer chacun des quatre stades du modèle de Piaget et donner un exemple de comportement caractérisant chaque stade ;
- nommer quelques caractéristiques anatomiques et physiologiques étudiées en lien avec l'intelligence ;
- décrire brièvement une expérience illustrant l'influence de la génétique sur l'intelligence ;
- nommer quelques facteurs de l'environnement postnatal qui peuvent influer sur le développement de l'intelligence.

L'intelligence

Testez vos connaissances

D'après vous, chacun des énoncés suivants est-il fondé ou non?

1. Le premier test d'intelligence a été créé par un Américain de l'Université de Stanford.

2. Einstein parlait déjà à l'âge de 18 mois.

3. Un test d'intelligence individuel offre plus de souplesse qu'un test collectif en ce qui a trait à la passation du test.

4. D'après Gardner, il existe cinq formes principales d'intelligences: linguistique, musicale, logicomathématique, spatiale et interpersonnelle.

5. Selon Piaget, le développement des structures intellectuelles s'effectue à travers quatre stades qui surviennent dans un ordre immuable.

6. C'est la grosseur du cerveau qui détermine les capacités intellectuelles des individus.

7. Si après avoir sélectionné les rats mâles et femelles les plus performants pour une tâche d'apprentissage donnée, on les fait se reproduire entre eux et qu'on répète la procédure sur plusieurs générations, leurs descendants finissent par réaliser des performances au-dessus de la moyenne.

8. Il existerait une différence notable entre les hommes et les femmes dans les tâches visuo-spatiales évaluées dans les tests de QI.

Le génie d'Einstein mis à nu?

En 1955, l'un des esprits les plus brillants du XXe siècle, Einstein, mourait à l'âge de 76 ans à l'hôpital de Princeton dans le New Jersey. Anticonformiste et même espiègle à ses heures, comme en témoigne la photo de gauche sur laquelle il tire la langue au photographe, Einstein est le scientifique le plus connu mondialement, en dépit du fait, comme il le faisait lui-même remarquer un jour, que seul un petit nombre de chercheurs comprenait vraiment sa théorie. Lors de l'autopsie qui a suivi son décès, son cerveau a été prélevé et emporté par l'anatomophysiologiste Thomas Harvey, qui désirait conserver cette «relique scientifique» dans la formaline afin qu'on puisse ultérieurement l'étudier. Le fils aîné d'Einstein, Hans-Albert, et l'exécuteur testamentaire du savant n'avaient pas été prévenus, mais ils ont par la suite donné leur consentement au geste de Harvey. Harvey a fini par quitter Princeton et l'affaire du cerveau d'Einstein est tombée dans l'oubli…

Une vingtaine d'années plus tard, Harvey avoue à un journaliste qui l'a retrouvé qu'il a encore en sa possession le célèbre cerveau. Le journaliste publie à ce sujet un article qui fait sensation et suscite quelques débats, mais l'affaire sombre de nouveau dans l'oubli. Finalement, au début des années 1990, Harvey décide de faire don de la célèbre relique à l'hôpital de Princeton. Les spécialistes qui l'ont désormais en leur possession décident alors de l'étudier, espérant découvrir des indices permettant d'expliquer l'exceptionnelle

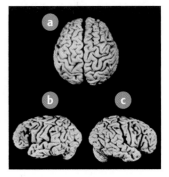

intelligence du savant. En 1999, ils publient dans la réputée revue médicale *The Lancet* un article dont on retrouve la même année la traduction intégrale dans la revue *La Recherche* sous le titre «L'exceptionnel cerveau d'Einstein» (Witelson, Kigar, & Harvey, 1999).

Bien que cela ne soit pas évident pour les profanes, le cerveau d'Einstein, représenté sous trois angles dans la photo de droite, possède certaines caractéristiques anatomiques uniques. Ainsi, contrairement à ce qu'on trouve chez la plupart des gens, la partie inférieure du lobe pariétal d'Einstein est aussi développée du côté gauche que du côté droit, ce qui se serait fait, semble-t-il, au détriment du développement des aires adjacentes consacrées au langage. D'après les auteurs de l'article, cela pourrait expliquer, d'une part, le fait bien connu qu'Einstein n'a commencé à parler qu'à l'âge de trois ans et, d'autre part, le caractère génial des idées qu'il a avancées en physique. En effet, de son propre aveu, Einstein pensait d'abord sous forme d'images et de situations concrètes ; il a raconté par exemple que c'est en s'imaginant à califourchon sur un rayon de lumière qu'il a eu l'idée de la relativité restreinte. Or, c'est dans les lobes pariétaux, principalement dans les régions situées entre l'aire somesthésique et l'aire visuelle, que se dérouleraient les processus de représentation spatiale et de raisonnement logicomathématique, du genre de ceux qui ont permis à Einstein de préciser ses pensées.

L'article de la revue *The Lancet* a suscité de nombreuses réactions, certaines enthousiastes à l'idée qu'on puisse expliquer les capacités intellectuelles exceptionnelles d'Einstein, d'autres considérant qu'il s'agit là d'une réduction presque simpliste de ce qui peut caractériser l'intelligence. Il n'en demeure pas moins qu'à une époque où les neurosciences peuvent nous aider à mieux comprendre les liens entre le fonctionnement du cerveau et les processus psychologiques, la publication par Witelson *et al.* des observations effectuées sur le cerveau d'Einstein relance de façon concrète la question de savoir comment le cerveau rend possible ce qu'on appelle l'*intelligence* !

L'intelligence est un sujet face auquel beaucoup de personnes entretiennent une attitude ambiguë oscillant entre le vif intérêt, la fascination même, et la méfiance. On peut penser que l'intérêt à l'égard de l'intelligence provient de ce qu'elle constitue une des facultés qui distinguent le plus l'être humain des autres organismes du règne animal. On a d'ailleurs longtemps nié la possibilité que les animaux puissent être capables d'une certaine forme d'intelligence, et certains le nient encore aujourd'hui. D'un autre côté, avec l'avènement des tests de QI, la perspective d'être classé «moins intelligent», donc inférieur à d'autres par rapport à cet aspect «typiquement humain», a quelque chose de menaçant pour l'estime de soi, d'où la méfiance répandue à l'égard des tests visant à mesurer l'intelligence. Transposées à l'échelle des groupes ethniques et non seulement à celle des individus, les comparaisons établies sur la base du QI vont au-delà de la méfiance et peuvent heurter certaines valeurs d'ordre éthique.

Force est de reconnaître que la façon dont ont été popularisés et utilisés les tests de QI n'a pas toujours été très heureuse, donnant l'impression, et ce, jusqu'à tout récemment, que la seule forme d'intelligence digne de ce nom était celle que mesuraient les tests de QI. Or, on se rend compte aujourd'hui que le sujet est beaucoup plus vaste, comme permettra de l'entrevoir le présent chapitre.

La première section, portant sur l'intelligence en tant qu'aptitude mesurable par des tests, rappellera la naissance et l'apport des tests de QI. La deuxième section, qui traite de l'intelligence en tant qu'ensemble élargi de capacités, présentera une conception de l'intelligence qui va au-delà de la simple mesure d'activités séparées, alors que la troisième section abordera l'intelligence sous l'angle développemental. La quatrième section portera sur l'intelligence sous l'angle psychobiologique, et la dernière, sur les déterminants de l'intelligence où nous nous retrouverons, entre autres, devant l'épineuse question des bases génétiques de l'intelligence.

7.1 L'intelligence en tant qu'aptitude mesurable par des tests

Comme nous l'avons signalé dans l'introduction, si les tests de QI ont encore souvent mauvaise presse auprès de la population, c'est beaucoup en raison de la façon dont ils ont été popularisés, et les «experts» ne sont pas complètement étrangers à ce phénomène. Étant donné qu'une excellente stratégie permettant de comprendre un sujet consiste souvent à revenir sur la façon dont il est apparu, nous retracerons d'abord succinctement comment s'est déroulée l'arrivée des tests de QI. Nous verrons ensuite comment se présente la distribution du QI dans la population, de même que les caractéristiques d'un bon test. Nous terminerons en mentionnant quelques-uns des tests individuels et collectifs les plus utilisés en Amérique du Nord.

7.1.1 L'arrivée des tests de QI

C'est le test de Binet et Simon visant à évaluer l'âge mental qui est à l'origine de ce qu'on appelle aujourd'hui les *tests de QI*. Les chercheurs sont ensuite passés de l'âge mental à la notion de quotient intellectuel, pour aboutir à la façon actuelle de concevoir et de mesurer le QI, à savoir le QI de déviation.

L'âge mental évalué par le test de Binet et Simon

En France, vers la fin du XIXe siècle, plus précisément à partir de l'année scolaire 1881-1882, l'école publique devient obligatoire, et tous les jeunes Français doivent suivre une scolarité de niveau primaire. Or, le gouvernement français se rend compte que plusieurs élèves n'arrivent pas à suivre le programme scolaire régulier. C'est pourquoi le ministre de l'Instruction publique met sur pied, en 1904, une commission au sein de laquelle se retrouve Alfred Binet, psychologue chercheur et praticien (*voir la photo 7.1*) qui hérite d'un mandat à la fois clair et d'ordre éminemment pratique : dépister les enfants ayant des problèmes scolaires afin d'adapter la pédagogie à leurs besoins ; autrement dit, il s'agit de créer un outil de dépistage des problèmes d'apprentissage en milieu scolaire (Bloch, 1999 ; Mueller, 1960).

Travaillant en compagnie du médecin Théodore Simon, Binet publie avec lui, en 1905, le résultat de leur collaboration sous le titre *Méthodes nouvelles pour le diagnostic du niveau intellectuel des anormaux* (Binet & Simon, 1905), ouvrage dans lequel ils présentent un instrument de mesure qu'ils appellent *échelle métrique de l'intelligence*. Révisée une première fois en 1908 et une seconde fois en 1911, cette échelle, le test de Binet-Simon, est considérée comme l'ancêtre de ce qu'on allait appeler par la suite les *tests de QI*.

Alfred Binet (1857-1911) a élaboré, en collaboration avec Théodore Simon, la première épreuve à l'origine des tests de quotient intellectuel.

Photo 7.1

Testez vos connaissances

1. Le premier test d'intelligence a été créé par un Américain de l'Université de Stanford.
Ce sont plutôt les Français Binet et Simon qui ont créé le premier test d'intelligence en 1905, test qui a été adapté en 1916 par le chercheur américain Terman à l'Université de Stanford.

En dépit du titre qu'ils ont donné à leur échelle, Binet et Simon étaient parfaitement conscients de la difficulté qu'il y a à définir ce qu'on entend par *intelligence*, estimant qu'en fait, la plupart des phénomènes dont traite la psychologie sont des phénomènes impliquant l'intelligence. Cela dit, ils considéraient néanmoins que ce qui caractérise essentiellement l'intelligence, c'est la capacité de «[bien] juger, bien comprendre, bien raisonner» (Binet & Simon, 1905, p. 197).

Dès lors, supposant que tous les enfants passent par les mêmes étapes dans leur développement intellectuel, mais ne diffèrent que par la vitesse à laquelle celui-ci se déroule, Binet et Simon ont adopté une stratégie consistant tout d'abord à établir une série d'épreuves de difficulté croissante. Désirant que leur échelle puisse être appliquée à des enfants de 3 à 13 ans, les chercheurs ont construit leur épreuve à partir de questions portant, comme l'indique le tableau 7.1 (*page 218*), sur des points aussi simples que de pouvoir montrer une partie de son corps jusqu'à expliquer la nuance de signification entre différents mots.

Par la suite, après avoir déterminé le niveau moyen de performance intellectuelle atteint par un groupe d'individus d'un âge donné, ils ont appelé **âge mental** le niveau de performance intellectuelle défini d'après cet âge. Ainsi, un enfant qui réussissait par exemple les épreuves réussies en moyenne à sept ans était considéré comme ayant un âge mental de sept ans : si l'**âge chronologique**, c'est-à-dire l'âge réel de l'enfant en question était de six ans, il était en avance sur son âge, alors qu'il était en retard si son âge chronologique était de huit ans. Binet et Simon avaient donc trouvé une façon de repérer les enfants qui étaient en retard intellectuellement, conformément

Âge mental
Niveau de performance intellectuelle correspondant au niveau de performance atteint en moyenne par les individus d'un âge chronologique donné.

Exemple : L'individu qui atteint le niveau de performance atteint en moyenne à l'âge de 10 ans est considéré comme ayant un âge mental de 10 ans.

Âge chronologique
Âge réel d'une personne.

TABLEAU 7.1	Des exemples des questions utilisées par Binet et Simon dans leur échelle métrique de l'intelligence
Âge	**Exemples de questions typiques des différents âges**
3 ans	Montrer son nez, ses yeux, sa bouche.
4 ans	Identifier une clé, un couteau, un sou.
6 ans	Copier un losange.
8 ans	Compter de 20 à 0.
10 ans	Repérer l'élément absurde dans une phrase comme : «On a trouvé hier, sur les fortifications, le corps d'une malheureuse jeune fille coupé en 18 morceaux. On croit qu'elle s'est tuée elle-même.»
12 ans	Deviner le sens de phrases dont les mots sont placés en désordre comme : «Un défend chien bon son maître courageusement.»
15 ans	Résoudre des problèmes de faits divers comme : «Mon voisin vient de recevoir de singulières visites : j'ai vu entrer chez lui, tour à tour, un médecin, un notaire et un prêtre ! Que se passe-t-il donc chez mon voisin ?»
Adulte	Expliquer ce qui différencie des mots abstraits comme : «Quelle différence existe-t-il entre un événement et un avènement ?»

au mandat reçu du gouvernement français. De là, ils ont estimé qu'un enfant dont l'âge mental était de deux ans inférieur à son âge chronologique faisait partie de ceux auxquels il fallait accorder un encadrement pédagogique particulier.

De l'âge mental à la notion de quotient intellectuel (QI)

En 1916, le test élaboré par Binet et Simon a été adapté par Lewis Terman à l'Université de Stanford aux États-Unis, ce qui a donné l'échelle d'intelligence de Stanford-Binet, un des tests qui est rapidement devenu le plus utilisé. En plus d'avoir adapté les questions au contexte américain, Terman en a accru le nombre et la portée de façon que le test puisse s'appliquer à des individus âgés de plus de 13 ans, jusqu'à inclure les jeunes adultes.

À la différence de Binet et Simon qui utilisaient leur test pour établir l'âge mental d'un enfant, Terman a choisi d'exprimer le résultat de son test par le **quotient intellectuel** (le **QI**), selon une formule élaborée quelques années auparavant par le psychologue allemand William Stern :

$$QI = \frac{\text{Âge mental}}{\text{Âge chronologique}} \times 100$$

Selon cette formule, un individu dont l'âge mental correspondrait à son âge chronologique aurait un QI égal à 100, puisque le rapport (Âge mental/Âge chronologique) serait alors égal à «1». Par ailleurs, un individu âgé de 10 ans qui aurait, d'après le test, un âge mental de 11 ans, aurait un QI égal à 110, comme l'indique le calcul suivant :

$$QI = \frac{\text{Âge mental}}{\text{Âge chronologique}} \times 100 = \frac{11}{10} \times 100 = 110$$

Enfin, un autre individu de 10 ans qui aurait 9 ans d'âge mental aurait un QI de 90, donné par le calcul suivant :

$$QI = \frac{\text{Âge mental}}{\text{Âge chronologique}} \times 100 = \frac{9}{10} \times 100 = 90$$

Le QI de déviation

La définition du QI sur la base de l'âge mental s'est révélée inappropriée dès qu'on a voulu l'appliquer à des adultes. On s'est en effet rendu compte que l'âge mental, tel qu'il était évalué par les questions contenues dans les tests, n'évoluait plus beaucoup à partir de 16 ans, et de moins en moins à mesure qu'on s'approchait de l'âge adulte, ce qui donnait un QI de moins en moins élevé.

Quotient intellectuel (QI)

Sens premier – Mesure du niveau intellectuel calculée en multipliant par 100 le rapport entre l'âge mental et l'âge chronologique.

Sens élargi – Correspond au QI de déviation, maintenant appelé plus communément *score pondéré*.

Par exemple, un individu qui, à 18 ans, avait un âge mental de 18 ans, obtenait un QI de 100, comme le montre le calcul suivant :

$$\frac{\text{Âge mental}}{\text{Âge chronologique}} \times 100 = \frac{18}{18} \times 100 = 100$$

À 21 ans, étant donné que son âge mental était demeuré pratiquement le même, cet individu n'obtenait plus qu'un QI de 86, correspondant au calcul suivant :

$$\frac{\text{Âge mental}}{\text{Âge chronologique}} \times 100 = \frac{18}{21} \times 100 \approx 86$$

Jugeant inappropriée une mesure de QI donnant l'impression que les capacités intellectuelles de l'individu diminuent avec l'entrée dans l'âge adulte, le psychologue américain David Wechsler a proposé, en 1939, une autre façon de calculer le QI.

Tout d'abord, Wechsler a pris comme base de calcul du QI non pas l'âge mental mais le score, c'est-à-dire le nombre de bonnes réponses obtenues par un individu à un ensemble donné de questions. Il a de plus fait en sorte qu'il y ait des questions de tous les niveaux (des plus faciles aux plus difficiles), et qu'il y en ait suffisamment pour que personne ne puisse être en mesure de répondre parfaitement à toutes les questions, du moins en principe.

Deuxièmement, au lieu d'établir un rapport entre deux quantités, comme l'avait fait Terman avec l'âge mental et l'âge chronologique, Wechsler a décidé de se baser sur la différence entre le score obtenu par un individu et le score moyen du groupe d'âge auquel il appartient. Autrement dit, au lieu de partir du rapport :

$$\frac{\text{Score d'un individu}}{\text{Score moyen du groupe d'âge de l'individu}}$$

Wechsler a pris comme point de départ la différence :

$$\text{Score d'un individu} - \text{Score moyen du groupe d'âge de l'individu}$$

Finalement, Wechsler a considéré que les capacités intellectuelles, tout comme la taille, le poids, etc., tendent à se distribuer selon une courbe normale en forme de cloche, où la majorité des résultats se situent au centre, les plus rares se trouvant à l'une ou l'autre des extrémités de la courbe. Il a alors proposé de calculer le QI d'un individu de la façon suivante :

$$QI = 100 + \left(\frac{\text{Score d'un individu} - \text{Score moyen du groupe d'âge de l'individu}}{\text{Écart type du groupe d'âge de l'individu}} \times 15 \right)$$

L'encadré 7.1 (*page 220*) donne quelques justifications concernant certains points de la formule. Il est néanmoins aisé de voir comment fonctionne cette dernière en calculant, par exemple, le QI de deux individus ayant obtenu respectivement 26 et 17 sur un score maximum possible de 40. En supposant qu'à partir d'un échantillon représentant le groupe d'âge des individus, on aurait obtenu un score moyen de 20 et un écart type de 5, le QI serait alors égal à :

$$100 + \left(\frac{26 - 20}{5} \times 15 \right) = 118, \text{ pour l'individu ayant obtenu 26}$$

et

$$100 + \left(\frac{17 - 20}{5} \times 15 \right) = 91, \text{ pour l'individu ayant obtenu 17}$$

Afin de le distinguer de celui basé sur l'âge mental, le QI déterminé par la formule de Wechsler a été appelé **QI de déviation** ; toutefois, il est plutôt d'usage actuellement de parler de **score pondéré**, par référence au fait que le QI ainsi obtenu a été «pondéré» en fonction de l'âge. À noter finalement que, lorsqu'on parle de QI sans rien préciser d'autre, c'est du score pondéré dont il est question.

QI de déviation
Maintenant appelée plus communément *score pondéré*, mesure du développement intellectuel établie par Wechsler et permettant de pondérer le résultat obtenu par un individu en fonction de son groupe d'âge.

Score pondéré
Appellation maintenant couramment utilisée pour désigner le QI de déviation défini par Wechsler, lequel «pondère» le résultat obtenu par un individu en fonction de son groupe d'âge.

Le QI de déviation : les dessous de l'affaire

La formule du QI de déviation proposée par Wechsler pour mesurer le quotient intellectuel, à savoir

$$QI = 100 + \left(\frac{\text{Score d'un individu} - \text{Score moyen du groupe d'âge de l'individu}}{\text{Écart type du groupe d'âge de l'individu}} \times 15 \right)$$

est un peu plus complexe que celle utilisant l'âge mental, mais elle demeure relativement aisée à justifier.

La stratégie à la base de la formule consiste à calculer le score moyen et l'écart type du groupe d'âge auquel appartient un individu, puis à se servir de ces deux valeurs pour situer le score de l'individu par rapport à son groupe. On prend ensuite la différence entre le score d'un individu et la moyenne de son groupe d'âge et on divise cette différence par l'écart type du groupe. Ce calcul — mis en évidence dans l'équation ci-dessus — correspond en fait au calcul de la cote *z*, laquelle permet de dire à combien d'écarts types de la moyenne se trouve le score d'un individu.

L'intérêt d'utiliser la cote *z* vient du fait que, lorsqu'une variable se distribue normalement, comme c'est le cas pour le QI de déviation, on peut connaître le pourcentage de cas qui sont compris entre deux valeurs données. Par exemple, comme l'illustre la figure ci-contre, on sait qu'environ 68,26 % des mesures se trouvent normalement entre 1 écart type en bas de la moyenne et 1 écart type en haut de la moyenne, qu'environ 95,44 % des mesures se trouvent à plus ou moins 2 écarts types de part et d'autre de la moyenne, et ainsi de suite.

Le fait de multiplier la cote *z* par 15 peut sembler arbitraire, mais ça ne l'est pas tout à fait. En effet, comme l'illustre la figure 7.1, le produit ainsi obtenu fait en sorte qu'en l'additionnant à 100, environ 50 % des individus ont un QI compris entre 90 et 110, ce qui correspond à des valeurs « psychologiquement » aisées à se représenter.

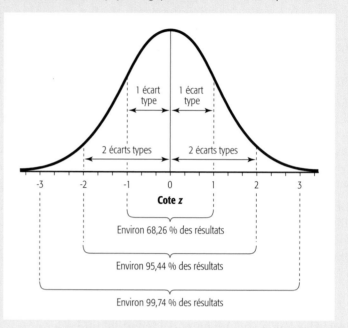

7.1.2   La distribution du QI dans la population

Comme l'illustre la figure 7.1, Wechsler a défini le QI de telle sorte que ce dernier se distribue selon la forme « en cloche » typique de la courbe normale. Les indications en rouge sur la figure soulignent que la valeur 15 introduite par Wechsler dans le calcul du QI de déviation fait en sorte qu'environ 50 % des individus ont un QI situé entre 90 et 110. Les psychologues ont toutefois pris l'habitude de répartir les valeurs de QI en se référant à des multiples de 15, étant donné, comme l'explique l'encadré 7.1, que cette valeur correspond à l'écart type, mesure sur laquelle Wechsler s'est basé pour normaliser la distribution du QI.

On observe ainsi qu'un peu plus des deux tiers des individus ont un QI situé entre 85 et 115, alors qu'on en retrouve environ 95 % entre 70 et 130. On peut donc dire que ce sont les individus dont le QI se situe dans cet intervalle qui composent la société en général. Quant aux autres, c'est-à-dire un peu moins de 5 %, leur niveau de fonctionnement intellectuel, comme exprimé par le QI, correspond à de la déficience ou à de la douance, selon l'extrémité de la courbe où ils se trouvent.

La déficience

On parle de **déficience** ou de **retard** pour caractériser le niveau intellectuel des individus dont le QI est inférieur à 70, ce qui comprend un peu moins de 2,5 % des individus. Il importe ici de souligner qu'il n'y a pas de réelle démarcation entre le fait d'être classé déficient ou non ; de plus, le niveau de déficience peut varier beaucoup. Les degrés de déficience qu'on distingue à partir du QI sont :

- léger : QI de 50 à moins de 70 ;
- moyen : QI de 35 à moins de 50 ;

Déficience

Aussi appelée **Retard**

Niveau intellectuel des individus dont le QI est inférieur à 70, ce qui comprend un peu moins de 2,5 % des individus.

FIGURE 7.1   La distribution du QI de déviation

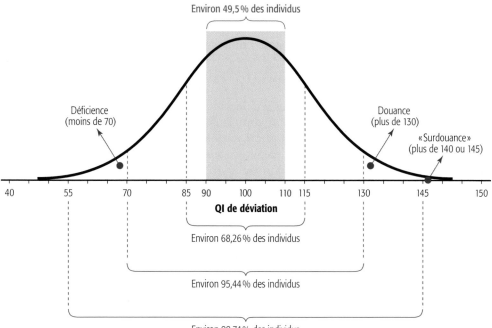

Comme le rappellent les indications en rouge, la valeur 15 choisie par Wechsler fait en sorte qu'environ 50% des individus ont un QI situé entre 90 et 110. Les psychologues ont toutefois pris l'habitude de répartir les valeurs de QI en se référant à des multiples de 15, étant donné que cette valeur correspond à un écart type. C'est ainsi que plus des deux tiers des individus ont un QI situé entre 85 et 115, alors qu'un peu moins de 2,5% ont un QI inférieur à 70 (on parle alors de *déficience*) et qu'un peu moins de 2,5 % ont un QI supérieur à 130 (on parle alors de *douance*).

- grave : QI de 20 à moins de 35 ;
- profond : QI inférieur à 20.

Cette classification a essentiellement pour but de servir de guide aux personnes, en premier lieu aux parents qui ont la responsabilité de s'assurer que les enfants atteints de déficience pourront se développer le plus possible, et ce, sur tous les plans. Ainsi, alors que certains individus classés comme déficients légers ou moyens aux tests de QI peuvent très bien fonctionner de façon autonome en société, d'autres, atteints de déficience plus marquée, doivent être totalement pris en charge par la famille ou la société en général. Il est donc important de garder à l'esprit que les étiquettes servant à décrire les niveaux de déficience intellectuelle ne doivent pas servir à dénigrer les individus qui présentent une déficience, mais plutôt à déterminer dans quelle mesure il faut les aider.

Parmi les causes de la déficience, on trouve tout d'abord les anomalies héréditaires. Un des cas les plus courants de déficience intellectuelle dus à la génétique est la **trisomie 21** — ou syndrome de Down (auparavant appelé *mongolisme*) — caractérisée par la présence d'un chromosome de trop à la 21ᵉ paire. Outre leur déficience d'ordre intellectuel, habituellement légère, les enfants atteints de ce syndrome présentent certaines caractéristiques bien marquées : sur le plan physique, ils ont les yeux bridés, une forme trapue et une force physique supérieure à la moyenne, alors que sur le plan psychologique, ils sont en général plutôt doux, même s'ils peuvent être sujets à de violentes colères s'ils se sentent agressés. Il importe de souligner que les individus atteints de trisomie 21 peuvent généralement s'intégrer dans la vie sociale. L'acteur Chris Burke, dont il est question dans l'encadré 7.2 (*page 222*) et qui est lui-même atteint de cette forme de déficience, en est un exemple éloquent !

Trisomie 21

Aussi appelée **Syndrome de Down** (*et auparavant* **Mongolisme**)

Anomalie génétique caractérisée par la présence d'un chromosome de trop à la 21ᵉ paire et entraînant des symptômes physiques caractéristiques (yeux bridés, forme trapue), ainsi qu'une déficience sur le plan intellectuel.

Certaines conditions intra-utérines (maladies contractées par la mère, tabagisme, toxicomanie, mauvaise alimentation, etc.) peuvent également entraîner une déficience intellectuelle, tout comme des difficultés lors de l'accouchement, particulièrement lorsqu'elles ont pour effet de priver l'enfant à naître d'oxygène pendant plusieurs minutes. Certains facteurs environnementaux tels qu'une mauvaise alimentation et, surtout, le manque de stimulations peuvent aussi par la suite retarder le développement intellectuel de l'enfant.

La douance

En ce qui concerne la douance, il y a lieu de savoir que la terminologie n'est pas uniforme parmi les auteurs. Tout comme pour la déficience, on distingue ici différents degrés de douance. Toutefois, les étiquettes utilisées pour désigner les différents degrés, de même que le niveau de QI caractérisant chacun semblent varier davantage (Gagné, 2005). Nous considérerons donc ici que, sur le plan intellectuel, la **douance** qualifie le niveau intellectuel des personnes dont le QI est supérieur à 130, ce qui comprend un peu moins de 2,5 % des individus. Définie ainsi, la douance constitue la contrepartie de la déficience. Par ailleurs, on parle habituellement de *surdoué* dans le cas d'un individu dont le QI dépasse environ 140. Marilyn vos Savant, dont il est également question dans l'encadré 7.2, appartient à cette catégorie.

Parmi les traits qui caractérisent les individus doués, on trouve, entre autres :

- avoir commencé à parler et à lire en bas âge ;
- être curieux et stimulé par les problèmes ;
- être créatif ;
- être sociable et bien adapté ;
- être sensible aux autres ;
- être doté d'un bon sens de l'humour ;
- être moins atteint par la maladie mentale.

Douance

Niveau intellectuel des individus dont le QI est supérieur à 130, ce qui comprend un peu moins de 2,5 % des individus.

N.B. Selon le niveau de douance, on observe parmi les auteurs certaines différences au sujet de la valeur du QI à partir de laquelle on parle de douance.

ENCADRÉ 7.2 **Approfondissement**

Au-delà du QI

À la naissance de Chris Burke, les médecins l'avaient diagnostiqué comme trisomique (syndrome de Down) et avaient conseillé à ses parents de le placer en institution, mais ceux-ci ont plutôt choisi de l'élever dans le contexte familial. Leur décision a permis à leur enfant de se développer au-delà de ce qu'il aurait pu faire en institution.

En effet, en plus d'avoir joué dans de nombreux films et dans des séries télévisées telles que *Life Goes On,* il présente chaque année avec deux amis de longue date plus d'une centaine de concerts dans des écoles, des festivals et des congrès. De plus, il est éditeur du magazine *Upbeat,* la seule (aux États-Unis, du moins) revue éditée par et pour des trisomiques.

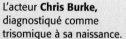
L'acteur **Chris Burke,** diagnostiqué comme trisomique à sa naissance.

Marilyn vos Savant est la personne qui a le QI le plus élevé connu au monde, à savoir 164 ou plus, d'après le Stanford-Binet pour adultes qu'elle a passé à l'âge de 10 ans. Elle a d'ailleurs été mentionnée à ce titre dans le *Guinness Book of World Records* de 1986 à 1989 ; elle n'y apparaît plus, car la catégorie relative au QI n'y est plus incluse. Elle fait néanmoins partie du *Guinness Hall of Fame.* Il y a encore en fait une certaine confusion quant à la valeur de son QI, étant donné qu'il n'y a pas assez de personnes ayant des QI aussi élevés qu'elle pour établir des barèmes pour ce niveau.

Éditorialiste et auteure, elle tient une rubrique dans le *Sunday Parade,* un magazine du dimanche distribué par 379 journaux américains. Elle a récemment écrit deux volumes : *Growing Up : a Classic American Childhood* et *The Art of Spelling.* Elle travaille aussi à la gestion de la compagnie Jarvik Heart Inc., qui produit les cœurs artificiels qu'a mis au point son mari, le Dr Robert Jarvik.

Marilyn vos Savant, dont le QI de 164 est le plus élevé au monde d'après le Stanford-Binet.

Il y a lieu de noter qu'il s'agit de traits qui caractérisent habituellement les individus doués. Einstein, par exemple, qui était «sûrement très doué», n'a pas parlé avant l'âge de trois ans. Et génial ne signifie pas «plus ou moins mésadapté sur le plan social». En fait, comme le souligne Gagné (2005), «l'ensemble des recherches n'appuie pas le stéréotype du "bollé" introverti et un peu bizarre que plusieurs véhiculent» (p. 31).

Il importe de souligner que, malgré la différence entre leur QI, les déficients et les doués ont un point en commun : le système scolaire actuel ne leur convient pas toujours, comme le rappelle brièvement l'encadré 7.3 (*page 224*).

7.1.3 Les caractéristiques d'un bon test

Après avoir présenté la façon dont la population se répartit par rapport au QI, il est maintenant pertinent de s'interroger sur les qualités que doivent présenter les tests servant à répartir ainsi la population. En fait, pour être considéré comme un outil de mesure utile, un «bon test» doit satisfaire à quatre exigences de base : être valide, être fidèle, et avoir été standardisé et normalisé.

Être valide

Un test est dit *valide* lorsqu'il mesure ce qu'il est censé mesurer, caractéristique qu'on désigne par le terme **validité**. Cette caractéristique peut être considérée comme la plus fondamentale : en effet, si ce dernier ne mesure pas ce pour quoi on l'a créé, il est par définition inutile. Il n'est pas toujours facile cependant de s'assurer de la présence de cette qualité, la question étant chaque fois : que prétend-on mesurer ?

Validité
Caractéristique que possède un test quand il mesure ce qu'il est censé mesurer.

Dans certains cas, il est relativement aisé de s'assurer qu'un test est valide. Par exemple, lorsque Binet a conçu son test, son objectif était de mesurer l'écart, en plus ou en moins, entre les capacités d'un enfant et celles typiques de son groupe d'âge, de façon à prédire si cet enfant réussirait ou non à suivre le programme scolaire régulier pour cet âge. Pour s'assurer de la validité de son test, il a suffi à Binet d'examiner si les enfants qui avaient, d'après son test, un âge mental en retard sur leur âge chronologique étaient les mêmes que ceux qui avaient de la difficulté à l'école, et si ceux qui avaient un âge mental plus élevé réussissaient bien à l'école. Après avoir vérifié que cela était le cas, Binet pouvait considérer que son test était valide et s'en servir pour les enfants qui suivraient.

Dans d'autres cas, la validité est beaucoup plus difficile à établir. Ainsi, contrairement à Binet qui a toujours refusé de se prononcer sur le caractère inné ou appris des capacités mesurées par son test, la plupart des autres chercheurs qui ont travaillé sur des tests de ce type — à commencer par Terman avec son adaptation américaine du test de Binet-Simon — ont prétendu que leur test mesurait des aptitudes intellectuelles principalement innées. Ce faisant, ils ont soulevé la question de la validité dans un contexte beaucoup plus difficile à établir : comment s'assurer que ce qu'on mesure correspond à des aptitudes innées et non à une quelconque combinaison d'aptitudes innées et d'influences culturelles ou circonstancielles ? Il s'agit là d'une question épineuse qui demeure encore sujette à controverse parmi les chercheurs.

Être fidèle

Qu'un test puisse être valide ne suffit pas. En effet, il doit également être fidèle, c'est-à-dire donner approximativement la même mesure chaque fois qu'on le fait passer à un individu, caractéristique qu'on désigne par le terme **fidélité**.

Fidélité
Caractéristique que possède un test quand il donne la même mesure chaque fois qu'on le fait passer à un individu.

L'école, pas toujours adaptée aux « marginaux »

Tel qu'il est organisé, le système scolaire actuel est davantage adapté à la majorité des individus qu'à ceux dont le QI s'écarte sensiblement de la moyenne. Même si cela peut sembler évident pour les enfants intellectuellement déficients, la question se pose également pour les doués et, surtout, les surdoués.

En ce qui concerne les enfants présentant une certaine déficience intellectuelle, que cette dernière ait été diagnostiquée avant l'entrée à l'école ou après quelques années, il est d'usage actuellement de les inscrire dans une école ou une classe spéciale. Or, de nombreuses personnes se sont penchées sur la question : ne vaudrait-il pas mieux que ces enfants soient intégrés aux classes régulières ? Cela ne leur permettrait-il pas de mieux s'intégrer sur le plan social aux enfants de leur âge, tout en évitant de les cantonner dans un programme trop faible par rapport au programme scolaire régulier ?

Un certain nombre de projets en ce sens ont été mis sur pied, mais les résultats demeurent fragmentaires, en raison entre autres du nombre d'intervenants appelés à s'impliquer (parents, professeurs, psychopédagogues, directions d'école, etc.) ainsi que des conditions requises pour que l'intégration ait les effets escomptés. Doré (1999) a relevé dix de ces conditions :

- *les valeurs* : « égalité de chances pour tous » ;

- *l'attitude* positive des intervenants à l'égard de cette question ;

- *les facteurs légaux et sociaux* doivent favoriser l'intégration ;

- *l'organisation scolaire* : structures d'intégration adaptées à tous les paliers ;

- *les programmes scolaires* doivent être adaptés ;

- *l'enseignement et l'apprentissage* : méthodes diversifiées et adaptées ;

- *les services de soutien* disponibles tant pour les enseignants que pour les élèves ;

- *les interactions avec le milieu* : reconnaissance de la participation des parents ;

- *l'encadrement et le suivi* opérationnalisés dans un plan éducatif individualisé (PEI) ;

- *la préparation des intervenants* : suffisante et appropriée à la situation.

Comme le soulignent Beaupré, Goupil, *et al.* (1995), « il ne suffit pas de placer les enfants côte à côte, pour que l'intégration sociale soit réussie » (p. 16). L'oublier pourrait conduire à nuire à l'enfant déficient plutôt qu'à l'aider.

Le problème d'adaptation scolaire des enfants doués, et surtout surdoués, pour moins évident qu'il soit, n'en est pas moins tout aussi réel. Il se manifeste cependant différemment que chez les enfants lents sur le plan intellectuel. Contrairement à ces derniers, l'enfant doué se heurte au fait que le contenu des programmes n'est pas assez riche, d'où « moins de stimulation intellectuelle, moins de défis, moins d'efforts à fournir, donc moins d'intérêt et de motivation » (Gagné *et al.*, 1988). La démotivation qui risque de s'ensuivre peut même conduire au développement progressif d'une certaine paresse intellectuelle et à des échecs scolaires regrettables.

Outre le fait que les surdoués ont tout aussi droit à un environnement scolaire adapté à leurs capacités d'apprentissage que les enfants déficients, la méconnaissance de ce problème a un coût social : au lieu de pouvoir développer à fond leurs talents et, par la suite, de contribuer à l'avancement de la société, beaucoup de ces enfants, même s'ils ne décrochent pas tout à fait de l'école, deviennent des poids pour la société.

Sans aller jusque-là, d'autres se contentent d'emplois en deçà de leurs capacités, certains d'entre eux se joignant à des groupes comme la société Mensa, laquelle n'accepte dans ses rangs que les individus dont le QI est égal ou supérieur à 130. Invité à titre de conférencier à cette société, le docteur en psychologie Serge Larivée faisait un jour remarquer à ses membres qu'au lieu de se contenter d'activités ludiques en marge de la société, ils devraient mettre leurs talents à son service et contribuer ainsi à résoudre les nombreux problèmes que pose la vie en société.

Qu'il soit intellectuellement déficient ou surdoué, l'enfant marginal risque de ne pouvoir s'adapter à l'école normale.

On peut être porté à croire qu'un individu devrait obtenir un score plus élevé la deuxième fois qu'il passe un test, un peu comme si un élève passait le même examen une deuxième fois. En fait, quand on dit *passer le même test*, on n'entend pas *répondre aux mêmes questions* mais *répondre à des questions du même type et du même degré de difficulté*. Techniquement, on dit alors que la personne passe « deux formes » du même test, formes préalablement vérifiées comme donnant des mesures très semblables, qu'on utilise l'une ou l'autre. Une comparaison qu'on avance souvent est celle d'une balance. Si un modèle de balance à ressort donne des mesures de poids variables parce qu'il est mal calibré, il n'est pas fidèle : il a beau donner une mesure de poids dans chaque cas, on ne peut s'y fier, puisqu'elle varie trop d'une fois à l'autre.

Avoir été standardisé et normalisé

En raison d'une certaine confusion sur le plan de la terminologie lorsqu'on consulte plusieurs ouvrages sur les aspects traités ici, nous abordons sous un même titre, afin de mieux les différencier, les qualités d'un test liées, l'une à la standardisation, l'autre à la normalisation.

La standardisation Pour être en mesure de se fier au résultat obtenu par un individu à un test, il est essentiel que sa passation et sa correction aient été standardisées[1]. On entend ainsi par **standardisation** la procédure consistant à déterminer la façon de faire passer (ou d'administrer) un test et d'en corriger les réponses afin que cette façon de faire soit la même pour tous les individus. En ce qui a trait à la passation, cela implique de faire en sorte que tous les individus qui passent le test le fassent après avoir reçu les mêmes directives et jouissent des mêmes conditions (environnement physique, temps accordé, attitude neutre de l'examinateur, etc.). Pour ce qui est de la correction, il faut que les critères de correction soient les mêmes et aient été définis de la façon la plus objective possible afin que la subjectivité de l'examinateur ne puisse entrer en ligne de compte ; autrement dit, il faut que le résultat attribué à un individu soit le même, quel que soit le correcteur. Alors que la standardisation de la passation est en général relativement aisée à établir, il n'en est pas toujours de même de la correction, notamment lorsque les réponses consistent à définir un mot ou à expliquer en quoi un énoncé est illogique.

La normalisation Pour être en mesure de situer le résultat obtenu à un test, ce dernier doit avoir été normalisé[2]. Afin de s'assurer qu'un test possède cette qualité, on procède à la **normalisation**, une procédure statistique faisant en sorte que les résultats d'un test obtenus auprès d'un échantillon représentatif de la population à laquelle le test est destiné se distribuent selon la courbe normale. Bien que le détail des calculs puisse varier selon le test, c'est essentiellement la démarche qu'a suivie Wechsler quand il a défini la déviation du QI (*voir le point 7.1.1, page 217*). En somme, ce n'est que lorsqu'un test a été normalisé qu'on est en mesure de situer le score obtenu par un individu donné par rapport à la population à laquelle il appartient.

7.1.4 Les tests individuels et les tests collectifs

Dès leur apparition, les tests se sont rapidement multipliés, soit sous forme de tests individuels, comme l'étaient les tout premiers, soit sous forme de tests collectifs. Lorsque la passation d'un test se fait de façon individuelle, c'est-à-dire lorsque l'examinateur (ou administrateur) du test fait passer ce dernier à une seule personne à la fois, on parle de **test individuel** ; un **test collectif**, par contre, est un test où la passation est collective, c'est-à-dire où l'examinateur le fait passer à plusieurs personnes à la fois.

Les tests collectifs sont apparus pour contrer deux désavantages des tests individuels : celui de prendre beaucoup de temps et celui d'être plus coûteux lorsqu'on désire faire passer un test à un grand nombre de personnes. Ils offrent par contre moins de souplesse. Ainsi, ils sont limités dans les types de questions à répondre ou de tâches à effectuer, soit parce qu'il faudrait par exemple du matériel plus complexe ou encore parce qu'on ne peut chronométrer le temps requis pour répondre ; de plus, l'examinateur ne peut pas, s'il y a lieu, demander des explications additionnelles à la personne passant le test.

Standardisation
Procédure consistant à déterminer la façon de faire passer (ou d'administrer) un test et d'en corriger les réponses afin que cette façon de faire soit la même pour tous les individus d'une même population.

Normalisation
Procédure statistique faisant en sorte que les résultats d'un test obtenus auprès d'un échantillon représentatif de la population à laquelle le test est destiné se distribuent selon la courbe normale.

Test individuel
Test où l'examinateur, c'est-à-dire l'administrateur du test, fait passer ce dernier à une seule personne à la fois.

Test collectif
Test où l'examinateur, c'est-à-dire l'administrateur du test, fait passer ce dernier à plusieurs personnes à la fois.

---

1. Le terme «standardisation» que nous utilisons ici est issu de l'anglais, tout comme le terme connexe «standardisé», mais il est admis en français et régulièrement utilisé dans les ouvrages francophones traitant de la méthodologie des tests. Il importe cependant de savoir que d'autres termes sont utilisés, certains ouvrages employant même le terme «normalisation» pour désigner ce qui correspond ici à la standardisation. Par ailleurs, il arrive même que le terme «standardisation» soit utilisé pour désigner l'ensemble des procédures englobant ce qui correspond ici à la standardisation et à la normalisation !

2. À l'instar de la standardisation, le terme «normalisation» utilisé ici est issu de l'anglais, tout comme le terme connexe «normalisé», mais il est admis en français et régulièrement employé dans les ouvrages francophones traitant de la méthodologie des tests. Comme mentionné dans la note précédente, le terme «normalisation» est utilisé par certains auteurs pour désigner ce qui correspond ici à la standardisation, d'où la confusion qui risque de se dégager lorsqu'on consulte plusieurs ouvrages.

3. **Un test d'intelligence individuel offre plus de souplesse qu'un test collectif en ce qui a trait à la passation du test.**

   De fait, ce type de test permet entre autres un éventail plus varié de questions à répondre ou de tâches à effectuer. La personne passant le test a également la possibilité d'expliquer ses réponses.

Quelques tests individuels

L'échelle d'intelligence de Stanford-Binet issue de l'adaptation par Terman du test de Binet et Simon a été longtemps un des tests les plus utilisés dans le monde nord-américain. Mal adapté pour les adultes, et ce, malgré de nombreuses révisions, il a été graduellement supplanté en popularité par le test de Wechsler, paru en 1939 sous le nom de *Wechsler-Bellevue Intelligence Scale*. Révisé en 1955 et normalisé à partir de 2 000 sujets âgés de 16 à 75 ans, le test de Wechsler est devenu la Wechsler Adult Intelligence Scale (WAIS), l'échelle d'intelligence adulte de Wechsler. Appliquant la démarche qu'il avait développée avec les adultes, mais cette fois-ci avec des enfants de 5 à 16 ans, Wechsler a ensuite mis au point la Wechsler Intelligence Scale for Children (WISC), l'échelle d'intelligence pour enfants de Wechsler, dont la dernière révision française, le WISC-IV, date de 2005.

Avant sa révision de 1955, le test de Wechsler a été adapté en 1951 par Gérard L. Barbeau et Adrien Pinard. Normalisé à partir d'une population exclusivement francophone de la région de Montréal, il est devenu au Québec le Barbeau-Pinard, le test de QI longtemps le plus utilisé au Québec, jusqu'à l'arrivée de la troisième révision du test de Wechsler pour adultes, le WAIS-III, en 1981.

En 1989, Jean-Marc Chevrier de l'Institut de recherches psychologiques a publié l'*Épreuve individuelle d'habileté mentale* (EIHM) pour les 10 à 24 ans, un test de type Wechsler comme le Barbeau-Pinard mais qui, contrairement à ce dernier, a été normalisé à partir d'une population francophone de l'ensemble du Québec. Outre l'EIHM, un autre test a été élaboré entre 1994 et 1996 par deux chercheurs de l'Université Laval, Michel Pépin et Michel Loranger : le test d'aptitudes informatisé (TAI). Comme son nom l'indique, il s'agit d'un test entièrement informatisé qui offre tous les avantages d'un test individuel d'aptitudes, mais qui évite les nombreuses contraintes et pertes de temps liées à la façon traditionnelle d'administrer et de corriger un test (Psychotech, 2007). Les aptitudes évaluées par le TAI sont : vocabulaire, logique verbale, relations spatiales, opérations mathématiques, arithmétique, connaissances, visualisation spatiale, compréhension, sériation, mémoire, perception et vitesse d'exécution.

Malgré l'arrivée de l'EIHM et du TAI, l'adaptation francophone de la troisième révision du test de Wechsler demeurait le test de QI pour adultes le plus répandu. Comme l'indique le tableau 7.2, il comprenait 14 sous-tests répartis en deux séries fournissant, l'une, une mesure de QI sur une échelle verbale, l'autre, une mesure sur une échelle de performance (appelée *échelle non verbale* dans ses versions précédentes de même que dans le Barbeau-Pinard, l'EIHM et le TAI). La somme des mesures ainsi obtenues — des scores pondérés, en fait — pour chaque échelle donnait un score pondéré total. Dans la dernière version du test de Wechsler pour enfants et adolescents (6 à 16 ans), le WISC-IV, parue en 2005, le quotient intellectuel total y est calculé à partir de 4 indices factoriels, eux-mêmes établis à partir de 15 sous-tests, comme indiqué dans le tableau 7.3 (*page 228*), selon une procédure statistique trop complexe pour être expliquée ici. Le principe de pondération demeure cependant le même.

Quelques tests collectifs

Les tests collectifs sont apparus peu après la publication du Stanford-Binet. Le premier a été mis au point par un groupe de psychologues dirigé par Robert Yerkes et ayant pour but de permettre à l'armée américaine de sélectionner parmi le grand nombre de recrues éventuelles — on était alors à l'époque de la Première Guerre mondiale — les meilleurs candidats pour les divers emplois devant être exercés dans l'armée. Le

Échelle verbale	Échelle de performance
Vocabulaire Qu'est-ce qu'un lit ?	**Images à compléter** Indiquez quelle partie est manquante dans l'image ci-contre 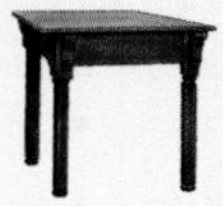 :
Similitudes De quelle façon une *fourchette* et une *cuillère* sont-elles semblables ?	**Code** 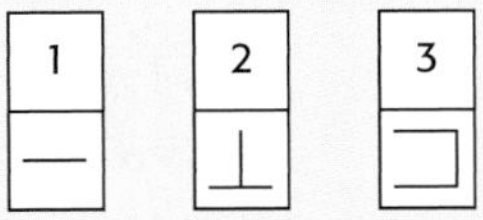 En vous basant sur les images ci-dessus, dessinez le code correspondant au numéro de chaque case ci-dessous 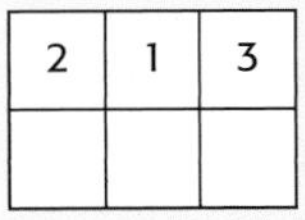 :
Arithmétique Si vous avez 3 livres et que vous en donnez 1, combien vous en reste-t-il ?	**Blocs** Après avoir donné au sujet quatre blocs dont les côtés sont de couleurs différentes, on demande au sujet : «En vous servant de ces blocs, reproduisez le dessin ci-contre.» 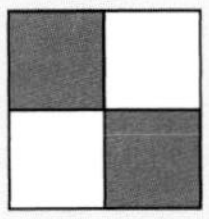
Séquences de chiffres *Ordre direct* - Répétez la séquence de chiffres suivante : 4 - 1 - 6 *Ordre inverse* - Répétez à l'envers la séquence de chiffres suivante : 5 - 2 - 8	**Matrices*** Parmi les cinq figures suivantes 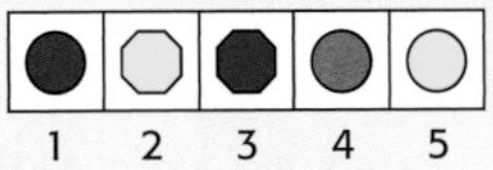 : laquelle devrait se trouver dans la case marquée d'un point d'interrogation 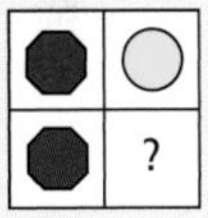 ?
Connaissances Combien y a-t-il de mois dans une année ?	**Arrangement d'images** Mettez dans le bon ordre les images suivantes 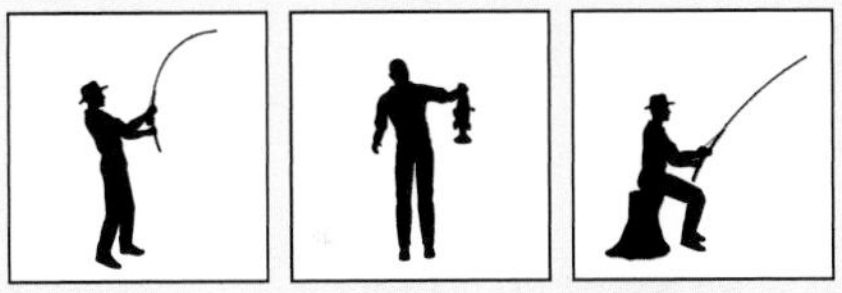 :
Compréhension Pourquoi les gens lavent-ils les vêtements ?	**Repérage de symboles*** Indiquez si, oui ou non, l'une ou l'autre des figures cibles se trouve parmi les figures de recherche 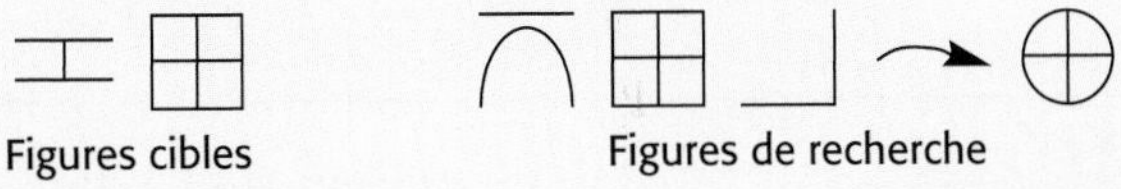 : Figures cibles Figures de recherche Oui / Non
Séquences lettres-chiffres* Répétez la séquence que je vais dire en commençant par les chiffres en ordre, puis les lettres en ordre. Par exemple, si je dis «3 - W - 5», vous devez répondre «3 - 5 - W».	**Assemblage d'objets** Assemblez les pièces du casse-tête suivant 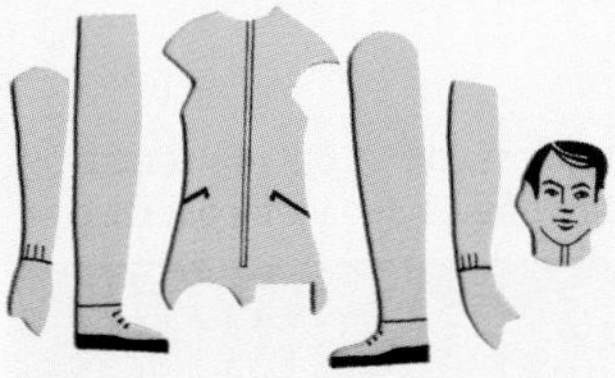 :

* Sous-test non inclus dans le Barbeau-Pinard, l'EIHM et le TAI.

test était conçu à l'aide de questions à choix multiples, ce qui devait permettre une correction rapide.

Dès la fin de la guerre, on a demandé à Yerkes de dévoiler le contenu de son test, lequel était resté secret tout le temps du conflit. Il a alors mis au point le *Test national d'intelligence* qu'il a publié en 1919 et dont il a rapidement vendu plus de 500 000 exemplaires en une seule année. Le test a été utilisé par des écoles primaires et secondaires,

Indice	Sous-tests	
	Sous-tests principaux	Sous-tests supplémentaires

Indice de compréhension verbale (ICV)	• Similitudes
	• Vocabulaire
	• Compréhension
		• Information
		• Raisonnement verbal (*) Évalue :
		  – la compréhension verbale
		  – les capacités de raisonnement analogique et général
		  – l'abstraction verbale
		  – la capacité à synthétiser différents types d'information

Indice de raisonnement perceptif (IRP)	• Cubes
	• Identification de concept (*)
	  – évalue les capacités de raisonnement catégoriel et abstrait
	• Matrices (*)
	  – mesure le raisonnement fluide et reflète l'intelligence générale avec fiabilité
	  – fait appel au couple induction/déduction
		• Complètement d'images

Indice de mémoire de travail (IMT)	• Mémoire des chiffres
	• Séquence lettres-chiffres (*) Évalue :
	  – les capacités de séquençage
	  – les capacités de manipulation mentale des données
	  – la mémoire auditive
	  – les représentations visuo-spatiales
		• Arithmétique

Indice de vitesse de traitement (IVT)	• Code
	• Symbole
		• Barrage (*) Évalue :
		  – la vitesse de traitement
		  – l'attention visuelle sélective
		  – la négligence visuelle

* Sous-test nouveau par rapport au WISC-III.

Plusieurs tests de QI ont été conçus pour être passés de façon collective.

Photo 7.2

par des universités et par des sociétés d'affaires, principalement comme examen d'entrée (*voir la photo 7.2*).

Depuis le test de Yerkes, une multitude de tests collectifs sont apparus. Un des plus utilisés au Québec est le Otis-Ottawa, principalement par les écoles secondaires lors de l'admission des élèves. Dans le monde anglophone, tout candidat américain ou étranger désirant s'inscrire au premier cycle dans une université américaine doit passer le Scholastic Aptitude Test (SAT) ou encore le Graduate Record Examination (GRE), ce dernier étant surtout utilisé dans le cas des étudiants qui désirent être admis à un niveau supérieur.

Les tests mentionnés dans la présente section ne donnent qu'un aperçu des nombreux tests visant à mesurer les capacités d'ordre intellectuel. Cette façon d'approcher l'intelligence en tant qu'aptitude mesurable par des tests correspond à ce qu'on a appelé l'*approche psychométrique de l'intelligence* — *psycho* référant à l'aspect «psychologique» et *métrique,* à l'aspect «mesure». Or, même si le but premier des auteurs des tests, à commencer par Binet et Simon, était simplement d'ordre pratique, à savoir mesurer pour prédire, on a beaucoup reproché à cette approche de ne fournir qu'une série de mesures scolaires oubliant plusieurs aspects concrets de l'intelligence en plus de ne dire pratiquement rien sur son fonctionnement et son développement, ce à quoi s'intéressent les sections qui suivent.

7.2 L'intelligence en tant qu'ensemble élargi de capacités

Parmi les nombreux modèles théoriques qui ont tenté de combler les lacunes présentées par l'approche psychométrique et qui demeurent d'actualité, la théorie des intelligences multiples de Gardner et la théorie triarchique de Sternberg sont les plus souvent mentionnées. Alors que ces deux théories mettent l'accent sur différentes formes d'intelligences indépendantes, l'approche hiérarchique cherche quant à elle à intégrer les diverses aptitudes associées à l'intelligence.

7.2.1 La théorie des intelligences multiples de Gardner

C'est dans le cadre de son volume *Frames of Mind: The Theory of Multiples Intelligences* (1983/1993) qu'Howard Gardner, un neuropsychologue (*voir la photo 7.3*), a proposé sa théorie mettant l'accent sur l'existence de formes multiples d'intelligences. Plutôt que de s'en tenir aux simples mesures obtenues à partir de tests, mesures qui se concentrent surtout sur les habiletés utilisées dans l'environnement scolaire et sur les connaissances acquises, Gardner préfère se baser sur «de l'information empirique de nature aussi bien biologique, psychologique et évolutionniste que transculturelle, qui témoigne de l'activité cognitive humaine» (Larivée, 2007, p. 342).

S'inspirant d'études de cas qui ont porté sur des génies scientifiques ou des virtuoses, sur des «idiots savants» ou encore sur des individus ayant, à la suite de blessures au cerveau, perdu certaines capacités et en ayant conservé d'autres, Gardner en est venu à considérer que l'intelligence pouvait se présenter sous plusieurs formes logées dans des parties distinctes du cerveau. Après en avoir proposé sept dans son volume de 1983, il en a ajouté par la suite trois qu'il a fini par regrouper sous deux (Gardner, 1999), ce qui donne finalement les neuf formes d'intelligences présentées dans le tableau 7.4 (*page 230*). Pour chacune, nous indiquons ce qui la caractérise, quelques professions typiques ainsi que certains personnages qui, selon Gardner, ont démontré à un haut degré la forme d'intelligence considérée.

Le psychologue Howard Gardner a défini différentes formes d'intelligences, dont l'intelligence spatiale.

Photo 7.3

Testez vos connaissances

4. D'après Gardner, il existe cinq formes principales d'intelligences: linguistique, musicale, logicomathématique, spatiale et interpersonnelle.

En fait, Gardner est arrivé à neuf formes d'intelligences. Aux précédentes, il faut ajouter les intelligences kinesthésique, intrapersonnelle, naturaliste et existentielle.

En utilisant le terme «intelligence» pour référer à des domaines de l'activité humaine qu'on désignait traditionnellement comme des talents ou des dons, Gardner visait à valoriser des capacités autres que celles typiquement mesurées par les tests de QI (aptitudes linguistiques et logicomathématiques). L'arrivée de sa théorie a donc été reçue très positivement par nombre de praticiens de l'enseignement, lesquels y ont vu une façon de récupérer et de valoriser les élèves réussissant difficilement dans les contextes scolaires traditionnels. Elle a même suscité l'apparition d'écoles spécialisées offrant à certains étudiants des milieux d'apprentissage favorisant davantage le développement d'autres aptitudes. Les écoles Fernand-Séguin à Québec et à Montréal, spécialisées dans l'enseignement des mathématiques et des sciences, les écoles de musique et même l'École nationale de l'humour en sont de bons exemples.

	TABLEAU 7.4	Les types d'intelligences proposés par Gardner, les principales composantes les caractérisant, les professions typiques et les personnages célèbres les illustrant

Types d'intelligences	Principales composantes	Professions typiques afférentes	Personnages célèbres
Linguistique	Habiletés liées à la production du discours, aux fonctions et à l'utilisation du langage	Poète, écrivain, avocat, politicien	• Charles Baudelaire • Noam Chomsky • Victor Hugo • Georges Perec
Musicale	Habiletés nécessaires à l'accomplissement des tâches de nature musicale : composition, exécution, écoute et discernement	Musicien, compositeur, chanteur, chef d'orchestre, ingénieur du son	• Ludwig van Beethoven • John Lennon • Leonard Bernstein • Yehudi Menuhin
Logico-mathématique	Habiletés logiques, mathématiques et scientifiques	Chercheur, mathématicien, informaticien, logicien, ingénieur, comptable, analyste financier	• Henri Poincaré • Albert Einstein • Marie Curie • Barbara McClintock
Spatiale	Habiletés associées aux configurations spatiales : perception exacte des formes, possibilité de les recréer et de les modifier même sans support concret	Architecte, navigateur, ingénieur, chirurgien, sculpteur, peintre, cartographe, joueur d'échecs, scientifique, pilote automobile, graphiste	• Camille Claudel • Michel-Ange • Garry Kasparov • Frank Lloyd Wright
Kinesthésique	Habiletés corporelles ou manuelles : maîtrise et harmonisation des mouvements du corps	Danseur, mime, athlète, chirurgien, artisan, acteur, chorégraphe	• Marcel Marceau • Rudolf Noureïev • Michael Jordan • Babe Ruth
Interpersonnelle	Habiletés dans les relations interpersonnelles : sensibilité aux humeurs, aux tempéraments, aux motivations	Vendeur, politicien, enseignant, clinicien, guide spirituel, thérapeute, magicien	• Mahatma Gandhi • Platon • Houdini • Carl Rogers
Intrapersonnelle	Capacités d'introspection, d'auto-analyse, de se représenter une image de soi fidèle et précise et de l'utiliser efficacement	Écrivain, thérapeute	• Erik H. Erikson • Marcel Proust • Sigmund Freud • Virginia Woolf
Naturaliste	Habileté à reconnaître et à classifier les diverses espèces de la faune et de la flore	Botaniste, géologue, écologiste, entomologiste, naturaliste	• Charles Darwin • Pierre Dansereau • Frère Marie-Victorin • Edward O. Wilson
Existentielle	Capacité de réfléchir aux questions fondamentales de l'existence humaine	Guide spirituel, philosophe	• Le dalaï-lama • Salomon • Søren Kierkegaard • Jean-Paul Sartre

Source : Larivée, 2007, p. 344

Il y a lieu de souligner ici que les intelligences interpersonnelle (compréhension d'autrui) et intrapersonnelle (compréhension de soi) forment, selon certains psychologues, ce qu'on appelle l'*intelligence émotionnelle,* c'est-à-dire l'aptitude à déterminer, à exprimer et à maîtriser ses propres émotions, ainsi qu'à saisir celles des autres et à composer avec ces dernières (Goleman, 1997 ; Mayer & Salovey, 1997).

Par ailleurs, après avoir beaucoup insisté, au départ du moins, sur le caractère indépendant des différentes formes d'intelligences qu'il proposait, Gardner (1999) en est venu à considérer qu'un même domaine peut impliquer de nombreuses formes d'intelligences et qu'une intelligence donnée peut s'exercer dans plusieurs domaines.

Comme le souligne Serge Larivée dans l'encadré 7.4, la théorie de Gardner requiert encore des éclaircissements, notamment sur la distinction entre «intelligence» et «talent». Elle a néanmoins le mérite d'insister sur le caractère pluraliste des formes d'intelligences.

7.2.2 La théorie triarchique de Sternberg

Insatisfait, tout comme Gardner, de l'approche psychométrique, Robert J. Sternberg a lui aussi proposé un modèle de l'intelligence impliquant différents aspects. Cependant, alors que les formes d'intelligences proposées par Gardner diffèrent selon le domaine où elles s'exercent (langue, logique, espace, musique, etc.), celles présentées par Sternberg varient par rapport au type d'activité exercé. Ainsi, pour Sternberg, l'intelligence se manifeste par la capacité de résoudre des problèmes, et ce qu'il cherche à décrire, c'est le comportement intelligent, plus précisément les différentes formes d'intelligences à l'œuvre dans le comportement de résolution de problèmes.

Serge Larivée, au-delà des tests de QI

Après l'obtention d'une maîtrise en psychoéducation à l'Université de Montréal, Serge Larivée a poursuivi sa formation à l'Université de Genève et à l'Université de Lausanne en Suisse, où il a obtenu un doctorat en psychologie. Il est ensuite revenu au Québec où il est professeur depuis une trentaine d'années à l'École de psychoéducation de l'Université de Montréal dans le domaine de l'intelligence.

Dès les premiers mots échangés avec M. Larivée, ce dernier n'hésite pas à découvrir son côté marginal, confiant que son cheminement scolaire avait été marqué de plusieurs échecs, mais que c'est précisément un des éléments qui l'ont amené par la suite à s'interroger sur les liens entre l'émotif et le cognitif : dans quelle mesure, par exemple, l'émotif peut-il court-circuiter le fonctionnement de l'intelligence ? C'est en cherchant à répondre entre autres à cette question de base que Serge Larivée en est venu à concentrer ses recherches sur l'intelligence et les facteurs qui y sont liés.

L'intérêt pour le domaine de l'intelligence provient en bonne partie du fait que cette faculté est une des dimensions qui distingue le plus l'être humain des autres espèces du règne animal. Par ailleurs, depuis le tout premier test mis au point par Binet et Simon au début des années 1900 pour dépister les enfants qui présentaient des difficultés scolaires, les tests de QI fascinent par la capacité qu'ils offrent de mesurer l'intelligence, en même temps qu'ils soulèvent plusieurs questions, telles que : «Même si les tests de QI mesurent indéniablement des aptitudes intellectuelles, mesurent-ils toute l'intelligence ?»

À cette question, M. Larivée répond par la négative, mais ce qui n'est pas mesuré dans ces tests demeure difficile à définir. Il signale d'ailleurs qu'on tend souvent aujourd'hui à utiliser le terme «intelli-gence» à toutes les sauces ; tout un chacun peut alors y trouver «son intelligence», mais parle-t-on alors encore d'*intelligence* ? La capacité de réussir sur le plan musical ou encore la créativité musicale sont des aptitudes remarquables, mais s'agit-il réellement d'intelligence ? Ne serait-il pas plus simple et plus clair de parler de *talent musical* ?

Actuellement, ce qui demeure le mieux établi, c'est que les tests de QI sont, tout comme à l'époque de Binet, les meilleurs prédicteurs de la réussite scolaire et de la réussite professionnelle. Sur ce dernier point, certaines études (Brody, 1992 ; Schmidt & Hunter, 1998) indiquent en effet que les personnes scolarisées au-dessus de la moyenne, comme les dirigeants d'entreprise, ont tendance à marier des personnes du même niveau de scolarisation, ce qui fait qu'on pourra éventuellement être amené à parler de «classes cognitives» plutôt que de classes sociales. Force est donc de reconnaître que les tests de QI, même s'ils ne prétendent pas mesurer l'intelligence de façon exhaustive, mesurent des capacités qui permettent de mieux composer avec l'univers où l'on vit.

Serge Larivée, Ph. D. en psychologie. professeur titulaire à l'École de psychoéducation de l'Université de Montréal.

Présentée initialement dans le volume *Beyond IQ: A Triarchic Theory of Human Intelligence* (1985) et dans plusieurs autres publications subséquentes, la théorie de Sternberg considère que le comportement intelligent comporte trois aspects — d'où précisément l'appellation « triarchique ». Ces trois aspects, remaniés plusieurs fois, ont également été renommés et correspondent aux trois formes fondamentales d'intelligences que nous connaissons maintenant, à savoir l'intelligence analytique (ou compositionnelle), l'intelligence créative (ou expérientielle) et l'intelligence pratique (ou contextuelle) (Sternberg, 1994 ; Grigorenko & Sternberg, 2001).

Intelligence analytique
Aussi appelée **Intelligence compositionnelle**
Dans la théorie de Sternberg, intelligence qui consiste, devant un problème, à le « décortiquer », à relier ses composantes aux connaissances acquises et à découvrir les liens logiques sous-jacents pouvant conduire à la résolution du problème.

L'**intelligence analytique** est celle qui consiste, vis-à-vis d'un problème, à le « décortiquer », à relier ses composantes aux connaissances acquises et à découvrir les liens logiques sous-jacents pouvant conduire à la résolution du problème. Elle comprend tous les processus du raisonnement abstrait, et permet l'analyse et le traitement de l'information. C'est en quelque sorte la forme d'intelligence scolaire que mesurent typiquement les tests de QI. C'est le cas par exemple du technicien en informatique qui inventorie les principales causes pouvant expliquer un problème d'ordinateur pour ensuite les tester systématiquement.

Intelligence créative
Aussi appelée **Intelligence expérientielle**
Dans la théorie de Sternberg, intelligence qui consiste à faire preuve de créativité et d'intuition devant un problème.

À la différence de la forme précédente, l'**intelligence créative** se traduit, devant un problème, par la créativité et l'intuition. C'est elle qui serait responsable de l'*insight,* cet éclair qui surgit subitement sans qu'on puisse analyser le cheminement qui y a conduit et qui permet de réagir aux situations nouvelles. L'inventeur qui trouve subitement la solution au problème sur lequel il travaillait, l'artiste qui pense spontanément à une nouvelle façon de combiner deux techniques en multimédia font tous deux preuve d'intelligence créative.

Intelligence pratique
Aussi appelée **Intelligence contextuelle**
Dans la théorie de Sternberg, intelligence à la base du sens commun et permettant de bien s'adapter aux exigences de l'environnement physique et social du quotidien.

L'**intelligence pratique**, quant à elle, serait à la base du sens commun et fonctionnerait sur le plan du quotidien, permettant de bien s'adapter aux exigences de la vie, en ce qui a trait à l'environnement tant physique que social. L'entraîneur de sport qui « sait comment » motiver ses joueurs lors de chaque rencontre importante démontre qu'il possède une excellente intelligence pratique.

Sternberg souligne que malgré le caractère distinct des différentes formes d'intelligences, les trois fonctionnent de façon intégrée et apportent leur contribution à la résolution de problèmes. L'exemple cité au début du chapitre concernant la façon dont Einstein a eu l'idée de la relativité restreinte peut fournir un exemple supplémentaire permettant d'illustrer ce propos : après avoir beaucoup réfléchi aux problèmes posés par la vitesse des objets (intelligence analytique), il a subitement eu l'idée (intelligence créative) de s'imaginer à cheval sur un rayon de lumière (image du quotidien issue de l'intelligence pratique) ; restait néanmoins, comme le confiait Einstein lui-même, à revenir à l'intelligence analytique pour structurer logiquement et mathématiquement le tout.

La théorie de Sternberg apparaît beaucoup plus structurée que celle de Gardner, notamment en ce qui concerne l'intelligence analytique. D'ailleurs, celle-ci est précisément la forme d'intelligence dont Sternberg a « analysé » le plus en détail le fonctionnement face à un problème. Toutefois, on retrouve dans la théorie de Sternberg le même flottement par rapport au « statut » qu'auraient les différentes formes d'intelligences : il considère qu'elles sont indépendantes tout en reconnaissant, ne serait-ce qu'indirectement, qu'elles doivent avoir en commun quelque chose qui leur permet de fonctionner de façon intégrée dans le concret.

7.2.3 L'approche hiérarchique

À la différence de Gardner et de Sternberg qui ont mis l'accent sur le caractère pluraliste de l'intelligence, de nombreux auteurs se sont penchés sur l'idée d'un mécanisme ou d'un facteur général permettant, dans le concret, l'intégration des différents aspects reflétant le fonctionnement de l'intelligence.

Ainsi, environ un demi-siècle avant la publication des modèles de Gardner et de Sternberg, Spearman (1927) avait suggéré un modèle de l'intelligence comprenant deux niveaux. Le premier niveau correspondait à un facteur général, que Spearman avait baptisé le **facteur g** et qui constituait en quelque sorte un élément commun à tous les aspects mesurés par les tests de QI. Ce facteur permettait de rendre compte de l'observation suivante maintes fois effectuée : un individu se trouvant au-dessus de la moyenne concernant un aspect donné (par exemple, la mémoire) tend également à être au-dessus de la moyenne dans les autres aspects. Étant donné, par ailleurs, que le rendement d'un individu peut malgré tout varier d'un aspect à l'autre, Spearman avait également supposé, ainsi que le schématise la figure 7.2, l'existence de différents facteurs spécifiques interagissant avec le facteur g et expliquant qu'un individu peut, par exemple, être très bon dans le verbal et l'être moins dans le spatial, alors que ce pourrait être le contraire pour un autre individu.

Facteur g

Selon Spearman – Facteur qui constituerait l'élément commun à tous les aspects mesurés par les tests de QI.

Sens élargi – Facteur qui constituerait l'élément commun à toutes les formes d'intelligences.

| **FIGURE 7.2** | Le modèle de Spearman |

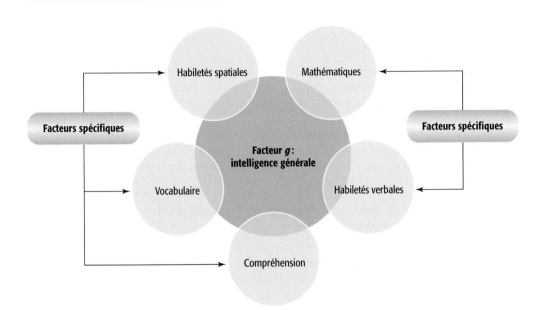

La représentation schématique du modèle de Spearman (1927), dans lequel une forme d'intelligence, que Spearman appelle le facteur g, interagit avec des facteurs spécifiques correspondant à des aptitudes associées à différents domaines. Ce modèle peut être considéré comme l'ancêtre de l'approche hiérarchique tendant actuellement à s'imposer.

L'idée de facteurs se situant à différents niveaux a été reprise par de nombreux auteurs, dont Thurstone (1938). Celui-ci a proposé certains regroupements intermédiaires entre le facteur g et les différents facteurs spécifiques suggérés par Spearman. Passant en revue l'ensemble des travaux de recherche effectués dans cette optique, Carroll (1993) relève que les différents tests permettent de définir plus de 70 habiletés différentes qu'on peut disposer en hiérarchie ayant au sommet un facteur g et différents regroupements de plus en plus spécifiques. D'après Neisser *et al.* (1996), cette approche hiérarchique, dont le modèle de Spearman peut être considéré comme l'ancêtre, constituerait la conception la plus largement acceptée actuellement de la façon dont sont structurées les diverses habiletés mesurables par les différents tests existants.

7.3 L'intelligence du point de vue développemental

Un certain nombre d'auteurs se sont intéressés à l'intelligence sous l'angle développemental, c'est-à-dire à la façon dont se construisent les structures intellectuelles, de la naissance à l'âge adulte. Nous verrons d'abord le modèle de Piaget, la théorie de l'intelligence considérée jusqu'à il n'y a pas si longtemps comme la plus complète, et nous aborderons ensuite sommairement les autres modèles développementaux.

7.3.1 Le modèle de Piaget

Biologiste de formation, le psychologue suisse Jean Piaget considère l'intelligence comme une capacité générale permettant l'adaptation. Cette notion d'adaptation se retrouve aussi au cœur de la théorie de Sternberg pour qui la capacité à résoudre des problèmes permet précisément à l'organisme de s'adapter. Toutefois, au lieu de chercher à décrire comment fonctionne la résolution de problèmes chez l'adulte, ce que fait Sternberg, Piaget a plutôt abordé cette capacité d'adaptation sous l'angle développemental. Pour lui, le concept de **schème** est au cœur du développement de l'intelligence, laquelle se construit à travers l'élaboration de schèmes plus complexes et abstraits au moyen de trois mécanismes de base de l'adaptation : l'assimilation, l'accommodation et l'équilibration. La réorganisation des schèmes qui découle de l'action de ces mécanismes donne ainsi lieu à un développement en quatre grands stades.

Le concept de schème

La notion de schème a été formulée de multiples façons. Nous retiendrons ici celle de Bee (2008) pour qui le schème est une « structure cognitive interne qui fournit à l'individu une procédure à suivre dans une circonstance donnée » (p. 23) ; le schème peut être sensoriel, moteur ou mental. L'enfant possède dès sa naissance un certain nombre de schèmes fondamentaux, qu'il s'agisse de schèmes sensoriels tels que goûter et sentir, ou encore de schèmes moteurs tels que téter et refermer la main. Les premiers schèmes de l'enfant sont de nature réflexe, mais ils vont graduellement se modifier au contact de l'environnement, et d'autres vont s'y ajouter. C'est ainsi que vont se développer des schèmes mentaux tels que comparer des objets et établir des catégories, pour en arriver à des schèmes beaucoup plus complexes tels qu'effectuer des raisonnements à partir d'hypothèses.

Trois mécanismes de base de l'adaptation : l'assimilation, l'accommodation et l'équilibration

Au cours du développement, les schèmes sont l'objet d'une réorganisation constante sous l'action des mécanismes que sont l'assimilation et l'accommodation, cette action étant elle-même régulée par l'équilibration qui s'effectue continuellement entre assimilation et accommodation.

L'assimilation Le comportement d'alimentation, un phénomène biologique, peut servir d'exemple pour aider à comprendre ce que Piaget — biologiste de formation — entend par *assimilation*. Ainsi, un peu comme l'assimilation consiste, sur le plan biologique, à transformer la nourriture pour l'intégrer à ses structures préexistantes, de façon analogue, mais sur le plan cognitif, l'**assimilation** consiste à intégrer les nouveaux éléments d'information ou expériences aux schèmes déjà existants. Lorsque l'enfant se met à téter un biberon comme il le fait avec un mamelon, il assimile le biberon à un mamelon, c'est-à-dire qu'il le traite « comme s'il » s'agissait d'un mamelon. L'enfant qui fait semblant de nourrir sa poupée ou de conduire son camion d'incendie, l'adolescent qui applique à son nouveau jeu vidéo les mêmes stratégies qu'il utilisait avec son ancien jeu, le cégépien qui se donne un horaire d'étude semblable à celui qu'il avait au secondaire, l'adulte qui explique un problème à partir des mêmes hypothèses que celles qui s'étaient auparavant avérées, ce sont là autant d'exemples d'assimilation d'une situation nouvelle à des schèmes déjà existants.

L'accommodation Lorsqu'on absorbe un aliment, l'organisme doit, pour l'assimiler efficacement, réagir différemment selon les caractéristiques de l'aliment. La sécrétion de la salive et des sucs gastriques, de même que les différentes contractions musculaires des muscles du système digestif ne sont pas exactement les mêmes selon qu'il s'agit, par exemple, d'eau, de jus de fruit, d'un morceau de légume ou de viande. Piaget considère qu'il en est un peu de même des schèmes à l'égard des nouvelles situations et appelle **accommodation** le mécanisme consistant à modifier un schème existant afin de pouvoir y intégrer une nouvelle information (une situation, un objet ou un événement). Lorsque l'enfant modifie son mouvement de succion pour l'ajuster à la tétine d'un biberon, il s'accommode à la nouvelle situation. L'enfant qui ne met pas

---

Schème
Dans la théorie de Piaget, terme utilisé pour décrire les actions fondamentales de la connaissance, comprenant à la fois les actions physiques et les actions mentales.

Assimilation
Dans la théorie de Piaget, mécanisme consistant à intégrer les nouveaux éléments d'information ou expériences aux schèmes déjà existants.

Accommodation
Mécanisme consistant à modifier un schème existant afin de pouvoir y intégrer une nouvelle information.

réellement de nourriture dans la bouche de sa poupée sachant que celle-ci ne pourrait pas avaler fait également preuve d'accommodation, tout comme l'adolescent qui modifie ses stratégies pour son nouveau jeu vidéo parce que les anciennes ne sont plus efficaces, le cégépien qui réorganise son horaire parce que les conditions ne plus les mêmes qu'au secondaire ou encore l'adulte qui modifie ses hypothèses explicatives vis-à-vis d'une nouvelle situation parce qu'il a constaté que les précédentes n'étaient pas appropriées.

L'équilibration D'après ce que nous venons de voir, l'assimilation et l'accommodation exercent des actions complémentaires : alors que l'assimilation réside dans l'intégration de l'environnement aux schèmes existants, l'accommodation consiste dans l'ajustement de ces derniers à l'environnement. Au fur et à mesure que l'enfant est confronté à de nouvelles expériences, les actions combinées de l'assimilation et de l'accommodation entraînent une réorganisation qui se traduit par une succession de déséquilibres et de rééquilibrations des structures cognitives. Cette réorganisation est réglée par un mécanisme d'autorégulation, que Piaget appelle l'**équilibration**, grâce auquel s'opère le processus d'adaptation des structures cognitives à l'environnement ; c'est ce que schématise la figure 7.3. Ainsi, l'interaction constante de l'accommodation et de l'assimilation avec l'environnement permet l'adaptation de schèmes de plus en plus complexes et de moins en moins rattachés à l'aspect moteur et, par là, le développement des structures intellectuelles typiques de l'intelligence.

Équilibration
Mécanisme d'autorégulation de l'assimilation et de l'accommodation entraînant la réorganisation des structures cognitives et grâce auquel s'opère le processus d'adaptation.

| **FIGURE 7.3** | Les mécanismes de base du développement cognitif selon Piaget |

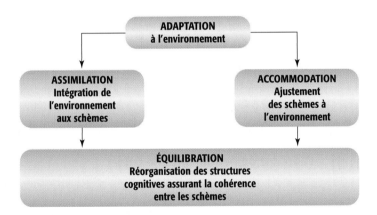

C'est dans la mesure où il y a une équilibration appropriée entre l'action de l'assimilation et celle de l'accommodation que les schèmes peuvent se développer de façon adaptée à l'environnement.

Un développement en quatre stades

Chaque fois que l'individu s'accommode à une nouvelle situation en modifiant un schème, cela entraîne une réorganisation par rapport à l'ensemble des schèmes existants. Parmi les réorganisations qui surviennent au cours du développement cognitif, Piaget en distingue trois particulièrement significatives. Celles-ci constituent trois transitions importantes qui conduisent à définir quatre grands stades, ceux-ci survenant dans le même ordre pour tous les individus : le stade sensorimoteur, le stade préopératoire, le stade opératoire concret et le stade opératoire formel. Même si chacun d'eux comprend, d'après Piaget, différents sous-stades, nous n'allons présenter ici que les quatre grands.

5. Selon Piaget, le développement des structures intellectuelles s'effectue à travers quatre stades qui surviennent dans un ordre immuable.

Pour Piaget, l'ordre des quatre stades serait effectivement toujours le même, bien que cela ait été contesté par d'autres auteurs.

Stade sensorimoteur

Dans la théorie de Piaget, stade caractérisé par une prise de connaissance de l'environnement essentiellement basée sur l'action et les impressions sensorielles.

Le stade sensorimoteur C'est dès le **stade sensorimoteur** que commencent à se développer les structures cognitives qui vont donner lieu à cette capacité d'adaptation qui, selon Piaget, constitue l'intelligence. S'étendant sur une période qui va de la naissance aux environs de 18 mois à 2 ans, ce stade est caractérisé par une prise de connaissance de l'environnement au moyen de schèmes basés sur l'action et les impressions sensorielles.

Parmi les schèmes qui, pour Piaget, constituent le point de départ de la capacité d'adaptation, on trouve celui associé au réflexe de succion, mouvement de tétée qui se déclenche automatiquement lorsque les lèvres du nouveau-né viennent en contact avec un objet. Au début, il s'agit habituellement du sein de la mère, ou encore du biberon, mais rapidement l'enfant en vient à appliquer ce schème de succion à son pouce. En traitant son pouce un peu «comme si» c'était un mamelon, il l'assimile au schème «sucer un objet» mais, en même temps, il doit s'y accommoder, le pouce n'ayant pas les mêmes caractéristiques que le sein ou le biberon. Le même phénomène se passe avec d'autres réflexes, comme celui de la préhension où l'enfant apprendra graduellement, encore là en combinant l'assimilation et l'accommodation, à saisir des objets de plus en plus variés, ce qui lui permettra de s'adapter à un nombre de plus en plus grand de situations.

Permanence de l'objet

Dans la théorie de Piaget, notion selon laquelle un objet continue d'exister même s'il n'est plus présent dans le champ perceptif du sujet.

L'adaptation à l'environnement qui s'opère grâce au jeu entre assimilation et accommodation amènera l'enfant à développer le schème correspondant à la **permanence de l'objet**, c'est-à-dire à la notion qu'un objet continue d'exister même s'il n'est plus présent dans le champ perceptif. C'est aux alentours de huit ou neuf mois que cette notion est acquise. Piaget a en effet constaté que, si un enfant âgé de moins de huit ou neuf mois tend la main vers un jouet (comme dans la figure 7.4a) et qu'on cache alors l'objet derrière un écran (comme dans la figure 7.4b), l'enfant arrête son mouvement, «comme si» l'objet n'existait plus pour lui. Par contre, placé dans la même situation, un enfant

| FIGURE 7.4 | L'absence de permanence de l'objet |

En **a**, l'enfant cherche à toucher le jouet devant lui ; toutefois, si l'on interpose un écran qui cache le jouet de sa vue, comme en **b**, l'enfant qui n'a pas acquis la permanence de l'objet se désintéresse du jouet et réagit comme si ce dernier n'existait plus.

âgé de neuf mois ou plus tend à regarder derrière l'écran. Pour lui, l'objet n'a pas disparu : l'enfant a développé le schème correspondant à la permanence de l'objet.

Le stade préopératoire Vers la fin du stade sensorimoteur, c'est-à-dire vers 18 mois jusqu'à 2 ans, survient une première réorganisation importante des schèmes cognitifs qui entraînera la transition vers le deuxième grand stade défini par Piaget. En effet, la notion d'objet qui s'est développée au cours du stade précédent conduira à l'apparition de la **pensée symbolique**, c'est-à-dire la capacité de se représenter un objet ou un concept par un symbole. Caractérisant le **stade préopératoire** qui s'étend de la fin du sensorimoteur jusque vers cinq ou six ans, la pensée symbolique se développera de concert avec l'apparition du langage, lequel est précisément basé sur la capacité de représenter des objets ou des concepts à l'aide des symboles que sont les mots.

Parmi les phénomènes traduisant la pensée symbolique, un des plus représentatifs est l'égocentrisme intellectuel dont une manifestation particulière est l'animisme. Ces phénomènes sont définis ci-dessous et accompagnés d'exemples.

- **L'égocentrisme intellectuel** consiste dans la tendance à voir les choses uniquement de son point de vue, sans se rendre compte qu'il en existe d'autres.

  Exemples :

Questions posées à l'enfant	Réponses de type égocentrique
Pourquoi le soleil se couche-t-il ?	Pour que je puisse dormir.
Pourquoi fait-il beau aujourd'hui ?	Pour que je puisse aller me baigner à la plage.

- **L'animisme**, une forme particulière d'égocentrisme intellectuel, consiste dans la tendance à prêter aux objets ou aux événements des caractéristiques humaines (sentiments, intentions, humeur, conscience).

  Exemples :

Questions posées à l'enfant	Réponses de type animiste
Pourquoi le soleil se couche-t-il ?	Parce qu'il est fatigué.
Pourquoi le soleil brille-t-il aujourd'hui ?	Parce qu'il est content.

Ce qu'il convient ici de noter, ce n'est pas tant l'inexactitude des réponses fournies par l'enfant du stade préopératoire que sa capacité à imaginer une situation pour expliquer un phénomène.

L'égocentrisme intellectuel de l'enfant préopératoire peut être démontré par un test très simple. On place l'enfant dans la situation illustrée par la figure 7.5a (*page 238*), de façon qu'un objet (l'arbre, dans ce cas-ci) soit partiellement caché à sa vue par un autre objet (la maison). L'enfant préopératoire, à qui l'on présente les deux dessins illustrés en 7.5b en lui demandant de désigner lequel représente ce que voit l'adulte (c'est-à-dire le dessin A), choisit le dessin B parce qu'il est incapable de se représenter un autre point de vue que le sien.

Même à l'intérieur de son propre point de vue, l'enfant ne peut considérer qu'un seul aspect à la fois, ce qu'on peut illustrer dans l'épreuve des transvasements. On remplit d'abord de jus deux verres de forme identique, comme dans la figure 7.6a (*page 238*), et on convient avec l'enfant qu'il y a autant de jus dans les deux verres. Si ensuite on transvase le contenu de l'un des verres dans un autre qui est plus mince, comme dans la figure 7.6b, et qu'on demande à l'enfant du stade préopératoire s'il y a encore autant de jus dans les deux verres, l'enfant répondra habituellement qu'il y en a plus dans le verre où le niveau de jus est le plus élevé ; il se peut, si on a choisi un verre très mince, qu'il réponde qu'il y a moins de jus dans le verre mince mais, quelle que soit sa réponse, il affirmera que la quantité n'est pas la même dans les deux verres. Pour Piaget, cela vient de ce que l'enfant est incapable de combiner adéquatement les deux dimensions

Pensée symbolique
Capacité de se représenter un objet ou un concept par un symbole.

Stade préopératoire
Dans la théorie de Piaget, stade caractérisé par l'apparition de la pensée symbolique, c'est-à-dire la capacité de se représenter un objet ou un concept par un symbole.

Égocentrisme intellectuel
Dans la théorie de Piaget, phénomène selon lequel l'enfant a tendance à voir les choses uniquement de son point de vue, sans se rendre compte qu'il en existe d'autres.

Animisme
Selon la théorie de Piaget, forme particulière d'égocentrisme intellectuel où l'enfant a tendance à prêter aux objets ou aux événements des caractéristiques humaines (sentiments, intentions, humeur, conscience).

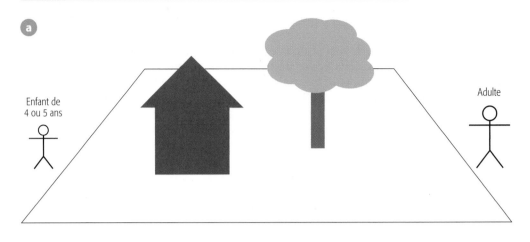

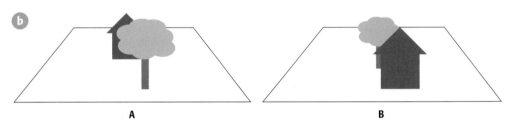

FIGURE 7.5 — L'égocentrisme intellectuel de l'enfant préopératoire

a

Enfant de 4 ou 5 ans

Adulte

b

A

B

 Une situation type utilisée pour démontrer l'égocentrisme intellectuel : après avoir placé deux objets sur une table, on place l'enfant d'un côté de cette dernière (par exemple, du côté où la maisonnette est plus près de lui et cache partiellement l'arbre), l'adulte se tenant de l'autre côté de la table. Les dessins présentés à l'enfant en lui demandant ce que voit l'adulte : l'enfant préopératoire choisit l'image B, parce que c'est ce que «lui» voit.

FIGURE 7.6 — L'épreuve des transvasements : le comportement préopératoire versus le comportement opératoire

Après avoir admis que les deux verres contiennent la même quantité de jus, la fillette au stade préopératoire, à qui l'on demande si les deux verres présentés en **b** contiennent la même quantité de jus, pointe le verre dans lequel la hauteur du liquide est la plus élevée : se centrant sur la dimension «hauteur», elle considère que ce verre «contient plus de jus». En **c**, le garçonnet indique, sous l'œil amusé de la fillette convaincue que le garçon se trompe, que les deux verres contiennent la même quantité de liquide : plus âgé et déjà au stade opératoire, le jeune garçon est en mesure de tenir compte des deux dimensions qui sont ici la hauteur et la largeur.

(hauteur et largeur) pour comprendre que la quantité a été conservée : il établit son jugement en ne se basant que sur une dimension à la fois, ce que Piaget a appelé la **centration** perceptive. Pour Piaget, c'est principalement le phénomène de centration qui empêche l'enfant d'avoir accès à la pensée opératoire qui apparaît au stade suivant.

Le stade opératoire concret Un premier phénomène qui caractérise l'entrée dans le stade opératoire concret consiste dans le fait que l'enfant est maintenant capable de se représenter un autre point de vue que le sien. Dans la figure 7.5, par exemple, il est en mesure de choisir le dessin B comme représentant le point de vue de l'adulte. Même à l'intérieur de son propre point de vue, il est maintenant en mesure de se décentrer, c'est-à-dire de ne pas se centrer sur un seul aspect et de tenir compte de plus d'un aspect à la fois. Par exemple, si l'on effectue l'épreuve des transvasements, cette fois avec un enfant de sept ans ou plus, comme dans la figure 7.6c, ce dernier répondra sans hésiter que la quantité de jus est la même dans les deux verres. Il expliquera sa réponse en disant quelque chose comme : « Même si ça monte plus haut dans un verre, il est plus mince, donc ça reste pareil ». Pour Piaget, l'enfant a alors atteint le **stade opératoire concret**, qui s'étend d'environ 7 ans à 12 ans.

Ce stade est caractérisé par la **réversibilité**, c'est-à-dire la capacité de comprendre qu'une transformation peut être annulée par une transformation inverse, ce qui permet de revenir au point de départ ; par exemple, une transformation « plus haut – moins large » peut être annulée par la transformation inverse « moins haut – plus large ». L'enfant étant ainsi capable d'effectuer mentalement l'opération qui lui permet de comprendre cette transformation — d'où le terme « opératoire » qualifiant ce stade — il a désormais acquis ce que Piaget appelle la notion de **conservation**, c'est-à-dire la notion selon laquelle une quantité donnée peut demeurer la même, malgré les transformations qu'elle subit.

En fait, comme l'a observé Piaget à la suite d'une série d'expériences devenues classiques, la conservation n'est pas acquise par rapport à tous les aspects du monde physique en même temps. Qui plus est, la séquence selon laquelle sont acquises les différentes conservations est la même pour tous les enfants, et ce, même si l'âge peut varier ; cette séquence, avec les âges approximatifs, est la suivante :

1. Conservation des **liquides** : acquise aux alentours de **6 ou 7 ans** — C'est l'étape décrite plus haut, où l'enfant comprend qu'une quantité donnée de liquide demeure la même, quelle que soit la forme du contenant.

2. Conservation de la **substance** : acquise aux alentours de **7 ou 8 ans** — Assez étonnamment, un enfant peut avoir compris qu'une quantité de liquide demeure la même, quelle que soit la forme du contenant, mais il peut néanmoins être incapable d'effectuer une opération mentale similaire quand il s'agit d'une substance non liquide. Si, par exemple, on lui présente deux boules de pâte à modeler, comme dans la figure 7.7a (*page 240*), et qu'il reconnaît qu'il y a autant de pâte dans l'une que dans l'autre, il suffit de changer la forme d'une des deux boules, comme dans la figure 7.7b, pour que l'enfant dise que la quantité n'est plus la même dans les deux cas : on dit alors qu'il n'a pas encore acquis la conservation de la substance.

3. Conservation du **poids** : acquise aux alentours de **9 ou 10 ans** — Comme pour l'étape précédente, un enfant peut avoir acquis la conservation de la substance sans toutefois avoir compris que le poids se conserve lui aussi. Ainsi, l'enfant qui n'a pas acquis la conservation du poids pourra admettre que les deux boules de la figure 7.7a pèsent la même chose, mais considérera que ce n'est plus le cas si l'une a été étirée en saucisse comme dans la figure 7.7b.

4. Conservation du **volume** : acquise aux alentours de **11 ou 12 ans** — La dernière conservation mise en évidence par Piaget est celle du volume. Ainsi, tout en reconnaissant que les deux boules de pâte de la figure 7.7a déplaceront la même quantité d'eau si on les plonge dans un grand bol d'eau, l'enfant qui n'a pas acquis la conservation du volume considérera qu'une fois transformée en saucisse comme dans la figure 7.7b, la boule de pâte de droite déplacera moins d'eau !

Centration
Phénomène par lequel l'enfant établit son jugement en ne se basant que sur une dimension à la fois.

Stade opératoire concret
Dans la théorie de Piaget, stade caractérisé par l'apparition de la réversibilité appliquée à des situations concrètes, ce qui permet l'acquisition de la notion de conservation.

Réversibilité
Dans la théorie de Piaget, capacité de comprendre qu'une transformation peut être annulée par la transformation inverse, ce qui permet de revenir au point de départ.

Conservation
Dans la théorie de Piaget, notion selon laquelle une quantité donnée demeure la même, malgré les transformations qu'elle subit.

ⓐ On donne à l'enfant de la pâte à modeler et on lui demande de faire deux boules contenant la même quantité de pâte, de façon à ce qu'il ait «la même chose dans son ventre» s'il les mangeait. **ⓑ** Après avoir demandé à l'enfant de rouler une des boules en forme de saucisse, on lui demande s'il aurait «la même chose à manger»: l'enfant au début du stade opératoire concret considère qu'il en aurait «plus à mettre dans son ventre» avec la boule qu'avec la saucisse, et ce, même s'il était en mesure de donner la bonne réponse dans l'épreuve des transvasements illustrée dans la figure 7.6 (*page 238*).

Sériation
Capacité d'ordonner des éléments selon une dimension donnée.

Classification
Capacité de répartir des objets dans plusieurs classes.

Stade opératoire formel
Dans la théorie de Piaget, stade caractérisé par la capacité de raisonner de façon hypothético-déductive, c'est-à-dire de tirer une conclusion à partir de situations hypothétiques non directement représentées.

Raisonnement hypothético-déductif
Forme de raisonnement consistant à tirer une conclusion à partir de situations hypothétiques non directement représentées.

Induction
Forme de raisonnement consistant à inférer, à partir de cas particuliers, une règle générale.

Les notions de conservation ne sont pas les seules qui sont acquises au cours du stade opératoire concret. La **sériation**, c'est-à-dire la capacité d'ordonner des éléments selon une dimension donnée — par exemple, ordonner des blocs d'après leur hauteur — et la **classification**, c'est-à-dire la capacité de répartir des objets dans plusieurs classes — par exemple, classer des objets d'après leur couleur —, sont quelques-unes des autres notions qui sont acquises au cours de ce stade. Quelles que soient cependant les notions considérées, leur compréhension demeure liée au fait que la situation à partir de laquelle l'enfant doit raisonner est de nature concrète, d'où le qualificatif «concret» donné à ce stade par Piaget. C'est au cours du dernier stade que l'enfant pourra s'affranchir de cette limitation...

Le stade opératoire formel Dernier stade, le **stade opératoire formel**, qui débute vers l'âge de 12 ans et s'étend jusqu'à l'âge adulte, est caractérisé par le **raisonnement hypothético-déductif**, c'est-à-dire la capacité de tirer une conclusion à partir de situations hypothétiques non directement représentées. Autrement dit, l'enfant devient capable de raisonner à partir d'idées et non seulement d'objets réels et concrets.

La différence par rapport au stade précédent peut aisément être illustrée en comparant les deux situations présentées dans la figure 7.8. Les deux parties de la figure posent fondamentalement le même problème mais, alors que les données du problème sont présentées de façon visuelle, c'est-à-dire concrète, en 7.8a, elles sont énoncées verbalement en 7.8b. En conséquence, l'individu qui n'a pas atteint le stade opératoire formel est incapable de se représenter mentalement une situation purement hypothétique, alors qu'il le fait très rapidement en 7.8a. Et même pour celui qui en est au stade formel, il faut un certain effort de représentation pour répondre en 7.8b, et la réponse ne vient pas aussi rapidement que si la question avait été formulée à partir de la figure 7.8a.

Le raisonnement par déduction que l'enfant apprend à maîtriser au stade formel s'ajoute à une autre forme de raisonnement qu'il utilisait déjà, l'induction. Dans les deux cas, l'individu part de prémisses pour en inférer, c'est-à-dire en tirer une conclusion, mais la démarche d'inférence ne procède pas dans le même sens pour l'un et l'autre des raisonnements. L'**induction** consiste à inférer, à partir de cas particuliers,

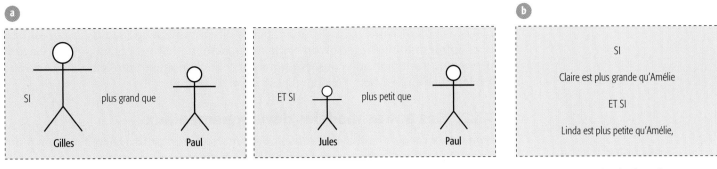

Un individu du stade opératoire concret pourra facilement répondre à la question posée en **ⓐ**, mais il sera incapable de raisonner correctement dans le cas de la question posée en **ⓑ** alors que c'est le même type de relation qui est en jeu.

une règle générale, comme dans l'exemple de la figure 7.9a; lorsqu'un chercheur part de données qu'il a recueillies dans sa recherche pour en inférer une règle générale, il procède par induction. En revanche, la **déduction** consiste à inférer, à partir d'une règle générale, des conclusions portant sur des cas particuliers, comme dans l'exemple de la figure 7.9b; c'est ce que fait le scientifique lorsqu'il part d'une loi générale pour prédire les résultats qu'il devrait obtenir dans sa collecte de données. Il y a lieu de souligner que c'est par induction que se forment les préjugés. C'est ce que nous faisons par exemple lorsque nous considérons les personnes d'un groupe ethnique donné comme des terroristes potentiels simplement parce que deux individus de ce groupe ont commis un acte de terrorisme.

Déduction
Forme de raisonnement consistant à inférer, à partir d'une règle générale, des conclusions portant sur des cas particuliers.

FIGURE 7.9   Les deux formes du raisonnement hypothético-déductif

ⓐ

| **CAS PARTICULIER** Jules a 8 ans et a acquis la conservation de la substance. | **CAS PARTICULIER** Charles a 8 ans et a acquis la conservation de la substance. |

RÈGLE GÉNÉRALE Habituellement, les enfants de 8 ans ont acquis la conservation de la substance.

} INDUCTION

ⓑ

RÈGLE GÉNÉRALE Habituellement, un enfant de 8 ans a acquis la conservation de la substance.

| **CAS PARTICULIER** Annie a 8 ans. Donc, Annie a probablement acquis la conservation de la substance. | **CAS PARTICULIER** Steve a 8 ans. Donc, Steve a probablement acquis la conservation de la substance. |

} DÉDUCTION

ⓐ Dans l'induction, le raisonnement est une généralisation consistant à inférer une règle générale à partir de l'observation de cas particuliers. **ⓑ** Dans la déduction, au contraire, le raisonnement part d'une règle générale servant à inférer des conclusions portant sur des cas particuliers.

Le stade opératoire formel est le moins étudié par Piaget, et c'est surtout pour ses travaux de recherche concernant les stades précédents que sa théorie est devenue célèbre. Un dernier point mérite d'être souligné en terminant : grâce à ses études sur la façon dont se développent les structures intellectuelles depuis les débuts de la vie, Piaget a démontré que le jeune enfant pense différemment de l'adulte, ce qui est particulièrement frappant lorsqu'on compare la façon de raisonner d'un enfant n'ayant pas acquis les notions de conservation avec celle d'un enfant qui les a acquises. Sur le plan cognitif, l'enfant n'est donc pas « un petit adulte ».

7.3.2 Les autres modèles développementaux

Bien que le modèle de Piaget soit le plus connu, plusieurs autres chercheurs ont tenté d'expliquer l'intelligence sous l'angle développemental. Il n'est pas question ici de faire le tour de ces explications, mais simplement de signaler quelques-unes des idées qu'on y retrouve, pour témoigner de la recherche qui se poursuit activement dans ce sens. On y distingue, entre autres, les différentes approches néopiagétiennes ainsi que l'approche socioculturelle de l'intelligence.

Les différentes approches néopiagétiennes

Les auteurs s'inscrivant dans cette approche partagent l'idée de Piaget selon laquelle l'intelligence est basée sur des structures cognitives qui se construisent par interaction avec l'environnement. Ils visent néanmoins à répondre à certaines critiques qui ont été adressées au modèle de Piaget, parmi lesquelles nous pouvons signaler les points suivants :

- Certains concepts seraient acquis de façon beaucoup plus précoce que ne le permettraient les structures selon le modèle piagétien.
- L'écart entre l'atteinte des sous-stades varie beaucoup d'un individu à l'autre : par exemple, l'écart entre l'acquisition de la consevation de la matière et celle du volume peut varier de façon importante d'un individu à l'autre.
- L'ordre même d'atteinte des sous-stades ne serait pas forcément le même pour tous : par exemple, un individu pourra acquérir la conservation de la substance avant celle des liquides.
- Le stade formel ne serait pas le dernier stade de développement cognitif.
- Piaget n'a pas tenu compte des concepts étudiés par l'approche cognitive dans le cadre des processus à l'œuvre dans le traitement de l'information.

Les théories néopiagétiennes qui ont été proposées visent à conserver les points forts de la théorie de Piaget, tout en évitant les faiblesses qui lui ont été reprochées. À titre illustratif, nous en mentionnons ci-après quelques-unes.

D'après la théorie des opérateurs constructifs de Pascual-Leone, le développement des différents stades cognitifs s'expliquerait par une augmentation de la capacité d'attention mentale qui permettrait à l'enfant d'élargir sa mémoire de travail et ainsi prendre de plus en plus d'aspects en considération devant une situation (Pascual-Leone, 1970). Cette capacité d'attention élargie pourrait contribuer à expliquer comment un enfant en arrive à acquérir la conservation : il peut tenir compte de plus d'un aspect perceptif et, de là, comprendre par exemple qu'un verre plus étroit où le niveau du liquide est plus élevé peut contenir la même quantité qu'un autre verre plus large où le liquide monte moins haut.

Par ailleurs, le modèle de Robbie Case suggère que ce serait plutôt l'automatisation des opérations de base dans les différents domaines qui permettrait de réussir d'autres tâches. Une fois acquise la conservation des liquides, par exemple, les opérations mentales qui y sont liées s'effectueraient automatiquement et l'enfant serait alors en mesure de consacrer ses ressources cognitives à l'acquisition d'autres formes de conservation (Case ; 1980, 1987).

D'autres théories telles que le structuralisme «expérientiel» de Demetriou, la théorie des *skills* de Fisher ainsi que les modèles mentaux d'Halford constituent, avec celles de Pascual-Leone et de Case, des théories majeures parmi les approches néopiagétiennes, mais nous ne les présenterons pas ici. Les quelques idées présentées plus haut suffisent à illustrer les avenues actuellement explorées par ces différentes approches.

L'approche socioculturelle de l'intelligence

Une autre critique formulée à l'endroit de la théorie de Piaget est celle d'avoir peu tenu compte du rôle de l'éducation et de la culture, ce sur quoi met l'accent une autre approche développementale, l'approche socioculturelle. Pour les tenants de cette dernière, la façon dont se développe l'intelligence est intimement liée au contexte social, particulièrement sur le plan culturel.

Vygotsky (1896-1934), un Russe qui a grandi dans un contexte politique marqué par la philosophie marxiste, est un des auteurs marquants de cette approche. Dans un de ses postulats, il affirmait que «la personne humaine est le produit d'une société donnée dont les outils culturels, symboliques et matériels contribuent à former la pensée et la conscience individuelle» (Larivée, 2007, p. 252). Vygotsky met également l'accent sur la participation active de l'enfant à son développement cognitif à travers ses interactions sociales.

L'approche socioculturelle n'est pas la seule à prendre en considération le contexte, mais c'est elle qui lui donne la place la plus importante, insistant sur le rôle fondamental de la culture dans le développement de la pensée, et ce, même si ce rôle varie selon les auteurs. Réciproquement, la plupart de ces derniers soulignent l'importance d'avoir développé la pensée propre à un contexte culturel donné pour pouvoir s'y adapter. Les tenants de cette approche font d'ailleurs partie de ceux qui ont reproché aux tests de QI classiques leur caractère artificiel par rapport au contexte quotidien.

7.4 L'intelligence du point de vue psychobiologique

Les chercheurs qui s'intéressent à l'intelligence sous l'angle psychobiologique essaient de découvrir les corrélats biologiques de l'intelligence, c'est-à-dire les structures et les mécanismes biologiques qui sont responsables du fonctionnement intellectuel. Dans l'ensemble, plusieurs d'entre eux cherchent en fait à découvrir à quoi correspond, sur le plan biologique, le facteur *g* postulé par Spearman (Gendreau & Larivée, 2007 ; Mackintosh, 2004). La stratégie principale adoptée consiste à tenter de déterminer des caractéristiques biologiques qui seraient en corrélation avec l'intelligence dans l'espoir de découvrir un processus unique qui serait à l'œuvre dans tous les aspects de l'intelligence. Parmi les aspects étudiés, on peut distinguer les caractéristiques anatomiques et les caractéristiques physiologiques.

7.4.1 Les caractéristiques anatomiques

Une des caractéristiques les plus souvent mentionnées en ce qui a trait à l'intelligence est la grosseur du cerveau. D'abord mesurée par la circonférence du crâne, on l'a ensuite évaluée à partir de mesures prises directement sur le cerveau d'hommes décédés, ou encore en se servant de techniques telles que l'imagerie par résonance magnétique (IRM) et la tomographie axiale (TA). C'est ainsi que la taille du cerveau d'Einstein, mesurée après la mort du génial physicien, s'est avérée en fait légèrement inférieure à celle du cerveau moyen! On sait de plus que le cortex des femmes contient en moyenne quatre milliards de neurones de moins que celui des hommes, et pourtant, nous y reviendrons plus loin, il n'y a pas de différence globale entre le QI moyen des femmes et celui des hommes. De toute évidence, même si certaines études ont trouvé chez l'humain une corrélation — faible par ailleurs — entre grosseur du cerveau et QI, cette caractéristique ne dit pas grand-chose concernant le niveau d'intelligence d'un individu (Gendreau & Larivée, 2007 ; Mackintosh, 2004).

On a également étudié le rapport entre la grosseur du cerveau et l'intelligence chez l'humain et d'autres espèces. Toutefois, des mammifères comme la baleine ou encore l'éléphant ayant des cerveaux nettement plus gros que l'humain, ce n'est pas le simple volume du cerveau qu'on a considéré, mais ce volume en proportion avec celui de l'ensemble du corps. L'humain se retrouvant néanmoins avec un cerveau proportionnellement moins gros que celui de rongeurs tels que l'écureuil ou la musaraigne, on a alors compliqué le calcul des parties du cerveau à prendre en considération et on a fini par déterminer un « indice de céphalisation » où l'humain se retrouvait enfin au-dessus des rongeurs ! Encore là, il s'agit de résultats peu convaincants qui ne renseignent pas beaucoup sur les corrélats biologiques de l'intelligence.

En somme, plutôt que la grosseur du cerveau, c'est « le nombre et la qualité des connexions neuronales, de même que la facilité avec laquelle de nouvelles connexions s'établissent, qui déterminent en grande partie les dispositions intellectuelles des individus » (Gendreau & Larivée, 2007, p. 51). Cela dit, Nimchinsky *et al.* (1999) rapportent avoir découvert un nouveau type de neurone qui n'existerait que dans le cerveau des primates les plus évolués que sont l'orang-outan, le gorille, le chimpanzé et l'homme. Qui plus est, ces neurones se retrouveraient dans une région du néocortex qui module plusieurs fonctions cognitives et émotionnelles (Bush, Luu, & Posner, 2000). Reste à savoir ce que donnera cette piste…

Testez vos connaissances

6. C'est la grosseur du cerveau qui détermine les capacités intellectuelles des individus.

Il semble que ce soit plutôt le nombre et la qualité des connexions neuronales, de même que la facilité avec laquelle les connexions peuvent s'établir qui déterminent les dispositions intellectuelles des individus.

7.4.2 Les caractéristiques physiologiques

Il s'agit ici de caractéristiques concernant la façon dont fonctionne le cerveau. Les principales tentatives pour trouver un lien entre de telles caractéristiques et l'intelligence ont consisté à chercher des différences entre l'activité électrique du cerveau et le niveau d'intelligence mesuré par le QI.

Certaines études ont enregistré l'EEG chez des sujets dotés de QI différents, selon qu'ils étaient dans un état de repos ou qu'ils effectuaient une tâche telle qu'un calcul mental. On a ainsi observé que les ondes cérébrales des sujets dotés d'un QI plus élevé présentaient une fréquence plus rapide au repos et variaient moins quand ils effectuaient la tâche demandée (Giannitrapani, 1985). Quoique intéressants à priori, de tels résultats demeurent difficiles à interpréter, d'autant plus que le type de résultats observés varie selon l'emplacement des électrodes sur le crâne et selon la bande des fréquences utilisées (Mackintosh, 2004).

À la différence des études visant à comparer l'activité électrique du cerveau dans certains états, d'autres se sont appliquées à observer cette même activité en réaction à certains stimuli. La procédure typique consiste ici, après avoir installé un sujet dans une pièce calme et faiblement éclairée, à lui présenter de brefs flashs lumineux ou à lui faire entendre des sons brefs, puis à enregistrer le potentiel évoqué (PE), c'est-à-dire le potentiel d'action mesuré à la suite de ces stimuli. On cherche alors si des individus de QI différents présenteront des différences quant au temps de réaction ou à la forme des tracés observés ; la figure 7.10 fournit des exemples de résultats obtenus par Ertl et Schafer (1969), qui ont été parmi les premiers à mener ce type de recherche.

FIGURE 7.10   Les corrélats physiologiques du QI

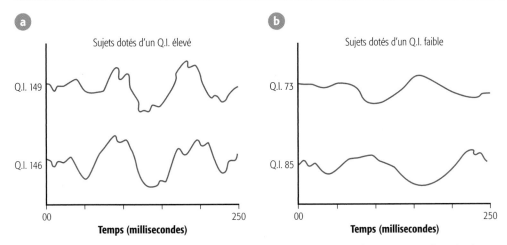

Des différences de potentiel observées par Ertl et Schafer (1969) en réaction à la présentation d'un stimulus visuel bref chez des sujets possédant un QI élevé **a** en comparaison avec des sujets possédant un QI faible **b**. (Résultats rapportés par Mackintosh, 2004, p. 285).

Différentes corrélations ont été rapportées entre le QI et plusieurs de ces mesures ; certaines de ces corrélations étaient faibles, d'autres fortes, certaines positives, d'autres négatives, plusieurs d'entre elles semblant même se contredire. Devant un tel état de choses, Mackintosh (2004) considère que ces recherches n'ont guère contribué à faire avancer les connaissances à propos de la nature biologique de l'intelligence, ou du facteur g en particulier. Tout au plus suggèrent-elles, de concert avec les autres études menées dans cette approche, que l'intelligence est vraisemblablement fonction de la transmission rapide et précise de l'information à travers le système nerveux central.

7.5   Les déterminants de l'intelligence

Aborder la question des déterminants de l'intelligence, c'est se demander dans quelle mesure cette dernière est déterminée par la génétique ou l'environnement. Il s'agit là d'une question sous-jacente, sinon explicitement abordée, dans la plupart des approches de l'intelligence. Or, déjà complexe à étudier du fait qu'il est très difficile — sinon physiquement, du moins éthiquement — d'utiliser l'expérimentation chez l'humain, c'est-à-dire de manipuler à volonté les gènes et l'environnement, la question de l'importance relative de la génétique et de l'environnement l'est encore plus lorsqu'on est amené à préciser de quelle intelligence il s'agit : de ce que mesurent les tests de QI ? Des différentes intelligences définies par Gardner ? De celles de Sternberg ? Des stades piagétiens ? Et qu'en est-il de l'« intelligence » des animaux et de leurs capacités d'apprentissage ?

Malgré les difficultés que présente la question, cette dernière mérite qu'on s'y attarde quelque peu, ne serait-ce que pour y apporter certains éléments de réflexion. La recherche ayant établi que la génétique et l'environnement ont tous les deux une influence sur le développement des traits associés à l'intelligence, la question qui se pose est celle concernant le partage des rôles joués par l'une et par l'autre. À cet effet, nous présenterons d'abord certaines données portant sur la génétique et ensuite d'autres données portant sur l'environnement.

Génétique

Terme désignant l'ensemble des gènes provenant des deux parents et regroupés en paires de chromosomes.

7.5.1 La génétique

On entend ici par **génétique** l'ensemble des gènes provenant des deux parents et regroupés en paires de chromosomes. Outre le fait, mentionné précédemment (*voir le point 7.1.2, page 220*), que certaines formes de déficiences peuvent être dues à des gènes défectueux, les données concernant l'influence de la génétique peuvent être regroupées en deux points : les variations entre les individus et les variations entre les sexes.

Les variations entre les individus

Tenant pour acquis que la capacité d'apprendre et de mémoriser reflète, au moins en partie, ce qu'on entend par *intelligence*, une étude classique (Tryon, 1940) a été effectuée sur des rats afin de vérifier si la génétique pouvait jouer un rôle dans la capacité de mémoriser un trajet dans un labyrinthe. On a appris à un groupe de 142 rats issus d'une population normale à trouver le meilleur trajet pour se rendre, à partir d'un point de départ donné, à un endroit où se trouvait de la nourriture ; on a alors constaté, comme l'indique la figure 7.11, que le nombre de fois qu'un rat était entré dans un cul-de-sac avant d'apprendre le trajet sans erreurs variait selon les rats d'une dizaine à près de 200. On a alors fait se reproduire entre eux les rats les plus « brillants », c'est-à-dire ceux qui étaient entrés le moins de fois dans des culs-de-sac, puis on a soumis leurs descendants à la même tâche d'apprentissage, sélectionnant par la suite les plus « brillants » d'entre eux. Après avoir fait de même avec les rats « lents » de la première génération, à savoir ceux qui étaient entrés le plus souvent dans des culs-de-sac, mais en sélectionnant chaque fois les plus lents parmi les descendants, on a constaté, comme le laisse voir la figure 7.11, une nette différence entre la performance d'une descendance par rapport à l'autre : la génétique avait donc joué un rôle !

> **Testez vos connaissances**
>
> 7. **Si après avoir sélectionné les rats mâles et femelles les plus performants pour une tâche d'apprentissage donnée, on les fait se reproduire entre eux et qu'on répète la procédure sur plusieurs générations, leurs descendants finissent par réaliser des performances au-dessus de la moyenne.**
>
> C'est exactement ce qu'a démontré Rosenzweig (1969) avec son expérience impliquant l'apprentissage d'un labyrinthe par des rats.

Même s'il faut demeurer prudent sur la portée de l'expérience menée par Rosenzweig, étant donné qu'il ne s'agit que d'un type d'apprentissage et que l'intelligence est bien davantage qu'une simple question d'apprentissage, la recherche a néanmoins démontré qu'une capacité d'apprendre pouvait être déterminée en bonne partie par la génétique. Évidemment, il aurait été impensable de mener ce type d'expérimentation avec des humains qu'on aurait amenés à se reproduire ensemble en se basant sur le QI plutôt que sur une simple tâche d'apprentissage, comme dans le cas des rats. C'est cette difficulté d'expérimenter en utilisant des sujets humains qui fait que la plupart des études portant sur le lien entre le bagage génétique d'un individu et son niveau d'intelligence sont de nature corrélationnelle : on prend des paires d'individus tels qu'ils existent déjà et on regarde si le degré de ressemblance tend à varier de la même façon sur le plan génétique que sur le plan de l'intelligence.

Les tests de QI étant encore généralement reconnus comme les meilleurs outils fournissant une mesure de l'intelligence, la stratégie typique des études corrélationnelles consiste d'abord à déterminer le QI chez les deux membres de paires d'individus ayant divers degrés de similitude sur le plan génétique :

- des paires de jumeaux monozygotes, également appelés *identiques,* c'est-à-dire provenant d'un même ovule fécondé, ayant donc les mêmes gènes ;
- des paires de jumeaux hétérozygotes, également appelés *non identiques,* c'est-à-dire provenant de deux ovules différents, ayant donc des gènes différents ;

FIGURE 7.11

L'hérédité et l'apprentissage: une étude expérimentale
(Tryon, 1940)

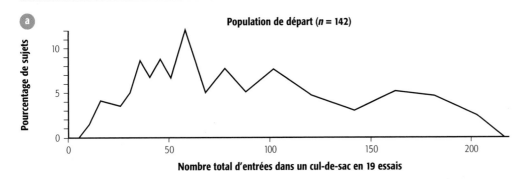

Population de départ (*n* = 142)

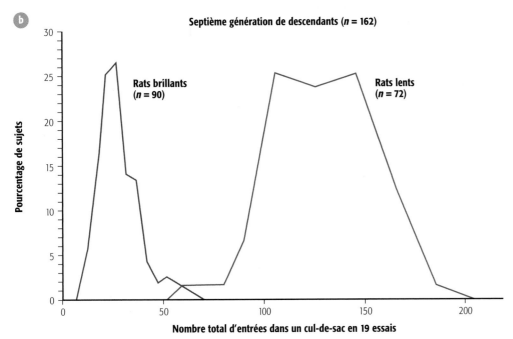

Septième génération de descendants (*n* = 162)

Rats brillants
(*n* = 90)

Rats lents
(*n* = 72)

a La répartition de 142 rats selon le nombre total de fois qu'ils sont entrés dans un des culs-de-sac d'un labyrinthe au cours de 19 essais. **b** La comparaison entre la répartition de 90 rats «brillants» descendant en 7e génération de ceux qui étaient entrés le moins souvent dans les culs-de-sac du labyrinthe et la répartition de 72 rats «lents» descendant de ceux qui étaient entrés le plus souvent dans les culs-de-sac du labyrinthe.

- des paires d'individus partageant les mêmes parents;
- des paires d'individus comprenant un parent et un enfant;
- des paires d'individus n'ayant aucun lien de parenté.

On utilise ensuite une mesure statistique, telle que le coefficient de corrélation variant entre 0 et 1, pour mesurer le degré de similitude sur le plan du QI entre les deux membres d'une même paire.

La figure 7.12 (*page 248*) présente les résultats de centaines d'études résumées par Bouchard et McGue (1981). Comme l'illustre la figure, c'est entre les jumeaux monozygotes que la corrélation est la plus grande, à savoir aux alentours de 0,80. Une telle valeur est très élevée, indiquant que le QI se ressemble beaucoup entre les deux membres d'une paire de jumeaux monozygotes; autrement dit, si l'un des jumeaux a un QI de 110, l'autre jumeau aura un QI dont la valeur sera près de 110, alors que si un jumeau a un QI de 80, celui de l'autre jumeau se rapprochera de 80. Comme permet également de le constater la figure 7.12, le degré de ressemblance du QI est d'autant plus élevé que le lien de parenté génétique est plus grand.

FIGURE 7.12 L'hérédité et l'apprentissage : une étude corrélationnelle

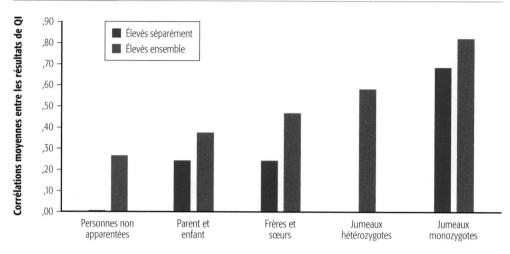

Comme le laisse voir la figure, plus le degré de similitude génétique entre deux individus est grand, plus ces derniers ont des QI qui se ressemblent, le degré de ressemblance le plus élevé étant observé chez les jumeaux monozygotes élevés ensemble.

Héritabilité

Mesure du degré auquel un trait est attribuable à des facteurs génétiques.

Il ressort de l'ensemble des études effectuées en ce domaine que l'influence des gènes contribue de façon substantielle aux différences individuelles dans les tests de QI. Les auteurs utilisent en fait le terme **héritabilité** pour désigner la part attribuable aux facteurs génétiques dans la mesure d'un trait, et la façon dont l'héritabilité est définie statistiquement fait en sorte que sa mesure varie entre 0 et 1 : une valeur égale à 1 indiquerait qu'un trait est entièrement déterminé par la génétique, tandis qu'une valeur égale à 0 signifierait que la génétique n'y jouerait aucun rôle et qu'il est complètement déterminé par l'environnement.

D'après un survol récent effectué par Bouchard (2007), c'est pour les traits intellectuels mesurés par les tests de QI que l'héritabilité est la plus élevée comparativement aux autres grandes catégories de traits individuels que sont les traits de personnalité, les champs d'intérêt, les maladies mentales ainsi que les attitudes sociales. Par ailleurs, l'héritabilité peut varier, notamment selon l'âge. C'est ce qu'on peut constater en consultant le tableau 7.5.

TABLEAU 7.5 La variation de l'héritabilité en fonction de l'âge

Âge	Héritabilité
5	0,22
7	0,40
10	0,54
12	0,85
16	0,62
18	0,82
26	0,88
50	0,85
Plus de 75 ans	0,54 - 0,62

En fait, quand ils s'intéressent à la part jouée par la génétique dans la mesure d'un trait donné tel que, par exemple, l'intelligence mesurée par les tests de QI, les chercheurs utilisent plutôt le terme «héritabilité». Supposons, par exemple, qu'on mesure le QI d'un groupe d'enfants élevés dans un même milieu riche en stimulations: les différences de QI qui seront observées seront attribuées aux différences dans le bagage génétique des individus, et l'importance de ces différences donnera une mesure de l'héritabilité dans ce groupe. Considérons maintenant un autre groupe d'individus qui auraient globalement le même bagage génétique que ceux du groupe précédent, mais qui auraient été élevés dans un milieu extrêmement pauvre en stimulations, comme ce fut longtemps le cas dans les orphelinats: la plupart de ces enfants seront sous-développés sur le plan intellectuel, et on observera moins de variations entre eux, ce qui donnera une mesure d'héritabilité inférieure à celle du groupe précédent. On pourrait ainsi dire que l'héritabilité traduit cette part de potentiel génétique qui a pu effectivement se développer dans le milieu où a grandi un individu, d'où la difficulté de comparer la part de la génétique chez des individus issus de milieux différents.

Les variations entre les sexes

Une autre façon de poser le problème du lien entre la génétique et l'intelligence consiste à comparer le résultat moyen obtenu aux tests de QI par des individus appartenant à différents groupes caractérisés par un aspect donné lié à la génétique, et ce, afin de voir si le QI moyen varie de façon significative d'un groupe à l'autre. À ce sujet, nous nous arrêterons uniquement sur les variations observables entre les sexes.

La plupart des tests de QI n'indiquent pas, globalement parlant, de différence entre les hommes et les femmes (Neisser *et al.,* 1996). Il est vrai que certaines études rapportent une différence entre les sexes, mais le sens de cette différence varie selon l'étude et, de toute façon, l'effet demeure faible (Held *et al.,* 1993; Lynn, 1994). Par contre, des différences systématiques ont été démontrées par rapport à certaines habiletés précises.

Ainsi, les hommes réussissent mieux en moyenne que les femmes dans des tâches visuo-spatiales telles que la rotation mentale de formes tridimensionnelles et la poursuite d'un objet en mouvement (Law, Pellegrino, *& * Hunt, 1993); ils ont également de meilleurs scores dans la portion mathématique du Scholastic Aptitude Test (*voir le point 7.1.4, page 225*). De leur côté, les femmes réussissent mieux dans diverses tâches de nature verbale telles que la génération de synonymes, la facilité à s'exprimer verbalement (*verbal fluency*) et par écrit, ainsi que la lecture et l'épellation (Neisser *et al.,* 1996).

Testez vos connaissances

8. **Il existerait une différence notable entre les hommes et les femmes dans les tâches visuo-spatiales évaluées dans les tests de QI.**

   Même s'il n'y a pas de différence globale sur le plan du QI, les hommes sont en général plus performants dans les tâches visuo-spatiales; par contre, les femmes le sont davantage dans les tâches de nature verbale.

7.5.2 L'environnement

De façon générale, on entend ici par **environnement** le milieu où se développe l'organisme dès sa conception, c'est-à-dire tout ce qui n'est pas les gènes hérités des parents. On peut distinguer l'environnement intra-utérin, les facteurs périnataux ainsi que l'environnement postnatal.

Environnement
Terme désignant le milieu où se développe l'organisme dès sa conception, c'est-à-dire tout ce qui n'est pas les gènes hérités des parents.

L'abus d'alcool durant la grossesse risque d'entraîner le syndrome d'alcoolisation fœtale caractérisé, entre autres, par un retard sur le plan intellectuel.

Photo 7.4

L'environnement intra-utérin

La prise d'alcool par la mère durant la grossesse peut entraîner des problèmes mineurs ou majeurs sur le développement du fœtus. Ainsi, certains peuvent présenter à la naissance le **syndrome d'alcoolisation fœtale**, un ensemble de malformations souvent associées à la consommation élevée d'alcool par la mère durant la grossesse pouvant entraîner, entre autres, des problèmes d'apprentissage et une déficience intellectuelle (*voir la photo 7.4*). Il importe ici de souligner que le syndrome d'alcoolisation fœtale est la cause la plus répandue de déficience intellectuelle en Amérique du Nord (Streissguth *et al.*, 1991).

Un certain effet négatif peut même être associé à la consommation d'une quantité plus faible d'alcool. Ainsi, un groupe de femmes qui consommaient quotidiennement 1,5 onces d'alcool durant la grossesse ont eu des enfants dont le QI était, à l'âge de quatre ans, de cinq points plus faible en moyenne qu'un groupe témoin d'enfants du même âge (Streissguth *et al.*, 1989). L'abus de nicotine et de psychotropes, une mauvaise alimentation de la mère ou encore certaines maladies, comme la rubéole, peuvent également avoir un effet négatif sur le développement intellectuel ultérieur de l'enfant (Chicoine, Germain, & Lemieux, 2003).

Les facteurs périnataux

Des complications survenant lors de l'accouchement peuvent entraîner un retard intellectuel. La plus fréquente de ces complications est celle causant une **anoxie**, c'est-à-dire un manque d'oxygénation du cerveau de l'enfant à naître. L'enroulement du cordon ombilical est une cause courante d'anoxie. Les parties du crâne n'étant pas encore toutes soudées ensemble au moment de l'accouchement, des pressions indues (causées, par exemple, par l'utilisation de forceps) peuvent également endommager certaines parties du cerveau et entraîner un retard mental.

L'environnement postnatal

Il s'agit ici de tous les facteurs susceptibles d'influer sur le développement intellectuel de l'enfant, depuis la naissance jusqu'à l'âge adulte. On peut y distinguer, d'une part, les variables physiques et, d'autre part, les variables culturelles, sociales et psychologiques.

Les variables physiques Il semble que la malnutrition de l'enfant ait une influence négative sur son développement mental à long terme, bien que cela ne soit pas aisé à établir en raison du fait que la malnutrition chronique est souvent associée à d'autres conditions socioéconomiques également susceptibles d'influer sur le développement. Toutefois, lors d'une recherche où l'on a fourni gratuitement, et pendant plusieurs années, des suppléments vitaminiques à des enfants de villages guatémaltèques où la malnutrition était bien connue, on a constaté qu'une dizaine d'années plus tard, les enfants ayant consommé des suppléments vitaminiques avaient des scores significativement plus élevés à des tests de rendement scolaire (*school-related achievement tests*) que des enfants témoins n'ayant pas pris de vitamines. À l'inverse, certaines toxines ont un effet négatif sur l'intelligence. On a ainsi mis en évidence que, dans un environnement où des enfants étaient exposés à des émanations industrielles de plomb, plus les enfants avaient un taux de plomb élevé dans le sang, moins leur résultat à un test d'intelligence était élevé (Baghurst *et al.*, 1992 ; McMichael *et al.*, 1988).

Les variables culturelles, sociales et psychologiques On reconnaît généralement aujourd'hui, à l'instar des tenants de l'approche culturelle de l'intelligence, que la culture — c'est-à-dire la façon dont les gens vivent, les valeurs qu'ils privilégient et ce qu'ils font — influe sur le développement des différentes habiletés intellectuelles (Neisser *et al.*, 1996).

Le niveau de stimulation du milieu constitue le premier aspect qui différencie les environnements sociaux. Tout comme nous l'avons fait précédemment pour démontrer l'influence de la génétique sur la capacité à apprendre, nous pouvons rappeler ici une recherche de nature expérimentale effectuée avec des rats et démontrant, pour sa part, que le développement de la capacité à apprendre peut également être influencé par l'environnement. Dans cette recherche, Cooper et Zubek (1958) ont élevé un groupe de rats dans un environnement appauvri, c'est-à-dire un environnement ne contenant pratiquement aucun objet pouvant se prêter à de l'exploration, et un autre groupe dans un environnement enrichi, c'est-à-dire un environnement contenant une foule d'objets (rampes, échelles, blocs aux formes diverses) susceptibles de stimuler la curiosité des rats. Dans chacune des conditions, la moitié des rats étaient issus de parents brillants ayant démontré des capacités d'apprentissage élevées, alors que l'autre moitié provenait de rats lents ayant de moins bonnes capacités d'apprentissage. Les chercheurs ont par la suite constaté qu'une fois devenus adultes, les rats élevés dans l'environnement enrichi apprenaient un labyrinthe plus rapidement que ceux partageant la même génétique, mais qui avaient été élevés dans un environnement appauvri.

Alors que les résultats d'une étude expérimentale comme celle qui vient d'être rapportée sont relativement simples à interpréter, il n'en est pas de même de ceux recueillis dans le cadre des nombreuses études corrélationnelles où l'on mesurait, entre autres, le QI d'individus appartenant à différents groupes. En effet, quand il s'agit d'humains, l'environnement peut varier de tellement de façons qu'il est difficile, lorsqu'on considère par exemple des différences de QI entre groupes, de déterminer à quoi ces différences sont vraiment dues : à l'environnement intellectuel prévalant dans la famille, à la valorisation accordée à l'école, aux activités quotidiennes prédominant dans l'environnement, etc. La difficulté de différencier et de contrôler les facteurs d'ordre culturel et social s'ajoute d'ailleurs à la difficulté d'établir la part relative de la génétique et de l'environnement dans l'intelligence mesurée par le biais du QI.

L'aspect culturel peut même jouer à l'intérieur d'une même culture. L'influence des stéréotypes sexuels associés à la culture nord-américaine, par exemple, peut jouer de façon subtile, comme l'ont démontré Dar-Nimrod et Heine (2006). Les chercheurs ont fait passer à 135 femmes un test de mathématique du type de ceux qui sont utilisés pour être admis aux études supérieures. Avant de passer le test, les femmes prenaient connaissance d'un article supposément scientifique sur les différences entre les sexes en mathématiques. Pour un groupe de femmes, l'article disait qu'il n'y a aucune différence entre les sexes, pour un autre groupe, que les femmes sont moins bonnes en raison de la façon dont les mathématiques leur sont enseignées, pour d'autres que l'infériorité des femmes provient de facteurs d'ordre génétique et, finalement, pour un dernier groupe de femmes — le groupe témoin —, l'article traitait simplement des femmes dans le monde des arts. Les femmes à qui l'on avait dit qu'elles étaient moins bonnes en raison de facteurs génétiques ont obtenu deux fois moins de réponses exactes que celles à qui l'on avait dit que le mode d'enseignement en était responsable, mais ces dernières ont tout de même moins bien réussi que celles à qui l'on disait qu'il n'y avait aucune différence.

En démontrant ainsi que la performance à un test de mathématique peut être modifiée par le simple fait de se faire dire qu'on est censé être bon ou non, on est amené à se demander dans quelle mesure le résultat à un test de QI peut être influencé par les stéréotypes qui ont cours, que ce soit entre différents groupes d'une même culture ou encore entre des groupes de cultures différentes. Autrement dit, si les individus d'un groupe donné ont l'impression qu'ils sont censés être moins bons dans une épreuve, cela peut les amener à moins bien réussir. On est dès lors mieux en mesure de comprendre pourquoi la culture est apparue, dès les premières études sur les comparaisons de QI entre les sexes, comme un facteur dont il fallait tenir compte dans l'interprétation des résultats.

Conclusion

Les éléments présentés dans le présent chapitre permettent aisément de constater à quel point l'intelligence est un sujet à la fois passionnant, complexe et délicat à aborder. Comme nous l'avons vu, la difficulté à saisir l'objet d'étude fait qu'il a été abordé sous différents angles.

Issue des travaux de Binet et Simon, l'approche psychométrique se voulait au départ une simple façon de repérer les enfants à risque d'échec scolaire. Toutefois, contrairement aux réserves originellement exprimées par Binet, les auteurs qui ont poursuivi dans la voie des tests en sont venus à considérer, de façon plus ou moins explicite, les résultats des tests de QI comme une mesure de l'«intelligence», du moins ce qui la caractérise principalement.

L'insatisfaction à l'égard du caractère trop scolaire des tests a par la suite amené des auteurs tels que Gardner, Sternberg et l'ensemble des tenants de l'approche socioculturelle à mettre de l'avant une conception davantage pluraliste de l'intelligence. Cet aspect pluraliste se manifesterait tant dans les mécanismes impliqués dans les comportements intelligents que dans les domaines où l'intelligence s'exerce, l'environnement culturel et le quotidien jouant un rôle important.

Sous l'angle développemental, Piaget a montré que le jeune enfant pense d'abord différemment de l'adulte, mais son approche ne tenait pas suffisamment compte des données issues des travaux sur le traitement de l'information, lacune qu'ont cherché à combler les néopiagétiens. Les tenants de l'approche socioculturelle ont quant à eux mis de l'avant l'importance du contexte culturel comme agent de développement du fonctionnement intellectuel.

Contrairement aux approches psychométrique, pluraliste et développementale de l'intelligence, on ne peut considérer l'approche psychobiologique comme ayant donné beaucoup de fruits pour l'instant. Il est cependant plausible de penser qu'avec l'avancement des techniques d'observation du cerveau, cet état de choses sera amené à changer. L'examen anatomique qu'on a fait du cerveau d'Einstein, et dont nous avons brièvement parlé en amorce, va dans ce sens. Malheureusement, les seules données pouvant être recueillies semblent être d'ordre anatomique et portent principalement sur la part relative des régions consacrées au raisonnement spatial et logicomathématique dans le cerveau d'Einstein par rapport à celles du langage. Malgré l'intérêt de ces observations, il va de soi que des mesures utilisant certaines des techniques récentes d'observation du cerveau présentées dans le chapitre 2 (dont l'imagerie par résonance magnétique fonctionnelle) auraient pu fournir des données beaucoup plus intéressantes sur l'activité du cerveau alors qu'Einstein était encore vivant. Par ailleurs, compte tenu des difficultés à définir ce qu'est l'intelligence et, encore plus, à mesurer cette faculté, même ce type d'observation aurait dû être interprété avec prudence par rapport à ce qui constituait le caractère génial du célèbre physicien.

Quoi qu'il en soit, et par delà l'approche utilisée pour étudier l'intelligence, de nombreuses questions s'imposent aux chercheurs. Sur le plan théorique, l'épineuse question de savoir dans quelle mesure l'intelligence est déterminée par la génétique et l'environnement demeure ouverte. Qui plus est, la découverte de l'effet Flynn dont il est question dans l'encadré 7.5, c'est-à-dire le fait que la performance aux tests de QI a augmenté dans les pays occidentaux, complique davantage la question de savoir ce qui influe sur le résultat d'un test de QI. La recherche appliquée devra par ailleurs éclairer les décisions à prendre sur la façon de composer avec les différences de QI observées, tant entre les groupes qu'entre les individus: comment, par exemple, mieux aider les individus déficients sur le plan intellectuel ou encore les «surdoués»?

Finalement, compte tenu entre autres des implications sociales possibles, les chercheurs devront redoubler de vigilance afin d'atteindre l'objectivité qu'on attend d'eux.

Utiliser l'intelligence pour mieux comprendre… l'intelligence!

Avec le développement des neurosciences, beaucoup de recherches tentent de déterminer les structures et les mécanismes responsables de «l'intelligence». Différentes avenues ont été explorées, telles que mesurer le lien entre, d'une part, l'intelligence et, d'autre part, la vitesse de communication ou encore la densité des synapses entre les neurones. L'établissement d'un lien entre l'intelligence et certains mécanismes physiologiques permettrait d'obtenir des mesures fiables du comportement intelligent. Il appert néanmoins qu'aucun résultat convaincant en ce sens n'a été obtenu à ce jour, même si la recherche fondamentale se poursuit fébrilement dans ce domaine.

Du côté de la recherche appliquée, l'intervention pédagogique tient et est appelée à tenir une place importante. On s'est beaucoup penché jusqu'à maintenant sur les enfants qui ont des difficultés d'apprentissage, ce qui est fort bien, mais il importe aussi de s'intéresser à une richesse naturelle importante: les enfants «surdoués», ce qui, de l'avis de Serge Larivée, a été trop négligé à ce jour.

En effet, parmi les élèves qui ne réussissent pas en classe, il y a effectivement ceux qui éprouvent des difficultés d'apprentissage, mais il y a également ceux qui ont des capacités au-dessus de la moyenne. Pour ces derniers, le problème proviendrait plutôt d'un manque d'intérêt en classe, soit parce qu'ils connaissent déjà ce dont il est question, soit parce que le rythme d'apprentissage est trop lent, l'élève ayant alors l'impression de perdre son temps; cela peut amener ce dernier à décrocher du système scolaire ou encore à devenir un élément perturbateur en classe. Il importe donc, contrairement à ce qu'on pourrait croire, d'aider les élèves dont les capacités intellectuelles sont supérieures à la moyenne à se sentir plus motivés par le milieu scolaire, de façon que la société puisse bénéficier par la suite de leurs compétences.

Un autre aspect d'ordre plus théorique sur lequel les chercheurs seront appelés à se pencher est ce que l'on appelle l'*effet Flynn*, du

L'école de l'avenir aidera-t-elle nos surdoués à faire avancer les connaissances sur le fonctionnement de l'intelligence?

nom du chercheur qui l'a mis en évidence: il s'agit de la constatation du fait que les résultats aux tests de QI tendent à augmenter dans la population des pays occidentaux, ainsi qu'au Japon qui adopte de plus en plus les valeurs occidentales (Flynn, 2007). Comment expliquer ce phénomène? Que révèle-t-il concernant les facteurs liés aux capacités intellectuelles? Le phénomène va-t-il éventuellement se stabiliser? Autant de questions qui ont de quoi alimenter les futures recherches…

1. Quel énoncé caractérise le mieux ce qu'est un QI de déviation ?

  a) Un calcul du quotient intellectuel basé sur la différence entre le score obtenu par un individu et le score moyen de son groupe d'âge.

  b) Un calcul du quotient intellectuel qui tient compte de l'âge mental d'un individu et de son âge chronologique.

  c) Un quotient intellectuel en deçà de la normale.

  d) Une forme erronée de calcul du quotient intellectuel basé sur les résultats de tests qui n'ont pas été normalisés.

2. Indiquez si les énoncés suivants sont vrais ou faux.

  a) Le QI moyen de la population est de 110.

  b) La douance est un qualificatif attribué au niveau intellectuel des gens qui ont un QI supérieur à 130.

  c) Environ 5 % de la population souffre de déficience intellectuelle.

  d) Les personnes ayant un QI de 110 sont plus nombreuses que les personnes ayant un QI de 100.

3. Un psychométricien conçoit un test de QI pour les étudiants de sciences humaines au collégial afin de prédire leur réussite scolaire à l'université. Comment procédera-t-il pour s'assurer de la validité de son test ?

  a) Il compilera tous les résultats obtenus à son test de QI et vérifiera que ceux-ci se distribuent selon une courbe normale.

  b) Il fera passer son test de QI à plus d'une reprise aux mêmes étudiants et vérifiera si ceux-ci obtiennent toujours les mêmes résultats.

  c) Il mettra en corrélation le résultat des étudiants à son test de QI et les résultats scolaires de ces mêmes étudiants à l'université.

  d) Il s'assurera que tous les étudiants reçoivent les mêmes directives lors de la passation du test de QI et que les résultats soient corrigés objectivement.

4. Quel type d'intelligence fait partie du modèle de Gardner ?

  a) L'intelligence créative

  b) L'intelligence émotionnelle

  c) L'intelligence kinesthésique

  d) L'intelligence sensorimotrice

5. À quel stade du développement cognitif la permanence de l'objet s'acquiert-elle selon Jean Piaget ?

  a) Au stade opératoire concret

  b) Au stade opératoire formel

  c) Au stade préopératoire

  d) Au stade sensorimoteur

6. Indiquez si les énoncés suivants sont vrais ou faux.

  a) Chez les mammifères, c'est l'humain qui possède le plus gros cerveau.

  b) Les hommes possèdent plus de neurones que les femmes, c'est ce qui explique qu'ils ont des QI plus élevés.

  c) On a découvert un nouveau type de neurone qui ne se retrouverait que dans le néocortex des primates les plus évolués.

  d) Les recherches démontrent clairement que les ondes cérébrales sont plus rapides chez les gens plus intelligents.

7. Entre quelles personnes existe-t-il un degré de ressemblance du QI plus élevé ?

  a) Les frères et sœurs

  b) Les jumeaux monozygotes

  c) Les parents et leurs enfants

  d) Les personnes non apparentées ayant été élevées dans le même milieu

8. Lequel des facteurs suivants est considéré comme un facteur postnatal pouvant influencer le QI ?

  a) L'anoxie

  b) La culture

  c) Le syndrome d'alcoolisation fœtale

  d) Le syndrome de Down

Volumes et ouvrages de référence

Belleau, J. (2005). *Mon intelligence vaut la tienne.* Sainte-Foy : Septembre Éditeur.

> Écrit par un intervenant en milieu collégial, livre qui se situe dans l'approche conçue par Gardner. À l'intention non seulement des étudiants, mais aussi de tous les intervenants dans le milieu de l'éducation, il vise à encourager chacun à découvrir et à s'épanouir dans les domaines dans lesquels il peut exceller.

Herrnstein C. P., & Murray, L. (1994). *The bell curve.* New York : The Free Press.

> Volume qui a ravivé le débat sur la part de l'aspect génétique dans les différences de QI entre les individus et entre les groupes ethniques.

Larivée, S. (Éd.). (2007). *L'intelligence. Tome 1 : Approches bio-cognitives développementales et contemporaines.* Saint-Laurent (Québec) : Éditions du Renouveau Pédagogique.

> Premier tome d'une série de deux — le second étant à venir —, cet ouvrage dirigé par un chercheur québécois présente un état de la question très complet portant sur les différentes théories de l'intelligence. Il constitue une source francophone incontournable pour quiconque désire aller au-delà de la simple vulgarisation scientifique.

Mackintosh, N. J. (2004). *QI et intelligence humaine.* Bruxelles : De Boeck & Larcier.

> Traduit de l'américain, livre qui aborde, du point de vue d'un généticien, l'ensemble des sujets concernant l'intelligence, un thème étudié traditionnellement par les chercheurs en psychologie. Intéressant en ce qui a trait à l'approche psychobiologique de l'intelligence.

Périodiques et journaux

Charest, A.-S. (2006). L'ABC du QI. *Le Québec sceptique,* nᵒ 60, 48-52.

> Compte rendu d'une conférence donnée par le docteur en psychologie Serge Larivée à l'Association des sceptiques et dans laquelle il voulait, à la suite de la déclaration publique faite à la télévision de Radio-Canada par le Dʳ Pierre Mailloux, préciser les faits concernant les tests de QI.

Gagné, F. (2005). Les jeunes doués et talentueux : comment les identifier. *Psychologie Québec,* janvier 2005, 28-31.

> Paru dans la revue publiée par l'Ordre des psychologues du Québec, article qui aborde le problème de l'adaptation des enfants doués au système scolaire, problème qui, selon l'auteur, est trop négligé sur le plan social.

Larivée, S. (2006). L'ABC du QI, la suite : réponses aux objections. *Le Québec sceptique,* nᵒ 60, 62-66.

> Article qui, comme l'indique le titre, vise à répondre à un certain nombre d'objections soulevées dans la revue *Le Québec sceptique* par Christian Trempe (*voir la référence indiquée plus loin*).

Larivée, S., & Gagné, F. (2006). Intelligence 101 ou l'ABC du QI. *Revue de psychoéducation, 35,* 1-10.

> [Article paru également dans la revue *Le Québec sceptique,* nᵒ 60, 53-59].

> Rédigé par deux chercheurs québécois, article paru à la suite de la déclaration publique faite à la télévision de Radio-Canada par le Dʳ Pierre Mailloux. Les auteurs en profitent pour présenter une traduction autorisée d'une déclaration signée conjointement par 52 chercheurs américains à la suite de la parution du volume *The Bell Curve,* publié en 1994 par Herrnstein et Murray ; la « déclaration des 52 » visait à résumer les faits concernant l'intelligence et le QI.

Trempe, C. (2006). Sur l'intelligence, les races, et les tests de QI. *Le Québec sceptique,* nᵒ 60, 60-61.

> Article qui présente certaines interrogations soulevées à la suite de la conférence donnée par le docteur en psychologie Serge Larivée. Ce dernier a proposé des réponses aux points soulevés par l'auteur (*voir la référence indiquée plus haut*).

***La Recherche,* décembre 1999, 30-47.**

> Numéro qui contient un excellent dossier intitulé *Le cerveau d'Einstein : une étrange malformation peut-elle expliquer son génie ?* On y trouve une traduction intégrale de l'article de la revue *The Lancet* publié sur le cerveau d'Einstein, de même que sept autres textes présentant divers points de vue sur l'article en question.

***Science & Vie,* mai 1992, 86.**

> Dans un court article au titre évocateur, *Burt ou l'histoire du faux fraudeur,* l'auteur raconte comment Cyril Burt, accusé de fraude scientifique, a été réhabilité en mars 1992 par la British Psychological Society, laquelle a reconnu que les détracteurs de Burt avaient cédé à des arguments plus idéologiques que scientifiques. Il en profite pour rappeler que même des « scientifiques » peuvent être sujets à des préjugés idéologiques…

Audiovisuel

Marshall, G. (2000). *L'autre sœur.* États-Unis, 125 min, couleur.

> Souffrant d'un léger retard mental à la suite d'une maladie, une jeune femme a malgré tout réussi à faire des études et à surmonter son handicap, mais sa mère continue à la surprotéger. Un film qui soulève des questions sur la façon dont nous considérons les personnes mentalement handicapées.

Nelson, J. (2002). *Sam je suis Sam.* États-Unis, 127 min, couleur.

> Film mettant en vedette Sean Penn dans le rôle d'un père souffrant d'une légère déficience mentale qui réclame que sa fille, qui est d'intelligence normale et qui le dépasse à l'âge de sept ans, lui soit confiée plutôt qu'à une famille adoptive. Intéressant pour les questions sociales qu'il pose.

CHAPITRE 8

Cibles d'apprentissage

Après avoir lu ce chapitre, vous devriez pouvoir :

- définir la motivation et expliquer ses principales composantes ;
- nommer les cinq principales théories qui tentent d'expliquer la motivation ;
- expliquer brièvement la théorie de l'instinct comme source de motivation ;
- expliquer la loi de Yerkes-Dodson ;
- expliquer les forces internes et externes qui interviennent dans les théories basées sur l'apprentissage ;

- nommer et expliquer brièvement les quatre dimensions cognitives importantes dans la théorie des attributions causales ;
- décrire et expliquer brièvement la hiérarchie des besoins de Maslow ;
- nommer les trois besoins à la base de la théorie de l'autodétermination ;
- nommer les quatre types de conflits de motivation et donner un exemple pour chacun ;
- nommer quelques facteurs favorisant la motivation scolaire sur lesquels le professeur et l'élève devraient agir conjointement.

La motivation

Testez vos connaissances

D'après vous, chacun des énoncés suivants est-il fondé ou non ?

1. Ce qui détermine l'objet maternel auquel s'attachera un jeune singe, c'est le fait que cet objet le nourrisse.

2. L'organisme est fondamentalement motivé à faire ce qu'il faut pour éliminer une tension, mais jamais à en créer une.

3. Le niveau d'activation recherché et ressenti comme étant le meilleur pour fonctionner est relativement semblable d'un individu à l'autre.

4. D'après Freud, la motivation de tous nos comportements renvoie à l'une ou l'autre des deux pulsions fondamentales que sont la pulsion de vie et la pulsion de mort.

5. Les modèles sociaux peuvent nous amener à nous comporter inconsciemment selon les stéréotypes en vigueur dans notre culture.

6. Les besoins liés à la sécurité sont plus importants que les besoins liés à l'estime de soi.

7. Il est plus facile de choisir entre deux choses à éviter qu'entre deux options qui nous intéressent.

8. Le fait qu'un étudiant ait pu choisir l'orientation qui lui convient est un facteur motivationnel important dans la réussite de ses études.

9. Les études démontrent que la satisfaction au travail dépend principalement du salaire.

Martin Deschamps, rocker et fonceur malgré son handicap !

Lorsqu'il arrive à quelqu'un d'avoir un membre immobilisé dans le plâtre à la suite d'un accident, fût-il bénin, la tentation est souvent grande de maugréer contre le «handicap» qui l'empêche, pendant le temps que dure la guérison, de pratiquer ses activités sportives habituelles. Martin Deschamps vit, quant à lui, depuis sa naissance avec de sérieux handicaps à trois de ses membres, ce qui ne l'a pas empêché de devenir l'un des rockers les plus connus et appréciés du Québec !

Doté dès son plus jeune âge d'une solide détermination, il n'a que onze ans quand il réussit à convaincre son père de lui acheter une batterie, instrument qu'il arrive à maîtriser. S'intéressant par la suite à la guitare, surtout à la guitare basse, il se joint au groupe Deep Freeze avec lequel il remporte le concours *Les bandes à part* de l'émission télévisée *Les blues à Francœur*. En 1995, le premier album du groupe, *Feel alive*, ne connaît pas de succès, ce qui ne décourage pas Martin. Après avoir remporté le prix du meilleur chanteur à l'édition 1996 de *l'Empire des futures stars*, il se voit offrir la possibilité de faire une tournée de 50 spectacles comme chanteur avec le groupe Offenbach, en raison de sa voix à la fois rauque et chaude. Martin Deschamps prend ainsi la relève du regretté Gerry Boulet. Depuis, sa carrière n'a fait que progresser…

Martin ne fait pas que de la musique, cependant. Outre des activités telles que la moto, il consacre également une partie de son temps et de ses ressources à des causes humanitaires. Porte-parole pour la Semaine québécoise des personnes handicapées, il a également décidé de verser à l'hôpital Sainte-Justine une partie des profits de son deuxième album, *Différent*, produit en 2001.

On pourrait dire de Martin Deschamps que c'est un rocker qui a non seulement du cœur au ventre, compte tenu de la volonté dont il a dû faire preuve pour se rendre là où il est, mais qui a aussi à cœur d'aider ses semblables. Un gars motivé à réussir sa vie et à aider les autres à le faire !

De façon générale, on peut dire de la motivation qu'elle est la raison pour laquelle un organisme pose ou ne pose pas un comportement donné, à un moment donné et à un endroit donné ; c'est en quelque sorte le « moteur du comportement ». Ainsi, c'est l'aspect « motivation » qui donne au renforçateur son intensité, qui pousse à mémoriser des éléments d'information, à résoudre des problèmes ; la motivation intervient même dans la façon dont nous opérons une sélection parmi le flot des stimulations qui bombardent presque continuellement nos organes sensoriels. De façon plus globale, c'est l'ensemble de nos motivations qui nous amène à faire des choix dans la vie. C'est ce qui a fait que, malgré son handicap physique, Martin Deschamps est devenu le « rocker » qu'il avait rêvé de devenir et le porte-parole de plusieurs causes, et qu'il n'a pas hésité à faire de la moto et à fonder une famille.

La motivation est donc un phénomène fondamental qui, à l'instar de l'intelligence et de l'émotion, n'est pas facile à cerner. Nous présenterons néanmoins une définition de la motivation qui nous servira de balise tout au long du présent chapitre. La deuxième section portera sur les différentes explications de la motivation. Nous soulignerons ensuite certains éléments concernant les interactions entre les motivations. Dans la quatrième et dernière section, nous aborderons la motivation au quotidien dans certains domaines où la recherche et l'application des connaissances jouent un rôle particulièrement important.

8.1 Une définition de la motivation

Les chercheurs ont proposé plusieurs définitions du phénomène de la motivation. Nous retiendrons celle de Vallerand et Thill (1993), qui définissent comme suit ce qu'on entend par **motivation** : « Le concept de motivation représente le construit hypothétique utilisé afin de décrire les forces internes et/ou externes produisant le déclenchement, la direction, l'intensité et la persistance du comportement. » (p. 18) Il y a lieu ici de préciser quelque peu les principaux éléments de cette définition, lesquels nous seront utiles pour comprendre les différentes théories qui ont été proposées, ainsi que l'application des connaissances sur la motivation dans des domaines tels que le sport, les études, le travail et les relations interpersonnelles.

Le construit hypothétique L'expression « construit hypothétique » réfère au fait que la motivation n'est pas directement observable, mais doit être inférée indirectement à partir du comportement. Ainsi, alors que nous pouvons voir l'évolution d'un apprentissage en observant par exemple l'évolution du temps pris par un individu pour réussir une tâche, alors que nous pouvons comparer le taux de rétention dans deux conditions différentes ou noter le nombre de réponses correctes dans un test de QI, nous ne pouvons qu'inférer la présence d'une motivation. Autrement dit, si nous observons un individu en train d'étudier pour un examen, nous faisons l'hypothèse que « quelque chose » le motive à étudier, mais nous ne pouvons observer cette motivation : nous ne pouvons qu'en voir les effets. Le caractère non observable est encore plus clair dans le cas du comportement animal. Par exemple, si un rat appuie sur un levier pour avoir de l'eau, nous en déduisons qu'il est motivé à boire, même si tout ce dont nous disposons est sa courbe d'apprentissage ; par contre, s'il cesse d'appuyer, cela ne signifie pas forcément que la motivation à boire n'est plus présente ; une autre motivation l'emporte peut-être maintenant sur la première.

Les forces internes ou externes Le construit hypothétique auquel réfère la motivation peut impliquer les forces internes ou externes agissant sur l'organisme. Par force interne, on entend ici une force qui provient de l'intérieur de l'organisme (par exemple, la faim) ; la force externe est celle qui provient de l'extérieur (l'apparition d'un objet menaçant). Dans le cas d'un étudiant en train de revoir la matière d'un examen auquel il a déjà échoué, la motivation peut provenir du désir de se prouver qu'il est capable de passer l'examen en question (force interne) ou du désir de conserver l'appui financier de ses parents (force externe). Évidemment, les deux types de forces ne s'excluent pas ; un même comportement peut être motivé à la fois par des forces internes et par des forces externes.

Motivation
Construit hypothétique utilisé afin de décrire les forces internes ou externes produisant le déclenchement, la direction, l'intensité et la persistance du comportement.

Le déclenchement S'interroger sur ce qui a motivé le déclenchement d'un comportement, c'est en somme chercher ce qui a provoqué l'apparition du comportement au moment même où il est apparu. Comment les forces internes ou externes agissant sur l'organisme ont-elles provoqué, à un moment donné, l'apparition du comportement motivé? Par exemple, qu'est-ce qui a fait que le cinquième soir avant la journée de l'examen, l'étudiant a décidé de se mettre résolument à l'étude de la matière avec laquelle il éprouve des difficultés?

La direction Une fois un comportement déclenché, qu'est-ce qui en détermine la direction? Pour l'étudiant qui a décidé d'étudier la matière de son examen, ce sur quoi il a choisi de diriger ses efforts va de soi. Nous pourrions cependant nous demander ce qui l'avait amené à se diriger vers le programme d'étude dans lequel il s'est inscrit. Dans le cas d'un organisme qui s'est mis en quête de nourriture parce qu'il a faim, il s'agirait ici de comprendre pourquoi il a choisi de se diriger vers telle source de nourriture plutôt que telle autre (*voir la photo 8.1*).

L'intensité Comprendre la motivation, c'est aussi comprendre l'intensité avec laquelle un comportement est posé. Prenons deux élèves qui ont décidé de commencer l'étude d'une matière difficile pour eux : l'un pourra le faire de façon plutôt nonchalante, tandis que l'autre s'y mettra avec plus d'ardeur et de concentration, s'assurant qu'aucune source de distraction ne puisse perturber son étude. De même, un animal peut s'alimenter calmement, alors qu'un autre peut se mettre à dévorer avidement la nourriture. Dans un exemple comme dans l'autre, la différence qu'on peut observer dans l'intensité avec laquelle le comportement est posé suggère une différence dans l'intensité de la motivation correspondante, mais cela n'est pas toujours aussi simple, comme nous le verrons quand il sera question, entre autres, des conflits de motivations.

La persistance Le dernier aspect mentionné dans la définition de Vallerand et Thill (1993) est celui qui a trait à la persistance du comportement. En fait, l'intensité avec laquelle un comportement se manifeste n'est pas garante de sa persistance. Par exemple, l'étudiant qui s'est mis à étudier avec intensité pour son examen se découragera peut-être deux jours avant ce dernier, alors que celui qui semblait le faire de façon nonchalante pourra persister jusqu'à la veille même de l'examen. Comprendre la motivation de l'un et de l'autre demanderait donc de comprendre ce qui était différent dans ce qui motivait l'un par rapport à l'autre.

Notre définition nous amène ainsi à considérer les différentes explications qui ont été proposées pour comprendre la motivation.

Le choix d'un restaurant ou d'un menu constitue un bon exemple de la direction que peut prendre le comportement visant à satisfaire une motivation.

Photo 8.1

8.2 Les différentes théories de la motivation

Comme pour la plupart des thèmes étudiés en psychologie, les philosophes ont été les premiers à chercher à comprendre ce qui motivait les organismes à agir, et ce, depuis la Grèce antique jusqu'au XIXe siècle. Vallerand et Thill (1993) dressent d'ailleurs un excellent portrait des courants de pensée qui ont marqué la période précédant l'arrivée « officielle » de la psychologie scientifique. Depuis lors, les théories qui ont cherché à expliquer le comportement motivé se sont avérées nombreuses et variées. Ainsi, alors que pour certains les forces motivationnelles sont uniquement internes, celles-ci sont uniquement externes pour d'autres ; certains considèrent secondaire l'une ou l'autre des composantes que sont la direction, l'intensité et la persistance, tandis que d'autres insistent pour prendre en considération des aspects tels que l'émotion ou encore la variabilité du comportement (Vallerand & Thill, 1993).

Nous nous contenterons donc ici d'exposer brièvement les grands axes théoriques qui ont été développés, tout en soulignant les aspects du comportement pour lesquels la position théorique offre une explication valable et ceux qui marquent ses limites. Nous les présenterons en les reliant, lorsque c'est pertinent, aux grandes approches. Ainsi, nous nous pencherons d'abord sur les théories se situant dans l'approche biologique, puis nous aborderons la théorie de l'inconscient comme source de motivation ; nous verrons par la suite les théories basées sur l'apprentissage, les théories socio-cognitives ainsi que les théories d'orientation humaniste.

8.2.1 Les théories s'inscrivant dans l'approche biologique

Les théories mentionnées ici ont comme point commun de s'appuyer, à des degrés divers, sur des facteurs liés à la dimension biologique de l'organisme. Parmi ces théories, nous présenterons d'abord celle qui met l'accent sur l'instinct comme source de motivation et qui s'appuie sur l'aspect héréditaire du comportement. Nous traiterons ensuite de deux théories basées sur des mécanismes proprement physiologiques : la théorie de la réduction des tensions et la théorie de l'activation.

L'instinct comme source de motivation

Instinct

Disposition héréditaire entraînant un même comportement chez tous les individus d'une même espèce.

« L'instinct maternel existe-t-il ? » Cette question évoque une des premières explications qui ont été proposées concernant la source des motivations, à savoir l'**instinct**, lequel peut être défini comme une disposition héréditaire entraînant un même comportement chez tous les individus d'une même espèce. Ceux qui se sont penchés sur cette hypothèse ne prétendaient évidemment pas que tout comportement était instinctif : ils désiraient plutôt découvrir quels comportements pouvaient être motivés par un instinct, et quelle était la part de l'instinct dans ces cas. La question posée en début de paragraphe, par exemple, pourrait être reformulée comme suit : peut-on dire que le comportement maternel est motivé par un instinct et, si tel est le cas, en quoi et dans quelle mesure ?

Ce sont les travaux en éthologie, une discipline qui s'intéresse au comportement animal (incluant l'humain) en milieu naturel, qui ont le plus contribué à éclairer la question de l'instinct. Le plus connu parmi ces chercheurs, Konrad Lorenz, a notamment découvert un phénomène fort instructif touchant le comportement instinctif, à savoir l'imprégnation.

Voulant observer le développement de jeunes oies depuis les tout premiers moments de leur vie, Lorenz a fait éclore un certain nombre d'œufs dans une couveuse, s'amusant à répondre aux cris que lançaient spontanément les oisons dès le moment où ils commençaient à briser leur coquille jusqu'à leur éclosion complète. Après avoir relâché ces derniers à l'extérieur, il s'est rendu compte, ainsi qu'en témoigne la figure 8.1, que les jeunes oies nées en couveuse le suivaient constamment, même si leur mère biologique se trouvait dans le même environnement. Intrigué par ce phénomène, il

---

FIGURE 8.1   L'imprégnation (ou empreinte)

ⓐ

ⓑ

ⓐ Comportement typique de jeunes oies suivant leur mère naturelle. **ⓑ** Jeunes oies qui ont pris Konrad Lorenz comme « mère » et qui le suivent constamment, après que le chercheur a fait éclore les oisons en couveuse et répondu spontanément à leurs cris.

a poussé sa recherche davantage et a constaté que, chez les oisons, le fait de suivre sa mère naturelle n'est pas un comportement purement instinctif. Ce qui est déterminé par l'instinct, c'est la tendance à suivre et à prendre pour mère le premier objet qui est présent lors de l'éclosion, qui bouge et qui répond aux cris de l'oiseau. Comme c'est normalement la mère naturelle qui correspond à cet objet, c'est elle qui est habituellement prise comme «objet maternel».

Le comportement instinctif observé dans la nature provient donc d'une combinaison où entrent en jeu des éléments d'ordre héréditaire et d'autres provenant du milieu. Lorenz a nommé **imprégnation** le phénomène par lequel l'environnement détermine l'objet correspondant à un comportement dont la tendance est déterminée de façon instinctive, c'est-à-dire innée (Lorenz, 1935).

La tendance instinctive à s'attacher à un objet maternel a également été étudiée chez les singes rhésus, une espèce beaucoup plus près de l'humain. C'est ainsi que le chercheur Harry Harlow a montré que les jeunes singes ont tendance à prendre pour objet maternel, pour «mère adoptive» en quelque sorte, un objet doux au toucher qui n'imite que grossièrement une femelle rhésus. Dans le cadre de ses travaux devenus classiques et dont l'encadré 8.1 (*page 262*) présente un aperçu, Harlow a montré que ce qui caractérise l'objet auquel le jeune singe est susceptible de s'attacher, c'est la douceur de son contact et non le fait que ce dernier permette au jeune singe de se nourrir, ce que suggérait Freud, pour qui l'attachement de l'enfant pour sa mère vient de ce que cette dernière le nourrit.

Après avoir observé la façon dont de jeunes singes effrayés couraient s'agripper à l'objet maternel auquel ils s'étaient attachés et se mettaient ensuite à relaxer graduellement, Harlow en est venu à considérer que cette mère adoptive inanimée avait un caractère sécurisant qui correspondait à un besoin fondamental.

Imprégnation

Aussi appelée **Empreinte**

Phénomène par lequel l'environnement détermine l'objet correspondant à un comportement dont la tendance est déterminée de façon instinctive.

Testez vos connaissances

1. Ce qui détermine l'objet maternel auquel s'attachera un jeune singe, c'est le fait que cet objet le nourrisse.

Harlow a justement démontré le contraire : le jeune singe s'attachera davantage à un objet doux au toucher qu'à celui qui offre un biberon.

Ainsi, les travaux explorant la part de l'instinct comme hypothèse explicative des motivations ont démontré que les comportements dits *instinctifs* sont plus complexes qu'on ne l'avait d'abord cru et qu'ils impliquent une interaction étroite avec les conditions prévalant dans l'environnement. En nous référant à la définition de la motivation donnée en début de chapitre, nous pouvons alors dire que, dans le cas d'un comportement instinctif, le déclenchement du comportement motivé provient de la disposition héréditaire tandis que l'environnement en détermine la direction.

Il y a lieu de rappeler que la tradition scientifique fait habituellement remonter à Darwin l'explication mettant l'accent sur l'instinct comme source de motivation. Cette explication s'inscrit en fait dans la perspective évolutionniste selon laquelle l'homme, tout comme les animaux, obéit à des tendances instinctives qui ont pour but essentiel d'assurer la survie de l'espèce. S'étant d'abord développés principalement à partir du comportement animal, les travaux de recherche utilisant cette perspective se sont davantage penchés par la suite sur le comportement humain, notamment à propos de questions telles que le caractère instinctif ou non du comportement maternel mentionné précédemment. Or, comme nous l'avons vu plus haut, ce comportement semble plus influencé par l'environnement que déterminé par un instinct.

La douceur de la mère, un contact réconfortant

Souhaitant d'abord découvrir ce qui fait qu'un jeune enfant s'attache à sa mère, le psychologue Harry Harlow en est venu à étudier le rôle fondamental de cet attachement en lien avec le besoin de sécurité.

Harlow (1958, 1959) a voulu tester l'affirmation de Freud selon laquelle l'enfant s'attacherait à sa mère parce qu'elle le nourrit, comblant ainsi ce qui compte avant tout pour l'enfant : le besoin de téter. Harlow s'est demandé si le doux contact de la mère n'avait pas également son importance dans l'attachement que l'enfant lui témoigne. Afin de tester son hypothèse, le chercheur a conçu une série d'expériences qu'il a effectuées avec de jeunes singes dont le développement après la naissance ressemble beaucoup à celui des enfants humains, sujets qu'il aurait été inacceptable de soumettre à ce type d'expériences.

Harlow a ainsi retiré de jeunes singes de leur mère naturelle dès leur naissance et les a élevés dans différentes conditions expérimentales illustrées par les figures ci-contre. Dans l'une d'elles, les singes ont été élevés en présence de deux « mères substituts » : la première offrait un biberon, mais était constituée d'une forme en fil de fer ; l'autre n'offrait pas de biberon, mais était recouverte d'un tissu moelleux et agréable au toucher. Dans une autre condition, seule la « mère de métal » avec le biberon était offerte ; dans la troisième condition, les singes étaient simplement nourris par un biberon, sans mère substitut.

Harlow a alors constaté que les jeunes singes passaient beaucoup de temps sur la « mère de tissu » (figure a), mais très peu sur la « mère de métal ». En fait, ils n'y demeuraient que le temps nécessaire pour se nourrir (figure b). Le chercheur avait donc démontré que ce qui détermine le choix de l'objet maternel, c'est la douceur de l'objet et non le fait que cet objet offre du lait à téter, contrairement à ce que pensait Freud.

Par ailleurs, la façon dont les singes s'agrippaient à la « mère de tissu » suggérait que cette dernière comblait un besoin qui allait bien au-delà de l'aspect tactile, suggérant que la mère constituait pour eux un objet sécurisant.

Afin de démontrer le caractère sécurisant de la « mère de tissu », Harlow a effectué différents tests consistant à placer un jeune singe dans des situations menaçantes et à observer ses réactions. Dans un de ces tests, le singe était placé dans une grande pièce totalement nouvelle pour lui. Harlow a alors observé que les singes élevés en présence de la « mère de métal », tout comme ceux élevés sans mère substitut, tendaient à se recroqueviller prudemment sur eux-mêmes

Dans une série d'expériences classiques, Harlow a montré que le jeune singe a besoin de s'attacher à un « objet maternel » doux au toucher **a**, le biberon n'ayant qu'une valeur nutritive **b** ; privé de sa « mère » dans un environnement inconnu **c**, le jeune singe réagit avec crainte.

(figure c) ; par contre, les singes élevés en présence de la « mère de tissu » allaient d'abord s'y accrocher, la relâchant ensuite graduellement pour se mettre à explorer l'environnement.

Difficile ici de ne pas faire le rapprochement avec l'enfant qui accompagne ses parents dans un endroit qui lui est étranger : tant qu'il ne se sent pas suffisamment en confiance dans le nouvel environnement, l'enfant cherche à rester près de ses parents. De plus, lorsque surgit un élément qui l'insécurise, l'enfant est porté à revenir en toute hâte vers ses parents.

Toutefois, il faut se rappeler que la mère substitut ne remplace pas la mère naturelle. Le jeune singe risque par la suite d'avoir des problèmes sur le plan des relations avec ses congénères, et quand il aura à s'occuper de ses rejetons.

La théorie de la réduction des tensions

Théorie de la réduction des tensions
Aussi appelée **Théorie de l'homéostasie**
Théorie selon laquelle les motivations trouvent leur origine dans le besoin de réduire des tensions physiques ou physiologiques.

Dès les années 1940, Clark Hull a mis de l'avant la **théorie de la réduction des tensions** basée sur l'idée selon laquelle les motivations trouvent leur origine dans le besoin de réduire des tensions physiques ou physiologiques, un peu comme l'homéostasie tend à rétablir les déséquilibres d'ordre biologique ; c'est d'ailleurs pourquoi l'appellation **théorie de l'homéostasie** est souvent utilisée pour référer à cette théorie explicative (Hull, 1943). Il s'agit donc d'une hypothèse s'inscrivant résolument dans l'approche biologique.

Selon cette explication, le besoin de réduire la tension pousse l'organisme vers un but — souvent appelé *incitateur* — dont l'atteinte permettra d'apaiser la tension et donc de satisfaire le besoin, ce que schématise la figure 8.2 en prenant pour exemple la motivation liée à la faim. Ainsi, le comportement de se nourrir proviendrait d'une tension

FIGURE 8.2   La théorie de la réduction des tensions

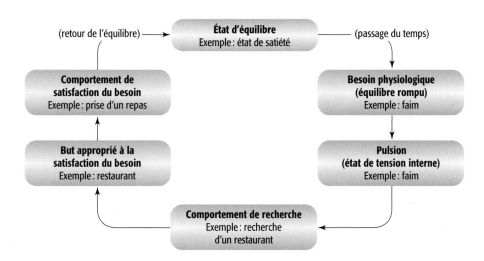

Avec le passage du temps, l'équilibre physiologique est rompu, d'où l'apparition d'un besoin physiologique qui produit une pulsion, laquelle entraîne un comportement dirigé vers un but approprié à la satisfaction du besoin et au retour de l'équilibre ; celui-ci est à nouveau rompu avec le passage du temps, et le cycle recommence.

physiologique créée par une baisse du taux de sucre dans le sang, et c'est le besoin de réduire cette tension qui pousserait l'organisme à manger jusqu'à ce qu'il soit satisfait. Le comportement réapparaît lorsque le besoin est à nouveau ressenti, et le cycle recommence.

En ce qui concerne les mécanismes physiologiques proprement dits, c'est l'hypothalamus qui déclencherait et stopperait le comportement d'alimentation, ainsi que l'explique brièvement l'encadré 8.2 (*page 264*). Le même mécanisme vaudrait pour la soif, la tension physiologique à l'origine du besoin étant ici une baisse du volume sanguin. Les autres besoins s'expliqueraient de la même façon, même si l'on n'a pas encore découvert le stimulus physiologique provoquant la tension.

Les tenants de cette hypothèse ne nient pas que la façon de satisfaire un besoin puisse être influencée par l'apprentissage, mais ce qu'ils veulent expliquer, c'est l'origine de ce qui motive le comportement. Or, l'explication proposée en ce qui a trait à la réduction de la tension a été critiquée, l'argument invoqué étant le suivant : bien que cette explication soit tout à fait plausible dans le cas de besoins liés à des comportements tels que manger, boire ou se reproduire, elle ne rend absolument pas compte du fait que, dans beaucoup de cas, l'organisme tend à émettre un comportement dont l'effet est plutôt de créer une tension. L'enfant qui joue à se faire peur, l'adulte qui regarde un film d'horreur ou qui recherche la tension caractérisant l'orgasme, ou encore l'individu féru de sports extrêmes, voilà autant d'exemples où le besoin à la base du comportement semble être la création d'une tension physiologique, ce sur quoi ont mis l'accent les théoriciens de l'approche que nous abordons maintenant.

Testez vos connaissances

2. L'organisme est fondamentalement motivé à faire ce qu'il faut pour éliminer une tension, mais jamais à en créer une.
Dans beaucoup de cas, l'organisme tend à émettre un comportement dont l'effet est plutôt de créer une tension.

Manger et boire, deux besoins essentiels, mais…

Manger et boire sont parmi les premiers besoins étudiés par les chercheurs s'intéressant à la motivation d'un point de vue scientifique. Ainsi que nous l'avons mentionné au point précédent, manger est fondamentalement un besoin inné (donc primaire) d'ordre physiologique et lié à la survie de l'individu. Nous savons même que l'hypothalamus joue un rôle crucial dans la motivation à se nourrir (*voir le point 2.2.2 du chapitre 2, page 45*).

On a en effet démontré qu'une partie de l'hypothalamus appelée *noyau latéral* — il y en a un de chaque côté du cerveau — intervient directement dans le comportement d'alimentation (Hoebel & Teitelbaum, 1962). Ainsi, des rats chez qui le noyau latéral était électriquement stimulé étaient portés à manger dès qu'on les stimulait ; à l'inverse, si la structure était chirurgicalement détruite, le rat n'était plus porté à manger, allant même jusqu'à se laisser mourir de faim si on ne le forçait pas à s'alimenter. C'est pourquoi on a baptisé *centre de la faim* le noyau latéral de l'hypothalamus. On a également démontré que le noyau ventromédian, une autre structure de l'hypothalamus, agissait comme un centre de la satiété. Ainsi, un rat dont on stimule le noyau ventromédian pendant qu'il s'alimente cessera de le faire, alors qu'une destruction de ce noyau fera en sorte que le rat continuera de manger tant qu'il peut et se mettra à engraisser. C'est ce qu'illustre éloquemment la figure ci-contre : après avoir subi l'ablation du noyau ventromédian, le rat représenté dans la partie gauche de la figure est devenu hyperphagique, atteignant un poids d'environ 1 080 grammes, alors qu'un rat normal du même âge, illustré dans la partie droite, pèse aux alentours de 180 grammes (Hetherington & Ranson, 1942).

Dans les conditions normales, l'activité physiologique des centres de la faim et de la satiété est, de façon innée (donc primaire), régulée par différents facteurs dont, entre autres, le besoin de rétablir le taux de sucre dans le sang : un abaissement du taux de sucre tend à stimuler le noyau latéral qui pousse à manger, alors qu'un rétablissement du taux à la normale tend à stimuler le noyau ventromédian qui agit comme le centre de la satiété.

À gauche, la photo d'un rat dont le centre de satiété (noyau ventromédian) a été détruit et dont le poids correspond à plus de cinq fois celui d'un rat sain du même âge.

Toutefois, il importe de se rappeler que le comportement d'alimentation, qu'il s'agisse de son déclenchement, de sa direction, de son intensité ou de sa persistance, n'est pas qu'une question de besoin physiologique permettant d'assurer la survie de l'organisme. C'est tout particulièrement le cas lorsqu'on s'intéresse à l'obésité, problème auquel on a proposé d'autres explications telles que celle basée sur des pulsions inconscientes ou sur des facteurs environnementaux.

Il y a lieu de mentionner que ce que nous venons de dire concernant le comportement d'alimentation s'applique également à cet autre besoin fondamental qu'est celui de boire. Il s'agit d'un besoin lié de façon innée à la survie de l'individu et qui, sur le plan physiologique, fait lui aussi intervenir l'hypothalamus. Cependant, tout comme le besoin de manger, le besoin de boire est influencé par de nombreux facteurs tels que l'environnement social et la dépendance à l'alcool.

La théorie de l'activation

Contrairement à ce que propose l'explication basée sur la réduction des tensions, une autre explication de la motivation met de l'avant le fait que l'organisme a naturellement tendance à rechercher des stimulations qui vont lui permettre d'augmenter son niveau d'activation.

Placé dans une cage où il a accès à une roue d'exercice, le rat peut courir pendant plusieurs minutes, sinon des heures, sans aucun renforcement extérieur.

Photo 8.2

La recherche de stimulations peut rendre compte de la tendance à bouger. En effet, l'activité motrice entraînant une foule de stimulations de nature proprioceptive tant au niveau des muscles que dans l'ensemble du corps, il semble que dans certains cas, la recherche de ce type de stimulations soit le principal élément motivant le comportement. On a ainsi observé que des rats placés dans une cage où ils ont accès à une roue qui tourne (*voir la photo 8.2*) peuvent courir pendant de longues périodes, même si aucun renforçateur n'est associé à ce comportement. Le besoin d'activité, c'est-à-dire le simple « besoin de bouger », semble ici la seule source de motivation au comportement observé. Par ailleurs, comme nous l'avons mentionné au chapitre 2 en parlant des neurotransmetteurs, l'activité physique peut aussi stimuler la production d'endorphines et induire une sorte d'euphorie, ce qui ajoute aux stimulations de nature proprioceptive.

Certains auteurs ont pour leur part cherché à expliquer que certains comportements ont pour effet de diminuer le niveau d'activation, tandis que d'autres visent à l'augmenter. Ils ont ainsi avancé l'hypothèse selon laquelle la motivation trouve sa source dans la tendance de l'organisme à rechercher le niveau d'activation qui lui permettra de fonctionner de façon optimale (Berlyne, 1971). La force de la motivation correspondrait au degré d'activation physiologique résultant de la stimulation des fonctions gérées par le système nerveux autonome. Ainsi, selon le cas, l'organisme serait porté à augmenter ou à diminuer le niveau d'activation physiologique requis pour un rendement maximal.

Si l'on considère les différents niveaux de motivation correspondant aux différents niveaux d'activation du SNA, allant des états proches du sommeil jusqu'à ceux traduisant une activation extrême, c'est en général pour un niveau d'activation intermédiaire que la performance est la meilleure, ce qu'illustre schématiquement la figure 8.3.

| FIGURE 8.3 | L'activation et la performance |

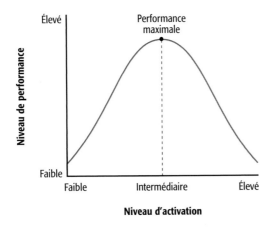

De façon générale, c'est pour un niveau d'activation intermédiaire que la performance est la meilleure.

L'explication basée sur la recherche d'activation optimale qui s'inscrit également dans l'approche biologique a été précisée sous forme d'une loi dite **loi de Yerkes-Dodson**. Selon cette loi, illustrée par la figure 8.4 (*page 266*), le niveau d'activation optimal requis pour une performance maximale tend à être d'autant plus élevé que la tâche est facile, et d'autant moins élevé que la tâche est complexe. Le sport est un domaine tout désigné pour illustrer cette loi. Courir est en soi une tâche très simple : une performance maximale requiert ainsi un niveau d'activation, donc de motivation, très élevé. Par contre, exécuter une figure complexe d'un tremplin de 10 mètres est une tâche nettement plus difficile qui requiert un niveau d'activation moins élevé.

Il importe ici de souligner que le niveau d'activation recherché et ressenti comme étant le meilleur pour fonctionner varie aussi en fonction de facteurs tels que les caractéristiques individuelles, le contexte et les apprentissages effectués par l'individu. En ce qui concerne la tâche, c'est la difficulté perçue par l'individu qui déterminera le niveau optimal d'activation, cette perception dépendant ici également des facteurs liés aux différences individuelles, au contexte et aux apprentissages.

On retrouve cette influence de l'apprentissage dans divers types d'activités, notamment dans le sport où le choix d'une discipline et le degré avec lequel elle est pratiquée varient beaucoup : alors que certains individus en font très peu ou se limitent à des activités simples comme la marche, d'autres se lancent dans des sports extrêmes de toutes sortes.

Loi de Yerkes-Dodson
Loi selon laquelle le niveau d'activation optimal requis pour une performance maximale tend à être d'autant plus élevé que la tâche est facile, et d'autant moins élevé que la tâche est complexe.

FIGURE 8.4   La loi de Yerkes-Dodson

Dans le cas d'une tâche facile, le niveau d'activation requis pour une performance maximale est plus élevé que dans le cas d'une tâche de difficulté intermédiaire ; par contre, dans le cas d'une tâche difficile, il est moins élevé que pour la tâche de difficulté intermédiaire.

Testez vos connaissances

3. **Le niveau d'activation recherché et ressenti comme étant le meilleur pour fonctionner est relativement semblable d'un individu à l'autre.**

Alors que certains athlètes ont besoin d'un haut niveau d'activation pour exceller, d'autres, pratiquant la même activité, ont besoin d'être plus détendus pour bien réussir.

Curieux de connaître les effets du réchauffement climatique, l'explorateur Jean Lemire n'a pas hésité à passer plus de six mois en Antarctique.

Photo 8.3

La simple curiosité peut également être vue comme une recherche de stimulations. De plus, bien que l'on songe généralement à l'humain quand on parle de curiosité, il semble justifiable d'interpréter certains comportements animaux comme étant ainsi motivés. Dans certaines situations, des singes peuvent apprendre une tâche avec, pour seul renforçateur, la possibilité de regarder dans une pièce où se trouvent différents jouets. Dans un tel cas, la curiosité semble être la seule motivation en jeu (Butler, 1954).

Malgré les observations faites chez les animaux, on convient généralement que c'est chez l'espèce humaine que le besoin de satisfaire la curiosité par l'exploration est le plus développé. Ce sur quoi portent la curiosité et le type d'exploration dans lequel les humains s'engagent par simple curiosité, ou besoin de connaître, varie beaucoup entre les individus et dépend de l'histoire personnelle de chacun. Qu'il s'agisse des premiers explorateurs qui partaient seuls à l'aventure ou des voyages spatiaux organisés par la NASA, les grandes expéditions d'exploration visaient et visent encore à connaître davantage le monde physique où nous vivons (*voir la photo 8.3*). En revanche, les scientifiques qui se consacrent à la recherche fondamentale ne se déplacent pas physiquement, mais explorent intellectuellement le monde afin de découvrir les lois qui le régissent.

8.2.2   La théorie de l'inconscient comme source de motivation

Petot (1993) considère que, même si «[le] terme *motivation* ne fait pas partie du langage technique de la psychanalyse» (p. 181), cette dernière n'en constitue pas moins une théorie générale de ce qui motive le comportement. Ainsi, pour Freud, tous les comportements, même ceux qui semblent anodins tels que les lapsus, répondent à un but : permettre l'expression de l'une ou l'autre des deux catégories fondamentales de pulsions, à savoir les pulsions de vie et les pulsions de mort[1], afin d'abaisser la tension créée par ces pulsions. Freud a d'abord mis l'accent sur les pulsions de vie, lesquelles incluent entre autres la pulsion sexuelle caractérisée par la recherche du plaisir et la survie de l'individu. Par la suite, après la Première Guerre mondiale, il a introduit les pulsions de mort, caractérisées par la tendance à l'agression et à la destruction orientées tantôt vers les autres, tantôt vers soi.

Dans l'expression de ces pulsions, l'individu rencontre très tôt des obstacles, ce qui l'amène à emprunter des chemins détournés pour s'exprimer. Les obstacles à l'expression des pulsions fondamentales proviennent tout d'abord des interdictions issues de l'environnement (interdictions des parents, tabous sociaux, etc.), mais aussi de l'individu lui-même, dans la mesure où il juge inacceptable l'expression de ces pulsions. Les pensées associées à ces pulsions interdites deviennent alors trop douloureuses à admettre et sont refoulées dans l'inconscient. Ce dernier trouvera ainsi des façons de satisfaire ces pulsions fondamentales à travers divers comportements. Par exemple, selon Freud, le plaisir de téter le sein expliquerait non seulement le plaisir de fumer, mais aussi la dépendance à la cigarette, ou encore à l'alcool : de tels comportements permettraient de satisfaire un besoin oral demeuré insatisfait chez l'enfant, ou auquel ce dernier serait resté «accroché». Liée pour sa part aux pulsions de mort, l'agressivité peut être sublimée, c'est-à-dire s'exprimer de façon socialement acceptable, à travers par exemple le travail du chirurgien qui détruit une tumeur ou celui du boxeur qui combat dans le ring (*voir la photo 8.4*).

En fait, d'après Freud, autant les comportements que nous émettons que les croyances auxquelles nous adhérons et les attitudes que nous affichons sont déterminés par des pulsions de vie ou de mort qui ont été refoulées dans l'inconscient parce qu'inacceptables. À l'instar de la plupart des théories s'inscrivant dans l'approche biologique, une telle explication considère que les motivations profondes du comportement réfèrent à des forces internes. Cependant, à l'encontre de ces dernières et des autres théories faisant l'objet d'études scientifiques, la façon dont Freud a défini les pulsions fondamentales ne permet pas, d'après Petot (1993), de formuler des prédictions qui seraient mesurables et vérifiables. Par contre, ce dernier considère qu'en conjonction avec l'évolution des théories motivationnelles cognitives, l'apparition de points de vue différents de celui de Freud laisse entrevoir la possibilité d'intégrer à la psychologie scientifique les données cliniques issues de la psychanalyse.

Bon exemple de la façon dont l'agressivité peut être sublimée dans une activité socialement acceptable, le champion boxeur Joachim Alcine, haïtien d'origine et travailleur social de formation, consacre beaucoup de temps à rencontrer des jeunes pour les motiver à se donner un but et à croire en leurs possibilités de l'atteindre.

Photo 8.4

Testez vos connaissances

4. D'après Freud, la motivation de tous nos comportements renvoie à l'une ou l'autre des deux pulsions fondamentales que sont la pulsion de vie et la pulsion de mort.

En fait, d'après Freud, autant les comportements que nous émettons que les croyances auxquelles nous adhérons et les attitudes que nous affichons sont déterminés par des pulsions de vie ou de mort.

Ainsi, quelle que soit la nature précise des pulsions inconscientes évoquées, celles-ci réfèrent à des forces internes, comme le soutiennent la plupart des théories se situant dans l'approche biologique.

---

1. On rencontre régulièrement le terme «instinct» à la place de «pulsion», d'où les expressions «instinct de vie» et «instinct de mort». Toutefois, d'après le *Grand dictionnaire de la psychologie* (Bloch *et al.*, 1999), on ne doit pas assimiler la pulsion à l'instinct. Le malentendu sur ce point proviendrait d'une habitude créée par les premières traductions françaises et anglaises de Freud, lesquelles auraient plutôt dû traduire le terme allemand *tried* par «pulsion». C'est ce terme français qui sera utilisé ici.

8.2.3 Les théories basées sur l'apprentissage

Les théories précédentes cherchent à expliquer le comportement motivé en mettant l'accent sur les forces internes de l'organisme. Comme nous l'avons signalé à plusieurs reprises, ces dernières n'excluent toutefois pas que la motivation puisse être influencée par les apprentissages faits par un organisme dans ses interactions avec son environnement. Nous rappellerons tout d'abord la position caractérisant les apprentissages par conditionnement pour ensuite dire un mot de l'explication basée sur l'apprentissage par observation d'un modèle.

Les apprentissages par conditionnement

Pour les tenants du béhaviorisme, un nombre restreint de comportements serait déterminé par l'instinct, alors que la plupart des comportements dits *motivés* ne seraient en fait que des réponses acquises par conditionnement.

Au chapitre 5, nous avons vu qu'en conditionnement classique, un stimulus neutre au départ peut en venir à provoquer une réponse par simple association avec un stimulus inconditionnel provoquant déjà cette réponse : le stimulus initialement neutre devient alors un stimulus conditionnel, apte lui aussi à provoquer la réponse. Les premières associations sont établies à partir de stimuli inconditionnels dont la valeur de déclenchement est innée. Cependant, une fois qu'un stimulus conditionnel est en mesure de provoquer la réponse de façon systématique, il peut à son tour servir de stimulus inconditionnel qui peut être associé à un autre stimulus : c'est ce que nous avons appelé précédemment le *conditionnement d'ordre supérieur*.

Nous avons également vu comment, selon les principes du conditionnement opérant, la fréquence d'un comportement peut être augmentée ou diminuée selon qu'il est suivi par un agent de renforcement ou de punition. Le caractère renforçant ou punitif de l'agent peut être inné, comme de l'eau pour un individu assoiffé, ou acquis, comme de l'argent pour l'organisme ayant appris qu'en donnant de l'argent, il peut se procurer un objet agréable (*voir la photo 8.5*). La notion de renforçateur appris a été mise en évidence chez l'animal dès la première moitié du siècle dernier dans une recherche où l'on renforçait un singe en lui donnant des jetons, le singe ayant auparavant appris qu'en insérant un jeton dans une machine, il pouvait recevoir un fruit (Wolfe, 1936).

Il y a lieu de rappeler que les tenants de la théorie de la réduction des tensions, Clark Hull en tête, ne s'opposaient pas à l'influence de l'apprentissage dans la motivation. Ils considéraient cependant que la source des comportements, c'est-à-dire ce qui les déclenche, appartient principalement aux forces internes, comme nous l'avons mentionné dans la définition en début de chapitre. Pour les tenants du béhaviorisme, par contre, ce sont principalement les forces externes issues de l'environnement qui sont à la source des diverses composantes de la motivation. Les comportements dits *motivés* ne seraient alors que des réactions à l'environnement, la plupart de ces réactions ayant été apprises.

L'argent est un puissant renforçateur secondaire en raison de tout ce qu'il permet d'obtenir.

Photo 8.5

L'apprentissage par observation d'un modèle

Le rôle de l'observation mis en évidence dans le domaine de l'apprentissage social, ce dont il a été question dans le chapitre 5, peut contribuer à expliquer la motivation à la source d'un comportement. Comme l'ont démontré les études dans ce domaine, nombre de comportements sont appris à la suite de l'observation de modèles. Il semble d'ailleurs que le comportement maternel soit appris de cette façon, du moins chez les primates supérieurs, dont l'humain, comme le présente l'encadré 8.3.

Toutefois, comme nous l'avons vu précédemment, qu'il s'agisse de stéréotypes sociaux ou de comportements individuels, la motivation à la base de l'imitation de ces comportements dépend beaucoup du fait que l'individu cherche à s'identifier ou, au contraire, à s'opposer au modèle observé. Il s'agit ici d'une explication très actuelle qui sert de base à de nombreuses études portant sur des aspects comme la violence conjugale ou encore les comportements pédophiles.

L'instinct maternel : mythe ou réalité ?

Pour la plupart des gens, les hommes autant que les femmes, les mères savent d'instinct comment se comporter avec un enfant, alors que les pères «ne savent pas comment s'y prendre»! Mais qu'en est-il au juste? L'«instinct maternel» existe-t-il vraiment?

Pour répondre à cette question, il convient d'abord de distinguer l'humain des autres espèces animales. Et même chez ces dernières, il faut établir une différence entre une espèce comme le rat et une autre, plus proche de l'homme, comme le singe.

De nombreuses études, entre autres celles de Terkel et Rosenblatt (1972), et de Siegel (1986), ont établi que le comportement maternel peut être provoqué chez des rates vierges par l'injection d'œstrogène, une hormone présente chez les rates enceintes avec un taux plus élevé que la normale dans la période entourant l'accouchement. Ainsi, chez le rat, le comportement maternel serait une réponse instinctive provoquée par une concentration élevée d'œstrogène.

Par contre, il n'en est pas de même chez le singe rhésus, une espèce beaucoup plus près de l'homme, comme l'ont démontré Harry Harlow et sa femme Margaret, ainsi que certains de leurs collaborateurs (Seay, Alexander, & Harlow, 1964 ; Harlow & Harlow, 1966).

Des guenons qui n'avaient pas été élevées par leur mère n'étaient pas portées à s'occuper de leur propre rejeton. Non seulement elles ne prenaient pas leur bébé contre elles lorsqu'il venait à elles, ce qui est le comportement typique d'une guenon élevée en milieu naturel (*photo de gauche*), mais elles étaient aussi portées à l'éloigner, parfois même à le maltraiter ; tout au plus toléraient-elles que le jeune s'accroche à elles par derrière (*photo de droite*).

Un comportement instinctif étant, par définition, présent chez tous les membres normaux d'une espèce, le comportement maternel n'est donc pas déterminé de façon instinctive chez le singe. Il peut toutefois se développer, ainsi qu'en témoigne la revue de littérature présentée par Ruppenthal *et al.* (1976).

Dès lors, même si les études effectuées avec des singes ne pourraient pas l'être avec des humains — à tout le moins sur le plan éthique —, on est amené à penser que, si le comportement maternel n'est pas déterminé par un instinct chez le singe, il en est à fortiori de même chez l'humain. En effet, on convient généralement que de toutes les espèces animales, l'espèce humaine est celle qui est la moins déterminée au départ, ce qui lui confère la plus grande capacité d'adaptation à divers milieux.

Or, même si l'on tient pour acquis que le «comportement maternel» n'est pas inné chez l'humain, son importance n'en est pas

Contraste entre le comportement typique d'une guenon élevée avec une mère naturelle (*photo de gauche*) et celui d'une guenon élevée avec une «mère substitut» recouverte de tissu, mais immobile (*photo de droite*).

moindre pour autant. En effet, d'après McElwain et Booth-LaForce (2006), la sécurité de l'attachement mère-enfant, essentielle pour que l'enfant puisse bien se développer sur le plan socioaffectif, dépend de la sensibilité de la mère à la détresse de l'enfant dans les six premiers mois.

Il importe donc de bien connaître les facteurs qui vont influer sur le développement de cette sensibilité maternelle. D'après Shin, Park et Kim (2006), ces facteurs seraient principalement l'identité maternelle, c'est-à-dire le fait que la femme se perçoive comme une mère, l'attachement que la mère développe envers l'enfant durant la grossesse et, troisièmement, le soutien social que la mère reçoit de son environnement. Reste alors à mieux comprendre de quelle façon ces facteurs interviennent et comment favoriser leur présence.

Et qu'en est-il du père? Si le comportement maternel n'est pas déterminé par un «instinct», mais favorisé par le milieu, on peut penser que la même situation peut s'appliquer au fait de développer ou non un comportement paternel. Le fait que le rôle du père varie beaucoup d'une culture à l'autre tend à confirmer qu'il en est ainsi.

En somme, on est amené à reformuler la question posée dans le premier paragraphe de cet encadré ; au lieu de s'interroger sur l'instinct maternel, il aurait peut-être été préférable de dire : «L'instinct *parental* existe-t-il ?»

8.2.4 Les théories sociocognitives

Les théories présentées brièvement dans cette section ont en commun d'expliquer le comportement motivé en faisant appel à une analyse cognitive de la situation en jeu, laquelle met l'accent sur l'environnement social d'une façon plus importante que les théories abordées précédemment. Ce sont d'ailleurs surtout les chercheurs en psychologie sociale qui s'y sont intéressés. Parmi les nombreuses positions théoriques qui pourraient être rapportées ici, nous n'en mentionnerons que deux, à savoir la théorie des attributions causales, ainsi qu'une autre relativement récente, l'explication invoquant la notion d'inconscient cognitif.

La théorie des attributions causales

Sans nier l'intérêt des autres facteurs pouvant expliquer la motivation, Heider (1944, 1958) et Kelly (1967), deux auteurs qui s'inscrivent dans l'approche cognitive, ont mis davantage l'accent sur le point suivant : de façon générale, le comportement dépend beaucoup de la façon dont on interprète les événements passés et, plus particulièrement dans le cas de la motivation, des **attributions causales**, c'est-à-dire des causes évoquées pour expliquer un événement. Ainsi, le fait qu'un individu soit motivé ou non à poser ou non tel ou tel comportement est très influencé par ce à quoi il «attribue» la cause d'une réussite ou d'un échec passé.

Actuellement, la théorie des attributions causales propose quatre dimensions causales de nature cognitive. Les trois premières dimensions ont été définies par Weiner (1979, 1986) ; il s'agit du lieu de causalité, de la stabilité de la cause et de la contrôlabilité de la cause. Le tableau 8.1 présente ces trois dimensions cognitives en prenant comme exemple le cas d'un étudiant qui vient d'échouer à un examen.

La première dimension cognitive en jeu est la façon dont est perçu le **lieu de causalité**, c'est-à-dire le lieu perçu comme étant celui auquel se rattache la cause de l'événement. Ce lieu peut être interne ou externe, selon que l'individu considère que

Attribution causale
Cause évoquée pour expliquer un événement.

Lieu de causalité
Dans la théorie des attributions causales, dimension cognitive référant au lieu perçu comme étant celui auquel se rattache la cause d'un événement ; peut être interne ou externe, selon que l'individu considère que la cause réside en lui-même ou que celle-ci est liée à la chance, au hasard ou à une autre personne.

TABLEAU 8.1	Les dimensions cognitives intervenant, d'après Weiner (1979, 1986), dans la façon dont se fait l'attribution causale, et des exemples de comportements que l'individu peut être motivé ou non à poser			
	Dimension cognitive			**Influence possible sur le comportement**
Lieu de causalité	**Stabilité de la cause**	**Contrôlabilité de la cause**		
Interne Exemple : «C'est **moi** qui n'ai pas assez étudié.»	**Variable** Exemple : «Ce genre d'échec ne m'arrive **pas souvent**.»	**Contrôlable** Exemple : «**Je peux** mieux me préparer.»		«La prochaine fois, je vais me préparer correctement.»
		Incontrôlable Exemple : «**Je ne pouvais pas** étudier davantage à cause de mon travail à l'extérieur.»		«Je vais demander à mon patron de faire moins d'heures pour avoir plus de temps à consacrer à mes études.»
	Stable Exemple : «Ça fait **plusieurs fois** que j'échoue.»	**Contrôlable** Exemple : «**Je peux** trouver ce qui ne va pas et corriger ma façon d'étudier.»		«Je vais demander au professeur de m'aider à améliorer ma façon d'étudier.»
		Incontrôlable Exemple : «La matière est **trop difficile pour moi**.»		«Je vais aller rencontrer mon conseiller pédagogique pour qu'il m'aide à me réorienter.»
Externe Exemple : «C'est **le professeur** qui a fait un examen trop difficile.»	**Variable** Exemple : «Ce professeur n'a **pas l'habitude** de donner des examens difficiles.»	**Contrôlable** Exemple : «Le professeur **est réceptif** aux suggestions des élèves.»		«Je vais aller rencontrer le professeur pour lui parler de la difficulté de son examen.»
		Incontrôlable Exemple : «Le professeur **n'est pas réceptif** aux suggestions des élèves.»		«Je vais mieux étudier en espérant que le prochain examen ne sera pas aussi difficile.»
	Stable Exemple : «Ce professeur nous donne **régulièrement** des examens difficiles.»	**Contrôlable** Exemple : «**Il est possible** de porter plainte auprès de mon association étudiante et de la direction des études.»		«Je vais proposer à mes confrères de porter plainte auprès de mon association étudiante et de la direction des études.»
		Incontrôlable Exemple : «On a déjà porté plainte contre ce professeur, et cela n'a rien donné.»		«Je vais aller rencontrer le professeur pour qu'il m'explique ses exigences et qu'il me dise comment je devrais m'y prendre pour mieux étudier.»

la cause réside en lui-même ou est liée à la chance, au hasard ou à une autre personne. Par exemple, l'élève qui échoue à un examen expliquera-t-il cet échec par le fait que lui-même n'a pas assez étudié ou dira-t-il que l'examen du professeur était trop difficile?

Quel que soit le lieu auquel la cause d'un événement se rattache, une deuxième dimension cognitive intervient, à savoir la **stabilité de la cause** attribuée à cet événement. Il peut s'agir d'une cause dont l'occurrence est variable ou, au contraire, qui se reproduit avec une certaine régularité. Par exemple, si l'étudiant considère que son échec est dû à sa mauvaise préparation, cela lui arrive-t-il souvent ou est-ce un cas isolé? Si l'étudiant considère que c'est le professeur qui l'a soumis à un examen difficile, est-ce régulier ou non de la part de ce dernier?

Finalement, la troisième dimension proposée par Weiner est la **contrôlabilité de la cause**, c'est-à-dire la capacité qu'a ou non l'individu d'exercer un contrôle sur la cause telle que perçue à partir des deux autres aspects. Dans quelle mesure, par exemple, l'élève a-t-il l'impression de pouvoir agir sur la cause de son échec, qu'il perçoive le lieu de causalité comme étant interne ou externe, ou encore la cause comme survenant ou non de façon régulière?

Pour chacune des combinaisons résultant des trois dimensions cognitives de Weiner, le tableau 8.1 propose un comportement que l'individu pourrait être motivé à poser; il va de soi que le comportement mentionné à titre d'exemple n'est qu'un parmi de nombreuses possibilités s'offrant à l'individu.

En ce qui a trait à la quatrième dimension, c'est l'aspect **globalité de la cause**, c'est-à-dire le degré perçu de généralité ou de spécificité attribué à la cause (Barbeau, 1993; Vallerand, 2006a). Par exemple, la cause d'un échec s'applique-t-elle uniquement à une matière donnée ou à plusieurs matières? La dimension «globalité» aurait pu être incluse dans le tableau, mais cela en aurait alourdi la présentation. Il demeure cependant aisé de concevoir que cette dernière dimension pourrait également s'appliquer.

L'explication invoquant la notion d'inconscient cognitif

Les années 2000 ont vu naître quantité de travaux de recherche sur la notion de processus cognitifs inconscients (Vallerand, 2006b) par les chercheurs en psychologie sociale qui s'intéressent à la motivation. Il ne s'agit toutefois pas d'un inconscient au sens psychanalytique du terme, mais plutôt d'un «inconscient cognitif», c'est-à-dire d'un système qui réagit à certaines stimulations, les traite et, éventuellement, influe sur le comportement en conformité avec l'analyse faite, le tout sans que l'individu en soit conscient (Bargh, 2007; Hassin, Uleman, & Bargh, 2005). Deux études peuvent servir à illustrer ce type d'influence.

Dans la première de ces études, celle dirigée par John Bargh de l'Université Yale (Bargh, Chen, & Burrows, 1996), on a présenté une série de mots à lire à deux groupes d'étudiants universitaires. Pour l'un des groupes, le groupe expérimental, on avait inséré des mots ayant trait au troisième âge (par exemple, la vieillesse, une chaise berçante), mais à une vitesse trop rapide pour qu'ils soient détectés consciemment. Par la suite, on a dit aux sujets que l'expérience était terminée et qu'ils pouvaient repartir; on a alors mesuré à leur insu le temps qu'ils prenaient pour se rendre à l'ascenseur. Or, on a constaté que les sujets auxquels on avait présenté de façon subliminale les mots ayant trait au troisième âge prenaient plus de temps pour se rendre à l'ascenseur que les sujets auxquels ces mots n'avaient pas été présentés, comme si l'on avait créé chez eux la motivation à agir comme des personnes âgées. On a donc démontré que des stimuli «non perçus consciemment» pouvaient mettre en branle des processus cognitifs inconscients et influencer le comportement.

Des résultats du même type ont été obtenus par Ratelle, Baldwin et Vallerand (2005). Ces chercheurs ont en effet démontré que, si des stimuli subliminaux sont associés par conditionnement classique à une situation sur laquelle la personne sent qu'elle n'a pas le contrôle, cette dernière sera portée à généraliser ce sentiment de «non-contrôle» à d'autres situations où les stimuli associés à la première situation sont de nouveau présentés.

Stabilité de la cause
Dans la théorie des attributions causales, dimension cognitive selon laquelle la cause d'un événement survient ou non avec une certaine régularité.

Contrôlabilité de la cause
Dans la théorie des attributions causales, dimension cognitive selon laquelle la cause d'un événement est ou non contrôlable par l'individu.

Globalité de la cause
Dans la théorie des attributions causales, dimension cognitive correspondant au degré perçu de généralité ou de spécificité attribué à la cause.

On est alors amené à se poser les questions suivantes : « Si des comportements peuvent effectivement être dus à des motivations inconscientes, dans quelle mesure est-ce le cas au quotidien ? Quelle est l'origine de ces influences inconscientes ? » Comme le souligne M. Vallerand dans l'encadré 8.4, les modèles sociaux joueraient un rôle motivationnel important sur ce plan, en amenant l'individu à penser et à se comporter en fonction des stéréotypes en vigueur dans sa culture. On peut y voir une forme d'apprentissage social où la dimension cognitive constitue un élément clé, contrairement aux explications basées sur le conditionnement dont il a été question plus haut.

Testez vos connaissances

5. Les modèles sociaux peuvent nous amener à nous comporter inconsciemment selon les stéréotypes en vigueur dans notre culture.

C'est effectivement ce qu'ont démontré différentes études, notamment celles conduites par John Bargh, de l'Université Yale, qui a montré que des stimuli subliminaux pouvaient influencer certains aspects du comportement.

De plus, la possibilité qu'on puisse influencer les motivations d'un individu sans qu'il en soit conscient n'est pas sans rappeler les travaux effectués dans les années 1950 sur les effets de la perception subliminale. Les résultats n'avaient pas été concluants à l'époque, mais la recherche actuelle semble en voie de faire changer les choses, ainsi que nous l'avons déjà mentionné au chapitre 3.

ENCADRÉ 8.4   Paroles d'expert

Robert Vallerand : quand la motivation devient passion

Fervent joueur de basket-ball lorsqu'il était étudiant, Robert Vallerand avait toujours été préoccupé par ce qui motive les gens. Ainsi, après avoir évolué avec l'équipe de l'Université McGill, il a voulu comprendre ce qui poussait un athlète à se dépasser au jeu. Pour trouver une réponse à sa question, il a complété un doctorat en psychologie du sport, puis un postdoctorat en psychologie. Depuis 1983, il enseigne à l'UQAM où il dirige le Laboratoire de recherche sur le comportement social.

À l'époque où Robert Vallerand a commencé à s'intéresser à la motivation, les principales explications « classiques » de l'époque étaient celle de Freud, qui supposait des pulsions inconscientes, et celle de Skinner, basée sur le principe de renforcement. Or, M. Vallerand estimait que ces explications ne rendaient pas compte de ce qu'il ressentait lorsqu'il jouait au basket-ball. C'est alors qu'il a pris connaissance de la distinction qu'on établissait en psychologie sociale entre motivation extrinsèque et motivation intrinsèque, ce dernier type correspondant parfaitement à ce qui l'animait quand il jouait. Depuis lors, M. Vallerand n'a cessé de poursuivre sa recherche dans ce domaine.

Bien que la notion de motivation intrinsèque soit relativement simple à saisir, ce qui l'est moins, c'est d'où elle provient et, surtout, comment ce type de motivation interagit avec les motivations extrinsèques. Or, dans les efforts des chercheurs pour répondre à ces questions, une notion qui a largement cours actuellement, signale Robert Vallerand, est celle d'inconscient.

Il ne s'agit pas ici d'inconscient au sens où l'entendait Freud, c'est-à-dire d'un inconscient réservoir de pulsions refoulées. Il s'agirait plutôt d'une sorte d'inconscient cognitif, c'est-à-dire d'un ensemble de processus qui peuvent réagir à des stimuli dont l'individu n'est pas

conscient, en faire l'analyse et, toujours sans que l'individu en prenne conscience, créer chez lui les motivations à poser ou non tel ou tel comportement.

Un autre aspect lié à la motivation intrinsèque est celui de la passion. Non pas la passion amoureuse, mais celle qui pousse par exemple le sportif, le musicien ou encore le chercheur à s'adonner à son activité par pur plaisir, où la motivation intrinsèque est donc l'élément essentiel. Lui-même un passionné, M. Vallerand a constaté à ce sujet qu'il n'existait pas encore de modèle explicatif, ce qui l'a amené à en concevoir un premier sur les mécanismes

Robert Vallerand, Ph.D. en psychologie, directeur du Laboratoire de recherche sur le comportement social (LCRS).

en jeu dans la passion, en compagnie de quelques collègues (Vallerand, Blanchard, *et al.,* 2003 ; Vallerand & Houlfort, 2003 ; Vallerand & Miquelon, 2007 ; Vallerand, Salvy, *et al.,* 2007).

L'étude de la motivation est donc un domaine où la recherche est… passionnante, mais la motivation est également devenue un concept clé dans la plupart des secteurs d'activité : travail, éducation, sport, etc. De nombreuses possibilités s'offrent donc à la personne intéressée par l'aspect motivation et par le travail sur le terrain.

8.2.5 Les théories d'orientation humaniste

Comme le soulignent Pelletier et Vallerand (1993), les théories que nous retrouvons dans cette catégorie partagent toutes un même postulat de base, à savoir que l'organisme a une tendance innée à se développer de façon optimale. Celles qui sont présentées ici sont la hiérarchie des besoins de Maslow et la théorie de l'autodétermination.

La hiérarchie des besoins de Maslow

Abraham Maslow (*voir la photo 8.6*) l'un des pionniers de l'approche humaniste, a proposé un modèle montrant une hiérarchie dans les besoins, c'est-à-dire un ordre de priorité selon lequel les humains tendent à satisfaire leurs besoins (Maslow, 1943). Ce modèle, couramment appelé la **pyramide de Maslow**, est illustré dans la figure 8.5. Il vise à représenter l'idée selon laquelle un type de besoin donné ne peut être satisfait que dans la mesure où celui qui lui sert de base l'a d'abord été. Ainsi, pour Maslow, les besoins de croissance personnelle, l'une des deux grandes catégories qu'il distingue, ne peuvent être satisfaits tant et aussi longtemps que les besoins fondamentaux à la base de la pyramide ne l'ont pas été.

Les besoins que Maslow considère comme des **besoins fondamentaux** sont ceux qui sont liés au développement, au maintien ainsi qu'à la survie de l'organisme et, à travers lui, de l'espèce. Ils incluent d'abord les **besoins physiologiques** liés au bon fonctionnement de l'organisme physique tels que manger, boire, dormir et se reproduire; par exemple, c'est à ce niveau de besoins que répond la personne qui quitte le Burkina Faso en raison de la famine qui y sévit. Ce sont ces besoins qu'on tend à satisfaire en priorité et qui, en conséquence, constituent la base de la pyramide. Une fois les besoins physiologiques de base satisfaits, la priorité suivante va à la deuxième catégorie

Abraham H. Maslow (1908-1970)
Créateur de l'approche humaniste avec Carl Rogers, Maslow considère que toute personne humaine aspire avant tout à réaliser son plein potentiel.

Photo 8.6

Pyramide de Maslow
Modèle représentant la hiérarchie des besoins proposée par Maslow et selon lequel les besoins fondamentaux (besoins physiologiques d'abord, puis besoins liés à la sécurité) doivent être satisfaits avant que les besoins de croissance personnelle (appartenance, amour, estime de soi et actualisation de soi) le soient.

Besoins fondamentaux
D'après Maslow, besoins qui sont liés au développement, au maintien ainsi qu'à la survie de l'organisme et, à travers lui, de l'espèce; ces derniers doivent être satisfaits avant les besoins de croissance personnelle et comprennent les besoins physiologiques et ceux qui sont liés à la sécurité.

Besoins physiologiques
Besoins qui sont liés au bon fonctionnement de l'organisme physique et qui constituent le niveau inférieur de ceux que Maslow appelle les *besoins fondamentaux*.

FIGURE 8.5 La pyramide de Maslow

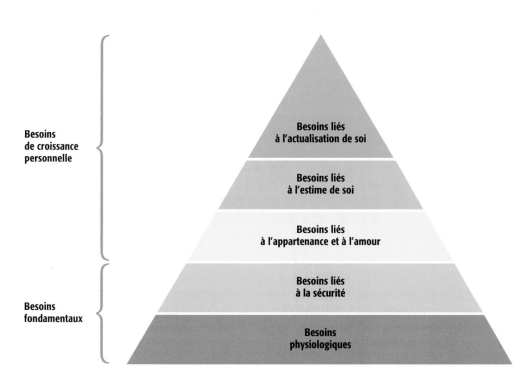

Besoins de croissance personnelle
- Besoins liés à l'actualisation de soi
- Besoins liés à l'estime de soi
- Besoins liés à l'appartenance et à l'amour

Besoins fondamentaux
- Besoins liés à la sécurité
- Besoins physiologiques

La pyramide de Maslow : modèle hiérarchique des besoins selon lequel la personne progresse vers des besoins de croissance personnelle une fois que ses besoins fondamentaux de survie sont satisfaits.

Besoins liés à la sécurité

Besoins visant à mettre l'organisme physique à l'abri de toute menace éventuelle et qui constituent le niveau supérieur de ceux que Maslow appelle les *besoins fondamentaux*.

Besoins de croissance personnelle

D'après Maslow, besoins qui visent le plein développement de l'organisme en tant qu'être humain ; ceux-ci ne peuvent être satisfaits avant les besoins fondamentaux et comprennent les besoins liés à l'appartenance et à l'amour, à l'estime de soi et à l'actualisation de soi.

Besoins liés à l'appartenance et à l'amour

Besoins non seulement d'être accepté, mais également d'être apprécié par les autres ; ils constituent le niveau inférieur de ceux que Maslow appelle les *besoins de croissance personnelle*.

Besoins liés à l'estime de soi

Besoins incitant la personne à faire quelque chose qui lui donne une image positive d'elle-même ; ces derniers constituent le deuxième niveau de ceux que Maslow appelle les *besoins de croissance personnelle*.

Besoins liés à l'actualisation de soi

Besoins de réussir sa vie en ayant développé pleinement ses capacités en tant qu'individu ; ils constituent le niveau supérieur de ceux que Maslow appelle les *besoins de croissance personnelle*.

de besoins fondamentaux, à savoir les **besoins liés à la sécurité** visant à mettre l'organisme physique à l'abri de toute menace éventuelle. C'est le cas par exemple d'une personne qui quitte l'Irak parce qu'elle craint pour sa vie.

Ce n'est qu'une fois les besoins fondamentaux satisfaits que la priorité se déplace vers les **besoins de croissance personnelle**, visant le plein développement de l'organisme en tant qu'être humain. Viennent d'abord les **besoins liés à l'appartenance et à l'amour**, c'est-à-dire les besoins d'être non seulement accepté, mais également apprécié par les autres. C'est ce type de besoin qui poussera par exemple un individu à se soumettre à un rite d'initiation afin de «faire partie de la gang»; c'est également lui qui amènera un individu à s'approcher d'une personne afin d'être accepté de façon privilégiée et d'entamer une relation amoureuse. À l'étage supérieur de la pyramide se trouvent les **besoins liés à l'estime de soi**, la deuxième catégorie de besoins de croissance personnelle proposée par Maslow. Il s'agit ici des besoins incitant la personne à faire des choses qui lui donnent une image positive d'elle-même, comme faire du bénévolat auprès de personnes démunies ou de malades délaissés par leur famille. Maslow situe tout en haut de sa pyramide les **besoins liés à l'actualisation de soi**, c'est-à-dire au fait d'avoir réussi sa vie en ayant développé pleinement ses capacités en tant qu'individu. Pour Maslow, tous les humains tendent ultimement vers l'actualisation de soi, mais peu arrivent, selon lui, à satisfaire complètement ce besoin ; Gandhi est un exemple de ceux-là. Les obstacles rencontrés par un individu dans ses efforts pour s'actualiser seraient d'ailleurs, selon Maslow, la principale source des problèmes psychologiques.

Testez vos connaissances

6. **Les besoins liés à la sécurité sont plus importants que les besoins liés à l'estime de soi.**

C'est du moins la position de Maslow, le principal auteur à avoir proposé une hiérarchie des besoins.

Le modèle de Maslow a été beaucoup critiqué en raison des nombreux cas où un individu peut émettre un comportement associé à un besoin, alors que les besoins précédents n'ont pas été complètement satisfaits. Un exemple intéressant est celui du peintre Van Gogh qui a passé sa vie à satisfaire son besoin de créer malgré des conditions de vie miséreuses. Il faut toutefois reconnaître à ce sujet que Maslow ne considérait pas qu'un type de besoin doit être complètement satisfait avant que l'individu passe au niveau supérieur de la pyramide. Malgré cette nuance, il est difficile de ne pas considérer le cas des individus qui vont attenter à leur propre vie au nom d'une cause politique ou religieuse, ce qui contredit carrément la hiérarchie des besoins proposée par Maslow. Par ailleurs, ce qui s'avère peut-être la plus importante critique des chercheurs à l'endroit la théorie de Maslow est que celle-ci n'a pu générer d'hypothèses supportées par des données empiriques.

En dépit des critiques formulées à son égard, le modèle hiérarchique de Maslow demeure encore très utilisé, notamment en relations industrielles et en marketing. De fait, il peut constituer un excellent outil permettant d'analyser la priorité qu'un individu accorde aux différents besoins situés à un niveau donné et le degré de satisfaction requis pour passer à un autre niveau. Par exemple, un individu peut se contenter d'un niveau minimal de satisfaction des besoins fondamentaux qui serait insuffisant pour la plupart des individus (par exemple, les adeptes de la simplicité volontaire). On pourrait ainsi considérer qu'il ne va pas à l'encontre du modèle pyramidal de Maslow, mais que ses critères de satisfaction des différents niveaux ne sont tout simplement pas les mêmes que ceux des autres.

La théorie de l'autodétermination

Prenant en considération des aspects de plus en plus nombreux de la motivation et du développement de la personnalité, la **théorie de l'autodétermination** a beaucoup évolué depuis ses premières formulations énoncées dans les années 1970, principalement par Deci (1975). Nous la définirons ici comme une approche de la motivation humaine et de la personnalité qui, à l'instar du modèle de Maslow, suppose que la personne a une tendance innée à développer son plein potentiel, mais qui utilise la méthode scientifique (expérimentation, enquête) pour comprendre comment se traduit cette tendance dans ce qui motive le comportement (Ryan & Deci, 2000). Selon la théorie de l'autodétermination, ce besoin de développer son plein potentiel s'appuie sur trois besoins de base :

- le besoin d'autonomie, c'est-à-dire de gérer soi-même ses actions et de poser ces dernières parce qu'on en a librement la volonté, au lieu d'être contrôlé par des forces externes ;
- le besoin de compétence, c'est-à-dire de réussir de façon satisfaisante ce que l'on fait ;
- le besoin d'appartenance sociale, c'est-à-dire de créer des liens avec les autres et de fonctionner avec eux en groupes organisés et sécurisants.

La mesure dans laquelle ces besoins sont satisfaits influe sur la motivation d'un individu à s'engager dans une tâche et à la poursuivre. Deci et Ryan distinguent ainsi trois grands types de motivation, lesquels se différencient par le degré d'autodétermination qui sous-tend le comportement : la motivation intrinsèque, la motivation extrinsèque et l'amotivation (Deci & Ryan, 2000 ; Ryan & Deci, 2000).

La motivation intrinsèque Lorsque la motivation provient du plaisir et de la satisfaction que l'individu retire à émettre un comportement, on la qualifie de **motivation intrinsèque** (Deci, 1975). On dit ainsi qu'une personne est intrinsèquement motivée à exercer une activité lorsqu'elle la fait de façon naturelle et spontanée, et lorsqu'elle se sent libre de s'engager dans ses propres champs d'intérêt (Deci & Ryan, 2000). À titre d'exemple, l'étudiant qui choisit d'aller étudier en sciences politiques parce que tout ce qui touche à la politique l'attire le fait par motivation intrinsèque ; il en est de même pour l'étudiant en arts qui consacre de nombreuses heures à s'acquitter des travaux demandés et qui en fait même davantage, simplement parce qu'il adore dessiner et peindre. La motivation intrinsèque est celle qui correspond au degré d'autodétermination le plus élevé, celui vers lequel tendent naturellement les individus lorsque les contraintes externes le permettent.

La motivation extrinsèque Lorsqu'un individu pose un comportement pour une raison autre que l'intérêt de l'activité elle-même, on parle de **motivation extrinsèque** (Deci, 1975). Autrement dit, une motivation extrinsèque tire sa source du fait que l'individu pratique une activité « pour en retirer quelque chose de plaisant ou pour éviter quelque chose de déplaisant une fois l'action terminée » (Pelletier & Vallerand, 1993, p. 255, se basant sur Deci, 1975). Par exemple, un étudiant qui aurait aimé s'inscrire en musique, mais qui se dirige en droit pour faire plaisir à ses parents ou parce que ceux-ci ont promis de payer toutes ses études s'il s'inscrivait dans ce domaine d'étude, le fait par motivation extrinsèque.

Il importe ici de préciser que, pour qu'on puisse parler de motivation extrinsèque, le côté plaisant ou déplaisant doit provenir d'une conséquence (récompense ou punition) associée de façon externe et non de l'activité elle-même. Par exemple, la satisfaction qui découle du fait que la simulation d'un débat parlementaire à laquelle on a eu du plaisir à participer s'est bien déroulée n'est pas une motivation extrinsèque ; par contre, le prix reçu parce qu'on a remporté le débat en est une.

L'amotivation Le troisième grand type de motivation est l'**amotivation**, c'est-à-dire l'absence de motivation. Ce dernier type correspond au cas où un individu émet un comportement sans motivation aucune (Deci & Ryan, 1985 ; Vallerand *et al.*, 1987). L'individu amotivé agit alors de façon mécanique, sans voir aucun lien entre ce qu'il fait et ce qui en découle. L'étudiant qui ne sait plus pourquoi il est à l'école et qui a

---

Théorie de l'autodétermination
Approche de la motivation humaine et de la personnalité qui suppose que l'être humain a une tendance innée à développer son plein potentiel, mais qui utilise la méthode scientifique pour comprendre comment cette tendance se traduit dans ce qui motive le comportement.

Motivation intrinsèque
Motivation où le caractère motivant provient de l'intérêt que présente le comportement en lui-même pour l'individu, ce dernier émettant le comportement par pur plaisir.

Motivation extrinsèque
Motivation où le caractère motivant provient d'un facteur autre que l'intérêt du comportement lui-même.

Amotivation
Absence de motivation ; correspondant au cas où un individu émet un comportement sans motivation.

l'impression de ne rien en retirer est dans cette situation. Comme nous le verrons plus loin dans une section spécialement consacrée à la motivation aux études, il s'agit là d'un champ de recherche très actif; les personnes qui s'y consacrent ont d'ailleurs des solutions à proposer.

8.3 Les interactions entre les motivations

Étant donné les nombreux exemples de motivations qui ont été donnés lors de la présentation des différentes théories, il est aisé de concevoir qu'un individu puisse être influencé par plus d'une motivation à la fois dans la vie courante. Les interactions entre ces dernières peuvent évidemment donner lieu à diverses situations. Ainsi, dans certains cas, les comportements liés aux différentes motivations peuvent aller dans le même sens et donc converger ou, au contraire, s'opposer et créer des conflits. Nous aborderons d'abord ce qui porte sur les convergences de motivations pour ensuite considérer les conflits entres elles.

8.3.1 Les convergences de motivations

Si un individu aime jouer de la musique (motivation intrinsèque) et s'il peut être rémunéré en se produisant dans les bars, ce qui lui permet de gagner de l'argent pour payer son loyer, sa nourriture, etc. (motivation extrinsèque), les deux types de motivations convergent vers le même comportement: jouer de la musique. Ainsi, la situation est relativement simple et ne pose apparemment aucun problème. Mais ce n'est pas forcément toujours le cas.

Certaines études ont en effet démontré que le fait de susciter une motivation extrinsèque en attribuant de l'argent comme récompense peut, dans certains cas, diminuer la motivation intrinsèque qui incitait un individu à exercer une activité (Deci, Koestner, & Ryan, 1999, 2001; Pelletier & Vallerand, 1993). Ainsi, des enfants à qui on avait demandé de faire des casse-tête et qui avaient reçu un dollar de récompense pour chaque casse-tête complété étaient moins portés à recommencer s'ils ne recevaient plus ladite récompense, que des enfants qui avaient effectué la même tâche sans en avoir reçu. Pour Deci, le fait d'avoir été payé pour effectuer les casse-tête avait diminué la motivation à effectuer la tâche par simple plaisir, autrement dit la motivation intrinsèque liée à cette tâche (Deci, 1971). On peut en fait se demander si les gros salaires de certains joueurs n'expliqueraient pas leur baisse de motivation à jouer (*voir la photo 8.7*).

Ainsi, pour prédire l'effet d'une récompense, il importe de savoir de quel type de récompense il s'agit, ainsi que comment et dans quel contexte les récompenses sont accordées, ce qui s'avère plus complexe qu'il n'y paraît à première vue (Cameron *et al.*, 2005).

8.3.2 Les conflits de motivations

Si les comportements ou buts liés aux différentes motivations s'opposent au lieu de converger, ne serait-ce que parce que l'individu ne peut poser les deux en même temps, l'individu fait alors face à un conflit de motivations: on dit ainsi qu'il y a **conflit motivationnel** lorsqu'au moins deux comportements incompatibles associés à un ou plusieurs buts sont impliqués.

Les conflits motivationnels susceptibles de survenir peuvent prendre plusieurs formes selon les types de comportement et les buts en jeu. On distingue ainsi deux types de comportement: le **comportement d'approche** visant à tendre vers un but positif, c'est-à-dire un objet, une situation ou un événement qui semblent désirables pour l'organisme, et le **comportement d'évitement** visant à éviter un but négatif, c'est-à-dire un objet, une situation ou un événement qui semblent indésirables ou menaçants pour l'organisme. Il en résulte quatre principaux types de conflits: le conflit approche-approche, le conflit évitement-évitement, le conflit approche-évitement et, finalement, le conflit à options multiples.

Dans le sport professionnel, gagner un gros salaire peut diminuer chez certains le «plaisir de jouer», qui constituait généralement la motivation intrinsèque première.

Photo 8.7

Conflit motivationnel
Situation où un organisme doit choisir entre deux ou plusieurs comportements incompatibles associés à un ou plusieurs buts.

Comportement d'approche
Comportement consistant à s'approcher d'un but positif, c'est-à-dire un objet, une situation ou un événement qui semble désirable pour l'organisme.

Comportement d'évitement
Comportement consistant à éviter un but négatif, c'est-à-dire un objet, une situation ou un événement qui semble indésirable ou menaçant pour l'organisme.

Le conflit approche-approche Comme le présente schématiquement la figure 8.6a (*page 278*), il y a **conflit approche-approche** lorsque l'organisme est en présence de deux buts positifs qui suscitent deux comportements d'approche incompatibles l'un avec l'autre. Devoir choisir entre deux desserts est un exemple banal de ce type de conflit ; devoir choisir entre deux personnes à qui proposer de sortir ou entre deux carrières qui nous intéressent en sont d'autres exemples qui, ceux-là, peuvent avoir plus d'importance pour l'individu. De façon générale, le conflit approche-approche est le plus facile à résoudre, ce qui est intuitivement aisé à comprendre, étant donné que les deux buts offrent quelque chose d'intéressant pour l'organisme.

Le conflit évitement-évitement La figure 8.6b montre de manière schématique qu'il y a **conflit évitement-évitement** lorsque l'organisme est en présence de deux buts négatifs qui suscitent deux comportements d'évitement incompatibles l'un avec l'autre. L'élève qui voudrait éviter d'avoir à étudier une matière qu'il déteste, mais qui voudrait en même temps éviter d'échouer à son dernier examen est placé devant ce type de conflit. De façon générale, le conflit évitement-évitement est plus difficile à résoudre que le conflit approche-approche, l'organisme devant choisir, en dernier ressort, quelque chose qu'il n'aime pas de toute façon.

Le conflit approche-évitement La figure 8.6c le shématise assez bien : il y a **conflit approche-évitement** lorsque l'organisme est en présence d'un même but présentant à la fois un côté positif, suscitant un comportement d'approche, et un côté négatif, ce dernier provoquant un comportement d'évitement. L'individu qui a envie de hausser fortement le volume de son baladeur, mais qui vient de lire un article sur les dangers de développer une surdité précoce est confronté à une telle situation : continuer à «triper» sur une musique forte ou risquer d'endommager son ouïe ; il en est de même d'un étudiant qui s'est vu offrir une bourse pour aller étudier dans une université reconnue dans son champ d'intérêt, ce qui l'obligera à quitter les siens pendant une longue période de temps. Tout comme le conflit évitement-évitement, le conflit approche-évitement est généralement plus difficile à résoudre que le conflit approche-approche.

> ### Testez vos connaissances
>
> **7. Il est plus facile de choisir entre deux choses à éviter qu'entre deux options qui nous intéressent.**
>
> Le conflit approche-approche est beaucoup plus facile à résoudre que le conflit évitement-évitement.

Le conflit à options multiples Les exemples de conflits qui viennent d'être présentés sont en fait des exemples simples qui peuvent effectivement survenir dans le quotidien. Toutefois, les situations de conflits qui se présentent dans la vie de tous les jours sont en général plus complexes et constituent plutôt des cas de **conflit à options multiples**, l'organisme se trouvant en présence d'un ou de plusieurs buts suscitant dans l'ensemble plus de deux comportements incompatibles, comme dans la figure 8.6d. C'est par exemple le cas de l'élève qui se voit offrir un emploi régulier lors de l'été suivant sa première année de cégep, ce qui l'obligerait à interrompre ses études : l'option «travail» lui permettrait de gagner plus d'argent dès maintenant, mais il ne pourrait pas obtenir l'emploi mieux rémunéré qu'il visait jusqu'à présent ; par contre, l'option «continuer le cégep» lui permettrait d'obtenir l'emploi souhaité, quitte à renoncer à disposer dès maintenant d'un salaire à temps plein. Il va de soi que plus un conflit met en jeu un nombre élevé d'options, plus il peut s'avérer difficile de le résoudre.

Conflit approche-approche
Conflit où l'organisme doit choisir entre s'approcher d'un but positif ou s'approcher d'un autre but positif, les deux comportements étant incompatibles l'un avec l'autre.

Conflit évitement-évitement
Conflit où l'organisme doit choisir entre éviter un but négatif ou en éviter un autre, les deux comportements étant incompatibles l'un avec l'autre.

Conflit approche-évitement
Conflit où l'organisme doit choisir entre s'approcher d'un objet ou l'éviter, ce dernier agissant à la fois comme but positif et comme but négatif.

Conflit à options multiples
Conflit où l'organisme doit choisir entre deux ou plusieurs comportements d'approche ou d'évitement incompatibles, lorsqu'il fait face à deux ou plusieurs buts.

FIGURE 8.6   Les conflits motivationnels

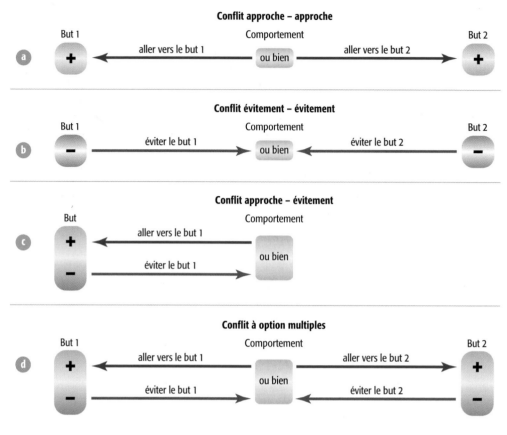

Dans le conflit approche-approche **a** choisir un des deux buts oblige à renoncer à l'autre, tandis que dans le conflit évitement-évitement **b**, éviter un but oblige à s'approcher de l'autre ; par ailleurs, dans le conflit approche-évitement **c**, il y a conflit entre s'approcher du but en raison de son côté positif et s'en éloigner à cause de son côté négatif. Enfin, le conflit à options multiples **d** présente plusieurs options soit positives, soit négatives.

8.4 La motivation au quotidien

Jetons finalement un coup d'œil sur la motivation au quotidien. Ce qui caractérise d'abord le quotidien de l'étudiant au collégial, ce sont ses études. Notre premier regard portera donc sur la motivation aux études, une question qui préoccupe autant les premiers intéressés que sont les étudiants que les différents intervenants du monde pédagogique. Notre second point portera sur la motivation au travail, l'entrée dans le monde professionnel constituant l'étape succédant normalement à la période des études.

8.4.1 La motivation aux études

Dans un rapport rédigé au nom de la Fédération des cégeps, Filion (1999) considère, en se basant sur différentes enquêtes effectuées auprès d'étudiants du secondaire, que «les principaux obstacles à l'étude tiennent davantage au manque de motivation et d'organisation» (p. 51). Une des études consultées à cet effet est celle de Terrill et Ducharme (1994) pour qui c'est principalement la motivation intrinsèque qui fait défaut. Bien que ces données aient été recueillies auprès d'élèves du secondaire, celles-ci projettent un éclairage tout à fait en accord avec ce qu'on observe au niveau collégial. Ainsi, dans le cadre d'une étude portant sur 744 étudiants répartis dans trois cégeps de milieux sociologiques différents, à savoir le Cégep de la Gaspésie et des Îles, le Cégep de Sainte-Foy et le Cégep du Vieux Montréal, Roy *et al.* (2005) soulignent que «la réussite au cégep peut [...] être contrariée par un projet d'orientation flou et ainsi empêcher une implication réelle et efficace dans un programme d'études. Comptant [...] parmi les principaux facteurs de motivation scolaire, ce projet d'orientation professionnelle ne peut être négligé, constituant un enjeu de taille lorsqu'on parle de réussite» (p. 9).

Deux points se dégagent de ce qui vient d'être cité. Premièrement, la motivation est un facteur important — sinon le plus important — pour réussir en général, et au collégial en particulier. Deuxièmement, la motivation dépend en bonne partie du fait que l'étudiant ait pu choisir de façon éclairée l'orientation qui semble lui correspondre le mieux. De là l'importance pour l'étudiant d'être bien orienté en arrivant au collégial. De plus, tant par son contenu que par la pédagogie utilisée, le programme doit permettre à l'étudiant de «sentir» que ce qu'il fait au quotidien semble lié à ce qui l'a amené à le choisir. On peut donc aborder le problème de la motivation scolaire en deux temps : en se demandant, premièrement, ce qui motive l'étudiant à choisir une orientation donnée et, deuxièmement, ce qui le motive à fournir le travail requis pour réussir dans l'orientation choisie.

Testez vos connaissances

8. Le fait qu'un étudiant ait pu choisir l'orientation qui lui convient est un facteur motivationnel important dans la réussite de ses études.

La motivation est un facteur de réussite important ; cependant, le fait que l'étudiant puisse choisir son orientation de façon éclairée est également un facteur motivationnel majeur.

En ce qui a trait au choix de l'orientation, la motivation idéale du point de vue de la théorie de l'autodétermination est la motivation intrinsèque, c'est-à-dire celle consistant à choisir un domaine parce que ce dernier est perçu intéressant en soi. L'étudiant qui choisit de s'inscrire en sciences humaines parce qu'il veut se diriger en politique et que ce domaine le passionne, ou celui qui se dirige en arts parce qu'il adore dessiner font tous deux un choix intrinsèquement motivé. Encore faut-il que l'étudiant s'assure que le contenu du programme dans lequel il s'inscrit correspond à ses attentes, d'où l'importance d'une information adéquate à propos des différents programmes offerts par un collège.

L'étape du choix de l'orientation est cruciale. L'étudiant qui n'a pas encore trouvé ce qui l'intéresse et qui, par exemple, s'inscrit en sciences humaines «pour éviter les cours de maths», risque fort d'être peu motivé à fournir le travail requis, c'est-à-dire à s'engager pleinement et à persister dans ses activités scolaires ; le risque d'échec est alors plus grand. Or, d'après le Conseil supérieur de l'éducation, seulement environ 20 % des étudiants inscrits dans un programme préuniversitaire ont un projet scolaire bien déterminé (Roy *et al.,* 2005). Il est donc important que les structures en place, tant celles au secondaire que les structures d'accueil au collégial, puissent aider l'étudiant à découvrir ses champs d'intérêt et à s'inscrire dans un programme qui semble y correspondre le mieux. Même à l'intérieur des sciences humaines, l'étudiant de niveau collégial a de nombreux choix qui s'offrent à lui, comme le rappelle la figure 8.7 (*page 280*).

Par ailleurs, s'il est vrai que l'étudiant sera d'autant plus motivé qu'il a pu faire un choix lucide, tout n'est pas joué : en effet, la motivation scolaire doit se concrétiser dans un comportement qui conduira à la réussite. Il importe alors que les divers intervenants pédagogiques travaillent de concert avec l'étudiant pour aider ce dernier non seulement à poursuivre et à compléter ses études, mais aussi à le faire d'une façon qui maximisera ses chances de pouvoir par la suite s'épanouir dans le monde du travail. Or, le cadre conceptuel fourni par l'approche cognitive, notamment le modèle de motivation scolaire développé par la chercheuse québécoise Denise Barbeau (Barbeau, 1993), apporte une aide extrêmement précieuse sur ce plan.

FIGURE 8.7   La croisée des « chemins de carrières »

Un choix judicieux de carrière constitue un puissant agent motivationnel dans la poursuite de ses études.

Comme on peut le constater en consultant l'encadré 8.5, le modèle de Barbeau (1993) accorde une grande place aux notions d'attributions vis-à-vis des échecs et des réussites, de même qu'aux notions de sentiment de compétence et de pertinence de la tâche dans la motivation scolaire. S'inscrivant dans la même démarche, Barbeau, Montini et Roy (1997) résument comme suit les facteurs sur lesquels devraient agir les intervenants pédagogiques, en particulier le professeur, pour favoriser la motivation scolaire :

• Utiliser la technique de la réattribution consistant à amener l'étudiant à modifier ses attributions causales de telle sorte qu'il ait davantage la maîtrise d'une situation qui pose problème : amener l'étudiant par exemple à considérer que son échec n'était pas dû au fait que l'examen était difficile, mais plutôt au fait qu'il n'avait pas pu consacrer suffisamment de temps à sa préparation.

• Développer chez l'étudiant la perception qu'il a la compétence pour acquérir et utiliser les connaissances en jeu : enseigner par exemple à l'étudiant comment organiser les connaissances à acquérir de façon à être en mesure de mieux les retenir.

• Amener l'étudiant à percevoir la pertinence et l'importance des tâches demandées dans le cadre de ses cours : présenter des exemples qui permettent à l'étudiant de voir concrètement que ce qu'il fait pourra lui être utile dans l'orientation qu'il a choisie et lui proposer des objectifs ni trop généraux ou spécifiques, ni trop faciles ou difficiles à atteindre, afin de constituer des défis clairs et à sa portée.

L'intervenant pédagogique a un rôle important à jouer pour susciter et maintenir la motivation scolaire chez l'étudiant.

Photo 8.8

• Amener l'étudiant à s'engager cognitivement, c'est-à-dire à fournir la qualité et le degré d'effort requis lors de l'accomplissement de tâches d'apprentissage, ce qui demande de pouvoir amener l'étudiant à prendre conscience de son processus d'apprentissage : comment planifie-t-il l'utilisation des ressources disponibles pour une tâche à effectuer ? Dans quelle mesure est-il sensible à la rétroaction fournie par le professeur ou des confrères ? Sait-il en tirer profiter ? Sait-il évaluer l'efficacité de ses actions ?

Bien que les points formulés ci-dessus s'adressent « officiellement » à l'intervenant pédagogique, et particulièrement à l'enseignant, ils sont tout aussi pertinents pour l'étudiant, puisqu'ils indiquent à ce dernier ce sur quoi il devrait travailler et en quoi l'intervenant peut l'aider dans la poursuite de ses objectifs scolaires (*voir la photo 8.8*).

La dynamique de la motivation scolaire en un coup d'œil

Le schéma ci-dessous permet de visualiser le modèle proposé par la chercheuse Denise Barbeau pour saisir le phénomène de la motivation scolaire dans son ensemble. Le but poursuivi par ce modèle est double : d'une part, aider l'étudiant à mieux comprendre et maîtriser son cheminement scolaire, et, d'autre part, guider l'intervenant pédagogique dans son travail auprès de l'étudiant.

Les deux principaux blocs qui constituent le modèle sont les **déterminants**, c'est-à-dire les sources de la motivation scolaire, et les **indicateurs**, à savoir les éléments qui permettent de constater dans quelle mesure l'étudiant est motivé.

Les déterminants incluent en premier lieu les systèmes de conception, c'est-à-dire la façon dont l'étudiant se représente l'école et les valeurs qu'il y rattache, ainsi que la façon dont il conçoit l'intelligence. Le type, l'intensité et la persistance de la motivation pourront par exemple varier selon que l'école est pour lui un lieu d'apprentissage ou un endroit où l'on doit réussir pour devenir compétitif sur le marché du travail, et selon qu'il conçoit l'intelligence comme une faculté qui limite les possibilités d'agir ou qu'on peut apprendre à utiliser au maximum.

Dans la deuxième grande catégorie de déterminants, à savoir les systèmes de perception, on retrouve d'abord les perceptions attributionnelles, c'est-à-dire les attributions causales dont il a été question à propos de la théorie des attributions présentée au point 8.2.4 (*page 269*).

Il importe ici de reconnaître que les attributions faites par l'étudiant peuvent contribuer à diminuer ou à encourager la motivation : tout dépend de la façon dont s'effectue le processus attributionnel.

La perception de sa compétence est un autre facteur important de la motivation scolaire : l'étudiant qui se perçoit comme capable de réaliser une tâche sera plus motivé que celui qui perçoit la tâche comme trop difficile pour lui.

Le troisième facteur d'ordre perceptif à prendre en compte est la perception de l'importance de la tâche. L'étudiant qui s'intéresse à la politique, mais que les chiffres et les statistiques rebutent, pourra être davantage motivé dans son cours de méthodes quantitatives si, dès les premiers cours, le professeur présente un graphique qui, bien qu'ayant paru dans un journal sérieux, rapporte les résultats d'un référendum de façon biaisée et peut facilement induire en erreur quiconque n'a pas appris à décoder correctement des résultats chiffrés.

Comme le laisse voir le modèle, les déterminants dépendent de nombreuses variables telles que l'âge, le sexe, les résultats antérieurs, etc., et leur influence sur la motivation se manifestera sur le plan comportemental par le biais de divers indicateurs tels que les stratégies que l'étudiant utilisera dans ses études, le niveau avec lequel il participera à son travail et persistera dans ce dernier. Il importe ici de rappeler que la persistance dans l'étude dépend beaucoup de l'analyse cognitive qui aura été faite au sujet des déterminants.

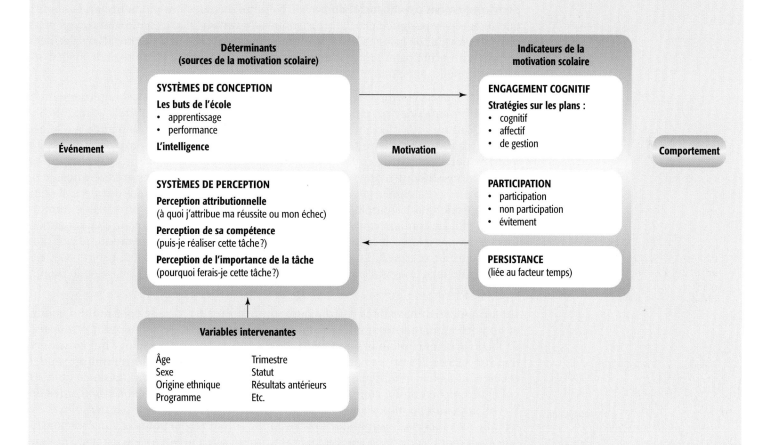

Modèle proposé par Denise Barbeau (1993) pour rendre compte des facteurs intervenant dans la motivation scolaire.

8.4.2 La motivation au travail

L'être humain passe une grande partie de sa vie à travailler, d'où l'intérêt de comprendre les motivations qui l'animent dans cette activité, ce qui s'avère intimement lié à la satisfaction qu'il retire de son travail. Ce sujet a fait l'objet de nombreuses études (Judd, 2004). D'après ce qui s'en dégage, trois grandes catégories de facteurs déterminent le degré de satisfaction au travail: les caractéristiques du travail, l'environnement psychosocial du travail et les caractéristiques personnelles des travailleurs (Senécal *et al.*, 2006).

Les caractéristiques du travail En ce qui a trait aux caractéristiques du travail, Hackman et Oldham (1976) estiment que pour être pleinement satisfaisante, une tâche doit présenter les cinq caractéristiques suivantes: la variabilité des habiletés requises pour effectuer la tâche, l'identification à la tâche, l'importance de la tâche, l'autonomie permise par la tâche ainsi que la rétroaction obtenue dans l'exercice de cette dernière. En reprenant l'exemple utilisé par Senécal et ses collaborateurs, nous pouvons ainsi dire que, dans l'exercice de sa tâche, plus un enseignant:

- a la possibilité d'utiliser l'éventail des différentes habiletés qu'il possède;
- est en mesure de constater que les résultats obtenus par ses élèves sont intimement liés à ce qu'il a fait;
- peut percevoir l'importance du travail qu'il accomplit;
- se sent autonome dans la pédagogie qu'il choisit d'appliquer;
- reçoit des rétroactions positives de ses élèves et des instances de l'institution;

plus il sera satisfait dans son travail.

L'environnement psychosocial du travail Nombre d'études ont pu mettre en évidence que malgré l'importance des caractéristiques du travail, la satisfaction au travail peut souvent provenir de facteurs liés à l'environnement psychosocial du travail, ces derniers comprenant principalement le climat de travail, le sentiment d'équité et de justice organisationnelle, ainsi que le système de récompenses.

Parmi les aspects compris dans le climat de travail, on trouve le style interpersonnel des gestionnaires dont l'importance a été mise en évidence par Deci *et al.* (1989). Ceux-ci ont mis sur pied une intervention dans laquelle ils ont demandé à 23 gestionnaires d'une importante entreprise d'adopter avec leurs employés un style interpersonnel consistant à informer davantage les employés des raisons pour lesquelles les décisions étaient prises, à mettre davantage l'accent sur les compétences des employés et à témoigner plus de considération pour l'opinion de ces derniers. Ils ont alors constaté que les employés se disaient plus satisfaits dans leur travail et témoignaient plus de confiance envers l'entreprise. Ils ont ainsi démontré «qu'un climat de travail caractérisé par le soutien à l'autonomie et l'esprit de coopération, plutôt que par le contrôle, accroît la satisfaction au travail» (Senécal *et al.*, 2006, p. 634). Ces résultats vont dans le sens d'autres études, dont celles de Blais *et al.* (1993), et de Gagné et Deci (2005).

Un autre déterminant de la satisfaction au travail réside dans le sentiment d'équité et de justice organisationnelle, c'est-à-dire le sentiment qu'a l'employé d'être traité de façon juste et équitable (Greenberg, 1990). C'est le cas de l'employé qui considère que son salaire, les primes qui lui sont accordées de même que les promotions qu'il reçoit sont justes et équitables, compte tenu du travail qu'il fournit et de ce que ses collègues reçoivent. La comparaison que l'employé fait entre lui et ses collègues de travail joue un rôle important dans le sentiment de justice ressenti par l'employé. Le fait que les rapports de supérieur à subordonné soient respectueux et sincères contribue également à donner à l'employé le sentiment que l'organisation est juste envers lui et à maintenir, sinon à augmenter, sa motivation au travail. Outre les relations entre patrons et employés, l'aménagement d'un environnement de travail agréable, qu'il s'agisse des pièces directement liées au travail ou à celles permettant de se détendre (*voir la photo 8.9*), contribue également à entretenir chez l'employé le sentiment d'être traité avec égard de la part de l'employeur.

Le système de récompenses au travail, c'est-à-dire le système de promotion et de primes au rendement de l'individu ou de l'organisation, est un autre facteur qui peut influer sur la satisfaction au travail, mais des réserves s'imposent ici sur ses effets. Alors qu'il semble admis que ces récompenses augmentent le rendement des travailleurs, les opinions entre chercheurs sont partagées quant à la satisfaction au travail. Senécal *et al.* (2006) rapportent par exemple que d'après une étude effectuée auprès de 2 500 Canadiens, le degré de satisfaction au travail de ces derniers dépend davantage du climat de travail que des possibilités d'obtenir des promotions. Dans certains cas, les récompenses peuvent même diminuer la motivation au travail (Deci, Koestner, & Ryan, 1999). Il semble donc préférable de «miser sur autre chose que les récompenses telles que les augmentations de salaire» (Senécal *et al.*, 2006, p. 637) si l'on veut influencer positivement la motivation et la satisfaction au travail, c'est-à-dire faire en sorte que le comportement soit plus intrinsèquement motivé.

Au siège de l'entreprise Google à Zurich, les employés peuvent prendre leur pause dans un environnement des plus agréables.

Photo 8.9

Testez vos connaissances

9. Les études démontrent que la satisfaction au travail dépend principalement du salaire.

Il semble que les gens considèrent en général que le climat de travail est un élément plus important que le salaire en ce qui a trait à la satisfaction au travail.

Les caractéristiques personnelles des travailleurs Il s'agit ici de comprendre les variations observables quant à la satisfaction au travail chez les employés d'une même entreprise. Il s'agit en fait de savoir comment les différences personnelles interagissent avec le contexte de travail, sujet sur lequel, de l'avis de Senécal *et al.* (2006), relativement peu de travaux de recherche ont été effectués à ce jour. Les chercheurs sont amenés à se pencher sur le type de motivation avec lequel l'individu aborde son travail, quel que soit le milieu. Sur ce point, la théorie de l'autodétermination de Deci et Ryan semble l'avenue explicative la plus prometteuse. Ainsi, l'individu qui effectue son travail parce qu'il y prend du plaisir, qui est donc intrinsèquement motivé, tend à éprouver de la satisfaction au travail. Par contre, celui qui exécute son travail pour se prouver qu'il peut réussir ou pour le prouver aux autres, qui se met ainsi de la pression, est extrinsèquement motivé et tend à éprouver moins de satisfaction au travail.

Conclusion

Comme nous l'avons vu, la motivation est un domaine à la fois vaste sur le plan théorique et très ancré dans le quotidien. Il suffit d'ailleurs de consulter les volumes d'introduction à la motivation pour constater qu'on y touche à pratiquement tous les thèmes compris dans le champ de la psychologie.

Après avoir donné une définition de la motivation qui met en évidence qu'il s'agit là d'un phénomène dont on ne peut observer les manifestations qu'indirectement, nous avons fait un survol des principales théories tentant de l'expliquer. Celles qui s'inscrivent dans l'approche biologique et l'approche psychanalytique, de même que celles basées sur l'apprentissage, ont été développées en premier. À l'heure actuelle toutefois, ce sont surtout les théories d'orientations sociocognitive et humaniste qui semblent avoir la faveur des chercheurs, comme nous avons pu le constater en jetant un coup d'œil à ce qui caractérise la motivation scolaire et la motivation au travail. Compte tenu des progrès incessants des neurosciences, il n'est pas exclu que de nouvelles explications de nature biologique de la motivation redeviennent d'actualité (*voir l'encadré 8.6, page 285*).

À la lumière des différentes explications proposées concernant l'origine de la motivation, il devient intéressant de se demander d'où vient cette énergie de vivre pleinement qui anime beaucoup de personnes comme, entre autres, le rocker Martin Deschamps. Considérant que le chanteur était animé dès son plus jeune âge d'une détermination telle qu'il a réussi à convaincre son père de lui acheter une batterie, on ne peut s'empêcher de penser d'abord à l'approche biologique. En effet, même si les études menées dans le cadre de l'approche cognitive-béhaviorale ont mis en évidence l'importance des influences environnementales sur le comportement, tout porte à croire que le bagage génétique de Martin Deschamps le prédisposait dès le départ à manifester cette énergie de vivre si caractéristique. Le soutien qu'il a reçu de son environnement, par exemple le fait que son père lui a finalement acheté une batterie, a sans nul doute contribué à renforcer cette volonté de réaliser ses rêves, particulièrement celui de devenir musicien. Sous l'angle humaniste, le regard positif que Martin Deschamps a développé sur la vie semble alimenter sa motivation à soutenir des causes humanitaires comme celle des personnes handicapées, convaincu qu'en aidant ces dernières, il pourra les voir, elles aussi, réaliser leurs rêves.

La question des interactions entre motivations est souvent ignorée dans les manuels d'introduction à la psychologie, bien qu'il s'agisse d'un sujet très présent dans notre quotidien. Plus ou moins apparente quand plusieurs motivations concourent à inciter l'individu à émettre le même comportement, la question des interactions l'est davantage quand les motivations entrent en conflit. Quand Martin Deschamps a décidé de produire un album présentant des chansons plus douces, sa motivation à interpréter ce type de pièces était susceptible d'entrer en conflit avec celle de ne pas déplaire à ses admirateurs. Il a néanmoins choisi de réaliser son projet — c'est l'album *Le piano et la voix* —, lancé en octobre 2008 —, tout en précisant, lors de la sortie de l'album, qu'il ne renonçait pas nécessairement au rock ; il voulait tout simplement offrir, à lui et à ceux qui le souhaitaient, quelque chose de différent. L'étudiant qui doit décider s'il accompagnera ses amis à une sortie ou s'il consacrera sa soirée à étudier la matière de l'examen prévu pour le surlendemain, le travailleur qui doit décider entre accepter des conditions de travail qu'il juge insatisfaisantes et voter pour une grève qui risque de durer longtemps, constituent d'autres exemples, plus près du quotidien ceux-là, de conflits susceptibles de surgir chaque jour. Quand les options sont relativement anodines, les décisions le sont également. Par contre, quand les conflits de motivations mettent en jeu des besoins plus fondamentaux liés à la survie, à la sécurité ou encore aux relations interpersonnelles, ils peuvent créer des situations plus lourdes de conséquences et ainsi rendre les choix plus difficiles à faire.

En fait, qu'il y ait ou non plus d'une motivation dans une situation, l'incapacité de satisfaire certains besoins peut avoir des conséquences dramatiques. C'est le cas par exemple de la personne aisée qui, bien que jouissant d'un confort matériel, peut se suicider, parce que rejetée par une personne aimée. On touche ici à la dimension émotive de la motivation. En effet, les différents états d'activation associés à la satisfaction ou à l'insatisfaction des besoins sont intimement liés aux émotions telles que la peur, la détresse ou la colère dans le cas de besoins non satisfaits, ou telles que le plaisir ou la joie dans le cas de besoins satisfaits. C'est précisément l'objet du prochain chapitre.

Des défis motivants à relever

Vers quoi se dirige la recherche sur la motivation dans les prochaines années ? D'après Robert Vallerand du Laboratoire de recherche sur le comportement social, trois grandes questions sont appelées à attirer l'attention des chercheurs : les facteurs sociaux inconscients, le rôle de la culture dans la motivation et le lien entre le social et les neurosciences.

La notion d'inconscient cognitif est actuellement un concept clé dans la compréhension de la motivation sociale. Or, le premier gros défi qui se posera aux chercheurs est de comprendre comment les faits sociaux inconscients s'intègrent dans le système motivationnel de l'individu. Autrement dit, quand un individu est motivé à poser un comportement, dans quelle mesure est-ce « lui » qui décide et dans quelle mesure est-ce « la société » qui, indirectement, déclenche ou « amorce » le comportement ?

D'autres questions en lien avec la précédente, mais sur un plan plus large, portent sur le rôle de la culture dans la motivation : quels sont les faits sociaux caractéristiques d'une culture susceptibles d'être intégrés au système motivationnel de l'individu ? Dans quel sens et jusqu'où va cette influence ? Afin d'illustrer son propos, M. Vallerand rappelle une recherche effectuée par Richard Nisbett (Nisbett, 2003) et démontrant la façon dont la culture influe sur les processus cognitifs dans la perception de l'environnement. Dans la recherche en question, on a montré à un groupe d'Asiatiques, chez qui la culture met l'accent sur l'aspect relationnel, et à un groupe d'Américains, dont la culture est plus individualiste, une vidéo où l'on voit un poisson suivi par quinze autres. Quand on demande aux sujets de décrire ce qui se passe, les Asiatiques disent que le groupe chasse un individu qui a dévié des normes du groupe, alors que les Américains voient un leader suivi par un groupe. On peut ainsi voir l'intérêt de mieux comprendre les façons de voir des autres groupes ethniques, si l'on veut également mieux comprendre ce qui motive les individus appartenant à l'une ou l'autre culture. C'est là un aspect qui sera certainement très étudié au cours des prochaines années.

Un troisième défi est celui portant sur le lien entre le social et les neurosciences. Ces dernières devraient nous aider à comprendre comment les parents peuvent favoriser un développement plus efficace des circuits orbitofrontaux de leurs enfants. Situés dans le lobe frontal, ces circuits sont impliqués entre autres dans la prise de décisions ayant trait à la régulation des récompenses et des punitions. Or, il est possible d'améliorer leur développement en habituant par exemple l'enfant à ne pas toujours tout avoir. Ces circuits étant plus « entraînés », l'enfant devient plus efficace, car plus capable de s'autoréguler, c'est-à-dire de maîtriser lui-même ses impulsions. Cela peut signifier résister plus facilement à une activité qu'il est porté à pratiquer de façon excessive (par exemple, jouer à chaque fois qu'il passe devant une machine de vidéopoker) ou, à l'inverse, se motiver à persévérer dans une tâche moins intéressante (par exemple, mieux étudier pour un examen prévu le lendemain).

Sans que cela constitue un défi au même titre que ceux qui viennent d'être mentionnés, Robert Vallerand souligne un dernier point sur lequel on aura vraisemblablement intérêt à se pencher : celui de la différence entre les sexes. On a en effet constaté que, de façon générale, c'est-à-dire quel que soit le secteur d'activité ou le groupe d'âge, les femmes sont davantage animées par des motivations intrinsèques et capables d'autorégulation.

Bien que la différence entre les sexes ne soit pas considérable, elle demeure relativement constante et donc préoccupante, considérant notamment le taux de décrochage scolaire au secondaire plus élevé chez les garçons que chez les filles, phénomène auquel M. Vallerand s'est d'ailleurs intéressé (Vallerand, Fortier, & Guay, 1997). Soulignant qu'actuellement, environ 60 % des diplômes universitaires sont obtenus par des femmes, il se demande qui constituera l'élite de la société dans 25 ans, un futur pas si éloigné !

La prépondérance de plus en plus grande des femmes parmi les diplômés universitaires amène les chercheurs à s'interroger, entre autres choses, sur les conséquences à long terme du manque de motivation chez les hommes.

1. Lequel de ces énoncés définit la motivation?

   a) Le construit hypothétique utilisé afin de décrire les forces internes ou externes produisant le comportement.

   b) Un besoin secondaire important lié à un but.

   c) Un instinct fondamental permettant d'expliquer les comportements humains, leur déclenchement et leur persistance.

   d) Une tendance à l'action dirigée vers un but.

2. Les théories visant à expliquer la motivation humaine s'inscrivent dans plusieurs approches de la psychologie. Quelle approche propose l'inconscient comme source de motivation?

   a) L'approche biologique

   b) L'approche humaniste

   c) L'approche psychanalytique

   d) L'approche sociocognitive

3. Parmi les énoncés ci-après se rapportant à l'instinct comme source de motivation, lequel est exact?

   a) Ce qui détermine qu'un jeune singe s'attache à sa mère, c'est le fait qu'elle le nourrisse.

   b) L'instinct est héréditaire et provoque la tendance de chacun à éliminer les tensions.

   c) Le déclenchement du comportement motivé provient de la disposition héréditaire tandis que l'environnement en détermine la direction.

   d) Les comportements maternels sont de nature instinctive chez les singes et les humains.

4. Selon la loi de Yerkes-Dodson, précisez le niveau d'activation qui permet une performance maximale chez un individu pour une tâche simple.

   a) Un niveau d'activation maximal

   b) Un niveau d'activation moyen

   c) Un niveau d'activation relativement élevé

   d) Un niveau d'activation relativement faible

5. Sur quelles forces le béhaviorisme met-il l'accent pour expliquer la motivation humaine?

   a) Les forces externes

   b) Les forces inconscientes

   c) Les forces individuelles

   d) Les forces internes

6. «J'aurais vraiment pu éviter cet accident si je n'avais pas regardé dans la boîte à gants pour trouver mon téléphone cellulaire. Ce qui est encore plus choquant, c'est que je suis rarement distrait au volant!» Quelles sont les caractéristiques de cette attribution causale?

   a) Externe et stable

   b) Globalement mauvaise

   c) Interne et variable

   d) Non contrôlable et spécifique

7. Lesquels des besoins ci-dessous sont considérés comme des besoins fondamentaux dans la pyramide des besoins de Maslow?

   a) Les besoins d'amour et d'appartenance

   b) Les besoins d'estime de soi et d'actualisation de soi

   c) Les besoins de croissance personnelle

   d) Les besoins physiologiques et de sécurité

8. Quels sont les trois besoins à la base de la théorie de l'autodétermination?

   a) Les besoins d'accomplissement, de pouvoir et d'affiliation

   b) Les besoins d'autonomie, de compétence et d'appartenance sociale

   c) Les besoins intrinsèques, extrinsèques et d'amotivation

   d) Les besoins physiologiques, psychologiques et spirituels

9. À quel type de conflit de motivation l'exemple ci-dessous correspond-il?

   «J'aimerais bien faire une grosse fête chez moi pour célébrer mon anniversaire, inviter plusieurs personnes et me coucher très tard, mais je n'ai pas tellement envie de faire le ménage le lendemain et d'être fatigué pour le reste de la semaine.»

   a) Le conflit à options multiples

   b) Le conflit approche-approche

   c) Le conflit approche-évitement

   d) Le conflit évitement-évitement

10. Parmi les stratégies que pourrait adopter un professeur pour favoriser la motivation scolaire de ses élèves, laquelle serait la moins efficace?

    a) Aider l'élève à s'organiser dans ses études afin qu'il développe sa perception de compétence.

    b) Amener l'élève à faire des attributions causales externes pour éviter de se culpabiliser.

    c) Démontrer la pertinence et l'importance des tâches scolaires proposées.

    d) Faire prendre conscience à l'élève de son processus d'apprentissage pour qu'il s'engage cognitivement.

Volumes et ouvrages de référence

Beck, R. C. (2004). *Motivation : Theories and principles* **(5e éd.). Upper Saddle River : Pearson/Prentice Hall.**

> Volume qui explique la nature de la motivation et les comportements propres à certaines espèces animales. L'auteur y décrit les principales observations et études effectuées sur les besoins fondamentaux liés à la survie. Il mentionne également les différents facteurs qui peuvent influencer la motivation, tels que la récompense et la punition, la frustration, le stress, les conflits, la personnalité, etc.

Blaffer Hrdy, S. (2002). *Les instincts maternels.* **Paris : Payot.**

> Traduction d'un ouvrage écrit en 1999 par une primatologue et sociobiologiste membre de l'Académie américaine des sciences, volume qui constitue une synthèse intéressante qui aborde la question de l'instinct maternel sous l'angle scientifique. L'ouvrage présente et compare l'approche sociobiologique qui met l'accent sur le déterminisme des gènes, et l'approche culturaliste selon laquelle les comportements sont une construction sociale.

Deckers, L. (2005). *Motivation : Biological, psychological, and environmental* **(2e éd.). Boston : Pearson Education.**

> Volume qui permet de faire un tour d'horizon de la motivation. On y définit ce qu'est la motivation et on y mentionne ses différentes sources. L'auteur trace un bref historique de la motivation et de son évolution, pour ensuite présenter les connaissances scientifiques actuelles concernant les principaux besoins liés à l'homme. Il décrit les éléments qui peuvent influencer les motivations de chaque personne, autant intrinsèques qu'extrinsèques, et termine en donnant quelques théories explicatives sur le sujet.

Fenouillet, F. (2003). *La motivation.* **Paris : Dunod.**

> Condensé — un peu plus d'une centaine de pages — qui fournit une excellente introduction aux concepts et aux théories concernant la motivation, de même qu'à son application dans différents domaines tels que le travail en général et l'enseignement.

Maugeri, S. (2004). *Théories de la motivation au travail.* **Paris : Dunod.**

> Condensé — un peu plus d'une centaine de pages — qui fournit une excellente introduction consacrée à la motivation au travail : concepts, théories et modalités d'application.

Petri, H. L., & Govern, J. M. (2004). *Motivation : Theory, research, and appplications* **(5e éd.). Belmont : Thomson.**

> Volume dans lequel les auteurs commencent par décrire les mécanismes physiologiques de la motivation. Ils essaient ensuite d'expliquer la motivation à l'aide des approches biologiques, béhavioristes et cognitives.

Vallerand, R. J. (Éd.). (2006). *Les fondements de la psychologie sociale* **(2e éd.). Montréal : Gaëtan Morin.**

> Paru une première fois en 1994, ouvrage qui fournit une mise à jour des concepts et des théories liés non seulement à la psychologie sociale, le thème central du volume, mais aussi aux motivations impliquant une dimension sociale.

Vallerand, R. J., & Thill, E. E. (1993). *Introduction à la psychologie de la motivation.* **Laval (Québec) : Études Vivantes.**

> Quoique rédigé par des chercheurs de niveau universitaire, ouvrage traitant principalement de la motivation et aussi de l'émotion qui demeure aisé à consulter et qui peut constituer une excellente source de documentation pour l'élève de niveau collégial. Épuisé, mais disponible dans les bibliothèques universitaires.

Périodiques et journaux

Dortier, J.-F. (2003). Y a-t-il un instinct maternel?. *Sciences humaines,* **no 134 (Janvier), 48-49.**

> Présentation et commentaire concernant le volume publié par Sarah Blaffer Hrdy (2002).

Revue de psychologie de la motivation

> Créée en 1986 par l'Association de la psychologie de la motivation (APM), une association française de praticiens, revue qui a pour but de développer la psychologie de la motivation et ses applications, et de l'intégrer aux différents domaines que sont l'anthropologie, la psychologie individuelle et sociale, l'éducation, la psychothérapie, etc. On peut avoir plus d'information à l'adresse suivante :
>
> <http ://psychomotivation.free.fr/>.

Audiovisuel

Sheridan, J. (1989). *My left foot.* **Irlande, Angleterre, 100 min, couleur.**

> Film qui raconte l'histoire de Christie Brown, né en 1932 avec une paralysie spasmodique qui ne lui laisse que la motricité de son pied gauche. Perçu comme handicapé par son entourage, sauf par sa mère, Christie finira par prouver son intelligence et ses dons artistiques en ne communiquant que par son pied gauche. Une leçon de motivation édifiante !

Zemeckis, R. (2000). *Seul au monde.* **États-Unis, 165 min, couleur.**

> Film qui raconte comment, à la suite d'un écrasement d'avion, un homme perdu sur une île en vient à surmonter la solitude à laquelle il est condamné pendant quatre ans. Malgré son caractère fictif, le film décrit de façon plausible la façon dont le personnage central s'y prend pour s'accrocher à la vie et vaincre la solitude qui l'accable.

CHAPITRE 9

Plan du chapitre

Cibles d'apprentissage

Après avoir lu ce chapitre, vous devriez pouvoir :

- nommer les cinq émotions humaines fondamentales sur lesquelles s'entendent la plupart des chercheurs ;
- nommer trois conditions qui sont importantes pour bien exprimer l'émotion sur le plan verbal ;
- comparer les points de vue d'Ekman, de Luminet et de Scherer sur l'expression faciale des émotions ;
- nommer et exprimer les principaux indices non verbaux de l'expression de l'émotion autres que l'expression faciale ;

- nommer et décrire les quatre principales composantes qui entrent en jeu dans l'émotion ;
- expliquer les principales différences entre les trois théories marquantes de l'histoire des explications des émotions ;
- expliquer ce qu'on appelle l'*hypothèse de la rétroaction faciale* ;
- expliquer la fonction des émotions.

L'émotion

Quand les émotions sont « transpercées »...

Les transformations psychologiques observées chez Phineas Gage — l'homme qui avait eu le crâne transpercé par une barre de fer et dont il a été question dans l'encadré 2.6 (*page 58*) — étaient particulièrement frappantes sur les plans motivationnel et émotionnel. J. M. Harlow, le médecin qui s'est occupé de lui, décrit ainsi ces changements :

> [Gage était] d'humeur changeante, irrévérencieux, se permettant parfois les plus grossiers jurons (ce qui, auparavant, n'était pas dans son habitude), n'ayant que peu d'égards pour ses camarades, ne supportant ni contraintes ni conseils quand ils ne s'accordaient pas avec ses désirs, capable parfois de l'obstination la plus totale et néanmoins capricieux et irrésolu, échafaudant une multitude de projets qu'il abandonnait à peine formés pour en ébaucher d'autres qui lui paraissaient plus faisables. Ses capacités intellectuelles et son comportement étaient ceux d'un enfant, mais il avait les pulsions animales d'un homme vigoureux. Avant son accident, bien que n'ayant pas fréquenté l'école, il avait un esprit équilibré, et ceux qui le connaissaient le considéraient comme avisé et habile en affaires, plein d'énergie et de persévérance dans ce qu'il entreprenait. De ce point de vue, son esprit

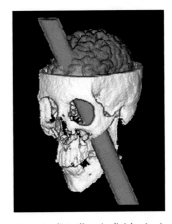

avait radicalement changé et de manière si incontestable que ses amis et connaissances disaient que «ce n'était plus Gage» (Harlow, 1868, p. 339-340 : traduction de Purves *et al.*, 2005, p. 624).

On sait aujourd'hui que la barre de fer qui a blessé Phineas Gage avait détruit plusieurs zones associatives du cortex préfrontal, région dans laquelle se trouveraient les différents aspects caractérisant ce qu'on appelle la *personnalité d'un individu* (*voir le chapitre 2*). Par ailleurs, ce qui caractérise particulièrement une personne, c'est ce qui la motive à agir et c'est aussi sa façon de réagir aux événements sur le plan émotionnel. Or, ce sont précisément ces deux aspects qui semblaient avoir fait de Phineas Gage un autre homme, ce qui tend à suggérer le lien unissant intimement les systèmes motivationnel et émotionnel...

Source : Harlow, 1868 ; Purves *et al.*, 2005.

La réalisation d'un objectif intensément désiré s'accompagne d'une grande joie.

Photo 9.1

Émotion

État affectif qui survient à un moment défini dans le temps, en réaction à une situation ou à un objet précis; cet état, qui implique une activation physiologique, comporte des sensations soit appétitives (c'est-à-dire agréables), soit aversives (qu'on cherche à éviter).

État affectif

Tout état dans lequel on retrouve des sensations ou impressions liées à l'aspect «plaisir/déplaisir» ou encore à la dimension «agréable/désagréable».

Humeur

État affectif plus diffus que l'émotion, qui n'est pas nécessairement lié à un objet précis et qui s'étend davantage dans le temps que l'émotion tout en présentant, jusqu'à un certain degré, l'activation physiologique qui caractérise cette dernière.

Sentiment

État affectif qui s'étend davantage dans le temps que l'émotion mais qui, contrairement à l'humeur, est lié à un objet externe ou interne à l'individu, en l'absence de toute activation physiologique caractéristique de l'émotion.

Ainsi que nous l'avons signalé à la fin du chapitre précédent, l'étude scientifique de l'émotion est étroitement liée à celle de la motivation, ce dont témoignent les nombreux manuels contenant les termes «motivation» et «émotion» dans leur titre. Pourquoi en est-il ainsi? Dans les deux cas, les mécanismes physiologiques impliqués sont rapidement apparus comme les aspects se prêtant le plus directement à la méthodologie scientifique. Comme nous le verrons en effet, l'aspect physiologique est une composante importante du phénomène de l'émotion. Or, qu'il s'agisse de motivation ou d'émotion, l'activation physiologique est, du moins à première vue, sensiblement la même, d'où la tendance très tôt constatée chez les chercheurs à associer étroitement les deux phénomènes.

En plus de l'aspect physiologique, la motivation et l'émotion fonctionnent en étroite interaction l'une avec l'autre, même si le lien n'est pas toujours aisé à déterminer. Par exemple, l'athlète qui explose de joie après avoir été choisi pour représenter son pays aux Jeux olympiques, atteignant ainsi un but qui l'avait motivé à de longues années d'entraînement, manifeste une émotion qui découle de l'atteinte du but: dans un tel cas, l'émotion est causée par la réalisation d'un objectif qu'on était fortement motivé à atteindre (*voir la photo 9.1*). Réciproquement, la joie éprouvée en apprenant qu'il ira aux Jeux olympiques va augmenter sa motivation à travailler fort pour améliorer encore davantage ses performances: dans ce cas, c'est la motivation qui est influencée par l'émotion. La personne triste qui n'a pas le goût d'aller faire du sport ou de sortir voir des amis est un autre exemple de situation illustrant l'influence de l'émotion sur la motivation. En somme, comme le souligne Kirouac (1995), l'émotion est à ce point fondamentale pour certains chercheurs, que ces derniers la considèrent comme étant à la base de tout comportement dont elle constituerait le principe organisateur et motivationnel.

Outre ses liens étroits avec la motivation — peut-être même en raison de cela —, le phénomène de l'émotion n'est pas aisé à définir. La définition qu'on en donne varie beaucoup selon les auteurs, ceux-ci ne tenant pas tous compte des mêmes aspects. Nous inspirant de Kirouac (1995), nous définirons l'**émotion** comme un état affectif qui survient à un moment défini dans le temps en réaction à une situation ou à un objet précis; cet état, qui implique une activation physiologique, comporte des sensations soit appétitives (c'est-à-dire agréables), soit aversives (qu'on cherche à éviter). L'émotion aurait également une durée relativement brève, même si ce point demeure controversé. L'auteur entend ici par **état affectif**, tout état dans lequel on retrouve des sensations ou des impressions liées à l'aspect «plaisir/déplaisir», ou encore à la dimension «agréable/désagréable». L'émotion est donc un type particulier d'état affectif qu'il est utile de distinguer de ces autres états affectifs que sont l'humeur et le sentiment (Kirouac, 1995).

L'**humeur** est un état affectif plus diffus que l'émotion, en ce sens qu'il n'est pas directement lié à un objet précis et qu'il s'étend davantage dans le temps que l'émotion, tout en présentant, jusqu'à un certain degré, l'activation physiologique caractéristique de l'émotion. Par exemple, une personne peut se sentir d'humeur irritable pendant toute une journée, même si elle ne sait pas exactement pourquoi. Elle n'est pas physiquement excitée comme si elle était en colère, mais son corps exprime une certaine tension, «comme si» ce dernier était prêt à se mettre en colère.

Tout comme l'humeur, le **sentiment** est un état affectif qui s'étend davantage dans le temps que l'émotion mais qui, contrairement à l'humeur, est lié à un objet externe ou interne à l'individu, en l'absence de toute activation physiologique caractéristique de l'émotion. À titre d'exemple, on peut penser au sentiment d'amitié qu'on a envers un ami qu'on connaît depuis longtemps: il s'étend dans le temps, est lié à un objet précis, mais n'implique pas l'activation physiologique présente lorsqu'on est sous le coup d'une émotion.

Dans notre étude sur l'émotion, nous aborderons en début de chapitre la question concernant les émotions fondamentales et leur classification, c'est-à-dire la façon dont on a tenté d'en classer les différentes variantes, et nous traiterons ensuite des différents aspects intervenant dans l'expression des émotions. Nous nous pencherons alors quelque peu sur les composantes en jeu dans l'émotion, puis sur les principales explications des émotions, c'est-à-dire sur la façon dont les composantes interagissent pour créer l'expérience émotionnelle. Nous terminerons en abordant la fonction des émotions, point sur lequel on trouve encore relativement peu de données, malgré la place importante que les émotions peuvent avoir dans le quotidien.

9.1 Les émotions fondamentales et leur classification

De nombreux chercheurs se sont attaqués à la question de base, à savoir s'il existe des émotions — ou des catégories émotionnelles — plus fondamentales. Ils ont ainsi cherché à identifier ces différentes émotions et à trouver une façon de les classer qui permette de dégager les relations, les ressemblances ou les différences qui les caractérisent.

Considéré comme l'un des auteurs qui ont initié le regain d'intérêt pour une étude scientifique des émotions à partir du milieu du XXe siècle, Tomkins (1962) a proposé un regroupement des émotions fondamentales établi en fonction de l'**affect**, c'est-à-dire du volet « ressenti » ou « expérience subjective » de l'émotion. Comme l'indique le tableau 9.1 (*page 292*), Tomkins distingue trois catégories d'émotions : celles caractérisées par un affect négatif, catégorie dans laquelle il range cinq types d'émotions (détresse-angoisse, peur-terreur, colère-rage, mépris-dégoût et honte-humiliation), les émotions à caractère positif comprenant deux types d'émotions (intérêt-excitation et contentement-joie) et, finalement, une dernière catégorie caractérisée par un affect de recalibration[1] dans laquelle on ne trouve que le type *surprise-sursaut*.

Affect

Terme référant au volet « ressenti » ou « expérience subjective » de l'émotion.

Comme le laisse voir le tableau 9.1, les émotions proposées comme fondamentales par les principaux auteurs s'étant penchés sur le sujet sont dans l'ensemble les mêmes que celles suggérées par Tomkins (1962). C'est notamment le cas de la peur, de la colère, du dégoût et de la joie, émotions considérées comme fondamentales par Plutchik (1980), Izard (1991), Ekman[2] (1992a) ainsi que par Johnson-Laird et Oatley (1992) ; ces émotions sont affichées en caractères gras dans le tableau. Pour ce qui est de la tristesse, le cas est moins clair. Toutefois, à l'instar de la plupart des auteurs ayant proposé l'existence d'émotions fondamentales après Tomkins (1962), nous inclurons également la tristesse parmi ces dernières, en plus des quatre mentionnées précédemment.

En ce qui concerne la façon de classer les émotions, Plutchik (1980) a conçu un modèle très détaillé. Ce modèle est basé sur les huit émotions fondamentales mentionnées sous son nom dans le tableau 9.1. Ces émotions, que Plutchik préfère appeler *émotions primaires*, sont disposées en cercle comme dans la figure 9.1a (*page 293*), par analogie avec la représentation circulaire souvent utilisée pour les couleurs. On peut de plus constater que des émotions fondamentales contraires telles que la joie et la tristesse, la surprise et l'anticipation, etc. y sont diamétralement opposées, de part et d'autre du cercle.

À partir des émotions primaires ainsi disposées, Plutchik définit des émotions dites *secondaires*, non pas parce qu'elles seraient moins importantes que les émotions primaires, mais tout simplement parce qu'elles proviendraient de la combinaison de ces dernières. Le mépris, par exemple, proviendrait de la combinaison de la colère et du dégoût, tandis que l'agressivité serait due à la colère, combinée cette fois à l'anticipation.

Au-delà des variantes que présentent les émotions humaines primaires et secondaires, ces dernières peuvent également varier en intensité. Pour tenir compte de cet aspect, Plutchik complète son modèle en y ajoutant une dimension verticale, comme l'illustre le premier dessin de la figure 9.1b où, pour simplifier la représentation, seules les émotions primaires sont prises en considération ; on obtient alors un modèle tridimensionnel où les émotions sous leur forme la plus intense se trouvent dans le haut,

---

1. L'expression utilisée par Tomkins est *resetting affect*.
2. Selon, Eckman, avec l'avancement des connaissances, il est désormais possible de subdiviser la joie en plus d'une émotion fondamentale (Kirouac, 1995).

TABLEAU 9.1 Les émotions humaines fondamentales selon quelques auteurs marquants[1]

Tomkins (1962)		Plutchik (1980)	Izard (1991)	Ekman (1992)	Johnson-Laird et Oatley (1992)
Affect	Émotion				
Négatif		Tristesse	Tristesse	Tristesse	Tristesse
	Détresse - Angoisse				
	Peur - Terreur	Peur	Peur	Peur	Peur
	Colère - Rage	Colère	Colère	Colère	Colère
	Mépris - **Dégoût**		Mépris	(Mépris)[4]	
		Dégoût	Dégoût	Dégoût	Dégoût
	Honte - Humiliation		(Honte)[4]	(Honte)[4]	
			(Culpabilité)[4]	(Culpabilité)[4]	
				(Embarras)[4]	
			(Timidité)[4]		
Positif	Intérêt - Excitation		Intérêt	(Intérêt)[4]	
				(Excitation)[4]	
					(Désir)
	Contentement[3] - **Joie**	Joie	Joie	(Joie)[4][5]	Joie
Recalibration[2]	Surprise - Sursaut	Surprise	Surprise	(Surprise)[4]	
		Anticipation			
		Acceptation			
				(Respect)[4]	

1. Les émotions en caractères gras sont celles reconnues par tous les auteurs mentionnés dans le tableau.
2. Le terme anglais utilisé par Tomkins (1962) est *resetting*.
3. Le terme anglais utilisé par Tomkins (1962) est *enjoyment*.
4. La mise entre parenthèses du terme signifie que, pour l'auteur, le statut d'émotion fondamentale ou même d'émotion véritable est encore incertain.
5. «Selon Ekman, les émotions positives englobées sous le terme «joie» pourraient être divisées en d'autres catégories avec le progrès des connaissances.» (Kirouac, 1995, p. 27)

et les moins intenses, plus près du bas, l'absence d'émotion correspondant au point «zéro». Si l'on aplatissait ce modèle, comme l'illustre le deuxième dessin de la figure 9.1b, on obtiendrait finalement la rosette dans laquelle les émotions les plus intenses se retrouvent au centre, et les moins intenses, d'autant plus près de la périphérie que leur intensité est faible.

Ainsi que l'illustre la rosette, une émotion comme la colère correspondrait à de la rage lorsqu'elle est très intense, mais à de la simple contrariété lorsqu'elle est de faible intensité. Dans les trois cas, l'émotion serait essentiellement de même nature, les variations de l'expérience subjective de l'individu correspondant tout simplement à des changements d'intensité de l'émotion primaire qu'est la colère. Il en serait de même pour les autres émotions primaires: la joie très intense tendrait par exemple vers le bonheur, alors qu'elle correspondrait à la sérénité lorsque son intensité est moins forte.

Il est à noter que le **modèle de Plutchik** n'explique pas pourquoi, dans une même situation, les individus vivent des émotions parfois différentes ou d'intensités différentes, ou pourquoi l'annonce d'une mauvaise nouvelle telle que la maladie d'un proche peut susciter chez l'un de l'affliction, alors qu'un autre en éprouvera de la colère. En dépit de ce fait — lequel constitue une lacune du modèle et non une objection à son endroit —, le modèle de Plutchik demeure intéressant pour la possibilité qu'il offre de situer d'une façon cohérente une gamme étendue d'émotions. La façon dont ce

Modèle de Plutchik

Modèle basé sur l'existence de huit émotions primaires disposées en cercle et sur la combinaison d'émotions adjacentes correspondant à huit émotions secondaires, chacune présentant des variantes selon le degré d'intensité.

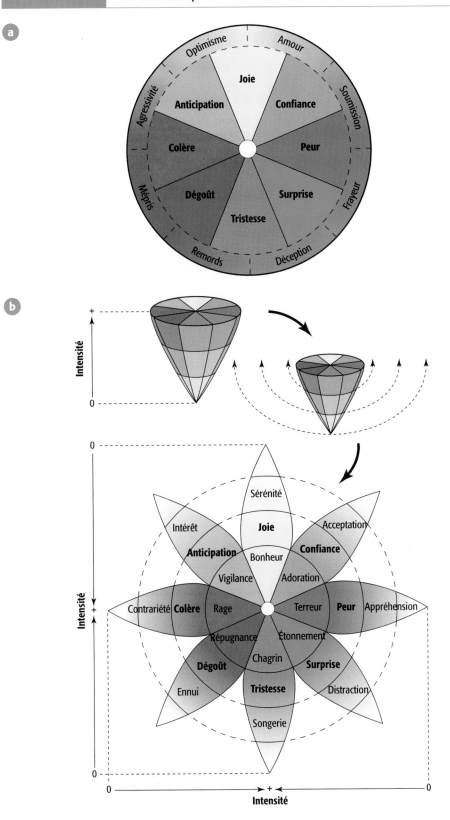

a Les parties intérieures correspondent aux huit émotions primaires proposées, tandis que les sections bicolores extérieures correspondent aux émotions secondaires provenant de la combinaison de deux émotions primaires. **b** Plutchik (1980, p. 157) a utilisé la dimension verticale pour représenter l'aspect «intensité» de l'émotion : la rosette illustre l'éventail des émotions qu'on obtient alors (pour simplifier le dessin, on ne considère que les émotions primaires).

modèle invoque les différentes combinaisons et intensités d'émotions pour expliquer les nombreuses nuances qu'elles peuvent présenter suggère une continuité entre ces dernières, plutôt que des différences pures et simples. Or, comme le font remarquer Channouf et Rouan (2002), cet aspect de continuité est un point qui fait l'objet d'un débat non résolu.

Testez vos connaissances

1. **Les théoriciens de l'émotion s'entendent pour dire que toutes les émotions sont des combinaisons de cinq émotions fondamentales : la rage, la peur, la surprise, le mépris et le dégoût.**

   Non seulement les chercheurs ne s'entendent pas sur les émotions qui seraient fondamentales, mais il n'y a pas encore de consensus sur la façon dont ces émotions se combineraient.

Les modèles comme ceux qui viennent d'être présentés proposent des classifications basées sur ce qui caractérise l'affect et l'expression des différentes émotions. S'appuyant sur les progrès des neurosciences, d'autres chercheurs essaient pour leur part de différencier les émotions à partir de manifestations différentes dans l'activité du cerveau. Nous donnerons un aperçu de ces travaux de recherche lorsque nous aborderons les théories sur les émotions qui font intervenir des mécanismes centraux.

9.2 L'expression des émotions

On convient généralement que l'étude scientifique des émotions remonte à Charles Darwin (*voir la photo 9.2*), le fondateur de la théorie évolutionniste et auteur de l'ouvrage intitulé *L'expression des émotions chez l'homme et les animaux* (Darwin, 1872/1998). Comme le suggère le titre choisi par Darwin, la façon dont on exprime ses émotions constitue un point de départ privilégié pour étudier ce phénomène fascinant qu'est l'émotion, car c'est dans la mesure où un individu exprime une émotion qu'on peut inférer son existence chez cet individu.

La façon d'exprimer une émotion est cependant un phénomène qui comprend plusieurs facettes qu'on peut regrouper en deux grandes catégories : d'une part, l'expression verbale, c'est-à-dire la communication basée sur l'utilisation des mots — ou des signes, dans le cas des sourds-muets — comme éléments signifiants et, d'autre part, l'expression non verbale, c'est-à-dire l'ensemble des signaux émis par le corps, lesquels n'utilisent pas la signification véhiculée par les mots.

9.2.1 L'expression verbale

La qualité de la communication verbale dépend globalement des conditions suivantes.

Une première condition, qui va de soi mais qui est souvent loin d'être remplie, est que la personne doit être consciente de ce qu'elle éprouve réellement. Il s'agit là d'un point sur lequel ont beaucoup insisté Freud et les psychanalystes, de même que les praticiens de l'approche gestaltiste. Un simple exemple peut illustrer cette situation : une femme confie à son partenaire de vie que son « ex » désire la rencontrer pour lui parler. L'homme répond que « ça ne le dérange pas du tout », alors qu'il en est affecté, mais ne se l'avoue pas. Quelle que soit la raison pour laquelle une émotion n'est pas consciemment reconnue, elle ne peut alors être exprimée verbalement même si, par la suite, on peut la deviner à partir du non verbal. Quelqu'un peut ainsi, sans même s'en rendre compte, envoyer des messages contradictoires.

Une deuxième condition requise pour communiquer verbalement ses émotions a trait au fait que, même si l'individu est conscient de ce qu'il ressent, il doit choisir de le dire. Un exemple quotidien est celui de la personne à qui l'on demande si ça va et qui répond : « Oui, oui, ça va… », simplement parce qu'elle n'a pas envie de commencer à expliquer ce qui ne va pas. En fait, il arrive souvent que ce que la personne exprime

Charles Darwin (1809-1882)
Darwin est le fondateur de la théorie évolutionniste.

Photo 9.2

de façon non verbale révèle que ce n'est pas le cas. Par ailleurs, il est intéressant de remarquer que si une personne répond que «ça ne va pas très fort», beaucoup de gens se sentent mal à l'aise, comme si l'autre n'avait pas donné la réponse «rituellement attendue» que «ça va»!

En troisième lieu, même si la personne choisit d'exprimer ce qu'elle ressent, elle doit le dire clairement si elle veut que son message soit correctement interprété par les autres. Ce point est important, car si les mots choisis pour exprimer une émotion ou un sentiment sont trop généraux ou imprécis, ils peuvent être mal décodés par la personne qui refuse «inconsciemment» d'accepter ce que l'autre lui dit et donne un autre sens à ces propos.

De façon générale, le choix du langage verbal, plus précisément celui des mots utilisés pour communiquer ses émotions, est relativement aisé à faire; il n'en est pas de même du langage non verbal, lequel s'appuie sur des réactions beaucoup plus automatisées, qu'elles soient innées ou qu'elles aient été apprises.

9.2.2 L'expression non verbale

Bien que l'humain ait développé ce moyen de communication sophistiqué qu'on appelle le *langage verbal*, le premier moyen d'expression des émotions, celui que l'humain partage avec plusieurs autres espèces animales, demeure l'expression non verbale. Sur ce point, nous verrons comment l'émotion peut d'abord être reflétée par le visage, ce dernier étant reconnu comme un modulateur privilégié de l'expression de l'émotion, et également par les autres indices non verbaux.

L'expression faciale

La plupart des auteurs s'entendent pour considérer le visage comme le moyen privilégié d'expression des émotions. Ainsi, c'est en observant celui des autres qu'on essaie de décoder leur état émotionnel. Cette importance du visage apparaît d'ailleurs très tôt dans le développement, ainsi que l'a démontré Fantz (1961) avec les nourrissons. Désirant savoir si l'enfant était capable de reconnaître certaines formes dès les premiers jours suivant sa naissance ou, au contraire, s'il devait tout apprendre, Fantz a présenté différentes formes à des enfants dont l'âge variait de quatre jours à six mois. Parmi ces formes dont les principales sont illustrées dans la figure 9.2, certaines représentaient l'image stylisée d'un visage. Il a alors constaté que quel que soit leur âge, les enfants accordaient beaucoup plus d'attention aux visages qu'aux autres formes. Selon lui, de

| **FIGURE 9.2** | La reconnaissance d'un visage chez l'enfant |

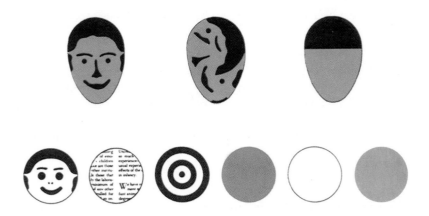

Quelques-unes des formes utilisées par Fantz (1961) pour vérifier la perception de la forme chez les tout jeunes enfants: chez des enfants dont l'âge variait de quatre jours à six mois, les formes représentant un visage ont attiré beaucoup plus l'attention que les autres, quel que soit l'âge du sujet.

tels résultats semblaient indiquer que la capacité à reconnaître tôt la forme particulière que constitue le visage serait innée, ce qui serait d'ailleurs très utile sur le plan adaptatif. Cette capacité permettrait en effet très tôt à l'enfant de décoder, entre autres, l'approbation ou la désapprobation de ses parents ou des autres personnes qui l'entourent.

On a d'ailleurs constaté depuis, grâce à la technique d'imagerie cérébrale, que la reconnaissance des visages s'effectuerait dans la partie inférieure du cortex temporal, généralement le droit, celui opposé au côté où se trouve l'aire du langage (Purves *et al.*, 2005). Ainsi, à la suite de lésions subies dans cette partie du cortex, certains patients sont devenus incapables de reconnaître un visage, fut-ce celui de leur conjoint, même s'ils pouvaient reconnaître sa voix et le reste de l'environnement où ils se trouvaient. De telles données tendent à démontrer que la reconnaissance du visage constitue un cas particulièrement important dans la reconnaissance de l'environnement, ce qui appuierait l'hypothèse du caractère inné de cette capacité.

Par ailleurs, que l'enfant puisse, de façon innée — sinon très tôt —, reconnaître qu'une forme est celle d'un visage est une chose, mais qu'il puisse reconnaître de façon innée l'émotion véhiculée par une expression faciale en est une autre, tout comme l'est la capacité d'exprimer une émotion au moyen du visage. En fait, depuis les premiers travaux de Darwin, on a cherché à établir si les expressions faciales liées aux différentes émotions et la façon de les décoder sont innées et universelles, ou si elles sont apprises et varient d'une culture à l'autre.

On considère généralement que, pour Darwin (1872/1998), la façon d'exprimer les émotions est innée et universelle, cette dernière servant à assurer la survie de l'individu et de l'espèce. Ainsi, si l'expression faciale exprimant la colère est la même pour tous, un individu peut rapidement et sans ambiguïté décoder cette émotion chez celui qui présente cette expression. Il est alors en mesure de décider s'il doit combattre ou fuir l'individu affichant une expression de colère. Or, selon Darwin, pour que tous les individus de toutes les cultures expriment une émotion par la même expression faciale, il fallait que celle-ci soit universelle et, par conséquent, transmise de façon innée. Toujours selon Darwin, le caractère inné des expressions faciales valait tant pour l'homme que pour les animaux; les ressemblances entre les mimiques humaines et animales représentées dans la figure 9.3 tendent à valider cette affirmation.

| **FIGURE 9.3** | Les expressions faciales animales et humaines |

Tant chez le singe que chez l'humain, la crispation de la bouche et le froncement des yeux indiquent la colère.

L'un des premiers chercheurs contemporains à s'être penché de façon systématique sur la question de l'universalité possible des expressions faciales est le chercheur Paul Ekman. Afin de vérifier cette hypothèse, et désirant pour cela éliminer l'influence possible d'une culture sur une autre, Ekman s'est rendu en Papouasie-Nouvelle-Guinée, dans une région montagneuse où habitait une tribu dont la plupart des membres n'avaient eu pratiquement aucun contact avec la culture occidentale. Après être arrivé à communiquer de façon minimale avec eux en ayant appris les rudiments de leur langage et en complétant avec des gestes, Ekman a effectué deux types d'expériences.

Dans le premier cas portant sur la reconnaissance des émotions, le chercheur a montré aux indigènes des photos d'étudiants universitaires européens, lesquels présentaient des expressions faciales correspondant à différentes émotions, à savoir la colère, le dégoût, la peur, la joie, la tristesse et la surprise. Pour chaque photo, les indigènes devaient indiquer l'émotion dont il s'agissait. Dans la deuxième expérience, portant cette fois sur l'expression des émotions, Ekman a demandé aux indigènes de mimer l'émotion ressentie lorsqu'on perd un parent proche, lorsqu'on rencontre un animal dangereux, et ainsi de suite pour chacune des émotions testées lors de la tâche de reconnaissance. Il a alors constaté que les expressions faciales correctement reconnues lors de la première expérience étaient globalement les mêmes que celles qu'eux-mêmes mimaient pour exprimer les émotions correspondant aux différentes situations.

En se basant sur les résultats issus de ces premières études et sur d'autres qu'il a effectuées par la suite, Ekman est arrivé à la conclusion qu'au moins quatre émotions, celles représentées dans la figure 9.4 (*page 298*), étaient universellement reconnaissables à partir de l'expression faciale : la joie, la colère, le dégoût et la tristesse, les deux premières étant les plus facilement reconnues (Ekman, 1972, 1989, 1993). La peur et la surprise n'ont pas été retenues, les résultats obtenus dans le cas de ces deux émotions étant moins clairs. Par ailleurs, d'autres études ont confirmé que le sourire constitue un signe universel de bienveillance et d'approbation (Ekman & Oster, 1979).

Testez vos connaissances

2. Parmi les émotions fondamentales, seulement deux seraient universellement reconnues à partir de l'expression du visage : la rage et la joie.

D'après les travaux de Paul Ekman, au moins quatre émotions seraient universellement reconnues : la joie, la colère, le dégoût et la tristesse.

La position universaliste d'Ekman selon laquelle il existerait certaines émotions fondamentales dont l'expression et la reconnaissance sont universelles n'est pas partagée par tous les auteurs, notamment par Averill (1980). Ce dernier justifie sa position en soulignant que certaines cultures n'ont pas de mot spécifique pour désigner une émotion dûment étiquetée dans une autre culture, ou alors qu'elles en ont plus d'un. Il reproche également aux tenants de la position universaliste de trop s'en tenir à ce qui est vital sur le plan biologique, alors que le caractère vital d'une émotion peut tout aussi bien provenir de son importance sur les plans psychologique ou social. Malgré l'intérêt que peut présenter cette position, dite *culturaliste*, selon laquelle les émotions et la façon de les exprimer dépendent principalement du contexte culturel, son principal handicap tient, d'après Luminet (2002), au fait qu'elle demeure théorique en raison du manque de données empiriques permettant de l'appuyer.

Comme c'est souvent le cas devant deux positions extrêmes, il semble bien qu'il faille trouver un compromis entre l'universel et le culturel pour rendre compte du réel. C'est cette perspective qu'a adoptée Klaus Scherer, un chercheur allemand de l'Université de Genève. Ce dernier a proposé un modèle qui tente de réconcilier le fait que des gens de cultures profondément différentes puissent produire des expressions faciales très similaires et celui qu'on puisse observer des différences non seulement entre individus de cultures différentes, mais aussi entre individus d'une même culture (Scherer, 1984).

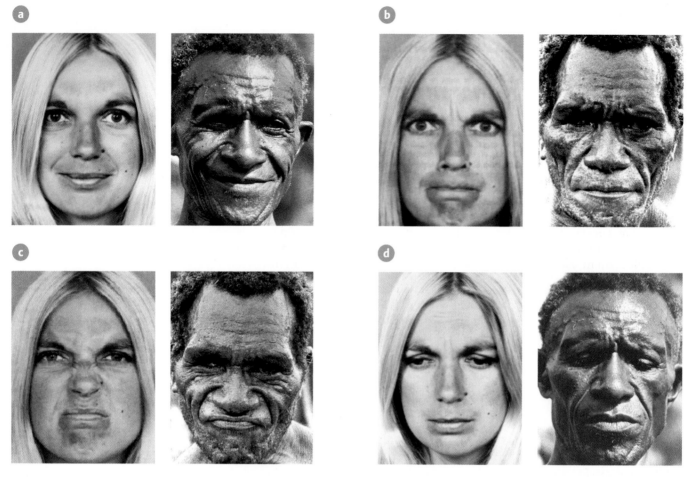

Les expressions faciales considérées comme universelles par Ekman : la joie **ⓐ**, la colère **ⓑ**, le dégoût **ⓒ** et la tristesse **ⓓ**.

Par ailleurs, même dans les cas où les expressions faciales sont les mêmes d'une culture à l'autre, le contexte culturel peut faire en sorte que l'individu ait appris à ne pas exprimer certaines émotions dans certaines situations. Dans une recherche classique effectuée par Friesen (1972), des étudiants japonais et des étudiants américains ont été invités à visionner, en présence du chercheur ou seuls, un film illustrant des accidents industriels et contenant des scènes inspirant ,entre autres, soit du dégoût, soit de la peur. Lorsqu'ils visionnaient le film en présence du chercheur, les Japonais ont peu laissé paraître leurs émotions, alors que les Américains les exprimaient plus librement ; lorsque les sujets visionnant le film se croyaient seuls, aucune différence n'a été observée entre les deux groupes. Une telle expérience reflète le fait que l'expression de certaines émotions est encouragée par certaines cultures et non par d'autres. À titre d'exemple additionnel, l'expression du deuil, fortement encouragée par les cultures grecques et italiennes, l'est beaucoup moins dans la société nord-américaine.

De son côté, Matsumoto (2007) a étudié le lien possible entre la nationalité perçue et le jugement que des individus expriment au sujet de l'expression faciale d'une émotion. Après avoir présenté à des observateurs américains et japonais des expressions caucasiennes et asiatiques en leur disant qu'elles étaient respectivement américaines et japonaises, il n'a constaté aucune différence dans le jugement porté selon la nationalité présumée du visage présenté. De tels résultats semblent indiquer que, même si la culture peut influer sur l'expression faciale des émotions conformément aux données obtenues par Friesen (1972), la reconnaissance des émotions d'après l'expression faciale semblerait universelle.

En fait, l'influence culturelle peut aussi se manifester à l'intérieur d'une même culture : à l'annonce d'une bonne ou d'une mauvaise nouvelle, nous ne manifestons pas notre émotion de la même façon selon que nous sommes avec des proches ou en public, ou que nous sommes de sexe masculin ou féminin.

Qu'il mette en jeu ou non des différences culturelles, le contexte peut aussi être essentiel pour décoder adéquatement une expression faciale dans certaines occasions. Par exemple, il est bien connu qu'un visage en larmes peut traduire soit une grande peine, soit une grande joie, ambiguïté que seule la connaissance du contexte permet d'interpréter adéquatement, ainsi que l'illustre la figure 9.5.

FIGURE 9.5   L'expression faciale ambiguë et le contexte

En , la larme au coin de l'œil tend à suggérer du désappointement ou de la tristesse, mais l'élément contextuel fourni en par la rose permet de constater qu'il s'agit en fait d'une larme de joie.

Les autres indices non verbaux

Bien que les travaux de recherche s'intéressant à l'expression non verbale des émotions aient porté sur le visage plus que sur tout autre aspect du corps, d'autres éléments non verbaux jouant un rôle appréciable dans l'expression des émotions méritent notre attention. Il s'agit de l'expression vocale et de la gestuelle.

L'expression vocale Il n'est pas ici question des mots qui sont utilisés pour exprimer un état émotionnel, mais plutôt de ce qui caractérise le ton de la voix, c'est-à-dire des émissions sonores en tant que telles, qu'il s'agisse de paroles ou encore de simples sons (grognements, cris, soupirs, etc.) ne correspondant à aucun mot significatif. Darwin s'était en fait beaucoup intéressé à cette question. Or, même si pour la plupart des gens, il va de soi que le ton de la voix peut «en dire long» sur l'émotion ressentie, peu de progrès ont été faits depuis l'époque de Darwin. Cela semble dû, en partie du moins, au fait que l'enregistrement en milieu naturel et l'analyse se sont avérés plus difficiles à réaliser pour les caractéristiques vocales que pour l'expression faciale des émotions.

Klaus Scherer est l'un des chercheurs contemporains s'étant davantage penché sur la question des indicateurs vocaux des états émotionnels. Le tableau 9.2 présente un condensé de ce que Scherer (1989a) a pu relever en ce qui a trait aux caractéristiques vocales associées à quelques-uns des principaux états émotionnels. Pour chaque émotion, le tableau indique si, pour ce qui est de la hauteur des sons, le niveau est dans l'ensemble élevé ou bas, si l'étendue couverte est grande ou petite et si, à l'intérieur de cette étendue, la hauteur varie beaucoup (forte variabilité) ou peu (faible variabilité); le tableau indique également si, de façon générale, la force des sons émis est élevée ou faible, et si le tempo est rapide ou lent. Parallèlement à ces études visant à déterminer les caractéristiques vocales qui varient selon l'émotion exprimée, d'autres ont mis en évidence le fait qu'en se basant sur la voix, des juges arrivent à identifier correctement des émotions de base (la joie, la tristesse, etc.) avec une précision de l'ordre de 60 % (Scherer, 1989b). En fait, à partir des travaux de Scherer, Mesquita et Frijda (1992) ont estimé que la concordance entre les cultures dans la reconnaissance des émotions sur la base de l'expression vocale serait aussi élevée que celle basée sur l'expression faciale.

Par ailleurs, se basant sur des études récentes, Belzung (2007) souligne que certaines formes d'expressions vocales seraient biologiquement déterminées. Il rapporte ainsi que, même si l'on ne comprend pas la langue du locuteur, on reconnaît facilement l'expression de la colère, associée en général à des vocalisations fortes et discordantes, et celle de la peur, associée généralement à des vocalisations aiguës de faible intensité. Il s'agit là d'observations additionnelles qui vont dans le sens des conclusions des travaux de Scherer.

La gestuelle La gestuelle comprend l'ensemble des mouvements expressifs considérés comme des signes. La façon dont les émotions peuvent s'exprimer à travers cette dernière varie beaucoup, tant d'une situation ou d'un individu à l'autre, à l'intérieur d'une même culture, qu'entre individus de cultures différentes.

Dans la culture nord-américaine, serrer le poing devant soi de la façon indiquée par la figure 9.6a peut être perçu comme un geste agressif. Si l'on dispose d'une autre information, comme le laisse voir la figure 9.6b, on se rend compte que le geste peut traduire la joie d'avoir atteint un but. Tout comme pour la photo de la figure 9.5b (*page 296*), l'interprétation correcte du geste requiert une information contextuelle. Ce simple exemple permet d'illustrer en quoi les modèles culturels peuvent jouer un rôle dans l'apprentissage des gestes utilisés pour exprimer des émotions, chaque société possédant sa propre « gestuelle émotionnelle ». Ainsi, frapper dans ses mains traduit de la contrariété pour un Chinois, alors que cela correspond à une expression de joie dans la société occidentale. Toutefois, si l'on se réfère à ce qu'on trouve dans la plupart des volumes consacrés au phénomène de l'émotion, il semble qu'encore trop

TABLEAU 9.2	Les indicateurs vocaux des états émotionnels				
Émotion	**Hauteur**			**Force**	**Tempo**
	Niveau	**Étendue**	**Variabilité**		
Joie	Élevé	?	Forte	Élevée	Rapide
Confiance	Élevé	?	?	Élevée	Rapide
Colère	Élevé	Grande	Forte	Élevée	Rapide
Peur	Élevé	Grande	Forte	?	Rapide
Mépris	Bas	Grande	?	Élevée	Lent
Ennui	Bas	Petite	?	Faible	Lent
Tristesse	Bas	Petite	Petite	Faible	Lent

FIGURE 9.6   L'ambiguïté de la gestuelle

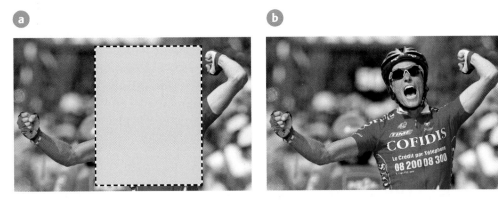

Un geste comme brandir les poings dans les airs peut être perçu comme une manifestation d'agressivité lorsqu'il est présenté seul, comme en **ⓐ**, ou bien traduire la satisfaction d'avoir remporté une victoire, comme en **ⓑ**.

ENCADRÉ 9.1   **Approfondissement**

L'émergence des émotions : une mise au point graduelle

Le bébé naissant ne disposant pas du langage, seuls les indices non verbaux peuvent être utilisés pour établir les émotions qu'il est susceptible de ressentir. C'est pourquoi les chercheurs ont avant tout tenté de décrire les variations observables dans les manifestations non verbales qui semblent traduire un certain état émotionnel chez l'enfant. À partir de ces manifestations, on essaie ensuite, avec prudence, d'inférer les émotions sous-jacentes.

Une première constatation s'est imposée depuis longtemps : les états émotionnels reconnaissables à partir des indices non verbaux procèdent du simple au complexe. On pourrait également décrire ce développement comme une mise au point graduelle allant du flou au plus net. Ainsi, le registre des réactions émotionnelles observables se complexifie au fur et à mesure du développement, telle une image laissant graduellement apparaître des détails de plus en plus marqués.

Au tout début, les pleurs constituent pour ainsi dire la première, sinon la seule façon pour le nourrisson d'exprimer différentes émotions. On observe alors une simple alternance entre deux états : une agitation marquée par les pleurs, ceux-ci étant interprétés comme un état émotionnel de détresse, et un calme qui semble traduire un état de bien-être.

En ce qui concerne le sourire, l'une des premières expressions faciales associées à une émotion précise, on considérait jusqu'à maintenant qu'il apparaissait lors des deux ou trois premières semaines de la vie du nourrisson. Or, Belzung (2007) signale que des études récentes utilisant la technique d'échographie en trois dimensions[1] ont permis de mettre en évidence la présence de sourires, aussi bien que de pleurs, chez le fœtus (Kurjak *et al.,* 2003 ; Kurjak *et al.,* 2004). Évidemment, on doit rester prudent dans l'interprétation de ces manifestations, comme le font les auteurs en général au regard des premiers sourires observables chez le nourrisson au cours des deux ou trois premières semaines de vie. On considère en effet que ces

sourires n'auraient pas de fonction sociale, mais découleraient simplement d'une activité corticale résultant du développement neuronal qui se poursuit dans le cerveau du nourrisson. Ils ne constitueraient donc pas un comportement de communication en tant que tel ; on dit communément que l'enfant «sourit aux anges». C'est aux alentours de trois semaines que ce dernier ferait son premier sourire «social», c'est-à-dire un sourire en réaction à une personne qui lui parle.

À partir d'environ six mois, d'autres manifestations qui traduisent des émotions de base

Le sourire, une manifestation émotionnelle qui apparaît très tôt dans le développement de l'enfant.

de plus en plus reconnaissables apparaissent : joie, surprise, colère, dégoût, etc. Ces dernières mettent en jeu les indices faciaux et ceux ayant trait à l'expression vocale. Des sujets adultes sont ainsi capables de reconnaître plusieurs de ces expressions faciales du bébé lorsqu'on les leur présente enregistrées sur cassette vidéo. Par ailleurs, on admet couramment que les parents en viennent par exemple à faire la différence entre les «pleurs de faim» et les «pleurs de colère» de leur enfant.

Évidemment, à mesure que le langage se développe, ce dernier permet à l'enfant de raffiner graduellement l'émotion qu'il ressent, ne serait-ce au début que par de simples mots tels que «bobo» pour dire qu'il a mal.

---

1. On a même développé tout récemment la technique d'échographie en quatre dimensions. Cette technique ajoute la dimension «temps» aux trois dimensions décrivant l'espace. Kurjak *et al.* (2007) expliquent cette technique ainsi que les avantages qu'elle présentera pour la recherche sur le comportement du fœtus.

peu d'études scientifiques, du côté de l'approche psychologique du moins, portent sur cette question.

Comme nous venons de le voir, l'expression non verbale des émotions est un volet important chez l'adulte, mais elle l'est encore plus chez le nourrisson pour qui elle constitue la seule façon d'exprimer ses émotions. On touche ici à l'aspect développemental du phénomène, volet dont l'encadré 9.1 (*page 301*) présente quelques balises.

À titre de remarque finale concernant l'expression des émotions, il y a lieu de signaler que, de façon générale, le langage verbal utilisé pour communiquer ou non ses émotions est aisé à maîtriser, contrairement au langage non verbal sur lequel on a «beaucoup moins prise», ainsi que nous pourrons le constater quand il sera question de la composante corporelle des émotions à la section suivante.

9.3 Les composantes en jeu dans l'émotion

Quelles sont les composantes qui entrent en jeu dans l'émotion ? Sur ce point, les auteurs mentionnent généralement trois composantes de base : la composante situationnelle, la composante cognitive ainsi que la composante corporelle. Toutefois, conformément à ce que souligne Gilles Kirouac, spécialiste québécois dont il est question dans l'encadré 9.2, nous traiterons également ici de la composante affective ; quoique difficile à cerner, cette dimension ne doit pas être ignorée pour autant.

Gilles Kirouac, un chercheur passionné par… les émotions

Dans le cadre de ses études doctorales à l'Université McGill, Gilles Kirouac s'intéresse au rôle de l'hérédité et du milieu dans la compréhension du comportement animal. Cette démarche l'amène ensuite à se pencher sur la perspective éthologique introduite par Konrad Lorenz. Il réalise alors que cette approche peut aider à comprendre le comportement humain, particulièrement en ce qui concerne l'expression faciale des émotions. De là émerge son intérêt pour le thème des émotions, lequel demeure son principal champ d'étude par la suite. C'est d'ailleurs lui qui a mis sur pied, à l'Université Laval, le premier cours portant précisément sur les émotions.

À l'époque où M. Kirouac a commencé à s'intéresser à l'émotion, c'est-à-dire au début des années 1970, ce domaine était plus ou moins tombé en désuétude auprès des chercheurs, la plupart considérant que ce sujet ne se prêtait pas à des études de nature scientifique. Toutefois, avec l'arrivée de l'éthologie issue de l'approche biologique, et surtout avec les développements de l'approche cognitive, l'étude scientifique de l'émotion a profité d'un regain d'intérêt. Comme le souligne M. Kirouac, l'approche cognitive a d'ailleurs investi tous les champs de la psychologie, telle un virus, et c'est elle qui constitue actuellement l'approche dominante dans la recherche sur l'émotion, tout comme c'est le cas dans beaucoup d'autres domaines en psychologie.

Les premières théories scientifiques sur les émotions, à savoir la théorie de James-Lange, celle de Cannon-Bard, et celle de Singer et Schachter, mettaient l'accent sur les mécanismes physiologiques en jeu dans l'émotion. Ces théories auxquelles on réfère souvent en tant que théories «classiques» sur les émotions font désormais davantage partie de l'histoire que des préoccupations actuelles. Cela ne signifie pas que la dimension physiologique sur laquelle ces théories insistaient n'est pas importante, mais plutôt que celle-ci ne répond pas complètement à la question fondamentale qui préoccupe les chercheurs : «Qu'est-ce qui déclenche l'émotion et par quel processus?»

Or, pour répondre adéquatement à cette question, on considère qu'il faut d'une part déterminer les règles sociales et culturelles de déclenchement et d'expression des émotions et, d'autre part, établir comment ces règles interagissent avec les caractéristiques de l'individu. Autrement dit, dans l'analyse cognitive qu'un individu fait d'une situation, on cherche à déterminer ce qui déclenche une émotion donnée, compte tenu de l'histoire de l'individu, et des règles sociales et culturelles qui prévalent dans l'environnement où évolue l'individu en question.

Gilles Kirouac, Ph. D., École de psychologie de l'Université Laval.

Par ailleurs, insiste M. Kirouac, il importe que les scientifiques tiennent compte du «senti», c'est-à-dire de la composante subjective de l'expérience émotionnelle. Il s'agit là d'une composante essentielle si l'on veut comprendre pleinement la «mécanique» de l'émotion. De plus, ce n'est pas parce que cette composante est extrêmement difficile à étudier scientifiquement qu'il faut faire semblant qu'elle n'existe pas, pas plus qu'il faut renoncer complètement à l'étude scientifique des émotions comme l'ont fait les tenants d'un courant subjectiviste.

En somme, fait remarquer M. Kirouac, qu'il s'agisse de facteurs de déclenchement ou de modes d'expression, toutes les questions de base avaient déjà été posées par le célèbre Charles Darwin dans son volume *L'expression des émotions* écrit en 1872 ; ce que font essentiellement les chercheurs depuis, c'est tenter d'y répondre…

9.3.1 La composante situationnelle

Remporter une compétition, apprendre qu'un proche est décédé dans un accident, réussir son examen final, être menacé physiquement ou psychologiquement par quelqu'un, voilà autant de situations qui déclencheront une vive émotion. En fait, toute émotion a comme point de départ une situation. C'est d'ailleurs une caractéristique qui, de l'avis des auteurs en général, permet de différencier l'émotion d'un sentiment global comme le mal de vivre.

Il y a toutefois lieu de signaler qu'en pratique, la distinction entre émotion et sentiment formulée en début de chapitre n'est pas toujours facile à établir. Par exemple, imaginez que vous prenez un ascenseur et, qu'à l'étage suivant, une personne y entre à son tour et... vient se placer juste à côté de vous, alors que la cage d'ascenseur a plus de deux mètres de large : vous vous sentiriez immédiatement mal à l'aise. Pourquoi ? Les spécialistes de psychologie sociale diront que la personne a pénétré dans votre **bulle psychologique**, ce terme référant à l'espace physique qu'on est spontanément porté à garder autour de soi et à l'intérieur duquel les autres ne doivent pas entrer sans que l'on ressente un malaise. Il se peut aussi que, selon l'allure de la personne, vous ressentiez une certaine inquiétude ou même une peur diffuse, sentiment de malaise et émotion de peur pouvant ainsi se confondre ; à l'inverse, si cette personne vous attire beaucoup, l'émotion ressentie pourrait être tout autre !

Bulle psychologique
Aussi appelée **Espace interpersonnel**
Terme référant à l'espace physique que l'on est spontanément porté à garder autour de soi et à l'intérieur duquel les autres ne doivent pas pénétrer sans que l'on ressente un malaise.

9.3.2 La composante cognitive

Une situation donnée ne provoquera pas nécessairement la même émotion chez tous les individus. La vue d'un ours en forêt pourra réjouir une personne passionnée de la vie animale et habituée à se promener en forêt, car elle sait que la situation ne présente aucun danger ; une autre personne non initiée à la vie en forêt pourra par contre être effrayée.

Par ailleurs, une même situation peut également provoquer des émotions différentes chez la même personne à divers moments. Par exemple, un individu qui aurait déjà été effrayé par un ours pourra éprouver du plaisir à les observer après avoir côtoyé un expert de la vie animale qui l'aura renseigné sur la vie des ours et qui lui aura montré à les étudier en toute sécurité.

Les cas évoqués ci-dessus suffisent à démontrer le simple point suivant : la situation provoquant une émotion donnée implique une composante cognitive. Autrement dit, ce n'est pas la situation en tant que telle qui est déterminante dans l'émotion éprouvée, mais la façon dont cette situation est interprétée. Cependant, comme nous le verrons plus loin, la façon dont cette composante cognitive intervient dans l'ensemble du processus aboutissant à l'expérience émotionnelle est complexe et ne fait pas l'unanimité parmi les chercheurs.

9.3.3 La composante corporelle

Lorsqu'une personne est sous le coup d'une émotion, on observe un ensemble de réponses corporelles qu'on peut globalement répartir en deux catégories : les réponses somatiques et les réactions physiologiques.

Les réponses somatiques sont appelées ainsi parce qu'elles dépendent du système nerveux somatique (*voir le chapitre 2*). Mettant en jeu les muscles du visage et de l'ensemble du corps, celles-ci contribuent à l'expression non verbale des émotions, ce dont il a été question précédemment.

Les autres réactions, dites *physiologiques* ou *viscérales*, correspondent aux réponses physiologiques observées au niveau des principaux organes du corps, principalement les viscères, lesquels sont sous la dépendance du système nerveux autonome. Du fait qu'elles se prêtent aisément à l'observation scientifique, ces réponses sont d'ailleurs celles auxquelles se sont d'abord intéressés les premiers chercheurs qui ont voulu étudier l'émotion d'un angle scientifique.

Comme l'illustre la figure 9.7, les principales réactions physiologiques reconnues comme traduisant un état émotionnel sont mises en branle par le système sympathique ; ce sont :

- l'accélération du rythme cardiaque et du rythme respiratoire (une émotion violente, qu'elle soit positive ou négative, pouvant même provoquer un arrêt cardiaque) ;
- la stimulation de l'activité des glandes sudoripares et des glandes surrénales, ces dernières ayant pour effet de libérer de l'adrénaline ;
- l'inhibition de l'activité des glandes salivaires ;
- la dilatation des pupilles ;
- la contraction de l'estomac et celle des vaisseaux sanguins, cette dernière ayant pour effet d'augmenter la tension artérielle.

FIGURE 9.7   Les réactions physiologiques et l'émotion

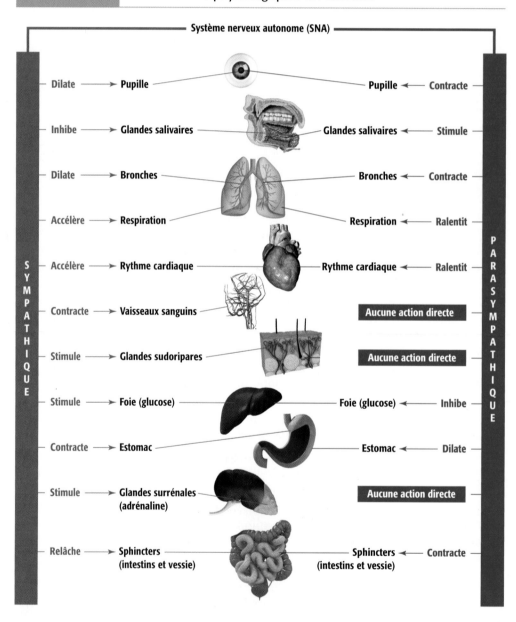

Outre les réponses musculaires, une réaction émotionnelle se traduit par une activation de la division sympathique du système nerveux autonome, l'apaisement émotionnel correspondant à l'activation de la branche parasympathique.

Comme nous le verrons au chapitre suivant, ces réactions sont essentiellement les mêmes que celles observées en situation de stress. Par ailleurs, la division parasympathique ayant des effets contraires sur les organes innervés (*voir le chapitre 10*), son activation correspond à un apaisement de l'état émotionnel. Il est à noter que le système parasympathique n'exerce pas une influence directe sur l'activation des glandes sudoripares, la dilatation des vaisseaux sanguins et la libération d'adrénaline par les glandes surrénales : il le fait plutôt en s'opposant à l'activation générale du système sympathique.

Il faut ici garder à l'esprit que les réactions physiologiques découlant de l'activité du système nerveux sympathique échappent normalement au contrôle de l'individu, sauf si ce dernier s'est intensément entraîné aux techniques de relaxation permettant de les contrer. Et encore là, ce dernier ne pourra le faire — en partie du moins — qu'à condition d'avoir pu prévoir la situation susceptible de provoquer une émotion.

Testez vos connaissances

4. Quelqu'un qui le veut peut aisément maîtriser les réactions corporelles qui surviennent lors d'une émotion.

S'il est possible de refréner certains gestes en y pensant, les réactions physiologiques sont pour leur part très difficiles à maîtriser, à moins d'être très bien entraîné aux différentes techniques de relaxation.

C'est d'ailleurs sur le côté quasi involontaire des réactions physiologiques produites par le système nerveux sympathique que repose l'efficacité de ce qu'on appelle souvent le **détecteur de mensonge**. Contrairement à ce que laisse croire le nom familier de cet appareil, celui-ci n'est en fait qu'un **enregistreur polygraphique**, c'est-à-dire un appareil permettant de détecter et d'enregistrer l'activité de certaines réactions physiologiques, ces dernières pouvant varier beaucoup selon le phénomène auquel on s'intéresse. Dans le cas du détecteur de mensonge, les réactions enregistrées sont typiquement le rythme cardiaque, le rythme respiratoire, la tension artérielle ainsi que la **réponse électrodermale**, c'est-à-dire le degré de résistance que la peau offre au passage d'un courant électrique, résistance qui est influencée entre autres par l'activité des glandes sudoripares, une des réactions dépendant du système nerveux sympathique.

Le principe du détecteur de mensonge est le suivant : on a constaté que lorsqu'une personne ment, cela induit un certain niveau de stress qui se traduit par une activation plus élevée du système nerveux sympathique. Bien qu'il soit difficile de préciser ce qui déclenche exactement cette activation, et quoique cette dernière ne soit pas aussi marquée et apparente que lorsque l'individu est sujet à une forte émotion, les réactions physiologiques qui en découlent peuvent aisément être détectées par l'enregistreur polygraphique. Reste alors à interpréter ces réactions...

Si le fait de mentir produit des réactions physiologiques traduisant une activation du système nerveux sympathique, de telles réactions peuvent aussi être produites par autre chose que le fait de mentir, comme le ton de voix plus insistant de la personne qui interroge, ou encore le simple fait que la personne interrogée serre discrètement le poing. Donc, comme le souligne l'encadré 9.3 (*page 306*) qui porte plus particulièrement sur le fonctionnement de la réponse électrodermale, le « détecteur de mensonge » n'est rien d'autre qu'un « détecteur d'activation », la difficulté étant alors de s'assurer que seul le fait mentir peut rendre compte de l'augmentation de l'activation observée. Cette exigence est souvent difficile à satisfaire, c'est pourquoi un résultat obtenu avec le détecteur de mensonge n'est plus — car il l'a déjà été — reconnu en cour par le système pénal canadien[3].

Détecteur de mensonge
Expression familière désignant un enregistreur polygraphique utilisé pour détecter les réactions physiologiques associées à un état émotif.

Enregistreur polygraphique
Appareil permettant de détecter et d'enregistrer l'activité de certaines réactions physiologiques, ces réactions pouvant varier beaucoup selon le phénomène auquel on s'intéresse.

Réponse électrodermale
Aussi appelée **Réponse psychogalvanique**
Degré de résistance que la peau offre au passage d'un courant électrique, résistance qui est influencée, entre autres, par l'activité des glandes sudoripares, une des réactions dépendant du système nerveux sympathique.

---

3. Les éléments de preuve obtenus par polygraphe ne sont pas admissibles dans un procès criminel dans le système de justice pénale canadien. Cet énoncé de droit a été fait par le juge McIntyre dans un texte dont on peut prendre connaissance à l'adresse Internet suivante : <http://csc.lexum.umontreal.ca/fr/1987/1987rcs2-398/1987rcs2-398.html>.

Quand la peau trahit les émotions…

Parmi les principaux indicateurs physiologiques permettant de mesurer facilement l'activation du système nerveux sympathique, on trouve, en plus du rythme cardiaque, du rythme respiratoire et de la tension artérielle, la réponse électrodermale ; celle-ci correspond au degré de résistance que la peau offre au passage d'un courant électrique, résistance influencée entre autres par l'activité des glandes sudoripares. Ainsi, lorsqu'une personne est sous le coup d'une émotion, si faible soit-elle, le système nerveux sympathique provoque une augmentation de l'activité des grandes sudoripares — ce qui se traduit par une augmentation de la transpiration — et les signaux bioélectriques produisant cette activité font en sorte que la peau offre moins de résistance au passage d'un courant électrique.

Ce phénomène peut facilement être démontré en appliquant deux électrodes sur deux doigts d'un sujet, par exemple l'un à l'index et l'autre à l'annulaire, ainsi que l'illustre la photo ci-contre. Les électrodes sont ensuite reliées à un appareil qui fait passer un courant au travers, courant trop faible pour être ressenti par le sujet, mais détectable par l'appareil. On constate alors que la résistance au passage du courant diminue si le sujet ment en répondant à des questions, tandis qu'elle ne change pas, ou beaucoup moins, lorsqu'il dit la vérité.

Il importe ici de garder à l'esprit que ce que l'appareil détecte, c'est simplement la réponse électrodermale, et non la véracité ou la fausseté des réponses.

On peut facilement démontrer ce fait en effectuant la variante suivante : au lieu de poser des questions auxquelles un sujet doit répondre en mentant ou non, on lui demande de choisir par exemple un nombre de 1 à 20 ; on nomme ensuite à voix haute les différents nombres possibles, dans un ordre choisi au hasard, sans que le sujet

Le « détecteur de mensonge » : un appareil puissant, mais à l'appellation trompeuse.

ait à répondre quoi que ce soit. On constate alors que c'est habituellement après avoir nommé le nombre choisi par le sujet que la réponse électrodermale est la plus marquée. Ainsi, le simple fait d'entendre le nombre « significatif pour lui » suffit à déclencher la réaction. Puisque le sujet demeurait silencieux, c'est sa peau qui l'a trahi !

Testez vos connaissances

5. **Le détecteur de mensonge mesure des réactions qui peuvent survenir autant lorsqu'une personne ment que lorsqu'elle a simplement peur d'être accusée de mentir.**

   C'est d'ailleurs pourquoi les résultats fournis par cet appareil ne sont plus acceptés en cour par la justice pénale canadienne.

La dilatation de la pupille est une autre réponse physiologique pouvant témoigner d'un certain état émotif. En effet, même si le diamètre d'ouverture de la pupille dépend de façon générale du niveau d'éclairage ambiant, il peut également être influencé par le degré d'intérêt d'un stimulus, dans la mesure où ce dernier tend à induire une réaction émotionnelle. C'est ce qu'on a constaté dans le cadre d'expériences classiques (Hess & Polt, 1960 ; Hess, Seltzer, & Shlien, 1965) rapportées dans l'encadré 9.4 : plus un stimulus suscite de l'intérêt, plus la pupille s'agrandit.

Parmi les études qui ont exploré ce phénomène par la suite, il peut être intéressant de signaler celle de Aboyoun, Hamburger et Dabbs (1998). Ces derniers ont cherché à établir si l'accroissement de la dilatation de la pupille ne serait pas dû à l'aspect « nouveauté » des images plutôt qu'à l'aspect « nudité » des sujets représentés. Ils ont constaté que l'image d'un homme nu, un stimulus relativement peu fréquent dans la culture américaine, produisait une dilatation de la pupille plus marquée que celle d'une femme nue. Leurs résultats ne permettent cependant pas d'éliminer l'influence possible d'une réaction émotive à l'égard des représentations de nus.

Lors d'une autre expérience classique (Hess, 1965) rapportée elle aussi dans l'encadré 9.4, on a également démontré que l'ouverture de la pupille d'une personne qui s'adresse à nous est inconsciemment détectée comme un signe d'intérêt, la personne étant alors perçue d'autant plus sympathique que sa pupille est grande.

ENCADRÉ 9.4   **Recherche classique**

Des yeux qui en disent long…

Vers le milieu du siècle dernier, des chercheurs ont mené des expériences où des sujets des deux sexes étaient invités individuellement à visionner des diapositives présentées à l'intérieur d'un appareil permettant de mesurer le degré d'ouverture de leurs pupilles pendant le visionnage ci-dessous (*voir la photo et le schéma*). Or, alors que la plupart des diapositives représentaient des scènes relativement banales (exemples : paysage, fleur), quelques-unes présentaient une personne nue (femme ou homme) dans un contexte érotique. Les chercheurs ont alors observé que la présentation de l'image de la personne nue provoquait, tant chez les hommes que chez les femmes, une augmentation du diamètre de la pupille. Même si cette augmentation ne se mesurait qu'en millimètres, elle révélait une différence systématique d'ouverture de la pupille entre l'observation du personnage nu et celle des autres scènes (Hess & Polt, 1960 ; Hess, Seltzer, & Shlien, 1965).

On semblait donc avoir démontré qu'à éclairage ambiant égal, le diamètre d'ouverture de la pupille réglé par le système nerveux sympathique est d'autant plus grand que le stimulus observé suscite un intérêt émotionnel élevé, et ce, sans que le sujet s'en rende compte.

Par ailleurs, ainsi que l'a montré Hess (1965), il semble que nous soyons capables, toujours inconsciemment, de détecter et d'interpréter cet indice d'intérêt véhiculé par la pupille. Il a présenté à des

Deux photos dans lesquelles seule diffère la taille de la pupille.

sujets les deux photos ci-dessus et leur a demandé laquelle des deux photos présentait la femme la plus sympathique. La plupart des sujets ont indiqué la photo **b**. Or, cette dernière est identique à la photo **a**, à l'exception de la pupille qui a été retouchée pour paraître plus grande. La femme semble ainsi manifester plus d'intérêt à la personne qu'elle regarde, ce qui la rend… plus sympathique et attrayante !

La photo et le schéma de l'appareillage utilisé par Hess & Polt (1960) pour mesurer la taille de la pupille en fonction de l'intérêt suscité par un stimulus.

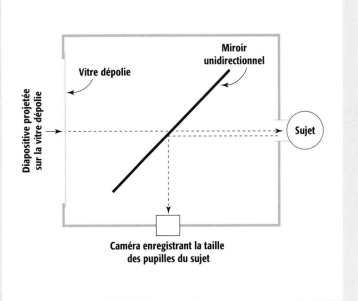

9.3.4 La composante affective

La composante affective, la dernière qui sera présentée ici, réfère à l'expérience émotionnelle, c'est-à-dire à ce qui est vécu et ressenti par l'individu, ce que Tomkins (1962) appelait l'*affect*. Bien que cette composante soit la plus difficile à étudier de façon scientifique, elle ne peut être ignorée, en raison de son influence déterminante sur le comportement.

En effet, selon que la dimension affective associée à une émotion a un caractère agréable ou non, désirable ou non, le comportement émis par la personne sujette à l'émotion différera considérablement. Par exemple, si une artiste est chaudement applaudie la première fois qu'elle chante en public, événement qui provoque chez elle une intense émotion de satisfaction, elle pourra continuer de façon enthousiaste à se consacrer à la musique ; par contre, si l'artiste est vertement critiquée, ce qui entraîne chez elle une intense déception, elle pourra décider d'abandonner son désir de devenir chanteuse. Il est donc fondamental de ne pas faire abstraction de la composante affective dans l'étude de l'émotion, malgré les difficultés inhérentes à l'observation et à la mesure, de façon évidemment indirecte, de cet aspect.

9.4 Les principales explications des émotions

Après avoir présenté les composantes en jeu dans le phénomène de l'émotion, nous verrons maintenant la façon dont ces différentes composantes interagissent dans le déclenchement et le déroulement d'une émotion. Autrement dit, ce qui fait qu'une composante en influence une autre, et vice-versa, et la manière dont cela se produit. C'est ce que les chercheurs appellent le *problème de la séquence*. Pour mieux saisir où en est la recherche sur ce point, nous présenterons d'abord trois théories classiques qui ont cherché à expliquer les émotions, pour ensuite jeter un regard sur les tentatives actuelles d'explication.

9.4.1 Trois théories classiques

Bien que la façon dont elles ont été formulées à l'époque soit actuellement dépassée, ces théories ont néanmoins soulevé les questions de base qui alimentent encore aujourd'hui le débat sur les mécanismes déclenchant les émotions. Ces théories sont la théorie de James-Lange, la théorie de Cannon-Bard et la théorie cognitive de Schachter.

La théorie de James-Lange

Théorie de James-Lange
Théorie selon laquelle l'émotion provient de la prise de conscience des changements corporels provoqués, de façon réflexe, par la situation qui induit l'émotion.

Vers la fin du XIXᵉ siècle, le philosophe et psychologue américain William James et l'anatomiste Carl Lange proposent la même idée de base pour expliquer ce qui produit l'émotion : ce sont les changements corporels provoqués de façon réflexe par une situation donnée qui créent l'émotion (James, 1884, 1890 ; Lange, 1885/1922). L'exemple désormais classique utilisé par William James pour exposer ce point de vue, appelé depuis la **théorie de James-Lange**, est schématisé par la figure 9.8a. En voyant l'ours, la personne perçoit un danger et se met à courir pour s'éloigner de l'animal, ce qui active le système nerveux sympathique. C'est l'interprétation de la prise de conscience de l'ensemble des réactions corporelles — somatiques et physiologiques (viscérales) — qui s'ensuivent (mouvements des muscles impliqués dans la fuite, accélération du rythme cardiaque, de la respiration, etc.) qui provoque l'émotion elle-même.

Afin de bien insister sur l'idée que ce sont les changements corporels qui causent l'émotion éprouvée, et non l'inverse, comme le suggérerait le sens commun, James a exprimé cette explication par la formule-choc : « Je vois un ours, je cours, donc j'ai peur ! » Cette théorie considère que la composante affective, à savoir l'émotion éprouvée, est due à la composante physiologique corporelle, c'est-à-dire à l'activation de processus biologiques, la composante cognitive intervenant entre les deux.

FIGURE 9.8 Deux explications marquantes de l'émotion

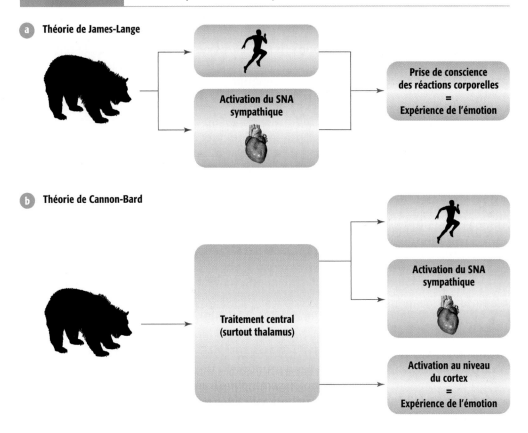

a Théorie de James-Lange

Activation du SNA sympathique

Prise de conscience des réactions corporelles = Expérience de l'émotion

b Théorie de Cannon-Bard

Traitement central (surtout thalamus)

Activation du SNA sympathique

Activation au niveau du cortex = Expérience de l'émotion

D'après la théorie de James-Lange schématisée en **a**, l'émotion provient de la prise de conscience des réactions corporelles provoquées par la situation, alors que d'après Cannon et Bard **b**, l'émotion est due à l'activation du cortex, laquelle est provoquée par des structures centrales tel le thalamus, et ce, indépendamment des réactions corporelles.

La théorie de Cannon-Bard

La théorie de James-Lange a soulevé des objections de la part de nombreux chercheurs. Parmi ces derniers, Walter Cannon (1927) est reconnu historiquement comme le premier à avoir démarré un courant critique à l'endroit de la position de James-Lange. Dans son volume *The Wisdom of the Body* publié en 1932, Cannon résume ses critiques en quatre points.

Une première critique apportée par Cannon tient à ce que, si James et Lange ont raison, un individu chez qui on produit une activation physiologique du système nerveux sympathique par l'injection d'adrénaline devrait ressentir une émotion. Or, ce n'est pas le résultat qu'a obtenu Maranon (1924), les sujets n'ayant pas rapporté d'émotion, même si certains disaient qu'ils se sentaient physiquement « comme » s'ils avaient eu peur ou s'ils avaient été en colère. Les travaux de Landis et Hunt (1932), de Cantril et Hunt (1932) ainsi que ceux de Lindemann et Finesinger (1940) ont par la suite confirmé ces conclusions.

Une deuxième critique formulée par Cannon porte sur le point suivant : si ce sont les réactions corporelles qui déterminent l'émotion ressentie, il faudrait que chaque émotion soit due à un « patron » — c'est-à-dire à une combinaison — de changements corporels différent de celui des autres émotions. Or, s'appuyant entre autres sur ses propres travaux de recherche et sur ceux de Bard (1934), Cannon fait remarquer qu'en fait, les réactions physiologiques observables sous le coup d'une émotion sont remarquablement semblables, quelle que soit l'émotion ressentie, qu'il s'agisse par exemple de colère ou de joie extrême. Passant en revue les principales études effectuées jusqu'au milieu des années 1990 sur cette question, Kirouac (1995) va dans le sens de Mandler (1984, 1990) en affirmant que «les réactions physiologiques liées à l'émotion sont globalement les mêmes, quelle que soit l'émotion» (p. 55). Nous verrons plus loin que la recherche sur des manifestations physiologiques distinctes selon l'émotion s'oriente plutôt actuellement du côté de l'activité du cerveau lui-même.

Cannon fait ensuite remarquer qu'en vertu de la théorie de James-Lange, des patients dont la moelle épinière a été endommagée au niveau du cou ne pourraient pas éprouver d'émotions, puisque les sensations dues aux réactions corporelles (réactions musculaires de l'ensemble du corps et réactions physiologiques) ne peuvent plus parvenir au cerveau. Or, selon lui, ce n'est pas ce qu'on constate chez ces patients, lesquels continuent effectivement à ressentir des émotions. Certaines études effectuées depuis auprès de paraplégiques et de quadriplégiques (Hohmann, 1966; Janos & Hakmiller, 1975; Heidbreder *et al.*, 1984) atteints de lésion à la moelle épinière tendent à confirmer la critique formulée par Cannon. Par contre, plus la lésion est près du cou, plus la perte est grande en ce qui a trait à l'émotion ressenti (Kirouac, 1995). Autrement dit, plus la lésion à la moelle épinière est éloignée du cou, donc plus la quantité de sensations en provenance du corps est élevée, plus l'intensité émotionnelle rapportée est grande, ce qui va dans le sens de la position de James-Lange. En somme, il nous faut reconnaître, à la suite de Kirouac (1995), qu'il faudra d'autres études pour trancher la question.

Une quatrième et dernière critique formulée par Cannon (1932) s'appuie sur le fait que les réactions physiologiques sont, en général, relativement lentes à se manifester au regard de la rapidité avec laquelle peut souvent survenir l'expérience émotionnelle. Il est alors impossible que l'émotion soit due à la prise de conscience de réactions physiologiques qui ne sont pas encore survenues.

Ses objections à la théorie de James-Lange ont amené Cannon — en collaboration avec Bard qui a beaucoup contribué à l'appuyer de données empiriques — à proposer un modèle explicatif des émotions qu'on désigne aujourd'hui sous le nom de **théorie de Cannon-Bard**. Partant du fait que le thalamus constitue un important centre de relais de l'information sensorielle et motrice (*voir le chapitre 2*), Cannon et Bard accordent à cette structure un rôle clé dans l'émotion. Ainsi, comme le schématise la figure 9.8b (*page 309*), l'information en provenance de la situation potentiellement génératrice d'émotion serait d'abord reçue par les structures centrales, principalement le thalamus. Selon la situation, ce dernier déclencherait alors les réactions somatiques (par exemple, courir dans le cas de l'ours), les réactions physiologiques (par exemple, l'accélération du rythme cardiaque) ainsi que, de façon indépendante, l'expérience émotionnelle (par exemple, la peur). La prise de conscience des manifestations somatiques et physiologiques ne constituerait donc plus la cause de l'expérience émotionnelle, cette dernière provenant plutôt du cortex.

La théorie cognitive de Schachter

Alors que les théories précédentes invoquaient principalement des processus psychophysiologiques pour rendre compte de ce qui déclenche l'émotion, la théorie de Stanley Schachter introduit la dimension cognitive dans l'explication du phénomène. Cette dernière s'appuie essentiellement sur une expérience que Schachter a réalisée en collaboration avec Jerome Singer (Schachter & Singer, 1962), ce pourquoi on parle souvent de la théorie de Schachter et Singer, même si c'est le premier qui s'en est fait le principal défenseur. En raison du tournant que constitue cette recherche (Kirouac, 1995), il importe d'en présenter les grandes lignes malgré son caractère quelque peu complexe.

Après avoir recruté des sujets pour participer à une recherche visant supposément à tester l'effet d'une vitamine sur la vision, les chercheurs les ont divisés en quatre groupes. Ainsi que le tableau 9.3 permet de le visualiser, les sujets de trois d'entre eux, les

---

Théorie de Cannon-Bard
Théorie selon laquelle l'expérience émotionnelle proviendrait du cortex sous l'influence du thalamus, les sensations dues aux changements corporels n'étant que des manifestations survenant parallèlement à l'activation du cortex.

groupes expérimentaux, ont reçu une injection d'adrénaline (également appelée épinéphrine), une hormone qui produit des réactions typiques d'une émotion (palpitations, tremblements, rougeurs de la peau et respiration haletante), tandis qu'un quatrième groupe recevait, à titre de groupe témoin, une simple injection d'une solution saline n'ayant aucun effet. Les groupes ont ensuite été soumis à diverses manipulations cognitives constituées à partir de deux aspects : l'information concernant des effets «secondaires possibles» de l'adrénaline et le comportement d'un complice présent en même temps que chaque sujet.

En ce qui concerne la manipulation cognitive basée sur les effets secondaires possibles, les sujets du premier groupe expérimental ont reçu une information trompeuse, à savoir que la «vitamine» pourrait avoir des effets secondaires, comme des démangeaisons et des engourdissements. Les sujets du deuxième groupe expérimental ont reçu une information exacte sur les effets physiques que produit l'adrénaline (présentés comme des effets secondaires possibles de la vitamine). Pour ce qui est des sujets du troisième groupe expérimental et de ceux du groupe témoin, ils n'ont reçu aucune information.

En ce qui a trait à la manipulation cognitive basée sur le comportement du complice, le sujet était invité, après l'injection, à attendre une vingtaine de minutes dans une autre pièce où se trouvait déjà une autre personne qui était prétendument soumise, elle aussi, à l'expérience. L'autre personne était en fait un complice de l'expérimentateur qui adoptait un comportement destiné à créer un certain état émotionnel chez le véritable sujet. Dans une première condition, le complice avait un comportement euphorique, s'amusant à faire des boules de papier qu'il essayait de lancer dans une corbeille, faisant des plaisanteries, etc. Dans la deuxième condition où il fallait remplir un questionnaire dont certaines questions étaient intimidantes (exemples : Vous lavez-vous régulièrement ? Avec combien d'hommes [mis à part votre père] votre mère a-t-elle eu des relations sexuelles ?), le complice adoptait un comportement colérique, s'irritant de ces questions et disant qu'il les trouvait insultantes.

Les expérimentateurs s'attendaient à ce que les sujets auxquels on avait injecté de l'adrénaline et qui avaient reçu une information trompeuse sentent le besoin d'interpréter leurs réactions physiologiques à partir des autres cognitions disponibles. Il y a lieu de noter que, selon le contexte, le terme **cognition** est employé pour désigner soit l'ensemble des processus impliqués dans la connaissance, soit les différents résultats de ces processus (Bloch *et al.*, 2000). Dans le cas présent, les cognitions influant sur l'interprétation des réactions physiologiques sont celles résultant de l'observation du comportement du complice. Les sujets seraient donc portés à manifester le même comportement émotionnel que le complice. Ceux n'ayant eu aucune explication seraient portés à faire de même, quoique de façon moins marquée, tandis que les sujets ayant eu une information exacte ne le feraient pas, n'ayant pas besoin du

Cognition

Selon le contexte, terme référant soit à l'ensemble des processus impliqués dans la connaissance, soit aux différents résultats de ces processus.

| TABLEAU 9.3 | L'expérience de Schachter et Singer |

Groupe		Manipulation physiologique : injection	Manipulation cognitive		Comportement du sujet
			Information sur l'injection	Comportement du complice	
Expérimental	E₁	Adrénaline (Épinéphrine)	Information *trompeuse*	Euphorique seulement	*Très porté* à imiter les réactions du complice
	E₂		Information *exacte*	Euphorique ou colérique	*Non porté* à imiter les réactions du complice
	E₃		*Aucune* information		
Témoin		Solution saline	*Aucune* information	Euphorique ou colérique	Tendance à imiter se situant *entre* le groupe E₁ et les groupes E₂ et E₃

contexte pour interpréter leurs réactions. Dans l'ensemble, les résultats rapportés par les chercheurs ont confirmé leurs attentes. Par contre, les sujets du groupe témoin — les individus qui n'avaient pas reçu l'injection d'adrénaline et qui n'auraient donc pas dû manifester de réactions émotionnelles — ont présenté un comportement se situant entre celui des sujets expérimentaux qui avaient reçu une information exacte et le comportement de ceux qu'on avait trompés !

À partir des résultats obtenus, Schachter et Singer ont conclu que, s'il est juste que les changements physiologiques jouent un rôle important dans l'émotion, l'interprétation de ces changements est déterminante dans l'émotion ressentie par un individu. Cette dernière dépendrait donc de l'interaction entre les réactions physiologiques et l'analyse cognitive de la situation.

L'expérience de Schachter et Singer a été beaucoup critiquée, la plupart des critiques formulées ayant porté sur la méthodologie utilisée. Ces dernières ont souligné entre autres les points suivants : l'effet réel du complice sur le sujet n'a pas été soigneusement vérifié ; la seule mesure physiologique utilisée a été le rythme cardiaque ; on n'a pas indiqué si les juges évaluant le degré d'euphorie ou de colère des sujets l'avaient fait à double insu[4] ; aucun des sujets ayant reçu l'injection d'adrénaline et une information trompeuse n'a été soumis au comportement colérique du complice (ainsi qu'on peut le constater facilement à l'aide du tableau 9.3, *page 311*). Par ailleurs, une critique importante a porté sur le fait que les résultats obtenus par Schachter et Singer n'ont pu être reproduits par d'autres chercheurs, sauf peut-être par Erdmann et Janke (1978). Ces derniers n'ont toutefois pas utilisé exactement la même procédure et, de leur propre aveu, les résultats qu'ils ont obtenus sont peu convaincants (Kirouac, 1995).

Malgré les critiques soulevées par l'expérience de Schachter et Singer, et en dépit de l'insuffisance des arguments invoqués par Schachter en réponse à ses détracteurs, la **théorie cognitive de Schachter** constitue un tournant dans la recherche sur les émotions, ainsi que nous l'avons signalé au début de ce point. Elle a ranimé le débat entre la théorie de James-Lange et celle de Cannon-Bard, en y faisant intervenir de façon explicite la dimension cognitive, celle-ci étant omniprésente dans les courants de pensée actuels.

Théorie cognitive de Schachter
Théorie selon laquelle l'expérience émotionnelle proviendrait de l'interprétation cognitive que l'individu fait des changements corporels ressentis, cette évaluation se basant sur les données contextuelles dont il dispose.

9.4.2 Les tentatives actuelles d'explication

Le débat qui a suivi les trois théories classiques dont il vient d'être question s'est cristallisé autour de ce qu'il est désormais convenu d'appeler le *problème de la séquence*, schématiquement représenté par la figure 9.9. Considérant qu'à la suite d'une situation inductrice d'émotion, on observe diverses manifestations corporelles et une certaine forme d'évaluation cognitive, la question qui se pose est celle-ci : quelle est la séquence d'événements qui conduit à l'expérience émotionnelle, tant en ce qui concerne l'émotion ressentie qu'en ce qui a trait à son intensité ?

Les différents points d'interrogation qu'on trouve dans le schéma de la figure 9.9 donnent un aperçu des hypothèses explicatives avancées depuis l'expérience de Schachter et Singer (1962). Alors que certains auteurs maintiennent encore que ce sont les manifestations corporelles qui déterminent à elles seules l'émotion, d'autres considèrent plutôt que c'est l'évaluation cognitive que nous faisons de ces manifestations et de la situation inductrice qui est déterminante. Tout de même, la plupart d'entre eux estime que c'est la façon dont interagissent les manifestations corporelles et l'évaluation cognitive qui détermine le type d'émotion ressentie et son intensité. Il ne serait pas pertinent d'exposer ici de façon exhaustive ces différentes hypothèses. Nous nous contenterons de signaler les principales tentatives d'explication sur lesquelles les chercheurs se penchent actuellement et parmi lesquelles se retrouvent les idées

---

4 . La formulation « à double insu » est ici utilisée à la place de « en double aveugle », expression qui constitue un calque de l'anglais *double-blind* et dont l'emploi, à ce titre, est de plus en plus contesté.

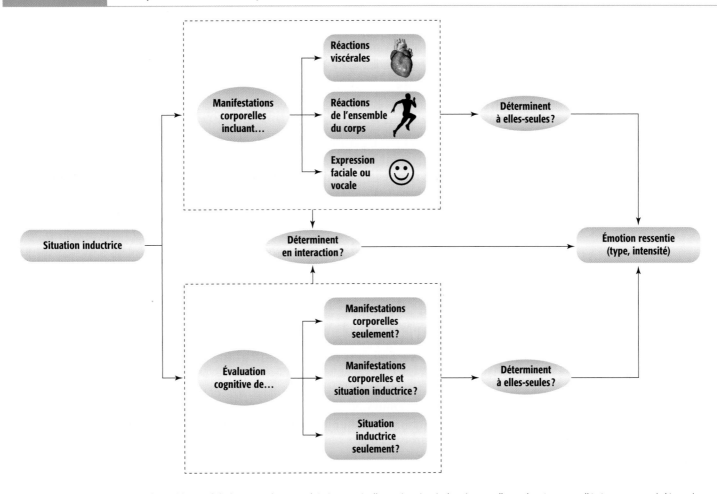

Pour les théoriciens de l'émotion, le problème global à résoudre est celui-ci : à partir d'une situation inductrice, quelle est la *séquence* d'événements qui déterminera l'intensité et le type d'émotion ressentie ?

issues des théories classiques exposées précédemment. Les explications que nous présenterons ci-dessous sont celles portant sur la rétroaction faciale, l'action de mécanismes centraux et le rôle de l'évaluation cognitive.

La rétroaction faciale

L'idée à la base de la rétroaction faciale est qu'en plus d'exprimer une émotion et de permettre aux autres de la décoder, le visage peut aussi être la source d'une émotion. Cette idée qui va dans le sens de la théorie de James-Lange, puisque l'expression faciale fait partie des changements corporels d'ordre musculaire susceptibles de produire une émotion, avait déjà été exprimée par Darwin. En effet, dans son ouvrage sur l'expression des émotions paru en 1872, ce dernier écrivait que « le simple acte de simuler une émotion tend à la faire naître dans notre esprit » (Darwin, 1872/1998, p. 393). Plus ou moins tombée en désuétude dans la première partie du XXᵉ siècle, l'hypothèse selon laquelle le fait d'adopter la mimique caractéristique d'une émotion donnée tend à induire l'état affectif correspondant à l'émotion en question, est à nouveau très actuelle. Elle a été remise à l'ordre du jour par Tomkins (1962, 1963) et reprise par la suite par des chercheurs dont Laird (1974) et Izard (1977, 1979). On l'appelle depuis **hypothèse de la rétroaction faciale**.

La recherche effectuée par Laird (1974) est particulièrement intéressante, car elle est une des premières expérimentations mises sur pied pour vérifier un lien de cause à effet entre l'expression faciale et l'émotion ressentie. Dans un premier volet de sa

Hypothèse de la rétroaction faciale
Hypothèse selon laquelle le fait d'adopter la mimique caractéristique d'une émotion donnée tend à induire l'état affectif correspondant à l'émotion en question.

recherche, Laird a présenté à des individus des diapositives montrant soit des enfants en train de jouer, soit des membres du Ku Klux Klan. Pendant qu'ils regardaient les différentes scènes, les individus devaient, selon des consignes reçues au préalable, effectuer soit les réponses musculaires faciales du sourire, soit le froncement de sourcils typique de la colère. Interrogés par la suite sur ce qu'ils avaient ressenti, ils ont rapporté, en regard des scènes représentant des enfants, un sentiment de joie plus marqué quand ils reproduisaient la mimique du sourire que quand ils fronçaient les sourcils ; de même, ils se sont sentis plus agressifs à l'égard des images du Ku Klux Klan quand ils fronçaient les sourcils que quand ils souriaient. Dans un deuxième volet de sa recherche, Laird a procédé de façon analogue, mais en présentant cette fois un dessin animé auquel les sujets devaient attribuer une cote humoristique. Conformément à ce à quoi s'attendait le chercheur, des sujets attribuaient une cote plus élevée quand ils reproduisaient le sourire que quand ils reproduisaient le froncement de sourcils.

La recherche de Laird (1974) semblait donc confirmer l'hypothèse de la rétroaction faciale, mais elle a été fortement critiquée sur le plan méthodologique, notamment par Buck (1980). Elle n'a d'ailleurs pas pu être reproduite par Izard (1975), pas plus que par Tourangeau et Ellsworth (1979). Des études subséquentes (Ekman, Levenson, & Friesen, 1983 ; Levenson, Cartensen, Friesen, & Ekman, 1991 ; Levenson, Ekman, & Friesen, 1990 ; Ekman, 1992b) ont néanmoins redonné de la crédibilité à cette hypothèse. Bien qu'elle ait été nuancée depuis ses premières formulations, ce qui a conduit à de nombreuses variantes, l'hypothèse de la rétroaction faciale demeure un sujet sur lequel les données manquent encore pour trancher la question (Kirouac, 1995).

L'action de mécanismes neurophysiologiques centraux

À la différence des auteurs soutenant l'hypothèse de la rétroaction faciale, d'autres considèrent que l'émotion est principalement due à l'action de mécanismes neurophysiologiques centraux, un peu comme le faisaient Cannon et Bard. Les modalités proposées sont cependant plus complexes que celles de ces derniers auteurs et font davantage appel à ce qu'on sait aujourd'hui en ce qui a trait au rôle du système limbique, ce qu'on appelle couramment, dans les ouvrages de vulgarisation, le *cerveau émotionnel*.

Depuis que le terme « limbique » a été introduit en 1878 par Paul Broca — celui même dont le nom a été donné à l'une des aires du langage —, ce qu'on entend par **système limbique** et qu'on associe aux circuits impliqués dans l'émotion, a subi de nombreuses modifications résumées dans l'encadré 9.5 (*page 316*). En effet, le système limbique correspond de nos jours à un ensemble de structures comprenant principalement le gyrus cingulaire, une partie du cortex préfrontal, l'amygdale, certains noyaux de l'hypothalamus et du thalamus, ainsi que le septum, comme illustré à la figure 9.10. On y inclut aussi habituellement l'hippocampe mais, d'après Purves *et al.* (2005), on ne considère plus aujourd'hui cette structure comme participant directement au traitement des émotions. L'amygdale, entre autres, est particulièrement impliquée dans la peur. Ainsi, les personnes dont l'amygdale a été lésée tendent, selon l'ampleur de la lésion, à ne plus reconnaître l'expression faciale de la peur, ni les situations où elles avaient appris à avoir peur. Outre ce rôle de reconnaissance, l'amygdale serait aussi étroitement impliquée dans l'induction des réponses caractéristiques de la peur. Assez curieusement cependant, ce n'est pas d'elle que dépendrait le fait de ressentir la peur (Damasio *et al.*, 2000). Nous avons là une illustration de la complexité des mécanismes responsables des émotions.

Système limbique

Ensemble de structures qui jouent un rôle fondamental dans les émotions ; comprend principalement le gyrus cingulaire, une partie du cortex préfrontal, l'amygdale, certains noyaux de l'hypothalamus et du thalamus, ainsi que le septum.

Testez vos connaissances

6. **Les émotions sont dues au « cerveau émotionnel » qu'on sait maintenant situé dans le cortex sensoriel.**

Ce qu'on appelle le *cerveau émotionnel* est en fait le système limbique ; ses structures de base ne sont cependant pas situées dans le cortex sensoriel.

FIGURE 9.10   Le système limbique

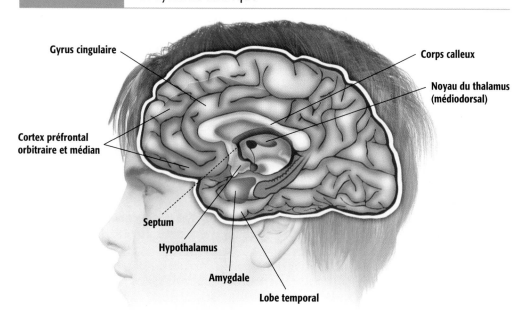

Localisation des principales structures (en vert) actuellement considérées comme faisant partie du système limbique et comme étant impliquées dans le traitement des émotions (le trait brisé indique l'endroit où se trouve «approximativement» le septum). Les régions indigo correspondent à des structures (entre autres l'hippocampe) qu'on ne considère plus, d'après Purves *et al.* (2005), comme étant *directement* impliquées dans les émotions.

Une autre question en lien avec l'implication de mécanismes cérébraux est celle suggérant une asymétrie dans le traitement des émotions, question sur laquelle deux grandes théories s'opposent (Belzung, 2007).

Ainsi, la *théorie de la dominance de l'hémisphère droit* considère que l'hémisphère droit est dominant sur le gauche dans l'expression et la reconnaissance des émotions. Cette idée est basée sur l'observation que le côté gauche du visage (innervé par l'hémisphère droit) exprime davantage les émotions que le côté droit. Ce phénomène est aisé à vérifier. Il suffit, après avoir photographié le visage de sujets exprimant une émotion donnée, de séparer verticalement la photo puis, avec chacune des deux moitiés, de créer une image miroir pour constituer un visage complet. En demandant à des sujets d'évaluer l'intensité de l'émotion exprimée, on observe que le visage créé à partir de la moitié gauche est jugé plus expressif que celui créé à partir de la moitié droite (Sackheim, Gur, & Saucy, 1978). Il s'agirait même d'un mécanisme inné, étant donné que cette asymétrie peut être observée chez les personnes aveugles de naissance et n'a donc pas pu être apprise par imitation (Peleg *et al.*, 2006). Belzung (2007) signale que cette dominance de l'hémisphère droit dans le traitement des émotions se retrouverait également quand les expressions émotionnelles sont présentées sous forme auditive.

La *théorie de la valence différentielle* suggère elle aussi une asymétrie dans le traitement des émotions, mais cette asymétrie concerne le type de l'émotion traitée. Selon cette théorie, l'hémisphère gauche traiterait davantage les émotions à caractère positif telles que la joie, tandis que le droit traiterait plutôt des émotions négatives telles que la colère (Davidson *et al.*, 1979; Davidson, 1992a, 1992b, 2000; Heller *et al.*, 1998). En enregistrant l'EEG de sujets à qui l'on montrait un film, on a ainsi observé que les scènes jugées comme véhiculant des émotions positives stimulaient davantage les lobes frontaux du côté gauche, les lobes frontaux du côté droit étant plus actifs durant les scènes jugées négatives (Davidson *et al.*, 1979). La même asymétrie a été observée

La petite histoire du « cerveau émotionnel »

Lorsqu'on consulte les différents articles et ouvrages traitant de ce qu'on nomme aujourd'hui fréquemment le *cerveau émotionnel*, on se rend compte que ce qu'on en dit varie parfois beaucoup d'un auteur à l'autre et, surtout, d'une époque à l'autre. Pour s'y retrouver, il est bon d'en retracer «la petite histoire» au cours de laquelle on peut distinguer quatre phases.

Première phase. En 1878, le neurologue français Paul Broca — celui-là même dont le nom désigne une des aires du langage — décrit un ensemble de structures anatomiques situées autour du tronc cérébral et constituant le bord du cortex. Il nomme *lobe limbique* (du latin *limbus,* qui signifie «bord», «limite») cet ensemble de structures qui comprend, comme illustré dans la figure ci-contre, le cortex entourant le corps calleux, principalement le gyrus cingulaire, ainsi que le cortex situé sur la face médiane du lobe temporal, lequel comprend l'hippocampe. D'après certains auteurs, Broca aurait suspecté que le lobe limbique puisse être impliqué dans l'émotion, ce que nient d'autres auteurs. Donc, des divergences dès le départ…

Deuxième phase. Vers 1930, s'inspirant entre autres des travaux de Cannon et Bard, le neurologue américain James Papez suggère l'existence d'un «système de l'émotion». L'ensemble des structures constituant ce système qu'on a appelé le *circuit de Papez* comprenait principalement le gyrus cingulaire et l'hypothalamus, ces deux structures interagissant en passant par l'hippocampe, dans un sens, et par le thalamus dans l'autre.

Troisième phase. En 1950, le physiologiste américain Paul Mac Lean introduit l'expression «système limbique» pour désigner l'ensemble des structures comprises dans le lobe limbique de Broca et le circuit de Papez. Le lien entre «système limbique» et «émotion» est de plus en plus familier pour les spécialistes qui s'intéressent à la question.

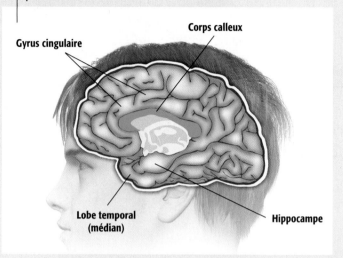

En violet, le système limbique tel que décrit par Paul Broca en 1878.

Corps calleux

Gyrus cingulaire

Lobe temporal (médian)

Hippocampe

Quatrième phase. Il s'agit ici du système limbique tel qu'il est représenté dans la figure 9.10 (*page 315*), lequel est à comparer avec la figure ci-dessus. On n'y considère plus — du moins pour l'instant — l'hippocampe comme faisant partie du système limbique directement impliqué dans l'émotion. Les autres structures, auxquelles on tend à ajouter le septum, en font encore partie, mais on estime actuellement que c'est le gyrus cingulaire et une autre structure, à savoir l'amygdale, qui sont principalement impliqués dans l'émotion.

Là résiderait, pour l'instant, le «cœur» du cerveau émotionnel. Sans doute n'a-t-il pas encore terminé son évolution…

---

sur l'EEG de nourrissons de deux jours, l'émotion positive étant ici induite par de l'eau sucrée, et l'émotion négative, par une solution d'acide citrique (goût de citron) (Fox & Davidson, 1986). Canli *et al.* (1998) ont par la suite confirmé ce type d'observations à l'aide de la technique de l'imagerie par résonance magnétique fonctionnelle (IRMf). Il est intéressant de constater que l'importance accordée à la différence de traitement entre les émotions positives et les émotions négatives rejoint la distinction globale concernant les deux types d'affects, positif et négatif, proposés plusieurs années auparavant par Tomkins.

Considérant que les deux théories sont appuyées par des données empiriques, on peut penser qu'elles ne sont probablement pas aussi opposées qu'elles le semblent de prime abord, et que les futurs travaux de recherche amèneront probablement à nuancer, puis à réconcilier ces deux points de vue.

Quels que soient les progrès enregistrés par les études s'intéressant aux mécanismes neuronaux intervenant dans l'émotion, ces travaux ne permettent pas encore de répondre à la question: «Qu'est-ce qui, dans le quotidien, déclenche l'émotion?» Dans le cas de la peur par exemple, cela reviendrait à se demander: «Qu'est-ce qui, dans l'environnement de tous les jours, est susceptible de déclencher une activation plus marquée de l'hémisphère gauche, ou encore d'activer l'amygdale, laquelle entraîne les réactions caractéristiques de la peur?» Ce sont présentement des questions sur lesquelles se penchent les chercheurs qui s'interrogent sur le rôle de l'évaluation cognitive.

Le rôle de l'évaluation cognitive

Les chercheurs qu'on retrouve dans ce courant de recherche reconnaissent que l'activation physiologique joue un rôle dans l'émotion ; cependant, comme le souligne Kirouac (1995), leurs efforts témoignent d'une « préoccupation vigoureuse pour l'analyse du rôle des facteurs cognitifs dans le déclenchement de l'émotion » (p. 87). Cette préoccupation s'inscrit de toute évidence dans la ligne de pensée de Schachter, mais elle vise à aller plus loin dans l'étude du rôle de l'évaluation cognitive.

Bernard Weiner, chercheur dont il a été question dans le chapitre précédent sur la motivation (*voir le chapitre 8*), a proposé une théorie des émotions basée sur l'attribution causale. Pour lui, l'émotion déclenchée dépend de l'analyse que fait l'organisme des causes présumées d'un événement, selon que la source de l'événement est interne ou externe, selon qu'elle peut être contrôlée ou non, et selon qu'elle est stable ou transitoire. Par exemple, selon qu'un individu attribue un échec à quelqu'un d'autre ou à lui-même, il pourra éprouver de la colère ou de l'humiliation. Ne tenant pas du tout compte des manifestations corporelles (somatiques et physiologiques), cette approche explicative est perçue comme trop « froide » par la plupart des chercheurs, et seule une minorité d'entre eux la considère comme présentant un intérêt réel pour rendre compte de la complexité du phénomène de l'émotion.

Il est pertinent de mentionner ici la théorie de Weiner parce qu'elle se base sur un concept dont il a déjà été question à propos de la motivation. Par contre, elle est loin d'être la seule qui s'intéresse particulièrement à l'aspect cognitif. On trouve en effet actuellement un grand nombre de modèles qui tentent, chacun à leur façon, de mieux décrire les facteurs qui interviennent dans l'évaluation cognitive (souvenirs antérieurs, traits de personnalité, caractéristiques de la situation, etc.), et la façon dont ces différents facteurs interagissent avec les manifestations corporelles (réactions physiologiques, expressions faciales, etc.). Or, ces modèles font partie de la recherche de pointe, et aucun d'eux ne semble se démarquer de façon claire pour l'instant. Malgré cela, la plupart des chercheurs prônant ces explications s'entendent sur le fait que l'évaluation cognitive d'une situation joue un rôle clé dans le déclenchement d'une émotion.

Testez vos connaissances

7. **Pour la plupart des chercheurs, la façon dont on interprète une situation joue un rôle clé dans l'émotion qu'on ressentira ou non.**

   La question de l'évaluation cognitive dans le déclenchement de l'émotion constitue effectivement la question centrale à résoudre pour la plupart des théoriciens actuels de l'émotion.

9.5 La fonction des émotions

Lorsqu'on demande aux gens comment serait la vie si nous n'avions pas d'émotions, on obtient généralement une réponse du genre : « Ce serait ennuyant ! » Or, une telle réponse est en soi contradictoire. En effet, si nous n'éprouvions pas d'émotions, c'est-à-dire si nous n'éprouvions ni joie, ni tristesse, ni peur, comment pourrions-nous ressentir l'ennui, puisque nous n'aurions pas de point de référence et que nous ne saurions pas ce que cela représente que de réagir de façon émotive devant un événement ? Un tel questionnement conduit naturellement à se demander à quoi servent alors les émotions : ont-elles un rôle ? Si ce n'est pas le cas, pourquoi en ressentons-nous ? Si oui, quel est ce rôle et comment les émotions influent-elles sur le comportement pour remplir ce rôle ? Il est intéressant de constater que nous sommes ainsi amenés à nous interroger sur la fonction de l'émotion. Or, quand nous parlons de perception, d'apprentissage ou encore de mémoire, pourquoi cette question ne nous vient-elle pas spontanément à l'esprit ?

À vrai dire, peu d'études empiriques ont été réalisées sur le rôle des émotions. En fait, la principale hypothèse avancée sur ce point s'inscrit dans l'approche évolutionniste inspirée de Darwin. Ainsi, même si quelques auteurs se réclamant de Darwin considèrent les émotions comme une sorte de reliquat issu de nos origines animales, lequel n'est plus d'aucune utilité à ce niveau d'évolution de l'espèce humaine (Luminet, 2002), la plupart — s'inspirant également de Darwin — considèrent que les émotions ont une valeur adaptative. Cette position, que l'on retrouve chez Konrad Lorenz, le fondateur de l'éthologie, et chez Tomkins (1962) est également partagée par de nombreux chercheurs tels qu'Izard (1972), Plutchik (1980) et, plus récemment, Öhman, Flykt et Lundqvist (2000).

L'agressivité remplirait par exemple une fonction de survie en poussant l'organisme à combattre pour défendre son intégrité personnelle et s'assurer d'une mainmise sur des ressources importantes (nourriture, partenaire sexuel); la peur serait également essentielle à la survie en poussant l'organisme à fuir un danger (objet ou événement physique, ou encore ennemi supérieur) qu'il ne pourrait affronter efficacement. Vue sous cet angle, l'émotion serait à la source des motivations visant à assurer la survie non seulement de l'individu, mais aussi de l'espèce, ainsi que le défendent les tenants de l'approche évolutionniste. Quant au caractère proprement universel lié à l'expression non verbale de certaines émotions fondamentales, ce dont il a été question en début de chapitre, il aurait l'avantage de permettre à l'organisme se retrouvant dans un environnement social nouveau, de savoir, entre autres, s'il a affaire à un ami ou à un ennemi.

Que l'on partage ou non la thèse évolutionniste, une autre question se pose, concernant cette fois l'influence qu'exercent les émotions: pourquoi et comment un état émotionnel peut-il en arriver à influencer le comportement comme il le fait, au point même d'engager ou de maintenir l'organisme dans des comportements qui s'avèrent par la suite inappropriés sur le plan adaptatif? C'est par exemple le cas de l'individu qui, dans sa fureur, commet un acte qu'il reconnaîtra par la suite comme inadéquat. C'est le cas également de «l'amour aveugle» qui empêche un individu de reconnaître, dans une situation donnée, des éléments dont il aurait intérêt à se méfier.

Conclusion

Répondre aux différentes questions que nous avons abordées au cours du présent chapitre requerra que l'on comprenne encore mieux la nature exacte des composantes qui entrent en jeu dans l'émotion, de même que — et surtout — les mécanismes régissant les interactions entre ces composantes. Or, plus la recherche progresse, plus on se rend compte à quel point la complexité du phénomène rend difficile l'élaboration d'une théorie qui en fournirait une compréhension globale.

L'une des premières difficultés auxquelles nous sommes confrontés lorsque nous nous penchons sur les études effectuées dans ce domaine est le manque de consensus quant à la façon de définir l'émotion. Nous avons signalé cette difficulté en début de chapitre et nous avons adopté la définition qui nous semblait la plus appropriée, laquelle nous a fourni une ligne directrice dans notre initiation à l'étude de ce phénomène. En dépit de l'avantage qu'une telle définition peut comporter dans un premier temps, nous ne pouvons éliminer le fait que ce manque de consensus entraîne inévitablement certains problèmes d'ordre méthodologique. Ainsi, les chercheurs n'ayant pas tous la même définition, les études mises au point pour étudier l'émotion ne portent pas en fait sur le même phénomène, d'où de nombreux résultats apparemment contradictoires.

Les problèmes signalés ci-dessus se retrouvent également dans d'autres domaines de la psychologie, même s'ils se posent ici avec une acuité particulière. Toutefois, les études réalisées dans le domaine de la psychologie, combinées à celles effectuées en neurosciences, devraient graduellement nous aider à mieux comprendre comment nous composons sur le plan des émotions avec les contraintes de notre environnement, tant physique que social. Le cas de Phineas Gage, rapporté précédemment dans l'encadré 2.6 (*page 58*) et rappelé en amorce, est instructif à cet égard. En effet, en utilisant différentes techniques de neuro-imagerie permettant de visualiser les différentes parties du cerveau, Damasio *et al.* (1994) ont estimé que les dommages causés par la barre de métal aux tissus cérébraux de Gage se limitaient aux lobes frontaux, plus précisément à la partie supérieure des deux lobes, mais uniquement au lobe frontal gauche dans les régions inférieures, notamment au girus cingulaire. Or, ces structures semblent jouer un rôle important dans l'évaluation cognitive de situations susceptibles d'entraîner ou de réfréner des réactions émotives. Il y a cohérence entre le fait que ces structures aient été sévèrement lésées chez Gage et les changements survenus chez ce dernier, notamment en ce qui a trait à son comportement émotionnel (inconstance d'humeur, tendance à s'irriter facilement à la moindre contrariété, sans-gêne et absence de retenue à l'égard des autres), témoignant ainsi du rôle clé joué par l'évaluation cognitive de l'environnement, physique et social, dans la manifestation des émotions. Par ailleurs, le fait que les dommages aient été plus étendus dans l'hémisphère gauche et que Gage soit devenu plus facilement irritable pourrait être vu comme confirmant la théorie de la valence différentielle. Selon cette théorie, comme nous l'avons vu au cours du chapitre, les situations à caractère positif impliqueraient davantage l'hémisphère gauche, celui fortement endommagé chez Gage, alors que les situations induisant des émotions négatives stimuleraient davantage le droit, demeuré pratiquement intact.

Évidemment, la prudence s'impose à l'égard d'interprétations telles que celles que nous venons de rapporter. Malgré cela, les renseignements qu'on peut tirer de cas comme celui de Gage s'ajoutent aux connaissances issues d'études de plus en plus nombreuses effectuées en neurosciences sur les liens entre le cerveau et les émotions. Outre l'intérêt théorique qu'elles présentent, les données issues de ces travaux de recherche devraient nous aider à mieux gérer nos émotions, domaine d'application qui est appelé à se développer de plus en plus, comme le souligne l'encadré 9.6. Or, cette question n'est pas étrangère à la façon dont nous gérons le stress dans notre quotidien, sujet qui sera abordé dans le chapitre suivant.

ENCADRÉ 9.6 — Regard vers le futur

Vers une meilleure gestion des émotions

Quand on interroge Gilles Kirouac sur les orientations que la recherche sur les émotions est appelée à prendre dans les prochaines années, il souligne tout d'abord que l'approche cognitive va demeurer l'approche privilégiée dans la compréhension des émotions. Il reconnaît par ailleurs que, tout comme c'est le cas pour les autres domaines de la psychologie, les neurosciences pourront aider à mieux cerner les corrélats physiologiques des mécanismes en jeu dans les émotions, tout en demeurant prudent sur ce qu'on pourra en tirer. Même si l'on repère la structure qui est active lors du «ressenti» de telle émotion, pourra-t-on mieux répondre à la question fondamentale: «Qu'est-ce qui a déclenché l'émotion?» M. Kirouac n'en est pas convaincu…

En ce qui concerne les aspects liés à l'émotion sur lesquels la recherche est le plus susceptible de se développer, M. Kirouac nous signale que l'intérêt pour ce qu'il est convenu d'appeler l'*intelligence émotionnelle* ira en s'accentuant, entre autres sur les deux questions suivantes: (1) comment *gérer* ses émotions? et (2) comment *détecter* les émotions chez les autres?

Concernant la gestion des émotions, on observe une tendance à se préoccuper davantage qu'on ne l'avait fait jusqu'à présent du volet «appliqué». Témoignant de cette orientation, de plus en plus d'ateliers sont donnés sur la gestion des émotions, particulièrement dans le monde du travail et le domaine de la psychologie organisationnelle.

En ce qui a trait à l'expression de ses propres émotions et au décodage de celles des autres, la recherche est également appelée à trouver des applications dans le quotidien. Ainsi, qu'il s'agisse simplement du visage, véhicule de toute première importance dans l'expression des émotions, ou encore de la gestuelle de l'ensemble du corps, la culture exerce une grande influence sur l'expression des émotions.

M. Kirouac rappelle à ce propos l'expérience du chercheur Paul Ekman, où l'on avait projeté à des Américains et à des Asiatiques un film contenant des scènes de violence. Alors que les Américains exprimaient d'emblée les émotions suscitées par le film, les Asiatiques ne le faisaient que dans un contexte où ils ne croyaient pas être observés. De l'avis de M. Kirouac, cette influence culturelle existera toujours. Et il est plausible de penser que nous avons intérêt à mieux comprendre ces différences dans un monde voué à devenir de plus en plus multiethnique: nous pourrons ainsi mieux comprendre les autres et nous-mêmes.

Développer des techniques efficaces de gestion des émotions et les rendre accessibles à Monsieur et Madame Tout-le-monde: beaucoup reste encore à faire…

1. La peur, la colère et la joie sont trois émotions fondamentales sur lesquelles s'entendent la plupart des chercheurs ayant proposé l'existence de ce type d'émotions. Quelles sont les deux autres émotions fondamentales selon ces chercheurs ?

a) L'amour et la surprise

b) L'amour et la tristesse

c) Le dégoût et la surprise

d) Le dégoût et la tristesse

2. La qualité de la communication verbale des émotions dépend de trois conditions. Laquelle des conditions ci-dessous n'est pas nécessaire ?

a) La personne doit choisir de le dire.

b) La personne doit être consciente de ce qu'elle éprouve réellement.

c) La personne doit le dire clairement si elle veut être comprise.

d) La personne doit adopter une expression faciale appropriée.

3. Selon Paul Ekman, l'expression faciale de certaines émotions est universelle. Laquelle des émotions ci-dessous n'est pas universellement reconnue ?

a) La colère

b) La joie

c) La peur

d) La tristesse

4. À quoi se rapportent les indices que sont le ton de la voix, sa force et son tempo ?

a) L'expression faciale des émotions

b) L'expression gestuelle des émotions

c) L'expression verbale des émotions

d) L'expression vocale des émotions

5. L'émotion a quatre composantes : situationnelle, cognitive, corporelle et affective. Dans l'exemple ci-après, déterminez la composante cognitive.

« Lorsque j'ai vu l'accident devant moi, j'ai tout de suite freiné et arrêté mon véhicule. Je suis sortie de mon auto, les jambes tremblantes. Mon cœur battait rapidement. J'espérais intérieurement que personne ne serait gravement blessé. Je me sentais vraiment mal. »

a) Espérer que personne ne soit blessé

b) Avoir le cœur qui bat rapidement

c) Se sentir vraiment mal

d) Voir l'accident

6. Quelle théorie de l'émotion accorde de l'importance à la signification donnée aux événements ?

a) La théorie cognitive de Schachter

b) La théorie de Cannon-Bard

c) La théorie de James-Lange

d) La théorie universelle d'Ekman

7. Lequel de ces énoncés s'accorde avec l'hypothèse de la rétroaction faciale ?

a) À chaque émotion correspond une expression faciale.

b) L'expression faciale des émotions est universelle.

c) L'imitation de l'expression faciale d'une émotion permet d'engendrer celle-ci.

d) Le visage est le principal canal d'expression non verbale des émotions.

8. Selon la théorie évolutionniste, quelle est la principale fonction des émotions ?

a) Elles génèrent les motivations humaines.

b) Elles ne sont qu'un reliquat inutile de l'évolution.

c) Elles permettent à l'individu de s'adapter à son milieu.

d) Elles permettent de se faire des amis.

Volumes et ouvrages de référence

Axtell, R. E. (1993). *Le pouvoir des gestes : guide de la communication non verbale.* Paris : Dunod.

> À une époque où les contacts entre cultures sont de plus en plus fréquents, non seulement lorsqu'il s'agit de visites touristiques, mais également dans le cadre de rencontres d'affaires, ouvrage qui apparaît comme un «guide anti-gaffes» extrêmement précieux pour apprendre à communiquer efficacement avec les autres, compte tenu de l'importance des messages qui sont inconsciemment véhiculés par les indices non verbaux que sont les gestes et les expressions faciales.

Belzung, C. (2007). *Biologie des émotions.* Bruxelles : De Boeck.

> Ouvrage récent et incontournable pour avoir un regard englobant sur l'état des connaissances scientifiques sur les émotions. Contrairement à ce que pourrait laisser croire son titre, il intègre les différents niveaux d'explication impliqués dans l'étude des émotions, de l'aspect biologique jusqu'aux principales approches psychologiques et culturelles. On y trouve de plus une webographie très détaillée.

Channouf, A., & Rouan, G. (2002). *Émotions et cognitions.* Bruxelles : De Boeck.

> Quoique destiné d'abord aux étudiants des deuxième et troisième cycles universitaires, volume qui s'avère un excellent ouvrage de référence, particulièrement pour l'accent qu'il met sur l'aspect multidisciplinaire (philosophie, psychologie cognitive, psychologie sociale, psychopathologie et neurosciences) de l'étude de l'émotion.

Dantzer, R. (2002). *Les émotions.* Paris : Presses Universitaires de France.

> Écrit par un docteur ès sciences, volume qui présente un condensé de ce que la science peut dire actuellement de l'émotion : définition, processus et composantes impliquées, rôle dans la communication, le tout dans un langage destiné au grand public.

Darwin, C. (1872/1998). *L'expression des émotions chez l'homme et les animaux.* Paris : C.T.H.S. [Titre original : *The expression of emotions in man and animals*].

> Réédition du classique de Darwin. Intéressant non seulement pour sa valeur historique, mais aussi pour réaliser que le fondateur de l'évolutionnisme avait déjà formulé plusieurs des grandes questions qui préoccupent encore les théoriciens de l'émotion.

Kirouac, G. (1995). *Les émotions.* Québec : Presses Universitaires de l'Université du Québec.

> Rédigé en vue de servir de volume de base pour le cours sur la psychologie des émotions donné pendant plusieurs années par l'auteur à une clientèle universitaire de premier cycle, ouvrage qui constitue néanmoins une excellente synthèse pour qui veut comprendre les fondements théoriques et empiriques sur lesquels s'appuient les courants contemporains de recherche.

Luminet, O. (2002). *Psychologie des émotions : confrontation et évitement.* Bruxelles : De Boeck.

> Destiné aux étudiants du premier et du deuxième cycle universitaire, ouvrage qui examine, en se basant sur les fondements théoriques et empiriques actuels, une question qui ne cesse de se poser : «Vaut-il mieux exprimer ouvertement ses émotions ou au contraire les inhiber?»

Rimé, B., & Scherer, K. R. (Éds.). (1989). *Les émotions.* Neuchâtel-Paris : Delachaux et Niestlé.

> Excellent recueil de textes classiques concernant la psychologie des émotions. On y retrouve entre autres le chapitre final du livre de Darwin publié en 1872, ainsi qu'un article de Paul Ekman dans lequel il relate la démarche qui l'a amené jusqu'en Nouvelle-Guinée pour étudier le caractère universel des expressions faciales de l'émotion.

Périodiques et journaux

Ekman, P. (1980). L'expression des émotions. *La recherche, 11*, 1408-1415.

> Excellent article dans lequel Paul Ekman relate la démarche qui l'a amené à se rendre en Nouvelle-Guinée pour établir le caractère universel de certaines expressions faciales de base. A été repris dans le recueil de textes de base édité par Rimé et Scherer (1989), ce qui témoigne de la qualité de la présentation effectuée par Ekman.

Audiovisuel

Gibrat, J. P. (2003). *Dans le secret des émotions.* France / CNRS Images / Trans Europe Film, 58 min, couleur.

> D'où viennent nos émotions? Comment, et surtout pourquoi notre cerveau et notre corps réagissent-ils de façon aussi radicale chaque fois que nous ressentons la peur, le dégoût, la tristesse ou la joie? Sommes-nous condamnés à être le jouet de nos émotions? Pouvons-nous apprendre à les faire taire ou à les évoquer à volonté? En observant l'architecture du vivant, le film cherche à expliciter, dans une démarche toute cartésienne, le fonctionnement des émotions dans le rapport qu'elles établissent entre le corps et le cerveau.

Lévesque, Y. (2004). *Cerveau et émotions.* Montréal : Société Radio-Canada, 75 min, couleur.

> Les émotions peuvent surgir n'importe quand. Elles sont immatérielles, mais prenantes. Elles semblent échapper à notre contrôle. On sait qu'elles prennent naissance dans le cerveau, mais comment? Et pourquoi?

Lévesque, Y. (2004). *La clé des gestes.* Montréal : Société Radio-Canada, 75 min, couleur.

> Film qui fait le lien entre l'aspect psychologique et l'aspect anthropologique de la gestuelle.

CHAPITRE 10

Plan du chapitre

Cibles d'apprentissage

Après avoir lu ce chapitre, vous devriez pouvoir :

- donner les définitions du stress, sur les plans biologique et psychologique ;
- énumérer les principales réactions physiologiques caractéristiques du stress ;
- décrire brièvement les trois phases du syndrome général d'adaptation (SGA) ;
- énumérer les principales réactions psychologiques caractéristiques du stress ;
- énumérer les principaux effets bénéfiques et nocifs du stress ;

- expliquer le lien entre le stress et la sensibilité à la maladie ;
- nommer les quatre caractéristiques psychologiques de base du stress et donner un exemple pour chacune ;
- nommer et expliquer quelques facteurs contextuels et individuels parmi les principaux modulateurs du stress ;
- nommer les principales sources potentielles de stress et donner un exemple de chacune ;
- donner quelques moyens de gérer le stress.

Le stress : adaptation et santé

Testez vos connaissances

D'après vous, chacun des énoncés suivants est-il fondé ou non?

1. L'organisme réagira différemment selon la situation dans laquelle il se trouve, que ce soit dans un embouteillage sur la route ou au cœur d'une prise d'otages.

2. Tant qu'un stress important perdure, l'activation corporelle générale continue à augmenter.

3. Le stress peut avoir des effets bénéfiques sur la performance.

4. Une personne stressée sera plus vulnérable au virus du rhume qu'une personne non stressée.

5. L'interprétation d'une situation stressante varie beaucoup d'une personne à l'autre.

6. Le fait de partir en vacances est un événement heureux qui ne peut amener de stress particulier.

7. Avoir des exigences personnelles trop grandes peut amener un niveau de stress très élevé.

8. Malgré ce qu'on croit généralement, la recherche a démontré que l'humour n'aide pas vraiment à réduire le stress.

Le stress des femmes de soldats en mission

À l'été 2007, au Festival des films du monde de Montréal, le documentaire *Les épouses de l'armée* a remporté un vif succès. Réalisé par la cinéaste Claire Corriveau, ce film veut dépeindre la situation des femmes de soldats aux prises avec la difficulté de vivre une situation familiale instable, leur conjoint étant régulièrement muté d'un endroit à l'autre par les autorités militaires. « Trouver une nouvelle école, une nouvelle maison, un nouveau médecin, une nouvelle gardienne, tout est toujours à recommencer. Elles assument tout, toutes seules. » (Poirier, 2007)

Qui plus est, et ce, pour la première fois depuis la Seconde Guerre mondiale, les soldats canadiens sont affectés à des missions où le risque d'être tués est maintenant quotidien. Ainsi, outre le stress d'avoir à gérer seule la famille dans un environnement où elle n'a pas toujours eu le temps de se créer un solide réseau social, l'épouse de soldat vit en sachant qu'à tout moment, elle risque d'apprendre que son conjoint a été tué en mission. Pour la plupart d'entre elles, ce n'est pas ainsi qu'elles avaient envisagé leur relation lorsqu'elles ont épousé un soldat.

Alors que certaines femmes se sont reconnues dans le documentaire de Claire Corriveau, satisfaites qu'on parle enfin de ce qu'elles vivent, d'autres ont estimé que le film ne montrait qu'un côté de la médaille. Tout en reconnaissant qu'elles doivent tout faire dans la maison sans l'aide du conjoint et que la peur d'apprendre le décès de ce dernier est désormais une réalité, l'une d'elles, femme de militaire depuis trente ans, mentionne qu'elle a pu com-

Image tirée du documentaire *Les épouses de l'armée* réalisé par Claire Corriveau (photo ONF).

pléter six ans d'études universitaires alors qu'elle et son mari soldat vivaient à Valcartier et que ce dernier était souvent absent. Elle ajoute qu'elle a pu forger des amitiés solides qui ont survécu au temps et aux Forces canadiennes. Ne voulant pas être perçue comme une femme dont la vie a été contrôlée par l'armée, elle termine son témoignage en disant : « J'aime ma vie, je l'ai choisie et je l'assume entièrement. » (Smith, 2007)

Source : Poirier, 2007 ; Smith, 2007.

Au-delà des divergences d'opinions sur le film *Les épouses de l'armée*, des éléments communs, sources de difficultés dans le quotidien des épouses de militaires, semblent se dégager : instabilité du lieu de résidence, quasi-impossibilité de planifier une vie familiale à long terme, obligation d'assumer pratiquement seule les moindres décisions quotidiennes, crainte constante d'apprendre la mort du conjoint. Il s'agit là d'éléments reconnus comme d'habituels générateurs de stress, le tout dépendant de la façon dont ils sont interprétés. Or, le stress peut affecter tant la santé psychologique que la santé physique.

En effet, en raison de la réponse de stress qu'ils produisent, certains facteurs psychologiques peuvent constituer des agents stressants susceptibles de faire apparaître certaines maladies ou d'en accentuer le développement. Cette question des relations entre, d'une part, les facteurs psychologiques et, d'autre part, la prévention ainsi que le traitement de la maladie physique correspond à l'objet d'étude de la **psychologie de la santé**. Une des questions qui préoccupent particulièrement les psychologues travaillant dans ce domaine est de savoir pourquoi, devant un même événement potentiellement stressant, certains individus en sortent indemnes, alors que d'autres manifestent des symptômes de perturbation physique et psychologique. Ce point ressort d'ailleurs des divers témoignages recueillis auprès des épouses de militaires : à l'opposé de celle qui se déclare heureuse d'être conjointe d'un militaire, telle autre souffre d'une dépression à 25 ans. On est alors amené à se demander s'il existe des facteurs de risque ou de protection qui affaiblissent ou immunisent les gens relativement au stress.

Même si la plupart des gens ont actuellement une compréhension globale du stress, le phénomène est plus complexe qu'il n'y paraît à priori, ainsi que nous le verrons au cours de ce chapitre. C'est pourquoi nous tenterons d'abord de répondre à la question : « Qu'est-ce que le stress ? », pour ensuite nous pencher sur ses répercussions, c'est-à-dire sur les effets du stress sur l'individu. Considérant l'importance de ces derniers, nous nous interrogerons sur les facteurs de stress et terminerons en abordant la question de la gestion du stress.

10.1 Qu'est-ce que le stress ?

Utilisé à l'origine pour désigner la contrainte exercée sur un matériau, le terme anglais *stress* a été introduit en biologie par Walter Cannon — celui-là même dont il a été question dans les théories sur les émotions — dans un article intitulé « Stresses and strain of homeostasis » (Cannon, 1935). Cannon parlait cependant du stress pour désigner les tensions pouvant s'exercer sur certains mécanismes de l'homéostasie ; il n'a « jamais proposé le terme "stress" en tant que nom scientifique d'une manifestation particulière » (Selye, 1975, p. 64). C'est en fait Hans Selye (*voir la photo 10.1*), un physiologiste montréalais d'origine autrichienne, qui fut le premier à utiliser ce terme pour désigner ce phénomène central qu'il est convenu aujourd'hui d'appeler *stress*. Selye avait commencé à s'intéresser aux manifestations de ce phénomène au début des années 1930, et c'est en 1936 qu'il l'a défini pour la première fois dans un article devenu aujourd'hui classique (Selye, 1936/1998).

Compte tenu de la nature des travaux de Selye, c'est en tant que réponse d'ordre biologique que le stress a d'abord été défini. Il importe cependant de souligner que, par la suite, le terme a été utilisé dans différents sens, selon ce sur quoi on mettait l'accent (les facteurs qui le provoquent, la réponse à ces facteurs ou les effets de cette réponse) ou selon l'approche disciplinaire adoptée (biologique, psychologique ou sociale). Cette multitude de définitions a souvent contribué à entretenir une certaine confusion dans la mise en ordre des données issues des études sur le stress (Ice & James, 2007). Aussi, plutôt que prétendre donner *la* définition du stress, nous aborderons le phénomène en tant que réponse et nous le ferons principalement à partir des angles disciplinaires que sont le volet biologique et le volet psychologique.

Psychologie de la santé
Champ de la psychologie qui traite des relations entre, d'une part, les facteurs psychologiques et, d'autre part, la prévention et le traitement de la maladie physique.

Hans Selye (1907-1982), endocrinologue canadien d'origine autrichienne et prussienne, fut l'un des pionniers de la recherche sur le stress.

Photo 10.1

Cependant, avant d'entrer au cœur du sujet, une dernière précision s'impose : même si la terminologie tend à entretenir une confusion sur ce point, le stress, un phénomène normal en soi, ne doit pas être confondu avec le stress post-traumatique, un des troubles psychologiques traités au chapitre suivant.

10.1.1 Le volet biologique

Au cours des nombreuses études qui ont suivi sa première publication sur le sujet en 1936, Selye en est arrivé à définir le **stress**[1] comme « la réponse non spécifique de l'organisme à toute sollicitation » (Selye, 1975, p. XI), définition qui demeure essentiellement la même que celle qu'il donne dans un texte rédigé peu de temps avant sa mort, survenue en 1982, et que celle qu'on retrouve dans nombre d'ouvrages généraux d'auteurs tels que Bloch *et al.* (1999). Avant de décrire de façon plus détaillée en quoi consiste le stress sous l'angle biologique, précisons quelques points de la définition.

Tout d'abord, même si certaines réponses peuvent varier selon la situation, on retrouve toujours, selon Selye, un ensemble commun de réactions corporelles présentes, quelle que soit la situation à laquelle l'organisme doit s'adapter : c'est précisément ce « dénominateur commun », que Selye (1975) a appelé la *réponse non spécifique,* qui constitue le stress. Or, le caractère « non spécifique » de cette réponse a été remis en question à partir de nombreuses données de recherche (Goldstein, 1994 ; Dickerson & Kemeny, 2004). Comme le rappellent Lupien *et al.* (2007), la question a même donné lieu à un débat de fond entre Selye et le psychologue John Mason. Ce dernier, dont nous reparlerons plus loin à propos des facteurs psychologiques du stress, est l'un des premiers à s'être penché systématiquement sur les facteurs de stress autres que les stimuli physiques, ceux à partir desquels Selye avait développé sa théorie du stress. Ce sont d'ailleurs ces études qui auraient conduit Mason à remettre en question le caractère non spécifique du stress. Il semble que Selye ait lui-même été amené à nuancer sa position quand il a précisé que « la spécificité est toujours une question de degrés » (Selye, 1975, p. 84). Cette question de degré de spécificité n'étant pas encore réglée au sein de la communauté des chercheurs, nous nous en tiendrons pour l'instant à la définition proposée plus haut par Selye, tout en gardant à l'esprit l'imprécision relative que recouvre l'expression « non spécifique ».

Une deuxième remarque a trait aux sollicitations qui déclenchent le stress. En fait, les sollicitations auxquelles l'organisme doit répondre réfèrent à des demandes d'adaptation. Autrement dit, le stress survient chaque fois que l'organisme est placé devant une situation à laquelle il doit s'adapter. L'adaptation est donc un thème central parmi ceux qui sous-tendent le concept de stress. À ce propos, signalons que Selye a été fortement influencé dans ses travaux par Walter B. Cannon. Ce dernier avait en effet beaucoup insisté sur le caractère adaptatif du système nerveux sympathique, lequel joue un rôle clé dans les situations de survie amenant l'organisme à fuir ou à combattre.

Nous décrirons d'abord les réactions biologiques caractéristiques du stress pour ensuite présenter les phases décrites par Selye concernant la façon dont évoluent ces réactions, phases définissant ce que le chercheur a appelé, dans sa publication de 1936, le *syndrome général d'adaptation* (SGA) (Selye, 1936/1998). Nous compléterons cette présentation du volet biologique du stress en introduisant la notion de charge allostatique, un concept récent qui, tout en englobant celui de stress, apparaît actuellement plus prometteur dans l'étude des effets du stress et des facteurs qui peuvent en être responsables.

Stress
Sous l'angle biologique, réponse non spécifique de l'organisme à toute sollicitation.

---

1. Outre cette définition devenue classique sur le plan biologique, nous proposons également plus loin une définition qui reflète l'angle psychologique.

Les réactions biologiques caractéristiques du stress

Comme mentionné précédemment, le stress constitue une réponse d'adaptation. À l'origine, c'était une réaction de survie. Pensons à nos lointains ancêtres, les hommes des cavernes, qui devaient partager leur territoire avec des animaux parfois très dangereux. Le stress venait activer leur organisme pour les préparer à deux types de réactions d'adaptation : l'attaque (pour se protéger ou se nourrir) ou la fuite. S'ils voulaient survivre, ils devaient être prêts à toute éventualité. Autrement dit, les réactions caractéristiques du stress préparent l'individu à l'action.

Toutefois, les situations quotidiennes susceptibles d'induire du stress ont beaucoup changé depuis la lointaine préhistoire. Par exemple, si l'on est coincé dans un bouchon de circulation, situation stressante pour un grand nombre d'automobilistes, on ne peut pas faire grand-chose pour échapper à la situation. Par contre, le système biologique, lui, n'a pas évolué ; il continue de préparer l'organisme comme s'il devait combattre ou fuir un ennemi, d'où les problèmes qui peuvent s'ensuivre.

> ### Testez vos connaissances
>
> 1. **L'organisme réagira différemment selon la situation dans laquelle il se trouve, que ce soit dans un embouteillage sur la route ou au cœur d'une prise d'otages.**
>
>   Sur le plan biologique, l'organisme réagit de la même façon dans les deux situations et il prépare l'individu à agir comme si ce dernier devait combattre ou fuir.

Les réactions caractéristiques du stress visent donc essentiellement à mobiliser l'énergie dont le corps aura besoin pour affronter une situation. Elles résultent de l'activation conjointe du système nerveux autonome (SNA) et du **système endocrinien**, ce dernier correspondant à l'ensemble des structures produisant les différentes hormones du corps.

Ainsi, lorsqu'on fait face à une situation stressante, deux principales chaînes de réactions sont déclenchées, la première s'effectuant plus rapidement, alors que la deuxième prend quelques minutes à se compléter ; cette dernière peut toutefois agir à plus long terme.

La première chaîne de réactions, schématisée en rouge dans la figure 10.1, est mise en branle par la branche sympathique du SNA[2]. Elle peut être résumée comme suit :

1. Par la voie de ses fibres efférentes, la branche sympathique du SNA stimule les glandes surrénales — plus particulièrement les glandes médullosurrénales — de façon à provoquer la sécrétion par ces dernières de différentes hormones, entre autres l'adrénaline[3].

2. L'adrénaline sécrétée par les médullosurrénales est libérée dans le réseau sanguin et contribue à déclencher les réactions caractéristiques de l'activation du système sympathique, réactions sur les systèmes respiratoire et cardiovasculaire que rappelle la figure 10.2 (*page 328*). Ainsi :

   • Les voies respiratoires s'ouvrent davantage et le rythme de la respiration augmente pour absorber plus d'oxygène et l'envoyer aux muscles de l'ensemble du corps.

   • Le cœur augmente son rythme, et les artères se contractent (augmentant ainsi la tension artérielle), ce qui a pour effet d'accélérer le transport d'oxygène et de nutriments (principalement du sucre) aux muscles. À l'opposé, les veines se dilatent pour faciliter le retour du sang au cœur.

Système endocrinien
Système comprenant l'ensemble des glandes produisant les différentes hormones.

---

2. On désigne souvent par *système sympatico-médullosurrénalien* (système SMS) le réseau le long duquel se propagent ces réactions.

3. Également appelée *épinéphrine*.

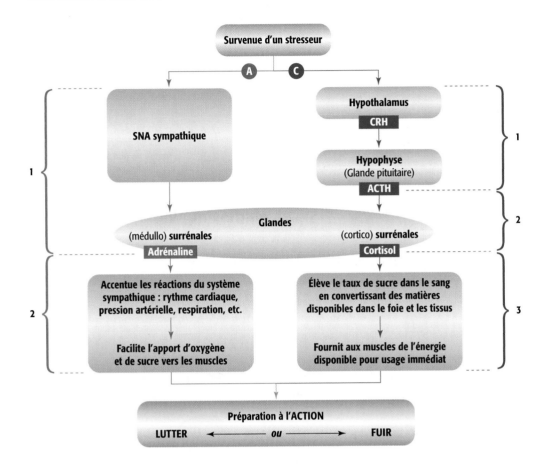

Le cheminement A, illustré en rouge, est déclenché par le système nerveux sympathique et conduit à la libération (par les glandes médullosurrénales) de l'adrénaline, laquelle vise à faciliter l'apport aux muscles de l'oxygène et du sucre dont ils auront besoin pour lutter ou fuir. Le cheminement C, illustré en bleu, est déclenché par l'hypothalamus et conduit à la libération (par les glandes corticosurrénales par le biais des hormones sécrétées par l'hypophyse) du cortisol, lequel vise entre autres à libérer et à conserver dans le sang les sucres dont les muscles auront besoin.

- Les vaisseaux qui irriguent les organes non impliqués dans l'action immédiate (système digestif, reins, organes reproducteurs) se resserrent pour consacrer le plus possible d'oxygène et d'énergie aux muscles. De même, les vaisseaux de la peau se contractent, de façon à minimiser les pertes de sang qui pourraient être causées par des blessures.

La deuxième chaîne de réactions, schématisée en bleu dans la figure 10.1, est mise en branle par l'hypothalamus[4]. Elle peut être résumée comme suit :

1. L'hypothalamus sécrète du CRH[5], lequel est libéré dans de petits vaisseaux reliant étroitement l'hypothalamus et l'**hypophyse**; cette dernière était auparavant considérée comme la «glande maîtresse» du système endocrinien, mais on attribue

Hypophyse
Aussi appelée **Glande pituitaire**
Glande située juste sous l'hypothalamus et régissant l'ensemble du système endocrinien.

---

4. On désigne souvent par *axe hypothalamo-hypophyso-surrénalien* (axe HHS) le réseau le long duquel se propagent ces réactions.
5. CRH, pour *corticotropic releasing hormone* ; on rencontre encore également CRF, pour *corticotropic hormone releasing factor*.

FIGURE 10.2 Les principales actions du système nerveux sympathique

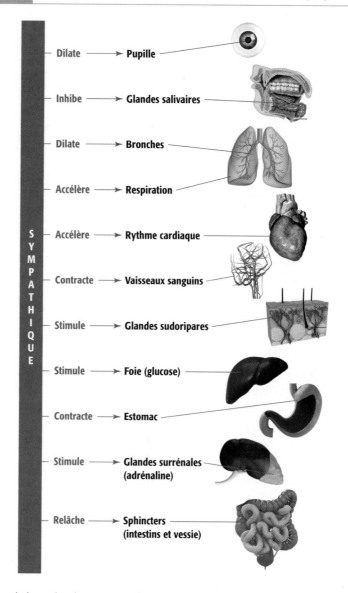

Un schéma illustrant la façon dont le SNA sympathique agit sur les différents organes du corps.

plutôt actuellement ce rôle à l'hypothalamus, étant donné que c'est lui qui contrôle l'activité de l'hypophyse. Dans le cas du stress, la libération de CRH par l'hypothalamus amène l'hypophyse à sécréter l'hormone ACTH[6].

2. L'ACTH sécrétée est libérée dans le réseau sanguin qui, lorsqu'elle atteint les glandes surrénales, y exerce une action importante : en plus de contribuer à la sécrétion d'adrénaline par les médullosurrénales, elle entraîne la sécrétion, par les corticosurrénales, du **cortisol**, une hormone qui fait partie des glucocorticoïdes[7].

3. Le cortisol est lui aussi libéré dans le réseau sanguin où il atteint son maximum de concentration, de 10 à 30 minutes après le déclenchement des premières réactions au stress (De Kloet, Joëls, & Holsboer, 2005). Outre le fait qu'il contribue à

Cortisol
Hormone importante libérée par les glandes surrénales lors du stress.

---

6. ACTH, pour *adrenocorticotropic hormone*.
7. Les glucocorticoïdes sont des hormones sécrétées par les corticosurrénales ; «elles inhibent l'absorption de glucose par de nombreux tissus et sont des médiateurs d'autres réponses au stress» (Purves *et al.*, 1998).

appuyer l'action de l'adrénaline, le cortisol joue plusieurs rôles dans le métabolisme, ce pour quoi on le considère actuellement, avec l'adrénaline, comme l'une des principales hormones du stress :

- Une des influences les plus importantes du cortisol sur le métabolisme est de maintenir dans le sang un taux élevé de sucre, l'énergie première dont les muscles auront besoin pour réagir à la situation inductrice de stress. Il remplit cette fonction en faisant en sorte que le gras emmagasiné dans les cellules (dans les tissus adipeux, par exemple) soit transformé en sucre et en poussant le foie à en fabriquer d'autre pour remplacer celui qui est utilisé.

- Le cortisol joue également un rôle anti-inflammatoire. L'inflammation est une réaction normale du système immunitaire qui vise à combattre les agents infectieux pouvant envahir l'organisme. Or, cette réaction demande beaucoup d'énergie, ce pour quoi le cortisol la bloque momentanément afin de conserver le maximum d'énergie pour l'action.

- Une autre réaction intéressante à mentionner est le fait qu'en situation de stress, le cortisol amène l'hypothalamus et l'hypophyse à sécréter des endorphines[8]. Ces dernières ont pour effet d'atténuer la douleur, celle provoquée par exemple par une blessure. L'organisme peut alors mieux se concentrer sur la situation à l'origine du stress.

- Finalement, le cortisol intervient dans la capacité à mémoriser des détails qui pourraient être essentiels à la survie si la même situation stressante se présentait à nouveau.

Comme nous pouvons le constater à l'aide de la figure 10.1 (*page 327*), l'adrénaline et le cortisol — et, par conséquent, les glandes surrénales qui les sécrètent — jouent un rôle de premier plan dans la production des réactions caractéristiques du stress. En fait, le rôle des hormones libérées lors d'un stress est à ce point central qu'on utilise le terme **stresseur** pour désigner tout objet, situation ou événement qui déclenche la production de ces hormones (Schramek & Lupien, 2008a).

Une précision s'impose ici concernant ce qu'on entend par le terme « stresseur » : les expériences sur lesquelles Selye s'est appuyé pour décrire les réactions caractéristiques du stress — de même que le SGA dont il sera question au point suivant — impliquaient des stresseurs de nature physique tels que « l'exposition au froid, une blessure chirurgicale [...] de l'exercice musculaire excessif, ou des intoxications dues à des doses non mortelles de différentes substances (adrénaline, atropine, morphine, formaldéhyde, etc.) ». Or, on a constaté par la suite que beaucoup d'autres situations (telles que s'approcher d'un animal ou parler en public) n'impliquant pas de contact direct peuvent, selon l'interprétation que l'individu en fait, entraîner le même type de réactions physiologiques que les stresseurs de nature physique. C'est ainsi qu'on en est venu à parler de **stresseur physique** pour désigner un objet, un événement ou une situation qui produit une tension ou une contrainte directement sur notre corps, et de **stresseur psychologique** pour désigner un objet, une situation ou un événement qui est *perçu* comme présentant un caractère négatif ou menaçant pour l'individu (Schramek & Lupien, 2008a). En fait, c'est généralement de stresseurs psychologiques dont il est question quand on parle aujourd'hui de stress, que ce soit dans le public en général ou dans les publications scientifiques. Le caractère perçu de ces stresseurs constitue un point sur lequel nous reviendrons plus loin. Il sera important d'ici là de l'avoir à l'esprit chaque fois que nous donnerons un exemple de stresseur.

Nous l'avons souligné précédemment, les réactions caractéristiques du stress se sont développées à l'époque où nos ancêtres devaient agir pour lutter ou fuir. Ces réactions étaient alors appropriées pour permettre à l'organisme de réagir de façon adaptée à la situation menaçante. Cependant, même si l'époque des mammouths est désormais

Stresseur
Tout objet, événement ou situation qui déclenche la production des hormones du stress.

Stresseur physique
Tout objet, événement ou situation qui produit une tension ou une contrainte directement sur notre corps.

Stresseur psychologique
Tout objet, événement ou situation qui présente un caractère négatif ou menaçant pour l'intégrité physique ou psychologique de l'individu, ou qui est perçu comme tel.

---

8. Il s'agit de neurotransmetteurs qui constituent des opioïdes (substances ayant un effet analogue à celui de la morphine) endogènes (c'est-à-dire produits par le corps lui-même).

lointaine, notre cerveau n'a pas évolué pour s'adapter aux nouvelles sources potentielles de stress de la vie moderne que sont, par exemple, le fait d'être prisonnier d'un bouchon de circulation ou encore celui de ne pas pouvoir respecter une échéance fixée par son patron ou son professeur. Cette «non-adaptation» a eu pour conséquence qu'en général, l'homme moderne compose moins efficacement avec les situations stressantes qu'il rencontre. Le syndrome général d'adaptation décrit par Selye a constitué la première description systématique de ce qui se déroule lorsqu'un organisme n'arrive pas à s'adapter à une situation stressante.

Le syndrome général d'adaptation (SGA)

Lorsqu'il a commencé à étudier le stress, Selye a remarqué que les réactions décrites au point précédent peuvent passer par différentes phases au fur et à mesure que l'organisme tente de s'adapter à la situation créée par un stresseur. Lors de son premier article paru en 1936, il a appelé **syndrome général d'adaptation (SGA)** l'ensemble de ces phases et a décrit ce syndrome comme un processus en trois temps : la phase d'alarme, la phase de résistance et la phase d'épuisement.

La phase d'alarme La première phase du SGA survient à la suite de la perception d'un stresseur. Comme l'illustre le schéma de la figure 10.3, la **phase d'alarme** consiste essentiellement à mobiliser, à un niveau supérieur à la normale, les ressources qui permettront à l'organisme de faire face à la situation qui requiert une adaptation de sa part. Les réactions caractéristiques du stress décrites plus haut apparaissent à un niveau nettement plus élevé que la normale, l'intensité de ces réactions dépendant de l'urgence et de l'importance de l'adaptation requise par le stresseur.

La phase de résistance Lorsque l'individu réussit à s'adapter adéquatement à la situation, les réactions physiologiques observées lors de la phase d'alarme reviennent graduellement à la normale, celles impliquant les concentrations d'hormones s'effectuant plus lentement. Si cela ne se produit pas, l'individu entre dans la **phase de résistance** au cours de laquelle l'organisme tente précisément de s'adapter à l'agent stressant. Lors de cette phase, le degré d'activité des systèmes endocrinien et sympathique n'est pas aussi élevé que dans la phase d'alarme, mais il demeure tout de même plus élevé que la normale, même s'il peut sembler être revenu au même niveau que

Syndrome général d'adaptation (SGA)

Façon dont les différentes réactions caractéristiques du stress surviennent et évoluent. Le SGA comprend trois phases : la phase d'alarme, la phase de résistance et la phase d'épuisement.

Phase d'alarme

Première phase du SGA survenant à la suite de la perception d'un stresseur et consistant à mobiliser, à un niveau supérieur à la normale, les ressources qui permettront à l'organisme de faire face à la situation.

Phase de résistance

Aussi appelée **Phase d'adaptation**

Deuxième phase du SGA au cours de laquelle l'organisme tente précisément de s'adapter à l'agent stressant, ce qui l'amène à consommer une bonne partie des ressources énergétiques qu'il avait accumulées.

FIGURE 10.3 Les phases du syndrome général d'adaptation décrit par Selye

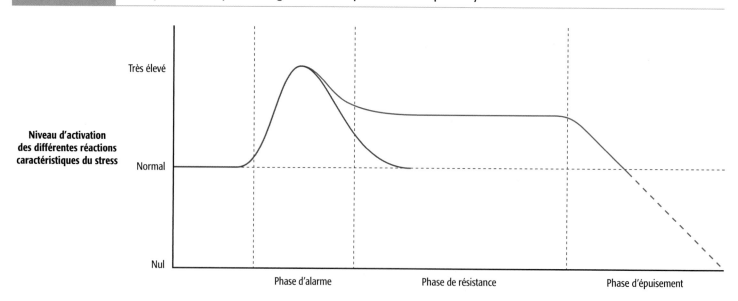

Lors de la phase d'alarme, le niveau d'activation des réponses du stress s'élève rapidement pour ensuite redescendre au niveau normal, si le stresseur disparaît ou si l'organisme a su y faire face adéquatement (**courbe verte**). Par contre, si l'organisme ne réussit pas à s'adapter, le niveau demeure au-dessus de la normale pendant la phase de résistance, puis tend à redescendre au-dessous du niveau normal lors de la phase d'épuisement (**section rouge de la courbe**).

---

celui qui avait cours avant la première phase. Toutefois, la résistance à l'agent stresseur implique un coût: l'organisme consomme une bonne partie des ressources énergétiques qu'il avait accumulées.

La phase d'épuisement Comme nous venons de le voir, la phase de résistance est très «énergivore». C'est ce qui fait que, si cette phase se prolonge (durée qui peut varier beaucoup d'un individu et d'une situation à l'autre) et que la lutte contre l'agent stressant s'avère vaine, l'individu entre dans la **phase d'épuisement**, c'est-à-dire la troisième phase du syndrome général d'adaptation. Durant cette dernière, les muscles deviennent fatigués, et les ressources restantes ne sont plus suffisantes pour combattre le stress. L'individu n'a plus l'énergie nécessaire: il est épuisé. S'il continue d'être exposé à l'agent stressant, sa santé physique et mentale en souffrira. C'est d'ailleurs exactement ce qui se passe lors du syndrome d'épuisement professionnel (*burn-out*) dont nous reparlerons plus loin quand il sera question des effets psychologiques du stress. La division parasympathique du système nerveux autonome, laquelle a normalement pour fonction de recréer des ressources utilisées auparavant (*voir le chapitre 2*), peut alors prédominer. Par conséquent, les rythmes cardiaque et respiratoire ralentissent, et de nombreuses réactions de l'organisme qui avaient caractérisé l'activité sympathique sont inversées.

Phase d'épuisement
Troisième phase du SGA survenant après une exposition prolongée au stress et au cours de laquelle la résistance au stress diminue radicalement au point d'entraîner de graves problèmes sur les plans physique et psychologique.

Testez vos connaissances

2. Tant qu'un stress important perdure, l'activation corporelle générale continue à augmenter.

En fait, l'activité corporelle se maintient au-dessus de la normale durant la phase de résistance, mais diminue considérablement lors de la phase d'épuisement.

La notion de charge allostatique

Bien qu'on s'y réfère encore régulièrement, surtout dans les textes généraux sur le stress, le SGA ne constitue plus le modèle privilégié en recherche pour comprendre le stress, ses effets et ses déterminants. Les chercheurs préfèrent actuellement aborder la question en termes d'«allostasie» et de «charge allostatique».

Proposée par Sterling et Eyer (1988), la notion d'**allostasie** réfère au processus selon lequel les différents systèmes biologiques tendent à s'adapter en modifiant leur niveau d'activité en fonction du milieu et des circonstances où se trouve l'organisme. Tout comme l'homéostasie, dont nous avons parlé au chapitre 2, l'allostasie consiste en un rééquilibrage de certains systèmes biologiques. Toutefois, contrairement à ce qui se passe dans le cas de l'homéostasie, le point d'équilibre visé par les mécanismes allostatiques varie selon les circonstances. La différence peut aisément être illustrée à l'aide de quelques exemples. Ainsi, le mécanisme réglant la température du corps est de type homéostatique, étant donné qu'il vise constamment à rétablir la même température, à savoir 37,2 °C. Par contre, un mécanisme comme le réglage de la pression sanguine est un mécanisme allostatique, étant donné que le niveau visé est différent selon que l'organisme est au repos ou engagé dans une activité physique[9].

Allostasie
Processus selon lequel les différents systèmes biologiques tendent à s'adapter en modifiant leur niveau d'activité en fonction du milieu et des circonstances où se trouve l'organisme.

Les changements qui surviennent sous l'effet de situations stressantes constituent précisément des changements de nature allostatique. S'ils surviennent trop fréquemment, ou si l'organisme n'arrive pas à gérer efficacement les défis posés par ces situations, comme c'est le cas lors des phases de résistance et d'épuisement décrites par Selye, le corps doit à la longue en payer le prix. C'est ce coût que l'on appelle la **charge allostatique** (McEwen & Stellar, 1993; McEwen, 1998a, 1998b, 2001, 2004).

Charge allostatique
Coût que le corps doit payer à long terme lorsque l'organisme doit s'adapter constamment à des situations qu'il n'arrive pas à gérer efficacement, comme c'est le cas lors des phases de résistance et d'épuisement.

---

9. Il est à noter que cette tendance des mécanismes biologiques à modifier dans certains cas leur niveau de stabilité avait déjà été soulignée par Selye (1974); ce dernier avait même proposé le terme «hétérostasie» pour désigner cette tendance à l'ajustement.

Certains auteurs, dont McEwen (2002), ont proposé de laisser tomber le concept de stress pour celui d'allostasie, considérant ce dernier comme plus englobant. Ice et James (2007) estiment toutefois qu'il faut plutôt voir l'allostasie comme donnant un nouveau souffle à la recherche sur le stress. Le terme «stress» étant encore largement employé dans la littérature scientifique, nous continuerons de faire du stress le sujet de base du présent chapitre. Nous en profiterons néanmoins pour souligner aux endroits appropriés en quoi les notions d'allostasie et de charge allostatique permettent de mieux comprendre ce sujet.

10.1.2 Le volet psychologique

Une bonne connaissance des phénomènes physiologiques présentés au point précédent est essentielle pour bien comprendre les données issues de la recherche sur le stress, que celle-ci porte sur les effets du stress ou sur les facteurs qui l'influencent. Le stress ne se limite toutefois pas à ces manifestations physiologiques, loin de là.

En effet, lorsqu'une situation est perçue comme étant stressante, on observe également certaines réactions psychologiques particulières. Bien que ces dernières ne soient pas définies de façon aussi rigoureuse et détaillée que dans le cas des réactions physiques — à tout le moins dans l'état actuel des connaissances —, elles n'en sont pas moins réelles. En ayant à l'esprit les situations où elles se sont développées chez nos ancêtres, nous pouvons les regrouper sous les points suivants: la tendance à l'action, l'hypervigilance et le sentiment d'anxiété.

La tendance à l'action La libération d'adrénaline qui accélère le métabolisme pour préparer l'organisme à l'action s'accompagne d'une «mise en alerte», c'est-à-dire d'une activation générale des circuits sensoriels et moteurs qui le prépareront à réagir rapidement, d'où une envie de réagir, de bondir, comme s'il combattait un ennemi ou devait le fuir. Cette tendance à l'action issue de nos ancêtres nous pousse à «faire quelque chose», même si certains gestes que nous sommes portés à poser n'ont pas d'effet sur les stresseurs auxquels nous sommes aujourd'hui confrontés. Par exemple, la personne qui fait les cent pas en attendant un appel téléphonique non seulement important mais aussi urgent, ou encore l'automobiliste bloqué dans un embouteillage qui grogne et tape sur son tableau de bord sont de bons exemples de gestes qui traduisent la tendance à l'action, mais qui n'ont en réalité aucun effet sur la source de stress.

L'hypervigilance Afin d'orienter les actions à poser devant une situation stressante, nous devenons hypervigilants (Schramek & Lupien, 2008b). Nos sens en général s'aiguisent pour détecter et analyser toute information qui nous renseignerait sur le stresseur — comme si nous guettions l'arrivée d'un mammouth! — et qui nous aiderait à y faire face. C'est ainsi que la pupille se dilate pour mieux voir dans la pénombre, que l'oreille devient sensible au moindre bruit, tout comme le sens du toucher qui réagit au plus petit contact. Cette hypervigilance peut, par exemple, amener une personne à entendre le moindre bruit ou même à avoir l'impression d'entendre des bruits qui la font sursauter lorsqu'elle traverse, le soir, un boisé où elle passe ordinairement le jour. En fait, cet aiguisement de l'attention accordée aux éléments d'information susceptibles d'être reçus par les sens se poursuit dans la façon dont le cerveau analyse cette information, privilégiant les interprétations qui pourraient signifier une menace pour l'organisme.

Le sentiment d'anxiété Dans le cas du stress comme dans celui de l'émotion, on trouve également un aspect proprement subjectif, ce que Tomkins (1962) appelait un *affect*. Selon le stresseur en cause, cet affect correspond, d'après Lazarus (1999), à un sentiment d'anxiété pouvant être dû à une perte déjà subie (telle que la perte d'une jambe ou d'un proche), à une menace prochaine (telle que la perspective de perdre une jambe ou un proche) ou encore à un défi à relever (telle que la première prestation d'un musicien devant un public). L'aspect affectif est à ce point important pour cet auteur qu'il considère le stress comme une forme particulière d'émotion liée à l'impression ou à la crainte de ne pouvoir faire face à la situation génératrice de stress. Selon

Lazarus, c'est cet aspect affectif, plus que l'aspect physiologique, qui serait central dans la définition du stress.

De fait, le sentiment d'anxiété lié à une menace réelle ou potentielle demeure l'aspect affectif le plus souvent invoqué comme situation type par les chercheurs, et ce, même si la menace à l'intégrité physique ne fait plus autant partie du quotidien que c'était le cas pour nos lointains ancêtres. C'est cette idée de base qui est reprise dans la définition que McEwen (2000) donne du **stress**[10] d'un angle psychologique, à savoir «une menace, réelle ou supposée, à l'intégrité psychologique ou physique de l'individu» (p. 108).

10.2 Les effets du stress

La figure 10.4 résume ce que nous avons dit concernant les réactions caractéristiques du stress. Nous en examinerons maintenant les effets à long terme. Il importe cependant de garder à l'esprit qu'un certain niveau de stress est essentiel au fonctionnement normal de l'organisme, c'est-à-dire à son fonctionnement dans sa vie de tous les jours. C'est pourquoi la description habituellement donnée des réactions caractéristiques du stress est en fait celle des variations observables par rapport au niveau habituel de fonctionnement. Ainsi, lorsqu'on dit que le stress entraîne une libération de cortisol, on sous-entend «libération accrue» de cortisol. Les chercheurs font d'ailleurs la distinction entre le niveau de cortisol au repos (basal), c'est-à-dire un niveau correspondant au fonctionnement normal dans la vie de tous les jours, et un niveau de cortisol réactif, c'est-à-dire un niveau accru libéré en réaction à un stresseur (Schramek & Lupien, 2008c), par exemple lorsqu'un étudiant court pour ne pas rater l'autobus.

Par ailleurs, en ce qui a trait au niveau de stress induit par un stresseur, celui dont il est implicitement question lorsqu'on s'interroge sur les effets du stress, les chercheurs font la distinction entre le stress aigu et le stress chronique (Schramek & Lupien, 2008d).

On parle ainsi de **stress aigu** pour désigner le stress observable lors de la phase d'alarme; c'est un stress qui peut être plus ou moins intense selon la situation. Par exemple, le skieur de compétition qui surveille le signal de départ pour effectuer sa descente vit un stress aigu, tout comme l'étudiant qui se prépare à faire un exposé oral devant la classe et qui se sent intimidé. Le stress aigu se résorbe si l'organisme réussit à s'adapter adéquatement au stresseur, ou si ce dernier disparaît.

Stress
Sous l'angle psychologique, menace réelle ou supposée à l'intégrité psychologique ou physique de l'individu.

Stress aigu
Stress observable lors de la phase d'alarme.

FIGURE 10.4 Les réactions caractéristiques du stress

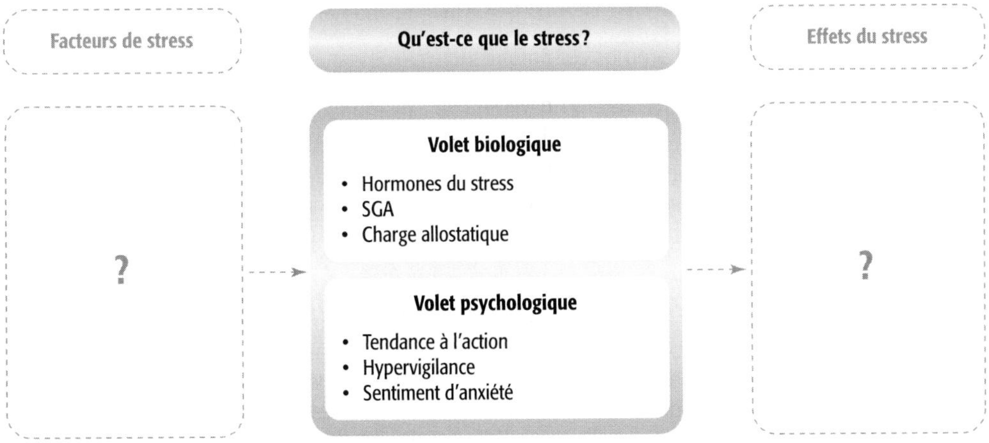

Les principales manifestations caractérisant le stress sur les plans biologique et psychologique.

---

10. Cette définition représente la version psychologique de la formulation biologique présentée précédemment.

À la différence du précédent, le **stress chronique** est celui qui résulte d'une exposition prolongée et répétée à des stresseurs et qui perdure au-delà de la phase d'alarme, donc lors des phases de résistance et, éventuellement, d'épuisement du SGA. C'est lui qui est responsable de l'accumulation d'une charge allostatique susceptible, à long terme, d'avoir des effets nocifs, tant physiques que psychologiques. Le skieur de compétition qui craint continuellement les remarques rudes de son entraîneur, ou encore l'étudiant qui redoute pendant plusieurs mois de ne pas réussir à obtenir son diplôme constituent deux exemples de stress chronique.

Même si l'on parle généralement de ses effets négatifs, on ne doit pas oublier que le stress a aussi un volet positif. Nous soulignerons ici en premier lieu les effets bénéfiques du stress pour ensuite nous pencher davantage sur les effets nocifs qui peuvent en découler.

10.2.1 Les effets bénéfiques

Le stress induit par un stresseur a des effets bénéfiques dans la mesure où il s'agit d'un stress aigu permettant de bien faire face à la situation. Le niveau optimal d'activation requis pour une performance maximale, comme le précise la loi de Yerkes-Dodson, correspond à un stress qui a un effet bénéfique. Le skieur qui a effectué une descente conforme à ce qu'il visait, l'étudiant qui a réussi avec succès son exposé devant la classe sont de bons exemples d'effets bénéfiques issus d'un stress : la tension créée par le stress aigu leur a permis de bien exécuter la tâche, sans oublier la satisfaction psychologique qui en découle.

Ainsi, non seulement le stress peut aider à agir efficacement en présence d'un agent stressant, mais il peut contribuer également à la santé psychologique en augmentant la confiance en soi et en contribuant à créer une image positive de soi. Cela procure un bien-être d'autant plus grand que la tension qui avait précédé l'exposition et la réaction au stresseur était élevée. On n'a qu'à penser au bien-être ressenti par l'athlète qui sait qu'il a fait bonne figure ou le musicien qui a bien réussi sa prestation en public !

Testez vos connaissances

3. Le stress peut avoir des effets bénéfiques sur la performance.

Lorsque l'énergie générée par le stress est adéquatement canalisée, elle permet de bien faire face à la situation ; le stress a ainsi des effets bénéfiques sur la performance.

Hans Selye a appelé **eustress** (*eu* signifiant «bien» en grec) ce type de stress ayant un effet bénéfique (Selye, 1975). C'est d'ailleurs sur ce type de stress que le célèbre chercheur a mis de plus en plus d'importance au fur et à mesure qu'il étudiait le phénomène. Dans son ouvrage, *Le stress de la vie*, il insiste ainsi sur le fait que le stress fait partie de la vie. Toutefois, de l'avis de Lazarus (1999), ce type de stress «demeure vague et sujet à controverse et, malgré son intérêt largement répandu, n'a pas encore été adéquatement soutenu ou réfuté par la recherche empirique» (p. 32). C'est pourquoi, malgré l'intérêt réel qu'il y a à souligner le concept d'«eustress», ce dernier occupe peu de place dans le présent chapitre, à l'image de ce qu'on trouve actuellement dans la recherche empirique sur le stress.

10.2.2 Les effets nocifs

À l'origine, le système de réponse au stress de nos ancêtres n'était pas fait pour être continuellement sollicité, ce qui est le cas pour beaucoup d'entre nous aujourd'hui. Comme nous l'avons mentionné précédemment, ce système visait d'abord à assurer notre survie. De nos jours, la société moderne nous impose un rythme de vie effréné et nous devons répondre à de multiples agents stressants de façon simultanée. Comme tout système utilisé à outrance, l'organisme s'use prématurément et, dans certains cas, il subit des tensions continuelles. Cela amène des conséquences néfastes pour l'individu. Selye a appelé **détresse** (traduction directe de l'anglais *distress*) ce type de stress qui a des effets nocifs. Toutefois, afin de distinguer ce phénomène de ce qu'on entend généralement par «détresse», nous le désignerons ici par le terme **dystress** (*dys* signifiant «mauvais» en grec) proposé par Dantzer (1992, 2002)[11]. En fait, lorsqu'on parle de stress dans le langage courant, on fait généralement allusion au «dystress». Ce type de stress peut à l'occasion découler du stress aigu, mais c'est généralement le stress chronique qui en est la cause.

Par ailleurs, le stress aigu vécu de façon trop intense par un individu peut aussi avoir des effets nocifs. Ce serait par exemple le cas d'un athlète qui serait tellement stressé qu'il trébucherait dès le début de son parcours, ou encore d'un étudiant qui serait tellement stressé par un exposé oral à présenter qu'il n'arriverait ni à s'exprimer correctement et d'une façon ordonnée, ni à s'y retrouver dans les notes qu'il avait préparées. Heureusement, ce n'est pas toujours le cas; comme nous le verrons plus loin, il est possible de recourir à certaines stratégies pour prévenir ce type d'effet et rendre le stress plus productif.

En ce qui a trait au stress chronique, celui qui entraîne une accumulation de la charge allostatique, il n'a que des effets négatifs, et ce, tant sur le plan physique que sur le plan psychologique.

Sur le plan physique

Les problèmes liés aux effets nocifs du stress sur la santé physique découleraient d'une accumulation de la charge allostatique, elle-même conséquence d'une activation trop marquée des réactions caractéristiques du stress présentées plus haut. Ainsi, d'après Sterling et Eyer (1988), lorsque la stimulation stressante se maintient sur une longue période de temps, les changements caractéristiques d'une activation marquée tendent à se maintenir, même après la disparition de la situation ayant provoqué ces changements, ce qui risque d'entraîner des effets dommageables à long terme sur le corps. Parmi ces problèmes, mentionnons entre autres les maladies cardiovasculaires, le diabète de type 2 ainsi que l'affaiblissement du système immunitaire; nous indiquerons en terminant quelques-uns des autres problèmes physiques pouvant découler directement ou indirectement du stress.

Les maladies cardiovasculaires Lorsque l'organisme n'arrive pas à faire face adéquatement au stresseur, l'effort supplémentaire demandé au cœur (accélération du rythme cardiaque et augmentation de la tension artérielle) dure plus longtemps que ce pour quoi le cœur est prévu. Ce dernier se fatigue donc de façon anormale et devient alors sujet à «succomber à l'effort» qui lui est demandé, d'où le risque de défaillance cardiaque (*voir la photo 10.2*). C'est particulièrement vrai pour les gens qui ont des facteurs de risque tels que l'hypertension, le diabète, la sédentarité et une mauvaise alimentation.

De plus, en période de stress chronique, les gens sont souvent portés à consommer davantage de gras saturés riches en cholestérol. Or, même si la production de cortisol se fait à partir du cholestérol, l'organisme n'arrive pas à transformer tout le cholestérol présent. Ce dernier — plus précisément celui qu'on appelle le *mauvais cholestérol* — contribue alors à obstruer les artères et, par conséquent, à augmenter encore plus les efforts demandés au cœur, d'où le risque de malaise cardiaque (Schramek & Lupien, 2008e).

Le diabète de type 2 En période d'activité normale, le foie libère continuellement dans le sang des sucres destinés à être utilisés plus tard comme source d'énergie par les muscles. En attendant d'être utilisés, ces sucres sont absorbés dans les cellules sous l'action de l'insuline, une hormone sécrétée par le pancréas. Toutefois, en période de stress, le foie augmente sa libération de sucres dans le sang en même temps que le cortisol rend les cellules du corps insensibles aux effets de l'insuline, ce qui empêche

Le malaise cardiaque, une des conséquences les plus fréquentes d'un stress soutenu.

Photo 10.2

---

11. Robert Dantzer attribue à Selye le terme «dystress», alors que dans les ouvrages français consultés, Selye utilise plutôt le terme «détresse», traduction directe du terme anglais *distress*.

l'absorption des sucres par les cellules et les conserve, prêts à être utilisés comme source d'énergie par les muscles ; ce processus est schématisé à la figure 10.5.

Or, comme la majorité des stresseurs d'aujourd'hui n'exigent plus de réaction requérant une dépense musculaire marquée, le taux de sucre dans le sang tend à demeurer élevé. Si le stress devient chronique, non seulement les sucres produits ne sont pas utilisés, mais l'insuline devient de moins en moins capable de jouer son rôle dans l'absorption des sucres par les cellules, ce qui contribue à maintenir un taux élevé de sucre dans le sang. En conséquence, le risque de développer un diabète de type 2 augmente (Schramek & Lupien, 2008e).

L'affaiblissement du système immunitaire Comme nous l'avons signalé en décrivant les réactions caractéristiques du stress, la libération de cortisol a entre autres pour effet de bloquer momentanément l'action du système immunitaire. Si l'organisme réussit à faire face efficacement au stresseur, ou si le stresseur disparaît de lui-même, cette action du cortisol s'arrête, et le système immunitaire redevient pleinement fonctionnel.

Si la présence du stresseur perdure, l'organisme s'adapte d'abord en mobilisant une énergie supplémentaire pour contrer l'action du cortisol et amener le système immunitaire à récupérer son efficacité. Au début de la phase de résistance et pendant un certain temps, ce système peut même présenter un fonctionnement supérieur à la normale. Il semblerait donc que, pendant cette période, l'utilisation accrue des ressources mobilisées par l'organisme pour faire face à long terme au stresseur rende le corps temporairement plus résistant à la maladie qu'en temps normal.

Toutefois, comme l'illustre le schéma de la figure 10.6, à mesure que le stress se prolonge et devient chronique, la quantité supplémentaire de ressources requises pour maintenir cette efficacité diminue, car l'énergie disponible tend graduellement à s'épuiser. L'influence négative du cortisol sur le système immunitaire reprend alors le dessus. L'affaiblissement du système immunitaire qui en découle entraîne ainsi une sensibilité accrue à la maladie et une efficacité réduite du processus de guérison.

Une sensibilité accrue à la maladie L'augmentation de la sensibilité à la maladie tend à s'installer lentement mais sûrement. À la longue, cela rend l'organisme plus vulnérable aux agents infectieux de toutes sortes ainsi qu'aux défaillances physiques normalement prévenues par le système immunitaire.

| FIGURE 10.5 | Le stress et le diabète de type 2 |

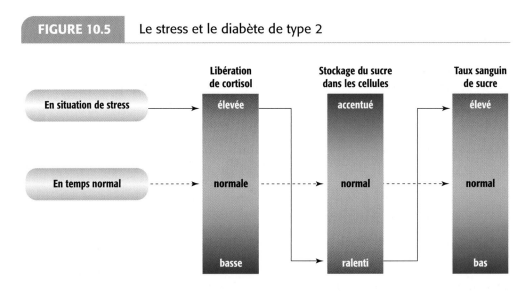

L'augmentation de la libération de cortisol en situation de stress tend à rendre les cellules du corps moins sensibles à l'action de l'insuline, laquelle permet normalement de stocker dans les cellules le sucre contenu dans le sang ; le stockage du sucre étant ainsi ralenti, cela maintient à la longue un taux élevé de sucre dans le sang, d'où le risque de développer un diabète de type 2.

FIGURE 10.6   Le stress et le système immunitaire

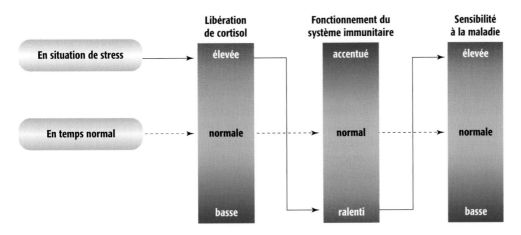

L'augmentation de la libération de cortisol en situation de stress tend à bloquer le fonctionnement du système immunitaire, d'où une sensibilité accrue à la maladie si le stress devient chronique.

Dans le cadre d'une recherche portant sur le lien entre le stress et certaines maladies infectieuses, on a constaté que 47 % des étudiants stressés succombaient au virus du rhume, contre 27 % des étudiants qui n'étaient pas stressés (OPQ 2006k). L'affaiblissement du système immunitaire dû au stress interviendrait également dans le cas de certaines maladies beaucoup plus graves telles que le cancer. Wu *et al.* (2000) ont pu démontrer qu'en soumettant des souris à des conditions de stress, ils supprimaient en partie la réponse de leur système immunitaire, et que les souris présentaient un taux de métastases plus élevé que des souris non stressées. D'autres études ont montré que le taux de lymphocytes — les principales cellules s'attaquant aux tumeurs cancéreuses — est moins élevé chez des personnes stressées que chez des individus non stressés (Shi *et al.*, 2003 ; Goebel & Mills, 2000). Il semblerait donc que, même s'il ne provoque pas le cancer, le stress pourrait favoriser son apparition chez un organisme déjà susceptible de le développer.

Testez vos connaissances

4. Une personne stressée sera plus vulnérable au virus du rhume qu'une personne non stressée.

C'est effectivement ce que semblent démontrer certaines études, dont une où les étudiants stressés attrapaient davantage le rhume que les étudiants non stressés.

Une efficacité réduite du processus de guérison En plus de rendre l'organisme davantage sensible à la maladie, l'affaiblissement du système immunitaire fait en sorte que celui-ci est plus lent à se remettre d'une maladie ou d'une blessure. Ainsi, une personne stressée mettrait en moyenne 24 % plus de temps à se rétablir d'une blessure qu'une personne calme (OPQ, 2006k).

Les autres problèmes physiques L'influence négative du stress sur la santé physique a été étudiée en rapport avec de nombreux autres points que ceux qui viennent d'être abordés. Parmi ces points, nous pouvons mentionner des problèmes d'ordre digestif (mauvaise digestion, diarrhée ou constipation, ulcères d'estomac ou intestinaux) ainsi que des problèmes musculaires pouvant entraîner des maux de tête, des douleurs au dos et à la mâchoire (Schramek & Lupien, 2008f). D'autres maladies telles que certaines allergies, l'urticaire et l'asthme seraient aussi liées au stress. Il importe cependant d'être prudent en ce qui concerne l'effet du stress sur la maladie, étant donné que les études varient beaucoup quant à la force du lien qu'on peut établir entre le stress et une maladie ou un problème donné.

Sur le plan psychologique

Des effets nocifs résultant d'un stress chronique peuvent également se manifester sur le plan psychologique. Cela est entre autres dû au fait que les glucocorticoïdes — groupe d'hormones auquel appartient le cortisol — peuvent agir non seulement sur le métabolisme général du corps de la façon décrite précédemment, mais également sur certaines structures du cerveau, ainsi que Bruce McEwen a été le premier à le démontrer. Cette influence sur le cerveau peut s'exercer sur le fonctionnement cognitif de base ainsi que sur les émotions et la santé mentale.

ENCADRÉ 10.1 **Approfondissement**

Le stress et la mémoire

L'aspect du fonctionnement cognitif qui fait le plus l'objet d'études scientifiques en lien avec le stress est la mémoire. Or, depuis les travaux de la chercheuse Sonia Lupien du Centre d'études sur le stress humain de l'Institut Douglas à Montréal, on sait que ce lien se fait par l'intermédiaire du cortisol et qu'il est complexe.

Dans le cadre d'un article sur le lien entre les hormones que sont les glucocorticoïdes et la mémoire humaine — le cortisol étant le glucocorticoïde qu'on trouve chez l'humain, la corticostérone, celle qu'on trouve chez le rat —, Lupien, Buss *et al.* (2005) font remarquer qu'il y a là un paradoxe. Alors que certaines études considèrent que les glucocorticoïdes favorisent la mémoire, d'autres concluent à l'effet contraire. En fait, ce qui semble se dégager des études, c'est que pour favoriser la mémoire, le niveau de cortisol ne doit être ni trop bas, ni trop haut, un niveau trop élevé pouvant même nuire au fonctionnement normal de la mémoire. On observerait ainsi, entre le niveau de cortisol et l'efficacité de la mémoire, une courbe en «U» inversé — comme celle qui est illustrée dans la figure ci-contre et qui ressemble à la loi de Yerkes-Dodson (*voir le chapitre 8*) — entre le niveau d'activation et la performance (Lupien, Buss *et al.*, 2005; Maheu & Lupien, 2003; Schramek & Lupien, 2008h).

Par ailleurs, l'étude des effets d'une variation du niveau de cortisol sur la mémoire se complique du fait que la concentration de cortisol varie «naturellement» sur une période de 24 heures, cette concentration étant plus élevée le matin qu'en fin de journée. Les chercheurs ont ainsi été amenés à constater qu'une élévation provoquée du niveau de cortisol n'a pas le même effet en début de journée qu'en après-midi; il en est de même pour un abaissement du niveau de cortisol (Maheu & Lupien, 2003).

Parmi les autres facteurs dont il faut tenir compte dans l'étude du lien entre une variation de cortisol résultant de l'exposition à un stresseur et l'efficacité de la mémoire, on trouve entre autres le type de mémoire, déclarative ou non déclarative (Lupien, Fiocco *et al.*, 2005), l'intervalle de temps entre la présentation du stresseur et le test de mémoire (De Quervain, 2007), le sexe, les concentrations sanguines d'œstrogènes plus élevées dans la première moitié du cycle menstruel (jours 5 à 13) diminuant la réactivité des femmes au cortisol (Maheu & Lupien, 2003) ainsi que l'isolement social.

Nombre d'études portant sur le stress en lien avec la mémoire ont mis en évidence un rapport entre un niveau élevé de cortisol et une diminution de l'activité de l'hippocampe. Jusqu'à tout dernière-

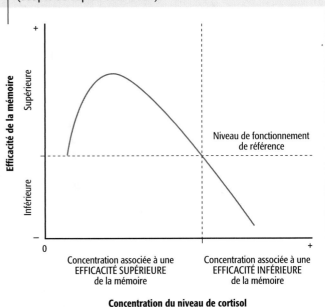

Modification de l'efficacité de la mémoire en fonction de la concentration du niveau de cortisol (adapté de Lupien *et al.* 2005).

ment, le lien entre la production de cortisol et l'activité de l'hippocampe n'était que corrélationnel. Or, une étude récente fournit une piste intéressante sur ce point. En effet, utilisant la tomographie par émission de positons et l'imagerie par résonance magnétique fonctionnelle, Pruessner *et al.* (2007) ont créé une situation stressante chez des sujets, tout en notant l'activité neuronale du cerveau et la présence de cortisol. Les chercheurs ont alors observé une libération de cortisol juste après une désactivation marquée de l'hippocampe, ce qui, selon eux, suggère un lien de causalité entre cette structure et le niveau de cortisol.

Étant donné que l'augmentation du niveau de cortisol et l'activité réduite de l'hippocampe en état de stress entraînent à la longue, lorsque le stress devient chronique, une atrophie de l'hippocampe (Lupien, Fiocco *et al.*, 2005), l'importance d'apprendre à gérer le stress s'impose d'elle-même.

Le syndrome d'épuisement professionnel vous guette-t-il?

«Les consultations reliées au travail se sont significativement accrues depuis une dizaine d'années. J'ai eu en fait le sentiment d'assister à l'émergence d'une véritable épidémie de *burn-out* : plus de cas, mais aussi des cas de plus en plus graves, qui laissent des séquelles plus importantes, chez des individus de plus en plus jeunes.» (Forest, 2007, p. 16) C'est le constat que fait la psychologue Murielle Forest, riche d'une expérience de 25 ans en pratique privée.

Pour la clinicienne, le problème est devenu endémique dans le rythme de vie qui est le nôtre, les cas de stress au travail se retrouvant de plus en plus dans toutes les sphères de la société, de l'ouvrier au chef d'entreprise. Ainsi, d'après Shields (2006), environ 25 % des hommes et 29 % des femmes rapportent vivre un stress quotidien intense au travail. Par ailleurs, d'après Statistique Canada (2002), les travailleurs canadiens travaillent en 2001 trois heures de plus par semaine qu'en 1991, alors que le taux de satisfaction au travail a baissé au cours de la même période. Les conditions favorisant l'épuisement professionnel semblent donc aller en s'accroissant.

Mais qu'est-ce au juste que le *burn-out*? Utilisé pour la première fois en 1969, ce terme anglais correspond à ce qu'on appelle maintenant l'*épuisement professionnel*. Plusieurs définitions en ont été données; nous présentons ici celle proposée par l'Institut universitaire en santé mentale Douglas selon qui le *burn-out* est «un état de fatigue ou une incapacité à fonctionner normalement dans le milieu de travail quand les demandes dépassent la capacité d'un individu à les recevoir» (IUSMD, 2009). Il est à noter que l'épuisement professionnel n'est pas considéré à ce jour comme un trouble de santé mentale (IUSMD, 2009). Par ailleurs, alors que certains spécialistes croient qu'il s'agit encore d'un problème lié principalement au contexte de travail, d'autres estiment que le problème est aujourd'hui beaucoup plus large, englobant les différents aspects sociaux et familiaux du quotidien, notamment tout ce qui concerne la conciliation travail-famille, avec toutes les exigences que cela implique.

S'il est vrai que cette situation découle en bonne partie des exigences de la société, laquelle évolue de plus en plus rapidement, l'individu doit assumer sa part de responsabilité : il ne doit pas se sentir obligé de toujours se plier aux modèles de performance qui le poussent insidieusement à s'approcher constamment de ses limites. À vouloir être «super-performant», à la fois dans son milieu de travail et à la maison en tant que parent, l'individu risque de s'approcher dangereusement de l'épuisement professionnel. Il faut toutefois savoir que certaines personnes y sont plus sujettes que d'autres. Parmi les facteurs de risque caractérisant ces individus, on trouve notamment les attentes des autres, attentes pouvant conduire à une surcharge de travail, des attentes élevées à l'égard de soi-même, un manque de confiance en soi qui porte à se sentir facilement incompétent, ainsi qu'une attitude perfectionniste dans tous les aspects du travail, même dans les détails qui ont moins d'importance (IUSMD, 2009).

En somme, l'épuisement professionnel survient lorsque l'individu n'arrive plus à répondre aux incessantes demandes d'adaptation auxquelles il s'oblige lui-même à répondre ou auxquelles il doit faire face, que ce soit dans son milieu de travail (nouveau patron avec un nouveau style, nouveaux objectifs de rendement), dans sa famille (nouveau programme scolaire à l'école où va l'enfant) ou encore dans son environnement social (nouvelle demande pour s'occuper d'un comité récemment mis sur pied). En ce qui a trait aux exigences provenant du milieu de travail, la psychologue Murielle Forest pense que «ce sont les personnes qui ont aujourd'hui les meilleures capacités d'adaptation qui sont le plus à risque d'épuisement professionnel» (Forest, 2007, p. 16). Comme ces personnes ont démontré qu'elles avaient bien répondu à des demandes antérieures, on tend à les solliciter de nouveau, et elles se sentent «obligées» d'accepter, n'osant infirmer l'image valorisante de «personne performante» qu'on leur renvoie. Elles continuent ainsi jusqu'au

Maux de tête et sensation de fatigue constants, quelques-uns des symptômes qui peuvent être le signe d'un *burn-out,* un problème qui va en s'accroissant.

jour où elles «frappent un mur», c'est-à-dire jusqu'à ce qu'apparaissent des symptômes révélateurs d'épuisement. Ces symptômes, qu'on peut répartir en deux catégories, comprennent principalement (PasseportSanté.net, 2008) :

- Des symptômes physiques
  - fatigue physique persistante
  - perturbation marquée du sommeil
  - douleurs musculaires et migraines
  - problèmes cutanés et digestifs

- Des symptômes psychologiques
  - sentiment d'être toujours fatigué
  - perte d'intérêt par rapport au travail
  - irritabilité et accès de colère spontanés
  - tendance à s'isoler
  - anxiété et insécurité
  - pertes de mémoire et difficulté de concentration
  - manque de confiance en soi et sentiment d'être incompétent
  - difficulté à prendre des décisions

Comme le souligne Murielle Forest, la phase précédant l'épuisement professionnel, phase correspondant à ce que Selye a appelé la *phase de résistance*, peut s'étendre sur une période plus ou moins longue selon les individus, c'est-à-dire de plusieurs mois à plusieurs années. Cela dépend non seulement des ressources de l'individu, mais également de la résistance de ce dernier à admettre qu'il a atteint ses limites. Fait à noter : ce sont habituellement les personnes constituant l'entourage de l'individu qui sont les premières à remarquer qu'il y a quelque chose qui ne va pas. Elles ne devraient alors pas hésiter à lui en faire part et à l'inciter à consulter une personne-ressource sans trop tarder, car la thérapie sera d'autant plus longue que l'individu sera allé loin dans l'épuisement de ses ressources.

Le fonctionnement cognitif de base Lors de la phase d'alarme, le cortisol aide à mémoriser les détails de la situation à l'origine du stress. Cependant, dès que l'organisme entre dans la phase de résistance, l'effet du cortisol s'inverse, et le fonctionnement de la mémoire commence à être moins efficace; il en est de même du fonctionnement cognitif en général, notamment en ce qui a trait à la capacité à se concentrer et à prendre des décisions (Lupien, Maheu, Fiocco, & Schramek, 2007). La nature du lien entre le cortisol et la mémoire, question qui fait actuellement l'objet de nombreuses études, est très complexe; l'encadré 10.1 (*page 338*) en donne un aperçu.

Les émotions et la santé mentale Avec l'arrivée du stress chronique, des signes de détresse émotionnelle apparaissent graduellement. Ainsi, la personne devient plus irritable, s'énerve plus facilement, allant même jusqu'à manifester du ressentiment ou des accès de colère qui semblent disproportionnés à son entourage. Elle a l'impression d'être surchargée, toujours en retard et dépassée par les événements. Avec ce sentiment d'impuissance s'installent un pessimisme et une anxiété qui la rendent de moins en moins motivée ou intéressée à quoi que ce soit. Elle peut commencer à avoir des problèmes d'insomnie et à ruminer des heures dans son lit avant de s'endormir ou se réveiller tôt et ne plus arriver à se rendormir. Si le stress chronique s'accentue et que l'organisme se dirige vers la phase d'épuisement, les problèmes déjà présents peuvent s'aggraver rapidement, au point de conduire à l'épuisement professionnel (*burn-out*) et, éventuellement, provoquer une période de dépression majeure; comme le souligne l'encadré 10.2 (*page 339*), l'épuisement professionnel est un problème de plus en plus répandu mais encore sous-estimé.

10.3 Les facteurs de stress

Après avoir pris connaissance des effets que peut entraîner le stress, ce que synthétise la figure 10.7, et étant donné les effets — particulièrement les effets nocifs — que le stress peut avoir, il convient maintenant d'examiner plus avant quels sont les facteurs responsables de ces effets. Nous présenterons d'abord les caractéristiques psychologiques des stresseurs pour ensuite souligner en quoi l'influence des stresseurs dépend elle-même de ce qu'on appelle les *modulateurs du stress*.

FIGURE 10.7	Le stress et ses effets

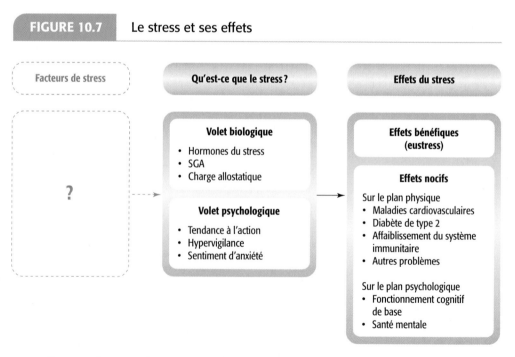

Les manifestations du stress et les principaux effets en découlant. Le problème posé par le stress provient de ses effets nocifs.

10.3.1 Les caractéristiques psychologiques des stresseurs

Il s'agit ici de répondre à la question: quelles sont les caractéristiques qui font qu'un stresseur est considéré comme tel? Par exemple, le fait de se trouver dans une file d'attente qui n'avance que lentement parce qu'il s'agit de la sortie d'un nouveau film très médiatisé constitue-t-il une situation stressante? Cela dépend de la façon dont cette situation est perçue. Pour la personne qui l'interprète comme lui causant un retard inutile dans les autres activités qu'elle a prévu effectuer par la suite, la situation est effectivement perçue comme stressante; ce n'est pas le cas par contre pour la personne qui est heureuse que le film tant attendu soit enfin sorti et qui en profite pour partager son enthousiasme avec les autres personnes présentes dans la file. En fait, on peut dire que, dans la quasi-totalité des cas, c'est la façon dont on interprète une situation qui fait que celle-ci constitue ou non un stresseur. Afin de préciser quelque peu ce point, nous présenterons d'abord les quatre caractéristiques de base qui, dans l'interprétation qu'on donne à une situation, peuvent contribuer à rendre cette dernière stressante; nous apporterons ensuite quelques précisions concernant les caractéristiques inductrices de stress.

Les quatre caractéristiques de base

Dans le cadre d'une revue de littérature devenue classique portant sur le lien entre les facteurs psychologiques du stress et leurs effets sur les réactions physiologiques mises en branle par l'hypothalamus, Mason (1968) a été l'un des premiers à déterminer les principales caractéristiques psychologiques conférant un caractère stressant à une situation donnée. À la suite de ses études et de celles d'autres auteurs ayant porté par la suite sur cette question, les quatre caractéristiques suivantes peuvent être dégagées: la nouveauté, l'imprévisibilité, le caractère incontrôlable et le caractère menaçant de la situation (Mason, 1968; Schramek & Lupien, 2008g). Il ne faut cependant pas oublier qu'une même situation peut très souvent impliquer plus d'une caractéristique.

La nouveauté Il s'agit ici de l'aspect selon lequel une situation est perçue comme entièrement nouvelle pour un individu, c'est-à-dire comme n'ayant jamais été rencontrée par lui. Un étudiant qui en est à sa dernière session de cégep, par exemple, doit pour la première fois faire face à une grève des professeurs. La situation étant tout à fait nouvelle pour lui, il a peur que la grève s'éternise, ce qui le stresse, contrairement à d'autres confrères qui ont déjà vécu d'autres grèves de professeurs et qui se disent que celle-ci ne devrait pas durer très longtemps.

L'imprévisibilité L'aspect imprévisible porte ici non pas sur le fait qu'un événement puisse arriver sans qu'on n'ait aucunement pu le prévoir, mais plutôt sur la difficulté ou l'impossibilité d'anticiper qu'une situation se produira ou non, ou encore, si l'on sait qu'elle va survenir, la forme qu'elle prendra. Par exemple, si un étudiant a l'impression que le professeur ne donne que très peu d'indications sur ses exigences dans les travaux qu'il demande, il pourra être stressé parce qu'il se sent incapable de prédire quelle note il obtiendra. À la différence de cet étudiant, un de ses collègues qui a appris à reconnaître les indices que le professeur donne en classe sera moins stressé, car il se sentira en mesure d'estimer que le travail qu'il a soumis correspond assez bien à ce à quoi son professeur s'attend. En fait, lorsqu'un stresseur est inévitable, la simple possibilité d'en prévoir le moment d'arrivée peut en amortir l'impact, comme l'ont démontré des études effectuées chez des animaux et rapportées par Weiss (1972). Lors de l'une de ces études, des rats ont été placés pendant un certain temps dans une cage où ils recevaient des décharges électriques. On a ensuite examiné dans quelle mesure ils avaient développé des ulcères au niveau de l'estomac, selon qu'ils étaient prévenus de la décharge ou non. Comme l'illustre la figure 10.8 (*page 342*), les rats ayant été soumis à des décharges électriques ont développé plus d'ulcères que des rats appartenant à un groupe témoin n'ayant reçu ni signal ni décharge, mais beaucoup moins s'ils étaient prévenus de la décharge électrique par un signal que s'ils ne l'étaient pas.

Le caractère incontrôlable Une autre caractéristique contribuant à faire en sorte qu'une situation soit stressante porte sur l'aspect incontrôlable, c'est-à-dire sur l'incapacité perçue à maîtriser la situation, que cette incapacité soit réelle ou non. Une mère

FIGURE 10.8   L'imprévisibilité et ses effets sur le stress

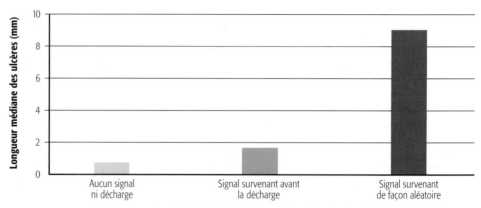

Des rats ayant reçu une décharge électrique ont présenté des ulcères plus étendus que des rats appartenant à un groupe témoin n'ayant reçu ni signal ni décharge. C'était toutefois beaucoup moins marqué que chez les rats pour qui le signal survenait de façon aléatoire, c'est-à-dire sans relation aucune avec la survenue de la décharge, ce qui rendait cette dernière totalement imprévisible.

monoparentale dont l'enfant a souffert d'une forte fièvre durant la nuit se sent obligée de rester à la maison : la maladie de son enfant et le fait de devoir rester à la maison constituent ainsi des éléments stressants, du simple fait qu'elle sent que la situation lui échappe. L'importance de ce facteur et les conditions garantissant son efficacité sont brièvement présentées dans l'encadré 10.5 (*page 355*), qui reprend quelques études classiques sur la question.

Le caractère menaçant La quatrième caractéristique pouvant conférer à une situation un caractère stressant est le fait que celle-ci soit perçue comme menaçant l'intégrité de la personne, que ce soit sur le plan physique ou psychologique.

La menace de nature physique est celle qui porte sur la crainte d'une atteinte à son intégrité physique. Ce type de crainte remonte évidemment aux situations auxquelles étaient quotidiennement confrontés nos ancêtres et constitue en quelque sorte la menace la plus primitive, même si les situations de menace physique sont de nos jours différentes et plus rares. Par exemple, une personne craintive en auto se sentira stressée parce qu'elle redoute d'être blessée dans un accident. À noter que le stress risque d'être accentué si ce n'est pas la personne elle-même qui conduit, si elle n'a pas la maîtrise de la situation, à moins qu'elle soit une très piètre conductrice et ait plutôt confiance dans les capacités de la personne au volant.

La menace de nature psychologique porte plutôt sur la crainte d'une atteinte à son intégrité psychologique, plus précisément sur la crainte d'une dévalorisation de l'image qu'on a de soi-même, c'est-à-dire de sa valeur et de ses compétences (Lazarus, 1999). Pour Dickerson et Kemeny (2004), une menace incontrôlable à l'intégrité du « soi social », c'est-à-dire à l'estime que l'individu reçoit des autres et au statut qu'il occupe, provoque les mêmes réactions physiologiques qu'une menace à l'intégrité physique (le « soi physique »). C'est le cas par exemple de l'étudiant qui se sent humilié par les commentaires formulés par son professeur devant la classe au sujet de son exposé oral.

Quelques précisions concernant les caractéristiques inductrices de stress

Même si toutes les caractéristiques mentionnées au point précédent n'ont pas à être présentes, l'aspect « menace » est pour ainsi dire essentiel. En effet, on voit difficilement comment une situation qu'on ne maîtrise pas pourrait être stressante si elle ne constituait aucune menace, physique ou psychologique, pour l'individu. Cela dit, plus il y a de caractéristiques présentes, plus la situation est stressante pour l'individu.

Par ailleurs, il importe de rappeler le caractère «perçu» des caractéristiques inductrices de stress. Autrement dit, c'est principalement l'interprétation du degré de nouveauté, d'imprévisibilité, et du caractère incontrôlable ou menaçant prêté aux situations potentiellement stressantes qui fait que celles-ci deviennent ou non des stresseurs. À cet effet, il apparaît utile d'établir une distinction entre stresseurs absolus et stresseurs relatifs (Schramek & Lupien, 2008a).

On appelle **stresseur absolu** un objet, une situation ou un événement dont le caractère stressant est universel, c'est-à-dire perçu comme menaçant par tous les individus. Une catastrophe naturelle, tel un tremblement de terre, ou un objet menaçant directement la vie de l'individu, tel un violent incendie duquel on doit s'échapper, sont des exemples clairs de stresseurs absolus. De l'avis de la chercheuse québécoise Sonia Lupien dont la carrière est évoquée dans l'encadré 10.3, les stresseurs absolus seraient en fait peu nombreux. La plupart des agents générateurs de stress seraient davantage des **stresseurs relatifs**, c'est-à-dire des objets, des situations ou des événements dont le caractère stressant varie en fonction de l'interprétation que l'individu en fait.

Stresseur absolu
Tout objet, événement ou situation dont le caractère stressant est universel et affecte tous les individus.

Stresseur relatif
Tout objet, événement ou situation dont le caractère stressant provient de l'interprétation que l'individu en fait.

ENCADRÉ 10.3 | **Paroles d'expert**

Sonia Lupien, une femme en guerre contre le stress!

Après avoir fait sa maîtrise en psychologie et ensuite achevé un doctorat en neuropsychologie en 1993, Sonia Lupien se lance activement dans la recherche appliquée. En 1998, elle publie des résultats de recherche qui sont à l'origine d'une percée scientifique sur les liens entre le niveau de certaines hormones liées au stress, telles que le cortisol, et la mémoire chez les personnes âgées. Outre sa fonction de chercheuse, elle occupe depuis 2003 celles de directrice du Centre d'études sur le stress humain à l'Institut Douglas et de codirectrice du Centre McGill d'études sur le vieillissement.

C'est dans le cadre d'un travail de recherche pour un cours de psychologie au collégial que la future chercheuse a découvert «sa voie». Son professeur, qu'elle avait consulté pour l'aider à trouver son sujet de recherche, s'est d'abord enquis de ses champs d'intérêt, lesquels portaient sur tout ce qui touchait le fonctionnement du cerveau en lien avec les processus psychologiques, notamment la mémoire. Il lui a alors suggéré la lecture des articles de Roger Sperry et Michael Gazzaniga sur le cerveau divisé (*voir le chapitre 2*): l'étudiante Sonia Lupien venait de découvrir la passion qui allait faire d'elle la chercheuse qu'elle est actuellement.

Lorsqu'on lui demande de décrire son domaine d'intérêt, à savoir le stress, Mme Lupien lance d'emblée qu'il s'agit d'une «mine d'or»! Pour elle, c'est un sujet qui est très concret, puisqu'on en observe, pour ne pas dire qu'on en subit les effets tous les jours. C'est un domaine de recherche appliquée qui demeure étroitement lié à la compréhension du fonctionnement du cerveau. Elle conclut en disant que «c'est un domaine jeune!»

Quand on fait remarquer à Mme Lupien que la première publication de Hans Selye sur le stress remonte à 1936, elle répond que c'est vrai, mais que les travaux de Selye ont longtemps été peu connus du public. Même parmi les chercheurs, l'importance du stress en tant que phénomène physiologique est plus ou moins tombée en désuétude: on s'est ainsi surtout concentré sur le volet «psycho-

logique». Ce n'est que depuis les années 1990 que le stress a réellement commencé à intéresser les chercheurs en tant que phénomène impliquant à la fois le volet physiologique et le volet psychologique. C'est d'ailleurs en tenant compte de ces deux aspects du stress qu'on peut aider à en contrer les effets dans le quotidien.

Ainsi, à l'étudiant qui se demande ce qu'il peut faire parce qu'il est trop stressé, Sonia Lupien conseille d'abord de comprendre l'origine de son stress, c'est-à-dire de découvrir les éléments qui le stressent (échéances, harmonisation sport-études, etc.). C'est à lui par la suite de trouver *sa* solution. Il doit toutefois se rappeler qu'il n'y a ni solution universelle ni solution facile pour combattre le stress, et ce, tout en reconnaissant qu'il est impossible d'éliminer totalement les facteurs générateurs de stress.

Concernant les facteurs de stress associés au milieu social, Mme Lupien rappelle qu'en l'an 2000, la pauvreté était reconnue comme le principal facteur de stress. Par ailleurs, la chercheuse fait remarquer qu'on croit aujourd'hui que le simple fait d'être exposé à des mots négatifs dans les médias déclenche automatiquement les réactions physiologiques associées au stress, lesquelles sont dommageables pour la santé physique et psychologique à long terme. Chacun a donc intérêt à en prendre conscience et à s'en prémunir.

Sonia Lupien,
Ph. D. en neuropsychologie, directrice du Centre d'études sur le stress humain à l'Institut Douglas.

5. L'interprétation d'une situation stressante varie beaucoup d'une personne à l'autre.

De fait, une situation donnée peut être perçue comme stressante par un individu, mais pas du tout par un autre, d'où la notion de stresseur relatif selon laquelle c'est la façon dont on perçoit une situation qui la rend stressante ou non.

10.3.2 Les modulateurs du stress

Ainsi que nous l'avons vu, la façon dont les gens interprètent les objets, les situations ou les événements varie beaucoup d'une personne à l'autre, ce qui entraîne également des différences quant au caractère stressant d'une situation donnée et à la façon dont les individus y sont sensibles. Les modulateurs (ou médiateurs) du stress, c'est-à-dire les facteurs qui rendent compte de ces différences, peuvent être regroupés en deux catégories : les facteurs contextuels et les facteurs individuels.

Les facteurs contextuels

Outre la situation elle-même, le contexte dans lequel survient cette dernière peut influer sur la façon dont elle sera perçue, qu'il s'agisse de l'environnement physique ou de l'environnement psychosocial.

L'environnement physique L'interprétation qu'un individu donne d'un événement peut aussi dépendre de l'environnement où il se trouve. Ainsi, des bruits de pas inconnus pourront être perçus comme plus stressants si la personne se trouve dans un environnement boisé que si elle se trouve dans la rue tout près de chez elle ; de même, le simple fait de devoir circuler seul dans une rue mal famée peut être perçu comme plus stressant que si l'on se trouve dans un quartier populaire en compagnie d'une foule de gens.

L'environnement psychosocial Certains facteurs liés à l'environnement psychosocial dans lequel évolue une personne tendent facilement à être perçus comme incontrôlables ou menaçants, et à induire du stress qu'on nomme alors *stress psychosocial*. On a en effet pu démontrer un lien entre les facteurs psychosociaux et certains effets typiques du stress, entre autres une plus grande vulnérabilité du système immunitaire aux infections (Cohen *et al.*, 1991). En particulier, dans une intéressante revue de littérature sur le lien entre le stress psychologique et la réponse du système immunitaire, Cohen, Miller et Rabin (2001) rapportent que le fait de s'occuper de quelqu'un de malade pendant une longue période est associé à un niveau d'anticorps moins élevé, donc à un affaiblissement du système immunitaire. De nombreuses études ont aussi démontré un lien entre le stress psychosocial et les maladies cardiovasculaires (Mertz *et al.*, 2002).

Les facteurs individuels

Les expériences antérieures Les expériences antérieures, qu'elles remontent à la petite enfance ou qu'elles soient plus récentes, jouent également dans l'interprétation qu'une personne attribue aux événements. Par exemple, un étudiant qui a toujours eu de la difficulté en mathématique envisagera de façon plus stressante un cours de mathématique dont la réussite est obligatoire pour obtenir son diplôme d'études qu'un confrère n'ayant pas de difficulté dans cette matière. De même, le fait qu'une personne ait déjà chaviré en canot pourra l'amener à être stressée si elle doit à nouveau monter dans une embarcation, alors que ce ne sera pas nécessairement le cas pour une personne n'ayant jamais chaviré.

La personnalité Un autre facteur parmi les plus importants qui peuvent influencer la tendance à percevoir comme stressants ou non les événements rencontrés réside dans certains traits associés à la personnalité d'un individu.

Sur ce point, on a beaucoup cherché à vérifier s'il y avait un lien entre le stress et le type de personnalité, A ou B, auquel est associé le comportement d'un individu. Le tableau 10.1 donne une idée générale de ce qui caractérise les comportements associés à ces deux types de personnalités, décrits la première fois par Friedman et Rosenman (1974). Ainsi, un individu présentant un **comportement de type A** est décrit comme plutôt fonceur, ambitieux, soucieux de maîtriser son environnement, préoccupé par le temps, impulsif, difficile envers lui-même et les autres, et même impatient envers tout ce qui tend à entraver la poursuite de ses buts; l'individu présentant les traits opposés à ceux du type A correspondrait au **comportement de type B**. Il importe de souligner que les combinaisons de traits caractérisant les types A et B qui viennent d'être décrits correspondent à des extrêmes. Or, dans la réalité, on observe des combinaisons qui peuvent varier selon le domaine d'activité, certains individus pouvant adopter un type de comportement dans le travail et un autre dans le sport.

L'intérêt pour le lien entre ces types de personnalités et le stress est venu du fait que, d'après certaines études, les individus de type A tendent à être plus stressés que ceux

Comportement de type A
Comportement présenté par un individu fonceur, ambitieux, soucieux de maîtriser son environnement, préoccupé par le temps, impulsif, difficile envers lui-même et les autres, et même impatient envers tout ce qui tend à l'entraver dans la poursuite de ses buts.

Comportement de type B
Comportement qui présente les caractéristiques opposées au comportement de type A.

TABLEAU 10.1	Les traits de personnalité caractérisant les comportements de type A et de type B	
Type A	**par rapport à**	**Type B**
Fonceur	⬅———————➡	Attend les événements
Ambitieux	⬅———————➡	Peu ambitieux
Compétitif et dominateur	⬅———————➡	Préfère participer
Stimulé par la pression	⬅———————➡	N'aime pas la pression
Parle et agit vite	⬅———————➡	Parle et agit calmement
Ponctuel	⬅———————➡	Plus ou moins ponctuel
Impatient, relaxe difficilement	⬅———————➡	Patient, relaxe facilement
Exigeant et perfectionniste	⬅———————➡	Facilement satisfait
Très autocritique	⬅———————➡	Se remet peu en question
Axé sur la réussite sociale	⬅———————➡	Axé sur la qualité de la vie

de type B. Cependant, comme le signalent Bruck et Allen (2003), la recherche a démontré par la suite qu'on retrouvait, dans le type A, deux composantes de base dont l'importance relative peut varier d'un individu à l'autre: une composante axée sur la performance pour des objectifs élevés — l'athlète paralympique Chantal Petitclerc présentée dans la photo 10.3 en constitue un exemple éloquent — et une composante caractérisée par l'impatience et l'hostilité. Or, c'est cette dernière composante qui serait associée à un stress plus élevé et à ses effets nocifs à long terme, comme n'ont cessé de le démontrer de nombreuses études (Smith, 2003).

Outre l'hostilité, on reconnaît que les personnes ayant une personnalité dépressive et une faible image d'elles-mêmes sont davantage portées à interpréter les événements comme stressants. Conard et Matthews (2008) ont montré que l'individu présentant une affectivité négative, définie par Spector *et al.* (2000) comme «la tendance générale à ressentir des affects négatifs tels que la peur, la tristesse, l'embarras, la colère, la culpabilité et le dégoût» (p. 14), est davantage porté à éprouver du stress.

L'état de santé Qu'il soit le résultat de prédispositions génétiques, d'habitudes de vie ou de maladies, l'état de santé d'une personne influe sur la façon dont elle interprète les événements susceptibles de créer du stress et y réagit. Par exemple, si les médias annoncent avec insistance que le prochain virus de la grippe causera des problèmes respiratoires plus marqués que dans les cas précédents, les personnes déjà affligées de difficultés respiratoires seront plus portées à interpréter cette nouvelle comme menaçante, donc stressante, que les personnes n'ayant pas ce problème.

Grâce à sa ténacité, l'athlète bien connue Chantal Petitclerc a reçu de nombreuses distinctions. En février 2009, elle a été nommée récipiendaire féminin du Prix sportif canadien qui souligne l'excellence sportive au pays.

Photo 10.3

10.4 La gestion du stress

Le schéma de la figure 10.9 présente une vue d'ensemble de ce que nous avons vu sur le stress dans les sections précédentes. En nous basant sur le survol que nous venons de faire des facteurs responsables du stress, nous pouvons maintenant nous pencher sur la façon de gérer ce phénomène. Évidemment, il s'agit ici de gérer le mauvais stress, étant donné que le bon stress, c'est-à-dire l'*eustress*, ne constitue pas un problème, bien au contraire. Or, si nous voulons traiter cette question de façon réaliste, il importe de prendre conscience qu'il est impossible d'évacuer complètement le stress de notre vie. Il nous faut donc apprendre à composer avec lui, en nous rappelant qu'il n'y a ni solution facile, ni solution universelle, chacun de nous devant trouver celle qui lui convient. À l'instar de ce que l'on trouve sur le site Internet du Centre d'études sur le stress humain dirigé par la chercheuse Sonia Lupien, nous groupons en deux points les suggestions aidant à gérer le stress : la gestion à court terme et la gestion à long terme.

10.4.1 La gestion à court terme

La gestion du stress à court terme porte sur les actions à poser au moment où l'on se rend compte que l'on est stressé. Cependant, pour gérer ce stress, une personne doit d'abord le reconnaître, c'est-à-dire se rendre compte qu'elle est stressée. Elle doit ainsi écouter les signes que lui donne son corps et prêter attention à ceux que révèle son comportement. Par exemple, après avoir discuté avec un professeur ou un collègue de travail sur un point litigieux, si l'on remarque que ses muscles sont tendus et que l'on réagit avec une certaine brusquerie à la moindre remarque, c'est probablement que l'on est stressé.

La première chose à faire après la prise de conscience de son stress consiste à se mettre en action physiquement, c'est-à-dire à bouger ! En effet, puisque les réactions physiques caractéristiques du stress sont justement programmées pour préparer l'organisme à l'action, ainsi que nous l'avons vu dans la définition du stress, il faut utiliser

FIGURE 10.9 Le processus général du stress

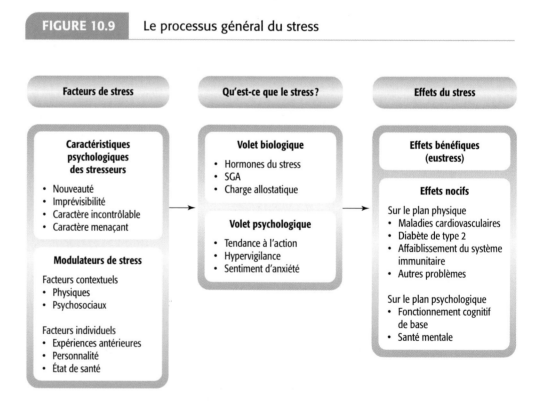

Un rappel des manifestations du stress, des effets qui en découlent et des facteurs qui en sont responsables.

cette énergie physique qui entretient une tension tant qu'elle n'a pas été dépensée. Il pourra s'agir d'une marche rapide, d'un sport ou de toute autre activité qui implique une dépense d'énergie musculaire.

Même si dépenser de l'énergie peut aider sur le coup à abaisser le niveau de stress, cela ne suffit cependant pas. Il importe en effet de passer à l'étape suivante, à savoir se pencher sur une gestion à long terme.

10.4.2 La gestion à long terme

Une gestion efficace implique quatre étapes de base : reconnaître les stresseurs, s'interroger sur le caractère stressant de chaque stresseur, adopter les stratégies appropriées aux différentes situations stressantes et, finalement, évaluer et modifier au besoin les stratégies adoptées.

Reconnaître les stresseurs

Dans le cas d'un stresseur absolu, reconnaître le stresseur va de soi. Par exemple, pour une personne qui est en forêt alors qu'un incendie fait rage et s'approche de l'endroit où elle se trouve, la reconnaissance du stresseur s'impose d'elle-même. Toutefois, la situation n'est pas aussi simple dans le cas des stresseurs relatifs. La première étape consiste donc à passer en revue ce qui, dans son entourage, est susceptible de constituer un stresseur afin de reconnaître ce qui, pour soi, est cause de stress. En effet, lorsqu'on considère les différentes sources de stress, il faut se rappeler que c'est d'abord la façon dont on perçoit une source potentielle de stress qui fait que celle-ci agit effectivement comme un stresseur. De plus, l'anticipation du stresseur peut avoir autant d'effet, parfois même plus, que le fait d'être en présence même du stresseur (Schramek & Lupien, 2008g). À titre d'exemple, le trac de l'artiste avant d'entrer en scène constitue souvent un stress plus grand que celui ressenti une fois la prestation commencée.

On peut regrouper les principales sources potentielles de stress dans les catégories suivantes : les tracas de la vie quotidienne, les changements de vie, la douleur et l'inconfort physique ainsi que la frustration.

Les tracas de la vie quotidienne Même s'ils ne semblent pas avoir beaucoup d'impact lorsque pris séparément, les **tracas de la vie quotidienne** entraînent un certain stress, ce dernier pouvant s'accumuler jusqu'à ce qu'il échappe totalement à la maîtrise de l'individu. Ainsi que l'illustrent les quelques exemples de la figure 10.10 (*page 348*), il s'agit essentiellement d'expériences quotidiennes considérées comme contrariantes ou menaçantes, ou même dangereuses pour le bien-être d'un individu (Lazarus, 1984). Lazarus *et al.* (1985) ont développé une échelle permettant de mesurer les tracas de la vie quotidienne et leur opposé, les «bons moments». Leur échelle comprend les huit thèmes suivants :

- Les tracas ménagers : la préparation des repas, les emplettes et l'entretien ménager.
- Les tracas de santé : la maladie, les inquiétudes au sujet des soins médicaux et les effets secondaires des médicaments.
- Les tracas temporels : le fait d'avoir un horaire trop chargé et de manquer de temps pour tout faire.
- Les tracas personnels : la solitude, les préoccupations dues à des conflits intérieurs et la peur d'être confronté aux autres.
- Les tracas environnementaux : la détérioration du voisinage, le bruit de la circulation automobile et la criminalité.
- Les tracas financiers : les soucis causés par les dettes et l'obligation de subvenir aux besoins de quelqu'un d'autre.
- Les tracas professionnels : l'insatisfaction au travail, le manque d'intérêt pour ce qu'on fait et les conflits interpersonnels avec des collègues.
- Les tracas de sécurité à long terme : les inquiétudes au sujet de la sécurité d'emploi, du domicile familial et de la retraite.

Tracas de la vie quotidienne
Expériences quotidiennes considérées comme contrariantes ou menaçantes, ou même dangereuses pour le bien-être d'un individu.

FIGURE 10.10 Les tracas de la vie quotidienne

Vaquer aux tâches ménagères, déneiger l'automobile et se retrouver dans un embouteillage sont des exemples de tracas de la vie quotidienne qui peuvent contribuer à la longue à créer un stress.

Selon Blankstein et Flett (1992), le niveau perçu de contrariétés quotidiennes est un facteur important d'adaptation personnelle. Leur étude effectuée auprès d'étudiants de niveau collégial démontre que la perception des contrariétés est corrélée de façon significative à la dépression et à l'anxiété chez les jeunes. Les tracas quotidiens sont aussi liés à des troubles psychologiques comme l'anxiété, l'inquiétude, les sentiments de tristesse et de solitude, etc.

Les changements de vie En 1967, deux psychologues, Thomas Holmes et Richard Rahe publient une échelle qu'ils appellent *Échelle d'évaluation de l'ajustement social*. Selon eux, cette échelle fournit une mesure du degré de stress dû aux changements de vie vécus par une personne au cours d'une année et permet une évaluation du risque que l'individu subisse les effets nocifs du stress, notamment sur sa santé physique (Holmes & Rahe, 1967).

Holmes et Rahe ont conçu leur échelle en considérant que tout changement de vie qui oblige l'organisme à s'adapter peut être une source de stress, et ce, que le changement ait une signification positive ou négative. Après avoir établi une liste de 43 événements représentant un changement susceptible de survenir dans la vie de quelqu'un, ils ont demandé à 394 personnes de toutes les conditions sociales de coter ces changements en évaluant l'amplitude du rajustement que chacun de ces événements exigerait s'il survenait. Les personnes devaient faire leur évaluation en prenant le mariage comme référence et en supposant que le rajustement au mariage requérait 50 unités de changement.

> ### Testez vos connaissances
>
> **6. Le fait de partir en vacances est un événement heureux qui ne peut amener de stress particulier.**
>
> Selon la façon dont une personne envisage l'événement, il se peut que le fait de préparer son voyage, que l'adaptation à l'environnement où elle passe ses vacances ainsi que le fait de retrouver son milieu au retour des vacances implique un stress, même si les effets à long terme de ce dernier ne sont vraisemblablement pas les mêmes que ceux d'un stress produit par un événement malheureux.

Il y a lieu de souligner ici que, pour Holmes et Rahe, les changements de vie se distinguent des tracas quotidiens sous deux aspects importants: premièrement, de nombreux changements de vie sont positifs et désirables, alors que tous les tracas sont, par définition, négatifs ; deuxièmement, les tracas énumérés dans le point précédent ont tendance à se répéter quotidiennement, tandis que les changements de vie sont des événements relativement rares.

Une fois l'échelle établie, Holmes et Rahe ont demandé aux participants de leur étude d'additionner les unités de chacun des changements réellement survenus au cours de la dernière année. Ils ont alors constaté que les individus dont l'échelle comptait 300 unités ou plus de changement de vie en une année présentaient un risque plus élevé de maladie. Huit personnes sur dix éprouvaient des problèmes de santé, comparativement à seulement une sur trois chez les gens dont le total annuel d'unités était inférieur à 150. D'autres chercheurs ont découvert des liens entre un nombre élevé d'unités de changement de vie amassées au cours d'une année et une foule de problèmes physiques et psychologiques aussi diversifiés que la maladie cardiaque, le cancer, les accidents, l'échec scolaire et les rechutes chez les personnes démontrant un problème de santé mentale comme la schizophrénie (Lloyd *et al.*, 1980 ; Perkins, 1982 ; Rabkin, 1980 ; Thoits, 1983).

Reprenant l'échelle mise au point en 1967, Miller et Rahe (1997) ont comparé leurs résultats à ceux de Holmes et Rahe (1967) ainsi qu'à ceux d'une autre étude analogue publiée par Rahe *et al.* (1980). Un de leurs buts était d'étudier la mesure dans laquelle le nombre moyen de points de changement attribués à chaque événement avait varié avec le temps. Dressé à partir de l'article de Miller et Rahe (1997), le tableau 10.2 (*page 350*) permet la comparaison des résultats obtenus lors des trois études. On y trouve ainsi les résultats publiés par Holmes et Rahe en 1967 à partir de données recueillies en 1965, ceux publiés par Rahe *et al.* (1980) à partir de données recueillies en 1977, ainsi que ceux publiés par Miller et Rahe (1997) selon des données recueillies en 1995.

Les événements sont présentés selon l'ordre établi à partir du nombre moyen de points de changement obtenu dans l'étude originale, celle de Holmes et Rahe (1967). On peut ainsi constater que le mariage, l'événement à partir duquel les autres étaient évalués, est passé du 7e rang en 1965, au 10e rang en 1977 et au 19e en 1995 ; cet événement est donc perçu comme moins stressant par rapport aux autres qu'il ne l'était auparavant. On peut noter par ailleurs que la survenue de troubles sexuels, qu'on trouvait au 49e rang en 1965, n'occupait plus que le 21e rang en 1997, après avoir occupé le 12e rang en 1977. De telles données sont intéressantes au regard des événements qui peuvent être perçus comme stressants selon le contexte social.

Certaines critiques ont été adressées à l'endroit d'études basées sur l'échelle d'évaluation de l'ajustement social d'Holmes et Rahe. Le premier point soulevé tient à ce que le lien entre le nombre d'unités de changement et le risque de maladie, même s'il a été corroboré par de nombreuses études, demeure d'ordre corrélationnel. Sur le plan méthodologique, on ne peut donc établir aucun lien de cause à effet (Dohrenwend *et al.*, 1982 ; Monroe, 1982). Par exemple, une blessure ou une maladie peuvent être autant une source de stress qu'une conséquence d'un stress dû à d'autres facteurs. Il faut donc demeurer prudent dans l'interprétation de ce type de résultats.

Une deuxième critique porte sur le fait que, pour Holmes et Rahe, les impacts de deux événements ayant le même nombre de points de changement de vie seraient semblables, quel que soit le caractère positif ou négatif des événements en cause. Par exemple, un changement d'ordre financier auquel on attribuerait une cote moyenne de 38 points aurait le même impact négatif, qu'il s'agisse d'une amélioration ou d'une détérioration de la condition financière. Or, les études semblent indiquer que les changements de vie positifs sont moins troublants, à moyen et à long terme, que ceux qui sont négatifs, même si leur nombre d'unités est élevé (Lefcourt *et al.*, 1981 ; Perkins, 1982 ; Thoits, 1983 ; Nadeau, 1989). Encore ici, il importe de considérer la signification qu'un individu attribue à un événement, que ce dernier soit positif ou négatif, car cela influera sur le degré de stress ressenti (Lazarus *et al.*, 1985 ; Blankstein & Flett, 1992).

La vie d'étudiant comporte aussi une part d'exigences auxquelles l'individu doit faire face. Luc Chiasson, un chercheur québécois enseignant au cégep, a dressé une liste

TABLEAU 10.2 L'évolution de l'échelle d'évaluation de l'ajustement social de Holmes et Rahe d'après le nombre d'unités de changement de vie (UCV) et le rang, de 1965 à 1977, puis à 1995

Situation	1965		1977		1995	
	UCV	*Rang*	**UCV**	*Rang*	**UCV**	*Rang*
Décès du conjoint	100	*1*	105	*1*	119	*1*
Divorce	73	*2*	62	*4*	98	*2*
Séparation	65	*3*	52	*8*	79	*4*
Emprisonnement	63	*4*	57	*6*	75	*7*
Décès d'un membre de la famille immédiate	63	*5*	73	*2*	92	*3*
Blessure ou maladie	53	*6*	42	*16*	77	*6*
Mariage	50	*7*	50	*10*	50	*19*
Licenciement	47	*8*	64	*3*	79	*5*
Réconciliation avec le conjoint	45	*9*	42	*17*	57	*13*
Retraite	45	*10*	49	*11*	54	*16*
Changement de l'état de santé d'un membre de la famille	44	*11*	52	*9*	56	*14*
Grossesse	40	*12*	60	*5*	66	*9*
Troubles d'ordre sexuel	39	*49*	49	*12*	45	*21*
Ajout d'un nouveau membre à la famille	39	*14*	47	*14*	57	*12*
Changement d'ordre professionnel	39	*15*	38	*21*	62	*10*
Changement d'ordre financier	38	*16*	48	*13*	56	*15*
Décès d'un ami intime	37	*17*	46	*15*	70	*8*
Changement d'activité professionnelle	36	*18*	38	*22*	51	*17*
Augmentation de la fréquence des disputes avec le conjoint	35	*19*	34	*24*	51	*18*
Hypothèque excédant 10 000 $	31	*20*	39	*18*	44	*23*
Saisie d'un bien hypothéqué ou récupération d'un prêt	30	*21*	57	*7*	61	*11*
Changement de responsabilités professionnelles	29	*22*	30	*32*	43	*24*
Enfant qui quitte le foyer	29	*23*	29	*36*	44	*22*
Ennuis avec la parenté	29	*24*	29	*34*	38	*28*
Réalisation personnelle remarquable	28	*25*	33	*25*	37	*29*
Conjoint(e) nommé(e) à un nouveau poste ou licencié(e)	26	*26*	37	*23*	46	*20*
Rentrée des classes ou fin des classes	26	*27*	32	*28*	38	*27*
Changement des conditions de vie	25	*28*	39	*19*	42	*25*
Transformation des habitudes de vie	24	*29*	31	*30*	27	*36*
Ennuis avec un patron	23	*30*	39	*20*	29	*33*
Modification de l'horaire ou des conditions de travail	20	*31*	33	*27*	36	*30*
Déménagement	20	*32*	33	*26*	41	*26*
Changement d'école	20	*33*	28	*39*	35	*31*
Changement d'activités récréatives	19	*34*	30	*33*	29	*34*
Changement d'activités religieuses	19	*35*	29	*35*	22	*42*
Changements d'activités sociales	18	*36*	28	*40*	27	*38*
Hypothèque ou prêt inférieur à 10 000 $	17	*37*	26	*42*	28	*35*
Modification des habitudes de sommeil	16	*38*	31	*31*	26	*40*
Modification de la fréquence des rencontres familiales	15	*39*	26	*41*	26	*39*
Modification des habitudes alimentaires	15	*40*	29	*38*	27	*37*
Vacances	13	*41*	29	*37*	25	*41*
Noël	12	*42*	—	—	30	*32*
Infractions mineures aux lois	11	*43*	32	*29*	22	*43*
Moyenne des unités de changement	**34**		**42**		**49**	

d'événements susceptibles d'être une source de stress dans la vie d'un cégépien (au collège seulement, sans tenir compte de sa vie familiale, affective ou autre). Parmi ceux-ci, on compte les événements stressants positifs, tels que le fait de réussir un examen ou d'avoir des amis au cégep. On compte aussi des événements stressants négatifs, comme le fait de se préparer pour un examen ou de le passer, la solitude ou les échecs scolaires et, enfin, les événements stressants positifs et négatifs qui comprennent le choix de carrière, l'attente des résultats d'un examen et la compétition dans les cours (Chiasson, 1988).

La douleur et l'inconfort physique La douleur et l'inconfort physique peuvent également être des sources de stress. Supposons que vous ayez subi un étirement au mollet et qu'il vous faille alors étudier pour un examen important. Bien que votre douleur au mollet n'exerce aucune influence directe sur vos capacités intellectuelles, elle est suffisante pour engendrer un stress qui risque d'atténuer votre capacité de concentration. Il en va de même pour certains athlètes dont la performance peut être gênée par une douleur ou un inconfort physique qui ne devraient pourtant pas influencer leur capacité à courir. Ainsi, comme le représente la photo 10.4, avoir un mal de gorge n'affecte pas les muscles des jambes, mais peut constituer un inconfort susceptible d'influer sur la performance d'un athlète.

Richter (1957) s'est intéressé à l'impact de la douleur et de l'inconfort sur la capacité d'adaptation d'un organisme. Dans son expérience, Richter a d'abord obtenu des données de base en enregistrant la durée maximale au cours de laquelle les rats pouvaient garder la tête hors de l'eau dans un bassin. Dans l'eau, à la température ambiante, la plupart des rats y arrivaient pendant environ 80 heures. On a ensuite traumatisé les rats en leur coupant les moustaches. Les rats du premier groupe ont alors été immédiatement jetés à l'eau : certains d'entre eux n'ont réussi à surnager que quelques minutes, bien que le traumatisme n'ait pas influé directement sur leur capacité de nager. Les rats du deuxième groupe ont eu la possibilité de se rétablir du traumatisme pendant plusieurs minutes avant d'être jetés à l'eau : ils ont surnagé pendant les 80 heures habituelles.

Puisque le fait de ressentir un inconfort physique peut engendrer un stress qui, à son tour, devient un obstacle à l'accomplissement de certaines tâches, les psychologues recommandent d'espacer les tâches ou les travaux exaspérants. Ainsi, l'inconfort ne s'accumule pas au point d'engendrer du stress et, éventuellement, d'affaiblir le rendement.

La frustration Une autre source importante de stress réside dans la **frustration**, c'est-à-dire un état de tension engendré par la rencontre d'un obstacle ou d'une contrariété dans une démarche pour atteindre un but. L'obstacle s'opposant à l'atteinte du but peut être soit externe, soit interne.

Un obstacle externe Comme l'illustre la photo 10.5, être confronté à un ordinateur qui «gèle» au moment d'imprimer un travail alors qu'il ne reste que quelques minutes avant le début d'un cours est un bon exemple de stress qui peut être engendré par la frustration. Les files d'attente ou les bouchons de circulation rencontrés lors des déplacements entre le domicile et le travail peuvent constituer une autre source de stress. En effet, bien que pour la plupart des gens, le stress du déplacement soit léger mais constant (Stokols & Novaco, 1981), la conduite prolongée sur des autoroutes encombrées est néanmoins associée à une hausse du rythme cardiaque et de la tension artérielle, ainsi qu'à d'autres signes de stress, notamment à des douleurs thoraciques. On considère également le stress dû aux frustrations ressenties sur les routes encombrées comme pouvant être en partie responsable de ce qu'il est maintenant convenu d'appeler la *rage au volant*. Toutefois, comme le souligne l'encadré 10.4 (*page 352*), nous sommes là en présence d'un phénomène qu'il faut se garder de simplifier outre mesure.

Par ailleurs, une source de frustration fréquente chez les adolescents provient de situations où des adultes leur disent qu'ils sont «trop jeunes» pour conduire une voiture, s'engager dans une activité sexuelle, dépenser de l'argent, boire de l'alcool ou travailler.

Un simple mal de gorge n'affecte pas l'ensemble de la musculature, mais il peut entraîner un stress susceptible de nuire à la performance d'une athlète.

Photo 10.4

Frustration
État de tension engendré par la rencontre d'un obstacle ou d'une contrariété dans une démarche pour atteindre un but.

Se buter à un obstacle externe imprévu peut constituer une source de stress, surtout quand on a l'impression de ne pas maîtriser la situation.

Photo 10.5

Êtes-vous du style agressif au volant?

Le phénomène de l'agressivité sur la route, même si ce n'est pas un phénomène récent, tend à augmenter un peu partout sur la planète. C'est du moins ce qu'un sondage Gallup européen effectué en 2003 a révélé (CEE-ONU, 2004). L'agressivité sur la route peut cependant prendre deux formes qui paraissent semblables au départ, mais qui s'avèrent fort différentes: l'agressivité au volant et la rage au volant.

Bien que l'agressivité au volant demeure difficile à cerner, une conférence sur le sujet tenue au Canada en octobre 2000 a néanmoins proposé la définition suivante du comportement agressif au volant: «un comportement qui est délibéré, serait susceptible d'augmenter le risque de collision et est motivé par l'impatience, la gêne, l'hostilité et/ou une tentative pour gagner du temps» (CEE_ONU, 2004). Par ailleurs, on parle de *rage au volant* lorsque surviennent des échanges violents entre deux conducteurs, échanges qui peuvent être de nature différente, comme frapper ou tenter de frapper un autre conducteur, ou encore frapper l'automobile de l'autre dans le but de l'endommager. Parmi les situations qui peuvent déclencher l'une ou l'autre de ces manifestations agressives, Bergeron (2001) mentionne les exemples suivants:

- Depuis plusieurs minutes, un conducteur persiste à vous suivre de très près.
- Alors que vous attendez une place de stationnement, un autre conducteur arrive après vous et se hâte pour se faufiler dans cet espace.
- Le conducteur juste devant vous ne démarre pas, même si le feu est vert.
- Vous avez été distrait quelques secondes, et le conducteur derrière vous klaxonne.
- Un conducteur change soudain de voie juste devant vous, et cela, sans le signaler.
- Après l'arrêt au feu rouge, un automobiliste s'efforce de démarrer plus vite que vous pour vous dépasser par la droite.
- Un conducteur vous éblouit avec ses feux de route.
- Un conducteur se stationne en double file et bloque ainsi la circulation.
- La circulation est bloquée, mais un conducteur profite de l'accotement à droite pour passer devant vous.

La distinction entre «agressivité» et «rage» au volant n'est cependant pas toujours faite, ce qui entraîne souvent de la confusion dans les statistiques rapportées sur la fréquence du phénomène. Ainsi, lorsqu'on a accès aux sources à la base des chiffres rapportés (nature des questions posées, cas répertoriés, etc.), on se rend compte qu'on englobe souvent sous l'expression à la mode «rage au volant» une foule de manifestations d'agressivité, dont certaines sont très éloignées d'une véritable crise de rage au volant. Dans un sondage effectué en Ontario auprès de 1 395 sujets (Smart, Mann, & Stoduto, 2003), sondage dans lequel on retrouve la distinction faite plus haut entre les deux formes de manifestations agressives, on rapporte que près d'une personne sur deux (46,6%) a mentionné avoir été la cible d'agressivité au volant, alors que ce pourcentage n'est que de 7,2% pour ce qui est de la rage au volant. Comme on peut le constater, la différence est notable, d'où l'importance de ne pas confondre les deux aspects du phénomène.

Lorsqu'on s'interroge sur les facteurs qui interviennent dans ces situations, on tend à les ramener à deux types: les facteurs psychologiques et les facteurs environnementaux. Concernant les facteurs psychologiques, on peut penser que le type de personnalité, les attitudes, les croyances, les stratégies d'adaptation, la pression du temps et le niveau de stress d'un individu peuvent jouer un rôle important sur le comportement agressif d'un conducteur. Cependant, des facteurs environnementaux tels que la température, les conditions routières (pluie, neige ou glace), le bruit et la congestion routière peuvent aussi contribuer à faire ressortir ce type de comportements. L'impact de ces facteurs augmente d'ailleurs régulièrement, car il y a de plus en plus d'automobiles, donc plus de conducteurs sur la

Les comportements de rage au volant peuvent aller de la simple menace jusqu'à l'agression physique.

route. On peut aussi penser que des facteurs physiques, comme la fatigue ou un mauvais état de santé, pourraient également intervenir dans le déclenchement de réactions agressives consécutives à un stress ressenti sur la route.

Un autre aspect pouvant introduire une certaine confusion dans la recherche sur les manifestations agressives sur la route est le fait que les gens tendent à jeter un regard différent selon qu'on les interroge sur le comportement des autres automobilistes ou sur leur propre comportement. Par exemple, la majorité des gens détestent au plus haut point subir des situations telles qu'être suivis de près par un autre conducteur, se faire klaxonner ou encore être éblouis par les phares de l'automobile qui suit. Ils ont l'impression que ces comportements sont très fréquents mais, lorsqu'on les interroge sur leur propre comportement, ils ne reconnaissent pas le faire fréquemment. Il y a donc un travail à faire pour rendre les automobilistes plus conscients des comportements qu'ils posent et qui peuvent indisposer les autres.

Par ailleurs, comme le recommande Jacques Bergeron, psychologue et directeur du Laboratoire de simulation de conduite de l'Université de Montréal, on peut utiliser différentes stratégies pour éviter, sinon amortir le stress dû à la circulation. On peut, par exemple, éviter de prendre la route si l'on se sent fatigué et stressé. D'un autre côté, si l'on se retrouve dans un bouchon de façon imprévue, on peut relaxer en écoutant sa pièce de musique préférée ou en faisant quelques exercices de détente si l'on se trouve immobilisé (Bergeron, 2001).

Un facteur important de stress étant la façon dont on interprète une situation, il importe aussi de penser à cet aspect lorsqu'on est sur la route, ce qui peut aider à mieux accepter les comportements des autres. Par exemple, au lieu d'interpréter une manœuvre d'un autre conducteur comme étant une manifestation d'impatience, on peut se dire qu'il s'agit peut-être d'une erreur qu'on a d'ailleurs probablement déjà faite soi-même. Si l'on est talonné par un autre véhicule, pourquoi ne pas lui céder la route de bonne grâce en se rappelant qu'on peut soi-même, à l'occasion, se sentir stressé. On peut également se dire que, même s'il n'y a qu'une chance sur 100 pour que ce soit le cas, l'individu peut avoir une excellente raison d'être pressé: il vient peut-être d'apprendre que son conjoint a subi un infarctus. Raison de plus pour être courtois!

Source: CEE-ONU (Commission économique des Nations unies pour l'Europe, 2004. *Sécurité routière*. Récupéré le 4 mars 2009 de <http://www.unspecial.org/UNS_628_T21.html>.

Un obstacle interne Une autre source de frustration peut provenir de conduites consistant à se fixer des exigences personnelles ou des objectifs trop élevés, ce qui en rend l'atteinte presque impossible. Par exemple, si une personne essaie d'obtenir l'approbation de toutes les personnes de son entourage ou si un étudiant veut obtenir au moins 95 % dans toutes ses matières, il se condamne à l'échec, comme le souligne Ellis (1977, 1987), donc à une frustration génératrice de stress.

La capacité à tolérer la frustration, que l'obstacle la provoquant soit de nature externe ou interne, peut fluctuer d'un individu à l'autre, mais aussi chez la même personne, en fonction du contexte ou de son état physiologique et psychologique. De plus, l'accumulation de stress peut atténuer cette tolérance à la frustration. Il est certes possible de rire d'une crevaison quand la journée est belle, mais s'il pleut abondamment ou s'il fait tempête, la crevaison peut devenir la goutte d'eau qui fait déborder le vase. Les personnes qui ont connu des frustrations et qui ont appris qu'il est possible de surmonter ces obstacles sont plus tolérantes à la frustration que celles qui ne l'ont jamais éprouvée ou qui en ont connu trop.

S'interroger sur le caractère stressant de chaque stresseur

Lors du survol des sources potentielles de stress, on peut évidemment en avoir relevé plus d'une qui s'applique pour soi. Néanmoins, qu'on en reconnaisse une seule ou plusieurs, il faut se demander pourquoi on perçoit chacune comme étant stressante. On observe en effet une grande variabilité entre les individus dans la façon de percevoir les événements : alors qu'une personne sera très stressée par la perspective de faire un exposé oral, une autre le sera très peu, sinon pas du tout. La chercheuse Sonia Lupien propose l'acronyme «CINÉ» comme moyen de passer en revue les caractéristiques psychologiques qui peuvent faire en sorte qu'une situation est stressante. La signification de l'acronyme, ainsi que ce à quoi il réfère, est illustrée ci-dessous à l'aide de quelques exemples.

C : Avait-on ou a-t-on le *contrôle* sur la source du stress ? Par exemple, pouvait-on empêcher la collision qui a blessé son partenaire amoureux ? Dans quelle mesure la réussite ou l'échec à un prochain examen dépendent-ils de soi ?

I : La source du stress était-elle et demeure-t-elle *imprévisible* ? Par exemple, les critères de correction d'un professeur sont-ils réellement impossibles à prévoir ou ce dernier donne-t-il des indications plus discrètes au fil des cours ?

N : La source du stress correspond-elle à un événement complètement *nouveau*, ou alors d'autres événements semblables pouvant servir de référence se sont-ils déjà produits ? Par exemple, n'y a-t-il déjà pas eu une autre grève de professeurs qui avait perturbé une session sans que cela ait eu de conséquences désastreuses ?

É : Dans quelle mesure la source de stress est-elle réellement menaçante pour l'*ego* ? Par exemple, les commentaires formulés par le professeur concernant le travail d'un étudiant étaient-ils réellement désobligeants ou visaient-ils plutôt à permettre à l'élève de s'améliorer dans son prochain travail ?

Les exemples ci-dessus visent à illustrer en quoi, au-delà des innombrables sources «potentielles» de stress, prendre conscience de l'interprétation qu'on leur donne est central dans les stratégies qu'on pourra adopter pour contrer leur effet stressant.

Adopter les stratégies appropriées

Une fois qu'on a reconnu les stresseurs, il s'agit de passer à l'examen et au choix des stratégies visant à faire baisser le niveau de stress. Ces stratégies dépendent de plusieurs facteurs : le nombre de stresseurs, le temps d'exposition, les contraintes externes, les traits de personnalité, etc. Par ailleurs, plusieurs des stratégies aidant à diminuer le stress peuvent également contribuer à le prévenir. Nous présentons ici les principales stratégies permettant d'y arriver : éliminer les stresseurs, modifier sa façon de percevoir les stresseurs, améliorer sa capacité à prévoir les stresseurs, utiliser un réseau de soutien social, développer son sens de l'humour, maintenir son corps en forme et, finalement, pratiquer la relaxation.

Éliminer les stresseurs potentiels Même s'il est impossible d'éliminer tous les stresseurs, certains peuvent néanmoins l'être. Par exemple, si une personne réalise que la demande qu'on lui a faite de siéger à un comité la stresse parce qu'elle serait obligée de travailler avec des personnes avec qui elle s'entend mal, elle peut très bien décider de ne pas participer aux travaux du comité, donc d'éliminer le stresseur. Il importe cependant que la personne assume pleinement sa décision, sans quoi elle risque de se sentir stressée chaque fois qu'elle croisera la personne qui lui avait fait la demande.

Modifier sa façon de percevoir les stresseurs Après s'être demandé pourquoi on perçoit une situation donnée comme étant stressante, il convient d'examiner dans quelle mesure on peut modifier cette perception. Il s'agit là d'une stratégie dont l'efficacité éventuelle varie beaucoup d'une situation et d'une personne à l'autre. Souvent, le simple fait de s'y arrêter objectivement permet de réaliser qu'on peut maîtriser en partie la situation, qu'on peut utiliser certains indices permettant de la prévoir, que la situation n'est pas si nouvelle qu'elle semblait l'être à première vue ou encore que son impact n'est pas si négatif qu'on aurait pu le croire. Par exemple, l'étudiant qui se sent stressé parce qu'il a « coulé » un examen pour lequel il n'a obtenu que 50 % pourra l'être moins s'il réalise :

- que sa note de 10 sur 20 — au lieu de 12 — n'aura qu'un impact de 2 points sur sa note finale (ce qui est moins menaçant pour l'ego) ;
- qu'il a d'excellentes chances de réussir le prochain examen :
  - s'il prête davantage attention aux indices que le professeur donne souvent en classe concernant les points particulièrement importants de la matière (ce qui permet une meilleure prévisibilité),
  - s'il décide de consacrer quelques heures de plus pour préparer son prochain examen (possibilité d'influer sur le résultat).

Même s'il n'est pas toujours possible de neutraliser complètement le caractère stressant de la situation en modifiant la perception qu'on en a, il est rare qu'on ne puisse pas l'atténuer, du moins en partie.

Améliorer sa capacité à prévoir les stresseurs Il semble que la prévisibilité, c'est-à-dire la capacité de prédire l'apparition d'un stresseur, modère son impact sur l'individu en donnant à ce dernier la possibilité de rassembler ses forces devant l'inévitable et, dans de nombreux cas, de planifier des moyens de le surmonter. Par exemple, les individus qui possèdent une connaissance exacte des procédures médicales et de ce qu'ils ressentiront lors d'une opération surmontent la douleur plus efficacement que les gens dépourvus d'une telle connaissance (Shipley *et al.*, 1978 ; Staub *et al.*, 1971). Ainsi, lorsque le spécialiste prend le temps d'expliquer en détail à un patient la façon dont se déroulera l'intervention, le stress éprouvé par le patient est moins marqué. Le fait de connaître d'avance les moindres aspects du stresseur à venir permettrait d'en atténuer les aspects « imprévisibilité » et « nouveauté », deux des quatre facteurs auxquels réfère l'acronyme « CINÉ » dont il a été question plus haut. L'importance de développer sa capacité à prévoir les stresseurs s'impose si l'on considère les effets nocifs qu'entraîne le caractère imprévisible d'un stresseur, ainsi que le démontrent les expériences animales rapportées dans l'encadré 10.5.

Il est à noter que la nouveauté serait l'un des facteurs tendant particulièrement à augmenter le degré de stress associé à une situation (Lazarus & Folkman, 1984). Ainsi, lorsqu'une situation est totalement nouvelle pour un individu, elle est par définition une source de stress et elle requiert de ce dernier une adaptation rapide, ce qui rend le dénouement de la situation plutôt imprévisible. Lors de la première semaine passée dans une nouvelle école, par exemple, la majorité des élèves ressent un certain stress dû à la nouveauté et à l'imprévisibilité de nombreux facteurs : contenu des cours, style de l'enseignant, etc. Un parent ou un enseignant aura donc intérêt, s'il veut aider l'enfant à être moins stressé, à lui donner le plus de détails possible sur sa nouvelle école, tout en mettant l'accent sur les points communs avec son ancienne école.

ENCADRÉ 10.5 **Recherche classique**

La capacité d'intervention et les ulcères d'estomac

Dans les années 1950, John Brady a publié les résultats d'une étude effectuée avec des singes et dans laquelle il rapportait qu'un stress psychologique peut causer des ulcères (Brady, 1958). Le chercheur avait réparti les sujets selon deux conditions expérimentales, illustrées dans la photo ci-contre. Dans la première condition (*moitié gauche de l'image*), le singe recevait une décharge électrique **toutes les 20 secondes**, sauf s'il pesait sur un levier moins de 20 secondes après avoir reçu une décharge électrique : il pouvait donc apprendre à éviter la décharge. Par contre, le singe placé dans la deuxième condition (*à droite dans l'image*) avait également un levier à sa disposition, mais ce dernier n'avait aucun effet : le deuxième singe évitait ou non la décharge selon que le singe auquel il était jumelé (*celui de gauche dans l'image*) avait ou n'avait pas pesé sur le levier. Brady a poursuivi l'expérience pendant plusieurs jours, alternant entre une période de six heures où les singes étaient placés dans les conditions décrites ci-dessus et une période de repos de six heures. Il a par la suite constaté que les singes «opérateurs», c'est-à-dire ceux qui avaient la possibilité d'intervenir pour éviter la décharge électrique, avaient développé des ulcères importants à l'estomac et au duodénum, ce qui n'était pas le cas des singes «impuissants», à savoir ceux qui n'avaient pas la possibilité d'intervenir.

Rapidement considérée comme un classique parce qu'elle démontrait qu'un stresseur psychologique peut induire d'importants problèmes physiques, l'étude de Brady a par la suite été réinterprétée comme suggérant que des individus ayant la capacité d'intervenir sur un stresseur sont plus susceptibles de subir des effets nocifs sur le plan physique que des individus n'ayant pas cette possibilité. Le caractère général de cette interprétation a cependant été remis en question à la suite d'une étude expérimentale rapportée par Weiss (1972). Dans le cadre de cette expérience également classique, le chercheur a comparé les effets d'un stresseur psychologique sur l'apparition d'ulcères chez trois groupes de rats.

Chaque rat d'un premier groupe expérimental recevait une décharge électrique à intervalle de 200 secondes, sauf s'il faisait tourner une roue à la suite d'un signal précédant de 10 secondes la décharge prévue : il avait donc la possibilité d'apprendre à éviter le stresseur physique que constituait la décharge. Placé dans une cage adjacente, le rat du deuxième groupe expérimental entendait le même signal que le rat du premier groupe auquel il était jumelé et il recevait ou non la même décharge selon que l'autre rat avait ou non fait tourner la roue : il ne pouvait donc intervenir d'aucune façon sur le stresseur physique. Les résultats obtenus par Weiss sont illustrés

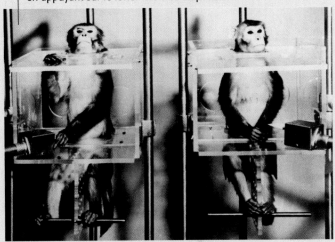

Dans l'expérience de Brady (1958), le singe de gauche avait la possibilité d'éviter aux deux singes une décharge électrique en appuyant sur le levier mis à sa disposition.

dans le graphique de la page suivante. Contrairement à ce qu'avait rapporté Brady, ce sont les sujets qui ne pouvaient pas intervenir qui ont développé le plus d'ulcères, alors que les rats qui avaient pu apprendre à éviter les décharges électriques à partir du signal en ont développé beaucoup moins. Weiss avait ainsi démontré qu'un stresseur éventuel a moins d'effet nocif si le sujet jouit d'un certain pouvoir d'intervention permettant de l'éviter.

Outre l'expérience qui vient d'être décrite, Weiss (1972) en rapporte d'autres qui, dans leur ensemble, l'ont amené à proposer une façon de rendre compte des contradictions apparentes entre ses résultats et ceux de Brady (1958). Les éléments explicatifs qu'il avance peuvent être ramenés aux principaux points suivants :

1. Comme les décharges étaient susceptibles de survenir toutes les 20 secondes, et qu'aucun signal ne les précédait, les singes «opérateurs» avaient appris à répondre à une fréquence très élevée : cela maintenait un état de tension physiologique presque constant qui a fini par entraîner des ulcères. Ce n'était pas le cas pour les singes «impuissants» : ces derniers avaient vraisemblablement appuyé sur le levier au début lorsqu'ils recevaient des décharges mais, par la suite, n'avaient plus eu à le faire parce que les singes «opérateurs» empêchaient la décharge la plupart du temps. À cela s'ajoute le fait que les singes choisis par Brady pour appartenir au groupe des

«opérateurs» étaient des individus qui, au départ, étaient plus portés à agir: or, Weiss a constaté que les individus présentant cette caractéristique sont davantage portés à développer des ulcères que les individus naturellement moins actifs. Ainsi, la capacité d'intervenir pour empêcher le stresseur physique avait joué en défaveur des singes «opérateurs».

2. Dans le cas de l'expérience effectuée avec les rats, la capacité d'intervenir sur le stresseur a constitué un avantage pour les sujets qui avaient cette capacité parce que, selon Weiss, chaque fois que ces rats faisaient tourner la roue, l'action était suivie d'une rétroaction efficace puisqu'elle retardait de plus de trois minutes le prochain signal annonciateur d'une décharge éventuelle. Les rats qui n'étaient pas en mesure d'empêcher la survenue du stresseur physique ont manifesté plus d'ulcères, car il n'y avait aucune rétroaction systématique entre ce qu'ils pouvaient faire à l'audition du signal et le fait de recevoir ou non une décharge. La notion de rétroaction appropriée est en fait une notion sur laquelle Weiss a beaucoup insisté.

Ainsi, la série d'expériences rapportées par Weiss (1972) a permis de mettre en évidence que le caractère contrôlable d'un stresseur est un avantage dans la mesure où il neutralise de façon relativement efficace le stresseur. Par ailleurs, la façon dont Weiss (1972) a réinterprété les résultats de Brady (1958) à la lumière de ses propres résultats constitue un excellent exemple de la façon dont des résultats apparemment contradictoires peuvent stimuler la recherche et générer des études permettant de clarifier une question.

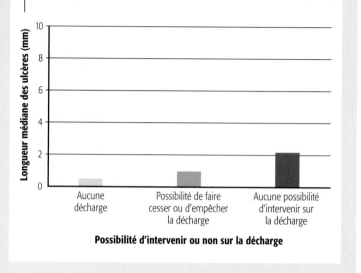

Lors d'une expérimentation effectuée par Weiss (1972), des rats qui avaient la possibilité de faire cesser ou d'éviter une décharge électrique à l'audition d'un signal ont développé des ulcères plus étendus que les rats d'un groupe témoin ne recevant aucune décharge, mais moins que ceux qui n'avaient aucune possibilité d'intervenir (aux fins de comparaison, l'échelle verticale est la même que celle de la figure 10.8, *page 342*).

Utiliser un réseau de soutien social On peut utiliser un réseau social pour réduire le stress de différentes façons (House, 1981, 1985). Nous les regroupons ici en trois principaux volets.

En premier lieu, on peut utiliser le réseau social pour obtenir de l'aide, que ce soit sous forme matérielle ou de réconfort psychologique provenant d'organismes ou d'amis. Le soutien social aurait alors pour effet d'amortir l'impact du stress (Cohen & Wills, 1985; Pagel & Becker, 1987; Rook & Dooley, 1985). Ainsi, différentes études démontrent que le soutien social modère les effets du stress dans des situations aussi diversifiées que les problèmes au travail ou les désastres tels que l'effondrement des deux tours du World Trade Center à New York, le 11 septembre 2001. Les résidants du voisinage qui pouvaient compter sur un réseau social solide, c'est-à-dire sur des parents et des amis avec lesquels ils pouvaient partager leur expérience, ont signalé moins de stress que ceux qui ne jouissaient pas d'un pareil réseau (Baum *et al.*, 1982).

Une deuxième façon d'utiliser le soutien social pour réduire son stress consiste à profiter de son réseau social pour rompre sa solitude, se changer les idées en participant à des réunions et à des activités sociales de toutes sortes (souper ou aller voir un film avec des amis, aller jouer aux quilles, etc.).

Cela peut aussi déboucher sur le troisième volet, lequel consiste non pas à recevoir, mais bien à donner du soutien. Il s'agit ici de s'impliquer dans des activités où on est à l'écoute des problèmes des autres et où on a l'occasion d'exprimer des sentiments d'empathie, d'affection, de compréhension et de réconfort à l'endroit d'autres personnes aux prises avec des problèmes. Ainsi, le fait d'apporter du réconfort aux autres peut aider à amortir le stress dû à ce que l'on vit soi-même.

Développer son sens de l'humour Les spectacles d'humour sont actuellement très populaires au Québec (*voir la photo 10.6*). Or, les bienfaits de l'humour sont de plus en plus reconnus comme aidant à réduire le stress du quotidien.

Dans un livre relatant son histoire personnelle, Cousins (1979, 2003) signalait que 10 minutes de rire aux éclats avait un effet analgésique puissant sur sa douleur liée à une rare maladie ressemblant à l'arthrite. Cela lui permettait de dormir au moins deux heures sans médication. Cette découverte a conduit certains chercheurs à se demander si le rire pouvait stimuler la production d'endorphines au sein de l'organisme. Par ailleurs, Martin et Lefcourt (1983) ont réalisé une étude psychologique importante concernant l'effet modérateur de l'humour sur le stress. L'étude menée auprès d'universitaires visait à établir un lien entre les événements négatifs de la vie et le taux de stress, taux évalué par les perturbations de l'humeur des étudiants participants. Les chercheurs ont constaté qu'en général, il y avait un lien de corrélation positif entre les événements de vie négatifs et les scores de stress : une accumulation élevée d'événements négatifs laissait présager un degré plus élevé de stress. Cependant, les étudiants qui avaient un plus grand sens de l'humour et qui usaient d'humour dans des circonstances difficiles étaient moins touchés par les événements négatifs que les autres étudiants.

En permettant de faire croître son côté optimiste pour faire face à la vie, l'humour peut ainsi aider à combattre les tendances à l'hostilité et à la dépression. Il peut aussi contribuer à faire en sorte qu'on ne sente pas son image de soi menacée par le moindre événement.

Recourir à l'humour, qu'on en fasse soi-même ou qu'on assiste au spectacle d'un humoriste, constitue un excellent moyen d'apaiser la tension due au stress.

Photo 10.6

Maintenir son corps en forme Quelles que soient les autres stratégies qui ont pu être retenues, l'adoption de stratégies de base visant à maintenir le corps en forme, telles que bien manger et dormir suffisamment, demeure essentielle. En effet, étant donné que le corps mobilise beaucoup d'énergie en période de stress, il importe de renouveler cette dernière à partir d'une saine alimentation fournissant les nutriments essentiels à l'organisme. De plus, le sommeil étant un moment privilégié permettant au système immunitaire de «refaire ses forces», un sommeil suffisamment réparateur est essentiel pour préparer le corps à combattre le stress.

L'activité physique contribue également à faire face au stress et à maintenir une bonne santé mentale, comme le souligne depuis longtemps le proverbe *Un esprit sain dans un corps sain*[12]. Des études démontrent en effet que, comparativement aux gens sédentaires, ceux qui font de l'exercice sont moins dépressifs, moins anxieux et moins tendus (Blumenthal & McCubbin, 1987). De plus, l'exercice atténue les tensions musculaires associées au stress et accroît la force et la vigueur du corps, de même que l'efficacité du système cardiovasculaire. On comprend mieux que bon nombre de programmes de gestion du stress mettent l'accent sur l'importance de pratiquer régulièrement une activité physique, entre autres afin de dépenser l'énergie mobilisée lors d'une réaction à un stresseur.

Pratiquer la relaxation Alors que l'activité physique permet de dépenser l'énergie visant à lutter ou à fuir devant une menace, différentes techniques permettent de libérer des hormones favorisant la relaxation, soit pour contrer les réactions physiologiques caractéristiques du stress, soit pour les prévenir. Parmi ces techniques, la méditation transcendantale, laquelle consiste essentiellement à répéter mentalement un mot appelé *mantra* en conservant une même position détendue pendant une vingtaine

---

12. Du latin *Mens sana in corpore sano*.

de minutes, semble l'une des plus efficaces. Des études ont démontré que cette technique abaissait le niveau des hormones du stress, notamment le cortisol (MacLean *et al.*, 1997 ; Goleman & Schwartz, 1976).

Évaluer et modifier au besoin les stratégies adoptées

Au cours de la démarche d'adoption de stratégies visant à contrer le stress, il ne faut pas oublier qu'il est généralement approprié de combiner plus d'une stratégie, car les sources de stress sont souvent multiples. Un étudiant à l'horaire surchargé pourra par exemple décider de réduire ses heures de travail et d'en consacrer quelques-unes à une activité sportive de type participatif, ce qui lui permettra de libérer des toxines et d'être mieux disposé à l'étude. Enfin, rappelons-le encore une fois, il revient à chacun de décider des stratégies qui lui conviendront le mieux.

Une fois qu'on a adopté certaines stratégies pour gérer son stress et qu'on les a appliquées pendant un certain temps, il y a lieu d'évaluer si et dans quelle mesure elles sont efficaces. On peut alors les conserver, les modifier, ou même les changer complètement si elles n'ont pas donné les résultats escomptés.

Conclusion

À la lumière de ce que nous avons vu dans le présent chapitre, nous pouvons maintenant avoir, en ce qui a trait à la situation des femmes de soldats présentée en amorce, une compréhension qui va au-delà de ce que le grand public connaît sur le stress.

Lorsque Hans Selye a mis au jour ce phénomène qu'il a appelé *stress*, c'est d'abord le volet physique qui a fait l'objet de la recherche. Toutefois, comme nous l'avons vu en nous penchant sur la nature du stress, celui-ci comporte également un volet psychologique qui lui est intimement lié, tant dans ses manifestations que dans ses effets.

En effet, même si le stress a souvent des conséquences bénéfiques dont nous n'avons pas longuement parlé étant donné qu'elles ne posent pas de problèmes, il peut malheureusement, lorsqu'il devient chronique, avoir de nombreux effets nocifs, sur les plans tant physique que psychologique. De là l'importance de bien connaître les facteurs à l'origine du stress et de savoir comment contrer leurs effets nocifs.

Dans la présentation que nous avons faite de ces facteurs, nous avons insisté sur le fait que le caractère stressant d'une situation dépend de la façon dont nous la percevons, c'est-à-dire selon qu'elle est perçue comme nouvelle, imprévisible, incontrôlable ou menaçante. Or, c'est essentiellement ce que mentionnent les femmes de soldats quand elles décrivent leur mode de vie. Les réaffectations fréquentes de leur conjoint les obligent chaque fois à s'adapter à un nouveau milieu. En bonne partie imprévisibles et incontrôlables, ces nouvelles affectations peuvent entraîner un sentiment d'insécurité et devenir menaçantes, d'où l'importance de gérer le stress qui peut en résulter.

Ainsi, pour une bonne gestion du stress à long terme, il importe de bien reconnaître les stresseurs, puis d'établir des stratégies appropriées, au besoin à l'aide de personnes-ressources. Ces stratégies peuvent porter à la fois sur les interprétations que l'on donne aux événements auxquels on est confronté chaque jour et sur des actions concrètes dans le quotidien. Pour y arriver, encore faut-il être en mesure de prendre conscience de la situation lorsqu'on vit un stress qui tend à devenir chronique, ce qui est loin d'être toujours aisé dans le tourbillon quotidien de l'époque actuelle.

En effet, la prise de conscience du stress se fait souvent alors que les dégâts ont déjà malheureusement commencé à se manifester. Or, comme le souligne la chercheuse Sonia Lupien dans l'encadré 10.6, dans les prochaines années, la recherche devrait réussir à mettre au point un test aussi simple à effectuer qu'un test de grossesse et qui permettra à Monsieur ou Madame Tout-le-monde de connaître son niveau de stress. Il sera alors possible de prévenir non seulement les problèmes physiques qui pourraient survenir, mais également ceux qui risqueraient d'affecter la santé mentale, surtout chez les personnes prédisposées à développer ce type de problème, ce qui fera précisément l'objet du prochain chapitre.

ENCADRÉ 10.6 | **Regard vers le futur**

Prévenir le stress : un objectif à la portée de tous ?

Il semble bien qu'on pourra, dans un futur pas très éloigné, prévenir le stress en le détectant plus tôt et en mettant au point des techniques permettant de moduler la pensée, plus précisément la façon d'interpréter les événements afin de minimiser leurs effets stressants.

En ce qui a trait à la détection, on peut déjà déterminer le niveau de stress d'un individu en mesurant, à partir d'un simple échantillon de salive, le taux de cortisol, une importante hormone associée au stress. Même si cette mesure doit encore être effectuée en laboratoire, on croit que dans quelques années, elle pourra être faite aussi simplement qu'un test de grossesse (Lupien, 2008). Toutefois, la principale question qui se pose actuellement n'est pas tant la prise de la mesure que l'établissement de normes permettant de l'interpréter correctement en fonction de divers facteurs tels que l'âge, le sexe ou la masse corporelle. L'établissement de ces normes devra également tenir compte de la gradation de l'accumulation de cortisol et des répercussions de cette accumulation sur le dérèglement du système hormonal.

À partir du moment où l'on pourra détecter plus tôt l'accumulation d'hormones de stress dans l'organisme, on pourra contrer le stress plus efficacement à l'aide de techniques permettant à l'individu d'apprendre à composer avec les facteurs inducteurs de stress. Sur ce point, il ne faut jamais perdre de vue que le caractère stressant d'un facteur dépend essentiellement de la façon dont l'individu interprète ce facteur.

À propos de la façon dont on peut apprendre à gérer les événements stressants, la chercheuse Sonia Lupien explore une hypothèse qui, reconnaît-elle, risque de soulever des vagues, n'étant pas « politiquement correcte ». Elle se demande en effet si la façon dont les enfants sont surprotégés dans notre société ne les empêche pas d'apprendre très tôt à gérer les situations potentiellement stressantes.

Une prévention efficace du stress implique, entre autres, la gestion de nombreux détails du quotidien.

Des expériences menées chez des primates ont en effet démontré que de jeunes singes qui ont été soumis à des situations stressantes dès leur jeune âge présentent un niveau de stress (tel que mesuré par le cortisol) moins élevé que de jeunes singes qui ont été élevés dans un environnement tout à fait sécurisant jusqu'à l'âge adulte (Lupien, 2008). Voilà qui donne à réfléchir !

1. Qu'est-ce que le stress selon Hans Selye ?

   a) La réponse non spécifique de l'organisme à toute sollicitation

   b) Les réactions d'anxiété d'un individu

   c) Tout ce qui entraîne des réactions physiologiques de l'organisme

   d) Tout stimulus nécessitant une adaptation

2. Laquelle des réactions ci-dessous n'est pas une réaction physiologique caractéristique du stress ?

   a) L'activation du système endocrinien

   b) L'activation du système nerveux autonome

   c) La production d'adrénaline et de cortisol

   d) La production de dopamine et de sérotonine

3. Trouvez l'intrus parmi les phases du syndrome général d'adaptation (SGA).

   a) La phase d'alarme

   b) La phase d'épuisement

   c) La phase de réaction de combat ou de fuite

   d) La phase de résistance

4. Laquelle des réactions ci-dessous n'est pas une réaction psychologique caractéristique du stress ?

   a) L'hypervigilance

   b) La tendance à l'action

   c) Le ralentissement psychomoteur

   d) Le sentiment d'anxiété

5. Lequel de ces énoncés est vrai ?

   a) Le stress a beaucoup plus d'effets nocifs sur la santé mentale d'un individu que sur sa santé physique.

   b) Contrairement au stress aigu, le stress chronique n'entraîne pas une accumulation de la charge allostatique.

   c) Les effets bénéfiques du stress se font sentir à long terme, comme dans le cas d'un stress chronique.

   d) Parmi les effets bénéfiques du stress, on note la satisfaction psychologique suivant la réalisation d'une tâche qui suscite un stress aigu.

6. Lequel des énoncés ci-dessous concernant le lien entre le stress et la maladie physique est vrai ?

   a) Actuellement, aucune étude ne démontre qu'il existe un lien entre le stress et les maladies physiques.

   b) Seules les dispositions héréditaires sont responsables des maladies physiques.

   c) Les maladies physiques peuvent être à la fois une source et une conséquence du stress.

   d) Les migraines, et non les maux de tête, sont directement liées au stress.

7. Lequel de ces énoncés est vrai ?

   a) Une situation imprévisible génère relativement peu de réactions de stress.

   b) Une situation incontrôlable entraîne peu de stress, puisque l'individu ne peut y réagir.

   c) Une situation menaçante pour l'intégrité psychologique est plus stressante qu'une situation valorisante.

   d) Une situation nouvelle provoque un stress plus positif qu'une situation répétitive.

8. Par rapport au stress, quel est l'impact des facteurs contextuels, comme l'environnement physique, et des facteurs individuels, comme la personnalité ?

   a) Ce sont des facteurs générateurs de stress.

   b) Ce sont des facteurs inhibiteurs de stress.

   c) Ce sont des facteurs modérateurs de stress.

   d) Ce sont des facteurs modulateurs de stress.

9. Que sont l'insatisfaction au travail et le manque d'intérêt pour ce qu'on fait ?

   a) Des changements de vie qui peuvent générer du stress

   b) Des frustrations liées au travail

   c) Des symptômes d'une dépression

   d) Des tracas de la vie quotidienne qui peuvent générer du stress

10. Laquelle des stratégies ci-dessous est la moins efficace pour réduire le stress ?

   a) Aller chercher un soutien social

   b) Attendre patiemment

   c) Développer son sens de l'humour

   d) Modifier sa façon de percevoir le stresseur

Volumes et ouvrages de référence

Chiasson, L. (1988). *Les événements stressants de la vie du cégépien : construction d'une échelle de mesure.* **Lauzon : Cégep de Lévis-Lauzon.**

> S'inspirant des échelles de mesure du stress, dont celle mise au point par Holmes et Rahe (1967), l'auteur du volume a mis au point une échelle adaptée en fonction des événements stressants de la vie du cégépien.

Cousins, N. (2003). *Comment je me suis soigné par le rire.* **Paris : Éditions Payot et Rivages.**

> Étude de cas intéressante, même si les effets réels de l'humour sur le stress demeurent encore à approfondir.

Graziani, P., & Swendsen, J. (2004). *Le stress : émotions et stratégies d'adaptation.* **Paris : Nathan.**

> Livre qui introduit les modèles physiologiques du stress. Il présente les émotions liées au stress et suggère quelques stratégies d'adaptation pour faire face aux situations génératrices de stress.

Selye, H. (1974). *Stress sans détresse.* **Montréal : La Presse.**

Selye, H. (1975). *Le stress de la vie.* **Paris : Gallimard.**

> Deux classiques de celui qui a introduit le concept de stress dans la littérature et souligné que le stress peut être bon et nécessaire à la survie.

Stora, J.-B. (2005). *Le stress.* **Paris : Presses Universitaires de France.**

> Petit livre synthèse sur le stress. L'auteur mentionne les principales sources de stress, les réactions psychoémotionnelles au stress, les mécanismes biologiques et les maladies du stress. Enfin, après avoir décrit le stress et la vie professionnelle comme le « mal du siècle », il indique comment arriver à faire de la prévention et, s'il y a lieu, les thérapies pouvant aider à contrer le stress.

Périodiques et journaux

Chouchan, D. (1999). Stress, les voies de la recherche et de la prévention. *Travail & sécurité,* **n° 580, 12-13.**

> Article sur les directions de recherche appliquée concernant le stress au travail, un des domaines où le stress est actuellement le plus étudié.

Dumont, M., Leclerc D., & Lalande R. (2003). Ressources personnelles et détresse psychologique en lien avec le rendement scolaire et le stress chez des élèves de quatrième secondaire. *Revue canadienne des sciences du comportement,* **35, 254-267.**

> Étude effectuée par des chercheurs de l'UQTR concernant les stresseurs chez les élèves du secondaire.

Néron, S., & Fortin B. (1993). Vivre avec le cancer : stratégies d'adaptation pour le malade et pour les aidants naturels. *Perspectives psychiatriques,* **39, 242-251.**

> Article à l'intention des personnes affectées par les situations stressantes causées par la maladie, particulièrement le cancer. Les auteurs y traitent des effets du stress affectant non seulement les personnes malades, mais également celles qui vivent dans leur entourage.

Audiovisuel

Radio-Québec. (1990). *Vivre le stress* **(Série « Omni Science »). Montréal, 26 min, VHS.**

> Excellent documentaire qui traite du stress à travers des situations de la vie quotidienne.

Suva. (2001). *Le stress.* **Lucerne, 12 min, VHS ou DVD.**

> Documentaire qui présente des scènes réalistes en vue d'illustrer comment le stress dans l'entreprise peut rendre malade, diminuer la qualité du travail et augmenter le risque d'accident. Il fournit également des pistes de discussion sur la façon de lutter contre le stress avec l'aide du personnel.

CHAPITRE 11

Cibles d'apprentissage

Après avoir lu ce chapitre, vous devriez pouvoir :

- nommer et expliquer brièvement les trois critères aidant à reconnaître un trouble psychologique ;
- nommer les principales procédures permettant d'établir un diagnostic de trouble psychologique ;
- expliquer ce que le trouble dépressif majeur et les troubles bipolaires ont en commun et en quoi ils diffèrent ;
- nommer trois des cinq troubles anxieux décrits dans le présent chapitre et donner un exemple concret pour chacun de ces troubles ;
- expliquer ce qui différencie principalement le trouble de conversion de l'hypocondrie ;

- expliquer ce que l'anorexie mentale et la boulimie ont en commun et ce qui les différencie ;
- expliquer ce qu'on entend par *trouble dissociatif de l'identité* ;
- nommer les principales manifestations de la schizophrénie ;
- nommer trois des six troubles de la personnalité décrits dans le présent texte et donner un exemple concret pour chacun de ces troubles ;
- énumérer les principales causes des troubles psychologiques.

Les troubles psychologiques

Testez vos connaissances

D'après vous, chacun des énoncés suivants est-il fondé ou non?

1. Il est toujours facile de déterminer si un comportement est anormal.

2. Au milieu du XIXe siècle, on ne reconnaissait officiellement qu'une seule catégorie de maladie mentale.

3. Il n'y a aucun lien entre la dépression et le moment de l'année.

4. L'attaque de panique est provoquée par un événement traumatisant précis.

5. Dans le cas du stress post-traumatique, l'intensité émotionnelle liée au souvenir traumatisant ne s'atténue pas avec le temps.

6. L'anorexie mentale est un trouble psychologique qui ne touche que les femmes.

7. Chez les personnes présentant ce qu'on appelait auparavant une *personnalité multiple*, le nombre de personnalités chez un même individu est en moyenne deux fois plus élevé chez les hommes que chez les femmes.

8. La proportion d'individus présentant une personnalité antisociale est trois fois plus élevée chez les hommes que chez les femmes.

9. Lorsqu'un membre d'une paire de jumeaux identiques est atteint de schizophrénie, il est presque inévitable que son jumeau développe le même trouble tôt ou tard.

10. La plupart des chercheurs pensent que les modèles présentés dans les médias encouragent la tendance à rechercher la minceur du corps; cependant, aucune recherche n'a pu, à ce jour, appuyer cette thèse de façon convaincante.

Ces problèmes trop souvent invisibles...

Certains problèmes psychologiques sont aisément reconnaissables par l'entourage de la personne qui en souffre, mais ce n'est pas toujours le cas. Et même lorsqu'on s'en aperçoit, il est souvent difficile d'en prévoir les conséquences.

La photo ci-contre est celle d'une famille québécoise dont tous les membres semblent parfaitement heureux. Voulant sortir du monde de la publicité où ils travaillaient tous les deux, les parents avaient décidé de faire le tour du monde, sac au dos, avec leurs trois enfants. Ils prévoyaient réaliser en même temps un film documentaire sur leur périple. À leur retour en juillet 2004, ils poursuivent activement les démarches déjà entreprises en ce sens mais, après six mois d'efforts infructueux pour vendre leur projet, la femme retourne dans le monde de la publicité. Dix mois plus tard, en octobre 2005, Canal Vie accepte enfin leur proposition pour un documentaire d'une heure. Deux jours après cette annonce, l'homme s'enlève la vie!...

Un an après la mort de son compagnon, la femme, Maryse Chartrand, décide de réaliser tout de même le documentaire, mais pour en faire une œuvre de sensibilisation à la réalité du suicide... La réalisatrice savait que son mari avait déjà vécu des épisodes de dépression saisonnière — c'est-à-dire des épisodes dépressifs liés à certaines saisons de l'année — mais, cette fois-ci, la crise avait été

foudroyante: en trois semaines, l'homme avait basculé dans le vide sans que sa compagne ne prévoie son geste final!

Il faut reconnaître que ce n'est pas toujours le cas, la dépression pouvant toucher une personne sans que l'entourage s'en rende réellement compte. On se dit que la personne «n'est pas en forme depuis un bout de temps, mais qu'elle va se replacer», mais on ne réalise généralement pas l'intensité de la souffrance vécue.

En fait, une des difficultés que présente la reconnaissance de la dépression, c'est qu'à l'instar de beaucoup d'autres problèmes d'ordre psychologique, le «mal-être» ne laisse pas de marques sur le corps. Ceux qui en sont affligés ne se l'avouent pas ou alors n'osent pas le confier à leur entourage, craignant de se faire répondre : «Allons donc, de quoi te plains-tu? Tu es heureux en famille, tu n'es pas dans la rue, reprends-toi!» Non seulement les personnes en dépression n'osent pas se confier de peur de ne pas être prises au sérieux, mais il arrive même que l'entourage leur reproche de se plaindre uniquement pour attirer l'attention.

Ce n'est pas sans raison que les organismes s'occupant de personnes atteintes de dépression travaillent de plus en plus à combattre les préjugés qui circulent trop souvent dans la population à l'endroit des personnes dépressives. On n'y croit pas trop jusqu'au jour où l'on apprend qu'une amie ou un frère a décidé que la vie lui était insupportable. Maryse Chartrand espère que son film, *Le voyage d'une vie,* pourra amener les gens à mieux comprendre la souffrance au cœur de la dépression et, espère-t-elle, à en prévenir certaines conséquences funestes.

Longtemps appelée *maladie de l'âme*, la dépression est loin d'être le seul trouble d'ordre psychologique. Il faut par ailleurs reconnaître que l'attitude au regard de ces troubles a énormément changé en 150 ans à peine, et ce, malgré l'incompréhension à laquelle se butent encore souvent, dans leur entourage immédiat, les personnes qui en sont atteintes.

En raison de leur caractère mystérieux, lequel est dû à l'incapacité d'en déterminer les causes physiques, les désordres mentaux ont longtemps inspiré la crainte. Ainsi, au Moyen Âge, c'est-à-dire encore tout récemment par rapport à l'Histoire de l'humanité, les personnes atteintes de ce que nous savons aujourd'hui être des problèmes d'ordre psychologique étaient considérées comme possédées par des esprits maléfiques, sinon par le Diable lui-même. Il fallait les mettre à l'écart de la société, quitte à les éliminer carrément. Il importe de souligner que cette conception était partagée non seulement par la population en général, mais également, du moins dans le monde européen, par l'«élite» de la société, représentants religieux en tête.

Même après que l'on ait cessé de les voir comme des possédés, les individus présentant des troubles d'ordre psychologique ont longtemps été considérés, selon la mentalité populaire, comme des «fous» qu'on ne cherchait pas à comprendre. Ce n'est qu'au début du XIXᵉ siècle, avant même que la psychiatrie et la psychologie n'émergent comme disciplines, qu'on en est venu à parler de **maladie mentale** — du latin *mens* signifiant «esprit» — pour désigner de façon générale ces troubles qu'on attribuait à un dérèglement du fonctionnement de l'esprit.

Maladie mentale
Trouble dénommé ainsi parce qu'on l'attribuait à un dérèglement du fonctionnement de l'esprit et qui correspond de façon générale à un trouble d'ordre psychologique.

Or, à partir du moment où l'on parle de *maladies*, on reconnaît qu'il est possible de traiter ces dernières. Par ailleurs, si l'on admet que les problèmes au cœur des maladies mentales présentent de nombreuses variations parmi les individus qui en sont atteints, il apparaît fondamental, vis-à-vis d'un individu qui souffre, de savoir de quel trouble il s'agit. En effet, ce n'est que dans la mesure où l'on connaît d'abord le problème qu'on peut savoir quel traitement appliquer ou, si le traitement n'est pas connu, dans quelle direction chercher. C'est ce qui a amené les spécialistes à définir les différents troubles d'ordre psychologique pouvant toucher un individu. Nous consacrerons donc la première section du présent chapitre au survol des principaux troubles psychologiques tels que nous les connaissons actuellement. En premier lieu, nous nous arrêterons sur la question globale du diagnostic des troubles psychologiques pour ensuite présenter les principales catégories de troubles psychologiques. Nous compléterons le chapitre en abordant les causes des troubles psychologiques, question délicate s'il en est une. Nous serons ainsi prêts, dans le cadre du douzième et dernier chapitre, à nous pencher quelque peu sur les avenues possibles de traitement.

11.1 Le diagnostic des troubles psychologiques

Poser un diagnostic, c'est établir, à partir de critères connus, la nature du problème qui touche une personne. Cela implique d'abord de reconnaître la présence d'un trouble psychologique et ensuite de déterminer la nature du trouble.

11.1.1 Reconnaître la présence d'un trouble psychologique

Dans nombre de cas, nul besoin d'être un spécialiste pour reconnaître qu'une personne a un problème de fonctionnement sur le plan psychologique. Et cela était déjà vrai à l'époque où l'on considérait les désordres mentaux comme des signes de possession démoniaque. Par exemple, un individu qui se mettait à paniquer dès qu'il était en présence d'un petit groupe de personnes était d'emblée considéré comme «pas normal» et inspirait de la méfiance. Même aujourd'hui, quelqu'un qui présenterait de tels accès de panique serait immédiatement perçu comme ayant un problème psychologique, c'est-à-dire un fonctionnement «anormal». En fait, sur quoi se base-t-on pour qualifier un comportement de «normal» ou d'«anormal»?

Une première réponse serait de considérer comme «normal» un comportement conforme à une norme, et «anormal», un comportement qui s'en écarte. Or, différentes normes ont été proposées pour distinguer ce qui est normal de ce qui ne l'est pas, entre autres, la norme statistique et la norme culturelle.

La **norme statistique** correspond simplement à ce qui, parmi un ensemble de possibilités, est le plus fréquent. Un comportement est donc «normal» dans la mesure où il correspond à la norme statistique, c'est-à-dire où il est fréquent, et «anormal» dans la mesure où il s'éloigne de cette norme, c'est-à-dire où il est rare. Évidemment, la simple rareté d'un comportement ne signifie pas qu'il soit anormal, au sens de **pathologique**, ou encore qu'il traduise un problème de fonctionnement. Par exemple, même si le fait de manifester des qualités exceptionnelles de leader est relativement rare, s'écartant ainsi de la «norme statistique», cela ne signifie pas pour autant que la personne possédant ces qualités a un problème d'ordre psychologique.

Pour qu'un comportement soit considéré comme anormal, il doit déroger à au moins une autre norme : la **norme culturelle**. Celle-ci correspond à ce qui, dans une culture donnée, est estimé acceptable, tant en ce qui a trait aux comportements qu'en ce qui concerne les valeurs. De plus, dans beaucoup de cas, l'écart par rapport à une norme culturelle peut être observé dans deux sens opposés, ainsi que le schématise la figure 11.1. Par exemple, un individu peut fuir complètement la compagnie de ses semblables ou encore s'imposer de façon outrancière dans tous les groupes qu'il côtoie. Les comportements normaux seraient ceux qui se trouvent entre les deux extrêmes, le juste milieu pouvant évidemment varier d'une culture à l'autre.

Par ailleurs, qu'il s'agisse de norme statistique ou culturelle, on considère le normal et l'anormal comme appartenant à un même continuum. Ainsi, savoir à partir de quel moment un comportement devient pathologique en s'écartant trop de la norme —

Norme statistique
Terme désignant ce qui, parmi un ensemble de possibilités, est le plus fréquent.

Pathologique
Terme qui qualifie un phénomène traduisant un problème de fonctionnement.

Norme culturelle
Terme désignant ce qui, dans une culture donnée, est considéré comme acceptable, tant en ce qui a trait aux comportements qu'en ce qui concerne les valeurs.

FIGURE 11.1 La norme culturelle et la normalité/anormalité

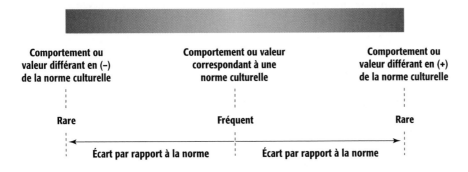

On tend à considérer comme normal ce qui, dans une culture, correspond aux comportements les plus fréquents ou aux valeurs partagées par le plus grand nombre d'individus. Dans beaucoup de cas, l'écart par rapport à la norme peut être observé dans un sens ou dans l'autre.

dans un sens ou dans l'autre — demeure souvent une question de jugement clinique sur laquelle même les opinions des spécialistes diffèrent parfois. À partir de quel moment, par exemple, le fait d'être mal à l'aise lorsqu'on se trouve en public devient-il un trouble psychologique ?

Testez vos connaissances

1. Il est toujours facile de déterminer si un comportement est anormal.

Ce peut l'être dans certaines situations, mais c'est loin d'être toujours le cas, car c'est souvent une question de jugement, entre autres en fonction du comportement lui-même et des normes en vigueur dans la société où vit la personne.

Cela dit, on voit maintenant à quel point il peut être difficile de définir précisément ce qu'on entend par *trouble psychologique*. Parmi les définitions proposées par différents auteurs, celle de Durand et Barlow (2002) semble rejoindre le mieux ce qu'on trouve dans l'ensemble de la littérature traitant du sujet. À l'image de ces auteurs, nous définirons donc le **trouble psychologique** comme un dysfonctionnement psychologique associé à un sentiment de détresse ou à une dégradation fonctionnelle, se manifestant par une réaction atypique ou inattendue dans un contexte culturel donné (adaptée de Durand & Barlow, 2002). Cette définition comprend donc trois critères qu'il convient d'expliciter :

Un dysfonctionnement psychologique Pour qu'on puisse parler de trouble psychologique, il faut observer un dysfonctionnement, c'est-à-dire une «cassure» dans le fonctionnement cognitif, émotionnel ou comportemental d'une personne. Sur le plan cognitif, cela peut signifier avoir une perception erronée de la réalité ou même des hallucinations qui font perdre le contact avec la réalité ; par exemple, il pourrait s'agir d'un individu qui croit entendre des voix de «Martiens» qui lui parlent. Sur le plan émotionnel, un dysfonctionnement signifie soit éprouver des émotions inappropriées dans une situation donnée, comme une personne qui se met à paniquer alors qu'aucun danger réel ne la guette, soit n'éprouver aucune émotion alors qu'on le devrait, comme une personne qui ne manifeste aucun chagrin à la mort d'un être cher. Enfin, un dysfonctionnement comportemental correspond à l'émission d'un comportement inapproprié, comme un individu qui s'enfuirait frénétiquement à la seule vue d'un petit chien tenu en laisse par son maître.

Une détresse ou une dégradation fonctionnelle Pour que la présence d'un dysfonctionnement traduise un trouble psychologique, ce dysfonctionnement doit entraîner chez la personne un bouleversement émotionnel ou encore une incapacité à fonctionner adéquatement au quotidien. Ce serait le cas, par exemple, d'une personne qui, en raison de la panique incontrôlable qui s'empare d'elle dès qu'elle quitte son logement, n'arrive plus à fonctionner comme elle le souhaiterait dans la vie de tous les jours, jusqu'à ne plus pouvoir sortir de chez elle.

Une réaction atypique ou inattendue dans un contexte culturel donné Une manifestation cognitive, émotionnelle ou comportementale observée chez un individu peut être considérée comme traduisant ou non un dysfonctionnement dans la mesure où elle témoigne d'un écart par rapport aux «normes» caractérisant la culture où évolue l'individu. Par exemple, lors d'une rencontre entre amis, une personne qui entre en transe et se met à parler au nom d'esprits qui se sont emparés d'elle paraîtra «dérangée» aux yeux des autres si la scène se déroule au Québec (ou dans la plupart des pays partageant la culture occidentale). Elle sera cependant perçue comme normale dans la société haïtienne où les rites vaudou font partie de la culture lors de certaines cérémonies : dans ce dernier cas, la transe est un comportement qui s'intègre aux normes sociales et aux croyances.

Durand et Barlow (2002) soulignent que les trois critères doivent être satisfaits pour qu'on puisse parler de *trouble psychologique*. Toutefois, en ce qui a trait au premier

---

Trouble psychologique
Dysfonctionnement psychologique associé à un sentiment de détresse ou à une dégradation fonctionnelle, se manifestant par une réaction atypique ou inattendue dans un contexte culturel donné.

critère, le dysfonctionnement ne doit pas nécessairement porter sur les trois plans mentionnés — cognitif, émotionnel et comportemental —, mais sur au moins l'un des trois. Également, en ce qui concerne le deuxième critère, il suffit qu'au moins un des aspects soit présent, à savoir la détresse ou l'incapacité fonctionnelle, pour que le critère soit valable.

Cela dit, il peut être utile de savoir que, lorsqu'on parle de nos jours de maladie mentale, on réfère habituellement à un trouble psychologique tel que nous venons de le définir. Dans certains contextes, on peut aussi l'utiliser dans un sens plus large pour référer au phénomène du trouble psychologique en général, comme lorsqu'on dit que l'attitude des gens à l'égard de la maladie mentale a beaucoup évolué. Quant à l'expression **trouble mental** qu'on voit également souvent, nous la considérons ici, à l'instar de Durand et Barlow (2002), comme synonyme de «trouble psychologique». Notons toutefois que l'expression «trouble mental» peut avoir un sens plus restreint dans certains ouvrages, entre autres dans la *Classification internationale des maladies (CIM)*.

Il importe de souligner que la question d'établir si un comportement est pathologique ou non devient cruciale lorsqu'une personne peut être tenue ou non responsable de ses actes dans le cas d'un délit ou d'un crime. Concrètement, cela signifie de déterminer si une personne est en mesure ou non d'invoquer l'**aliénation mentale** pour éviter une condamnation. L'encadré 11.1 (*page 368*) apporte quelques précisions sur l'aliénation mentale, une notion d'ordre essentiellement juridique.

11.1.2 Déterminer la nature du trouble

Le simple fait de reconnaître l'existence d'un trouble psychologique n'est pas d'un grand secours pour le traiter si l'on ne peut préciser de quel trouble il s'agit. Il faut définir ce qui caractérise les différents troubles et les classer les uns par rapport aux autres, ce à quoi contribue la **psychopathologie**, l'étude scientifique des troubles psychologiques (Durand & Barlow, 2002). Ainsi, différentes procédures d'évaluation ont été développées — et continuent de l'être —, permettant aux spécialistes de préciser la nature d'un trouble en situant ce dernier dans la classification des troubles psychologiques.

Différentes procédures d'évaluation

Parmi les différentes procédures pouvant aider à établir un diagnostic de trouble psychologique, on trouve, entre autres, les examens d'ordre médical, les tests neuropsychologiques, les tests psychologiques et l'entrevue clinique.

Les examens d'ordre médical Lorsqu'une personne semble présenter un trouble psychologique, il est souvent utile de procéder à un examen médical. On sait en effet que certains problèmes psychologiques peuvent être dus à un problème physique. Par exemple, l'hyperthyroïdie — une sécrétion excessive de la glande thyroïde — peut produire des symptômes analogues à ceux observables dans le cas d'une personne continuellement anxieuse, tandis que l'hypothyroïdie — une sécrétion insuffisante de la glande thyroïde — peut rendre une personne dépressive (Durand & Barlow, 2002). Par ailleurs, des examens utilisant les différentes techniques d'imagerie du cerveau permettent de découvrir, au niveau du cerveau, des anomalies — des tumeurs, par exemple — responsables de comportements émotionnels autrement incompréhensibles. Étant donné le rôle de l'hypothalamus dans la motivation et l'émotion, une tumeur dans cette région pourrait, par exemple, expliquer des comportements agressifs apparemment inexplicables. Évidemment, il importe de ne pas croire qu'il y a toujours un problème physique à l'origine d'un trouble psychologique, mais c'est là une possibilité qu'il est souvent utile de vérifier.

Les tests neuropsychologiques Les tests neuropsychologiques — comme ceux utilisés par la neuropsychologue Joanne Roy dont il est question dans l'encadré 2.7 (*page 60*) — visent à évaluer dans quelle mesure certains problèmes d'ordre psychologique peuvent être dus à des dysfonctionnements cérébraux. Toutefois, à la différence des

Trouble mental
Expression synonyme de «trouble psychologique», mais pouvant avoir un sens plus restreint dans certains ouvrages (entre autres dans la *CIM*).

Aliénation mentale
Expression juridique désignant l'incapacité, pour un individu, non seulement de distinguer le bien du mal sur le plan abstrait, mais aussi d'appliquer cette notion sur le plan concret, c'est-à-dire de l'appliquer à un acte qui lui est reproché.

Psychopathologie
Étude scientifique des troubles psychologiques.

Invoquer l'aliénation mentale au Canada?

Le texte qui suit est tiré d'une conférence intitulée *La médecine et le droit: les défis de la maladie mentale*, prononcée les 17 et 18 février 2005 par la juge en chef de la Cour suprême du Canada, Beverley McLachlin, C.P. (McLachlin, 2005).

Au Canada, la défense d'aliénation mentale ne se limite pas à un critère uniquement cognitif. Premièrement, selon notre droit, la personne atteinte de maladie mentale est exonérée de la responsabilité criminelle si elle est incapable de juger de la nature et de la qualité de ses actes. «Juger», ce n'est pas simplement «connaître». Suivant le critère appliqué au Canada, «la conscience émotionnelle, aussi bien qu'intellectuelle, de la conséquence de la conduite est en question[1]». Pour juger de la nature et de la qualité d'un acte, il faut à la fois connaître la qualité matérielle de cet acte et être capable d'en percevoir les conséquences, les répercussions et les résultats[2].

La défense d'aliénation mentale comporte un second volet. La responsabilité criminelle suppose que l'accusé, en plus de juger de la nature et de la qualité de l'acte, soit capable de savoir que cet acte est «mauvais». À cet égard, il ne suffit pas que l'accusé sache qu'un acte donné est légalement mauvais; il doit être capable de savoir qu'il est mauvais selon les normes morales de la société[3]. Il ne s'agit pas d'examiner dans l'abstrait la capacité générale de distinguer le bien du mal, mais bien de se pencher sur le caractère moralement mauvais de l'acte en cause dans l'esprit de son auteur. L'accusé doit avoir non seulement la capacité intellectuelle de distinguer le bien du mal au sens abstrait, mais aussi «la capacité d'appliquer rationnellement cette connaissance à l'acte criminel reproché[4]». Ainsi, un accusé peut très bien comprendre que son acte causera la mort, et savoir que tuer est à la fois illégal et moralement mauvais. Mais si, en raison d'une maladie mentale, il est en proie à des idées délirantes et croit — pour reprendre mon exemple de tout à l'heure — que son acte vise à se défendre ou à protéger le monde d'un péril, il se peut qu'il soit incapable, dans les circonstances, de distinguer le bien du mal et soit de ce fait exonéré de la responsabilité criminelle.

[...]

À la suite de l'arrêt *Swain*, le Parlement a substantiellement modifié les dispositions du Code criminel portant sur la maladie mentale. Par exemple, il n'est plus question de la défense d'aliénation mentale. Selon le nouveau régime, il est possible de déclarer une personne non responsable criminellement pour cause de troubles mentaux. Le changement de termes indique que la maladie mentale peut avoir pour effet d'exonérer l'accusé de la responsabilité criminelle. Il signifie également que nous ne sommes plus placés, avec des personnes atteintes de maladie mentale, devant la simple alternative entre l'acquittement et la déclaration de culpabilité. Le droit nous offre maintenant une troisième possibilité, selon laquelle ces délinquants sont soumis à des règles particulières, qui répondent au double objectif de protéger le public et de les traiter d'une manière équitable et appropriée.

Les extraits rapportés ci-dessus nous permettent de comprendre comment le droit canadien comprend la notion d'aliénation mentale.

Le droit, la psychologie et les considérations éthiques se retrouvent au cœur de nombreuses décisions prises par la cour.

1. *Cooper c. La Reine*, [1980] 1 R.C.S. 1149, p. 1160.
2. *Ibid.*, p. 1162.
3. *R. c. Chaulk*, [1990] 3 R.C.S. 1303, p. 1354.
4. *R. c. Oomen*, [1994] 2 R.C.S. 507, p. 516.

examens médicaux qui procèdent en recueillant directement des données de nature physique, les tests neuropsychologiques sont basés sur les effets psychologiques habituellement associés à certains problèmes d'ordre physique (*voir le chapitre 1 et l'encadré 2.7*). Il s'agit de tests particuliers soigneusement mis au point pour permettre de déduire, par exemple, que tel problème de communication provient du mauvais fonctionnement de telle zone du langage ou encore que telle perturbation de l'attention, de la pensée ou de l'humeur semble due à un problème touchant telle zone du cortex préfrontal. De façon générale, la validité des tests neuropsychologiques est assez élevée, même s'il demeure parfois difficile d'interpréter adéquatement certaines données.

Les tests psychologiques Les tests psychologiques plus traditionnels, dont les tests d'intelligence, peuvent également servir dans l'évaluation d'un trouble psychologique. Cependant, les différents tests de personnalité sont ici plus appropriés, notamment les tests projectifs et les questionnaires de personnalité. Dans les tests projectifs, on présente à la personne une image ne représentant aucun objet en particulier, comme

FIGURE 11.2   Les tests projectifs

ⓐ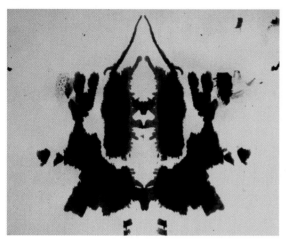

ⓑ

Un exemple des illustrations présentées dans le test de Rorschach **ⓐ** et le test du TAT **ⓑ**.

dans la figure 11.2a, ou une situation ambiguë, comme dans la figure 11.2b. On considère qu'en disant ce qu'elle voit ou ce à quoi elle pense en regardant de telles figures, la personne y «projette» ses propres problèmes, qu'ils soient d'ordre motivationnel, émotionnel, etc. Les questionnaires de personnalité sont construits quant à eux à partir d'une série d'énoncés précis sur lesquels la personne doit se prononcer. De tels énoncés peuvent ressembler à «Je pleure facilement», «Je crois que je suis suivi», etc. Selon les réponses fournies, le psychologue tente de dresser un portrait de l'individu par rapport à différentes échelles de mesure: tendance à être anxieux, à déformer la réalité, etc.

L'entrevue clinique   Même si, dans certains cas, on peut être amené à hospitaliser un individu en état de crise, l'évaluation du trouble psychologique dont peut souffrir une personne ne se fait jamais sans que cette dernière n'ait été rencontrée dans le cadre d'un entretien clinique. Le clinicien recueille alors «des informations sur les comportements présents et passés, les attitudes et les émotions ainsi que l'historique détaillé du problème et de la vie de l'individu en général» (Durand & Barlow, 2002). Ce n'est qu'à ce moment qu'il peut tracer un portrait global de la personne et mieux diagnostiquer le problème psychologique dont celle-ci est atteinte en se référant à la classification des troubles psychologiques.

La classification des troubles psychologiques

C'est aux États-Unis, lors du recensement de 1840, qu'est née la première tentative officielle visant à réunir ce qu'on savait sur les maladies mentales (American Psychiatric Association, 2003). Au début, il s'agissait simplement de reconnaître que ces troubles constituaient en fait des «maladies» et de définir quels en étaient les signes. Il est à noter que les spécialistes qui ont participé à cette tâche étaient médecins, d'où l'emploi du terme «maladie» pour référer à l'existence d'un problème. Il est intéressant de constater que cette reconnaissance des maladies mentales s'est effectuée en introduisant une catégorie unique, la catégorie «idiotie/aliénation»! Lors du recensement de 1880, on n'y trouvait plus une, mais bien sept catégories différentes[1].

---

1. Les catégories présentées dans le *DSM-II* étaient la manie, la mélancolie, la monomanie, la parésie, la démence, la dipsomanie et l'épilepsie. Certaines, comme la parésie, ne sont plus utilisées, alors que d'autres, comme la démence, le sont encore, mais comprennent aujourd'hui un grand nombre de variantes.

2. Au milieu du XIXᵉ siècle, on ne reconnaissait officiellement qu'une seule catégorie de maladie mentale.

Il n'y avait effectivement qu'une seule catégorie reconnue : la catégorie «idiotie/aliénation». Elle avait été introduite lors de la première tentative officielle visant à réunir ce qu'on savait sur les maladies mentales.

Par la suite, les efforts pour mieux décrire les troubles psychologiques ont abouti à deux outils de diagnostic maintes fois remaniés.

Le premier de ces outils, publié en 1952 par l'Association américaine de psychiatrie, est le *Manuel diagnostique et statistique des troubles mentaux*, familièrement désigné par l'acronyme *DSM* (de l'anglais *Diagnostic and Statistical Manual of Mental Disorders*). Le second outil correspond au chapitre V de la *Classification internationale des maladies* (*CIM*) publiée par l'Organisation mondiale de la santé sous le titre «Troubles mentaux et troubles du comportement». Les deux classifications sont aujourd'hui largement utilisées, mais le *DSM* est la référence à laquelle les spécialistes en Amérique du Nord ont le plus fréquemment recours. Une des raisons expliquant cette préférence générale des spécialistes pour le *DSM* repose sur le fait que la version actuelle de cette classification répertorie les troubles en fonction des symptômes observés. Cela n'a pas toujours été le cas, comme en fait foi le survol historique que l'encadré 11.2 dresse des différentes versions du *DSM*.

En fait, ce n'est qu'à partir du *DSM-IV* — la quatrième version du *DSM* — qu'est apparue la classification basée sur les symptômes. Les versions précédentes accordaient une place prépondérante à une distinction essentiellement basée sur la psychanalyse, à savoir la distinction entre deux grandes catégories de troubles : les psychoses et les névroses. Le terme **psychose** était utilisé pour désigner un trouble grave caractérisé par une coupure entre le «moi» et la réalité, l'individu n'étant pas conscient de son problème ; le terme **névrose** désignait quant à lui un trouble dans lequel le «moi» demeure en contact avec la réalité et, par conséquent, conscient du problème dont il souffre. La distinction «psychose/névrose» a été éliminée à partir du *DSM-IV*, et seul le terme «psychose» y a été conservé pour désigner certains troubles particuliers.

Cela dit, la classification sur laquelle nous nous baserons dans le présent chapitre est la version française révisée de la quatrième édition (American Psychiatric Association, 2003), la dernière en fait, d'où l'appellation *DSM-IV-TR* (*TR* référant à *Text Revision*). Il est à noter que, pour chaque trouble, le *DSM* indique le code correspondant dans la *CIM*, ce qui permet à ceux qui disposent de cette dernière référence de comparer les deux formulations du trouble.

Par ailleurs, à partir de la troisième version du *DSM*, on a introduit une évaluation multiaxiale, c'est-à-dire une évaluation sur cinq axes ou aspects. Les deux principaux axes (axes I et II) servent à établir le diagnostic de base à partir des principales catégories de troubles qui seront décrites dans la section qui suit, tandis que les trois autres axes fournissent une évaluation complémentaire permettant d'aider le clinicien dans son choix thérapeutique et son pronostic. Le tableau 11.1 présente le titre de chacun des axes ainsi que, dans chaque cas, le point sur lequel porte l'évaluation.

11.2 Les principales catégories de troubles psychologiques

Avant même d'aborder la présentation des troubles psychologiques, nous tenons à attirer votre attention sur un point déjà signalé en introduction : disposer d'un système de classification permettant de diagnostiquer le trouble que présente une personne a comme utilité fondamentale de permettre d'orienter le traitement à donner. En ce sens, l'étiquette utilisée dans le cadre d'un diagnostic est conçue pour s'appliquer au

Psychose

Terme utilisé en psychanalyse pour désigner un trouble grave caractérisé par une coupure entre le «moi» et la réalité, l'individu n'étant pas conscient de son problème.

Névrose

Terme utilisé en psychanalyse pour désigner un trouble dans lequel le «moi» demeure en contact avec la réalité et, par conséquent, conscient du problème dont il souffre.

Le *DSM,* un précieux outil de diagnostic

La caractéristique principale du *Manuel diagnostique et statistique des troubles mentaux,* familièrement désigné par l'acronyme *DSM* (de l'anglais *Diagnostic and Statistical Manual of Mental Disorders*) réside dans son approche descriptive. Il n'en a cependant pas toujours été ainsi.

Dans sa première version, parue en 1952, le *DSM-I* contient le diagnostic de 106 maladies mentales. Celles-ci y sont présentées dans l'optique psychodynamique, issue de la psychanalyse freudienne, puis élargie pour englober d'autres positions psychanalytiques. Les symptômes y sont vus comme le résultat de conflits qu'il faut interpréter à partir de l'histoire de l'individu ; on n'accorde pas beaucoup d'importance à la nécessité de définir clairement ce qui caractérise chaque maladie.

Or, déjà à cette époque, il existe d'autres approches expliquant à leur façon le fonctionnement de la personnalité et les troubles psychologiques qui peuvent toucher une personne, entre autres les approches béhavioriste, humaniste et gestaltiste. Les tenants de ces approches ne sont donc pas portés à utiliser un outil de diagnostic qui privilégie une seule approche, à savoir l'approche psychodynamique. Qui plus est, le manque de clarté dans la façon de définir les différentes maladies fait en sorte que, souvent, les «experts» n'arrivent pas à se mettre d'accord non seulement sur la nature d'un trouble, mais aussi sur le fait que quelqu'un est malade ou non.

Comme le souligne Spigel (2007), ce sont ces difficultés qui expliquent que la première version du *DSM* soit passée presque inaperçue, tout comme la deuxième édition (*DSM-II*), parue en 1968 et rédigée dans la même optique.

Il en va différemment du *DSM-III,* paru en 1980 sous la direction du psychiatre américain Robert Spitzer. Outre le fait qu'on y retrouve la description de 265 maladies mentales, comparé aux 182 que contenait le *DSM-II,* la troisième édition marque un changement fondamental : les maladies n'y sont plus présentées en se référant à l'approche psychodynamique, ou à aucune autre approche, mais plutôt d'après les symptômes observés.

Autrement dit, le diagnostic est désormais basé non sur l'explication qu'on peut donner d'un problème, mais sur un ensemble de comportements observables, comportements jugés comme ayant un caractère pathologique en vertu de critères précis définis le plus clairement possible. La «perte de poids conduisant au maintien du poids à moins de 85 % du poids attendu» (*DSM-IV-TR,* p. 640) est un exemple des critères utilisés à partir de la troisième édition.

Ainsi, quelle que soit l'explication que des spécialistes d'approches différentes peuvent donner d'un problème, le fait qu'ils observent les mêmes symptômes doit les amener à poser le même diagnostic, même si certains critères peuvent impliquer un jugement. La «peur intense de perdre du poids ou de devenir gros» (*DSM-IV-TR,* p. 640) fournit un bon exemple de ce genre de critères.

Le *Diagnostic and Statistical Manual of Mental Disorders,* un outil de diagnostic basé sur les symptômes depuis sa troisième version.

En somme, même s'il n'est pas possible de quantifier tous les critères, le recours à l'approche descriptive constitue un progrès considérable dans le diagnostic des troubles psychologiques, ce dont témoigne l'accueil enthousiaste qu'a reçu le *DSM-III* à sa parution. Cette troisième version du *DSM* a d'ailleurs été la première à être traduite en français en 1985.

Depuis lors, le *DSM* a été l'objet d'autres révisions (ainsi que le rappelle la photo ci-dessus), à savoir :

- le *DSM-III-R* (*R* pour *Revision*) en 1987 ;

- le *DSM-IV* en 1994 (traduction française : 1996) ;

- le *DSM-IV-TR* (*TR* pour *Text Revision*) en 2000 (traduction française : 2003).

Les révisions effectuées depuis le *DSM-III* ont consisté à ajouter des diagnostics et à préciser les critères, mais l'esprit est resté le même. Une cinquième révision importante, le *DSM-V,* est attendue pour l'an 2012...

TABLEAU 11.1	L'évaluation multiaxiale		
Axes		**Titre**	**Point évalué**
Principaux	I	Troubles cliniques	L'ensemble des troubles cliniques reconnus (sauf les troubles de la personnalité et le retard mental)
	II	Troubles de la personnalité et retard mental	Troubles durables concernant la façon dont une personne se conduit et expérimente le vécu
Complémentaires	III	Affections médicales générales	Troubles physiques susceptibles d'aider à la compréhension du problème et au choix d'un traitement psychologique
	IV	Problèmes psychosociaux et environnementaux	Problèmes psychosociaux pouvant influer sur le diagnostic, le traitement et le pronostic d'un trouble psychologique
	V	Évaluation globale du fonctionnement	Fonctionnement global d'un individu dans son milieu social et professionnel

trouble, et non à l'individu. Or, le danger de confondre les deux est constamment présent et il est facile de tomber dans le piège de l'étiquetage des individus. Ceux-ci risquent alors d'être marqués, souvent même ostracisés par cette étiquette à travers laquelle les autres les voient, ce qui peut les maintenir à l'écart de la société.

Cela dit, nous ne traiterons pas dans cette section de toutes les catégories de troubles présentées dans le *DSM-IV-TR*. Nous nous sommes ainsi concentrés sur les troubles les plus fréquents (par exemple, la dépression) et sur les problèmes particulièrement typés (par exemple, la schizophrénie). Nous avons ainsi retenu les catégories suivantes : les troubles de l'humeur, les troubles anxieux, les troubles somatoformes, les troubles des conduites alimentaires, les troubles dissociatifs, la schizophrénie et, finalement, les troubles de la personnalité.

Pour tous les troubles qui sont présentés à l'intérieur de chacune des catégories, nous avons regroupé l'information sous les trois rubriques suivantes : la description de base, les éléments descriptifs complémentaires et la prévalence, c'est-à-dire la proportion d'individus chez qui le trouble a pu être diagnostiqué à un moment donné dans le temps. Notons que la source des données utilisées pour établir le pourcentage de la population touchée par un trouble n'est pas toujours la même. Dans certains cas, celles-ci proviennent d'enquêtes, de recensements ou de statistiques compilées chez les personnes ayant consulté un médecin généraliste, un psychiatre ou un psychologue. Par contre, beaucoup de personnes atteintes d'un trouble psychologique ne sont pas répertoriées, n'ayant tout simplement pas été dûment diagnostiquées. À titre d'exemple, une personne peut s'être suicidée, et les membres de sa famille ont pu conclure ou dire qu'il s'agissait d'un accident.

Par ailleurs, tant pour les grandes catégories que pour les troubles qu'elles comprennent, nous utiliserons la terminologie employée dans le *DSM-IV-TR*, en mentionnant toutefois quelques-unes des autres appellations utilisées régulièrement par les différents groupes de spécialistes s'intéressant au sujet. En outre, en ce qui concerne la façon de définir les catégories et les troubles eux-mêmes, nous adopterons la stratégie communément répandue consistant à utiliser le libellé — légèrement reformulé à l'occasion — qu'on trouve dans le *DSM-IV-TR*, sans l'indiquer chaque fois à l'aide des guillemets, et sans mentionner la page précise d'où provient le texte. Enfin, la description de plusieurs troubles fait appel à la notion d'**épisode**. Ce terme désigne une période au cours de laquelle une personne est touchée par un ensemble donné de symptômes, lequel fait généralement partie d'un ensemble plus global de symptômes associés à un trouble psychologique. Dans le cas du trouble bipolaire, par exemple, lequel fait partie des troubles de l'humeur décrits dans la section ci-après, on peut retrouver des épisodes dépressifs alternant avec des épisodes de surexcitation.

11.2.1 Les troubles de l'humeur

En général, les **troubles de l'humeur** sont caractérisés par une perturbation de l'état émotif global qui influe sur le mode de pensée et le comportement. Cette catégorie de troubles est l'une des plus répandues dans la population en général (Santé Canada, 2002). Parmi les troubles de cette catégorie, nous aborderons le trouble dépressif majeur et les troubles bipolaires.

Le trouble dépressif majeur

La description de base Le **trouble dépressif majeur** (ou dépression majeure) est un trouble de l'humeur caractérisé par un « mal-être » se traduisant par des symptômes tels qu'un profond sentiment de tristesse, un désintéressement généralisé même pour ce qui intéressait la personne auparavant, une perte d'appétit, l'impression de n'avoir plus aucune énergie et de se sentir constamment fatigué, des problèmes de sommeil et de concentration, une perte de l'estime de soi, et même, dans certains cas, des idées suicidaires. Il s'agit en somme de ce qu'on appelle couramment la *dépression*, ce que représente bien la peinture de Van Gogh illustrée dans la photo 11.1. Il peut y avoir des variations non seulement dans la description que fait la personne de ses symptômes, mais aussi dans les symptômes observés. À travers ces variations, l'un des

Épisode
Terme désignant une période au cours de laquelle une personne est atteinte d'un ensemble donné de symptômes, lequel fait généralement partie d'un ensemble plus global de symptômes associés à un trouble psychologique.

Trouble de l'humeur
Trouble caractérisé par une perturbation de l'état émotif global qui influe sur le mode de pensée et le comportement.

Trouble dépressif majeur
Trouble de l'humeur caractérisé par un « mal-être » se traduisant par des symptômes tels qu'un profond sentiment de tristesse, l'impression de n'avoir plus aucune énergie et de se sentir constamment fatigué, une perte d'intérêt généralisée, une perte de l'estime de soi, et même des idées suicidaires.

éléments centraux s'avère le sentiment de souffrance qui handicape la personne au point de nuire à son fonctionnement global au quotidien. C'est d'ailleurs pour faire disparaître cette souffrance que l'individu peut malheureusement en arriver à mettre fin à ses jours, comme c'est le cas pour l'homme dont il a été question dans l'amorce du chapitre.

Les éléments descriptifs complémentaires Pour que l'on puisse poser le diagnostic de trouble dépressif majeur, il faut que les symptômes dépressifs durent depuis au moins deux semaines et qu'ils soient assez intenses pour causer une souffrance significative pour la personne ou une incapacité à fonctionner normalement. Par ailleurs, il faut savoir que ce trouble peut se résorber puis revenir, donc se manifester au cours de différents épisodes. On reconnaît différentes formes de dépressions majeures, dont les **dépressions saisonnières**, caractérisées par des épisodes dépressifs qui reviennent systématiquement à certaines périodes de l'année, habituellement au cours de l'hiver. Cette observation a fait penser qu'un déséquilibre hormonal dû à l'éclairage réduit au cours de l'hiver pourrait en être la cause, ce dont nous reparlerons dans le chapitre 12 sur le traitement des troubles psychologiques.

La peinture de Van Gogh illustre de façon éloquente le sentiment qui habite la personne atteinte de dépression majeure.

Photo 11.1

Testez vos connaissances

3. Il n'y a aucun lien entre la dépression et le moment de l'année.

Il existe en fait une forme de dépression reliée au moment de l'année : la dépression saisonnière. Celle-ci se caractérise par des épisodes dépressifs qui surviennent systématiquement à certaines périodes de l'année, habituellement au cours de l'hiver.

Dépression saisonnière
Forme de trouble dépressif majeur caractérisée par des épisodes dépressifs qui reviennent systématiquement à certaines périodes de l'année, habituellement au cours de l'hiver.

La définition du trouble dépressif majeur donne l'occasion de rappeler ce qui a été souligné plus tôt, à savoir que la différence entre le «normal» et l'«anormal» est la plupart du temps une question de degré. Ainsi, pour chacun de nous, il est normal de vivre de temps à autre une «mauvaise période». Toutefois, ce ne l'est plus quand ce sentiment dure, s'accentue et devient souffrant, au point même de conduire au suicide dans certains cas, et ce, même s'il faut reconnaître que seule une minorité de personnes dépressives vont jusqu'à commettre ce geste. Il est vrai qu'il n'est pas toujours facile de détecter à partir de quel moment un problème devient anormal, donc pathologique. Néanmoins, savoir reconnaître certains signes chez les autres ou soi-même peut aider à intervenir plus tôt.

La prévalence Le trouble dépressif majeur est l'un des troubles psychologiques les plus répandus. On estime qu'au Canada, environ 8 % des adultes de plus de 18 ans satisfont aux critères permettant de diagnostiquer ce trouble à un moment ou l'autre de leur vie (Canadian Psychiatric Association, 2001). Le trouble est diagnostiqué plus fréquemment chez les femmes que chez les hommes, le ratio étant de deux femmes pour un homme. Il faut cependant signaler que les hommes sont moins portés à consulter que les femmes, en raison semble-t-il de l'image que l'homme se sent souvent obligé de maintenir sur le plan social. Cela étant, tout porte à croire que le nombre d'hommes dépressifs est plus élevé que ce qu'en disent les statistiques, ce que suggère d'ailleurs le nombre de suicides plus élevé chez les hommes que chez les femmes.

Remarque La question du suicide est en fait étroitement liée à celle de la dépression, si l'on considère que d'après le *DSM-IV-TR*, près de 15 % des personnes souffrant de trouble dépressif majeur se suicident. Or, on attribue au moyen choisi le fait que même s'ils sont moins souvent diagnostiqués dépressifs que les femmes, les hommes se suicident davantage, quatre fois plus que les femmes. Ainsi, alors que les femmes sont davantage portées à tenter de se suicider en ingérant une dose massive de médicaments, ce qui permet souvent de réanimer la personne, les hommes sont malheureusement portés à choisir des méthodes plus violentes telles qu'une arme à feu ou la pendaison. Le nombre de tentatives de suicide serait néanmoins approximativement le même pour les deux sexes (Langlois & Morrison, 2002), ce qui suggère que le désespoir auquel conduit la dépression serait aussi répandu chez un sexe que chez l'autre.

Dans son spectacle *Massicotte craque*, l'humoriste François Massicotte révèle qu'il est atteint du trouble bipolaire et en profite pour démythifier la maladie mentale.

Photo 11.2

Les troubles bipolaires

La description de base L'appellation **trouble bipolaire** (correspond à **psychose maniaco-dépressive** dans la *CIM-10*) désigne un trouble caractérisé par une alternance entre des épisodes maniaques et des épisodes dépressifs, parfois entrecoupés de périodes stables.

Les éléments descriptifs complémentaires Les épisodes **maniaques** (ou phases de manie) sont caractérisés par un état de surexcitation se traduisant par une humeur expansive, joyeuse ou irritable, accompagnée de symptômes tels que l'augmentation de l'estime de soi, des idées de grandeur, la réduction du besoin de sommeil, un discours rapide et passant rapidement et sans cesse d'une idée à l'autre, de l'agitation et de l'extravagance dans les gestes, ainsi qu'une tendance à se lancer dans des activités stimulantes pouvant parfois être dommageables. L'humoriste François Massicotte (*voir la photo 11.2*) est atteint de ce trouble, comme d'autres personnalités québécoises, notamment le producteur Guy Latraverse et le défunt Pierre Péladeau, l'homme d'affaires qui a fondé l'empire Quebecor. Bref, dans ses épisodes maniaques, la personne semble «péter le feu» et peut même en être fière ; l'entourage finit toutefois par se rendre compte du caractère excessif de cette surexcitation qui, bien souvent, ne donne pas autant de résultats qu'elle en a l'air.

Les épisodes dépressifs présentent fondamentalement les mêmes types de symptômes que le trouble dépressif majeur, bien que leur intensité puisse atteindre différents degrés selon les individus et le contexte : dans certains cas, cette intensité peut être à peine marquée, la personne étant perçue plus calme et posée, alors que dans d'autres, elle peut être la même que dans le trouble dépressif majeur. C'est habituellement dans cet épisode dépressif que la personne demande de l'aide, étant donné qu'elle n'a pas l'impression d'être malade lors des épisodes maniaques. En réalité, ce qui fait qu'on ne diagnostique pas ces épisodes comme étant tout simplement des cas de troubles dépressifs majeurs, c'est l'alternance avec des épisodes maniaques.

Bien que les changements d'humeur fassent partie du fonctionnement normal des individus, ce qui frappe dans le trouble bipolaire, c'est que ces changements sont hors de proportion et qu'ils surviennent sans raison apparente.

La prévalence Moins fréquent que le trouble dépressif majeur, le trouble bipolaire touche près de 1 % de la population des 15 à 64 ans, ce pourcentage étant le même chez les hommes et les femmes (Santé Canada, 2002).

Le tableau 11.2 résume les principales caractéristiques des troubles de l'humeur.

11.2.2 Les troubles anxieux

La caractéristique fondamentale des **troubles anxieux** est le fait d'éprouver une anxiété, c'est-à-dire «une humeur caractérisée par un affect négatif et des symptômes somatiques de tension» (Durand & Barlow, 2002), amenant souvent les personnes qui en souffrent à éviter les situations qui pourraient susciter de l'anxiété ou à développer des rituels qui réduisent l'anxiété ressentie. Il s'agit des troubles psychologiques les plus courants, davantage même que les troubles de l'humeur. Santé Canada (2002) estime ainsi que, sur une période d'un an, ils touchent 12 % de la population des 15 à 64 ans, plus particulièrement 9 % des hommes et 12 % des femmes.

Les troubles anxieux que nous verrons ici sont l'anxiété généralisée, le trouble panique, les phobies, le trouble obsessionnel-compulsif ainsi que l'état de stress post-traumatique.

L'anxiété généralisée

La description de base L'**anxiété généralisée** est caractérisée par une inquiétude excessive à l'égard de plusieurs événements ou activités du quotidien se maintenant de façon chronique depuis au moins six mois. Elle s'accompagne de symptômes tels qu'une difficulté à gérer les préoccupations, une tendance à exagérer la gravité du

TABLEAU 11.2 Les troubles de l'humeur : tableau-synthèse

Caractéristiques générales		

- Perturbation relativement stable de l'état émotif global
- L'une des catégories de troubles les plus répandues

Principales caractéristiques et prévalence selon le trouble		
Trouble	**Caractéristiques**	**Prévalence**
Trouble dépressif majeur	• Symptômes : – profond sentiment de tristesse – absence d'énergie – constant sentiment de fatigue – perte d'intérêt généralisée – perte de l'estime de soi – idées suicidaires • Critères : – symptômes présents depuis au moins deux semaines – souffrance significative – incapacité de fonctionner normalement	• Environ 8 % des adultes de plus de 18 ans répondent aux critères à un moment donné ou l'autre de leur vie • Environ 2 femmes diagnostiquées pour 1 homme
Troubles bipolaires	• Alternance entre : – épisodes maniaques : état de surexcitation idées de grandeur réduction du besoin de sommeil discours rapide et sautant sans cesse d'une idée à l'autre agitation et extravagance dans les gestes – épisodes dépressifs : mêmes types de symptômes que le trouble dépressif majeur	• Touche près de 1 % de la population des 15 à 64 ans • Même proportion chez les deux sexes

moindre problème, une tension musculaire et une hypervigilance constantes — analogues à ce qu'on trouve lors de la phase de résistance du stress —, de la difficulté à se concentrer, une fatigabilité et une perturbation du sommeil.

Les éléments descriptifs complémentaires Encore ici, ce qui caractérise l'anxiété généralisée, c'est précisément son aspect quasi omniprésent et son caractère « hors de proportion » par rapport au degré d'inquiétude qu'il serait normal d'éprouver vis-à-vis des problèmes quotidiens.

La prévalence L'anxiété généralisée est un problème qui touche un peu plus de 1 % de la population des 15 à 64 ans (Santé Canada, 2002). Wittchen *et al.* (1994) estiment qu'environ les deux tiers des personnes souffrant d'anxiété généralisée sont des femmes.

Le trouble panique

La description de base Comme nous venons de le voir, l'anxiété généralisée se caractérise par des inquiétudes multiples constituant en quelque sorte la « toile de fond » du quotidien. Le **trouble panique** consiste quant à lui en la présence d'attaques de panique récurrentes et inattendues ; celles-ci doivent être suivies d'au moins un mois d'inquiétude persistante découlant de la possibilité de subir d'autres attaques, d'une inquiétude concernant l'attaque même ou de ses conséquences, ou d'un changement de comportement important associé aux attaques. L'**attaque de panique** consiste elle-même en la survenue soudaine, et souvent sans aucune cause apparente, d'un intense sentiment d'anxiété qui culmine généralement au bout de 10 minutes en un véritable sentiment de panique, ce que la photo 11.3 (*page 376*) vise à représenter.

Trouble panique
Trouble anxieux caractérisé par la présence d'attaques de panique récurrentes et inattendues, par l'inquiétude concernant une attaque donnée ou ses conséquences, ainsi que par la peur d'avoir une autre attaque.

Attaque de panique
Terme désignant la survenue, soudaine et souvent sans aucune cause apparente, d'un intense sentiment d'anxiété qui culmine, généralement au bout de 10 minutes, en un véritable sentiment de panique. Elle se traduit par des symptômes tels que des réactions physiologiques typiques de la peur, des sensations d'étouffement et la peur de mourir, de perdre le contrôle de soi ou de devenir fou.

Le célèbre tableau *Le cri* du peintre norvégien Edvard Munch (1863-1944) évoque de façon puissante l'impression qui habite la personne en état de panique.

Photo 11.3

Les éléments descriptifs complémentaires Pour bien saisir ce que vit la personne atteinte de ce trouble, il est utile d'en préciser les symptômes tels qu'ils sont décrits dans le *DSM-IV-TR*. C'est pourquoi, à la différence de ce nous avons présenté pour les autres troubles, nous insérons ici une liste, directement tirée du *DSM-IV-TR,* des symptômes qu'on peut observer. Il est à noter qu'au moins quatre de ces symptômes doivent être présents pour qu'on puisse poser un diagnostic d'attaque de panique.

1. Palpitations, battements de cœur ou accélération du rythme cardiaque

2. Transpiration

3. Tremblements ou secousses musculaires

4. Sensation de «souffle coupé» ou impression d'étouffement

5. Sensation d'étranglement

6. Douleur ou gêne thoracique

7. Nausée ou gêne abdominale

8. Sensation de vertige, d'instabilité, de tête vide ou impression d'évanouissement

9. Déréalisation (sentiments d'irréalité) ou dépersonnalisation (être détaché de soi)

10. Peur de perdre le contrôle de soi ou de devenir fou

11. Peur de mourir

12. Paresthésies (sensations d'engourdissement ou de picotements)

13. Frissons ou bouffées de chaleur

La durée d'une attaque peut aller de quelques minutes à quelques heures. Une durée plus longue deviendrait de toute évidence insoutenable pour la personne, étant donné le caractère intense des symptômes. L'attaque est suivie d'un état d'épuisement, l'activation extrême du système nerveux sympathique ayant entraîné une dépense d'énergie considérable. Lorsqu'une attaque survient chez une personne et que cette dernière n'est pas seule, l'entourage peut difficilement ne pas se rendre compte que quelque chose cloche tellement les symptômes sont frappants et intenses.

La prévalence Le trouble panique est le trouble anxieux le moins courant. En effet, d'après Santé Canada (2002), environ 0,7 % de la population des 15 à 64 ans est touché par ce trouble sur une période d'un an. Néanmoins, le pourcentage de personnes affligées par ce trouble à un moment ou l'autre de leur vie est d'environ 3,7 %, à savoir 4,6 % chez les femmes et 2,8 % chez les hommes.

Les phobies

La description de base Même si l'on en compte plusieurs formes, on peut dire que ce qui caractérise l'ensemble des **phobies**, c'est une réaction de peur irrationnelle et incontrôlable en présence de certains objets ou situations, ou encore devant la perspective prochaine d'être mis en leur présence. Les termes clés sont ici « irrationnelle » et « incontrôlable ».

Les éléments descriptifs complémentaires Nous avons déjà fait allusion à ce type de comportement dans le chapitre 5, lorsque nous avons vu comment on pouvait conditionner un organisme à avoir peur d'un objet qui ne provoquait pas cette réaction

Phobie
Trouble anxieux caractérisé par une réaction de peur irrationnelle et incontrôlable en présence de certains objets ou situations, ou devant la perspective prochaine d'être en leur présence.

auparavant. Il faut néanmoins savoir que d'autres explications existent. Par ailleurs, ce qui différencie une phobie de l'anxiété généralisée ou du trouble panique, c'est le fait que, dans le cas de la phobie, la réaction est déclenchée par un type précis d'objets ou de situations. Il peut s'agir d'objets particuliers tels que les ascenseurs ou les araignées — on parle alors de *phobie spécifique* — ou de situations diverses impliquant les autres telles que la peur de parler en public ou bien la peur de rougir en présence des autres — on parle alors de *phobie sociale*. L'encadré 11.3 donne une idée de la grande diversité des phobies.

Par ailleurs, il n'est pas toujours simple d'évaluer à partir de quel niveau l'intensité d'une réaction devient irrationnelle et anormale. Par exemple, entre une personne qui se tient craintivement à un ou deux mètres d'une couleuvre — laquelle, de toute façon, ne représente aucun danger — et une autre qui s'enfuit en tremblant, un grand nombre de comportements intermédiaires qu'il ne serait pas facile de qualifier de «normal» ou d'«anormal» peuvent être observés.

La prévalence D'après Santé Canada (2002), les phobies sont les troubles psychologiques les plus fréquents. En effet, environ 14 % de la population des 15 à 64 ans en serait atteinte. Heureusement, comme nous le verrons dans le chapitre 12, ils sont habituellement

---

ENCADRÉ 11.3 Approfondissement

Les mille et une phobies…

Vous avez la phobie des araignées ? Le type de trouble dont vous souffrez a un nom : c'est l'arachnophobie ; si c'est plutôt de l'obscurité dont vous avez une peur «maladive», il s'agit alors de nyctaphobie. Les phobies constituent en fait la catégorie de troubles psychologiques qui présente le plus grand nombre de variantes.

Le *DSM-IV* regroupe les phobies en cinq sous-types. Ces derniers sont énumérés dans la liste ci-contre, du plus fréquent au plus rare. Pour chacun d'eux, on donne quelques exemples en indiquant le nom qu'on leur a attribué ; on y retrouve certaines des phobies les plus répandues, ainsi que d'autres qui le sont moins ou qui sont moins connues. Pour une liste plus détaillée ainsi que des renseignements complémentaires sur les phobies, on peut consulter le site Web de la Communauté émétophobe francophone (CEF, 2009).

Il est à noter que l'intensité de la réaction phobique varie beaucoup selon les individus, et même selon le type de phobie. Le malaise créé chez une personne xénophobe par la présence d'un étranger n'a généralement pas la même intensité que la peur engendrée par le tonnerre chez une personne brontophobe…

L'arachnophobie, une des phobies les plus répandues.

Sous-type situationnel

Peur des ascenseurs	ascensumophobie
Peur des avions	aviophobie
Peur des endroits clos	claustrophobie
Peur des espaces découverts	agoraphobie
Peur de l'obscurité	nyctophobie

Sous-type environnement naturel

Peur des éclairs	sélaphobie
Peur du feu	pyrophobie
Peur des hauteurs	acrophobie
Peur du tonnerre	brontophobie

Sous-type sang – injection – accident

Peur des accidents	amaxophobie
Peur des aiguilles	bélonéphobie
Peur du sang	hématophobie

Sous-type animal

Peur des abeilles	apiphobie
Peur des araignées	arachnophobie
Peur des chats	ailourophobie
Peur des chiens	cynophobie
Peur des insectes	entomophobie
Peur des serpents	ophiophobie
Peur des souris	musophobie
Peur des vers	vermiphobie

Autres

Peur des barbes	pogonophobie
Peur du chiffre «13»	triskaïdékaphobie
Peur des étrangers	xénophobie
Peur de rougir	éreutophobie
Peur des voleurs	harpaxophobie
Peur de vomir	émétophobie

Trouble obsessionnel-compulsif (TOC)
Trouble anxieux caractérisé par la présence de deux composantes : une obsession créant un malaise et une compulsion visant à prévenir ou à diminuer le malaise dû à l'obsession.

Obsession
Terme désignant une des composantes du trouble obsessionnel-compulsif caractérisée par une pensée ou une image envahissante qui revient constamment et qui crée un malaise (anxiété, souffrance, dégoût) difficile à supporter.

Compulsion
Terme désignant une des composantes du trouble obsessionnel-compulsif caractérisée par une tendance quasi incontrôlable à poser de façon répétitive certains gestes visant à prévenir ou à diminuer le malaise dû à l'obsession.

Howard Hughes, incarné par Leonardo DiCaprio dans le film *L'aviateur,* était atteint d'un trouble obsessionnel-compulsif portant sur la peur des microbes, lequel problème l'a amené à s'isoler dans une demeure complètement aseptisée à certains moments de sa vie.

Photo 11.4

État de stress post-traumatique
Trouble anxieux caractérisé par des récurrences (*flashbacks*), à l'état d'éveil ou durant le sommeil, au cours desquelles la personne revoit un événement traumatisant qu'elle a vécu ou dont elle a été témoin de près ; la charge émotionnelle accompagnant le souvenir est pratiquement aussi vive que lors de l'événement lui-même.

parmi les plus faciles à traiter. Notons que le pourcentage de personnes phobiques en fonction du sexe dépend beaucoup du type de phobie ; c'est pourquoi il est difficile de donner un pourcentage lié à chaque sexe.

Le trouble obsessionnel-compulsif (TOC)

La description de base Comme son appellation l'indique, le **trouble obsessionnel-compulsif** comprend deux volets :

- Une **obsession**, c'est-à-dire une pensée ou une image envahissante qui revient constamment et qui crée un malaise (anxiété, souffrance, dégoût) difficile à supporter.
- Une **compulsion**, c'est-à-dire une tendance quasi incontrôlable à poser de façon répétitive certains gestes visant à prévenir ou à diminuer le malaise dû à l'obsession.

Les éléments descriptifs complémentaires Le trouble obsessionnel-compulsif est considéré comme un trouble anxieux en raison du caractère pénible lié à l'idée obsessionnelle.

Parmi les formes les plus fréquentes, on compte l'obsession de la saleté ou des microbes, comme dans le cas du légendaire milliardaire américain Howard Hughes incarné par Leonardo DiCaprio dans le film *L'aviateur*, ainsi que le rappelle la photo 11.4. Ce type d'obsession peut entraîner des comportements compulsifs visant à diminuer l'anxiété qui y est liée, tels que porter des gants pour éviter d'entrer directement en contact avec ce qui a été touché par d'autres personnes (argent, poignées de porte, produits provenant d'une épicerie, etc.), se laver les mains chaque fois qu'on a été contraint de toucher ce que d'autres ont touché ou prendre sa douche des dizaines de fois par jour. La peur de se faire dérober quelque chose est un autre exemple d'obsession qui peut amener à vérifier constamment et à répétition si toutes les portes de l'auto ou de la maison sont bien verrouillées, s'il en est de même de toutes les fenêtres, si l'on tient fermement son sac à dos ou sa bourse, et ainsi de suite. Le film *Pour le pire et pour le meilleur*, mettant en vedette Jack Nicholson, illustre le genre de rituel rigide présent chez une personne atteinte d'un trouble obsessionnel-compulsif.

La prévalence Les personnes qui en souffrent sont généralement conscientes du caractère excessif de leur comportement, mais se considèrent comme incapables d'agir autrement, même si elles doivent passer jusqu'à plusieurs heures par jour à accomplir leurs rituels compulsifs. Ce trouble peut nuire de façon considérable au fonctionnement quotidien des personnes qui en sont atteintes, lesquelles, d'après Santé Canada (2002), représentent près de 2 % de la population des 15 à 64 ans. En outre, le *DSM-IV-TR* mentionne que le trouble serait réparti également chez les hommes et chez les femmes.

L'état de stress post-traumatique

La description de base Depuis les récentes missions dans lesquelles l'Armée canadienne s'est engagée dans certains pays d'Afrique, d'Europe ou d'Asie centrale (Afghanistan), la population est devenue de plus en plus sensible non seulement à la guerre en tant que telle, mais aussi à la réalité psychologique des soldats à leur retour. C'est ainsi qu'on entend de plus en plus souvent parler de l'état de stress post-traumatique, un trouble dont souffrent certains soldats une fois revenus chez eux, mais qui peut également frapper bon nombre de personnes ayant vécu un événement particulier. En fait, l'**état de stress post-traumatique** est un trouble caractérisé par des récurrences (*flashbacks*), en état d'éveil ou durant le sommeil, au cours desquelles la personne revoit un événement traumatisant qu'elle a vécu ou dont elle a été témoin de près (viol, attaque violente, accident, désastre naturel, etc.) ; la charge émotionnelle accompagnant le souvenir est pratiquement aussi vive que lors de l'événement lui-même.

Les éléments descriptifs complémentaires L'état de stress post-traumatique est un état émotionnel qui ressemble à l'attaque de panique, mais qui a une cause bien précise. Ainsi, contrairement à ce qui est le cas pour la plupart des événements enregistrés par la mémoire épisodique, le souvenir de l'événement ne s'atténue pas avec le temps. Il peut quitter la conscience pendant plusieurs heures, plusieurs jours, voire plusieurs semaines, mais il finit par ressurgir soit de lui-même sans cause apparente, soit en présence d'une situation ou d'un objet associé à l'événement traumatisant. Alain Brunet, le chercheur québécois dont il est question dans l'encadré 11.4, mène actuellement des travaux de recherche de pointe visant précisément à comprendre pourquoi, dans le cas de l'état de stress post-traumatique, l'intensité émotionnelle ne s'atténue pas graduellement comme pour la plupart des autres souvenirs.

Comprendre le stress post-traumatique avec Alain Brunet

Le chercheur Alain Brunet était étudiant au doctorat à l'Université de Montréal lorsque survint, en 1989, un événement qui allait déterminer sa carrière, la fusillade de Polytechnique Montréal au cours de laquelle un jeune homme a tué 14 femmes et en a blessé 14 autres avant de s'enlever la vie.

Après avoir fait ses études collégiales et s'être alloué trois ans de réflexion en voyageant, Alain Brunet est revenu aux études et a obtenu un baccalauréat en psychologie à l'Université Concordia. À l'époque où il entre au doctorat, il s'intéresse plutôt à la clinique, la recherche ne présentant pas vraiment d'attrait pour lui. Lors de l'incident de Polytechnique, son point de vue change totalement : il constate à quel point les intervenants sont démunis devant le désarroi des personnes qui étaient présentes lors de l'événement et qui en ont été traumatisées.

Une fois son doctorat achevé en 1997, le nouveau chercheur s'établit pendant trois ans à l'UCSF (University of California, San Francisco), dans le cadre d'études postdoctorales, pour travailler sur le stress post-traumatique des vétérans du Vietnam auprès d'équipes d'experts. En 2000, on le retrouve dans un poste de chercheur à l'Institut universitaire en santé mentale Douglas à Montréal, se passionnant désormais pour la recherche sur le phénomène du stress post-traumatique, plus particulièrement sur les facteurs accentuant les risques de développer un stress post-traumatique et sur la façon de le traiter efficacement.

Quand on lui demande de préciser ce qu'on entend par *stress post-traumatique*, M. Brunet souligne que, malgré le terme « stress » qu'on retrouve dans son appellation, le stress post-traumatique est un phénomène qu'il ne faut pas confondre avec ce qu'on appelle couramment le *stress* (au sens où nous en avons parlé au chapitre 10). Les deux phénomènes présentent deux différences majeures.

Une première différence importante entre le stress courant et le stress post-traumatique, c'est que ce dernier est caractérisé par un ensemble de réactions péritraumatiques, dont l'effroi, devant un événement auquel la personne n'était pas préparée ; dans le cas du stress courant, en revanche, la réaction en est plutôt une de tension et d'anxiété, mais elle ne comporte pas de menace majeure comme dans le cas du stress post-traumatique.

La deuxième différence fondamentale réside dans le fait que, dans le cas du stress courant, la réaction disparaît graduellement lorsque l'agent stresseur n'est plus présent, alors que dans le cas du stress post-traumatique, les symptômes (cauchemars, hypervigilance, etc.) persistent longtemps après la fin de l'événement.

Au fond, fait remarquer M. Brunet, le stress post-traumatique peut être vu comme un trouble de la mémoire ou, si l'on veut, de sa contrepartie, l'oubli. Ainsi, la personne présentant un trouble de stress post-traumatique peut être frappée d'hypermnésie, c'est-à-dire qu'elle n'arrive pas à « oublier » l'intensité émotionnelle liée au souvenir traumatisant, cette intensité demeurant pratiquement aussi présente en mémoire que si l'événement était en train de se produire de

nouveau. Par ailleurs, la personne peut aussi être frappée d'amnésie mettant en cause la mémoire épisodique, concernant plus précisément les circonstances de l'événement, sinon l'événement lui-même ; cela peut alors se traduire par une réaction anxieuse dans des situations ressemblant à l'événement traumatisant, sans toutefois que la personne fasse nécessairement le lien avec l'événement original.

L'amnésie associée à un stress post-traumatique s'observe notamment dans le cas d'événements survenus dans l'enfance, généralement avant l'âge de trois à six ans. Avant cette période, l'hippocampe, qui permet la mémorisation à long terme des souvenirs épiso-diques, n'est pas encore pleinement développé, à la différence des réseaux neuronaux intervenant dans la mémorisation des contenus émotionnels. Cela expliquerait qu'une personne puisse ne pas se rappeler un événement traumatisant (une agression d'ordre sexuel dans l'enfance, par exemple), tout en subissant les répercussions de ce traumatisme sur le plan émotionnel.

Alain Brunet, Ph. D. en psychologie, professeur adjoint au Département de psychiatrie de l'Université McGill et chercheur au Centre de recherche de l'Hôpital Douglas.

Pour souligner l'importance de consacrer des efforts à la recherche sur le stress post-traumatique, M. Brunet rappelle non seulement que ce trouble touche beaucoup d'individus, mais qu'il peut également être à la source de plusieurs autres problèmes tels que la dépendance à l'alcool ou aux drogues, la dépression et les phobies. Le chercheur a développé un test (Brunet *et al.*, 2001) et un programme (Brunet, Bousquet-Des Groseilliers, Cordova et Ruzek [soumis]) afin de détecter le stress post-traumatique et d'aider les personnes susceptibles de le développer.

Les travaux d'Alain Brunet sont d'ailleurs de plus en plus reconnus. Ils lui ont valu de recevoir le prix Pfizer-Heinz Lehmann en 2003, de faire partie, en 2006, du palmarès annuel du magazine *Maclean's*, en tant que l'un des 39 Canadiens qui font du monde un endroit où il fait mieux vivre, et d'être nommé, le 23 juillet 2006, « Personnalité de la semaine » par le quotidien montréalais *La Presse*.

Voilà un parcours digne de mention pour quelqu'un qui confiait un jour, en parlant de l'époque où il était au collégial : « Je n'aimais ni les sciences ni les mathématiques... Et maintenant, j'en fais tout le temps ! »

5. Dans le cas du stress post-traumatique, l'intensité émotionnelle liée au souvenir traumatisant ne s'atténue pas avec le temps.

Effectivement, ce qui caractérise le stress post-traumatique, c'est précisément que le souvenir de l'événement traumatisant ne s'atténue pas avec le temps, contrairement à la plupart des souvenirs.

Signalons néanmoins que, malgré le terme «stress» contenu dans son appellation, l'état de stress post-traumatique n'équivaut pas au stress dont il a été question au chapitre 10. Alors que le stress est en quelque sorte une réaction «normale» de l'organisme lorsqu'il est soumis à des conditions de forte tension, l'état de stress post-traumatique est plutôt une réaction «anormale» de l'organisme où l'oubli ne fonctionne pas comme il le devrait.

La prévalence Santé Canada (2002) ne fournit pas de données concernant ce trouble. En revanche, d'après des statistiques recueillies aux États-Unis, le *DSM-IV-TR* estime à environ 8 % la prévalence de ce trouble dans la population en général. Par ailleurs, aucune donnée n'est disponible pour ce qui est de la répartition entre les sexes. Chez les survivants de viols, de combats et de détentions militaires, de génocides et d'internements ethniques ou politiques, la proportion varierait entre le tiers et plus de la moitié des personnes exposées.

Le tableau 11.3 résume les principales caractéristiques des troubles anxieux.

11.2.3 Les troubles somatoformes

Issu du terme grec *soma* qui signifie «corps», le qualificatif désignant les **troubles somatoformes** met l'accent sur la présence de symptômes physiques qui ne peuvent s'expliquer complètement ni par une affection médicale générale ni par un autre trouble psychologique. Nous présenterons ici le trouble de conversion et l'hypocondrie.

Le trouble de conversion

La description de base Le **trouble de conversion** est caractérisé par la présence de déficits sur le plan de la motricité volontaire ou des fonctions sensorielles, déficits qui ne peuvent s'expliquer par une cause d'ordre médical. À titre d'exemple, une personne pourrait, du jour au lendemain, devenir paralysée des deux jambes ou encore perdre l'ouïe.

Les éléments descriptifs complémentaires Quoique la définition de ce trouble soit simple, sa vérification l'est moins. En effet, deux éléments cruciaux implicites dans la définition ne sont pas toujours aisés à vérifier.

Premièrement, le déficit constaté doit être réel et non feint. Ainsi, dans le cas de la paralysie des jambes donné plus haut en exemple, la personne doit être réellement incapable de faire bouger ses membres, au point qu'elle tomberait et risquerait de se blesser si on la mettait debout et qu'on ne la supportait plus. De même, dans l'exemple de la surdité, celle-ci doit être réelle au point que la personne ne sursautera même pas si un bruit de sirène retentit brusquement derrière elle.

Le deuxième point à vérifier porte sur l'absence de raison médicale. Il nécessite donc un examen approfondi, sur le plan tant médical en général que neurologique en particulier. Ainsi, certains cas qui avaient été diagnostiqués comme un trouble de conversion se sont révélés par la suite dus à des causes médicales qu'on ne connaissait pas auparavant ou pour lesquelles on n'avait pas procédé à un examen assez poussé. Même si cela arrive de moins en moins, cela demeure dans l'ordre du possible. On recommande donc, dans le *DSM-IV-TR*, de considérer le diagnostic d'un trouble de conversion comme un «diagnostic provisoire», suggérant qu'il n'est pas impossible que le déficit soit dû à une cause encore inconnue.

Trouble somatoforme
Trouble caractérisé par la présence de symptômes physiques qui ne peuvent s'expliquer complètement par une affection médicale générale ou par un autre trouble psychologique.

Trouble de conversion
Trouble somatoforme caractérisé par la présence de déficits sur le plan de la motricité volontaire ou des fonctions sensorielles, déficits qui ne peuvent s'expliquer par une cause d'ordre médical.

TABLEAU 11.3   Les troubles anxieux : tableau-synthèse

Caractéristiques générales		
• Anxiété, sous forme de peur ou d'inquiétude excessive		

Principales caractéristiques et prévalence selon le trouble		
Trouble	**Caractéristiques**	**Prévalence**
Anxiété généralisée	• Inquiétude excessive : – concernant plusieurs événements ou activités – présente de façon chronique depuis au moins six mois • Accompagnée de : – difficulté à gérer ses préoccupations – tendance à exagérer la gravité du moindre problème – tension musculaire et hypervigilance constantes – difficulté à se concentrer – fatigabilité et sommeil perturbé	• Touche un peu plus de 1 % de la population des 15 à 64 ans • Deux fois plus de femmes que d'hommes
Trouble panique	• Présence d'attaques de panique : – récurrentes et inattendues – accompagnées, souvent sans aucune cause apparente, d'un intense sentiment d'anxiété – suivies de crainte d'une autre attaque • Attaques manifestées par des symptômes tels que : – réactions physiologiques typiques de la peur – sensations d'étouffement – peur de mourir – peur de perdre le contrôle de soi ou de devenir fou	• Touche environ 0,7 % de la population des 15 à 64 ans • 4,6 % des femmes et 2,8 % des hommes touchés au cours de leur vie
Phobie	• Réaction de peur irrationnelle et incontrôlable • Liée à certains objets ou situations	• Le plus fréquent des troubles anxieux • Touche environ 14 % de la population des 15 à 64 ans • Proportion entre les sexes variable selon le type de phobie
Trouble obsessionnel-compulsif (TOC)	• Obsession : – pensée ou image envahissante – malaise difficile à supporter • Compulsion : – tendance à poser certains gestes rituels – aspect répétitif – visant à prévenir ou à diminuer le malaise obsessionnel	• Touche près de 2 % de la population des 15 à 64 ans • Même proportion chez les deux sexes
État de stress post-traumatique	• Récurrences liées à un événement traumatisant vécu ou dont on a été témoin de près • En état d'éveil ou durant le sommeil • Sentiment de détresse analogue à celui vécu lors de l'événement traumatisant	• Touche environ 8 % de la population en général • Aucune donnée sur la répartition entre les sexes

Il peut être intéressant de souligner que le terme «conversion», lequel est issu de la tradition psychopathologique (plus précisément psychanalytique), réfère à l'explication qu'on donnait auparavant de ce trouble : la conversion d'un conflit inconscient en symptôme physique résolvant le conflit. À titre d'exemple, une fille aînée provenant d'une famille nombreuse, que les parents obligent à tout faire dans la maison et qui n'ose pas se rebeller devient paralysée des jambes, ce qui résout son conflit. On

Belle indifférence
Terme désignant le phénomène qu'on peut rencontrer dans le trouble de conversion et selon lequel les sujets semblent précisément indifférents à la présence de leurs symptômes physiques.

Hypocondrie
Trouble somatoforme caractérisé par la crainte non fondée d'avoir un problème de nature physique.

L'anxiété de la personne souffrant d'hypocondrie l'amène à passer d'une salle d'attente à une autre pour se rassurer sur la maladie qu'elle craint d'avoir.

Photo 11.5

expliquait d'ailleurs ainsi un phénomène qu'on peut observer dans le trouble de conversion et qui a été décrit dès le XIXe siècle, soit la «**belle indifférence**», appelé ainsi parce que les sujets semblent précisément «indifférents» à la présence de leurs symptômes physiques.

La prévalence Il est plus difficile de trouver des statistiques indiquant la fréquence du trouble de conversion que pour la plupart des autres troubles, peut-être en raison des difficultés liées à son diagnostic et de sa rareté relative. D'après le *DSM-IV-TR,* les données rapportées à ce sujet sont très variables et correspondent à des taux très faibles, à savoir de 0,01 à 0,5 % de la population en général. Ce pourcentage serait plus élevé chez les femmes que chez les hommes (données très variables).

L'hypocondrie

La description de base Contrairement à la conversion qui implique un déficit physique réellement observé, l'**hypocondrie** est caractérisée par la crainte non fondée d'avoir un problème de nature physique. Plus précisément, on observe une préoccupation centrée sur l'idée ou la crainte d'être atteint d'une maladie grave, ce qui se traduit par une interprétation erronée d'un ou de plusieurs signes ou symptômes physiques bénins.

Les éléments descriptifs complémentaires Même s'il est normal et salutaire de se soucier de sa santé, ce qui caractérise l'individu aux prises avec l'hypocondrie, c'est l'exagération qu'il manifeste à cet égard. Par exemple, après avoir inopinément remarqué une brève sensation provenant de sa tête, sensation à laquelle la plupart des gens ne s'arrêteraient même pas, l'individu commence à échafauder des hypothèses et à se demander s'il ne risque pas de faire une embolie cérébrale ou si une tumeur n'est pas en train de se développer dans son cerveau. Il sera dès lors de plus en plus attentif à cette sensation, ce qui entraînera une perception de plus en plus déformée de la sensation éprouvée ou qu'il a «cru éprouver». En raison du stress qui en découle, cela peut même le conduire à créer des sensations qui ne sont rien d'autre que l'expression de sa tension. Bref, quel que soit le «symptôme» remarqué la première fois, l'individu atteint d'hypocondrie en vient à guetter constamment des signes lui indiquant la possibilité d'une maladie grave.

Le caractère pathologique de l'hypocondrie se manifeste également par le fait qu'une visite chez le médecin, si elle rassure momentanément la personne, ne suffit généralement pas. Celle-ci rappellera donc le médecin pour s'assurer que ce dernier a bien tout vérifié et qu'il n'y a pas eu d'erreur dans les résultats d'examen; elle pourra aussi, ainsi que le rappelle la légende de la photo 11.5, douter tout de suite et consulter un autre médecin qui, généralement, ne la rassurera pas davantage, et ainsi de suite. En somme, contrairement à la personne normale qui s'estime en santé à moins que le médecin ne lui indique le contraire, la personne souffrant d'hypocondrie est convaincue d'avoir une maladie importante à moins qu'on ne lui prouve le contraire à 100 %, ce qui devient pratiquement impossible. L'accessibilité grandissante à des renseignements de nature médicale grâce à Internet constitue une aide précieuse pour la plupart des gens. Toutefois, pour l'individu atteint d'hypocondrie, cette information devient une source d'arguments alimentant ses craintes, celui-ci étant porté à accorder plus d'importance à l'information pouvant l'insécuriser qu'à celle devant le rassurer.

La prévalence D'après le *DSM-IV-TR,* la prévalence de l'hypocondrie dans la population en général est de l'ordre de 1 à 5 %, mais elle serait d'environ 2 à 7 % chez les personnes qui vont consulter un médecin généraliste. Notons également que le *DSM-IV-TR* ne donne aucun pourcentage concernant la fréquence de ce trouble chez les hommes par rapport aux femmes.

Le tableau 11.4 résume les principales caractéristiques des troubles somatoformes.

TABLEAU 11.4   Les troubles somatoformes : tableau-synthèse

Caractéristiques générales		
• Présence ou interprétation erronée de symptômes physiques sans fondement médical approprié		

Principales caractéristiques et prévalence selon le trouble		
Trouble	**Caractéristiques**	**Prévalence**
Trouble de conversion	• Déficits sur le plan de la motricité volontaire ou des fonctions sensorielles • Absence d'explication d'ordre médical	• Touche entre 0,01 et 0,5 % de la population en général • Plus répandu chez les femmes (pourcentages cependant très variables)
Hypocondrie	• Préoccupation excessive pour la santé • Interprétation de symptômes physiques faisant craindre une maladie • Absence de justification d'ordre médical	• Touche de 1 à 5 % de la population • Répandue également chez les deux sexes

11.2.4 Les troubles des conduites alimentaires

Les **troubles des conduites alimentaires** se caractérisent par une perturbation grave du comportement alimentaire (manger trop ou trop peu), ainsi que par une grande préoccupation concernant l'image de son corps (American Psychiatric Association, 2003; Steiger & Séguin, 1999; ANEB, 2006). Nous présenterons ci-après l'anorexie mentale, la boulimie et l'hyperphagie boulimique.

L'anorexie mentale

La description de base L'**anorexie mentale** (également appelée **anorexie nerveuse**[2]) est caractérisée par le refus de maintenir un poids corporel minimum normal, une peur intense de prendre du poids, un souci excessif de l'image corporelle et une distorsion de cette dernière, ce qu'illustre la photo 11.6. Le refus de maintenir un poids normal se traduit essentiellement par une ingestion alimentaire inférieure à ce dont le corps aurait besoin. On distingue deux types d'anorexie :

- Le type restrictif : la personne se limite au fait de se priver et d'ingérer le moins de nourriture possible.
- Le type boulimies/purges : tout en se privant la plupart du temps, la personne a des crises de boulimie (c'est-à-dire se met à manger frénétiquement en un court laps de temps pour ensuite adopter des conduites compensatoires destinées à prévenir la prise de poids : vomissements, emploi abusif de laxatifs, diurétiques ou lavements).

Les éléments descriptifs complémentaires Selon le *DSM-IV-TR*, un des critères permettant de diagnostiquer l'anorexie mentale est satisfait lorsque le refus de s'alimenter entraîne une «perte de poids conduisant au maintien du poids à moins de 85 % du poids attendu, ou [une] incapacité à prendre du poids pendant la période de croissance conduisant à un poids inférieur à 85 % du poids attendu» (American Psychiatric Association, 2003, p. 682). Notons que ces valeurs doivent être considérées comme des guides à utiliser avec discernement selon les individus, ne serait-ce que parce que certaines personnes ont à la base une ossature plus forte, et d'autres, une ossature plus fine.

Les carences alimentaires découlant de l'anorexie mentale peuvent entraîner des conséquences graves pour la santé physique telles que l'aménorrhée (arrêt des menstruations) chez la femme et des problèmes érectiles chez l'homme, une température et une tension artérielle plus basses que la normale, des problèmes digestifs, un ralentissement du rythme cardiaque, de l'anémie et de l'insuffisance rénale. L'aménorrhée

Trouble des conduites alimentaires
Trouble caractérisé par une perturbation grave du comportement alimentaire (manger trop ou trop peu), ainsi que par une grande préoccupation concernant l'image de son corps.

Anorexie mentale
Aussi appelée **Anorexie nerveuse**
Trouble des conduites alimentaires caractérisé par le refus de maintenir un poids corporel minimum normal, une peur intense de prendre du poids ainsi qu'un souci excessif de l'image corporelle et une distorsion de cette dernière.

Une des caractéristiques les plus intrigantes de l'anorexie mentale est que la personne a une image déformée de son corps, ainsi que le démontre la photo ci-dessous.

Photo 11.6

---

2. Même si elle n'est pas reconnue par tous, l'appellation *anorexie nerveuse* (traduction française de la dénomination scientifique *anorexia nervosa* que mentionne le *DSM-IV*) est encore actuellement utilisée dans de nombreux textes.

est d'ailleurs considérée comme un des premiers signes d'anorexie chez la jeune fille. En fait, le refus de revenir à une alimentation normale peut même entraîner la mort, le corps étant devenu incapable de maintenir ses fonctions vitales.

La prévalence D'après le *DSM-IV-TR*, on estime qu'environ 0,5 à 1 % des femmes répondent entièrement aux critères de l'anorexie mentale. Toutefois, le nombre de celles qui y satisfont en partie serait beaucoup plus élevé. De plus, on estime que plus de 75 % des personnes souffrant d'anorexie sont atteints de ce trouble avant l'âge adulte (Centre de recherche sur l'enfance et la famille, 2008).

Notons par ailleurs que, même si le phénomène est moins connu concernant les hommes, ceux-ci sont également touchés par l'anorexie mentale. Jusqu'à tout récemment, on estimait que seulement 10 % des individus aux prises avec l'anorexie étaient des hommes, mais certaines études semblent indiquer que la proportion d'hommes touchés va en augmentant (Steiger & Séguin, 1999 ; ANEB, 2006).

> **Testez vos connaissances**
>
> **6. L'anorexie mentale est un trouble psychologique qui ne touche que les femmes.**
> Ce n'est pas le cas. Même si l'anorexie mentale frappe surtout les femmes, 10 % des individus souffrant d'anorexie seraient des hommes, certaines études semblant même indiquer que cette proportion va en augmentant.

La boulimie

La description de base La **boulimie** se caractérise essentiellement par une alternance entre deux types de comportements. Le premier prend la forme de crises d'absorption, en une période de temps limitée, d'une quantité de nourriture largement supérieure à ce que la plupart des gens absorberaient dans des circonstances similaires ; le deuxième consiste en des pratiques compensatoires drastiques visant à prévenir, d'une façon inappropriée, la prise de poids. Selon les pratiques compensatoires utilisées, on distingue deux types de boulimie :

- Le type purgatif : les pratiques compensatoires utilisées pour prévenir la prise de poids sont les mêmes que pour l'anorexie de type boulimies/purges : vomissements, emploi abusif de laxatifs, diurétiques ou lavements.

- Le type non purgatif : la personne n'utilise pas les pratiques compensatoires qualifiant le type purgatif, mais se sert du jeûne ou d'un exercice physique intense.

Les éléments descriptifs complémentaires Les conséquences physiques de la boulimie se retrouvent principalement dans les cas où il s'agit du type purgatif. Ainsi, les vomissements répétés peuvent entraîner des effets tels que la perte importante et définitive de l'émail des dents, une fréquence accrue de caries dentaires et une augmentation anormale des glandes salivaires. De plus, l'utilisation répétée de certains purgatifs destinés à faire vomir peut causer des myopathies (maladies des muscles) sévères touchant le muscle cardiaque et les muscles du squelette.

La prévalence D'après le *DSM-IV-TR*, la proportion d'individus présentant le trouble de boulimie est légèrement plus élevée que celle des personnes souffrant d'anorexie mentale, à savoir entre 1 et 3 % chez les femmes adolescentes ou les jeunes adultes. En ce qui concerne les hommes, la situation est sensiblement la même que pour l'anorexie mentale, à savoir qu'on compte environ 10 fois moins d'hommes aux prises avec ce trouble que de femmes.

L'hyperphagie boulimique

La description de base L'**hyperphagie boulimique** (également appelée **frénésie alimentaire**) se caractérise par des épisodes d'absorption alimentaire accompagnés ou suivis de sentiments de culpabilité et de honte. Contrairement à ce qu'on observe

---

Boulimie
Trouble des conduites alimentaires caractérisé par une alternance entre des crises d'absorption, en une période de temps limitée, d'une quantité de nourriture largement supérieure à la normale et des pratiques compensatoires drastiques visant à prévenir, d'une façon inappropriée, la prise de poids.

Hyperphagie boulimique
Aussi appelée **Frénésie alimentaire**
Trouble des conduites alimentaires caractérisé par des épisodes d'absorption alimentaire accompagnés ou suivis de sentiments de culpabilité et de honte, mais sans pratiques compensatoires visant à prévenir la prise de poids.

dans le cas de la boulimie, les crises d'absorption de nourriture ne sont pas suivies de pratiques compensatoires visant à prévenir la prise de poids.

Les éléments descriptifs complémentaires L'hyperphagie boulimique fait partie des comportements décrits dans le *DSM-IV-TR* sous la catégorie «Trouble des conduites alimentaires non spécifié»; elle n'y est donc pas inscrite à titre de trouble spécifique. Cependant, l'Association québécoise d'aide aux personnes souffrant d'anorexie nerveuse et de boulimie (ANEB) considère que ce trouble devrait être identifié au même titre que l'anorexie mentale et la boulimie (ANEB, 2006). Cette importance accordée à la boulimie hyperphagique se retrouvait déjà chez Durand et Barlow (2002), lesquels présentent ce trouble au même niveau que la boulimie et l'anorexie mentale. Qui plus est, à partir d'une vaste enquête qu'ils ont menée, Hudson *et al.* (2007) estiment que l'hyperphagie boulimique serait le trouble de l'alimentation le plus fréquent, ce qui justifierait que ce problème soit reconnu comme un trouble des conduites alimentaires au même titre que l'anorexie mentale et la boulimie.

La prévalence Selon Santé Canada (2002), l'hyperphagie boulimique toucherait environ 2 % de la population. Toutefois, à la différence de ce qu'on trouve dans le cas de l'anorexie mentale et de la boulimie, la proportion d'hommes touchés est beaucoup plus importante. En effet, selon des statistiques récentes, on dénombre deux hommes atteints pour trois femmes, ce qui donne une proportion presque égale chez les deux sexes (ANEB, 2006).

Le tableau 11.5 résume les principales caractéristiques des troubles des conduites alimentaires.

11.2.5 Les troubles dissociatifs

Les **troubles dissociatifs** sont caractérisés essentiellement par la survenue d'une perturbation — soudaine ou progressive, transitoire ou chronique — touchant des fonctions qui sont normalement intégrées, comme la conscience, la mémoire, l'identité ou la perception de l'environnement. Cette catégorie comprend plusieurs troubles, en général assez complexes à décrire. Nous mentionnerons ici l'amnésie dissociative et le trouble dissociatif de l'identité.

Trouble dissociatif
Trouble caractérisé par la survenue d'une perturbation — soudaine ou progressive, transitoire ou chronique — touchant des fonctions qui sont normalement intégrées, comme la conscience, la mémoire, l'identité ou la perception de l'environnement.

TABLEAU 11.5	Les troubles des conduites alimentaires : tableau-synthèse	
Caractéristiques générales		
• Perturbation grave du comportement alimentaire • Grande préoccupation concernant l'image corporelle		
Principales caractéristiques et prévalence selon le trouble		
Trouble	**Caractéristiques**	**Prévalence**
Anorexie mentale	• Refus de maintenir un poids corporel minimum normal • Peur intense de prendre du poids • Distorsion de l'image corporelle	• Touche environ 0,5 à 1 % des femmes • Environ 9 femmes pour 1 homme

Boulimie	• Alternance entre :
	  – crises d'absorption de nourriture largement supérieure à la normale
	  – pratiques compensatoires visant à prévenir la prise de poids
		• Touche de 1 à 3 % des femmes
		• Environ 9 femmes pour 1 homme

Hyperphagie boulimique	• Épisodes d'absorption alimentaire comme dans la boulimie, mais pas de pratiques de vomissement et de purgation • Périodes répétitives de jeûne ou de régime amaigrissant • Sentiments de culpabilité et de honte	• Touche environ 2 % de la population • Environ 2 hommes pour 3 femmes

L'amnésie dissociative

La description de base L'**amnésie dissociative** se caractérise essentiellement par une incapacité à évoquer des souvenirs personnels importants, habituellement traumatiques ou stressants. Pour qu'on puisse parler d'*amnésie*, il faut que l'incapacité à se souvenir soit trop importante pour qu'on puisse l'expliquer par une simple «mauvaise mémoire», par le fait d'avoir ingéré une substance ou par un problème d'ordre médical (par exemple, une embolie au cerveau).

Les éléments descriptifs complémentaires On distingue divers types d'amnésie dissociative selon la forme que prend l'oubli. Ce peut être de ne pas se souvenir d'événements survenus au cours d'une période déterminée (par exemple, ce qui s'est passé entre un accident d'auto dont la victime s'est tirée parfaitement indemne et le lendemain matin) ou encore de se souvenir seulement de certains événements survenus au cours d'une période donnée. Dans les formes les plus graves d'amnésie, la personne peut avoir oublié tous les événements qui se sont passés avant le moment présent, tout en se rappelant qui elle est, ou alors, comme dans le cas de l'amnésie dissociative généralisée, avoir oublié jusqu'à sa propre identité.

Sans pouvoir expliquer pour l'instant dans quelle mesure cela peut jouer sur la survenue de l'oubli, on a remarqué que plusieurs des personnes présentant une amnésie dissociative étaient plus réceptives à l'hypnose que la population en général.

La prévalence Le *DSM-IV-TR* ne fournit pas de données sur la prévalence de l'amnésie dissociative, le diagnostic de ce trouble demeurant encore très difficile à poser.

Le trouble dissociatif de l'identité

La description de base Le **trouble dissociatif de l'identité** se caractérise essentiellement par la présence de deux ou plusieurs identités ou «états de personnalité» distincts qui dirigent tour à tour le comportement. C'est ce qu'on appelait auparavant — et qui est d'ailleurs mieux connu sous ce nom — la **personnalité multiple**.

Les éléments descriptifs complémentaires Il s'agit ici du cas le plus marqué d'un échec de l'intégration des divers aspects du fonctionnement de la personnalité: mémoire, émotions, conscience. En fait, les différentes identités ont chacune leur histoire personnelle, leur façon de voir le monde, de réagir sur le plan émotif. Bref, il s'agit de «personnalités» aussi différentes que celles de deux personnes réelles. Par exemple, une des identités «habitant» une patiente traitée il y a une vingtaine d'années par une psychiatre de Montréal était du genre «femme sage à la maison», alors qu'une autre était une «tombeuse d'hommes»! D'après le *DSM-IV-TR*, le nombre d'identités différentes chez une personne présentant ce trouble est en moyenne de 15 chez les femmes et de 8 chez les hommes.

> ### Testez vos connaissances
>
> 7. **Chez les personnes présentant ce qu'on appelait auparavant une *personnalité multiple*, le nombre de personnalités chez un même individu est en moyenne deux fois plus élevé chez les hommes que chez les femmes.**
>
>   Au contraire, le nombre moyen de personnalités observé dans les cas de troubles dissociatifs de l'identité est environ deux fois plus élevé chez les femmes que chez les hommes.

Par ailleurs, bien que ce ne soit pas toujours le cas, les différentes personnalités sont généralement ignorantes de ce que font les autres. Une personnalité peut ainsi monopoliser le champ de la conscience pendant quelques minutes, quelques heures, quelques jours ou même pendant des semaines entières; les autres peuvent alors avoir des «trous de mémoire incompréhensibles». Ainsi, la patiente dont le cas est mentionné dans le paragraphe précédent a raconté s'être réveillée un matin avec un «gros ventre» qu'elle n'avait pas «la veille». Après avoir consulté son médecin, elle a appris qu'elle était enceinte non pas de quatre, mais de huit mois : elle avait un «trou de mémoire» de quatre mois dans sa vie !

La dissociation de la conscience caractérisant le phénomène des personnalités multiples est un aspect qui fascine, tant il paraît intuitivement difficile à concevoir. Il a d'ailleurs fait l'objet de plusieurs livres et films, dont le roman *Sybil* (Schreiber, 1974) qui a été porté à l'écran. Même s'il convient d'être prudent sur l'exactitude des éléments qui y sont présentés, ces récits dépeignent néanmoins de façon relativement valable ce qu'on sait du phénomène.

La prévalence Le *DSM-IV-TR* ne donne pas de chiffres sur la prévalence du trouble de l'identité, étant donné les difficultés liées à un diagnostic sûr. Toutefois, le diagnostic de ce trouble serait établi entre trois et neuf fois plus souvent chez les femmes que chez les hommes.

Le tableau 11.6 résume les principales caractéristiques des troubles dissociatifs.

11.2.6   La schizophrénie

La description de base La **schizophrénie** est un trouble qui dure au moins six mois et qui se caractérise par la présence d'au moins deux des manifestations suivantes : des idées délirantes, des hallucinations, un discours désorganisé, un comportement désorganisé ou catatonique, des symptômes négatifs (la personne ne manifeste plus ou pratiquement plus d'émotions, cesse de communiquer par le langage, demeure immobile pendant de longues périodes, semble avoir perdu toute motivation).

Les éléments descriptifs complémentaires Ce sont les idées délirantes de persécution qui sont les plus répandues tandis que les hallucinations les plus fréquentes sont de type auditif. Par exemple, la personne peut entendre constamment des voix qui lui disent quoi faire et la menacent de châtiment si elle n'obéit pas. En ce qui a trait au discours désorganisé, l'individu peut rapidement passer d'un thème à un autre, sans qu'il y ait de lien apparent entre ces thèmes. La désorganisation du comportement peut quant à elle se manifester par des gestes puérils et inappropriés, ou encore par une agitation imprévisible. Par ailleurs, lorsque la personne présente un comportement catatonique, elle reste immobile, comme si elle ne réagissait plus à son environnement, ce qui peut même se manifester par une rigidité complète des membres.

La schizophrénie survient généralement chez des individus de 18 à 35 ans. Dans le cas du mathématicien de génie, John Nash, dont l'encadré 11.5 présente un court exposé biographique, le trouble n'est apparu qu'aux alentours de 30 ans. C'est ce qui a permis au scientifique de mener, en début de carrière, des recherches qui lui ont finalement valu un prix Nobel.

Schizophrénie
Trouble caractérisé par la présence d'au moins deux des manifestations suivantes : idées délirantes, hallucinations, discours désorganisé, comportement désorganisé ou catatonique, symptômes négatifs (aucune ou presque aucune manifestation émotionnelle, arrêt de communication par le langage, immobilité pendant de longues périodes, absence de motivation).

TABLEAU 11.6	Les troubles dissociatifs : tableau-synthèse	
Caractéristiques générales		
• Perturbation touchant des fonctions normalement intégrées (conscience, mémoire, identité ou perception de l'environnement)		
Principales caractéristiques et prévalence selon le trouble		
Trouble	**Caractéristiques**	**Prévalence**
Amnésie dissociative	• Incapacité significative à évoquer des souvenirs personnels importants, habituellement traumatiques ou stressants	• Données non disponibles
Trouble dissociatif de l'identité	• Présence de deux ou de plusieurs identités prenant tour à tour la direction du comportement.	• Données non disponibles pour la population en général • De 3 à 9 fois plus fréquent chez les femmes que chez les hommes

John Nash, ou dépasser la schizophrénie

Il n'y a pas si longtemps encore, le nom de John Nash (*voir la photo ci-contre*) était pratiquement inconnu du grand public. Ce n'est plus le cas depuis que ce mathématicien exceptionnel, récipiendaire en 1994 d'un prix Nobel, a été incarné au cinéma par Russell Crowe dans le film *Un homme d'exception*.

Or, ce qui est exceptionnel dans le cas de John Nash, ce n'est pas uniquement les travaux qu'il a réalisés concernant la théorie mathématique des jeux, mais aussi le fait que ce grand scientifique ait pu mener ces recherches remarquables avant d'être atteint d'une forme de schizophrénie, la schizophrénie de type paranoïde. Ce trouble est caractérisé par la présence d'idées délirantes ou d'hallucinations auditives qui permettent néanmoins, sauf en périodes de crise, de continuer à fonctionner de façon relativement satisfaisante sur les plans cognitif et affectif.

Né le 13 juin 1928 en Virginie-Occidentale, John Nash s'intéresse tôt aux mathématiques, particulièrement dans le domaine de l'économie. Il finit par entrer à la prestigieuse Princeton University où il présente, à l'âge de 21 ans, une thèse de 27 pages appelée à avoir un impact considérable non seulement en économie, mais aussi dans d'autres domaines tels que la science politique, la biologie et l'écologie.

C'est au début de l'année 1959, c'est-à-dire vers l'âge de 30 ans, et alors que sa jeune femme est enceinte, qu'apparaissent les premiers désordres mentaux. Il le décrira lui-même plus tard :

> J'ai commencé à voir partout des communistes cachés [...] J'ai commencé à penser que j'étais un personnage religieux très important et à entendre continuellement des voix. Je me suis mis à entendre quelque chose comme des appels téléphoniques dans ma tête, de la part de personnes opposées à mes idées [...] Le délire ressemblait à un rêve dont j'avais l'impression de ne jamais sortir. (O'Connor & Robertson, 2002)

S'ensuit une période d'environ 25 ans au cours de laquelle Nash vit plusieurs épisodes où sa femme et ses parents sont contraints de l'hospitaliser. Quand il sort, il s'efforce d'adopter un comportement calme de façon à ne pas être hospitalisé de nouveau. Au cours des années sur lesquelles s'échelonnent ses séjours à l'hôpital, il commence graduellement à rejeter, sur une base rationnelle, ses idées délirantes et ses hallucinations, tout en reprenant ses travaux en mathématique.

En raison de sa maladie, Nash a été longtemps ignoré des spécialistes, et ce n'est qu'à l'âge de 66 ans qu'il a reçu le prix Nobel d'économie pour ses travaux, dont les trois plus marquants ont été publiés lorsqu'il était au début de la vingtaine.

Estimant que les 25 ans où sa maladie l'a retardé dans le développement de ses idées, Nash confiait, dans son autobiographie publiée en 1994 dans Internet, qu'il pense avoir encore une contribution importante à apporter.

John Nash demeure un exemple vivant que la schizophrénie ne doit pas nous empêcher d'aider les personnes qui en sont atteintes à développer leur plein potentiel.

John Nash, un exemple qu'il est possible de réussir malgré un trouble mental sévère.

La prévalence Le *DSM-IV-TR* signale que la schizophrénie est un trouble que l'on observe partout dans le monde, contrairement à l'anorexie mentale, par exemple. Ainsi, environ 0,5 à 1,5 % des adultes en souffriraient, cette proportion étant la même pour les deux sexes.

Le tableau 11.7 résume les principales caractéristiques de la schizophrénie.

TABLEAU 11.7   La schizophrénie : tableau-synthèse

Caractéristiques	Prévalence

• Idées délirantes
• Hallucinations
• Discours désorganisé
• Comportement désorganisé ou catatonique
• Symptômes négatifs tels que :
  – aucune ou presque aucune manifestation émotionnelle
  – arrêt de communication par le langage
  – immobilité pendant de longues périodes
  – absence de motivation
	• Touche de 0,5 à 1,5 % de la population
	• Même proportion chez les deux sexes

11.2.7 Les troubles de la personnalité

Les **troubles de la personnalité** sont des modes durables des conduites et de l'expérience vécue qui dévient de façon notable de ce qui est attendu dans la culture de l'individu, qui sont inflexibles, stables dans le temps et source de détresse ou d'altération du fonctionnement (American Psychiatric Association, 2003 ; Santé Canada, 2002). Les troubles qu'on retrouve dans cette catégorie prennent plusieurs formes ; ceux que nous présenterons ici sont la personnalité paranoïaque, la personnalité borderline, la personnalité antisociale, la personnalité histrionique, la personnalité narcissique et la personnalité dépendante.

La personnalité paranoïaque

La description de base Ce qui caractérise essentiellement la **personnalité paranoïaque**, c'est une méfiance soupçonneuse à l'égard des autres dont les intentions sont interprétées comme malveillantes.

Les éléments descriptifs complémentaires Tout comme beaucoup d'autres termes issus de la psychologie et de la psychiatrie, le terme «paranoïaque» est aujourd'hui connu du public en général et il est habituellement utilisé dans son sens exact. Par exemple, on dira de quelqu'un : «Il est paranoïaque ce type ; il pense que tout le monde en veut à son argent.» De fait, la personnalité paranoïaque a continuellement l'impression que les autres ont de mauvaises intentions à son égard et qu'ils cherchent, par exemple, à l'escroquer, à nuire à son avancement, à salir sa réputation, ou même à attenter à sa vie ; elle a tendance à se sentir constamment surveillée. En conséquence, la personnalité paranoïaque arrive difficilement à créer de réelles relations sur le plan social en raison de sa méfiance. Même l'aide que quelqu'un peut lui offrir risque facilement d'être perçue par l'individu présentant un trouble de personnalité paranoïaque comme une manœuvre pour le mettre en confiance et lui nuire au moment choisi.

La prévalence Selon le *DSM-IV-TR*, de 0,5 à 2,5 % des individus seraient atteints de ce trouble dans la population en général ; on n'y rapporte aucune donnée précisant la répartition entre les sexes, mais on mentionne que ce trouble semble plus fréquent chez les hommes.

La personnalité borderline

La description de base La **personnalité borderline** (également appelée **personnalité limite**) est un trouble caractérisé par un mode général d'instabilité des relations interpersonnelles, de l'image de soi et des états affectifs. Cette instabilité s'accompagne d'une impulsivité marquée pouvant survenir dans des contextes très divers.

Les éléments descriptifs complémentaires S'il fallait choisir un mot pour résumer la façon générale d'agir et d'être de la personnalité borderline, c'est le terme «imprévisibilité» qui conviendrait le mieux. En effet, le comportement de la personne présentant ce trouble de la personnalité est imprévisible en ce qu'il peut changer à tout moment, sans raison apparente. L'imprévisibilité joue également sur l'intensité des réactions. En un sens, on peut dire que les réactions de la personnalité borderline sont fondamentalement celles qu'on peut rencontrer chez la personne aux réactions «normales» ; elles sont toutefois exagérées et amplifiées jusqu'à dépasser la «limite» — d'où le terme «borderline» — au-delà de laquelle elles apparaissent «anormales».

Selon les spécialistes, le comportement de la personnalité borderline traduit une insécurité fondamentale, les personnes touchées ayant constamment peur d'être rejetées ou abandonnées. Cela les amènerait à réagir de façons très diverses pouvant aller jusqu'à des manifestations de détresse ou des crises de colère.

La prévalence D'après le *DSM-IV-TR*, environ 2 % de la population générale présente le trouble de personnalité borderline, ce trouble touchant trois femmes pour un homme.

Trouble de la personnalité
Trouble caractérisé par un mode durable des conduites et de l'expérience vécue, lesquelles dévient notablement de ce qui est attendu dans la culture de l'individu, sont inflexibles, stables dans le temps et source de détresse ou d'altération du fonctionnement.

Personnalité paranoïaque
Trouble de la personnalité caractérisé par une méfiance soupçonneuse à l'égard des autres dont les intentions sont interprétées comme malveillantes.

Personnalité borderline
Aussi appelée **Personnalité limite**
Trouble de la personnalité caractérisé par un mode général d'instabilité des relations interpersonnelles, de l'image de soi et des états affectifs ; cette instabilité s'accompagne d'une impulsivité marquée pouvant survenir dans des contextes très divers.

La personnalité antisociale

La description de base La **personnalité antisociale** (auparavant appelée **psychopathe**) se caractérise essentiellement par un mode général de mépris et de transgression des droits des autres.

Les éléments descriptifs complémentaires Apparaissant déjà dans l'enfance ou au plus tard au début de l'adolescence, le comportement typique de la personnalité antisociale traduit en fait une indifférence totale à l'égard des valeurs à la base des normes et des contraintes sociales. Lorsqu'il observe ces dernières, l'individu présentant ce trouble le fait uniquement pour servir ses propres fins, ce qui constitue d'ailleurs sa motivation fondamentale. Il peut être charmant, séducteur même, dans la mesure où cela lui convient. Dénué de tout sentiment de culpabilité, il est tout à fait à l'aise pour mentir et manipuler les autres. À la limite, il peut ressembler à ce personnage qui, comme dans certains films, commet un crime crapuleux alors que les gens de son entourage le considèrent comme un «bon citoyen». L'individu ayant une personnalité antisociale tend plutôt à être impulsif et irresponsable. Incapable de tolérer la frustration et l'ennui, il peut facilement transgresser les lois pour commettre des délits de toutes sortes: fraudes, vols, agressions, etc. Les liens qu'il crée avec les autres sont motivés par son propre intérêt et il peut facilement les laisser tomber s'ils ne lui rapportent plus, d'une façon ou d'une autre; il ne s'agit donc pas de liens sociaux véritables.

Il y a lieu de noter que le diagnostic de personnalité antisociale ne peut être porté que si un individu a atteint 18 ans et qu'il a déjà présenté des troubles de comportement tels que des agressions ou des vols à plusieurs reprises avant l'âge de 15 ans.

La prévalence Selon le *DSM-IV-TR*, environ 3 % des hommes et 1 % des femmes de la population générale présentent une personnalité antisociale.

Testez vos connaissances

8. **La proportion d'individus présentant une personnalité antisociale est trois fois plus élevée chez les hommes que chez les femmes.**

   Effectivement, environ 3 % des hommes et 1 % des femmes de la population générale présentent une personnalité antisociale.

La personnalité histrionique

La description de base La **personnalité histrionique** se caractérise par des réponses émotionnelles et une quête d'attention excessives et envahissantes.

Les éléments descriptifs complémentaires En fait, la personne souffrant d'un trouble de personnalité histrionique a un besoin pathologique d'attirer l'attention et se sent inconfortable lorsqu'elle n'est pas le centre de l'attention des autres. Elle a un côté séducteur et sera portée à se mettre en scène et à raconter ce qu'elle a vécu ou ce dont elle a été témoin d'une façon exagérément démonstrative. Si quelqu'un raconte un fait qui intéresse le groupe, elle renchérira, quitte à inventer une anecdote encore plus remarquable. Elle tendra également à donner aux autres l'impression qu'elle est très intime avec eux et qu'ils sont très importants pour elle, toujours dans le but de se sentir appréciée. En fait, cette «intimité» change facilement selon les circonstances, ce qui témoigne du côté versatile et superficiel de la personne.

Au début, l'entourage peut trouver amusant son côté démonstratif, mais la personne présentant une personnalité histrionique en vient à faire fuir ses proches, en cherchant continuellement à attirer l'attention et à charmer tout le monde. Elle en arrive ainsi à éloigner les autres, autrement dit à faire le contraire de ce qu'il faut pour se sentir appréciée, ce qui correspond à un besoin de base chez elle.

La prévalence D'après le *DSM-IV-TR*, les données sur ce trouble sont limitées, mais celles qui sont disponibles suggèrent qu'il toucherait de 2,0 à 3,0 % de la population. La prévalence serait la même pour les deux sexes.

La personnalité narcissique

La description de base La **personnalité narcissique** se caractérise fondamentalement par un besoin d'être admiré qui se traduit par un comportement démonstratif, grandiose même, et une absence d'empathie, c'est-à-dire une insensibilité aux autres.

Les éléments descriptifs complémentaires À priori, la description de ce trouble peut faire penser à la personnalité histrionique. Toutefois, alors que cette dernière cherche à se faire aimer des autres et à se rapprocher d'eux, l'individu présentant une personnalité narcissique veut d'abord et avant tout être admiré, sans chercher à se rapprocher des autres ; ce qu'il attend d'eux, c'est leur admiration. Il affiche une très haute opinion de lui-même, surestimant la moindre de ses qualités et de ses réalisations, ce qui peut facilement le faire paraître vantard et prétentieux, un peu comme Narcisse, le personnage mythique représenté dans la photo 11.7. Il s'étonne d'ailleurs lorsque les autres ne lui rendent pas les éloges dignes de ses attentes ou qu'ils ne lui accordent pas les privilèges qu'il désire, convaincu qu'il les aurait grandement mérités. Il a l'habitude de sous-estimer ce que les autres font et peut même aller jusqu'à dénigrer ceux qui sont susceptibles de lui porter ombrage.

Il semble que le besoin excessif d'être admiré, caractéristique de la personnalité narcissique, provient de ce que les individus présentant ce trouble ont habituellement une estime de soi plus fragile qu'il n'y paraît, non seulement aux yeux des autres, mais aussi à leurs propres yeux. Leurs efforts pour rechercher l'admiration des autres viseraient en quelque sorte à les rassurer et à raffermir l'image qu'ils ont d'eux-mêmes.

Certains des traits narcissiques décrits ci-dessus sont relativement fréquents chez les adolescents, ce qui est en quelque sorte normal au moment où l'enfant commence à s'affirmer en tant qu'adulte. Cela ne signifie pas pour autant, souligne-t-on dans le *DSM-IV-TR*, que l'individu deviendra une personnalité narcissique une fois rendu à l'âge adulte.

La prévalence Selon le *DSM-IV-TR*, le trouble de personnalité narcissique touche moins de 1 % de la population en général, la tendance semblant être plus marquée chez les hommes.

La personnalité dépendante

La description de base La **personnalité dépendante** est caractérisée par un besoin envahissant et excessif d'être pris en charge, lequel conduit à un comportement soumis et « collant » ainsi qu'à une peur marquée de la séparation.

Les éléments descriptifs complémentaires Les individus présentant une personnalité dépendante ont beaucoup de difficulté à prendre des décisions, et ce, dans les moindres détails du quotidien. Cela est d'autant plus vrai quand il s'agit de mettre en marche un projet ou, pire encore, de le réaliser seul. Autrement dit, qu'il s'agisse d'une action à entreprendre ou d'une position à adopter, les personnes souffrant d'un trouble de personnalité dépendante ont besoin de quelqu'un d'autre (parent, ami ou conjoint) pour savoir quoi faire. Ce besoin d'appui dans la prise de décisions — ce qui, dans leur cas, signifie purement et simplement « vouloir que les autres décident pour elles » — les amène ainsi à se soumettre aux personnes qui veulent bien les « aider ».

Pour ne pas être abandonnés par les personnes dont ils dépendent, les individus présentant ce trouble hésiteront à exprimer un désaccord, allant même jusqu'à exprimer un avis contraire à ce qu'ils pensent ou un sentiment à l'opposé de ce qu'ils vivent. Leur but étant de plaire quel qu'en soit le prix, ils deviennent malheureusement vulnérables et peuvent même être facilement exploités. Dans les cas extrêmes (par exemple, chez les personnes ayant adhéré à certaines sectes), seule une aide extérieure peut amener la personnalité dépendante à se libérer des individus qui l'exploitent. Évidemment, les personnes qui l'aident doivent l'amener à devenir « indépendante », pour éviter qu'elle passe simplement d'une dépendance à une autre.

La prévalence Sans fournir de données chiffrées à l'appui, le *DSM-IV-TR* mentionne que le trouble de personnalité dépendante figure parmi les troubles les plus souvent observés dans les services de psychiatrie. La prévalence serait la même chez les deux sexes.

Personnalité narcissique
Trouble de la personnalité caractérisé par un besoin d'être admiré qui se traduit par un comportement démonstratif, grandiose même, et une absence d'empathie, c'est-à-dire une insensibilité aux autres.

La personnalité narcissique a été ainsi dénommée en référence à Narcisse, un personnage mythique qui était tombé amoureux de son reflet dans l'eau.

Photo 11.7

Personnalité dépendante
Trouble de la personnalité caractérisé par un besoin envahissant et excessif d'être pris en charge qui conduit à un comportement soumis et « collant » ainsi qu'à une peur marquée de la séparation.

Le tableau 11.8 résume les principales caractéristiques des troubles de la personnalité.

TABLEAU 11.8	Les troubles de la personnalité : tableau-synthèse

Caractéristiques générales

- Mode durable des conduites et de l'expérience vécue
- S'écarte notablement de ce qui est attendu dans la culture de l'individu
- Inflexible et stable dans le temps
- Source de détresse ou d'altération du fonctionnement général de la personne

Principales caractéristiques et prévalence selon le trouble

Trouble	Caractéristiques	Prévalence
Personnalité paranoïaque	• Méfiance à l'égard des autres	• Touche de 0,5 à 2,5 % de la population • Semble plus fréquent chez les hommes
Personnalité borderline	• Instabilité des relations interpersonnelles, de l'image de soi et des états affectifs • Impulsivité marquée dans des contextes très divers • Imprévisibilité	• Touche environ 2 % de la population • Environ 3 femmes pour 1 homme
Personnalité antisociale	• Mépris et transgression des droits des autres • Indifférence totale à l'égard des valeurs à la base des normes et des contraintes sociales • Absence de sentiment de culpabilité	• Touche environ 3 % des hommes et 1 % des femmes
Personnalité histrionique	• Réponses émotionnelles et quête d'attention excessives et envahissantes	• Touche de 2 à 3 % de la population • Même proportion chez les deux sexes
Personnalité narcissique	• Besoin d'être admiré • Comportement démonstratif, grandiose même • Absence d'empathie, c'est-à-dire insensibilité aux autres	• Touche moins de 1 % de la population • Semble plus fréquent chez l'homme
Personnalité dépendante	• Besoin envahissant et excessif d'être pris en charge • Comportement soumis et «collant» • Peur de la séparation	• Parmi les troubles de la personnalité les plus souvent observés dans les services de psychiatrie • Même proportion chez les deux sexes

11.3 Les causes des troubles psychologiques

Étiologie
Étude de ce qui peut causer la survenue, graduelle ou soudaine, d'une maladie.

Santé mentale
«État de bien-être dans lequel la personne peut se réaliser, surmonter les tensions normales de la vie, accomplir un travail productif et fructueux, et contribuer à la vie de sa communauté» (OMS, 2001).

Dès qu'on entreprend, même de façon sommaire, un survol des troubles psychologiques comme celui que nous avons réalisé précédemment, une question surgit : qu'est-ce qui peut causer la survenue, graduelle ou soudaine, d'un trouble psychologique ? L'**étiologie**, c'est-à-dire l'étude des causes d'une maladie, vise précisément à répondre à cette question. Toutefois, s'interroger sur les causes des troubles psychologiques, c'est en fait chercher ce qui, de façon générale, peut influer sur la **santé mentale**. Or, pour l'Organisation mondiale de la santé, être en bonne santé mentale ne signifie pas simplement ne pas être atteint d'un trouble psychologique. En effet, pour cet organisme, la santé mentale représente beaucoup plus, à savoir «un état de bien-être dans lequel la personne peut se réaliser, surmonter les tensions normales de la vie, accomplir un travail productif et fructueux et contribuer à la vie de sa communauté» (OMS, 2001).

Qu'est-ce qui peut nuire à la santé mentale et, surtout, entraîner un trouble psychologique ? Sur ce point, la science en sait encore très peu. Il semble bien cependant que dans la plupart des cas, un trouble psychologique résulte de la combinaison de plusieurs facteurs. C'est d'ailleurs pour souligner la prudence avec laquelle cette question doit être abordée que les chercheurs parlent souvent de « facteurs de risque » plutôt que de « causes directes ».

On admet généralement que la plupart des troubles psychologiques sont dus à plusieurs facteurs ; cependant, on ne connaît pas encore très bien quels sont exactement ces facteurs et comment ils interagissent. Cela dit, même si certains auteurs mettent l'accent sur l'opposition classique entre l'hérédité et l'environnement, on regroupe habituellement les facteurs de risque liés au développement des troubles psychologiques sous les catégories suivantes : les facteurs biologiques, les facteurs psychologiques et les facteurs sociaux. Nous présenterons ici quelques éléments d'explication pour chacune des catégories.

Les facteurs biologiques

On trouve dans cette catégorie les facteurs entraînant un mauvais fonctionnement des systèmes biologiques, particulièrement du système nerveux. À lui seul ou en interaction avec d'autres, ce mauvais fonctionnement est susceptible de causer un trouble psychologique. Par exemple, il semble probable que la schizophrénie soit due à une anomalie fonctionnelle de certains neurotransmetteurs, ce problème pouvant lui-même provenir d'anomalies dans les structures anatomiques du cerveau (Santé Canada, 2002). On a également proposé que certains troubles de la personnalité pourraient être dus à une mauvaise régulation des circuits cérébraux qui interviennent dans les émotions (Santé Canada, 2002). Les problèmes de dérèglement des neurotransmetteurs et des hormones interviendraient aussi dans les troubles de l'humeur (en particulier la dépression) et les troubles anxieux.

Même si les hypothèses qui viennent d'être mentionnées s'avéraient fondées, il resterait néanmoins à découvrir la cause du mauvais fonctionnement biologique. Or, on peut grouper en deux ensembles les facteurs susceptibles de provoquer un mauvais fonctionnement biologique : les facteurs génétiques et les facteurs externes à l'organisme.

Les facteurs génétiques Pour la plupart des troubles psychologiques, on constate que les proches parents de personnes atteintes de l'un de ces troubles présentent un pourcentage plus élevé de prévalence que les proches parents des individus qui n'en présentent aucun. Ces observations sont généralement interprétées comme suggérant une possible influence de l'hérédité, les membres d'une famille partageant un patrimoine génétique semblable. Ce type d'interprétation doit cependant être faite avec prudence, étant donné que beaucoup de comportements et de façons de ressentir les choses peuvent être appris par imitation.

Tout comme pour les études portant sur l'intelligence, celles conduites auprès de jumeaux identiques sont plus intéressantes en ce qui a trait à l'influence possible de l'hérédité. On a ainsi observé que, lorsqu'un membre d'une paire de jumeaux identiques est atteint de schizophrénie, son frère jumeau l'est également dans 50 % des cas (Lecompte, 1994). L'influence de l'hérédité apparaît de ce fait comme plus solidement fondée.

Testez vos connaissances

9. **Lorsqu'un membre d'une paire de jumeaux identiques est atteint de schizophrénie, il est presque inévitable que son jumeau développe le même trouble tôt ou tard.**

De fait, la probabilité que le second jumeau soit aussi atteint de schizophrénie est d'environ 50 %.

Photo 11.8

Les facteurs externes On regroupe ici tous les facteurs externes susceptibles d'influer sur l'organisme biologique, à savoir ceux qui sont propres à l'environnement intra-utérin (maladies de la mère, mauvaise alimentation, ingestion de drogue), les facteurs périnataux (anoxie ou blessure lors de l'accouchement) et ceux qui sont liés à l'environnement physique postnatal (*voir la photo 11.8*). À vrai dire, les données concernant l'influence possible de ces facteurs sur le développement des troubles psychologiques sont encore peu nombreuses. Toutefois, étant donné que ces facteurs peuvent influer sur le fonctionnement intellectuel, il est vraisemblable de penser qu'ils puissent avoir un effet sur la santé mentale.

Dans certains cas, les maladies physiques peuvent favoriser le développement de troubles psychologiques, soit indirectement, soit directement. Ainsi, ce développement peut provenir d'effets secondaires dus à la prise de certains médicaments, effets qui toucheraient des mécanismes physiologiques tels que ceux intervenant dans les neurotransmetteurs, les hormones et le système immunitaire. On sait par exemple que certains troubles psychotiques, troubles de l'humeur et troubles anxieux peuvent être induits par la prise de substances telles que les anesthésiques, les analgésiques, les stéroïdes, les relaxants musculaires, les contraceptifs oraux et les antidépresseurs (*DSM-IV-TR*). Des troubles peuvent également se développer parce que la maladie elle-même perturbe le fonctionnement physiologique normal. Ainsi, plusieurs affections, comme l'infarctus, la maladie cardiaque, la maladie de Parkinson, l'épilepsie, l'arthrite, le cancer, le sida et la maladie respiratoire obstructive peuvent contribuer à la survenue d'états dépressifs et de troubles bipolaires (Santé Canada, 2002). Des symptômes analogues à ceux de la dépression peuvent aussi être provoqués par certains virus ou encore par un dysfonctionnement de la glande thyroïde (NIMH, 2008).

La citation suivante, tirée du *Rapport sur les maladies mentales au Canada* à propos de la schizophrénie, illustre la prudence avec laquelle la question de l'influence possible des facteurs externes est abordée : « Bien que les preuves ne soient pas définitives, il est possible que le traumatisme prénatal et périnatal, la saison de l'année et le lieu de naissance, ainsi que les infections virales puissent contribuer au développement de la maladie. » (Santé Canada, 2002, p. 53).

Les facteurs psychologiques

Il s'agit ici des facteurs qui ont trait à la façon d'être de l'individu, à l'image qu'il a de lui-même et à sa façon de réagir aux événements.

Santé Canada (2002) signale par exemple que le stress peut déclencher une dépression chez certains individus, alors que ce ne sera pas le cas pour d'autres. De même, des facteurs tels qu'une diminution de la qualité de vie due à une invalidité ou à une autre maladie chronique peuvent entraîner une dépression chez certaines personnes et non chez d'autres. Ainsi, bien qu'il soit difficile d'établir pourquoi certains individus développent un trouble dépressif majeur, tandis que d'autres ne le font pas, on peut constater que, sur ce plan, une même situation ne produit pas nécessairement le même effet.

Les troubles des conduites alimentaires constituent un autre domaine sur lequel certaines caractéristiques psychologiques auraient un impact. Ce domaine ayant été fort étudié, il semble bien établi que les personnes souffrant de l'un ou l'autre de ces troubles présentent, à un degré plus marqué que chez les gens en général, certaines des caractéristiques suivantes (IUSMD, 2008 ; Santé Canada, 2002) :

- Problèmes d'identité
- Faible estime de soi et hypersensibilité à l'opinion des autres
- Distorsion de l'image corporelle et surévaluation de l'importance accordée à l'apparence
- Problèmes de maîtrise de soi
- Problèmes d'autonomie
- Sensation de ne pas être à la hauteur et perfectionnisme

- Problème de solitude
- Croyances mésadaptées quant au poids

Bien qu'on doive se garder de généraliser trop rapidement, on peut néanmoins, à partir des points mentionnés ci-dessus, dégager ce qui semble caractériser fondamentalement la personne susceptible de développer un trouble des conduites alimentaires : une faible image d'elle-même et un manque d'autonomie qui l'amènent à être hypersensible à l'opinion des autres, en ce qui a trait notamment à l'apparence physique. Nous en arrivons ainsi au rôle que peuvent jouer les facteurs sociaux.

Les facteurs sociaux

Nous entendons ici l'aspect «social» au sens large du terme, c'est-à-dire incluant la famille, le premier environnement social de l'individu et l'environnement culturel où il évolue. Cela dit, il peut être utile de distinguer les facteurs généraux des facteurs particuliers. Nous le ferons d'abord en prenant comme exemple les troubles des conduites alimentaires, ceux chez qui l'influence de ces facteurs semble avoir été la plus étudiée, pour ensuite ajouter quelques réflexions par rapport aux autres troubles psychologiques.

Sur le plan général, on a pu constater que certains facteurs étaient plus présents dans l'environnement des individus ayant un trouble des conduites alimentaires que chez la population en général. Voici quelques-uns de ces facteurs (IUSMD, 2008 ; Santé Canada, 2002) :

- Instabilité du milieu familial
- Relations difficiles sur le plan familial, amical ou amoureux
- Négligence parentale ou surprotection familiale défavorisant l'autonomie
- Réseau de soutien faible ou absent

Les facteurs généraux mentionnés ci-dessus accentuent donc en quelque sorte la vulnérabilité de la personne présentant les caractéristiques d'ordre psychologique présentées plus haut. La personne devient ainsi plus sensible aux facteurs particuliers d'ordre social, notamment aux pressions culturelles encourageant la minceur (IUSMD, 2008 ; Santé Canada, 2002 ; Steiger, 2007).

L'influence des stéréotypes mettant l'accent sur les diètes et sur «l'importance» d'avoir un corps mince est admise depuis plusieurs années, même s'il est difficile de démontrer le lien de cause à effet entre les pressions culturelles et les troubles des conduites alimentaires. Or, d'après une étude d'Anne Becker (2004), «l'introduction de la télévision américaine aux Îles Fidji (dans les années 1990) a eu un impact foudroyant. En effet, les femmes et les jeunes filles des Fidji qui étaient auparavant satisfaites de leur image corporelle sont, par la suite, devenues insatisfaites de leur apparence physique!» (Steiger, 2007). Elles se sont mises à vouloir surveiller leur poids de façon à répondre au modèle de minceur véhiculé par la culture américaine.

Testez vos connaissances

10. **La plupart des chercheurs pensent que les modèles présentés dans les médias encouragent la tendance à rechercher la minceur du corps ; cependant, aucune recherche n'a pu, à ce jour, appuyer cette thèse de façon convaincante.**

    Cette thèse a été appuyée par au moins une recherche, celle d'Anne Becker (2004), qui a montré que l'introduction de la télévision américaine aux îles Fidji (dans les années 1990) a eu un impact foudroyant sur la tendance des jeunes filles à vouloir adapter leur poids aux standards de minceur américains.

Notons que l'environnement social est aussi impliqué dans le développement des autres problèmes de santé mentale. Ainsi en est-il de la schizophrénie. Nous avons en effet signalé plus haut que lorsqu'un jumeau identique est atteint de schizophrénie, son frère jumeau l'est également dans 50 % des cas, suggérant par là une influence importante des facteurs génétiques. Dès lors, puisque dans 50 % des cas, le jumeau identique ne développe pas la maladie, il est raisonnable de présumer que l'environnement social joue également un rôle dans le déclenchement de la maladie.

Conclusion

Comme nous l'avons évoqué en introduction du présent chapitre, la mentalité à l'égard de la maladie mentale a beaucoup évolué depuis le Moyen Âge. On ne parle plus de personne «possédée» par un esprit mauvais, mais d'un trouble psychologique se manifestant à travers un comportement anormal et pathologique. Toutefois, ainsi que nous l'avons vu dans la section traitant du diagnostic, il ne suffit pas qu'un comportement soit anormal au sens de «hors de la norme» pour qu'on parle de trouble psychologique : le comportement doit également refléter un dysfonctionnement entraînant une mésadaptation ou une détresse psychologique.

Or, lorsque le spécialiste est amené à évaluer dans quelle mesure un comportement observé chez un individu doit être considéré, selon la culture, comme anormal ou non, pathologique ou non, il est généralement amené à poser un jugement. Ainsi, même si les critères proposés par le *DSM-IV-TR* et la *CIM* pour diagnostiquer un trouble tendent à être les plus précis possible, il n'en demeure pas moins que l'évaluation implique une part de subjectif qu'il faut non seulement reconnaître, mais aussi garder constamment à l'esprit. On doit également toujours se rappeler que ce que l'on catégorise, ce sont des troubles et non des personnes.

Le survol que nous avons fait des divers troubles psychologiques ne présentait pas toutes les catégories répertoriées dans le *DSM-IV-TR*, ni tous les troubles à l'intérieur de chaque catégorie. Signalons toutefois que, parmi les catégories non mentionnées, on trouve entre autres les troubles du sommeil, les troubles d'apprentissage, les troubles sexuels et les troubles de l'identité sexuelle. Les premiers ont été abordés dans le chapitre 4, même s'ils ne l'ont pas été dans le cadre diagnostique du *DSM-IV-TR*. En raison des divers aspects qu'ils touchent (apprentissage, mémoire, motivation), les troubles d'apprentissage mériteraient à eux seuls un chapitre que nous n'avons pas cru opportun d'inclure dans le présent manuel. Nous jugeons néanmoins pertinent de souligner qu'ils sont maintenant reconnus comme des troubles psychologiques nuisant au fonctionnement de l'individu et pouvant même conduire à une certaine détresse psychologique. Il en est de même des troubles d'ordre sexuel, lesquels nécessiteraient que l'on se penche au préalable sur ce que l'on sait du fonctionnement sexuel normal.

Finalement, lorsque nous nous sommes interrogés sur les causes des troubles psychologiques, nous avons été à même de constater que le travail à faire dans ce domaine est considérable. En effet, s'il est généralement admis que la plupart des troubles proviennent d'une combinaison de facteurs génétiques, psychologiques et sociaux, les chercheurs reconnaissent volontiers que les connaissances précises sur le rôle et le mode d'action de ces différents facteurs demeurent parcellaires. Quelle combinaison de facteurs, par exemple, a pu entraîner le suicide du père de famille dont le cas, évoqué en amorce, est raconté dans le documentaire *Le voyage d'une vie* ? Pourquoi cet homme s'est-il suicidé, alors qu'un autre placé dans des circonstances analogues ne l'aurait peut-être pas fait ? Dans quelle mesure la gravité de la dépression vécue par cet homme était-elle prévisible ? Autant de questions auxquelles il n'est pas aisé de répondre, même pour les spécialistes. Par ailleurs, même si les troubles psychologiques ne conduisent pas tous à une fin aussi tragique, l'importance de mieux les diagnostiquer demeure une préoccupation très actuelle. De fait, les spécialistes sont tout à fait conscients des lacunes en ce domaine. Ainsi, comme le montre l'encadré 11.6, on assiste depuis l'an 2000 à une réflexion approfondie sur la pratique et les outils servant à diagnostiquer les troubles psychologiques.

Évidemment, diagnostiquer ne sert pas à grand-chose si l'on ne peut traiter. Or, les hypothèses explicatives générales formulées dans le cadre des différentes approches ont permis de mettre au point plusieurs méthodes de traitement des troubles psychologiques, ce qui constitue l'objet du douzième et dernier chapitre de ce manuel.

ENCADRÉ 11.6 **Regard vers le futur**

Diagnostiquer les troubles psychologiques, un domaine en effervescence

En 1999, l'American Psychiatric Association (APA) et le prestigieux National Institute of Mental Health décident d'unir leurs efforts pour produire une cinquième version du *Diagnostic and Statistical Manual of Mental Disorders*, le *DSM-V*. Cette collaboration constitue une première, étant donné que les précédentes versions avaient été dirigées uniquement par l'APA. Qui plus est, étant donné les nombreuses insatisfactions manifestées à l'endroit du *DSM*, on convient d'en repenser la structure fondamentale; autrement dit, tout est sujet à être remis en question (Yan, 2008).

Parmi les sources d'insatisfaction à l'endroit des versions précédentes du *DSM*, on compte l'approche par symptômes. Cette dernière s'est avérée limitée puisqu'en ne renseignant pas sur la cause des troubles, elle ne guide pas suffisamment le spécialiste dans le choix du traitement. On souhaite dès lors établir une classification basée sur l'étiologie des troubles psychologiques, c'est-à-dire sur la façon dont ces troubles se développent (Kupfer, First, & Regier, 2002).

On veut entre autres éviter des distinctions arbitraires, telles que celle posée entre les axes I et II (*voir le tableau 11.1, page 371*). Les descriptions de symptômes entre les troubles de la personnalité (axe II) et les troubles de l'axe I se recoupent trop. La façon même dont les troubles de la personnalité sont décrits rend souvent le diagnostic difficile; on a par exemple constaté que le diagnostic le plus souvent posé dans le cas d'un trouble de la personnalité est «désordre de la personnalité non spécifié autrement» (Rosenbaum & Pollock, 2002)!

On veut également mieux prendre en considération la place de la culture dans la définition de la normalité et, de façon générale, l'influence de l'environnement sur le développement des troubles psychologiques.

Par ailleurs, on considère qu'un tel travail de refonte de classification des troubles psychologiques ne peut plus ignorer les données issues de la recherche dans des domaines aussi variés que les neurosciences, les sciences cognitives et comportementales ainsi que la génétique. Étant désormais admis que le fonctionnement psychologique est étroitement lié au fonctionnement biologique, particulièrement à celui du cerveau, on espère maintenant trouver des marqueurs biologiques associés aux divers troubles psychologiques. De tels indicateurs permettraient de diagnostiquer de façon objective la présence et l'intensité d'un trouble, sans dépendre du caractère subjectif lié au rapport verbal fourni par un individu ou à l'évaluation que peut poser le spécialiste.

De telles visées peuvent sembler utopiques à première vue, mais certaines études récentes laissent déjà entrevoir la possibilité de mettre au point de tels marqueurs biologiques.

Ainsi, lors d'autopsies, Donati *et al.* (2008) ont comparé le cerveau de personnes dépressives qui se sont suicidées, avec le cerveau de personnes chez qui aucun trouble psychologique n'avait été diagnostiqué. Ils ont constaté qu'une certaine protéine (la Gs alpha) était concentrée dans une région particulière des neurones d'une façon qui nuirait au bon fonctionnement des neurotransmetteurs, ce qui n'était pas le cas pour les personnes non dépressives. D'après les chercheurs, il serait alors possible d'envisager la mise au point d'un test sanguin qui permettrait d'établir, en à peine quatre ou cinq jours (au lieu d'un mois), si un antidépresseur est efficace et, si oui, dans quelle mesure.

Une autre équipe de chercheurs a récemment pu découvrir, à partir de patients souffrant de troubles bipolaires, des marqueurs sanguins révélant des gènes associés à des états de surexcitation (lors d'épisodes maniaques) et d'autres à des états dépressifs (lors d'épisodes dépressifs) (Le-Niculescu *et al.*, 2008). Des gènes associés à l'anxiété auraient également été découverts (Smoller *et al.*, 2008), tandis que certaines anomalies génétiques rares se seraient révélées trois à quatre fois plus fréquentes chez des personnes souffrant de schizophrénie que chez des individus non atteints (Walsh *et al.*, 2008).

Les conclusions pouvant être tirées de telles études demeurent évidemment exploratoires, mais la recherche semble progresser rapidement, et les spécialistes se consacrant à la refonte du *DSM-V* en sont conscients. Ils espèrent en effet aboutir à une classification des troubles psychologiques qui reflète le plus possible le caractère multidisciplinaire qu'on observe de plus en plus dans ce domaine. Enfin, on espère aussi améliorer la compatibilité entre le *DSM* et la *CIM* (Rosenbaum & Pollock, 2002).

L'entreprise est ambitieuse, et ce n'est pas sans raison que la sortie du *DSM-V*, initialement prévue pour 2010, a été reportée en 2012. La cinquième version du *Diagnostic and Statistical Manual of Mental Disorders* ne remplira sans doute pas tous les espoirs que sa rédaction soulève, mais une chose semble bien acquise: le domaine du diagnostic des troubles mentaux est loin d'être figé, et cette effervescence ne semble pas vouloir diminuer...

1. Lequel des cas ci-dessous peut être associé à un dysfonctionnement psychologique ?

   a) Une personne a tellement peur qu'elle ne sort plus de chez elle.

   b) Une personne entre en contact avec des Martiens à l'aide de son ordinateur portable.

   c) Une personne se promène nue dans le centre-ville.

   d) Une personne souffre d'arriération mentale.

2. Quel est le nom de la procédure utilisée pour déterminer si certains troubles psychologiques sont causés par des dysfonctionnements cérébraux ?

   a) L'entrevue clinique

   b) L'examen médical

   c) Le test neuropsychologique

   d) Le test psychologique

3. Lequel de ces énoncés concernant le trouble dépressif majeur et le trouble bipolaire est vrai ?

   a) Dans le trouble bipolaire, les manifestations dépressives sont moins intenses que dans le trouble dépressif majeur.

   b) La prévalence du trouble bipolaire est plus élevée que celle du trouble dépressif majeur.

   c) Le trouble bipolaire est un trouble anxieux autrefois nommé *trouble maniaco-dépressif*.

   d) Le trouble dépressif majeur et le trouble bipolaire sont classés dans la catégorie des troubles de l'humeur.

4. Si une personne croit sans arrêt qu'elle a les mains sales et qu'elle ne peut s'empêcher de les laver, de quel trouble peut-elle souffrir ?

   a) Un état de stress post-traumatique

   b) Un trouble de conversion

   c) Un trouble obsessionnel-compulsif

   d) Une phobie

5. De quel trouble souffre la personne qui a une préoccupation centrée sur l'idée ou la crainte d'être atteinte d'une maladie grave, sans qu'il y ait de preuve médicale ?

   a) L'hypocondrie

   b) Le narcissisme

   c) Le trouble de conversion

   d) Le trouble panique

6. Qu'y a-t-il de commun entre l'anorexie mentale et la boulimie ?

   a) L'aménorrhée

   b) L'usage abusif de laxatifs et de diurétiques

   c) Le maintien du poids à moins de 85 % du poids attendu

   d) Une grande préoccupation concernant l'image de son corps

7. Qu'est-ce qui définit le mieux le trouble dissociatif ?

   a) L'oubli des souvenirs récents et la déformation des souvenirs liés à l'enfance

   b) La perte de contact avec la réalité et la régression du comportement à un stade infantile

   c) Une perturbation de la conscience, de la mémoire, de l'identité ou de la perception

   d) Une réaction anxieuse intense de la personnalité à la suite d'un événement traumatisant

8. Parmi les symptômes ci-dessous, lequel n'est pas typique de la schizophrénie ?

   a) L'agressivité

   b) Le comportement catatonique

   c) Les hallucinations

   d) Les idées délirantes

9. De quel trouble de la personnalité souffre un individu qui a un besoin excessif d'être admiré, qui exagère ses réalisations tout en dévalorisant les autres, mais qui a cependant une estime personnelle fragile ?

   a) La personnalité antisociale

   b) La personnalité borderline

   c) La personnalité narcissique

   d) La personnalité paranoïaque

10. Indiquez si les énoncés ci-dessous sont vrais ou faux.

   a) L'étiologie est l'étude des causes d'une maladie.

   b) Les facteurs génétiques sont plus importants que les facteurs sociaux dans l'explication de l'anorexie mentale.

   c) Les troubles psychologiques sont explicables par une combinaison de facteurs génétiques, psychologiques et sociaux.

   d) On peut considérer qu'une faible estime de soi ou un manque d'autonomie sont des facteurs psychologiques à l'origine de certains troubles psychologiques.

Volumes et ouvrages de référence

American Psychiatric Association (2003). *DSM-IV-TR. Manuel diagnostique et statistique des troubles mentaux. Texte révisé.* **Paris : Masson.**

> Traduction française du texte révisé de la 4e édition anglaise parue en 2000, ce volume — le plus largement répandu — répertorie tous les troubles psychologiques reconnus par les psychiatres et les psychologues.

Durand, V. M., & Barlow, D. H. (2002). *Psychopathologie : une perspective multidimensionnelle.* **Bruxelles : De Boeck Université.**

> Ouvrage qui a pour objectif de présenter une synthèse claire, précise et méthodique des connaissances les plus récentes en psychopathologie. L'ouvrage trace un bref historique du domaine, puis introduit l'ensemble du contenu qu'on retrouve dans le *DSM-IV-TR*, mais en le présentant à travers une approche qui s'efforce d'intégrer les perspectives psychologiques, sociales, culturelles et biologiques.

Lalonde, P., Aubut, J., Grunberg, F. et al. (Éds.). (1999). *Psychiatrie clinique : une approche bio-psycho-sociale, Tome I – Introduction et syndromes cliniques* **(3e éd.). Montréal : Gaëtan Morin.**

> Basé à la fois sur le *DSM-IV* et la 10e édition de la *Classification internationale des maladies*, ouvrage étoffé qui vise à donner une description des troubles psychologiques à la fois complète et moins aride à consulter qu'un ouvrage comme le *DSM-IV-TR*.

Organisation mondiale de la santé (1994). *CIM-10/ICD-10. Classification internationale des maladies. Dixième révision. Chapitre V (F) – Troubles mentaux et troubles du comportement : Critères diagnostiques pour la recherche.* **Paris : Masson.**

> Traduction française de la 10e édition anglaise parue en 1993, cet ouvrage est l'équivalent européen du *DSM-IV-TR*. On y retrouve néanmoins certaines divergences, à la fois dans les termes employés et dans la façon de définir les troubles.

Santé Canada (Éd.). (2002). *Rapport sur les maladies mentales au Canada.* **Ottawa : Santé Canada.**

> Excellent survol sur l'ensemble des troubles psychologiques et sur leur prévalence au Canada ; on y consacre également un chapitre sur le suicide. Présenté de façon systématique et tout à fait accessible au grand public, on y trouve des références scientifiques de base appuyant le contenu. Le rapport est disponible en format PDF dans Internet à l'adresse suivante :
>
> <http://www.phac-aspc.gc.ca/publicat/miic-mmac/index-fra.php>.

Périodiques et journaux

Le point sur : la dépression. *Cerveau & psycho,* **no 19, février 2007.**

> Excellent dossier comprenant une série de cinq textes sur la dépression, dont trois sous forme d'articles et deux sous forme d'interviews.
>
> Les articles ont pour titres :
> • « Une histoire de la dépression »
> • « Une dépression à plusieurs visages »
> • « L'étrange pouvoir du lithium »
>
> Les interviews ont pour titres :
> • « Quand la société rend dépressif »
> • « La dépression postpartum »

Palazzolo, J. (2007). Insomnie et troubles psychiques. *Cerveau & psycho,* **no 23, 68-71.**

> Article de vulgarisation qui explore les liens entre les troubles psychologiques et un problème qui les accompagne souvent, l'insomnie.

Québec Science. **Numéro spécial intitulé « Maladie mentale. Pourquoi moi ? », mars 2007.**

> Numéro qui traite, à l'occasion de façon contestataire, de certains sujets concernant la maladie mentale. Excellent pour soulever la discussion.

Spigel, A. (2007). Un projet titanesque : le catalogue des maladies mentales. *Cerveau & psycho,* **no 23, 78-83.**

> Article qui relate les changements d'approche dans la façon de classer les troubles psychologiques, depuis la toute première version du *DSM* parue en 1952, jusqu'à la dernière parue en 2000 (en anglais, et 2003 pour la traduction française).

Audiovisuel

Bélanger-Martin, Hélène. (2006). *La peau et les os.* **Canada, ONF, 90 min, couleur.**

> En 1987, la réalisatrice Johanne Prégent tourne un docu-fiction qui traite d'une maladie alors plutôt méconnue : l'anorexie mentale. Hélène Bélanger-Martin y incarne une adolescente atteinte de ce mal, s'inspirant en fait de son propre combat contre la maladie. Devenue réalisatrice et mère de famille, elle réunit dans une maison de campagne des amies qui ont traversé la même épreuve qu'elle ; celles-ci parlent des difficiles moments de leur vécu en lien avec ce trouble psychologique.

Brooks, James L. (1998). *Pour le meilleur et pour le pire.* **États-Unis, 138 min, couleur.**

> Melvin Udall écrit des romans sentimentaux à la chaîne, ce qui lui permet de vivre confortablement. Sa vie est réglée comme une horloge. Atteint d'un trouble obsessionnel-compulsif, il évite le contact humain, hormis celui de Carol Connelly, une jeune mère célibataire, serveuse dans un restaurant où il prend ses repas. Le film relate les divers événements qui viendront bouleverser la vie bien rangée de Melvin.

Chartrand, Maryse (2007). *Le voyage d'une vie.* **Canada, 90 min, couleur.**

> Une famille québécoise passe un an à voyager autour du monde. Un an après l'aventure, Samuel, le mari de Maryse Chartrand, décide malheureusement de partir pour un autre grand voyage, celui qui est sans retour. Un témoignage inusité qui offre un regard de l'intérieur, la quête d'une femme pour comprendre ce qui a pu arriver. Un étonnant et vibrant hymne à la vie où un homme, incapable de supporter la pression de la société moderne axée sur la performance, devient de plus en plus dépressif et finit par s'enlever la vie.

Howard, Ron (2002). *Un homme d'exception.* **États-Unis, 138 min, couleur.**

> En 1947, un étudiant très brillant en mathématique de l'Université de Princeton, John Forbes Nash, élabore une théorie économique des jeux. Pour lui, les fluctuations des marchés financiers peuvent être calculées avec une assez grande précision. Au début des années 1950, ses travaux et son enseignement au Massachusetts Institute of Technology ne passent pas inaperçus, et il obtiendra plusieurs années plus tard un prix Nobel pour l'ensemble de son œuvre. Parallèlement à ces succès, sa vie prend un tournant dramatique lorsque, au début de la trentaine, il sombre dans la schizophrénie.

Scorsese, Martin (2004). *L'aviateur.* **États-Unis, 170 min, couleur.**

> Évocation de la vie de l'excentrique Howard Hughes. Le milliardaire qui glissa dans la démence fut un homme d'affaires à la puissance colossale, un cinéaste, un pilote et un constructeur aéronautique. Les temps forts de son existence sont évoqués successivement. Plus il avance dans la vie et plus son côté obsessif-compulsif transparaît.

CHAPITRE 12

Cibles d'apprentissage

Après avoir lu ce chapitre, vous devriez pouvoir :

- mentionner les trois grandes traditions dans la façon d'aborder le traitement de la maladie mentale et commenter brièvement ;

- nommer les quatre grandes orientations de thérapies selon l'Ordre des psychologues du Québec (OPQ) ;

- expliquer comment Freud percevait les troubles psychologiques et nommer les principales méthodes thérapeutiques qu'il utilisait ;

- expliquer la conception de la personnalité à la base des thérapies béhavioristes et nommer les principales formes utilisées ;

- expliquer comment les praticiens utilisant la thérapie émotivo-rationnelle perçoivent les troubles psychologiques et décrire brièvement les trois étapes de la méthode thérapeutique qui en découle ;

- expliquer la conception de la personne à la base de la thérapie rogérienne et décrire sommairement la méthode à suivre pour résoudre les problèmes d'ordre psychologique ;

- décrire comment Perls conçoit la personnalité dans le cadre de la thérapie gestaltiste et nommer quelques techniques utilisées pour essayer de régler un problème d'ordre psychologique ;

- indiquer les deux principales propriétés d'un système dans l'approche familiale systémique ;

- nommer les trois étapes de la stratégie familiale comportementaliste ;

- décrire la conception du trouble psychologique selon l'approche psychobiologique et mentionner les principales formes de thérapies médicales utilisées.

Le traitement des troubles psychologiques

Testez vos connaissances

D'après vous, chacun des énoncés suivants est-il fondé ou non ?

1. Le philosophe grec Platon a été l'un des premiers à penser que le comportement inadapté pouvait être dû à l'environnement et aux apprentissages.

2. Selon la conception freudienne, c'est vers l'âge de six ans que l'identité sexuelle s'établit.

3. Dans les techniques freudiennes, l'interprétation des rêves est considérée comme un moyen privilégié pour accéder à l'inconscient.

4. L'une des méthodes utilisées en thérapie béhavioriste consiste à placer la personne dans la situation provoquant la réaction à éliminer et à l'y maintenir.

5. Selon Ellis, un thérapeute d'approche cognitive, les troubles psychologiques proviennent du fait que nous sommes trop rationnels.

6. Selon Rogers, une personne qui consulte un thérapeute d'approche humaniste ne doit pas être considérée comme un patient, mais comme un client.

7. Le jeu de rôle et le psychodrame sont des techniques souvent utilisées dans la thérapie gestaltiste.

8. Dans la thérapie familiale, le vrai patient est la famille.

9. La thérapie brève se caractérise par la résolution du problème à l'intérieur de deux ou trois semaines.

10. La thérapie électroconvulsive n'est plus utilisée comme moyen thérapeutique en Amérique.

Choisir son « psy », une tâche à accomplir avec soin…

Une femme, que nous appellerons Martine, se présente chez un psychothérapeute de la région de Montréal avec lequel elle a pris rendez-vous. Elle avait trouvé ses coordonnées en cherchant parmi ceux qui offrent leurs services dans les journaux, dans Internet, ou au moyen de dépliants ou de cartes professionnelles laissés dans les lieux publics. Elle confie au thérapeute qu'elle a 40 ans et qu'elle est divorcée. Au début de la séparation, elle se sentait bien, mais depuis quelque temps, elle se sent triste, fait de plus en plus d'insomnie, devient irritable et a récemment été violente envers son fils. Il y a quelques jours, elle a même laissé ses enfants seuls pour aller sur le pont Jacques-Cartier, en se demandant si la meilleure solution ne serait pas de…

Le psychothérapeute lui dit que son malaise provient d'une colère qui l'habite et qui est due à des esprits méchants qui s'amusent à faire souffrir les gens en difficulté comme elle…

À la suite de cette rencontre, Martine prend rendez-vous avec un autre psychothérapeute dont elle avait aussi noté les coordonnées et lui raconte son histoire. Le psychothérapeute lui suggère de prendre un mélange de plantes chinoises qui pourrait l'aider à mieux dormir et lui propose un traitement énergétique pour l'aider à se sentir mieux. Il l'invite également à laisser s'épanouir son côté artistique qu'il sent très fort chez elle, mais qu'elle a refoulé…

La femme va alors rencontrer un autre psychothérapeute, une femme cette fois-ci. Après lui avoir suggéré d'aller voir un médecin pour se faire prescrire des médicaments, la psychothérapeute lui fait comprendre que sa colère vient de ses relations difficiles avec ses parents et qu'elle devrait crier sa colère pour s'en libérer…

Martine ne renonce pas et va consulter un autre psychothérapeute. Après l'avoir écoutée, celui-ci lui indique qu'elle a besoin d'aide, mais qu'elle peut s'en sortir à condition de réagir immédiatement. Il ne veut pas la laisser repartir seule et lui demande d'appeler quelqu'un de fiable pour l'amener à l'hôpital consulter un psychiatre…

Martine rencontre finalement une cinquième psychothérapeute qui l'invite à s'étendre sur un matelas, à respirer lentement et à visualiser sa peur comme un nuage au-dessus d'elle, nuage auquel elle dira de partir, car elle se sent maintenant capable de se prendre elle-même en main…

On peut ici se demander comment il se fait que la prénommée Martine soit allée voir un cinquième psychothérapeute alors qu'elle avait été prise en charge par le personnel de l'hôpital selon les instructions du quatrième qu'elle a rencontré. La réponse est simple : Martine, dont le nom était fictif, est en réalité une actrice qui s'est prêtée à une expérience sur le terrain dans le cadre de la série *Enjeux*. Elle jouait un rôle soigneusement mis au point en étroite collaboration avec le psychiatre Brian Bexton, président de l'Association des médecins psychiatres du Québec, pour correspondre au portrait d'une personne présentant les symptômes classiques d'un trouble de dépression majeure avec tendance suicidaire ; les entrevues étaient d'ailleurs enregistrées à l'aide d'un microphone caché. La gravité du problème de «Martine» ne pouvait faire autrement que d'être diagnostiquée sans peine par tout spécialiste compétent, lequel saurait que le traitement serait long.

L'expérience de la série *Enjeux* visait en fait à établir dans quelle mesure on peut se fier aux personnes qui s'annoncent comme psychothérapeutes dans les différents médias imprimés ou électroniques. Or, aucune des personnes retenues pour l'expérience n'était membre d'une association professionnelle reconnue. Par ailleurs, seul un des psychothérapeutes a perçu la gravité «du problème de Martine» et a fait en sorte qu'elle ne reparte pas seule. Détail intéressant : c'est le seul qui ne lui a rien demandé à titre d'honoraires, les autres ayant réclamé des sommes variant de 60 à 90 $!

Le site indiqué ci-après permet d'avoir accès à un compte rendu plus détaillé de l'expérience, même si en raison de droits de diffusion, le reportage intégral n'est pas accessible. Outre une description plus détaillée des rencontres avec les «psychothérapeutes», on y trouve des commentaires de professionnels ayant évalué la compétence de chacun.

Source : <http://www.radio-canada.ca/actualite/enjeux/reportages/2003/031118/therapie.shtml>.

Après avoir traité du fonctionnement normal des mécanismes sous-tendant le comportement et les processus mentaux dans les 10 premiers chapitres, nous avons, dans le chapitre précédent, effectué un survol des troubles qui peuvent survenir lorsque certains mécanismes posent problème. Cela nous amène à aborder la question de la thérapie. Du grec *therapeia*, qui signifie «cure, soin», le terme thérapie désigne, dans le domaine qui nous concerne, une méthode d'intervention visant à traiter un trouble psychologique. Or, le choix de la personne habilitée à traiter ce type de trouble doit être fait avec soin, ainsi que l'illustre l'expérience mentionnée dans l'amorce.

En effet, l'expérience réalisée dans le cadre de l'émission *Enjeux* illustre de façon particulièrement concrète les implications de ce que nous avions signalé dans le chapitre 1, à savoir que le titre de psychothérapeute n'est pas protégé par la loi. En conséquence, n'importe qui peut, sans enfreindre la loi, s'annoncer psychothérapeute. Dans le cas du personnage fictif de Martine dont il est question en amorce, quatre des cinq personnes consultées à titre de psychothérapeute n'ont pas réalisé que cette femme présentait un risque élevé de suicide, ce qui est très inquiétant.

La situation est toutefois appelée à changer si le projet de loi 50, qui doit modifier le Code des professions dans le domaine de la santé mentale et des relations humaines, est adopté comme prévu. Ce projet a été élaboré à la suite du rapport Trudeau, rédigé en 2005, lequel se trouve sur le site de l'OPQ, tout comme le projet de loi lui-même.

Cela dit, il y a lieu de savoir que certaines différences existent dans le traitement des troubles psychologiques. La forme que peut prendre une thérapie dépend en effet de la conception que l'on a de ce qui cause ces troubles. Avant même d'aborder les points de vue actuels sur la question, nous présenterons un bref historique des différentes façons de traiter la maladie mentale au cours des âges jusqu'à l'aube du XXe siècle. Nous exposerons par la suite les principales thérapies qui ont cours actuellement, à savoir les thérapies psychologiques et psychobiologiques.

12.1 Un bref historique

Durand et Barlow (2002) regroupent dans trois grandes traditions les différentes façons d'aborder le traitement de la maladie mentale : la tradition surnaturelle, la tradition biologique et la tradition psychologique. Ces traditions ont eu chacune leur «période de gloire» dans l'Histoire, tendant à se succéder plus ou moins régulièrement au fil des époques.

La tradition surnaturelle

L'une des plus anciennes façons de traiter les problèmes de maladie mentale est liée à la croyance selon laquelle les comportements déviants sont des manifestations du combat opposant les forces du Bien à celles du Mal. Cette croyance, qui remonterait aux débuts de la civilisation, est devenue populaire au Moyen Âge et même durant la Renaissance, époque où elle était intimement liée à la religion catholique. Les personnes présentant des comportements étranges étaient considérées comme possédées par le Diable, l'incarnation du Mal s'opposant à Dieu : c'est l'apogée de la croyance en la sorcellerie (Caire, 2008). On cherchait donc à «guérir les possédés» par l'exorcisme, lequel consistait généralement à faire souffrir le corps afin qu'il devienne inhabitable par l'«Esprit mauvais». C'est ainsi que la personne «possédée» pouvait être soumise à la bastonnade ou à d'autres formes de tortures ; on pouvait même aller jusqu'à la brûler sur un bûcher, ce que rappelle la photo 12.1 représentant le supplice auquel fut condamnée Jeanne d'Arc.

De nos jours, les explications à caractère surnaturel n'ont plus cours pour servir de base au traitement des troubles psychologiques, sauf dans certaines cultures non technologiques, dans certaines sectes religieuses marginales ou encore par des «thérapeutes» non reconnus par la communauté scientifique, lesquels invoquent des esprits méchants pour expliquer ce que vit une personne, comme nous l'avons vu dans l'amorce.

La tradition biologique

On fait habituellement remonter à Hippocrate (v. 460 - v. 377 av. J.-C.), le célèbre «père de la médecine», la première explication valable des maladies mentales, explication qui s'inscrit dans la tradition biologique et selon laquelle les troubles psychologiques proviendraient de troubles biologiques. Ainsi, même s'il reconnaissait que l'environnement pouvait exercer une certaine influence sur les troubles mentaux, Hippocrate considérait qu'ils étaient surtout dus à un mauvais fonctionnement du cerveau. Les idées d'Hippocrate et de ses disciples, dont l'un des plus célèbres est le médecin romain Galien (v. 131 - v. 201), ont donné lieu à la théorie humorale de la maladie mentale.

Selon cette théorie, les troubles psychologiques surviennent lorsque le cerveau fonctionne mal en raison d'un dérèglement de l'une ou l'autre des quatre humeurs (liquides) de base qui assurent le fonctionnement normal de l'organisme : le sang (produit par le cœur), la bile noire (produite par la rate), la bile jaune (produite par le foie) et la lymphe (produite par le cerveau). Les troubles mentaux proviendraient d'un déséquilibre, c'est-à-dire d'une insuffisance ou d'un excès, de l'une ou l'autre de ces humeurs. Les traitements recommandés visaient à rétablir cet équilibre par une judicieuse combinaison d'exercices et de nourriture saine de même que par des saignées et des vomissements permettant d'évacuer l'excès de sang et de bile. Il y a lieu de noter ici que la théorie humorale aurait été invoquée à certaines occasions pour pratiquer la trépanation, une intervention qui aurait également été justifiée à certaines époques par des explications surnaturelles, ainsi que le mentionne l'encadré 12.1 (*page 404*).

Même si la tradition biologique issue des Grecs a peu évolué dans les siècles qui ont suivi, elle a maintenu son influence de façon notable jusqu'au Moyen Âge, époque où, comme nous l'avons vu plus haut, la tradition surnaturelle est devenue particulièrement populaire. La théorie humorale a néanmoins perduré au-delà du Moyen Âge et de la Renaissance, les médecins du XVIIIe siècle continuant par exemple de prescrire des traitements tels que des saignées et des purges destinées à rééquilibrer les humeurs. Ce n'est qu'au cours du XIXe siècle qu'on assiste à un retour en force de la tradition explicative d'ordre biologique, mais dans une version plus radicale cette fois, en raison de l'influence de John P. Grey, psychiatre américain pour qui l'aliénation mentale était «toujours» due à une pathologie du cerveau. De plus, comme Grey estimait que les pathologies responsables étaient inconnues, donc incurables, il n'y avait selon lui

Tableau de Jules Lenepveu (1819-1898) représentant Jeanne d'Arc condamnée au bûcher, entre autres pour sorcellerie.

Photo 12.1

La trépanation, un traitement aux origines mystérieuses

Parmi les formes de traitement qui ont marqué l'histoire de la maladie mentale, il en est une qui transcende les époques et les traditions : la trépanation, laquelle consiste à pratiquer dans le crâne une ouverture de 2,5 à 5 cm de diamètre. Comme le rappelle Sabbatini (1997a), on a trouvé des crânes qui témoignaient de cette pratique à toutes les époques connues — depuis l'ère du Cro-Magnon, il y a 40 000 ans, jusqu'à nos jours, en passant par les civilisations égyptiennes, gréco-romaines et médiévales — et dans pratiquement toutes les parties du monde, notamment la Chine, l'Inde, l'Afrique, le Moyen-Orient et les Amériques. Elle serait même encore utilisée dans certaines régions de l'Afrique équatoriale (Sabbatini, 1997a). Il est à noter, ainsi que l'illustre la photo ci-contre, que la cicatrisation observée sur plusieurs crânes anciens démontre que les individus pouvaient survivre à l'opération ; aussi surprenant que cela puisse paraître, ce taux a pu être, selon Sabbatini (1997a), de l'ordre de 65 à 70 %.

Les raisons pour lesquelles la trépanation était pratiquée sont parfois difficiles à établir et semblent avoir été multiples : rites magiques ou libération de mauvais esprits (raison surnaturelle), expulsion de liquide dû à une blessure à la tête (raison proprement médicale) ou élimination de l'excès de lymphe (raison s'appuyant sur la théorie des humeurs). Quoi qu'il en soit, même si les raisons évoquées n'étaient pas fondées sur le plan scientifique, on peut très bien concevoir que cette opération ait pu, malgré les conditions primitives dans lesquelles elle était pratiquée, avoir des effets bénéfiques. Il peut arriver en effet que le liquide dans lequel baigne le cerveau soit produit en quantité excessive, ce qui peut conduire à des maux de tête et produire des crises en raison de la douleur : la trépanation pouvait donc vraisemblablement, si elle était faite dans des conditions permettant la cicatrisation, faire disparaître la douleur et, conséquemment, calmer la personne.

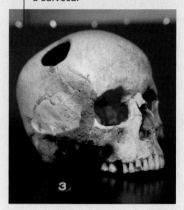

Crâne trépané au silex, exposé au Muséum d'Histoire Naturelle de Lausanne et datant du Néolithique (3500 av. J.-C.). Les bords de l'ouverture s'étant cicatrisés, on en déduit que le patient a survécu.

---

pratiquement rien à faire pour guérir l'aliénation mentale. Conséquemment, le seul type de « traitement » des personnes atteintes est bientôt réduit à la simple hospitalisation (Durand & Barlow, 2002). Cependant, comme nous le verrons dans la section sur les thérapies psychobiologiques, la tradition biologique a aujourd'hui beaucoup progressé, grâce entre autres à la montée spectaculaire des neurosciences.

La tradition psychologique

On peut également faire remonter à l'époque d'Hippocrate la tradition psychologique selon laquelle les causes des troubles psychologiques sont, en partie du moins, autres que biologiques. Formulée par Platon (v. 427 - v. 348 av. J.-C.), cette explication considère que le comportement inadapté est dû à l'environnement culturel et aux apprentissages qu'on y fait. Ainsi, un environnement perturbant, par exemple des parents abusifs, entraînerait une domination des pulsions irrationnelles sur la raison. La thérapie consiste alors à utiliser le raisonnement pour rééduquer l'individu et redonner à la raison son ascendant sur les réactions émotives.

> **Testez vos connaissances**
>
> 1. **Le philosophe grec Platon a été l'un des premiers à penser que le comportement inadapté pouvait être dû à l'environnement et aux apprentissages.**
>
>   Pour Platon, le comportement inadapté est effectivement dû à l'environnement culturel et aux apprentissages qu'on y fait.

Tout comme ce fut le cas pour la tradition biologique, les explications et les traitements de nature psychologique ont exercé une influence notable jusqu'à la montée des explications à caractère surnaturel au Moyen Âge et à la Renaissance, époques où elles ont perdu de la popularité. Or, vers la fin du XVIIIᵉ siècle, un mouvement visant à libérer les malades mentaux de leurs chaînes et des cellules où ils étaient enfermés voit le jour. On a longtemps attribué au psychiatre français Philippe Pinel le mérite d'avoir accompli ce geste le premier, mais il s'agit là d'une « légende historique », ainsi que l'explique l'encadré 12.2. On prescrit alors ce qu'on appelle la *thérapie morale.* Le terme « morale » ne réfère pas ici à la notion de bien et de mal, mais véhicule plutôt l'idée qu'on doit aider les personnes présentant un trouble mental en leur apportant compassion et respect. La thérapie consistait en fait à hospitaliser les gens pour leur fournir un cadre de vie où le personnel encourageait et renforçait les interactions sociales normales. Réalisable au début, cette forme de thérapie s'avère inapplicable à partir du moment où le nombre de personnes admises devient trop élevé pour que le personnel ait le temps d'entrer en interaction avec la plupart des patients. On se retrouve donc réduit à garder les malades mentaux enfermés, souvent même enchaînés lorsqu'ils sont trop agressifs. Plus ou moins reléguée dans l'ombre vers le milieu du XIXe siècle par les idées du psychiatre John P. Grey, la tradition psychologique a par la suite repris une place importante, tout comme la tradition biologique désormais plus nuancée.

Ayant considérablement évolué depuis l'avènement de la psychologie scientifique et de la psychiatrie, les conceptions biologique et psychologique sont aujourd'hui toutes deux bien vivantes et constituent les deux grands angles d'approche selon lesquels les différentes thérapies abordent les troubles psychologiques.

12.2 Les thérapies psychologiques

Les **thérapies psychologiques** sont en fait couramment appelées **psychothérapies** depuis que Bernheim aurait, le premier, utilisé le terme en 1886 dans une publication (Despland & Michel, 2002). Elles visent à traiter un trouble psychologique en utilisant le langage ou en agissant sur certaines conditions dans lesquelles un individu est placé, à l'exclusion de tout geste de nature proprement médicale. Cette dernière restriction les différencie des thérapies psychobiologiques dont il sera question plus loin.

Il est à noter que plusieurs des facteurs d'ordre psychologique mentionnés dans le survol historique que nous avons fait de la tradition psychologique — influence de la famille et de l'environnement, inadaptation sociale, tensions mentales et

Thérapie psychologique

Aussi appelée **Psychothérapie**

Thérapie visant à traiter un trouble psychologique dont est atteint un individu, en utilisant le langage ou en agissant sur certaines conditions dans lesquelles l'individu est placé, à l'exclusion de tout geste de nature proprement médicale.

Pinel, héros d'une légende historique

Contrairement à ce qu'une certaine tradition historique a longtemps laissé entendre, tradition renforcée par la très belle peinture de Tony-Robert Fleury (*voir la photo ci-contre*), il est erroné d'attribuer à Philippe Pinel le fait d'avoir libéré les aliénés de leurs chaînes à la fin du XVIIIe siècle. C'est son disciple Jean-Étienne Esquirol, et plus tard son fils Scipion Pinel, qui aurait entretenu ce mythe vivace — on le retrouve encore dans des manuels très récents — conférant à Pinel une gloire posthume que lui-même n'a jamais réclamée de son vivant (Bloch *et al.*, 1999). Il est d'ailleurs intéressant de noter que la peinture date de 1876, soit 80 ans après le geste que la peinture attribue à Pinel en 1795.

En fait, c'est le surveillant-chef infirmier Jean-Baptiste Pussin, que Pinel avait connu en 1793 à l'asile Bicêtre où il était médecin-chef, qui avait graduellement commencé à libérer certains aliénés de leurs chaînes et à les traiter de façon plus humaine. Observant les initiatives de Pussin, Pinel a amené ce dernier avec lui à La Salpêtrière, à Paris, afin de poursuivre ce qui allait devenir la thérapie morale.

Ainsi, il semble bien que ce soit Pussin, un ex-malade devenu infirmier, qui soit à l'origine de cette nouvelle façon de traiter ceux qu'on appelait les *aliénés.* Sur ce point, Pinel aura néanmoins eu le mérite de reconnaître le caractère humain de cette nouvelle approche et, surtout, d'avoir usé de sa situation de médecin-chef pour en généraliser l'application.

Pinel libérant les aliénés en 1795 à La Salpêtrière, une légende historique qu'a contribué à perpétuer cette toile de Tony-Robert Fleury, peinte en 1876.

émotionnelles — sont encore pris en considération de nos jours. Évidemment, les traitements qui en découlent ont beaucoup évolué. En effet, ainsi qu'on est à même de le constater en consultant le *Traité de psychothérapie comparée* de Duruz et Gennart (2002), on trouve aujourd'hui un très grand nombre de formes de thérapies qui se sont développées à l'intérieur même des grandes approches.

Devant cette multiplicité, l'Ordre des psychologues du Québec (OPQ) a choisi de regrouper les différentes formes de thérapies à l'intérieur de quatre orientations principales pour en simplifier la présentation. Plutôt que de présenter ces orientations par ordre alphabétique, ainsi qu'on les retrouve sur le site de l'OPQ, nous les aborderons selon l'ordre chronologique global dans lequel les différentes approches ont émergé avec l'arrivée du xxᵉ siècle, à savoir l'orientation psychodynamique/analytique, l'orientation cognitive/béhavioriste, l'orientation existentielle/humaniste et l'orientation systémique/interactionnelle (OPQ, 2008i). Nous nous baserons sur ces grandes orientations pour introduire les principales formes de thérapies que nous avons choisi d'aborder dans cette section. Pour chacune des thérapies qui y seront présentées, nous verrons tout d'abord les fondements théoriques, c'est-à-dire la façon dont on conçoit l'origine des troubles psychologiques dans le cadre de l'approche, pour ensuite exposer la forme de thérapie qui en découle.

12.2.1 L'orientation psychodynamique/analytique

Fortement influencées par la psychanalyse et faisant appel à la notion d'inconscient, ces approches établissent un lien entre les difficultés actuelles et les expériences, les conflits refoulés et non résolus de l'histoire personnelle. La personne est ainsi amenée à prendre progressivement conscience de l'influence des conflits inconscients sur son fonctionnement actuel afin de les comprendre et de s'en dégager graduellement. (OPQ, 2008i)

À la suite de l'élaboration, par Freud, de l'approche psychanalytique, d'autres auteurs ont développé des approches qui étaient nettement en désaccord sur certains points avec la psychanalyse freudienne, bien que partageant avec elle certaines notions telles que celle de conflit refoulé dans l'inconscient. Afin de respecter ces divergences de points de vue tout en reconnaissant ce qu'ils ont en commun avec la psychanalyse freudienne, différents qualificatifs ont été utilisés. Estimant que les termes «psychodynamique» et «analytique» sont les plus représentatifs dans ce domaine, l'OPQ a choisi de désigner l'ensemble des approches thérapeutiques qu'on y retrouve par l'appellation «orientation psychodynamique/analytique».

L'approche thérapeutique que nous étudierons davantage est celle basée sur le modèle freudien — le «prototype», pourrait-on dire, des approches regroupées dans la présente section. Nous aborderons également, mais de façon plus succincte, d'autres modèles d'orientation psychodynamique/analytique et nous terminerons par l'évaluation des thérapies d'orientation psychodynamique/analytique.

Le modèle freudien

Les fondements théoriques Lorsque nous avons parlé, au chapitre 1, de l'avènement de la psychanalyse, nous avons donné un aperçu de la démarche qui a amené Freud à élaborer l'approche psychanalytique. Cette démarche s'est effectuée sous la forme d'une interaction constante entre les observations cliniques et les développements théoriques, tant en ce qui a trait à la conception de la personnalité et de ce qui influence son développement qu'en ce qui concerne la façon de rendre compte des troubles psychologiques. Nous présenterons ici l'essentiel de cette conception théorique en traitant des instances de la personnalité, des stades du développement psychosexuel et de l'explication des troubles psychologiques.

Les instances de la personnalité Pour Freud, la personnalité comprend trois instances de base : le ça, le moi et le surmoi. Chacune de ces instances est caractérisée par ce qui l'anime ainsi que par la façon dont elle se développe et interagit avec les autres.

- **Le ça** — À la naissance de l'individu, seul le **ça** est présent. Fonctionnant selon le **principe de plaisir**, cette instance est animée par le besoin de satisfaire les pulsions fondamentales à la source du comportement humain ; c'est en quelque sorte le réservoir des énergies psychiques qui animent l'individu. Selon Freud, les pulsions du ça se ramènent aux deux grandes catégories déjà mentionnées au chapitre 8 sur la motivation, à savoir les pulsions de vie, qu'il regroupe sous le terme *Éros* (signifiant « plaisir » en grec), et les pulsions de mort, correspondant à *Thanatos* (signifiant « mort » en grec). Il importe de rappeler ici qu'Éros englobe autant l'énergie sexuelle, ou **libido**, que les besoins liés à la survie de l'individu et à celle de l'espèce.

- **Le moi** — Dès les premières semaines du développement, et ce, au fur et à mesure que l'enfant prend contact avec le monde extérieur, une deuxième instance apparaît : le **moi**. Alors que dans le sein de la mère, l'enfant était en parfaite symbiose avec le milieu où il se trouvait, la situation n'est plus la même après la naissance. Il doit désormais faire face au fait que ses besoins ne sont plus satisfaits sur-le-champ, ce qui l'amène graduellement à prendre conscience qu'il est une entité distincte du milieu. C'est ce qui va entraîner l'émergence du moi, lequel tiendra ainsi le rôle d'intermédiaire entre les pulsions du ça et les contraintes provenant de l'extérieur qui empêchent souvent la satisfaction immédiate des pulsions. Ainsi, parce que le moi cherche constamment à composer avec la réalité, on dit que son fonctionnement est régi par le **principe de réalité**. C'est l'instance la plus consciente et la plus rationnelle des trois.

- **Le surmoi** — Au début, les contraintes auxquelles l'enfant fait face sont essentiellement d'ordre physique (par exemple, la non-disponibilité du sein dès que l'enfant a faim ou encore l'inconfort dû à la température ambiante). Par contre, à mesure que se développe la communication avec l'entourage, des contraintes d'ordre moral interviennent quant à ce qui est bien et ce qui est mal, autrement dit, par rapport à ce qui est permis et ce qui ne l'est pas. L'enfant doit ainsi affronter des interdits, lesquels proviennent d'abord des parents. S'identifiant à ces derniers, l'enfant intériorise alors ces interdits parentaux : c'est l'émergence du **surmoi**. Même si l'enfant se plie, au début, aux interdits parentaux — et plus tard aux interdits sociaux —, cela ne signifie pas pour autant qu'il les fasse pleinement siens, d'où certains conflits susceptibles de survenir plus tard. On dit du surmoi qu'il fonctionne selon le **principe de moralité**.

Les stades du développement psychosexuel La façon dont évoluent les trois instances qui viennent d'être décrites est marquée par une série de stades, chacun étant caractérisé par une zone érogène particulière dont la stimulation procure du plaisir. Freud distingue ainsi différents stades psychosexuels : le stade oral, le stade anal, le stade phallique, la période de latence et, finalement, le stade génital.

- **Le stade oral** — Le **stade oral** (de la naissance à 18 mois environ) est appelé ainsi parce que la bouche constitue alors la zone érogène privilégiée, le besoin de téter, donc de se nourrir, étant prioritaire pour la survie. Cette importance particulière accordée au plaisir apporté par la bouche se manifeste également par la façon dont l'enfant explore le monde en y portant tout ce qu'il touche. C'est d'ailleurs au cours de cette période que l'enfant commencera à établir une différence entre lui et le monde extérieur, et ainsi à développer son moi.

- **Le stade anal** — Vers 14 mois, une transition s'opère et, jusqu'aux environs de 3 ans, l'enfant passe par le **stade anal**, caractérisé par le fait que c'est la zone anale qui devient la zone érogène privilégiée. L'enfant découvre la capacité de contracter et de relâcher ses sphincters (ceux assurant la défécation et la miction) et, par la suite, celle de commander les mouvements de son corps en général, et pas uniquement dans l'apprentissage de la propreté. Ce faisant, il réalise qu'il est capable de s'affirmer vis-à-vis de ses parents en décidant de faire ou non son « caca » ou son « pipi ». Le stade anal est ainsi une période d'affirmation marquée du moi.

- **Le stade phallique** — Vers trois ans, jusqu'aux alentours de six ans, c'est la zone génitale qui devient la zone érogène importante, d'où le terme **stade phallique** qui désigne cette période, cruciale selon Freud pour le développement de l'identité

Ça
Dans la théorie freudienne, instance mue par le besoin de satisfaire les pulsions fondamentales ; on dit du ça qu'il fonctionne selon le principe de plaisir.

Principe de plaisir
Dans la théorie freudienne, principe motivateur du ça selon lequel ce dernier tend naturellement à rechercher la satisfaction des pulsions libidinales.

Libido
Dans la théorie freudienne, énergie sexuelle prise au sens large (c'est-à-dire non attachée uniquement au fonctionnement des organes génitaux) et recherchant la satisfaction des pulsions de vie.

Moi
Dans la théorie freudienne, instance jouant le rôle d'intermédiaire entre les pulsions du ça et les contraintes provenant de l'extérieur qui empêchent souvent la satisfaction immédiate des pulsions ; on dit du moi qu'il fonctionne selon le principe de réalité.

Principe de réalité
Dans la théorie freudienne, principe motivateur du moi selon lequel ce dernier tend à concilier les exigences du ça avec celles de l'extérieur, en particulier celles provenant du surmoi.

Surmoi
Dans la théorie freudienne, instance issue de l'intériorisation des interdits parentaux et, par la suite, des interdits sociaux concernant ce qui est bien et ce qui est mal ; on dit du surmoi qu'il fonctionne selon le principe de moralité.

Principe de moralité
Dans la théorie freudienne, principe motivateur du surmoi qui pousse ce dernier à se plier aux interdits sociaux.

Stade oral
Dans la théorie freudienne, période s'étendant de la naissance à environ 18 mois et constituant le premier stade du développement psychosexuel, stade au cours duquel la bouche constitue la zone érogène privilégiée.

Stade anal
Dans la théorie freudienne, période s'étendant approximativement de 14 mois à 3 ans et constituant le deuxième stade du développement psychosexuel, stade au cours duquel la zone anale constitue la zone érogène privilégiée.

Stade phallique
Dans la théorie freudienne, période s'étendant approximativement de trois ans à six ans et constituant le troisième stade du développement psychosexuel, stade au cours duquel la zone génitale constitue la zone érogène privilégiée.

Complexe d'Œdipe
Dans la théorie freudienne, phénomène survenant au cours du stade phallique et consistant dans le fait que l'enfant devient amoureux du parent de sexe opposé, le parent du même sexe devenant alors un rival.

Complexe d'Électre
Terme utilisé par Jung pour désigner le complexe d'Œdipe chez la fille.

Période de latence
Dans la théorie freudienne, période s'étendant d'environ six ans jusqu'à l'arrivée de la puberté et caractérisée par une mise en veilleuse de la libido — donc du développement psychosexuel —, les événements marquant le développement lors de cette période étant plutôt d'ordre cognitif et social.

Stade génital
Dans la théorie freudienne, période débutant avec l'apparition de la puberté et constituant le dernier stade du développement psychosexuel, stade au cours duquel l'intérêt pour l'autre sexe renaît, conduisant à l'identité et à la maturité sexuelles qu'on retrouvera normalement chez l'adulte.

sexuelle et de la personnalité. Auparavant, garçons et filles croient que le père et la mère ont tous deux un pénis, mais ils découvrent alors que ce n'est pas le cas (Bouchard & Gingras, 2007). Cette découverte entraînera un phénomène central dans le fonctionnement de la vie psychique, phénomène que Freud a appelé le **complexe d'Œdipe**, en référence au personnage de la mythologie grecque qui, ayant été séparé dès son jeune âge de sa mère, revient un jour dans la ville où il était né et, sans le savoir, épouse sa mère après avoir tué son père. Ainsi, entre trois et cinq ans, le jeune garçon devient amoureux de sa mère et veut se l'approprier, ce qui se reflète dans une phrase type du petit garçon : « Maman, quand je serai grand, je vais me marier avec toi. » Le père devient alors un rival qui, dans les fantasmes de l'enfant, pourrait le priver de son pénis, d'où la peur de la castration ; d'un autre côté, l'enfant a encore besoin de la puissance protectrice du père. Ce conflit entre son désir (universel, selon Freud) pour sa mère et la peur de son père amènera le petit garçon à renoncer à la mère et à s'identifier au père pour devenir comme lui. Dans le cas de la petite fille, le complexe d'Œdipe est vécu différemment. Croyant que c'est sa mère qui est responsable du fait qu'elle n'a pas de pénis, la petite fille transfère sur son père l'attachement érotique d'abord éprouvé envers sa mère, laquelle devient une rivale. Elle espère avoir un enfant de son père, ce qui constituerait un substitut pour le « pénis perdu ». Devant l'impossibilité de supplanter sa mère auprès de son père, elle finit par résoudre son conflit en s'identifiant à la mère, ce qui l'amène à changer d'objet et lui permet de reporter son désir vers un autre homme ressemblant à son père. La forme que prend ce conflit chez la petite fille a été appelée **complexe d'Électre** par Jung, en référence au personnage Électre, la sœur d'Œdipe dans la mythologie grecque.

- La période de latence — Vers l'âge de six ou sept ans, l'enfant entre dans ce que Freud a appelé la **période de latence**. On rencontre à l'occasion l'expression « stade latent », mais le terme « période » utilisé par Freud et repris par la plupart des auteurs souligne le fait que cette phase est marquée par une mise en veilleuse de la libido. Pour Freud, en effet, c'est sur les plans cognitif et social que se déroulent les événements marquants lors de cette période du développement, l'enfant étant alors peu porté à s'intéresser aux individus de l'autre sexe.

- Le stade génital — Au moment de la puberté, c'est-à-dire vers l'âge de 12 ans, le développement psychosexuel entre dans son dernier stade : le **stade génital**. L'intérêt de l'enfant pour l'autre sexe réapparaît, mais se déplace du parent de sexe opposé pour s'orienter vers un objet d'amour plus approprié. Or, les conflits qui avaient marqué les stades précédents — particulièrement le stade phallique — ressurgissent et doivent à nouveau être résolus. Cette résolution dépend toutefois de la manière dont ces conflits ont été réglés aux stades précédents, et ce n'est que dans la mesure où elle s'effectue correctement que l'individu pourra développer l'identité et la maturité sexuelles propres à l'adulte et tournées vers la reproduction.

> **Testez vos connaissances**
>
> 2. **Selon la conception freudienne, c'est vers l'âge de six ans que l'identité sexuelle s'établit.**
>
> Pour Freud, c'est plutôt vers l'âge de 12 ans, au moment de la puberté, que se confirme l'identité sexuelle.

L'explication des troubles psychologiques Pour Freud, les conflits qui surviennent au cours du développement psychosexuel entre les exigences des trois instances de la personnalité laissent inévitablement des traces, la résolution complète et parfaite de ces conflits relevant en quelque sorte de l'utopie. Chacun conserve donc des éléments conflictuels non résolus qui avaient été refoulés dans l'inconscient en raison de l'anxiété qu'ils créaient. L'anxiété associée à ces conflits non entièrement résolus continue néanmoins à influencer « inconsciemment » le comportement de l'individu dans les différents secteurs de sa vie, comme dans ses rapports avec ses parents ou avec les figures d'autorité, ou encore dans ses rapports amoureux.

Cependant, pour la plupart des gens, l'anxiété rattachée aux éléments conflictuels refoulés dans l'inconscient demeure relativement faible et ne perturbe pas sensiblement la vie psychique consciente. Toutefois, lorsque cette anxiété est plus importante, ses effets inconscients peuvent l'être également et ainsi entraîner des comportements de nature pathologique : c'est alors que surviennent les troubles psychologiques qui, selon Freud, constituent la manifestation de conflits non résolus. Pour tenter d'échapper à l'anxiété associée à ces troubles, l'individu sera porté à utiliser des **mécanismes de défense**. L'encadré 12.3 (*page 410*) présente succinctement ces principaux mécanismes. Il importe ici de se rappeler que, même si ces mécanismes ont été mis en évidence à partir de cas cliniques, leur utilisation n'a pas forcément un caractère pathologique et constitue souvent une réponse adaptative (Vaillant, 1993 ; dans Ionescu, Jacquet, & Lhote, 1997). C'est lorsqu'un mécanisme est utilisé à outrance et ne permet pas à l'individu de se libérer d'un conflit anxiogène que son emploi devient pathologique, comme chez une personne qui n'ose pas répliquer à un patron autoritaire et qui « déplace » son agressivité refoulée envers les membres de sa famille.

La thérapie Dans l'approche freudienne, le but premier de la thérapie est double : découvrir le conflit non résolu qui a été refoulé, et ensuite le résoudre en provoquant la **catharsis**, c'est-à-dire en le faisant revivre pour libérer la charge affective qui lui est associée. Selon Freud, pour que cela survienne, il faut que se produise le transfert, c'est-à-dire le report, sur le thérapeute, des sentiments intenses (amour, hostilité, etc.) qui avaient été refoulés. Jouant alors le « rôle » de la personne à qui seraient destinés les sentiments refoulés, le thérapeute doit faire en sorte que ceux-ci soient cette fois canalisés de façon adéquate. Le transfert est crucial dans la démarche freudienne dont il constitue le phénomène central.

Pour que cette démarche s'effectue, le thérapeute utilise différentes techniques dont, premièrement, ce que Freud a appelé la cure par la parole et qui consiste essentiellement dans le simple fait d'utiliser le langage comme outil thérapeutique. Cette façon de procéder est aujourd'hui employée, seule ou de concert avec d'autres méthodes, dans la plupart des autres formes de thérapie. Il faut cependant savoir qu'à l'époque de Freud, c'est l'hypnose qui était la principale thérapie reconnue, le simple échange verbal avec le patient n'étant pas considéré comme ayant une valeur thérapeutique. En la nommant, Freud a voulu faire en sorte que la cure par la parole soit dûment reconnue comme une forme de thérapie.

Afin de faciliter la mise au jour des conflits et la résolution éclairée de ces derniers, Freud a développé d'autres techniques visant à contourner la **résistance** inconsciente des patients à aborder les sujets conflictuels en raison de l'anxiété que ces conflits faisaient ressurgir. Ces techniques sont principalement l'association libre et l'interprétation de phénomènes tels que les rêves, les oublis ou actes manqués, les lapsus ainsi que certains symptômes physiques.

Dans l'association libre, le patient doit dire la première chose qui lui vient à l'esprit lorsque le thérapeute prononce un mot, et ce, sans rien censurer. Pour Freud, ce que dit le patient ne survient pas par hasard, mais découle indirectement d'un élément conflictuel inconscient. Par exemple, selon que le patient répond « protection » ou « reproche » au mot « père » prononcé par le thérapeute, celui-ci s'en servira pour établir dans quelle direction il faudra creuser plus avant. Pour influencer le moins possible le patient, Freud le faisait étendre sur un divan et se plaçait derrière lui, comme l'illustre la photo 12.2.

Freud s'est éventuellement rendu compte que, de façon générale, plus la thérapie avançait, moins l'association libre parvenait à contourner toute la résistance du patient. Il en est alors venu à se servir des rêves, considérant que ces derniers révélaient des désirs insatisfaits et, indirectement, les conflits refoulés dans l'inconscient, pourvu qu'on sache les interpréter correctement. Il a même affirmé, dans son célèbre ouvrage,

Mécanisme de défense
De façon générale, processus psychologique permettant à l'individu de composer avec les conflits émotionnels et les facteurs de stress auxquels il doit faire face, l'individu n'en étant généralement pas conscient au moment où il y a recours.

Catharsis
Dans la théorie freudienne, libération de la charge affective associée à un conflit.

Résistance
Dans la théorie freudienne, phénomène selon lequel un patient évite inconsciemment d'aborder les sujets conflictuels en raison de l'anxiété que ces derniers font ressortir.

Freud faisait étendre ses patients sur un divan derrière lequel il se plaçait.

Photo 12.2

Les mécanismes de défense, des mécanismes souvent utiles

Freud a été le premier à décrire les mécanismes de défense à travers plusieurs de ses ouvrages. C'est toutefois sa fille Anna, devenue psychanalyste, qui a été la première à publier un volume consacré directement à cette question, *Le moi et les mécanismes de défense* (Freud, 1936).

Depuis la parution du volume d'Anna Freud, de nombreuses formulations ont été proposées pour définir ces mécanismes, en même temps que d'autres mécanismes ont été proposés en plus des 10 décrits à l'origine par Freud. Ainsi, Ionescu, Jacquet et Lhote (1997), qui en décrivent 29, rapportent qu'un auteur aurait dénombré jusqu'à 37 mécanismes de défense. Ils soulignent également que l'introduction de la notion de mécanisme de défense dans le *DSM-III-TR* a marqué la reconnaissance officielle de l'importance de ces derniers.

En ce qui nous concerne, nous allons nous en tenir à une présentation succincte de quelques-uns des principaux mécanismes de défense les plus souvent mentionnés. Le but n'est pas ici d'en donner une définition formelle, mais simplement d'illustrer la fonction adaptative qu'ils peuvent remplir lorsqu'ils sont utilisés «normalement», c'est-à-dire lorsqu'ils n'entraînent pas un dysfonctionnement.

- **Déni (ou négation)** — Consiste à nier un fait perçu comme trop dangereux ou douloureux.

  Exemple : En refusant de croire que son enfant est mort, un parent se donne le temps de s'adapter à cette nouvelle réalité.

- **Déplacement** — Consiste à reporter une réaction sur un objet autre que celui vers lequel la réaction aurait dû naturellement porter.

  Exemple : Quelqu'un qui n'a pas osé répliquer à son patron se montre exagérément impatient envers son conjoint une fois rendu chez lui, se libérant, au détriment de l'autre, de l'agressivité qui aurait normalement dû être dirigée vers son patron.

- **Formation réactionnelle** — Consiste à réagir de façon opposée à ce qu'on serait spontanément porté à faire.

  Exemple : Une personne qui n'aime pas ses beaux-parents et qui devient «tout sourire» chaque fois qu'ils arrivent, évitant ainsi l'affrontement.

- **Identification** — Consiste à assimiler ou à imiter certaines façons d'être ou d'agir de quelqu'un perçu comme incarnant ce qu'on aurait aimé être.

  Exemple : Quelqu'un qui aurait aimé avoir une vie de vedette adopte la façon de s'habiller et de parler de son chanteur préféré, ce qui lui permet d'accepter sa propre routine dans la vie de tous les jours.

- **Projection** — Consiste à attribuer à d'autres des motivations, généralement à caractère négatif, qui auraient été les siennes propres.

  Exemple : Une personne de style plutôt autoritaire qui affirme que tout ce que veulent ceux qui se lancent en politique, c'est du pouvoir.

- **Rationalisation** — Consiste à dissimuler les véritables motifs de ses pensées, de ses agissements ou de ses sentiments derrière des explications rassurantes et socialement acceptables.

  Exemple : Un étudiant qui n'a pas été accepté à une prestigieuse université à l'étranger refuse de se dire déçu et affirme que, réflexion faite, «c'est mieux ainsi», car il va pouvoir demeurer avec son groupe d'amis et économiser en demeurant chez ses parents.

- **Refoulement** — Consiste à reléguer dans l'inconscient un souvenir pénible.

  Exemple : Un individu a «oublié» la honte ressentie lorsqu'il avait eu peur devant des camarades de classe, ce qui fait qu'il n'en souffre plus, du moins consciemment.

- **Régression** — Consiste à revenir à un comportement caractéristique d'une période antérieure à une situation créant une certaine anxiété.

  Exemple : Un enfant de cinq ans qui, à l'arrivée d'un nouveau-né qui retient beaucoup l'attention dans la famille, se remet à sucer son pouce, comme à l'époque où il était lui-même le centre de l'attention.

- **Sublimation** — Consiste à orienter vers une activité socialement acceptable une tendance qui ne le serait pas.

  Exemple : Quelqu'un qui aurait eu tendance à faire souffrir les autres devient chirurgien, canalisant ainsi «pour une bonne cause» le fait d'avoir «été obligé» d'infliger une certaine souffrance.

Anna Freud (1895-1982)
La seule enfant de Freud à devenir psychanalyste, Anna Freud s'est beaucoup intéressée à la psychanalyse des enfants.

L'interprétation des rêves (Freud, 1900/1976) que le rêve est «la voie royale vers l'inconscient». Selon Freud, les rêves ne sont toutefois pas les seuls indices qui permettent de rejoindre indirectement l'inconscient. Il en est de même de simples phénomènes tels que les oublis ou les actes manqués (par exemple, ne plus se rappeler le nom d'un oncle qu'on détestait), les lapsus (par exemple, dire «dénoncer les sexes» au lieu de «dénoncer les sectes») ou même certains symptômes physiques (par exemple, faire une indigestion la veille d'une visite qu'on voudrait éviter) (Freud, 1901/2004).

3. **Dans les techniques freudiennes, l'interprétation des rêves est considérée comme un moyen privilégié pour accéder à l'inconscient.**

Effectivement, selon l'approche freudienne, l'interprétation des rêves est même considérée comme étant «la voie royale vers l'inconscient».

Le thérapeute qui applique l'approche freudienne doit s'efforcer de demeurer neutre, malgré la charge affective qui peut être libérée chez le patient lors du transfert. Cette neutralité lui permet de bien diriger l'évolution de la thérapie. Par ailleurs, comme le souligne la clinicienne psychanalyste Suzanne Bouchard dans l'encadré 12.4, le travail d'exploration de l'inconscient est relativement long. On considère ainsi qu'une thérapie psychanalytique type peut durer de deux à trois ans, et ce, à raison de deux ou trois rencontres par semaine.

Les autres modèles d'orientation psychodynamique/analytique

Malgré les nombreuses réactions négatives que la psychanalyse a soulevées au début, et ce, en raison de l'importance accordée à la sexualité enfantine, l'intérêt accordé à l'inconscient a par la suite été partagé par un grand nombre d'auteurs, ce qui a lancé un courant de pensée qui se maintient encore de nos jours. Toutefois, plusieurs de ceux

---

ENCADRÉ 12.4 | **Paroles d'expert**

Suzanne Bouchard, une clinicienne d'orientation psychodynamique/analytique

Madame Suzanne Bouchard est psychologue et psychanalyste diplômée de l'Institut psychanalytique de Montréal. Elle exerce sa profession de psychologue en bureau privé depuis plus de 21 ans. C'est sa préoccupation pour le fonctionnement et le développement de l'être humain qui l'a amenée à s'intéresser à la psychothérapie.

L'approche psychanalytique qu'elle préconise est fondée sur une conception dynamique de l'appareil psychique. Elle s'intéresse à la conflictualité à l'intérieur de l'individu et reconnaît la complexité des forces et des résistances en présence chez la personne. Les aptitudes et les atouts de l'individu constituent des forces auxquelles s'opposent les interdits, les blocages et les traumatismes qui ont laissé des traces dans l'appareil psychique.

Selon Mme Suzanne Bouchard, la psychanalyse permet à la personne de développer une meilleure connaissance d'elle-même et, par le fait même, d'avoir une compréhension plus éclairée de ses motivations. La personne peut ainsi comprendre ce qui l'influence et la pousse à agir comme elle le fait. Elle apprend «à reconnaître ce qui lui nuit et donc à dépasser ses limites ou, à tout le moins, à ne pas se laisser piéger par des affects interdits ou des conflits internes».

La psychanalyse peut s'appliquer à divers problèmes dans la mesure où la personne est prête à tolérer une certaine insécurité par rapport à «ce qu'on va faire» en thérapie et se permet de «plonger en dedans d'elle-même». Cette approche convient moins bien aux gens qui recherchent des outils ou une méthode concrète de travail. L'efficacité de la psychanalyse ne varie pas vraiment en fonction du type de problème à traiter, mais plutôt en fonction des attentes et de la personnalité des gens qui consultent. Le temps est un autre facteur à considérer dans le succès d'une psychanalyse. En effet, la connaissance de soi nécessite un travail de longue haleine et un engagement dans un processus à long terme. On comprend dès lors que l'idée de guérison se conjugue avec une meilleure prise de conscience par la personne de son «être».

Mme Bouchard souligne qu'il est très difficile de soulager rapidement la détresse. Il est ainsi possible, bien que dramatiquement malheureux, qu'un individu vivant une profonde détresse mette fin à ses jours, même après avoir rencontré un psychologue à quelques reprises. «Il faut accepter de rester vivant, le temps nécessaire pour que la souffrance soit travaillée.» Les psychologues doivent donc faire preuve d'une extrême vigilance au moment d'évaluer la demande d'aide et s'assurer ainsi la collaboration de l'individu et de son entourage immédiat.

Bien que le mouvement psychanalytique existe depuis longtemps, il est toujours très vivant. On le constate à travers les études récentes consacrées au domaine de la psychosomatique, où le lien entre le corps et l'esprit est au cœur du problème. La littérature psychanalytique s'intéresse aussi de plus en plus à ce que vivent les adolescents.

Mme Bouchard reconnaît qu'il y a encore un tabou répandu chez les jeunes: «La psychothérapie, c'est pour les fous.» Ils sont gênés de consulter parce qu'ils ne veulent pas porter une étiquette d'anormalité. Pourtant, au-delà de l'aide à la souffrance, la psychothérapie agit positivement en mettant la personne en contact avec ses forces, ses capacités d'adaptation et la possibilité de réaliser ses désirs en accord avec la réalité.

Suzanne Bouchard, M. Ps., membre de la Société canadienne de psychanalyse (SCP) et de l'Association psychanalytique internationale (API).

Carl Gustav Jung (1875-1961)
D'abord disciple de Freud, Jung s'en dissocie pour mettre l'accent sur l'inconscient collectif et les archétypes.

Photo 12.3

Inconscient individuel
Dans le contexte jungien, inconscient correspondant essentiellement à l'inconscient tel que défini par Freud.

Inconscient collectif
Dans la théorie jungienne, inconscient constitué par l'ensemble des divers archétypes hérités de l'espèce et présents dans toutes les cultures.

Animus
Archétype jungien correspondant à la représentation stéréotypée que la femme se fait de l'homme.

Anima
Archétype jungien correspondant à la représentation stéréotypée que l'homme se fait de la femme.

Sentiment d'infériorité
Concept central chez Adler qui proviendrait de la vulnérabilité du nourrisson vis-à-vis de sa mère dont il dépend dès les premiers jours de sa vie.

qui ont été initialement attirés par les idées de Freud s'en sont distancés par la suite, continuant d'adhérer à la notion d'inconscient, mais différant d'opinion en ce qui a trait à l'origine de cet inconscient et à la façon dont se développe la personnalité. Parmi les premiers auteurs à avoir développé un modèle psychanalytique différent de la position de Freud, on trouve entre autres Jung, Adler ainsi que Horney.

Jung et les archétypes Curieux à la fois d'archéologie, de sciences naturelles et de spiritualité, Carl Gustav Jung (*voir la photo 12.3*) est inscrit en médecine générale lorsqu'il s'oriente vers la psychiatrie, spécialité qu'il croit pouvoir lui permettre de faire converger ses divers champs d'intérêt (Bouchard & Gingras, 2007). Après s'être intéressé aux travaux de Freud, il finit par se séparer de ce dernier en raison de certaines divergences théoriques, notamment sur le fait que Freud accordait trop d'importance à la sexualité.

Jung se démarque également de Freud en ce qu'il distingue deux sortes d'inconscients : l'inconscient individuel et l'inconscient collectif. Alors que l'**inconscient individuel** correspond essentiellement à la conception freudienne selon laquelle il est constitué de conflits refoulés, l'**inconscient collectif**, plus important d'après Jung que l'inconscient individuel, est constitué d'archétypes (Jung, 1936/1971). Il s'agit en fait de représentations, de façons d'être ou de symboles universels qui sont transmis génétiquement et qui conditionnent notre façon de voir le monde. À titre d'exemple, on trouve l'**animus**, c'est-à-dire la représentation stéréotypée que la femme se fait de l'homme, et l'**anima**, la représentation stéréotypée que l'homme se fait de la femme.

Pour Jung, la difficulté d'harmoniser les différents éléments liés à l'inconscient, tant individuel que collectif, est à la source des problèmes psychologiques. Les personnes qui viennent en thérapie sont mal à l'aise avec leur inconscient, ce qui les amène à l'ignorer, à en avoir peur ou à le mépriser (Noschis, 2002). Le thérapeute cherchera donc à « réconcilier » l'individu avec les différents aspects de son inconscient. Pour cela, il mettra l'accent sur l'écoute du patient, sympathisant avec lui et communiquant à ce dernier comment lui-même a déjà vécu des situations semblables.

Adler et la psychologie individuelle Médecin de formation tout comme Jung, Alfred Adler (*voir la photo 12.4*) s'intéresse aussi aux idées de Freud, mais n'y souscrit jamais entièrement. Il adhère ainsi à la notion d'inconscient, mais rejette la théorie de la libido et le modèle freudien de la personnalité avec ses trois instances car, pour lui, l'individu est un tout indissociable des aspects social et biologique qui le constituent.

D'après Adler (1920/1961), chacun éprouve depuis la naissance un **sentiment d'infériorité** provenant de la vulnérabilité du nourrisson à l'égard de sa mère dont il dépend dès les premiers jours de sa vie. Au fur et à mesure qu'il se développe, l'individu cherche à se perfectionner sans cesse en vue de compenser son infériorité initiale, ce qui demande qu'il puisse grandir dans un climat de confiance. Si ce climat de confiance fait défaut, l'individu n'arrive ni à surmonter son sentiment d'infériorité, ni à s'adapter harmonieusement à son environnement social. C'est ce qui, selon Adler, entraîne l'apparition des problèmes d'ordre psychologique.

L'approche thérapeutique développée par Adler visait à rendre la personne capable de structurer elle-même la façon dont elle veut fonctionner. La procédure générale à suivre consistait à mettre au jour les fondements cognitifs et émotionnels à la base du style de vie de la personne, de façon qu'elle puisse sortir des mécanismes rigides de fonctionnement qu'elle a développés et, de là, s'entraîner à de nouvelles façons de vivre et de se comporter (Duruz & Gennart, 2002). En fait, l'approche d'Adler préfigurait l'approche cognitivo-comportementale (Hahusseau & Tignol, 1999) dont il sera question plus loin.

Horney et l'apport socioculturel Issue d'une famille allemande bourgeoise au climat houleux, Karen Horney (*voir la photo 12.5*) obtient, avec le plein soutien de sa mère malgré l'opposition de son père, un doctorat en médecine avec spécialisation en psychiatrie. Ayant eu très tôt à lutter contre des tendances dépressives, troublée qu'elle était par la mésentente entre ses parents, elle s'intéresse à la psychanalyse, ce qui implique de suivre soi-même une psychanalyse. Cependant, lorsque son thérapeute interprète sa dépression comme traduisant, selon le modèle freudien, une envie du pénis, elle refuse cette interprétation et interrompt ses séances de psychanalyse. Commence alors une démarche qui va l'amener à concevoir sa propre théorie.

Tout comme Freud, Horney admet l'existence de conflits intrapsychiques. Elle considère toutefois que la source de ces conflits ne met pas en jeu la libido, mais plutôt des besoins fondamentaux tels que le besoin de se sentir en sécurité et de satisfaire ses besoins de base (manger, s'amuser, etc.). Il est primordial que ces besoins soient satisfaits pour que l'enfant puisse s'épanouir et se réaliser en tant qu'adulte. C'est aux parents de faire en sorte que cela se concrétise en créant un climat familial qui procure à l'enfant la sécurité dont il a besoin et qui satisfait ses besoins de base. Si ces derniers ne sont pas satisfaits, cela entraîne chez l'enfant un conflit entre sa dépendance envers ses parents et l'hostilité qu'il ressent à leur égard. Ce conflit entraîne à son tour un sentiment d'angoisse que Karen Horney a appelé l'**angoisse fondamentale**. Pour tenter d'échapper à cette angoisse et au conflit qui en est à l'origine, l'individu pourra développer soit une personnalité soumise, recherchant à tout prix la protection et l'affection de l'entourage, soit une personnalité hostile, constamment portée à s'opposer et à dominer les autres, soit une personnalité distante, visant à s'éloigner de la compagnie des autres et ainsi à éviter toute stimulation émotive. En l'amenant à prendre conscience de son angoisse fondamentale, le thérapeute peut aider la personne à s'en libérer.

L'évaluation des thérapies d'orientation psychodynamique/analytique

L'évaluation des thérapies d'orientation psychodynamique/analytique n'est pas une tâche simple. Malgré cela, d'après le Conseil supérieur d'hygiène (2005) — lequel fait une large utilisation du rapport de l'Institut national de la santé et de la recherche médicale (INSERM, 2004) — des études récentes sérieusement menées sur le plan méthodologique rapportent des résultats intéressants concernant certains troubles spécifiques. Ainsi, l'approche psychanalytique aurait une efficacité démontrée pour certains troubles de la personnalité (par exemple, la personnalité borderline). De plus, son association avec la prise d'antidépresseurs aurait un effet bénéfique sur la dépression et semblerait efficace pour le trouble panique et l'état de stress post-traumatique. Par ailleurs, en ce qui a trait aux cas où un individu présente une série de difficultés et de troubles associés de façon complexe et pouvant évoluer avec le temps, Leuzinger-Bohleber *et al.* (2003) rapportent plusieurs résultats significatifs intéressants quant à l'amélioration sur une longue durée de l'état psychique des patients.

En somme, la difficulté principale — déjà soulevée par Freud (1916/1971) lui-même — est de pouvoir évaluer quantitativement quel aspect de la thérapie a eu un effet sur quel trouble. À ce sujet, l'INSERM (2004) estime, en considérant les efforts déjà faits, que les prochaines années permettront de mieux évaluer l'efficacité des thérapies d'orientation psychanalytique/analytique, tout comme celle des autres thérapies abordées dans les sections qui suivent.

12.2.2 L'orientation cognitive/béhavioriste

Les spécialistes de ces approches considèrent que les difficultés psychologiques sont liées à des pensées ou à des comportements inadéquats qui ont été appris par une personne dans son environnement quotidien. Il s'agit donc d'analyser ces comportements et pensées, ainsi que le milieu de vie de la personne et d'apprendre de nouveaux comportements, de remplacer ces pensées ou émotions non désirées par d'autres qui sont davantage adaptées. (OPQ, 2008i)

Les thérapies qu'on retrouve dans l'orientation cognitive/béhavioriste proviennent de deux approches présentées brièvement dans le chapitre 1 et sur lesquelles nous sommes revenus à divers moments dans les autres chapitres : les approches béhavioriste et cognitive. Quoique ces approches aient été très différentes à leurs débuts, la façon dont elles ont évolué fait qu'elles se rapprochent de plus en plus, sur les plans

Alfred Adler (1870-1937)
Adler a mis l'accent sur la vulnérabilité de l'individu qu'il considère comme un tout indissociable.

Photo 12.4

Karen Horney (1885-1952)
Karen Horney a insisté sur l'insécurité fondamentale de l'enfant et sur la façon dont ce dernier doit s'adapter pour faire sa place en société.

Photo 12.5

Angoisse fondamentale
Selon Horney, sentiment provenant de l'angoisse vécue par l'enfant lorsqu'il ressent des sentiments conflictuels à l'égard de ses parents, c'est-à-dire lorsqu'il est partagé entre un sentiment de dépendance envers ses parents et d'hostilité à l'égard de ces derniers lorsqu'ils ne satisfont pas ses besoins de base.

tant théorique que clinique. Nous présenterons, dans le cadre de cette section, les deux catégories de thérapies issues de ces approches, à savoir les thérapies béhavioristes et les thérapies cognitives ; nous compléterons la section par un regard global sur l'évaluation des thérapies d'orientation cognitive/béhavioriste.

Les thérapies béhavioristes

Les fondements théoriques
La conception de la personnalité à la base des thérapies béhavioristes est celle qui met le plus l'accent sur le comportement et sur son côté appris. Pour Watson, le fondateur du béhaviorisme, il fallait éliminer la conscience comme objet d'étude de la psychologie scientifique étant donné qu'elle ne pouvait pas être observable, et donc pas être étudiée de façon scientifique. Skinner abondait dans ce sens en considérant l'organisme comme une «boîte noire» à laquelle la science n'avait pas accès, précisant que tout ce que l'on peut étudier d'un angle scientifique, ce sont les stimuli reçus par l'organisme et les réponses comportementales qu'il émet. Plus tard, les néobéhavioristes ont adopté une position moins radicale. Tout en conservant le souci de décrire le plus objectivement possible les stimuli présents dans l'environnement et les réponses émises par l'organisme, ils ont reconnu la nécessité de s'intéresser à ce qui se passait «à l'intérieur de la boîte noire».

Ainsi, selon cette approche, ce qu'on appelle la *personnalité* correspond à la façon complexe dont s'enchaînent les différents comportements appris en réponse aux stimuli de l'environnement, que ces comportements aient été appris par conditionnement de type classique ou opérant, ou encore par observation. Autrement dit, ce qui caractérise la personnalité d'un individu par rapport à celle d'un autre, c'est la façon dont les comportements appris se généralisent et se combinent pour donner une manière générale de se comporter qu'on tend à nommer *la personnalité*. Selon cette vision, un enfant qui a été systématiquement encouragé devant une tâche difficile à accomplir aura appris qu'il peut réussir et pourra avoir développé une «personnalité fonceuse» ; un autre qui aura régulièrement vu ses parents s'obstiner de façon vive pourra avoir appris à les imiter et avoir développé une «personnalité intransigeante».

Les thérapies
Dans la mesure où, selon ce que nous venons de voir, tout comportement est la résultante d'un apprentissage, un trouble psychologique est lui-même lié à un comportement — ou à un ensemble de comportements — appris, mais inadéquat parce qu'il entraîne un dysfonctionnement ou une détresse psychologique. Le but de la thérapie est alors de provoquer l'extinction du comportement inadéquat ou de faire apprendre un autre comportement, celui-là adéquat, mais incompatible avec le comportement indésirable. La procédure générale consiste donc à utiliser les lois de l'apprentissage pour défaire les associations inadéquates et à faire acquérir celles qu'on a déterminées comme étant plus appropriées. Il est à noter que, dans ce type de procédure et à chaque étape du processus, autant le psychologue que le client ont un rôle actif.

Selon l'aspect théorique particulier mis de l'avant, différentes méthodes ou formes de thérapies béhavioristes ont été conçues. Nous présentons ci-dessous quelques-unes de ces principales méthodes, à savoir la désensibilisation systématique, l'immersion, la rétroaction biologique, le conditionnement aversif ainsi que l'apprentissage par présentation de modèle. L'encadré 12.5 rapporte une application thérapeutique qui a été réalisée dans un contexte psychiatrique particulier où l'on utilisait des jetons comme renforçateurs secondaires.

La désensibilisation systématique
Introduite en 1958 par Joseph Wolpe, la désensibilisation systématique est sans doute la forme de thérapie béhavioriste la plus connue. Cette forme de psychothérapie porte sur un comportement indésirable interprété comme ayant été acquis par conditionnement classique. Son but est d'éteindre l'association entre le comportement et le stimulus conditionnel qui le déclenche, stimulus dont on veut éliminer le pouvoir déclenchant appris. On peut ainsi définir la **désensibilisation systématique** comme une technique béhavioriste consistant à éteindre une réponse désagréable provoquée par un stimulus conditionnel, en

Désensibilisation systématique
Technique béhavioriste consistant à éteindre une réponse désagréable provoquée par un stimulus conditionnel, cela en associant un état de détente musculaire à des stimuli présentés selon un ordre hiérarchisé préétabli, c'est-à-dire en commençant par le stimulus qui provoque le moins la réponse, jusqu'à celui qui la provoquait initialement le plus.

L'économie de jetons : « d'une pierre, deux coups »

Au début des années 1960, les hôpitaux psychiatriques hébergeaient de nombreux patients pour lesquels la psychiatrie s'avérait pour ainsi dire impuissante. En effet, la plupart des formes de thérapies élaborées jusqu'alors travaillaient à partir du contact verbal. Or, cette approche était inapplicable pour un grand nombre de patients avec lesquels on n'arrivait même pas à communiquer verbalement. Nombre de ces derniers présentaient des comportements qui rendaient difficile la vie en groupe, certains ne se souciant même pas de leur hygiène personnelle. Le seul « traitement » employé avec eux était l'administration de médicaments.

En 1961, deux chercheurs, Teodoro Ayllon et Nathan Azrin, ont proposé aux autorités de l'Anna State Hospital, en Illinois, de mettre sur pied un programme expérimental visant à créer un environnement motivant destiné à rétablir chez ce type de patients les comportements de base requis pour la vie en groupe. Le programme serait basé sur l'application du renforcement selon les principes du conditionnement opérant.

L'hôpital comptant plusieurs pavillons, on décide alors d'en consacrer un exclusivement au programme. On y réunit ainsi 44 patientes parmi lesquelles on compte, d'après les rapports de l'hôpital, « 37 schizophrènes, six déficientes mentales et une malade souffrant d'un syndrome chronique du cerveau. La moyenne d'âge était de 51 ans, allant de 24 à 74 ans. La durée moyenne d'hospitalisation ininterrompue était de seize ans, allant de 1 à 37 ans » (Ayllon & Azrin, 1973, p. 327-328). Comme le précisent les auteurs de la recherche, « certaines étaient incontinentes, d'autres agressives, d'autres encore vivaient une vie végétative » (p. 32). Bref, il s'agissait de « cas lourds » !

On a alors dressé une liste précise des comportements qui seraient renforcés ; ceux-ci concernaient des aspects tels que la communication (répondre à une question posée), les soins personnels (faire sa toilette, s'habiller adéquatement, manger proprement), la participation à des activités d'entretien (aider à la plonge, au ménage), collaborer à la mise en place d'activités récréatives (placer le tourne-disque, le projecteur de films), des services spéciaux (faire des courses à travers l'hôpital, contribuer aux visites guidées), et ainsi de suite.

On a ensuite décidé — et il s'agit là d'un point crucial — que les comportements seraient renforcés à l'aide de renforçateurs secondaires. Ceux-ci consistaient en des jetons échangeables par la suite, en nombre variable selon le cas, contre des renforçateurs primaires aussi variés que se procurer une friandise ou un vêtement particulier,

obtenir un entretien privé avec un membre du personnel, participer à un service religieux supplémentaire — ne pas oublier que le programme a commencé dans les années 1960 —, avoir l'usage exclusif d'un poste de radio, avoir droit à une sortie à l'extérieur du pavillon, etc.

Tout comme l'argent, des jetons peuvent servir de renforçateurs secondaires.

L'utilisation de jetons présentait plusieurs avantages. Entre autres choses, sachant que l'efficacité d'un renforçateur est maximale lorsque ce dernier suit immédiatement le comportement émis, l'octroi de jetons n'impliquait pas que la patiente parte sur-le-champ pour aller, par exemple, se procurer une friandise, comme cela aurait été le cas avec le renforçateur primaire lui-même. En outre, un renforçateur n'ayant pas forcément la même importance pour tout le monde, chaque patiente pouvait choisir ce qu'elle désirait.

L'application du programme a permis d'instaurer chez 36 patientes sur 44 les comportements attendus. Il s'agit là d'un résultat remarquable, étant donné, entre autres, que beaucoup de ces comportements requéraient de communiquer avec le personnel alors qu'on croyait certaines patientes muettes ou incapables de prononcer une parole intelligible. La communication verbale étant rétablie, du moins en partie, d'autres modes d'intervention devenaient envisageables : on avait peut-être fait « d'une pierre deux coups » !

On parle aujourd'hui d'*économie de jetons* pour désigner cette application particulière du conditionnement opérant (Ayllon & Azrin, 1973). Plusieurs applications dans d'autres secteurs de la clinique et avec d'autres clientèles ont été faites par la suite. Kazdin (1982) a publié une rétrospective des autres études effectuées jusqu'alors sur l'économie de jetons. L'auteur y souligne autant les succès que les limites rencontrées, ces dernières ayant trait, entre autres, à la pauvreté relative d'études permettant d'évaluer à long terme l'efficacité de l'économie de jetons.

---

associant un état de détente musculaire à des stimuli présentés selon un ordre hiérarchisé préétabli, c'est-à-dire en commençant par le stimulus qui provoque le moins la réponse jusqu'à celui qui la provoquait initialement le plus (Wolpe, 1958 ; 1975).

Par exemple, dans le cas de la phobie des ascenseurs déjà mentionnée dans le chapitre 5, la réaction de peur est interprétée comme une réponse conditionnelle associée par conditionnement au stimulus « prendre l'ascenseur ». Appliquée à ce trouble psychologique, la procédure de désensibilisation systématique consistera alors essentiellement en ceci :

a) Établir une série hiérarchisée de stimuli allant d'un stimulus ressemblant de très loin au stimulus conditionnel jusqu'au stimulus conditionnel lui-même ; avec l'exemple de l'ascenseur, cette série pourrait ressembler à ceci :

1. Se tenir à 10 mètres d'un ascenseur dont les portes sont fermées.

2. Se tenir à trois mètres d'un ascenseur dont les portes sont fermées.

3. Se tenir juste à l'extérieur d'un ascenseur dont les portes sont fermées.

4. Se tenir juste à l'extérieur d'un ascenseur dont les portes sont ouvertes.

5. Se trouver dans un ascenseur arrêté à un étage, les portes étant ouvertes.

6. Se trouver dans un ascenseur arrêté à un étage, les portes étant fermées.

7. Se déplacer en ascenseur.

Il est important de noter le point suivant : qu'il s'agisse d'une réaction de peur, comme dans l'exemple ci-dessus, ou d'une autre réaction telle que le dégoût, la série graduée de stimuli doit être établie avec la personne touchée par le problème, car elle seule est en mesure de déterminer dans quelle mesure tel stimulus la fait réagir plus ou moins que tel autre.

b) Une fois établie la liste graduée, présenter le stimulus au niveau le plus bas de la hiérarchie, c'est-à-dire celui qui provoque la plus faible réaction (se tenir à 10 mètres d'un ascenseur dont les portes sont fermées, par exemple), puis amener le sujet à se détendre graduellement en présence du stimulus, jusqu'à ce que ce dernier ne provoque plus d'effet.

c) Lorsque la réaction au stimulus précédent s'est complètement apaisée, mais pas avant, présenter le stimulus correspondant au niveau immédiatement plus élevé dans la hiérarchie (se tenir à trois mètres d'un ascenseur dont les portes sont fermées, par exemple) et amener de nouveau le sujet à se détendre, jusqu'à ce que ce nouveau stimulus ne provoque plus de réaction.

d) Poursuivre jusqu'à ce que la réponse ne survienne plus, même en présence du stimulus conditionnel original, lequel est redevenu neutre.

La désensibilisation systématique a d'abord été appliquée au traitement des phobies, mais elle l'a également été à d'autres troubles tels que les réactions de dégoût.

Il y a lieu ici de signaler que la présentation des stimuli peut se faire de façon réelle, comme nous l'avons décrit plus haut, ou encore de façon imaginée, c'est-à-dire en demandant au sujet de se représenter la situation. On lui indique par exemple de fermer les yeux et de s'imaginer à 10 mètres d'un ascenseur, puis à 3 mètres, puis juste en face, et ainsi de suite ; à chaque étape, on procède à la relaxation musculaire avant de passer à la suivante. Cette variante est d'ailleurs celle qu'avait d'abord utilisée Joseph Wolpe, la première fois qu'il a proposé cette forme de thérapie (Wolpe, 1958). La réalité virtuelle qui est d'abord apparue dans les jeux vidéo constitue une nouvelle façon de procéder à une désensibilisation systématique. Comme l'illustre la photo 12.6, elle permet au thérapeute de diriger adéquatement la présentation des stimuli. Le chercheur clinicien Stéphane Bouchard, auquel est consacré l'encadré 12.6, est d'ailleurs à la fine pointe de la recherche dans ce domaine.

L'immersion Une autre technique, généralement utilisée chez les personnes avec lesquelles la désensibilisation systématique ne fonctionne pas, est la technique de l'immersion. On s'en sert pour briser une association apprise entre une situation donnée et une réaction indésirable dans des cas tels que les phobies, les réactions de dégoût ou les comportements obsessionnels-compulsifs. L'**immersion** — également appelée **exposition in vivo** — consiste à placer la personne dans la situation provoquant la réaction à éliminer (telle que l'anxiété ou le dégoût) et à l'y maintenir jusqu'à ce que la réaction atteigne un maximum et redescende. Pour une personne ayant la phobie des ascenseurs — la personne ayant été pleinement informée et consentant tout à fait à l'utilisation de cette technique —, il s'agirait d'entrer directement dans un ascenseur et de s'y déplacer tant que la réaction de panique ne se sera pas apaisée. Cette technique consiste en fait à procéder de façon exactement contraire à ce qu'on fait dans le cas de la désensibilisation systématique. Elle est psychologiquement très dure à supporter pour la personne sur laquelle elle est appliquée, mais elle est souvent la seule qui reste lorsque la désensibilisation systématique ne fonctionne pas.

La désensibilisation systématique à l'aide de la réalité virtuelle
Les stimuli dont la hiérarchie a été préalablement établie sont présentés au patient par le biais du visiocasque et sont affichés en même temps sur le moniteur, de façon à être vus par le thérapeute ; ce dernier peut alors diriger le déroulement de la session grâce au programme qui génère les stimuli.

Photo 12.6

Immersion
Aussi appelée **Exposition in vivo**
Technique béhavioriste consistant à placer la personne dans une situation provoquant de façon maximale une réaction à éliminer et à l'y maintenir jusqu'à ce que la réaction atteigne un maximum et redescende.

Stéphane Bouchard, un chercheur clinicien d'orientation cognitive/béhavioriste

Après avoir obtenu son diplôme de maîtrise à l'Université Laval en 1990, Stéphane Bouchard y poursuit un doctorat portant sur les troubles anxieux, puis des études postdoctorales au Centre de Recherche Robert-Giffard de Québec, formation qu'il complète en 1995. Il part alors pour Gatineau où il entre à l'Université du Québec en Outaouais pour enseigner et faire de la recherche clinique en collaboration avec une institution psychiatrique, le Centre hospitalier Pierre-Janet. Il est actuellement titulaire de la Chaire de recherche du Canada en cyberpsychologie clinique.

Lorsqu'on demande à M. Bouchard ce qui l'a amené à s'intéresser au domaine de la cyberpsychologie, il y voit deux éléments. Tout d'abord, confie-t-il, après avoir vu un film de science-fiction, *The Lawnmowerman* (en français, *Le cobaye*), où un personnage évoluait dans un univers virtuel, il s'était demandé dès sa sortie du cinéma s'il ne serait pas possible d'utiliser la réalité virtuelle pour traiter les personnes souffrant d'un trouble anxieux. Or, une chercheuse étasunienne, Barbara Rothbaum, avait déjà publié une étude de cas en ce sens, ce qui a encouragé M. Bouchard à se lancer dans ce type de recherche et à munir son laboratoire d'un premier système permettant de créer une réalité virtuelle (RV).

M. Bouchard avait déjà commencé à l'époque à expérimenter la télépsychothérapie avec des patients présentant un trouble panique avec agoraphobie. Le psychologue pouvait ainsi, de son bureau situé à Gatineau, rencontrer les patients demeurant à Maniwaki par visioconférence, sans que ces derniers n'aient à se déplacer : il leur suffisait de se rendre au centre hospitalier de leur région, celui-ci étant aussi équipé d'un système sophistiqué de visioconférence.

Les premières études avec la RV et celles sur la télépsychothérapie ayant donné des résultats encourageants, M. Bouchard a pu obtenir plus de subventions pour munir son laboratoire d'un équipement plus performant. Comme l'explique le chercheur, deux technologies de base sont actuellement disponibles.

La première (*voir la photo 12.6, page 416*) consiste à utiliser un casque muni de lunettes à travers lesquelles est présentée, comme dans certains jeux vidéo, une scène qui, grâce à des capteurs de mouvements, bouge conformément à ce que fait le porteur du casque. Une des limites de cette technologie est que la personne ne voit pas son propre corps ; par exemple, elle ne voit pas sa main placée en face d'elle. Ce n'est pas le cas pour le second type d'équipement, appelé *CAVE*[1] (*C-Automated Virtual Environment*) : le sujet porte également des lunettes, mais il se trouve dans une pièce d'environ 3 m × 3 m × 3 m (au centre de l'image ci-contre) où l'environnement est recréé en projetant les images sur les murs, mais de l'extérieur. La supériorité de ce dispositif — beaucoup plus onéreux, cela va de soi — repose en partie sur le fait qu'il permet à la personne de voir son propre corps superposé à l'environnement virtuel (Bouchard, Côté, & Richard, 2006).

À ce jour, les études utilisant la RV ont surtout porté sur les troubles anxieux, dont plusieurs phobies (avion, araignées, parler en public, conduire une automobile, hauteurs, endroits fermés), l'anxiété sociale, l'état de stress post-traumatique ainsi que le trouble panique avec agoraphobie. Comme le soulignent M. Bouchard et ses collègues dans une rétrospective sur la question (Bouchard, Côté, & Richard, 2006), les résultats sont fort encourageants, sur au moins deux points.

Stéphane Bouchard, Ph. D., professeur et chercheur à l'UQO, titulaire de la Chaire de recherche du Canada en cyberpsychologie clinique.

En premier lieu, même si le degré de réalisme des environnements virtuels créés n'est pas — pour l'instant ! — le même que celui qu'on trouve dans un film comme *La matrice*, les études ont néanmoins pu montrer que les réactions de peur étaient pratiquement aussi marquées dans l'environnement virtuel que dans la réalité. On a d'ailleurs pu constater qu'en général, les gains obtenus en réalité virtuelle se transfèrent dans la vie réelle. En second lieu, la plupart des patients à qui on a donné le choix entre une désensibilisation systématique dans une situation réelle et une désensibilisation dans l'environnement virtuel ont préféré la deuxième option. L'utilisation d'un environnement virtuel ne semble donc pas rebuter les patients, bien au contraire.

Un des principaux avantages de l'utilisation de la RV dans le traitement des troubles anxieux réside dans la possibilité qu'a le thérapeute de diriger et de graduer à sa guise les scènes présentées pour procéder à la désensibilisation. Dans un cas comme la phobie des hauteurs, la sécurité physique de la personne est assurée, puisque l'environnement créé demeure du domaine de la simulation. Dans d'autres situations telles que la peur de parler en public, on peut présenter un auditoire virtuel et ainsi assurer la confidentialité, ce qu'il aurait été difficile de faire avec un auditoire de personnes réelles.

En somme, l'utilisation de la RV en psychothérapie est un domaine en pleine expansion. Il y a là un champ de spécialisation tout désigné pour l'étudiant passionné d'informatique qui s'intéresse également au comportement humain.

Système CAVE installé à l'UQO
Le client se trouve au centre de la pièce et six projecteurs synchronisés recréent la scène désirée sur les quatre côtés, le plancher et le plafond.

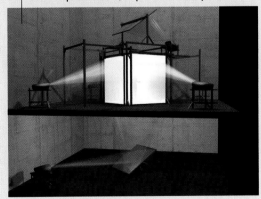

---

1. Le système inauguré au printemps 2008 à l'UQO a été baptisé PSYCHÉ, du nom de la déesse grecque incarnant l'âme humaine.

4. **L'une des méthodes utilisées en thérapie béhavioriste consiste à placer la personne dans la situation provoquant la réaction à éliminer et à l'y maintenir.**

C'est précisément ce que fait la méthode de l'immersion, laquelle procède exactement à l'inverse de la méthode de désensibilisation systématique.

Rétroaction biologique
Aussi appelée **Biofeedback**
Thérapie basée sur le conditionnement opérant dans laquelle on utilise, à titre de renforçateur, une information fournie par une mesure physiologique dans le but de modifier une réponse physiologique échappant normalement au contrôle volontaire.

La rétroaction biologique La **rétroaction biologique** (appelée également **biofeedback**) est une forme de thérapie basée sur le conditionnement opérant qui vise à modifier une réponse physiologique échappant normalement au contrôle volontaire. Pour ce faire, on utilise, à titre de renforçateur, une information fournie par une mesure physiologique de la réponse à modifier.

L'une des premières applications où la rétroaction biologique a été utilisée consistait à apprendre à un individu à provoquer des ondes cérébrales alpha, les ondes associées à un état de détente. On désirait ainsi aider une personne souffrant d'anxiété à maîtriser « sur commande » les réactions physiologiques de tension associées à l'anxiété. Il s'agissait essentiellement de procéder comme suit :

1. On installe sur le cuir chevelu du sujet des électrodes qui permettront d'enregistrer son EEG, les électrodes étant liées à un appareil qui émettra un son doux lorsque l'EEG correspondra à des ondes alpha (8 à 12 Hz).

2. On fait entendre au sujet le son qui sera produit lorsque son cerveau émettra les ondes alpha de détente.

3. On donne comme instruction au sujet d'essayer de produire et de maintenir le son.

En agissant à titre de renforçateur, la production du son a ainsi permis de créer une procédure de renforcement positif, et les sujets ont pu apprendre à produire de façon volontaire les ondes alpha de détente (Budzynski & Stoyva, 1984 ; Budzynski, 1998 ; Budzynski *et al.*, 1999). Toutefois, l'EEG demeurant une mesure relativement complexe à effectuer, on utilise plutôt aujourd'hui des mesures plus simples telles que la réponse électromyographique (EMG) qui enregistre la tension musculaire, ou encore une mesure comme la réponse électrodermale. On a pu montrer que la rétroaction biologique permettait également de maîtriser des réactions physiologiques telles que celles associées aux migraines (Anderson, 1989) et même à la température cutanée de certaines parties du corps.

Conditionnement aversif
Thérapie consistant à faire suivre un comportement qu'on veut éliminer par un agent de punition.

Le conditionnement aversif Le principe de la punition étudié dans le conditionnement opérant a également donné lieu à une forme de thérapie dite **conditionnement aversif** qui consiste à faire suivre un comportement qu'on veut éliminer par un agent de punition. Or, s'il est vrai que la punition peut, à court terme, éteindre un comportement, les études ont démontré qu'elle avait plutôt, en général, des effets indésirables. On observe chez les sujets punis des réactions d'agressivité et, à long terme, le développement de stratégies permettant de continuer à émettre le comportement tout en évitant la punition. Qu'on pense simplement à l'automobiliste qui, après avoir reçu une contravention, repart en reprenant graduellement la vitesse à laquelle il roulait auparavant... tout en surveillant mieux les endroits où les policiers sont susceptibles d'être postés pour le prendre en flagrant délit. Le cas des nombreux récidivistes dont le comportement n'a pas été modifié par l'emprisonnement est malheureusement un autre exemple du peu d'efficacité du conditionnement aversif. En effet, ainsi que nous le soulignons dans l'encadré 5.2 (*page 162*), le rapport Prévost (1970) rappelle qu'on trouve 83 % de récidivistes dans les prisons québécoises, ce qui en dit long sur l'échec de la punition, du moins dans ce domaine.

L'apprentissage par présentation de modèle Cette forme de psychothérapie est issue des travaux de Bandura sur l'apprentissage social. Tout en partageant la conception béhavioriste de base concernant l'importance des apprentissages acquis par conditionnement de type classique et opérant, Bandura (1976 ; 1986 ; 2003) a insisté sur le fait que l'individu n'est pas un objet passif soumis aux contingences d'un environnement hors de son contrôle. Il est en effet actif et capable d'intervenir sur ce qui va renforcer ou punir son comportement. Selon Bandura, l'individu tend à s'autoréguler, c'est-à-dire à régler lui-même son comportement, et il le fait en se basant en bonne partie sur les modèles qu'il observe autour de lui. Les modèles présents naturellement dans l'environnement (parents, amis, idoles, etc.) jouent ainsi un rôle fondamental dans le mode d'autorégulation que l'individu développe, et peuvent conduire, dans certains cas, à des comportements indésirables.

La thérapie basée sur l'**apprentissage par présentation de modèle** met à profit cette tendance à imiter les modèles. Elle consiste ainsi à exposer un individu à une situation où un modèle émet un comportement qui est renforcé ou puni, selon qu'on désire que l'observateur imite ou non le comportement présenté. La thérapie correspond en quelque sorte à une procédure de conditionnement opérant agissant sur le plan cognitif, c'est-à-dire sur la représentation que l'observateur a de la situation. Pour que l'apprentissage soit efficace, il faut que l'observateur puisse s'identifier, du moins jusqu'à un certain point, au modèle dont le comportement est renforcé ou puni (Bandura, 1977). Cette identification est possible dans la mesure où le modèle est perçu par l'observateur comme ayant les mêmes croyances et les mêmes valeurs que lui. Par exemple, l'alcoolique qui a cessé de consommer de l'alcool est un modèle beaucoup plus efficace auprès de quelqu'un qui a un problème de boisson qu'une personne qui consomme de l'alcool avec modération (Bédard, Déziel, & Lamarche, 1999).

Étant donné que cette forme de thérapie met avant tout l'accent sur l'apprentissage, on la situe typiquement dans le cadre de l'approche béhavioriste. Toutefois, considérant l'importance qu'elle accorde aux processus de représentation mentale mis en branle par l'observation d'un modèle, on l'associe souvent aux thérapies de type cognitif.

Les thérapies cognitives

Comme nous l'avons déjà mentionné, les tenants de l'approche cognitive étudient le comportement en comparant le cerveau à un ordinateur traitant de l'information. De ce point de vue, la personnalité correspond globalement à la façon particulière qu'a un organisme de traiter les stimuli, tant externes qu'internes, et d'y réagir. C'est lorsque cette façon de traiter les stimuli et d'y réagir s'avère inadaptée que surviennent les troubles psychologiques. Les thérapies cognitives cherchent alors à modifier le traitement des stimuli de façon que les réactions de l'individu soient plus appropriées. La manière de concevoir les processus internes en lien avec les troubles psychologiques a cependant donné lieu à certaines variations, ce qui a entraîné les diverses formes de thérapies qui en découlent. Parmi les plus importantes, on trouve la thérapie émotivo-rationnelle d'Ellis et la thérapie cognitive de Beck.

La thérapie émotivo-rationnelle d'Ellis À partir de 1955 (Ellis, 1955 ; 1962), Albert Ellis (*voir la photo 12.7*), un psychanalyste de formation, a mis de l'avant une approche thérapeutique cognitive mettant l'accent sur le caractère irrationnel de nombreux aspects du comportement humain.

Les fondements théoriques D'après Ellis, si l'être humain est capable d'une pensée rationnelle, il peut aussi fonctionner de façon irrationnelle. De plus, sa manière de penser détermine en bonne partie qu'il réagisse de façon émotive aux événements. Or, selon Ellis, beaucoup de troubles psychologiques proviendraient de croyances irrationnelles qui déforment en quelque sorte la signification des événements, perturbant de ce fait la façon d'y réagir. Présentées la première fois par Ellis (1962), ces croyances ont par la suite été reformulées à différentes reprises, l'une des plus récentes formulations étant celle de Chalout (2008). On a même proposé de les répartir en deux ordres reflétant l'importance qu'elles revêtent en général pour les individus (Cottraux, 2004). C'est ce qu'on retrouve dans le tableau 12.1 *(page 420)*.

Apprentissage par présentation de modèle
Thérapie consistant à exposer un individu à une situation où un modèle émet un comportement qui est renforcé ou puni, selon qu'on désire que l'observateur imite ou non le comportement présenté.

Albert Ellis (1913-2007)
Fondateur de la thérapie émotivo-rationnelle, il considérait que beaucoup de problèmes psychologiques sont dus à des croyances irrationnelles non fondées.

Photo 12.7

TABLEAU 12.1	Les principales croyances irrationnelles d'Albert Ellis telles que reformulées par Chalout (2008) et présentées selon les deux ordres précédemment proposés par Cottraux (2004) selon le point en jeu

Niveau d'importance	Énoncé de la croyance
Premier ordre	• Je dois être aimé, approuvé et admiré par presque toutes les personnes importantes de ma vie, et si je ne le suis pas, c'est terrible et inacceptable. • Pour se considérer comme valable, un être humain doit être parfaitement qualifié et compétent en tout temps ou, du moins, la plupart du temps, dans au moins un domaine important. • Il existe toujours une solution précise et parfaite aux problèmes humains, et je dois avoir un complet contrôle sur les choses, sinon c'est la catastrophe.
Second ordre	• Lorsque des personnes se conduisent mal ou sont injustes, il est justifié de les considérer comme des personnes méchantes et mauvaises, et elles doivent être sévèrement blâmées et punies pour leur méchanceté. • Si quelque chose est ou peut devenir dangereux, on doit s'en préoccuper au plus haut point et se tracasser sans arrêt à propos de cette éventualité. • C'est terrible et catastrophique lorsque les choses ne vont pas comme on le souhaiterait. • Le monde devrait être honnête et juste. • Il est plus facile de fuir les difficultés de la vie et d'échapper à ses responsabilités que d'y faire face. • Le bonheur humain peut être atteint par l'inertie et l'inaction si l'on se laisse vivre passivement. • La détresse émotionnelle vient de pressions externes; donc, je n'ai pas vraiment le pouvoir de changer mes émotions. • Ma biologie et mon enfance sont la cause de mes problèmes. Puisque ces facteurs m'ont fortement influencé dans le passé et qu'ils m'influencent toujours dans le présent, ils continueront de le faire à l'avenir. Il est inutile de tant travailler à changer ses comportements.

À titre d'exemple, considérons la première croyance irrationnelle énoncée dans le tableau, à savoir que «Tout adulte doit être aimé et approuvé par toutes les personnes significatives de son entourage.» Lorsqu'on demande aux gens, en termes généraux et sans faire allusion à une situation quelconque, s'ils adhèrent à un tel énoncé, la plupart des personnes reconnaissent d'emblée qu'il serait irrationnel de croire cela, car il est inévitable de rencontrer des gens à qui l'on ne plaît pas. Pourtant, lorsque survient une telle situation, les personnes sont portées à réagir comme si elles adhéraient à cette croyance. Par exemple, la plupart des individus qui essuient un refus de la part d'une personne avec laquelle ils auraient aimé entreprendre une relation réagissent comme si une telle situation ne devait pas se produire et tendent à se sentir dévalorisés, sinon carrément méprisés.

Chez la plupart des individus, la réaction s'estompe graduellement, mais ce n'est pas le cas pour certaines personnes chez qui la croyance irrationnelle est plus profondément ancrée, ce qui risque de toucher de façon marquée leur estime de soi et, éventuellement, d'entraîner des troubles psychologiques tels que la dépression ou une agressivité inappropriée.

Testez vos connaissances

5. **Selon Ellis, un thérapeute d'approche cognitive, les troubles psychologiques proviennent du fait que nous sommes trop rationnels.**

   Selon Ellis, ce sont plutôt nos nombreuses croyances irrationnelles qui seraient à la source des troubles psychologiques, et non le fait que nous sommes trop rationnels.

La thérapie Selon Ellis, l'être humain a la capacité de changer ses processus cognitifs, émotifs et comportementaux en rationalisant ses croyances. Le but de la thérapie émotivo-rationnelle est alors d'amener l'individu à prendre conscience des croyances irrationnelles à la source de ses problèmes pour ensuite être en mesure de les modifier. La procédure générale à mettre en œuvre de concert avec la personne éprouvant le problème peut se résumer en trois étapes de base :

1. Déterminer les croyances irrationnelles en cause.

   Exemple : Je m'attends à plaire à toutes les personnes qui me plaisent.

2. Amener la personne à prendre conscience du caractère irrationnel de ses croyances et des implications que celles-ci ont sur ses réactions émotives.

   Exemple : Il est irrationnel de me sentir dévalorisé chaque fois que je ne plais pas à quelqu'un ; il m'arrive à moi aussi de ne pas être intéressé par quelqu'un à qui je plais, même si cette personne a beaucoup de valeur.

3. Éliminer ses croyances irrationnelles, de façon à en éliminer les conséquences.

   Exemple : Je dois m'attendre à ne pas plaire à tout le monde, sans que cela signifie que je suis une personne sans valeur.

La thérapie émotivo-rationnelle vise ainsi à amener la personne à mettre en place une conception plus rationnelle du monde et, en conséquence, à réagir de façon plus appropriée sur le plan émotif, particulièrement dans ses rapports sociaux.

La thérapie cognitive de Beck C'est à partir des années 1960, c'est-à-dire quelques années à peine après qu'Ellis a proposé sa théorie émotivo-rationnelle, qu'Aaron Beck (*voir la photo 12.8*), un psychiatre insatisfait de son impuissance à traiter efficacement la dépression à partir de sa formation psychanalytique, a élaboré une forme de thérapie d'approche cognitive (Beck, 1967 ; 1976). La figure 12.1 permet de saisir l'essentiel de la théorie sur laquelle est basée cette forme de thérapie.

Les fondements théoriques Dans la théorie à la base de son approche thérapeutique, Beck accorde une importance particulière au concept de schéma cognitif. Les schémas cognitifs sont des structures cognitives reflétant des croyances de base qui se sont développées dans l'histoire de l'individu. Celles-ci proviennent des expériences précoces qui ont marqué l'individu sur le plan émotif et qui sont enfouies dans sa

Aaron Beck (1921-)
Beck a élaboré une forme de thérapie s'inscrivant dans l'approche cognitive qui vise à corriger l'image négative qu'un individu a de lui-même et qui l'empêche de bien fonctionner.

Photo 12.8

FIGURE 12.1   Le modèle cognitif à l'origine des troubles psychologiques selon Beck

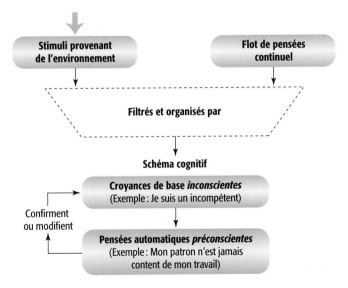

Selon Beck, il y a trouble psychologique lorsque le schéma cognitif qui produit des pensées automatiques à caractère négatif s'écarte de la réalité à un point tel que l'individu n'arrive plus à s'adapter normalement aux situations quotidiennes. Le but de la thérapie consiste alors à modifier les croyances de base et les pensées automatiques qu'elles génèrent.

mémoire à long terme. En filtrant et en organisant tant l'information en provenance du monde extérieur que le flot continuel des pensées qui se déroulent à tout instant, les schémas cognitifs conditionnent la façon dont l'organisme interprète les événements et y réagit, non seulement sur le plan physique, mais également sur le plan émotionnel.

À la différence des croyances irrationnelles d'Ellis qui constituent des énoncés généraux, comme «Tout le monde devrait être compétent dans ce qu'il fait», les croyances de base dont fait état Beck portent sur l'image que l'individu a de lui-même et qui peut se traduire, par exemple, par des idées telles que «Je suis incompétent.» Selon Beck, de telles croyances de base sont généralement inconscientes, n'accédant clairement à la conscience qu'à l'occasion d'expériences émotionnelles fortes. Par contre, comme l'illustre la figure 12.1 (*page 421*), les interprétations qui en résultent tendent à générer ce que Beck a appelé des *pensées automatiques*, c'est-à-dire des pensées à caractère répétitif qui tournent d'elles-mêmes en boucle. Se déroulant généralement à l'arrière-plan de la conscience immédiate, donc au niveau préconscient, elles reflètent en quelque sorte la façon dont les croyances de base se traduisent dans le quotidien. Par exemple, l'individu qui a la croyance de base «Je suis incompétent» pourra avoir des pensées automatiques telles que «Mon patron n'est jamais content de mon travail» ou encore «Je n'obtiendrai jamais l'emploi que je veux.»

D'après Beck, les troubles psychologiques surviennent lorsque les croyances de base et les pensées automatiques qu'elles entraînent conduisent à des comportements dysfonctionnels qui tendent, comme l'indique la figure 12.1, à confirmer les croyances de base. L'individu qui, par exemple, est convaincu que son patron n'est jamais satisfait de lui pourra être démotivé vis-à-vis de son travail, être moins productif, ce qui pourra confirmer sa croyance de base en son incompétence.

La thérapie Le but de la thérapie élaborée par Beck est la modification du schéma et des croyances correspondantes qui sont à la source du comportement dysfonctionnel. La procédure générale consiste ainsi à créer des situations qui produiront une réponse émotionnelle en lien avec le schéma cognitif à la source du dysfonctionnement, en s'aidant des pensées automatiques plus facilement accessibles à la conscience immédiate. Le thérapeute cherche ensuite à amener l'individu à découvrir pourquoi il réagit de telle façon dans telle situation, et ce que cela implique ou signifie. Travaillant de concert avec le patient, le thérapeute est alors en mesure de l'aider à interpréter autrement les événements et à modifier les schèmes cognitifs et les croyances posant problème. Pour y arriver, le thérapeute utilise différentes techniques, telles que celles dérivées des principes du conditionnement (désensibilisation systématique, renforcement), de l'apprentissage social (apprentissage par imitation de modèle) ou de l'approche cognitive (résolution de problème). En fait, le choix des techniques utilisées peut varier beaucoup selon la situation; cependant, quelles que soient celles qui sont retenues, leur application doit en tout temps s'effectuer en maintenant une collaboration étroite entre le thérapeute et le patient (INSERM, 2004).

L'évaluation des thérapies d'orientation cognitive/béhavioriste

De par leur tradition, les travaux de recherche d'où sont issues les thérapies d'orientation cognitive/béhavioriste ont toujours mis l'accent sur la quantification des résultats. Il est donc peu surprenant de constater que les données empiriques permettant d'évaluer le degré d'efficacité de ce type de thérapies sont beaucoup plus nombreuses que pour les thérapies issues des autres approches.

S'appuyant sur le rapport de l'INSERM (2004), le Conseil supérieur d'hygiène (2005) a rédigé un condensé de ce qui se dégage de ces études. C'est à partir de ce condensé que nous avons produit le tableau 12.2, lequel fournit un aperçu global de l'efficacité des thérapies cognitives/béhavioristes en fonction du type de trouble et selon que les travaux de recherche ont porté sur l'adulte (résultats les plus nombreux) ou sur l'enfant et l'adolescent. Comme il est aisé de le constater à partir du tableau, c'est surtout dans les cas de troubles anxieux et de dépression que cette approche est la plus efficace (Pomini, Neis, & Perrez, 2002). Le Conseil supérieur d'hygiène (2005) fait

TABLEAU 12.2	L'efficacité des thérapies cognitives/béhaviorales, selon la catégorie d'âge du patient et le type de trouble	
	Type de trouble	**Efficacité des thérapies cognitives/béhavioristes**
Adulte	Trouble panique et agoraphobie	Efficacité démontrée par certaines études
	Phobies sociales et spécifiques	Efficacité établie
	Anxiété généralisée	Efficacité au moins égale (à court terme) ou supérieure (à long terme) à la médication
	État de stress post-traumatique	Efficacité supérieure à la médication
	Trouble obsessionnel-compulsif	Efficacité comparable aux antidépresseurs
	Dépression légère ou moyenne	Efficacité égale aux antidépresseurs Prévention des rechutes meilleure que les antidépresseurs
	Dépression majeure	Efficacité démontrée par certaines études
	Trouble bipolaire	À l'étude
	Troubles de la personnalité	Certains effets positifs sont encore à confirmer
	Schizophrénie	Pas établie
	Dépendance à l'alcool	Interventions brèves supérieures à des interventions longues
	Anorexie mentale	Pas d'efficacité clairement établie
	Boulimie	Efficacité supérieure à la médication, mais l'association des deux traitements est supérieure à l'une ou à l'autre utilisée seule
	Hyperphagie boulimique	Efficacité démontrée
Enfant et adolescent	Phobie, surtout scolaire	Certaines données démontrent une efficacité
	Trouble obsessionnel-compulsif et dépression	Présomption d'efficacité
	Autisme, hyperactivité	Bonne efficacité

Source : Conseil supérieur d'hygiène, 2005, basé sur le rapport de l'INSERM, 2004.

d'ailleurs remarquer que le nombre d'études témoignant de l'efficacité des techniques cognitives et béhavioristes croît sans cesse.

12.2.3 L'orientation existentielle/humaniste

> Les approches de cette orientation sont fondées sur la capacité de l'être humain à diriger son existence et à se réaliser pleinement. L'accent est mis sur le moment présent, sur la capacité de la personne à prendre conscience de ses difficultés actuelles, de les comprendre et de modifier en conséquence sa façon d'être ou d'agir. Le psychologue facilite ainsi l'exploration de soi engagée par le client de même que l'expérimentation de nouvelles façons d'être ou d'agir. La personne qui consulte est considérée comme un «client» qui est sur un pied d'égalité avec le thérapeute. (OPQ, 2008i)

Dans l'orientation existentielle/humaniste, on retrouve, entre autres, la thérapie rogérienne et la thérapie gestaltiste, toutes deux issues d'approches explicatives introduites dans le chapitre 1. Après les avoir présentées dans les deux premiers points, nous terminerons par l'évaluation des thérapies d'orientation existentielle/humaniste.

L'approche rogérienne

Les fondements théoriques Pour bien comprendre l'origine de l'approche rogérienne (Rogers, 1942/2005), également appelée *approche centrée sur le client*, il convient de se rappeler que Rogers était un clinicien qui a d'abord exploré le béhaviorisme, puis la psychanalyse (*voir le chapitre 1, page 11*). Après avoir rejeté l'approche béhavioriste, qu'il trouve trop froide, et la psychanalyse, qui est selon lui trop portée à poser un jugement, trop axée sur les pulsions sexuelles et agressives, et ne tenant pas assez compte des facteurs sociaux, Rogers se tourne vers l'approche humaniste dont Maslow est, à cette époque, le principal représentant. Tout comme ce dernier, il considère que chaque personne est un être unique qui a une tendance innée à s'actualiser. Rogers cherche alors à appliquer sur le plan clinique cette conception humaniste de la personne. Il en vient ainsi à considérer que la plupart des problèmes que vivent les individus proviennent des obstacles rencontrés dans leur démarche vers l'actualisation de soi.

La thérapie Le but ultime de la thérapie rogérienne est d'amener la personne à s'engager dans un processus d'exploration et d'expression personnelles qui lui permettra de s'actualiser pleinement. Comme le souligne la clinicienne Marie Gingras dans l'encadré 12.7, cette thérapie met l'accent sur les forces et les ressources que possède l'individu.

La méthode à adopter pour aider la personne à s'actualiser consiste essentiellement à créer une ambiance chaleureuse où la personne se sentira en confiance pour découvrir et développer ce à quoi elle aspire au plus profond d'elle-même. Selon Rogers, c'est en effet l'absence d'une telle ambiance qui a empêché la personne d'y arriver auparavant ; le thérapeute doit ainsi tenter de la recréer. La création d'une ambiance chaleureuse requiert trois attitudes fondamentales de la part du thérapeute : la considération positive inconditionnelle, l'empathie et l'authenticité (ou congruence).

Marie Gingras, une clinicienne d'orientation existentielle/humaniste

«Le goût d'aider et de soulager la souffrance» est ce qui a motivé Marie Gingras à devenir psychologue clinicienne. Après avoir terminé un doctorat en psychologie clinique à l'Université d'Ottawa, elle s'enrichit d'une formation en thérapie gestaltiste. L'approche qu'elle privilégie depuis 25 ans est qualifiée d'existentielle/humaniste. Cette approche met l'accent sur les forces et les ressources de l'individu et accorde une importance particulière à la qualité de la relation thérapeutique.

Il s'agit d'une relation basée sur l'authenticité, l'acceptation, le respect et la compréhension empathique. La psychologue «se met au diapason de la personne». Cette relation de confiance amène la personne à voir comment elle place sur sa route certains obstacles nuisant à son plein épanouissement, dont le regard et le jugement sévère qu'elle porte sur elle-même. La psychologue aide la personne à cheminer, à faire des choix différents, à utiliser ses propres ressources et ainsi à s'épanouir.

L'approche existentielle/humaniste s'applique très bien aux problèmes liés à la connaissance de soi, à l'estime de soi, et à la gestion des émotions et des relations interpersonnelles. Cette approche possède les outils permettant d'aider la personne à être en contact avec ce qu'elle vit, à mieux se connaître, à mieux s'accepter et à bâtir une meilleure image d'elle-même. Cependant, certains problèmes, comme les troubles psychotiques, les toxicomanies et les situations de crise, sont mieux traités avec des approches plus directives et mieux encadrées.

Selon Marie Gingras, l'une des difficultés de l'approche existentielle/humaniste consiste à dégager les différentes composantes de la thérapie afin de pouvoir faire de la recherche sur des aspects précis et démontrer de façon empirique l'efficacité du traitement. Elle fait aussi face à cette difficulté dans son enseignement : «Comment enseigne-t-on à quelqu'un à être empathique?» Il ne s'agit pas d'une simple technique. «On est plus dans l'art que dans la science.» Marie Gingras souligne que la recherche a tout de même démontré que la relation thérapeutique, peu importe l'approche utilisée, est le facteur le plus important dans le succès d'une thérapie. L'idée de Carl Rogers est ainsi confirmée.

Marie Gingras, Ph. D., clinicienne en pratique privée.

Comme d'autres psychothérapeutes, Marie Gingras observe que la clientèle est de plus en plus médicamentée. En contrepartie, le recours à la psychothérapie est moins caché qu'auparavant : les gens en parlent plus ouvertement et sont plus susceptibles de faire appel aux services de psychologues.

La psychologue clinicienne croit aussi que les frontières entre les différentes approches psychothérapeutiques sont en train de s'amenuiser. On reconnaît maintenant que certaines approches sont plus efficaces avec certains problèmes. Selon elle, les données empiriques permettent de mieux comprendre ce qui fonctionne bien ou moins bien en thérapie. Elles semblent réitérer l'importance de renforcer les ressources de la personne plutôt que de s'attarder aux symptômes et à ce qui ne va pas. Madame Gingras mentionne que c'est aussi ce que souligne le courant de la psychologie positive qui est train d'émerger.

La première attitude prônée par Rogers a trait à la forme de considération manifestée à l'endroit de l'individu par son entourage (parents, éducateurs, autorités, etc.). Pour saisir ce qui a amené Rogers à insister sur cet aspect de la relation, il y a lieu de se rappeler que c'est avec des adolescents considérés comme «à problèmes» qu'il a commencé son travail de clinicien. Or, beaucoup de ces jeunes se sentaient jugés et ne s'estimaient pas acceptés pour eux-mêmes. Rogers désigne par **considération négative** cette attitude de rejet à l'égard de la façon d'être d'un individu. Une deuxième attitude possible de la part de l'entourage est ce que Rogers appelle la **considération positive conditionnelle**, c'est-à-dire l'attitude consistant à accepter l'individu, «à condition» qu'il se soumette aux normes de l'entourage. Malgré son caractère a priori plus ouvert, cette attitude en demeure une d'acceptation limitée de l'individu, contrairement à la **considération positive inconditionnelle**, laquelle consiste à accepter l'individu «sans condition», c'est-à-dire pour ce qu'il est lui-même en tant que personne. C'est précisément cette dernière forme de considération que le thérapeute doit adopter s'il veut que la personne devant lui sente qu'elle «a le droit» d'être elle-même sans être jugée.

La deuxième attitude dont le thérapeute doit faire preuve est ce que Rogers appelle l'**empathie**, c'est-à-dire l'attitude consistant à comprendre le point de vue exprimé par l'individu sur ce qu'il vit et ressent. Par ailleurs, et c'est là un point important, comprendre le point de vue de l'individu ne signifie pas nécessairement le partager. De toute façon, le thérapeute n'a pas à porter de jugement, qu'il soit positif ou négatif. Selon Rogers, en effet, si l'individu se sent libre de le faire, il est capable de trouver lui-même la voie où il pourra se développer; c'est pourquoi on appelle souvent la thérapie rogérienne, une *thérapie centrée sur la personne*. La personne qui vient le consulter n'est donc pas pour Rogers un patient qui est malade et incapable de porter un regard éclairé sur lui-même, mais un client apte à trouver lui-même la solution à ses difficultés si on l'accompagne dans sa démarche; c'est pour cette raison qu'on dit également de la thérapie rogérienne que c'est une *thérapie centrée sur le client*.

Considération négative
Dans le contexte rogérien, attitude de rejet vis-à-vis de la façon d'être d'un individu.

Considération positive conditionnelle
Dans le contexte rogérien, attitude consistant à accepter l'individu à condition qu'il se soumette aux normes de l'entourage.

Considération positive inconditionnelle
Dans le contexte rogérien, attitude consistant à accepter l'individu sans condition, c'est-à-dire pour ce qu'il est lui-même en tant que personne.

Empathie
Dans le contexte rogérien, attitude consistant à comprendre – sans nécessairement partager – le point de vue exprimé par l'individu sur ce qu'il vit et ressent.

Testez vos connaissances

6. **Selon Rogers, une personne qui consulte un thérapeute d'approche humaniste ne doit pas être considérée comme un patient, mais comme un client.**

Pour Rogers, la personne qui vient le consulter n'est pas un patient qui est malade et incapable de porter un regard éclairé sur lui-même, mais un client apte à trouver lui-même la solution à ses difficultés si on l'accompagne dans sa démarche.

Une troisième attitude est également requise de la part du thérapeute, à savoir l'**authenticité** (ou **congruence**), c'est-à-dire demeurer fidèle à soi-même de façon que le client sente que le thérapeute ne joue pas un rôle, mais reste vrai et donc digne de confiance (Dafflon & Wandeler, 2002). Par exemple, il peut arriver que le client émette des jugements ou des comportements qui vont à l'encontre du système de valeurs du thérapeute. Lorsque cela survient, ce dernier doit pouvoir le manifester sans pour autant renoncer à son attitude de considération positive inconditionnelle. Autrement dit, il doit pouvoir rester lui-même sans toutefois laisser croire à la personne que son point de vue n'est pas «correct».

Afin de pouvoir aider la personne à se découvrir dans le climat de confiance établi par les trois attitudes qui viennent d'être présentées, Rogers a développé ce qu'il a appelé la **technique du reflet** (également appelée **technique du miroir**). Il s'agit essentiellement de reformuler de façon objective ce que le client confie, sans proposer d'interprétation et en demeurant factuel. L'idée à la base du reflet est celle-ci: en résumant à la personne ce qui se dégage, sur le plan des faits, de ce qu'elle vient de dire, le thérapeute peut l'amener à aller elle-même plus loin dans sa démarche, sans lui suggérer une direction ou l'autre. C'est pourquoi on qualifie de *non directive* cette approche qui diffère de façon marquée de la plupart des autres approches utilisées en thérapie.

Authenticité
Aussi appelée **Congruence**
Dans le contexte rogérien, attitude consistant à demeurer fidèle à soi-même de façon que le client sente que le thérapeute ne joue pas un rôle, mais reste vrai et donc digne de confiance.

Technique du reflet
Aussi appelée **Technique du miroir**
Dans le contexte rogérien, technique consistant à reformuler de façon objective ce que le client confie, sans proposer d'interprétation et en demeurant factuel.

Photo 12.9

La thérapie gestaltiste

Les fondements théoriques Un principe central qu'on retrouve dans l'approche gestaltiste fondée par les psychologues allemands Wertheimer, Köhler et Koffka au début du XXe siècle est celui énonçant que «le tout est plus que la somme de ses parties», principe qui conduit à mettre l'accent sur la notion de gestalt. Ce principe allait être intégré à l'approche humaniste par le psychiatre allemand Frederick Salomon[1] Perls (*voir la photo 12.9*) qui publie en 1951, en collaboration avec deux collègues, un volume qui lancera une nouvelle forme de thérapie: la thérapie gestaltiste (Perls, Hefferline, & Goodman, 1951/1994).

La conception de la personnalité à la base de cette thérapie met l'accent sur le fait que la personne humaine doit être considérée comme un tout (une gestalt) qui n'est pas réductible à ses parties (Whitton, 2003) et qui cherche à évoluer d'un statut de complète dépendance, au début de sa vie, vers une autonomie de plus en plus grande à mesure que l'individu se développe. Pour en arriver à fonctionner de façon harmonieuse et autonome, la personne doit constituer un ensemble où sont intégrées les différentes perceptions qu'elle a d'elle-même, les perceptions que les autres ont d'elle et les perceptions qu'elle croit que les autres ont d'elle.

Selon Perls, au cours du développement, les contraintes dues à l'environnement tendent à créer des discordances, c'est-à-dire des oppositions ou des relations inappropriées entre certaines perceptions. Parmi ces discordances, celles qui ne sont pas résolues et mises en veilleuse, comme le fils qui n'a jamais accepté l'alcoolisme de son père, mais qui fait comme si cela ne le dérangeait pas, constituent ce que Perls appelle des *affaires non liquidées*. Telles des pièces de casse-tête non rattachées à l'ensemble, ces discordances non résolues brisent l'unité de la conscience et tendent à empêcher la personne de devenir pleinement autonome. Elles créent ainsi des conflits intérieurs, sources de la plupart des difficultés psychologiques vécues par la personne.

Perls considère qu'au cours de son développement, chaque individu accumule des affaires non liquidées qui donnent à sa personnalité un caractère plus ou moins éclaté. La conscience parfaitement unie demeurant un idéal, le nombre et l'importance des affaires non liquidées varient d'un individu à l'autre; les individus se différencient alors principalement par le degré d'unité de la conscience qu'ils ont atteint (Whitton, 2003).

La thérapie Le but de la thérapie gestaltiste est de rétablir l'unité de la conscience et d'amener la personne à passer d'une dépendance à l'égard de son entourage à sa propre autonomie. La démarche générale à suivre au cours de la thérapie consiste à amener la personne à reconnaître les perceptions discordantes à la source des conflits intérieurs qu'elle vit afin de pouvoir les concilier par la suite. Pour cela, elle doit d'abord les accepter en tant que réalité, puis faire des choix productifs qui lui permettront de régler les affaires non liquidées qui l'empêchent de progresser.

À la différence d'autres approches, la thérapie gestaltiste ne cherche pas à creuser le passé pour expliquer comment a pu se développer un conflit intérieur; elle se concentre plutôt sur le présent. Même si le thérapeute fait allusion au passé quand il parle d'affaires qui n'ont pas été liquidées, il s'y intéresse en tant que réalité actuelle: quelles sont ces affaires non liquidées, et comment se répercutent-elles sur le présent, c'est-à-dire, selon une formule devenue classique pour décrire ce que le thérapeute attend de la personne, «ici et maintenant»?

Pour découvrir les affaires non liquidées et amener le sujet à y faire face, le thérapeute gestaltiste utilise beaucoup la technique consistant à comparer le langage verbal et le langage corporel, et à y relever les divergences révélatrices. Par exemple, la personne qui déclare que ce que pensent ses parents ne l'affecte plus, mais qui agite nerveusement les jambes tout en parlant, trahit une discordance entre la perception qu'elle croit

---

1. Appelé simplement Fritz dans plusieurs ouvrages et articles.

avoir de l'avis de ses parents et la perception «insatisfaisante» qu'elle en a réellement, bien qu'elle n'en soit pas pleinement consciente. Le thérapeute peut alors en déduire que cette discordance révèle un conflit intérieur dû à une affaire non liquidée en ce qui a trait au rapport que la personne entretient «actuellement» avec ses parents.

Les techniques de groupe telles que le jeu de rôle et le psychodrame sont également souvent utilisées pour faire ressortir les affaires non liquidées à la source de conflits. Ces deux types de techniques présentent plusieurs variantes, ce qui fait qu'elles ne sont pas toujours aisées à différencier clairement. Dans l'un et l'autre cas, il s'agit de mises en situation où les différents participants «jouent un rôle», la nature de la situation et même le choix du rôle pouvant tantôt laisser une large place à l'improvisation sur un thème très général, tantôt s'inscrire dans un profil bien précis et selon un thème imposé par la personne supervisant l'activité.

Testez vos connaissances

7. Le jeu de rôle et le psychodrame sont des techniques souvent utilisées dans la thérapie gestaltiste.

Dans la thérapie gestaltiste, les techniques de groupe telles que le jeu de rôle et le psychodrame sont effectivement des façons souvent utilisées pour faire ressortir les affaires non liquidées à la source de conflits.

Cela dit, on peut néanmoins considérer que le jeu de rôle a un caractère plus général que le psychodrame et qu'il est souvent employé dans d'autres situations que la thérapie, notamment pour apprendre à diriger un groupe, à se présenter en public, etc. En thérapie, il met davantage l'accent sur la teneur affective associée aux conflits intérieurs et se rapproche en cela davantage du psychodrame. Introduit par le psychosociologue américain, J. L. Moreno et prenant généralement une forme plus directive, le **psychodrame** vise essentiellement à libérer les émotions négatives associées aux conflits (conjugaux, familiaux ou professionnels) que vit la personne (Bloch *et al.*, 1999). Par exemple, dans un cas de conflit entre un père et son fils, on reproduira une situation quotidienne source de conflit, mais où le père joue le rôle du fils, et le fils, celui du père; cela permet à chacun de découvrir une autre vision du monde et une autre façon de vivre la situation.

Il est à noter que la thérapie gestaltiste est en général plutôt directive, contrairement par exemple à la thérapie rogérienne.

L'évaluation des thérapies d'orientation existentielle/humaniste

En ce qui a trait à l'évaluation des thérapies d'orientation existentielle/humaniste, une centaine d'études indiquent, en moyenne, le même niveau d'efficacité que les autres orientations (Conseil supérieur d'hygiène, 2005). Un problème présent dans un grand nombre de ces études est le mélange des diverses problématiques étudiées, ce qui fait qu'il est difficile de savoir quelle approche particulière a eu un effet sur quoi.

Toutefois, un nombre croissant d'études portant sur des troubles spécifiques traités selon les thérapies d'orientation existentielle/humaniste — par exemple, la dépression et l'état de stress post-traumatique — donnent des résultats clairement positifs. D'un autre côté, l'aspect le plus examiné dans ces études (surtout dans la deuxième moitié du XXe siècle) est moins la question de l'efficacité en soi que celle de la façon d'être efficace. À ce sujet, un des éléments qui ressort est l'importance capitale de la relation de confiance entre le thérapeute et le client (point également souligné par Dafflon & Wandeler, 2002).

Considérant globalement l'ensemble des différentes approches qu'on retrouve dans cette orientation, approches qui se caractérisent toutes par l'accent qu'elles mettent sur la personne et la croissance personnelle, le Conseil supérieur d'hygiène conclut son évaluation en disant que cette forme de psychothérapie «dispose d'un ensemble de

Psychodrame
Technique psychologique mise au point par Moreno et utilisant le jeu de rôle dans un contexte thérapeutique visant à recréer des tensions affectives liées à des problèmes vécus par un individu. Le but du psychodrame est d'amener l'individu à découvrir une autre vision du monde et une autre façon que la sienne de vivre la situation.

données empiriques qui soutiennent en très grande partie son efficacité et son utilité clinique, et ce, pour un large éventail de problématiques» (2005, p. 30).

12.2.4 L'orientation systémique/interactionnelle

Dans cette approche, on considère que les problèmes personnels surgissent et se maintiennent à cause du genre d'interaction entre une personne et son entourage (famille, amis, équipe de travail, etc.). Après analyse de la situation problématique, l'objectif de la psychothérapie est de modifier les relations entre la personne et son entourage. Il est ainsi fréquent que le psychologue rencontre des membres importants de l'entourage de son client. (OPQ, 2008i)

Les formes de thérapies que l'OPQ regroupe sous l'orientation systémique/interactionnelle ont toutes en commun de mettre l'accent sur l'importance du lien entre l'individu et le milieu social où il évolue, mais elles varient beaucoup dans leur approche du problème. Nous n'aborderons ici que la thérapie familiale et la thérapie brève ; nous compléterons cette section par l'évaluation des thérapies d'orientation systémique/interactionnelle.

La thérapie familiale

Même si des précurseurs tels qu'Adler et Horney avaient déjà insisté sur l'importance de la famille, c'est aux années 1940 qu'on fait habituellement remonter les premières formes de **thérapies familiales**. Dans cette forme de thérapie dont Virginia Satir (*voir la photo 12.10*) fut l'une des pionnières, le symptôme présenté par une personne doit être abordé dans le contexte familial de cette dernière (Satir, 1995 ; Sinelnikoff, 1998 ; Vannoti, Onnis, & Gennart, 2002). C'est toutefois au cours des années 1950 et au début des années 1960 que cette forme de thérapie a réellement pris son essor et a donné lieu par la suite à de multiples variantes. Nous présenterons ici deux des principales variantes mentionnés par Sinelnikoff (1998), la thérapie familiale systémique et la thérapie familiale comportementaliste.

La thérapie familiale systémique La **thérapie familiale systémique** est la première forme de thérapie familiale à avoir été officiellement reconnue, et ce, grâce surtout à la fondation du Mental Research Institute de Palo Alto par un groupe de chercheurs cliniciens américains en 1959.

Les fondements théoriques L'approche thérapeutique mise de l'avant par les membres de ce groupe — approche appelée par la suite l'*école de Palo Alto* — s'inspirait de divers courants de pensée mettant l'accent sur les interactions et les processus de communication en général. Le plus important de ces courants a été «la théorie générale des systèmes» du biologiste allemand Ludwig von Bertalanffy (Bertalanffy, 1950, 1960 ; Bertalanffy *et al.*, 1951) ; la thérapie familiale a d'ailleurs été l'un des premiers domaines de la psychologie auquel a été appliquée la théorie des systèmes, d'où le qualificatif *systémique*. Selon cette perspective, la personne doit être vue comme un élément d'un système, c'est-à-dire ici la famille, un tel système présentant les principales propriétés suivantes :

- Le système (la famille) possède des caractéristiques qui sont plus que la somme des caractéristiques des éléments (les membres de la famille) ; ainsi que le schématise la figure 12.2a, le système-famille ne consiste pas seulement en l'ensemble des éléments-membres qui le composent, mais comprend également l'ensemble des interactions existant entre les membres.

- La modification ou l'action d'un des éléments (un membre de la famille) entraîne une modification ou une action sur l'ensemble du système, et réciproquement ; la figure 12.2b illustre par exemple comment le fait qu'un membre s'oppose aux autres et s'en distance peut amener les autres à s'opposer et à se distancer de lui en retour : on aboutit alors à une réaction circulaire qui maintient une déformation de l'ensemble du système.

Dans cette optique, le trouble psychologique observé est considéré comme le résultat d'interactions dysfonctionnelles entre les membres de la famille, interactions dont le

Virginia Satir (1916-1988)
Virginia Satir est considérée comme l'une des pionnières de la thérapie familiale.

Photo 12.10

FIGURE 12.2 La famille comme système

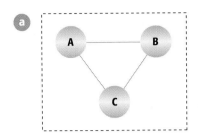

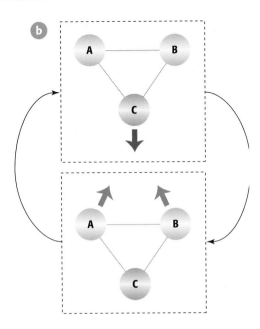

ⓐ Le système-famille comprend non seulement les différents membres (A, B et C), mais aussi l'ensemble de leurs interrelations. ⓑ En prenant ses distances des autres membres (A et B), l'individu C fait en sorte que ceux-ci se rapprochent davantage entre eux et se distancent de lui à leur tour, ce qui accroît à nouveau la distance prise par C, produisant ainsi une réaction circulaire dysfonctionnelle.

symptôme constitue la manifestation (Miermont, 2004; Sinelnikoff, 1998). Autrement dit, le vrai patient n'est pas l'individu, mais la famille, et le vrai problème n'est pas le «symptôme» de l'individu, mais le caractère dysfonctionnel des interactions familiales (Cook-Darzens, 2005). Il s'agit là d'une conception qui déterminera la façon dont la thérapie sera abordée par le thérapeute familial partageant cette approche.

Testez vos connaissances

8. **Dans la thérapie familiale, le vrai patient est la famille.**
   Dans la thérapie familiale, le vrai problème porte sur les interactions familiales dysfonction-nelles, et le vrai patient est effectivement la famille.

La thérapie On pourrait dire de la thérapie familiale d'approche systémique qu'elle est une extension de l'idée à la base de la thérapie gestaltiste dont elle se différencie cependant sur un point important: au lieu de se placer au niveau de la «gestalt-individu», on s'intéresse à la «gestalt-famille». Autrement dit, au lieu de se concentrer sur le tout que constitue l'individu, la thérapie familiale s'intéresse au tout formé par la famille dans son ensemble.

Le but de ce genre de thérapie est de modifier le type d'interactions entre les individus afin de les rendre plus fonctionnelles et moins douloureuses pour l'individu porteur du symptôme ainsi que pour l'ensemble des membres de la famille. Le thérapeute cherche ainsi à briser les séquences d'interactions habituelles et à interrompre les réactions circulaires dans lesquelles la famille s'est ankylosée. Pour y arriver, il peut utiliser différentes techniques telles qu'intervenir dans les échanges de façon à créer un élément imprévu, utiliser le psychodrame, stimuler l'autonomie de tous les membres de la famille et enregistrer les sessions et les revoir avec les membres de la famille.

À travers ce processus qui peut durer de plusieurs mois à plusieurs années à raison d'une séance toutes les trois ou quatre semaines, la focalisation se fait sur le problème vécu par la famille et non sur l'individu porteur du symptôme. Le but ultime est d'établir de nouvelles règles de communication permettant d'arriver à un meilleur fonctionnement global de tous les membres de la famille et de la famille elle-même.

La théorie familiale comportementaliste La **thérapie familiale comportementaliste** aborde la famille sous l'angle du conditionnement opérant et constitue en quelque sorte une application familiale de l'approche béhavioriste.

Les fondements théoriques Tout comme les tenants de l'approche systémique, les thérapeutes comportementalistes s'intéressent aux interactions entre les membres de la famille, mais en termes de chaînes de comportements où les comportements des membres se renforcent ou se punissent mutuellement. Dans cette optique, le comportement inadapté et déviant manifesté par un ou plusieurs membres de la famille est simplement conçu comme un comportement qui a été renforcé, généralement à leur insu, par les autres membres de la famille.

La thérapie Le but de la thérapie familiale comportementaliste est d'éteindre le comportement déviant et d'en faire apprendre un nouveau mieux adapté. La stratégie à utiliser se veut très concrète et procède en trois temps :

1. Préciser quel est le comportement considéré comme déviant, c'est-à-dire la conduite qui s'est révélée inadaptée ; par exemple : le jeune qui injurie ses parents au moindre reproche que ceux-ci lui font.

2. Définir le comportement à instaurer, cela sous la forme d'objectifs non seulement réalistes, mais également réalisables en pratique ; par exemple : amener le jeune à réagir verbalement sans proférer d'injures.

3. Aider les membres de la famille à trouver de nouveaux schémas de renforcement qui éviteront de continuer à renforcer le comportement indésirable et qui permettront de faire apprendre et de maintenir le comportement désiré ; par exemple : amener les parents à prêter pleinement attention aux propos du jeune dès que celui-ci exprime son point de vue sans proférer d'injures.

Pour procéder à cette reprogrammation des comportements, le thérapeute se sert du jeu de rôle et de l'apprentissage par présentation de modèle, le modèle à imiter pouvant être un membre de la famille que les autres admirent et qui se montre capable de changer son comportement, ou le thérapeute lui-même qui montre quel serait le comportement à émettre. Comme nous pouvons le constater, et contrairement à ce qui se passe dans d'autres approches, le thérapeute a ici un rôle très directif. Il ne s'intéresse ni à l'inconscient ni à l'histoire de la famille ; il se concentre plutôt sur les schémas de comportements qu'il observe et sur la façon de les modifier.

La thérapie brève

Les fondements théoriques La **thérapie brève** constitue en fait un prolongement des travaux qui sont issus de l'école de Palo Alto. Elle est présentée tantôt comme l'une des formes que peut prendre la thérapie familiale systémique, tantôt comme une forme de thérapie relativement distincte, comme la présente l'OPQ. Ce qui caractérise la thérapie brève, ce ne sont pas tant ses fondements théoriques, lesquels sont essentiellement les mêmes que ceux de la théorie systémique, que la façon dont se déroule la thérapie.

La thérapie Comme son appellation l'indique, la thérapie brève a fondamentalement pour but de traiter le problème du client à l'intérieur d'une durée relativement courte, c'est-à-dire, idéalement, à l'intérieur de 10 semaines. Toutefois, pour y arriver, différentes ramifications existent déjà à l'intérieur même de la thérapie brève. L'une de celles qui représentent actuellement le mieux cette tendance est la **thérapie brève orientée vers les solutions (TBOS)**, pratiquée entre autres par le psychologue Yves Gros-Louis auquel est consacré l'encadré 12.8. Dans cette forme de thérapie, le thérapeute doit centrer ses efforts sur la découverte et l'application de solutions au problème

Thérapie familiale comportementaliste
Forme de thérapie familiale qui aborde la famille sous l'angle du conditionnement opérant, constituant en quelque sorte une application familiale de l'approche béhavioriste.

Thérapie brève
Approche thérapeutique qui a essentiellement pour but de traiter le problème du patient à l'intérieur d'une durée relativement courte, c'est-à-dire idéalement à l'intérieur de 10 semaines.

Thérapie brève orientée vers les solutions (TBOS)
Forme de thérapie brève dans laquelle le thérapeute centre son effort sur la découverte et l'application de solutions au problème présenté par le client.

Yves Gros-Louis, un clinicien orienté vers la thérapie brève

À la fin de ses études collégiales, M. Yves Gros-Louis n'avait qu'une idée en tête, soit celle d'aller étudier la psychologie à l'université pour devenir psychothérapeute ; c'est ce qu'il fait depuis 28 ans. Il met à profit sa grande expérience en offrant de la formation à des psychologues, à des travailleurs sociaux, à des conseillers en orientation ou à d'autres intervenants en relation d'aide. Il répond ainsi à des demandes provenant d'établissements ou de simples individus.

La forme d'intervention qu'il préconise et qu'il enseigne dans le cadre de stages en formation continue est la thérapie brève orientée vers les solutions. Il s'agit d'une approche qui s'appuie sur les objectifs et les solutions du client. Cette approche ne propose pas un modèle du fonctionnement de l'être humain et n'est pas centrée sur les problèmes de la personne. Le thérapeute vise plutôt à ce que le client atteigne ses objectifs en mettant en branle ses propres stratégies qu'il appliquera dans sa vie quotidienne. « Moi, je ne donne pas de conseils. C'est le client qui trouve ses solutions à travers les questions que je lui pose. » Par exemple, devant un problème d'anxiété, on ne se concentre pas sur l'origine du problème, mais plutôt sur ce que le client fera pour diminuer son anxiété. Cette forme de psychothérapie est axée sur l'action et le changement. Le client est le maître d'œuvre de ce changement.

L'une des forces de cette approche est la brièveté de l'intervention. Le thérapeute ne s'attarde pas à la compréhension de l'origine du problème et à l'enseignement de nouvelles stratégies au client. Puisque les solutions viennent du client, ce dernier se sent plus motivé et impliqué. M. Gros-Louis ajoute qu'il est même possible de travailler avec des gens moins collaborateurs. « Je pars du principe que, s'ils sont dans mon bureau, ils sont motivés à quelque chose. » Par exemple, un adolescent se présente en consultation parce que ses parents l'y obligent. Le thérapeute reconnaît que cet adolescent a une motivation : il veut que ses parents le laissent tranquille. Ceci devient alors l'objectif à atteindre et génère une motivation à trouver des stratégies pour que ses parents soient contents et le laissent tranquille.

La thérapie brève orientée vers les solutions s'adapte bien à divers types de problèmes. Le succès de la thérapie est davantage lié

Yves Gros-Louis, M. Ps., clinicien en pratique privée.

aux caractéristiques de la personnalité du client. Cette intervention fonctionne bien si la personne possède une certaine capacité d'introspection qui lui permet de prendre conscience de ses forces et d'en arriver à trouver ses propres solutions. Il est même possible d'aider des personnes souffrant de schizophrénie dans la mesure où elles ne sont pas en phase de psychose aiguë. Le schizophrène peut entendre des voix lors de l'entretien, mais s'il comprend bien ce que le thérapeute lui dit, il y a possibilité de travailler adéquatement.

Comme beaucoup d'autres thérapeutes, M. Gros-Louis rencontre aussi des clients manifestant des tendances suicidaires. Il rappelle que le thérapeute peut faire un pacte de non-suicide avec la personne. Le client s'engage à ne pas commettre de geste suicidaire durant le suivi en thérapie et à appeler l'intervenant avant de passer à l'acte, si l'idée de le faire s'impose à lui.

L'approche thérapeutique préconisée par M. Yves Gros-Louis a été proposée par Steve DeShazer, inspiré lui-même par l'approche de Palo Alto. Les deux approches travaillent sur des éléments très concrets. Elles se distinguent cependant dans leur attitude envers le client. L'approche de Palo Alto travaille sur les symptômes et est plus directive, alors que l'approche orientée vers les solutions est tournée vers les objectifs du client et est basée sur la collaboration entre celui-ci et le thérapeute. M. Gros-Louis considère que son approche, éminemment tournée vers le concret, est appelée à se développer davantage dans les prochaines années.

---

présenté par le client. Il s'agit là d'un objectif concret qui demande, de la part du thérapeute, l'utilisation de stratégies dont le caractère essentiel est de porter sur des éléments les plus concrets possible.

Testez vos connaissances

9. La thérapie brève se caractérise par la résolution du problème à l'intérieur de deux ou trois semaines.

La thérapie brève est effectivement de courte durée ; habituellement, le problème du client est traité à l'intérieur de 10 semaines.

Dans la thérapie brève, le thérapeute peut rencontrer le client individuellement, mais il peut aussi, sur une base occasionnelle ou régulière, le voir avec un ou plusieurs membres de la famille, à savoir le « système » avec lequel le client interagit au quotidien. Dans un cas comme dans l'autre, son intervention consiste à amener les personnes rencontrées à formuler le problème en termes concrets et à les guider vers des solutions concrètes et applicables à court terme.

La préoccupation pratique caractérisant l'approche brève se traduit également par le fait que le client doit généralement, entre les rencontres, tenter de mettre en pratique une solution qui a été dégagée lors de la rencontre précédente et qui sera réévaluée lors de la prochaine. Il est à noter que cet aspect «tâche à faire» ne se retrouve pas dans la plupart des autres approches thérapeutiques.

L'évaluation des thérapies d'orientation systémique/interactionnelle

L'évaluation de la thérapie familiale pose au moins deux problèmes. En premier lieu, du fait qu'elle porte par définition sur le groupe que constitue la famille et non seulement sur la personne «porteuse du symptôme», les critères d'évaluation requièrent une méthodologie particulière qu'on ne retrouve habituellement pas avec les approches s'inscrivant dans les autres orientations selon le Conseil supérieur d'hygiène (2005). En second lieu, comme le signale la revue de littérature effectuée par Shadish *et al.* (1993) et rapportée par Miermont (2004), la difficulté d'évaluer l'approche familiale se complique du fait que cette dernière est de plus en plus éclectique, se basant à la fois sur un cadre systémique et un cadre cognitif/comportemental. Il devient alors difficile d'évaluer si une efficacité constatée est due au caractère familial de l'approche ou au cadre théorique adopté.

De façon générale, l'efficacité la plus marquée de la thérapie familiale concernerait les troubles cliniques sévères tels que la schizophrénie (le premier problème auquel se sont attaqués les tenants de cette thérapie), la délinquance, l'alcoolisme ainsi que les autres formes de toxicomanies. Le tableau 12.3 présente les principaux résultats qui semblent se dégager actuellement, selon le type de trouble et la catégorie d'âge du patient.

Un élément nouveau et fort intéressant signalé par le Conseil supérieur d'hygiène (2005) comme découlant des études menées pour évaluer cette forme de thérapie est celui qui met de l'avant l'évaluation de la place et du rôle que joue la famille dans l'évolution et le traitement des troubles psychologiques.

En ce qui concerne la thérapie brève orientée vers les solutions (TBOS), les évaluations qu'on en a faites sont relativement récentes, si l'on se réfère à Gingerich et Eisengart (2000). D'après ces derniers, certaines études visant à évaluer les effets à long terme

TABLEAU 12.3	L'efficacité des thérapies familiales, selon la catégorie d'âge du patient et le type de trouble	
	Type de trouble	**Efficacité des thérapies familiales**
Adulte	Troubles de l'humeur	Amélioration des symptômes et diminution du pourcentage de rechute
	Schizophrénie	Réduction du pourcentage de rechute et amélioration des habiletés sociales
	Dépendance à l'alcool et autres accoutumances	Efficacité supérieure à l'absence de traitement et par rapport à d'autres traitements alternatifs
	Anorexie mentale	Efficacité pour la prise en charge
Adolescent	Trouble de comportement	Efficacité supérieure à l'absence de traitement et par rapport à d'autres traitements alternatifs
	Accoutumances diverses	Efficacité supérieure à l'absence de traitement et par rapport à d'autres traitements alternatifs
	Anorexie mentale	Efficacité supérieure à l'absence de traitement
Enfant	Autisme	Efficacité supérieure à l'absence de traitement et par rapport à d'autres traitements alternatifs
	Conduites agressives et hyperactivité	Efficacité supérieure à l'absence de traitement et par rapport à d'autres traitements alternatifs

Source: Conseil supérieur d'hygiène, 2005; INSERM, 2004; Miermont, 2004, basé sur Pinsof, Wynne, & Hambright, 1996.

de cette approche ont été publiées lors des années qui ont suivi son émergence à Palo Alto. Toutefois, il s'agissait d'enquêtes plus ou moins informelles qui, dans l'ensemble, ne pouvaient démontrer un lien de cause à effet entre la thérapie et ses résultats.

Ce n'est qu'à partir du début des années 1980 qu'apparaissent, toujours selon Gingerich et Eisengart (2000), les premières études ayant utilisé une certaine forme de contrôle expérimental. Les problèmes abordés par les études les mieux contrôlées sont, respectivement, la dépression chez des étudiants de niveau universitaire, les conflits parents-enfants, la réhabilitation psychologique et sociale à la suite d'une blessure orthopédique[2], le récidivisme après un séjour en prison et le comportement antisocial d'adolescents en institution. Dans le cadre de ces études, la TBOS a donné de meilleurs résultats comparativement à l'absence de thérapie ou à l'utilisation des services institutionnels standards. Étant donné qu'elles témoignent d'un souci élevé sur le plan de la méthodologie, ces études tendent à confirmer le caractère bénéfique de la TBOS (Gingerich & Eisengart, 2000).

12.3 Les thérapies psychobiologiques

En plus des thérapies proprement psychologiques, on trouve également différentes formes de thérapies que nous qualifierons de *psychobiologiques*. Nous préciserons d'abord dans cette section les fondements théoriques sur lesquels s'appuient ces thérapies, après quoi nous présenterons les différentes formes de thérapies qui s'inscrivent dans ce courant; nous compléterons en jetant un regard sur l'évaluation des thérapies psychobiologiques.

Les fondements théoriques

Les fondements théoriques à l'origine des thérapies psychobiologiques découlent directement de l'idée centrale à la base de l'approche du même nom, à savoir que tout phénomène ou mécanisme psychologique s'explique, en tout ou en partie, par un phénomène ou un mécanisme biologique. Ainsi, selon cette approche, les différents troubles psychologiques sont dus, en tout ou en partie, à un mauvais fonctionnement de certains systèmes biologiques, principalement des systèmes nerveux et hormonal.

Les différentes formes de thérapies

Dans la mesure où l'on considère que les différents troubles psychologiques sont dus, uniquement ou en partie, à un mauvais fonctionnement des systèmes biologiques, principalement des systèmes nerveux et hormonal, le but des thérapies psychobiologiques est de neutraliser ce dysfonctionnement biologique provoquant, à lui seul ou en partie, un trouble psychologique donné.

Au-delà toutefois des nombreuses variantes que leur mode d'intervention peut présenter, les **thérapies psychobiologiques** dont il sera ici question ont toutes pour but de traiter un trouble *psycho*logique en faisant intervenir le *biologique*, d'où l'appellation utilisée ici pour les regrouper. Cela dit, nous pouvons distinguer les thérapies que l'on appelle habituellement les *thérapies médicales*, lesquelles consistent uniquement à intervenir sur une structure ou un mécanisme biologique censé exercer une action causale sur le trouble qu'on veut traiter, et celles que nous appelons ici les *thérapies psychomédicales*, qui combinent dans la même intervention une action médicale et une action d'ordre psychologique.

Les thérapies médicales Ainsi que le souligne leur appellation classique, les **thérapies médicales** consistent à intervenir uniquement au moyen de gestes que seuls les médecins sont légalement habilités à accomplir. Parmi les principaux types de thérapies actuellement utilisés, quoique à des degrés divers, se trouvent la thérapie électroconvulsive, la psychochirurgie et la médication.

Thérapie psychobiologique
Approche thérapeutique consistant à traiter un trouble psychologique en intervenant sur un phénomène biologique, que ce soit uniquement par un geste médical ou en combinaison étroite avec une procédure psychologique.

Thérapie médicale
Thérapie psychobiologique consistant à traiter un trouble psychologique uniquement en accomplissant un geste de nature médicale sur un phénomène biologique censé influer sur le trouble psychologique.

2. Dans l'étude en question, 73 % des sujets avaient subi une atteinte de la moelle épinière ou de l'un ou l'autre des membres supérieurs.

La thérapie électroconvulsive Au début du XXe siècle, on avait commencé à utiliser des substances telles que l'insuline pour stimuler l'appétit chez des patients psychotiques qui refusaient de s'alimenter. On s'est alors rendu compte que cela semblait les calmer. Un médecin viennois, Manfred Sakel, a poussé ce traitement jusqu'à ce que le patient entre en convulsions et tombe dans le coma; il a constaté avec surprise que certains patients recouvraient par la suite leur santé mentale. Le traitement à l'insuline ayant entraîné la mort chez d'autres patients, on a cherché une façon différente de provoquer les convulsions, puisque cela semblait bénéfique pour la santé mentale. Un médecin londonien a alors décidé d'administrer six petites décharges électriques au cerveau d'un patient dépressif: ce dernier fut guéri. La **thérapie électroconvulsive**, couramment appelée **électrochocs**, était née (Durand & Barlow, 2002).

Au cours des années qui ont suivi, la technique des électrochocs a été largement utilisée, principalement dans les cas de dépression sévère. Tout comme la psychochirurgie dont il est question au point suivant, elle a été l'objet d'une vive controverse, en raison du caractère brutal qu'elle semblait présenter. De nos jours, elle est peu utilisée, mais on s'en sert encore dans le cas de patients présentant une dépression sévère et pour lesquels les autres formes de thérapies se sont avérées impuissantes. Contrairement à ce qui se faisait au début, les patients sont anesthésiés et reçoivent un relaxant musculaire qui prévient les fractures qui pourraient survenir aux membres en raison de convulsions trop violentes.

Même si, d'après Durand et Barlow (2002), les effets secondaires des électrochocs «sont incroyablement rarissimes et se limitent généralement à une perte partielle de la mémoire à court terme, et à un état de confusion» (p. 355), l'utilisation des électrochocs semble vouée à disparaître à plus ou moins long terme. Cela est notamment dû au fait que, malgré son efficacité dans plusieurs des cas où elle est utilisée, on ne sait ni pourquoi ni comment cette technique fonctionne.

Thérapie électroconvulsive
Aussi appelée **Électrochocs**
Thérapie médicale consistant à traiter un trouble psychologique en soumettant pendant quelques secondes le cerveau à des impulsions électriques à l'aide d'électrodes appliquées sur le cuir chevelu.

Testez vos connaissances

10. **La thérapie électroconvulsive n'est plus utilisée comme moyen thérapeutique en Amérique.**

Même si l'utilisation des électrochocs semble vouée à disparaître à plus ou moins long terme, la thérapie électroconvulsive est encore utilisée aujourd'hui en Amérique.

La psychochirurgie La trépanation, dont il a brièvement été question dans l'introduction du présent chapitre et qui est encore pratiquée dans certaines régions du globe — entre autres chez les tribus des mers du Sud et d'Afrique du Nord, ainsi qu'au Kenya (Sabbatini, 1997a)—, peut être considérée comme la plus ancienne forme de psychochirurgie. Plus près de nous, l'une des premières formes de psychochirurgie utilisée en psychiatrie avec les développements de la neurologie consistait à sectionner certains faisceaux d'axones reliant le thalamus et les cortex préfrontal et frontal. On attribue généralement au neuropsychiatre portugais Antõnio E. Moniz la première intervention de ce genre pratiquée en 1936. Après avoir assisté à une conférence où l'on rapportait que des chimpanzés ayant été soumis à une opération analogue n'étaient plus agressifs, tout en ayant conservé leurs capacités d'apprendre et de résoudre des problèmes, Moniz a eu l'idée d'effectuer la même intervention sur des patients psychotiques incurables atteints de paranoïa et de troubles obsessionnels-compulsifs; ce dernier se disait qu'en empêchant le thalamus de relayer l'information aux cortex frontal et préfrontal, l'intervention libérerait la personne de ses pensées obsessionnelles, lui permettant dès lors de mener une vie normale (Sabbatini, 1997b).

L'opération a donné de bons résultats avec plusieurs patients, lesquels sont devenus beaucoup moins agités, anxieux ou dépressifs, mais n'a eu aucun succès avec d'autres. Moniz a alors conclu prudemment que l'intervention ne devrait être tentée qu'avec des patients présentant des symptômes graves et pour lesquels il n'y avait plus d'espoir de guérison. Par contre, un ambitieux neurologue américain du nom de Walter Freeman a décidé de faire la promotion de cette pratique, qu'il a renommée **lobotomie**. Cette décision a été suivie de plus de 18 000 lobotomies entre 1939 et 1951 aux États-Unis seulement, et des dizaines de milliers d'autres dans divers pays. On a même pratiqué cette opération chez toutes sortes d'individus (patients et prisonniers) dont on voulait contrôler le comportement; c'est en fait à cette époque que fait allusion le célèbre film *Vol au-dessus d'un nid de coucous*.

À partir des années 1950 toutefois, de plus en plus d'objections d'ordre éthique s'élèvent, sans compter que les effets négatifs tels que des déficiences cognitives et émotionnelles s'accumulent de plus en plus. Les neurochirurgiens de partout abandonnent graduellement cette pratique pour se tourner vers des traitements plus humains; la figure 12.3 illustre la rapide décroissance de cette pratique d'après le nombre de lobotomies effectuées à l'Hôpital Douglas de 1954 à 1957.

La psychochirurgie existe encore de nos jours, mais sa pratique est beaucoup plus circonspecte et ciblée, grâce aux énormes progrès réalisés, tant en ce qui touche aux connaissances sur le fonctionnement du système nerveux qu'en ce qui concerne la technologie donnant accès au cerveau. En observant par exemple une tumeur située dans un noyau particulier de l'hypothalamus ou encore dans l'amygdale, il est possible d'attribuer à cette tumeur le comportement agressif qu'un individu a développé depuis quelques mois et de pratiquer une intervention précise pour détruire uniquement la tumeur en question.

Les nouvelles techniques d'observation et d'enregistrement du cerveau brièvement présentées au chapitre 2 permettent maintenant de repérer les structures du cerveau qui s'activent indûment lorsqu'un individu est sujet à des crises qu'il estime lui-même incontrôlables. Il devient alors possible d'intervenir sur la structure en se servant de la radiochirurgie, technique utilisant des faisceaux de rayonnement pouvant détruire certaines cellules, ou encore en insérant des électrodes dont l'extrémité peut soit détruire les cellules fonctionnant de façon anormale, soit en inhiber le fonctionnement (Sabbatini, 1997c).

En fait, la psychochirurgie peut s'avérer pertinente dans le cas de patients souffrant « d'un TOC grave, de troubles affectifs ou anxieux majeurs invalidants et résistants aux autres thérapeutiques disponibles » (Polosan *et al.*, 2003, p. 552). Comme le soulignent toutefois les auteurs, l'utilisation de la psychochirurgie doit respecter les

Lobotomie

Opération consistant à sectionner des faisceaux d'axones reliant certaines régions du cerveau, généralement le thalamus et les cortex préfrontal et frontal.

| FIGURE 12.3 | La diminution du nombre de lobotomies à l'Hôpital Douglas |

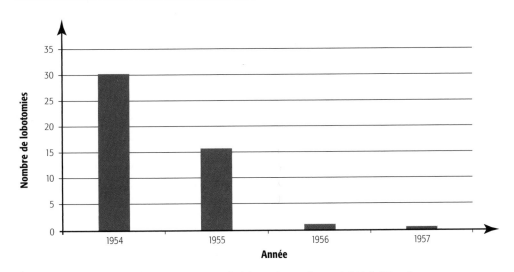

Le graphique illustre la chute brutale du nombre de lobotomies pratiquées à l'Hôpital Douglas de 1954 à 1957.

indications et les contre-indications qui se dégagent de la littérature, et non céder à un courant général comme cela s'est fait dans les années 1940.

La médication La découverte de médicaments psychotropes, dont l'action vise à améliorer le fonctionnement psychologique en agissant principalement sur les neurotransmetteurs, a donné lieu à l'émergence d'une nouvelle forme de thérapie pour traiter les troubles psychologiques, à savoir la médication. Apparu vers le début des années 1950, ce type de traitement a été l'un des facteurs ayant contribué au déclin de la psychochirurgie (Durand & Barlow, 2002).

Nous avons déjà abordé la question des psychotropes dans le cadre des états de conscience induits par des drogues en présentant un tableau des principaux psychotropes. Lorsque l'on conçoit la médication en tant que traitement, il est possible de distinguer généralement cinq classes principales de médicaments psychotropes (Biscay, 2008):

- Les neuroleptiques — Découverts en France en 1952 par le Dr Henri Laborit, les neuroleptiques (tranquillisants majeurs, dont le Largactil®) sont les premiers médicaments psychotropes à avoir été utilisés dans le traitement des troubles psychologiques, particulièrement ceux à caractère psychotique. Ils ont principalement pour effet de diminuer les idées délirantes et hallucinatoires, tout en apaisant l'angoisse et les manifestations d'agressivité, ce qui contribue à améliorer le contact avec la réalité (Biscay, 2008; Durand & Barlow, 2002; Caire, 2008).

- Les antidépresseurs — Les premiers médicaments psychotropes appartenant à cette catégorie ont été découverts dans les années 1960. Ces médicaments, dont le plus connu est le Prozac®, sont principalement utilisés pour traiter les symptômes dépressifs sévères; ils peuvent également être indiqués dans certains cas pour des troubles tels que l'anxiété, le trouble panique et les troubles obsessionnels-compulsifs (Biscay, 2008).

- Les anxiolytiques — Également appelés *tranquillisants mineurs*, les anxiolytiques, dont la principale sous-catégorie est celle des benzodiazépines (Valium®, Librium®), sont utilisés pour apporter un soulagement rapide à l'anxiété ou à l'angoisse (Biscay, 2008; Durand & Barlow, 2002).

- Les hypnotiques — Il s'agit ici de médicaments qui visent essentiellement, comme l'indique leur appellation courante de *somnifères*, à réguler le sommeil afin de combattre l'insomnie chronique. Leur utilisation doit toutefois demeurer la plus brève possible afin de prévenir la dépendance psychologique (Biscay, 2008).

- Les régulateurs de l'humeur — Apparus eux aussi dans les années 1960, les médicaments appartenant à cette catégorie (les médicaments à base de sels de lithium, tel que Teralithe®) sont utilisés pour prévenir les épisodes caractérisant les troubles bipolaires (Biscay, 2008).

Cette brève présentation des médicaments psychotropes étant faite, il importe de signaler que toute médication doit être suivie de façon régulière, car les effets potentiellement bénéfiques de même que les effets secondaires varient énormément selon les individus. Par ailleurs, de nombreuses voix s'élèvent régulièrement pour dénoncer la tendance à se fier uniquement à la médication, devenue en quelque sorte la voie privilégiée des thérapies médicales, et pas assez aux autres types de thérapies comme les psychothérapies.

Les thérapies psychomédicales À la différence des thérapies médicales, celles que nous appelons les **thérapies psychomédicales** consistent à combiner, dans la même intervention, une action d'ordre psychologique et un geste d'ordre médical, l'intervention psychologique consistant en une mise en situation ou une forme d'interaction donnée.

Les thérapies psychomédicales qui se développent actuellement tirent profit des progrès dans le domaine des neurosciences et tendent à cibler davantage le trouble qu'on désire traiter. L'encadré 12.9 décrit par exemple des travaux de recherche menés actuellement, lesquels visent à mettre au point une nouvelle thérapie pour l'état de stress post-traumatique. En combinant, dans le cadre d'une mise en situation dirigée (volet psychologique), le rappel de souvenirs traumatisants avec l'injection d'un

Thérapie psychomédicale
Thérapie psychobiologique consistant à traiter un trouble psychologique en combinant, dans la même intervention, une action d'ordre psychologique et un geste d'ordre médical, l'intervention psychologique consistant dans une mise en situation ou une forme d'interaction donnée.

L'état de stress post-traumatique, de la recherche de pointe à Montréal

Faire un rapprochement entre un phénomène auquel on s'intéresse et un autre pour lequel on possède déjà un bon bagage de connaissances permet souvent de faire un pas significatif dans la compréhension qu'on peut avoir du phénomène initialement à l'étude. C'est ce qu'a fait Alain Brunet, dont il a été question dans l'encadré 11.4 (*page 379*), en envisageant l'état de stress post-traumatique sous l'angle d'un problème de mémoire. Ce rapprochement a permis au chercheur d'explorer une nouvelle avenue de traitement de l'état de stress post-traumatique.

Une recherche à laquelle avait participé M. Brunet avait permis de démontrer qu'en administrant du propranolol, une substance reconnue depuis 25 ans pour bloquer l'activation des réponses physiologiques de stress, dans les heures qui suivent un événement traumatisant, ces réponses étaient considérablement diminuées quand le souvenir était évoqué par la suite (Vaiva *et al.*, 2003).

Une autre équipe de chercheurs avait pour sa part démontré que, lorsqu'on ramène à la conscience des souvenirs emmagasinés dans la mémoire à long terme, en particulier des souvenirs émotionnels, ceux-ci doivent être consolidés de nouveau (reconsolidés) afin de persister, ouvrant ainsi la porte à d'éventuelles modifications du souvenir (Nader, Schafe, & LeDoux, 2000). Autrement dit, lorsqu'ils sont ramenés dans la mémoire à court terme, les souvenirs déjà emmagasinés peuvent en quelque sorte être «édités», un peu comme on retouche un document qu'on a récupéré d'un disque dur; ils peuvent ensuite être sauvegardés à nouveau, mais cette fois sous leur nouvelle «version».

M. Brunet a alors eu l'idée de combiner les résultats de ces deux études. Lui et ses collègues ont amené des sujets à se remémorer des souvenirs traumatisants, puis leur ont donné du propranolol afin de «rééditer» leurs souvenirs, c'est-à-dire d'inhiber les réactions physiologiques de peur auparavant associées aux événements ayant provoqué un état de stress post-traumatique. Plus tard, les sujets ont été invités à se remémorer de nouveau le souvenir traumatisant pendant que les chercheurs enregistraient différentes mesures physiologiques associées à une émotion de peur. Un autre groupe a été soumis à la même procédure, mais ils recevaient un placebo (une pilule de sucre sans ingrédient actif) au lieu du propranolol. Les chercheurs

espéraient ainsi faire en sorte que le souvenir soit reconsolidé, mais détaché de la peur qui lui était auparavant associée. Le graphique ci-dessous permet de constater que, par rapport au groupe ayant reçu un placebo, les réponses physiologiques de peur ont été beaucoup moins marquées lors du rappel ultérieur des souvenirs traumatisants chez les sujets du groupe expérimental (Brunet *et al.*, 2008). Une étude récente (Kindt, Soeter, & Vervliet, 2009) va d'ailleurs dans le même sens que celle qui vient d'être exposée succinctement.

De tels résultats permettent d'espérer qu'on pourra, dans les prochaines années, trouver une façon de soulager définitivement les souffrances des personnes aux prises avec l'état de stress post-traumatique. Ils illustrent par ailleurs comment des hypothèses précises sur la cause d'un trouble peuvent guider le chercheur vers la mise au point d'un traitement.

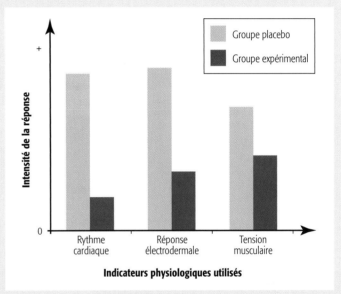

La différence entre un groupe traité au propanolol et un groupe placebo concernant trois mesures physiologiques typiques du stress lors du rappel de souvenirs traumatisants (d'après Brunet *et al.*, 2008).

produit qui intervient sur l'entreposage mnémonique à long terme (volet médical), on a pu réduire considérablement l'état de stress post-traumatique. Quoique les thérapies impliquant une intervention à la fois psychologique et médicale soient encore peu nombreuses, elles semblent actuellement prendre de l'ampleur grâce aux avancements rapides dans le domaine des neurosciences, domaine qui rassemble de plus en plus de chercheurs de formations diverses.

L'évaluation des thérapies psychobiologiques

Même s'il est généralement reconnu aujourd'hui qu'un bon fonctionnement psychologique est étroitement lié à un bon fonctionnement du corps, principalement en ce qui a trait aux systèmes nerveux et hormonal, le principal danger qui guette l'utilisation des thérapies psychobiologiques est de «tomber dans la facilité» et de ne s'en remettre qu'à ces dernières en croyant tout régler. Ce fut le cas pour la thérapie électroconvulsive, la psychochirurgie et aussi la médication. Alors que les deux premières ne sont aujourd'hui utilisées que dans certains cas particuliers, il n'en est pas de même de l'emploi de ce qu'on a souvent appelé de façon abusive les *médicaments de l'esprit*. Même si l'enthousiasme à leur égard n'est plus le même qu'à l'époque où ils ont commencé à être découverts, leur utilisation demeure fort répandue et constitue encore l'objet d'une vive polémique.

Les tenants de l'**antipsychiatrie**, les premiers à s'opposer au fait de poser un diagnostic «étiquetant» une personne comme étant mentalement malade, ont également été, et demeurent encore, les plus farouches opposants à la médication. Cette opposition a eu le bénéfice d'attirer l'attention sur les dangers d'un usage abusif de ce type de thérapie. Ce qu'il importe de garder à l'esprit, c'est que la médication peut aider, à condition qu'elle soit utilisée avec circonspection. Comme le soulignait lui-même le Dr Heinz Lehmann — le premier à avoir introduit le Largactil® en Amérique — dans un article du journal *The Gazette* du 3 janvier 1956, le médicament est «l'équivalent d'un plâtre sur une jambe brisée. Le plâtre n'a pas d'effet direct sur la blessure, mais il permet aux processus normaux de guérison d'avancer aussi rapidement et efficacement que possible» (Hôpital Douglas, 2006). On sait maintenant que, dans certains cas, un médicament peut agir directement sur le processus physiologique à la source d'un problème psychologique, mais les professionnels conviennent généralement que la médication devrait être utilisée en complément à une psychothérapie.

Conclusion

Un grand nombre de thérapies ont été conçues dans le but de traiter les troubles psychologiques, et nous n'avons abordé dans notre survol que les principales. Chacune de ces thérapies est née d'une vision mettant l'accent sur une conception théorique particulière du comportement humain et des troubles psychologiques qu'on peut rencontrer. En guise de conclusion à ce dernier chapitre, il apparaît pertinent d'ajouter quelques remarques.

Il faut tout d'abord savoir qu'on observe actuellement une convergence de plus en plus marquée des différentes approches psychologiques. En effet, même si certains psychothérapeutes privilégient encore de façon exclusive une approche donnée, un nombre de plus en plus grand d'intervenants intègrent à leur approche de base des éléments provenant d'une ou de plusieurs autres approches ou orientations. La convergence des approches vaut également pour ce qui est des approches psychologiques par rapport aux approches psychobiologiques. Comme nous l'avons souligné plus haut, il est maintenant courant, par exemple, de combiner une thérapie médicale, telle que la prescription d'antidépresseurs, avec une psychothérapie d'orientation humaniste ou cognitive. Les thérapies psychomédicales représentent par ailleurs des situations où la combinaison entre les volets psychologiques et physiologiques est la plus étroite. Avec les développements constants qu'on observe dans les différentes orientations et approches thérapeutiques, évolution sur laquelle l'encadré 12.10 jette un bref regard, il est à prévoir que la complémentarité ira en s'accentuant dans le domaine de la thérapie des troubles psychologiques.

Il est en effet de plus en plus admis que le traitement ou, souvent même, la combinaison de traitements qui s'avèrent appropriés dépendent de nombreux facteurs tels que le type de problème, les caractéristiques de l'individu présentant un trouble, le milieu où il évolue ainsi que le type de thérapie concrètement accessible. Plutôt que de prétendre établir quelle est la meilleure des approches, les efforts consistent davantage à établir quelle serait la meilleure stratégie de traitement à adopter dans un cas donné. Comme on assiste à une plus grande ouverture sur le plan théorique, on tend ainsi à offrir un traitement plus individualisé.

Un autre point qui mérite d'être souligné est celui du rôle thérapeutique et préventif de l'environnement. En tant que contexte culturel, l'environnement a déjà été signalé comme pouvant intervenir dans le diagnostic d'un trouble psychologique, c'est-à-dire dans le fait de considérer un comportement donné comme étant normal ou anormal. Certains auteurs ont aussi souligné le caractère potentiellement causal de l'environnement immédiat dans l'apparition ou le maintien de troubles psychologiques présentés par un individu. Or, l'environnement peut également exercer

Les thérapies de demain d'après nos experts

Lorsqu'on regarde vers l'avenir, on est à même de constater que la psychothérapie est un domaine en évolution constante, quoique cela puisse se manifester de façon différente et à des degrés divers selon l'orientation clinique.

La clinicienne Suzanne Bouchard souligne dans l'encadré 12.4 (*page 411*) que, même si l'approche psychanalytique existe depuis longtemps, les cliniciens ayant adopté cette approche cherchent continuellement à approfondir le lien entre le corps et l'esprit.

Par ailleurs, la réalité virtuelle (RV) a commencé à être utilisée par des chercheurs d'orientation cognitive/béhavioriste et semble promise à de nombreuses applications. Toutefois, d'après Stéphane Bouchard, cette technologie doit être considérée comme un outil qui s'ajoute à ceux déjà disponibles pour les thérapeutes, outil qu'il faudra apprendre à mieux connaître et à utiliser plus efficacement. Ainsi, dans les prochaines années, selon M. Bouchard, la recherche devra faire porter ses efforts sur au moins trois points.

Premièrement, il faudra évaluer dans quelle mesure la RV peut aider à traiter d'autres problèmes que les troubles anxieux. Certaines études ont déjà été amorcées dans ce sens (dans les troubles alimentaires et les problèmes de dépendance, par exemple), mais ce n'est encore qu'un début. Deuxièmement, il faudra apprendre à combiner la thérapie utilisant la RV avec la télépsychothérapie. M. Bouchard estime en effet que, d'ici 10 ans, les rencontres où le thérapeute est dans son bureau et le client, chez lui, deviendront monnaie courante dans le domaine de la psychothérapie. Un troisième point sur lequel la recherche devra se pencher est la question de savoir quand l'utilisation de la RV peut être appropriée ou non. Quelles sont les caractéristiques des personnes pour lesquelles cette approche ne fonctionne pas? À quelles conditions peut-elle fonctionner chez une personne donnée?

Ainsi, comme le souligne avec une fierté légitime M. Bouchard, même si les chercheurs cliniciens de l'UQO ont été les premiers au Canada à utiliser la RV pour faire de la psychothérapie, cette technologie se répandra rapidement et sera utile pour un large éventail d'applications et d'approches théoriques.

Pour sa part, comme elle l'a souligné dans l'encadré 12.7 (*page 424*), la clinicienne humaniste Marie Gingras estime que les frontières entre les approches sont de moins en moins marquées. Elle adhère par ailleurs à l'idée que les cliniciens devront mettre de plus en plus l'accent sur la mise en valeur des ressources de la personne plutôt que simplement sur ce qui cause problème, ainsi que le prône le nouveau courant de la psychologie positive.

En ce qui a trait à la thérapie brève orientée vers les solutions, le psychologue Yves Gros-Louis, auquel est consacré l'encadré 12.8 (*page 431*), souligne qu'il s'agit d'une approche thérapeutique encore peu connue. Elle a été conçue par des psychologues cliniciens et non par des chercheurs universitaires. Par conséquent, elle a fait l'objet de peu d'études. Par contre, Yves Gros-Louis croit que sa psychothérapie se rapproche du nouveau courant de la psychologie positive et espère que la recherche actuelle dans ce domaine viendra confirmer le bien-fondé de ses interventions.

En ce qui concerne les thérapies de type psychobiologique, il semble qu'elles soient appelées à prendre de l'envergure, grâce surtout à la collaboration croissante entre chercheurs de formation psychologique et chercheurs issus des neurosciences; les travaux d'Alain Brunet et de son équipe rapportés dans l'encadré 12.9 (*page 437*) sont éloquents à cet égard. Des travaux de recherche préliminaires indiquent aussi qu'on pourrait traiter les états dépressifs au moyen de stimulations magnétiques intracrâniennes totalement imperceptibles (Janicak *et al.*, 2008).

En somme, considérant la diversité des problèmes et des individus, il semble bien, pour autant que l'on puisse se projeter dans l'avenir, que toutes les approches continueront à devoir apporter leur contribution pour aider les humains à mieux vivre.

---

sur les troubles psychologiques un rôle non seulement thérapeutique, mais également préventif, et ce, tant au quotidien que dans le cadre de réseaux de soutien spécifiques.

En effet, étant donné que les troubles psychologiques sont de nos jours mieux connus du grand public, les personnes qui présentent ces troubles ne sont plus considérées comme des êtres atteints d'un mal mystérieux, mais davantage comme des individus qu'on peut aider; elles ne sont donc plus aussi ostracisées qu'elles l'ont longtemps été. De plus, les membres constituant l'environnement quotidien de la personne souffrante — sa famille, en premier lieu — sont davantage en mesure de la soutenir et même de l'aider à se rétablir, entre autres grâce aux techniques mises au point dans le cadre des thérapies familiales systémiques. C'est dans ce contexte qu'a été mise en branle la désinstitutionnalisation psychiatrique qui visait à permettre que le traitement des personnes présentant un trouble psychologique se fasse hors des institutions psychiatriques. Cependant, comme l'explique l'encadré 12.11 (*page 440*), ce mouvement n'a pas eu que des effets bénéfiques, même s'il est appelé à se poursuivre.

Il existe actuellement de nombreux réseaux de soutien spécifiques pour aider tant les personnes souffrant d'un trouble donné que celles qui les côtoient au quotidien. À l'image du mouvement des Alcooliques anonymes fondé pour aider les personnes aux prises avec une dépendance à l'alcool et du groupe Al-Anon destiné aux

La désinstitutionnalisation…

Mise en œuvre pour la première fois en Scandinavie dans les années 1960, la désinstitutionnalisation n'est pas propre au Québec, car on la retrouve également dans des pays tels que les États-Unis, l'Autriche et le Royaume-Uni. Elle ne concerne pas non plus uniquement la maladie mentale, même si c'est dans ce domaine qu'elle est d'abord apparue. En effet, c'est le souci d'humaniser les soins dispensés aux personnes souffrant de ce type de maladie qui est à l'origine de la désinstitutionnalisation psychiatrique (Dorvil & Guttman, 1997 ; Laberge, 1988).

Amorcée au Québec dans la deuxième partie du XXᵉ siècle, la désinstitutionnalisation psychiatrique comprenait deux volets : abandonner progressivement l'internement comme modèle d'intervention privilégié auprès des personnes atteintes d'une maladie mentale et faire en sorte que de moins en moins de personnes soient internées (Dorvil & Guttman, 1997 ; Poulin & Massé, 1994).

Avant 1960, la conception qui prédominait au Québec au sujet de la maladie mentale était que celle-ci correspondait à une forme de folie pratiquement incurable et, pour beaucoup, à un mal provoqué par Dieu en guise de punition ou d'épreuve qu'il fallait accepter. On se contentait donc, dans la plupart des cas, d'enfermer les personnes atteintes dans des asiles. À partir des années 1960 cependant, une jeune génération de psychiatres commencent à contester cette approche qu'ils jugent défaitiste et déshumanisante. Qui plus est, des études réalisées aux États-Unis tendent à démontrer que le seul internement non seulement n'aide pas, mais empire également les problèmes mentaux des personnes qui en sont atteintes, ce qui se manifeste par des effets négatifs tels que l'obéissance passive, la dépersonnalisation, l'autonégligence et l'agressivité. Le livre-choc de Jean-Charles Pagé paru en 1961, *Les fous crient au secours*, va contribuer à sensibiliser le public aux conditions de vie prévalant dans les asiles. Le gouvernement Lesage met alors sur pied une commission d'enquête sur les hôpitaux psychiatriques, travail qu'il confie à trois psychiatres «modernistes», dont le Dʳ Denis Lazure qui deviendra plus tard ministre dans le gouvernement péquiste. Un an plus tard, la commission remet son rapport, et le gouvernement crée un organisme chargé de mettre en œuvre les recommandations de la commission d'enquête parmi lesquelles on compte la désinstitutionnalisation des personnes atteintes de troubles mentaux. Dans leur rapport concernant les résultats de la désinstitutionnalisation 35 ans plus tard, Dorvil et Guttman (1997) en présentent les aspects positifs et ceux qui sont discutables.

Au chapitre des aspects positifs, il faut reconnaître que la désinstitutionnalisation «a été préférable à une politique généralisée et systématique d'enfermement à vie de personnes ayant des problèmes de santé mentale» (Dorvil & Guttman, 1997, p. 135). Même si un certain nombre de personnes ont dû, à quelques reprises, retourner à l'hôpital, le fait de pouvoir recouvrer leur liberté a été bénéfique pour beaucoup d'entre elles. Sur un plan plus global, la désinstitutionnalisation a permis, dans une bonne part, de démythifier la maladie mentale auprès du public et de favoriser une approche plus humaine du problème.

En ce qui concerne les aspects discutables de la désinstitutionnalisation, Dorvil et Guttman (1997) font ressortir les principaux points suivants :

- L'augmentation de l'itinérance — La façon désorganisée dont s'est déroulée la désinstitutionnalisation au début (manque de soutien aux personnes désinstitutionnalisées, particulièrement sur le

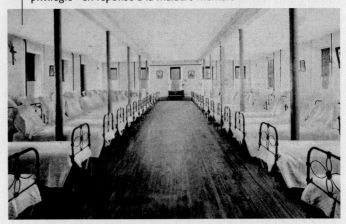

Rappel d'une époque où l'internement constituait le «traitement privilégié» en réponse à la maladie mentale

plan financier) aurait effectivement contribué à une augmentation de l'itinérance. Gagné et Dorvil (1988) estiment cependant qu'on a trop relié le phénomène de l'itinérance à la désinstitutionnalisation, l'évolution des conditions socioéconomiques ayant été entre autres responsable du fait qu'un grand nombre d'ex-psychiatrisés se soient retrouvés parmi les sans-abri.

- La criminalisation des personnes présentant un problème de santé mentale — La probabilité qu'une personne suspectée d'un délit soit arrêtée est plus grande (20 %, d'après Teplin, 1984) si elle présente un trouble mental que si elle n'est pas perçue comme malade. On estime d'ailleurs à 30 % la proportion des personnes incarcérées ayant un problème de santé mentale.

- Le fardeau des familles — La tâche de prendre en charge la personne désinstitutionnalisée revient «officiellement» à la famille. Or, celle-ci reçoit très peu de soutien de la part des institutions en place. La situation se complique d'ailleurs du fait que, dans un grand nombre de cas, l'ex-psychiatrisé voudrait demeurer indépendant de sa famille.

- Le syndrome de la porte tournante — En raison du manque de ressources vouées au soutien des personnes désinstitutionnalisées, on a rapidement observé, dès les débuts de la désinstitutionnalisation, ce qu'on a appelé le *phénomène de la porte tournante*, c'est-à-dire le «va-et-vient incessant des patients psychiatriques entre l'hôpital (l'asile) et la communauté» (Dorvil & Carpentier, 1996).

Qu'en est-il à l'heure actuelle ? Il semble bien que les impacts discutables de la désinstitutionnalisation soient encore d'actualité. En effet, bien que la majorité des intervenants dans le domaine de la maladie mentale s'entendent pour dire qu'il serait impensable de retourner à l'époque où l'on hébergeait systématiquement les personnes atteintes d'une maladie mentale, nombreux sont ceux qui critiquent le manque de ressources et le peu d'encadrement que reçoivent ceux qui côtoient les «ex-psychiatrisés». Un reproche qui revient souvent porte sur le fait que les décisions prises dans ce domaine le sont malheureusement trop souvent pour des raisons économiques (par exemple, atteindre le «déficit zéro»), ainsi que le souligne la psychiatre Johanne Rioux (1999) au nom de l'Association des jeunes médecins du Québec.

personnes qui côtoient quotidiennement une personne dépendante de l'alcool, on trouve aujourd'hui des regroupements pour différents types de problèmes d'ordre psychologique : les personnes présentant un trouble de l'alimentation, les personnes dépressives, les personnes souffrant de dépendance affective, les personnes sujettes à la violence, les personnes dont un proche est atteint de schizophrénie, etc. Non seulement ces regroupements peuvent jouer un rôle thérapeutique, mais ils font également un travail de prévention en informant le public, ce qui peut contribuer à corriger certaines situations avant qu'elles n'affectent les personnes vulnérables.

Une dernière remarque avant de conclure : au regard du grand nombre de thérapies qui ont été élaborées dans le but de traiter les troubles psychologiques, faut-il s'étonner que la personne aux prises avec de telles difficultés, lesquelles entraînent souvent un mal de vivre aigu, n'arrive pas à s'y retrouver facilement quand vient le moment de demander de l'aide ? Faut-il s'étonner que cette personne puisse alors, ainsi que l'illustre douloureusement l'expérience rapportée en amorce, devenir vulnérable devant beaucoup de « soi-disant psychothérapeutes » dont la compétence est souvent douteuse, pour ne pas dire nulle ? Un tel état de choses découle du fait que n'importe qui peut légalement se proclamer « psychothérapeute » sans détenir de permis officiel. Or, une telle situation est en voie de devenir chose du passé si le projet de loi 50 est adopté. Les conditions devraient ainsi être plus favorables pour « qu'un humain » puisse recevoir la meilleure aide possible « d'un autre humain ».

Questions de révision

1. Voici quatre façons d'expliquer les causes des troubles psychologiques. Laquelle de ces explications correspond à la tradition psychologique ?

a) Le comportement inadapté est dû à l'environnement culturel et aux apprentissages qu'on y fait.

b) Les personnes qui ont des comportements étranges sont possédées par un esprit mauvais.

c) Les problèmes de santé mentale sont dus à des pathologies du cerveau.

d) Les troubles mentaux résultent d'un déséquilibre des humeurs liquides de base.

2. L'Ordre des psychologues du Québec regroupe les diverses formes de thérapies selon quatre orientations principales. Trouvez l'intrus parmi les orientations ci-dessous.

a) L'orientation cognitive/béhavioriste

b) L'orientation existentielle/humaniste

c) L'orientation neurologique/linguistique

d) L'orientation psychodynamique/analytique

3. Laquelle des explications ci-dessous se rapporte à la psychanalyse freudienne ?

a) La difficulté d'harmoniser les différents éléments liés à l'inconscient, tant individuel que collectif, est à la source des problèmes psychologiques.

b) Les conflits qui surviennent au cours du développement psychosexuel entre les exigences des trois instances de la personnalité peuvent générer des troubles psychologiques.

c) Les difficultés psychologiques sont liées à des pensées ou à des comportements inadéquats qui ont été appris par une personne dans son environnement quotidien.

d) Les problèmes personnels surgissent et se maintiennent en raison du genre d'interaction entre une personne et son entourage.

4. La désensibilisation systématique est une thérapie de quel type ?

a) Béhavioriste **c)** Psychodynamique

b) Humaniste **d)** Systémique

5. Quelles sont les trois étapes de la thérapie émotivo-rationnelle d'Ellis ?

a) 1. Déterminer les croyances irrationnelles
2. Prendre conscience du caractère irrationnel et des implications de ces croyances
3. Éliminer les croyances irrationnelles

b) 1. Exprimer les émotions positives et négatives
2. Reconnaître les émotions négatives
3. Rationaliser les émotions négatives

c) 1. Faire un retour sur l'enfance de l'individu
2. Procéder par associations libres
3. Rendre conscient ce qui est inconscient

d) 1. Reconnaître les stimuli anxiogènes
2. Créer une hiérarchie des stimuli anxiogènes
3. Entrer en contact graduellement avec les stimuli anxiogènes

6. Dans cette orientation, l'accent est mis sur le moment présent, sur la capacité de la personne à prendre conscience de ses difficultés actuelles, de les comprendre et de modifier en conséquence sa façon d'être ou d'agir. À quel personnage de la psychologie associez-vous cette orientation ?

   a) Albert Ellis

   b) Carl Rogers

   c) Joseph Wolpe

   d) Sigmund Freud

7. Laquelle des techniques ci-dessous peut-on associer à la thérapie gestaltiste ?

   a) L'apprentissage par présentation de modèles

   b) L'immersion

   c) La thérapie électroconvulsive

   d) Le psychodrame

8. Voici deux énoncés qui pourraient concerner les principales propriétés d'un système dans l'approche familiale systémique :

   1. La famille possède des caractéristiques qui sont plus que la somme des caractéristiques des membres de la famille.

   2. La modification ou l'action d'un membre de la famille entraîne une modification ou une action sur l'ensemble de la famille, et réciproquement.

   Au regard des deux énoncés ci-dessus, laquelle de ces affirmations est exacte ?

   a) Le premier énoncé est vrai ; le deuxième énoncé est faux.

   b) Le premier énoncé est faux ; le deuxième énoncé est vrai.

   c) Les deux énoncés sont vrais.

   d) Les deux énoncés sont faux.

9. Quelle est la première étape de la stratégie familiale comportementale ?

   a) Aider les membres de la famille à trouver de nouveaux schémas de renforcement.

   b) Définir le comportement à instaurer sous forme d'objectifs.

   c) Déterminer les sources des conflits intergénérationnels.

   d) Préciser le comportement qui est considéré comme déviant.

10. Indiquez si ces énoncés sont vrais ou faux.

   a) La thérapie brève est associée à l'approche psycho-biologique.

   b) La thérapie électroconvulsive a été très populaire au xxe siècle, mais n'est plus utilisée de nos jours.

   c) Les neuroleptiques sont des médicaments qui ont pour effet de diminuer les idées délirantes et les hallucinations.

   d) Une lobotomie consiste à éliminer le lobe frontal du patient.

Pour en connaître davantage

Volumes et ouvrages de référence

Bouchard, S., & Gingras, M. (2007). *Introduction aux théories de la personnalité.* **Montréal : Gaëtan Morin.**

> Rédigé par deux cliniciennes œuvrant au Québec, ouvrage qui présente les théories classiques de la personnalité à la base des grandes orientations thérapeutiques, à savoir les théories psychodynamiques, les théories de l'apprentissage ainsi que les théories humaniste et existentielle. Rédigé dans un langage clair et accessible, l'ouvrage est bien documenté et constitue une excellente source de référence.

Chaloult, L., Ngo, T.-L, Goulet, J., & Cousineau, P. (2008). *La thérapie cognitivo-comportementale : théorie et pratique.* **Montréal : Gaëtan Morin.**

> Excellent ouvrage d'introduction aux thérapies cognitives, volume qui vise à fournir au lecteur une présentation facile d'accès permettant de comprendre les bases des théories d'inspiration cognitive et comportementale. Écrit par quatre cliniciens, il accompagne de nombreux exemples les notions théoriques présentées.

Dorvil, H., & Guttman, H. (1997). Annexe I : 35 ans de désinstitutionnalisation au Québec, 1961-1996. Dans Comité de la santé mentale du Québec (Éd.), *Défis de la reconfiguration des services de santé mentale.* **Rapport soumis au ministre de la Santé et des Services sociaux. Québec : Gouvernement du Québec.**

> Survol historique de la façon dont s'est effectuée la désinstitutionnalisation au Québec entre 1961 et 1996. Outre le rappel historique, le texte présente une analyse poussée des aspects positifs ainsi que des aspects plus discutables de ce mouvement. Un incontournable pour qui veut bien saisir où en est la situation en 2009. Le texte est disponible en format PDF à l'adresse suivante :

   <http://msssa4.msss.gouv.qc.ca/fr/document/publication.nsf/
   b640b2b84246d64785256b1e00640d74/d1251d29af46beec8525675
   3004b0df7/$FILE/97_155a1.pdf>.

Duruz, N., & Gennart, M. (2002). *Traité de psychothérapie comparée.* **Paris : Médecine & Hygiène.**

> Excellent traité qui présente les différentes formes de psychothérapies sous le même angle — mais de façon plus développée, cela va de soi —

que celui que nous avons adopté dans le présent chapitre. Ainsi, l'objet premier étant les psychothérapies, celles-ci sont abordées en rappelant leurs origines et leurs fondements théoriques. La thérapie elle-même est ensuite présentée, suivie d'éléments d'ordre critique et prospectif. Solidement documenté et traitant de la plupart des approches et sous-approches en psychothérapie, cet ouvrage constitue une référence pour toute personne s'intéressant au sujet.

Miermont, J. (2004). _Thérapies familiales et psychiatrie._ France : Doin.

> Écrit par un spécialiste qui a publié de nombreux volumes sur la question et assumé la direction du _Dictionnaire des thérapies familiales,_ ouvrage qui constitue une excellente présentation de l'ensemble des formes de thérapies familiales, notamment les formes qu'on retrouve en Europe.

Perls, F., Hefferline, R. E., & Goodman, P. (1951/2001). _Gestalt thérapie : la technique._ Montréal : Stanké.

> Rédigé par trois auteurs, dont Perls qui est considéré comme le père de la thérapie gestaltiste, ce volume reflète assez bien l'esprit de la thérapie basée sur cette approche : les notions théoriques présentées y sont illustrées dans l'«ici et maintenant» à partir d'exemples tirés de rencontres réelles.

Rogers, C. (1942/2005). _La relation d'aide et la psychothérapie._ Issy-les-Moulineaux : ESF.

> Rogers y décrit comment procède la psychothérapie dans un contexte de relation d'aide où la personne aidée est considérée comme un client et non comme un patient ; cet ouvrage demeure un classique.

Périodiques et journaux

Québec Science. Numéro spécial intitulé « Maladie mentale. Pourquoi moi ? », mars 2007.

> Déjà mentionné à la fin du chapitre 11 du présent manuel, numéro également pertinent pour ce dernier chapitre. En effet, dans le même style «vivant» caractérisant ce périodique, on y retrouve un contenu concernant les psychothérapies, dont un relevé intéressant des jalons historiques sur la façon de concevoir la maladie mentale et de la traiter.

Audiovisuel

Martin, R., & Tremblay, P. H. (1996). _Regard sur la thérapie familiale... un entretien avec Mony Elkaïm._ Canada, Hôpital Rivière-des-Prairies (CECOM), 27 min.

> Document qui aborde la thérapie familiale, issue de l'école de Palo Alto en Amérique, mais qui s'est développée de façon distincte en Europe, grâce entre autres aux actions du Dr Mony Elkaïm. Celui-ci, fondateur de l'Association européenne de thérapie familiale, trace un tableau de la façon dont la pensée systémique a donné naissance aux différents modèles de thérapies familiales.

Schlubach, I. (2001). _Regards singuliers sur la Gestalt-thérapie._ EPG / KIP Films, 21 min.

> Document, produit par l'École Parisienne de Gestalt (EPG) et réalisé par une personne formée elle-même en Gestalt-thérapie, qui présente les différentes facettes de cette approche. Tourné lors d'un séminaire animé par les fondateurs de l'EPG, la vidéo permet d'illustrer les différentes modalités d'intervention (utilisation symbolique d'objets, amplification émotionnelle et corporelle, etc.) de cette forme de thérapie qui met l'accent sur l'«ici et maintenant».

Tremblay, P. H. (réalisateur et auteur), & Martin, R. (réalisateur). (1988). _Les psychothérapies brèves... un entretien avec Edmond Gilliéron._ Canada, Hôpital Rivière-des-Prairies (CECOM), Hôpital du Sacré-Cœur de Montréal (Pavillon Albert-Prévost), 47 min.

> Tourné à partir d'une rencontre avec le Dr Edmon Gilliéron, spécialiste de la thérapie brève d'inspiration analytique, document qui traite d'abord de cette forme de thérapie brève : comment elle s'est développée et où elle se situe dans le courant psychanalytique. Dans un second temps, le Dr Gilliéron présente une méthode de psychothérapie brève qu'il a lui-même conçue à Lausanne. Il termine son propos par les principales indications et contre-indications au traitement psychothérapeutique bref.

Tremblay, P. H. (réalisateur et auteur), & Reid, W. (auteur). (1989). _Psychothérapies I : une mise en parallèle de 3 regards théoriques._ Canada, Hôpital Rivière-des-Prairies (CECOM), Hôpital du Sacré-Cœur de Montréal (Pavillon Albert-Prévost), 58 min.

Tremblay, P. H. (réalisateur), & Pinard, G. (auteur). (1989). _Psychothérapies II : une approche cognitive._ Canada, Hôpital Rivière-des-Prairies (CECOM), Hôpital du Sacré-Cœur de Montréal (Pavillon Albert-Prévost), 50 min.

Tremblay, P. H. (réalisateur), & Bouchard, M. A. (auteur). (1989). _Psychothérapies III : une approche phénoménologique existentielle._ Canada, Hôpital Rivière-des-Prairies (CECOM), Hôpital du Sacré-Cœur de Montréal (Pavillon Albert-Prévost), 55 min.

Tremblay, P. H. (réalisateur), & Leblanc, J. (auteur). (1989). _Psychothérapies IV : une approche psychanalytique._ Canada, Hôpital Rivière-des-Prairies (CECOM), Hôpital du Sacré-Cœur de Montréal (Pavillon Albert-Prévost), 55 min.

> Série de quatre documents vidéo mettant en parallèle trois approches en psychothérapie, à savoir les approches cognitive, phénoménologique existentielle et psychanalytique. Un intervieweur a rencontré un tenant de chacune des trois approches en vue d'établir ce qui les rassemble et ce qui les distingue sur les plans théorique et pratique. Chaque spécialiste est amené à donner un bref aperçu historique et les notions fondamentales de son approche, une description du traitement la caractérisant, ainsi que ses indications et contre-indications. Des extraits d'entrevues aident à illustrer le propos de chacun des spécialistes. On y trouve également des commentaires généraux sur chaque approche émis par la personne ayant rencontré les spécialistes.

Glossaire

A | **Accommodation** Mécanisme consistant à modifier un schème existant afin de pouvoir y intégrer une nouvelle information.

Acquisition Phase d'une procédure de conditionnement pendant laquelle on amène un organisme à présenter une réponse dans une situation où il ne le faisait pas précédemment. Dans le conditionnement classique, c'est la phase pendant laquelle le stimulus inconditionnel suit le stimulus neutre.

Adaptation sensorielle Tendance d'un récepteur sensoriel à répondre de moins en moins à une stimulation.

Affect Terme référant au volet « ressenti » ou « expérience subjective » de l'émotion.

Âge chronologique Âge réel d'une personne.

Âge mental Niveau de performance intellectuelle correspondant au niveau de performance atteint en moyenne par les individus d'un âge chronologique donné. Exemple : L'individu qui atteint le niveau de performance atteint en moyenne à l'âge de 10 ans est considéré comme ayant un âge mental de 10 ans.

Agent de punition négative Stimulus qui, lorsque retiré après une réponse, en diminue la probabilité d'apparition.

Agent de punition positive Stimulus qui, lorsque présenté après une réponse, en diminue la probabilité d'apparition.

Agent de punition primaire Stimulus dont la propriété punitive est inhérente au stimulus lui-même.

Agent de punition secondaire Stimulus dont la propriété punitive a été apprise.

Agent de renforcement négatif Stimulus qui, lorsque retiré après une réponse, en augmente la probabilité d'apparition.

Agent de renforcement positif *Aussi appelé* **Renforçateur** Stimulus qui, lorsque présenté après une réponse, en augmente la probabilité d'apparition.

Aire associative *Aussi appelée* **Aire d'association** Région située dans l'un ou l'autre des lobes frontal, pariétal ou temporal et participant aux processus permettant à l'organisme de tenir compte des stimulations externes et des états internes (motivationnels et émotionnels), d'évaluer l'importance relative de ces différents éléments de façon à pouvoir y répondre de manière pertinente et s'adapter efficacement à la situation.

Aire auditive Région du cortex cérébral, située approximativement au centre de la partie supérieure du lobe temporal de chaque hémisphère, qui reçoit et traite les influx nerveux en provenance de l'oreille.

Aires corticales Régions du cortex cérébral présentant certains caractères anatomiques donnés et auxquelles on a pu, pour certaines d'entre elles, associer une fonction particulière.

Aire d'association *Voir* **Aire associative**

Aire de Broca Aire située dans le lobe frontal et responsable de l'élocution ; ainsi dénommée d'après le nom du chirurgien Paul Broca qui l'a localisée le premier en 1861.

Aire de Wernicke Aire corticale située dans le lobe temporal, entre l'aire auditive et sa jonction avec le lobe pariétal, et responsable de la compréhension du langage ; ainsi dénommée d'après le nom du chercheur qui l'a identifiée le premier.

Aire motrice Région du cortex cérébral située dans le lobe frontal et le long du sillon central de chaque hémisphère, et qui envoie des commandes aux muscles volontaires rattachés au squelette, mais ne donne pas lieu à des mouvements organisés.

Aire somatosensorielle *Aussi appelée* **Aire somesthésique** Région du cortex cérébral, située dans le lobe pariétal et le long du sillon central de chaque hémisphère, qui reçoit et traite les influx nerveux en provenance des récepteurs distribués sur l'ensemble de la surface du corps.

Aire somesthésique *Voir* **Aire somatosensorielle**

Aire visuelle Région du cortex cérébral, située dans la partie arrière du lobe occipital de chaque hémisphère, qui reçoit et traite les influx nerveux en provenance de l'œil.

Aliénation mentale Expression juridique désignant l'incapacité, pour un individu, non seulement de distinguer le bien du mal sur le plan abstrait, mais aussi d'appliquer cette notion sur le plan concret, c'est-à-dire de l'appliquer à un acte qui lui est reproché.

Allostasie Processus selon lequel les différents systèmes biologiques tendent à s'adapter en modifiant leur niveau d'activité en fonction du milieu et des circonstances où se trouve l'organisme.

Amnésie Incapacité de se rappeler certains souvenirs à la suite d'un traumatisme d'ordre psychologique ou neurologique.

Amnésie antérograde Forme d'amnésie portant sur des noms appris ou des événements survenus après un événement ayant provoqué un traumatisme.

Amnésie dissociative Trouble dissociatif caractérisé par une incapacité à évoquer des souvenirs personnels importants, habituellement traumatiques ou stressants.

Amnésie rétrograde Forme d'amnésie portant sur des noms appris ou des événements survenus avant un événement ayant provoqué un traumatisme.

Amotivation Absence de motivation ; correspondant au cas où un individu émet un comportement sans motivation.

Amygdale Structure qui jouerait un rôle clé dans la gestion des souvenirs liés aux émotions, en particulier la peur, et dans la coordination des aspects viscéraux, moteurs et cognitifs des émotions.

Analyse des données Étape de recherche où le chercheur rassemble et organise ses données, habituellement à l'aide de tableaux et de graphiques, et effectue s'il y a lieu certains calculs statistiques, le tout afin de voir ce qui se dégage des données recueillies en fonction de l'hypothèse ou de l'objectif.

Angle de convergence Indice binoculaire en vertu duquel plus l'angle formé par la direction du regard de chaque œil vers le point de fixation est grand, plus l'objet est perçu comme rapproché.

Angoisse fondamentale Selon Horney, sentiment provenant de l'angoisse vécue par l'enfant lorsqu'il ressent des sentiments conflictuels à l'égard de ses parents, c'est-à-dire lorsqu'il est partagé entre un sentiment de dépendance envers ses parents et d'hostilité à l'égard de ces derniers lorsqu'ils ne satisfont pas à ses besoins de base.

Anima Archétype jungien représentant l'idéal féminin, plus particulièrement la représentation stéréotypée que l'homme se fait de la femme.

Animisme Selon la théorie de Piaget, forme particulière d'égocentrisme intellectuel où l'enfant a tendance à prêter aux objets ou aux événements des caractéristiques humaines (sentiments, intentions, humeur, conscience).

Animus Archétype jungien représentant l'idéal masculin, plus particulièrement la représentation stéréotypée que la femme se fait de l'homme.

Anorexie mentale *Aussi appelée* **Anorexie nerveuse** Trouble des conduites alimentaires caractérisé par le refus de maintenir un poids corporel minimum normal, une peur intense de prendre du poids ainsi qu'un souci excessif de l'image corporelle et une distorsion de cette dernière.

Anorexie nerveuse *Voir* **Anorexie mentale**

Anoxie Manque d'oxygénation du cerveau ; peut survenir entre autres lors de l'accouchement.

Antipsychiatrie Mouvement apparu au début des années 1960 et qui remettait en question la psychiatrie traditionnelle, dans sa façon tant d'étiqueter les patients que de les traiter, remettant même en cause la notion de maladie mentale opposée à celle de santé mentale.

Anxiété généralisée Trouble anxieux caractérisé par une inquiétude excessive concernant plusieurs événements ou activités du quotidien et se maintenant de façon chronique depuis au moins six mois.

Aphasie d'expression *Voir* **Aphasie de Broca**

Aphasie de Broca *Aussi appelée* **Aphasie motrice** *ou encore* **Aphasie d'expression** Problème de langage se traduisant par une élocution lente et hésitante, une difficulté à trouver les mots et à les arranger en séquences grammaticalement correctes ainsi que par certains problèmes de compréhension liés à la grammaire.

Aphasie de réception *Voir* **Aphasie de Wernicke**

Aphasie de Wernicke *Aussi appelée* **Aphasie sensorielle** *ou encore* **Aphasie de réception** Problème de langage se traduisant par l'émission d'un discours grammaticalement correct mais dénué de sens.

Aphasie motrice *Voir* **Aphasie de Broca**

Aphasie sensorielle *Voir* **Aphasie de Wernicke**

Apnée du sommeil Trouble du sommeil consistant dans un arrêt plus ou moins marqué de la respiration au cours du sommeil.

Apprentissage Modification relativement durable du comportement et des processus mentaux, laquelle résulte d'expériences répétées, ou processus d'entraînement qui conduit à la modification de ce comportement.

Apprentissage cognitif Forme d'apprentissage faisant appel à une organisation des connaissances liées à la situation.

Apprentissage latent Forme d'apprentissage survenant en l'absence de tout renforcement observable.

Apprentissage par intuition Forme d'apprentissage qui se présente sous la forme d'une soudaine réorganisation cognitive permettant d'arriver à une solution, et pour laquelle aucun façonnement n'a été effectué.

Apprentissage par observation Forme d'apprentissage où un organisme apprend un comportement, simplement en observant la façon dont se comporte un modèle dans une situation donnée.

Apprentissage par présentation de modèle Thérapie consistant à exposer un individu à une situation où un modèle émet un comportement qui est renforcé ou puni, selon qu'on désire que l'observateur imite ou non le comportement présenté.

Approche béhavioriste Façon d'aborder le fonctionnement de l'humain basée sur le béhaviorisme.

Approche cognitive Façon d'aborder le fonctionnement de l'humain mettant l'accent sur les processus mentaux, plus particulièrement sur la façon dont ces derniers traitent l'information permettant l'acquisition de connaissances et influencent le comportement. Comprend une théorie explicative de la personnalité et une forme de thérapie découlant de la théorie.

Approche écologique *Voir* **Approche écosystémique**

Approche écosystémique *Aussi appelée* **Approche écologique** Approche centrée sur la personne en tant qu'individu au cœur d'un environnement à couches multiples (famille, communauté rapprochée, société, environnement global), et où les couches de l'environnement ont d'autant plus d'influence sur l'individu qu'elles en sont rapprochées.

Approche évolutionniste Approche inspirée de la sélection naturelle de Darwin et expliquant le développement des comportements et de la pensée humaine à partir du besoin de s'adapter aux contraintes de l'environnement.

Approche gestaltiste Façon d'aborder le fonctionnement de l'humain basée sur la notion de « gestalt » et mettant l'accent sur les relations entre éléments plutôt que sur les éléments. Comprend, outre une approche particulière de la perception, une théorie explicative de la personnalité et une forme de thérapie découlant de la théorie.

Approche humaniste Façon d'aborder le fonctionnement de l'humain mettant l'accent sur l'individu en tant que personne humaine dont le but ultime est de réaliser son plein potentiel. Comprend, outre une approche particulière de la motivation, une théorie explicative de la personnalité et une forme de thérapie découlant de la théorie.

Approche psychanalytique Façon d'aborder le fonctionnement de l'humain basée sur la psychanalyse.

Approche psychobiologique Façon d'aborder le fonctionnement de l'humain mettant l'accent sur les liens entre les phénomènes psychologiques et les structures et mécanismes biologiques sous-jacents (système nerveux, gènes, hormones). Comprend une théorie explicative de la personnalité et certaines techniques d'intervention découlant de la théorie.

Arborisation terminale Ramifications de l'axone qui permettent de transmettre à plusieurs cellules à la fois le signal généré par un neurone.

Arc réflexe Réflexe automatique dans lequel un neurone sensoriel stimule, directement ou par l'intermédiaire d'un autre neurone, un neurone moteur, le lien entre les deux neurones s'effectuant au niveau de la moelle épinière, sans passer par les centres cérébraux supérieurs.

Archétype En psychanalyse jungienne, stéréotype associé à un modèle ancien – « arché- » venant du grec archeos qui signifie « ancien » – et universel auquel l'individu cherche inconsciemment à ressembler ou à s'opposer ; l'animus, l'anima et le héros sont des exemples d'archétypes.

Assimilation Dans la théorie de Piaget, mécanisme consistant à intégrer les nouveaux éléments d'information ou expériences aux schèmes déjà existants.

Association libre En psychanalyse, technique inventée par Freud et consistant à demander au patient de dire ce qui lui vient spontanément à l'esprit, c'est-à-dire sans restriction aucune, à la suite d'un mot prononcé par le thérapeute.

Attaque de panique Terme désignant la survenue, soudaine et souvent sans aucune cause apparente, d'un intense sentiment d'anxiété qui culmine, généralement au bout de 10 minutes, en un véritable sentiment de panique. Elle se traduit par des symptômes tels que des réactions physiologiques typiques de la peur, des sensations d'étouffement et la peur de mourir, de perdre le contrôle de soi ou de devenir fou.

Attention involontaire Tendance à porter attention à un aspect de la stimulation en réaction à une caractéristique donnée d'un stimulus; s'oppose à «attention volontaire».

Attention volontaire Fait de porter attention à un aspect de la stimulation parce qu'on a choisi de s'y arrêter; s'oppose à «attention involontaire».

Attribution causale Cause invoquée pour expliquer un événement.

Authenticité *Aussi appelée* **Congruence** Dans le contexte rogérien, attitude consistant à demeurer fidèle à soi-même de façon que le client sente que le thérapeute ne joue pas un rôle, mais reste vrai et donc digne de confiance.

Autohypnose Technique d'induction hypnotique où une personne s'hypnotise elle-même, tenant à la fois le rôle d'hypnotiseur et celui de sujet.

Autorépétition d'organisation Stratégie globale visant à favoriser la rétention à long terme et mettant l'accent sur la façon dont on organise l'information à retenir, en prenant en compte le choix du type d'encodage, la disposition du matériel à retenir ainsi que la création de liens avec l'information déjà en mémoire.

Autorépétition de maintien Stratégie visant à favoriser la rétention et consistant essentiellement à répéter le contenu à retenir.

Axone Prolongement qui, dans le neurone type, part du corps cellulaire et propage l'influx nerveux vers d'autres cellules le long de l'arborisation terminale.

B | **Babillage** *Aussi appelé* **Lallation** Émission répétitive de syllabes composées d'une consonne et d'une voyelle, phénomène qui apparaît vers l'âge de six mois.

Bâtonnet Type de photorécepteur permettant de percevoir la brillance d'une couleur.

Béhaviorisme • Sens restreint – Approche psychologique ne s'intéressant qu'aux comportements directement observables, ceux-ci étant considérés comme des réponses apprises en réaction aux stimuli provenant du milieu; fondée par Watson, cette approche ne se rencontre pratiquement plus actuellement. • Sens large – Approche psychologique s'intéressant autant aux comportements directement observables qu'aux processus mentaux observables indirectement, et considérant que les comportements sont des réponses apprises en réaction aux stimuli provenant du milieu. Comprend une théorie explicative de la personnalité et une forme de thérapie découlant de la théorie.

Béhaviorisme orthodoxe Tel qu'il a été formulé à l'origine par Watson et adopté ensuite par Skinner, béhaviorisme rejetant les faits de conscience et les processus cognitifs non directement observables, ces derniers étant considérés comme hors d'atteinte de la méthode scientifique.

Belle indifférence Terme désignant le phénomène qu'on peut rencontrer dans le trouble de conversion et selon lequel les sujets semblent précisément indifférents à la présence de leurs symptômes physiques.

Besoins de croissance personnelle D'après Maslow, besoins qui visent au plein développement de l'organisme en tant qu'être humain; ceux-ci ne peuvent être satisfaits avant les besoins fondamentaux et comprennent les besoins liés à l'appartenance et à l'amour, à l'estime de soi et à l'actualisation de soi.

Besoins fondamentaux D'après Maslow, besoins qui sont liés au développement, au maintien ainsi qu'à la survie de l'organisme et, à travers lui, de l'espèce; ces derniers doivent être satisfaits avant les besoins de croissance personnelle et comprennent les besoins physiologiques et ceux qui sont liés à la sécurité.

Besoins liés à l'actualisation de soi Besoins de réussir sa vie en ayant développé pleinement ses capacités en tant qu'individu; ils constituent le niveau supérieur de ceux que Maslow appelle les besoins de croissance personnelle.

Besoins liés à l'appartenance et à l'amour Besoins non seulement d'être accepté, mais également d'être apprécié par les autres; ils constituent le niveau inférieur de ceux que Maslow appelle les besoins de croissance personnelle.

Besoins liés à l'estime de soi Besoins incitant la personne à faire quelque chose qui lui donne une image positive d'elle-même; ces derniers constituent le deuxième niveau de ceux que Maslow appelle les besoins de croissance personnelle.

Besoins liés à la sécurité Besoins visant à mettre l'organisme physique à l'abri de toute menace éventuelle et qui constituent le niveau supérieur de ceux que Maslow appelle les besoins fondamentaux.

Besoins physiologiques Besoins qui sont liés au bon fonctionnement de l'organisme physique et qui constituent le niveau inférieur de ceux que Maslow appelle les besoins fondamentaux.

Biofeedback *Voir* **Rétroaction biologique**

Boulimie Trouble des conduites alimentaires caractérisé par une alternance entre des crises d'absorption, en une période de temps limitée, d'une quantité de nourriture largement supérieure à la normale et des pratiques compensatoires drastiques visant à prévenir, d'une façon inappropriée, la prise de poids.

Bouton terminal Chacune des extrémités de l'arborisation terminale d'un axone, là où s'effectue la transmission aux autres cellules du signal généré par un neurone.

Brillance *Aussi appelée* **Clarté** Dimension perceptive qui varie du noir (clarté quasi nulle) au blanc (clarté quasi maximale) en passant par tous les gris de clarté intermédiaire.

Brillance relative Indice monoculaire en vertu duquel un objet dont la brillance est plus basse tend à être perçu comme étant plus éloigné de l'observateur qu'un autre dont la brillance est plus élevée.

Bruxisme Trouble du sommeil consistant dans le fait de grincer fortement des dents au cours du sommeil.

Bulbe rachidien Structure du tronc cérébral qui contribue à gérer certaines fonctions vitales assurées par la branche autonome du système nerveux périphérique comme, entre autres, le rythme cardiaque, la respiration, la tension artérielle, etc.

Bulle psychologique *Aussi appelée* **Espace interpersonnel** Terme référant à l'espace physique que l'on est spontanément porté à garder autour de soi et à l'intérieur duquel les autres ne doivent pas pénétrer sans que l'on ressente un malaise.

C | **Ça** Dans la théorie freudienne, instance mue par le besoin de satisfaire les pulsions fondamentales; on dit du ça qu'il fonctionne selon le principe de plaisir.

Canaux semi-circulaires Structures en boucles à l'intérieur et à la base desquelles se trouvent les récepteurs générant les sensations vestibulaires.

Captation Saisie d'une forme d'énergie donnée par un organe sensoriel.

Catharsis Dans la théorie freudienne, libération de la charge affective associée à un conflit.

Cauchemar Trouble du sommeil survenant au cours du sommeil paradoxal et correspondant à un rêve associé à des émotions négatives assez fortes pour réveiller le dormeur.

Cellules bipolaires Cellules situées à l'intérieur de la rétine et qui transmettent aux cellules ganglionnaires les influx nerveux générés par les photorécepteurs.

Cellules ganglionnaires Cellules situées à l'intérieur de la rétine et dont les axones se réunissent pour former le nerf optique et transmettre au cerveau les messages nerveux reçus des cellules bipolaires.

Centration Phénomène par lequel l'enfant établit son jugement en ne se basant que sur une dimension à la fois.

Cerveau Terme désignant, au sens large – tel qu'employé dans le présent manuel –, l'ensemble des structures contenues dans la boîte crânienne, à partir de l'endroit où se termine la moelle épinière.

Cervelet Structure située à la base du cerveau, tout juste à l'arrière du haut de la moelle épinière, dont le rôle fondamental est d'assurer la coordination motrice des mouvements qui sont commandés par les centres supérieurs du cerveau.

Charge allostatique Coût que le corps doit payer à long terme lorsque l'organisme doit s'adapter constamment à des situations qu'il n'arrive pas à gérer efficacement, comme c'est le cas lors des phases de résistance et d'épuisement.

Circonvolution *Aussi appelée* **Gyrus** Chacun des replis observables à la surface des hémisphères cérébraux.

Clarté *Voir* **Brillance**

Classification Capacité de répartir des objets dans plusieurs classes.

Clinicien *Voir* **Psychologue clinicien**

Cochlée Partie de l'oreille interne à l'intérieur de laquelle s'opère la transformation des vibrations sonores en influx nerveux.

Code auditif Code faisant appel à une représentation auditive.

Code de déontologie *Voir* **Déontologie**

Code sémantique Code faisant appel à la signification attachée au stimulus.

Code visuel Code faisant appel à une représentation visuelle.

Cognition Selon le contexte, terme référant soit à l'ensemble des processus impliqués dans la connaissance, soit aux différents résultats de ces processus.

Collecte des données Étape de recherche où le chercheur précise quelles seront les sources auprès desquelles il recueillera ses données, prépare le matériel dont il aura besoin et décide de la méthode qu'il utilisera pour recueillir ses données, pour ensuite procéder à la collecte des données elles-mêmes.

Communication des résultats Étape de recherche où le chercheur diffuse les résultats de sa recherche dans la communauté scientifique.

Complexe d'Électre Terme utilisé par Jung pour désigner le complexe d'Œdipe chez la fille.

Complexe d'Œdipe Dans la théorie freudienne, phénomène survenant au cours du stade phallique et consistant dans le fait que l'enfant devient amoureux du parent de sexe opposé, le parent du même sexe devenant alors un rival.

Complexe K Onde survenant au cours du stade 2 et dont l'amplitude est nettement plus grande que le reste du tracé.

Comportement d'approche Comportement consistant à s'approcher d'un but positif, c'est-à-dire un objet, une situation ou un événement qui semble désirable pour l'organisme.

Comportement d'évitement Comportement consistant à éviter un but négatif, c'est-à-dire un objet, une situation ou un événement qui semble indésirable ou menaçant pour l'organisme.

Comportement de type A Comportement présenté par un individu fonceur, ambitieux, soucieux de maîtriser son environnement, préoccupé par le temps, impulsif, difficile envers lui-même et les autres, et même impatient envers tout ce qui tend à l'entraver dans la poursuite de ses buts.

Comportement de type B Comportement qui présente les caractéristiques opposées au comportement de type A.

Compulsion Terme désignant une des composantes du trouble obsessionnel-compulsif caractérisée par une tendance quasi incontrôlable à commettre de façon répétitive certains gestes visant à prévenir ou à diminuer le malaise dû à l'obsession.

Concept Représentation abstraite d'une propriété ou d'un ensemble de propriétés caractérisant plusieurs éléments (objets, situations, relations, événements, etc.) désignés par le même terme ou la même expression.

Conditionnement Procédure qui amène un organisme à adopter un comportement dans une situation où il ne le faisait pas auparavant ou, à l'inverse, à ne plus émettre un comportement dans une situation où il le faisait auparavant.

Conditionnement aversif Thérapie consistant à faire suivre un comportement qu'on veut éliminer par un agent de punition.

Conditionnement classique *Aussi appelé* **Conditionnement répondant** Procédure faisant en sorte qu'un stimulus qui ne provoque pas au départ la réponse qu'on cherche à conditionner acquiert la propriété d'entraîner cette réponse à la suite du pairage avec un stimulus qui a initialement cette propriété.

Conditionnement d'ordre supérieur Dans le conditionnement classique, phase où l'on utilise, à titre de stimulus inconditionnel, un stimulus dont le pouvoir déclencheur a été acquis lors d'une procédure de conditionnement antérieure. Dans le conditionnement opérant, phase où l'on utilise, à titre d'agent de renforcement ou de punition, un stimulus dont le pouvoir renforçant ou punitif a été acquis lors d'une procédure de conditionnement antérieure.

Conditionnement instrumental *Voir* **Conditionnement opérant**

Conditionnement opérant *Aussi appelé* **Conditionnement instrumental** Procédure où l'on modifie un comportement survenant de lui-même en contrôlant ce qui survient après que le comportement a été émis.

Conditionnement répondant *Voir* **Conditionnement classique**

Cône Type de photorécepteur rendant possible la perception des différentes tonalités.

Conflit à options multiples Conflit où l'organisme doit choisir entre deux ou plusieurs comportements d'approche ou d'évitement incompatibles, lorsqu'il fait face à deux ou plusieurs buts.

Conflit approche-approche Conflit où l'organisme doit choisir entre s'approcher d'un but positif ou s'approcher d'un autre but positif, les deux comportements étant incompatibles l'un avec l'autre.

Conflit approche-évitement Conflit où l'organisme doit choisir entre s'approcher d'un objet ou l'éviter, ce dernier agissant à la fois comme but positif et comme but négatif.

Conflit évitement-évitement Conflit où l'organisme doit choisir entre éviter un but négatif ou en éviter un autre, les deux comportements étant incompatibles l'un avec l'autre.

Conflit motivationnel Situation où un organisme doit choisir entre deux ou plusieurs comportements incompatibles associés à un ou plusieurs buts.

Congruence *Voir* **Authenticité**

Conscience Phénomène par lequel l'individu a une connaissance directe de lui-même et de ses perceptions.

Conscient En psychanalyse, correspond à ce à quoi l'individu a directement accès à un moment donné.

Conservation Dans la théorie de Piaget, notion selon laquelle une quantité donnée demeure la même, malgré les transformations qu'elle subit.

Considération négative Dans le contexte rogérien, attitude de rejet vis-à-vis de la façon d'être d'un individu.

Considération positive conditionnelle Dans le contexte rogérien, attitude consistant à accepter l'individu à condition qu'il se soumette aux normes de l'entourage.

Considération positive inconditionnelle Dans le contexte rogérien, attitude consistant à accepter l'individu sans condition, c'est-à-dire pour ce qu'il est lui-même en tant que personne.

Constance de la forme Phénomène selon lequel la forme d'un objet est perçue comme constante malgré la variation de l'image rétinienne due au fait que l'objet change d'orientation.

Constance de la grandeur *Voir* **Constance de la taille**

Constance de la taille *Aussi appelée* **Constance de la grandeur** Phénomène selon lequel la taille d'un objet est perçue comme constante malgré la diminution de l'image rétinienne due au fait que l'objet s'éloigne.

Contrôlabilité de la cause Dans la théorie des attributions causales, dimension cognitive selon laquelle la cause d'un événement est ou non contrôlable par l'individu.

Corps calleux Épaisse bande constituée d'axones et reliant les deux hémisphères, permettant ainsi de transmettre les influx nerveux d'un hémisphère à l'autre.

Corps cellulaire Partie principale d'une cellule contenant entre autres le noyau cellulaire et à laquelle sont rattachés, dans le cas d'un neurone, les prolongements que sont les dendrites et l'axone.

Corrélats neuronaux Dans le cas d'un état de conscience, schéma d'activité observable au niveau des neurones lorsque l'organisme est dans un état de conscience donné, et uniquement à ce moment-là.

Cortex cérébral Correspond à la substance grise dans chaque hémisphère.

Cortex préfrontal Région du cortex frontal la plus récente dans l'évolution et qui est considérablement plus développée chez l'espèce humaine que chez les autres.

Cortisol Hormone importante libérée par les glandes surrénales lors du stress.

Cure par la parole En psychanalyse, forme de thérapie caractérisée par une verbalisation, faite par le patient, de l'histoire et de la manifestation de ses symptômes.

D | **Daltonisme** Terme général utilisé pour désigner une difficulté ou à une incapacité à percevoir correctement certaines couleurs ; la forme la plus répandue porte sur la distinction entre le rouge et le vert.

Décibel (dB) Unité de mesure de l'intensité d'une onde sonore basée sur le rapport de grandeur entre la pression exercée au niveau du tympan par le son qu'on veut mesurer et la pression exercée par un son de référence, lequel correspond généralement à un son à peine audible.

Déduction Forme de raisonnement consistant à inférer, à partir d'une règle générale, des conclusions portant sur des cas particuliers.

Déficience *Aussi appelée* **Retard** Niveau intellectuel des individus dont le QI est inférieur 70, ce qui comprend un peu moins de 2,5 % des individus.

Dendrite Extension créée à partir de la membrane cellulaire d'un neurone formant des ramifications qui permettent de recevoir des signaux en provenance d'autres cellules.

Déontologie Façon dont une discipline ou une profession convient de respecter l'éthique en exprimant sous forme de code les comportements qui peuvent ou doivent être posés et ceux qui ne le peuvent ou ne le doivent pas.

Dépendance État découlant de la consommation de psychotropes et qui se manifeste par la recherche et l'utilisation de drogue de façon répétée, chronique et pratiquement irrépressible, malgré un impact négatif significatif sur la santé et sur la situation familiale, sociale et professionnelle.

Dépendance physique Dépendance provenant de malaises physiques et se manifestant de façon aiguë par l'apparition du syndrome de sevrage lors de l'arrêt brusque de la consommation du produit.

Dépendance psychologique Dépendance provenant du besoin de soulager un malaise psychologique.

Dépolarisation Phénomène par lequel s'opère le passage du potentiel de repos au potentiel d'action.

Dépresseur Substance psychoactive dont l'effet général est de ralentir l'activité du système nerveux central, ce qui favorise la relaxation et le sommeil, mais peut également entraîner la baisse des inhibitions ainsi qu'une diminution du contrôle des fonctions motrices et cognitives.

Dépression saisonnière Forme de trouble dépressif majeur caractérisée par des épisodes dépressifs qui reviennent systématiquement à certaines périodes de l'année, habituellement au cours de l'hiver.

Désensibilisation systématique Technique béhavioriste consistant à éteindre une réponse désagréable provoquée par un stimulus conditionnel, cela en associant un état de détente musculaire à des stimuli présentés selon un ordre hiérarchisé préétabli, c'est-à-dire en commençant par le stimulus qui provoque le moins la réponse, jusqu'à celui qui la provoquait initialement le plus.

Détecteur de mensonge Expression familière désignant un enregistreur polygraphique utilisé pour détecter les réactions physiologiques associées à un état émotif.

Détérioration spontanée *Voir* **Estompage**

Détresse *Voir* **Dystress**

Diagnostic Évaluation de la nature d'un problème, de ses causes ainsi que de ses implications.

Diencéphale Structure comprenant le thalamus et l'hypothalamus.

Différenciation figure-fond Tendance à percevoir spontanément un groupe d'éléments comme constituant une figure se détachant sur un fond constitué du reste des éléments.

Discrimination Dans le conditionnement classique, phase où l'on amène un organisme à ne répondre qu'à un stimulus conditionnel déterminé, et non aux autres qui lui ressemblent. Dans le conditionnement opérant, phase où l'on amène un organisme à ne répondre qu'à un stimulus discriminatif déterminé, et non aux autres qui lui ressemblent.

Disparité rétinienne Indice binoculaire en vertu duquel la position relative des différentes parties d'une scène tridimensionnelle est reconstruite sur le plan perceptif à partir de la disparité observée entre les images rétiniennes, disparité découlant du fait que les deux yeux voient la scène d'un point de vue physiquement différent.

Douance Niveau intellectuel des individus dont le QI est supérieur à 130, ce qui comprend un peu moins de 2,5 % des individus. N.B. Selon le niveau de douance qu'ils considèrent, on observe parmi les auteurs certaines différences au sujet de la valeur du QI à partir de laquelle on parle de douance.

Drogue psychoactive *Voir* **Psychotrope**

Dystress *Aussi appelé* **Détresse** Type de stress ayant des effets nocifs pour l'organisme.

E | **EEG** Sigle couramment utilisé pour référer à la technique de l'électroencéphalographie.

Effet de position sérielle Tendance à retenir plus facilement les items se trouvant au début et à la fin d'une liste.

Effet de primauté Tendance à retenir plus facilement les items se trouvant au début d'une liste.

Effet de rebondissement MOR Tendance à rattraper le sommeil MOR perdu en y passant plus de temps que lors d'une nuit normale.

Effet de récence Tendance à retenir plus facilement les items se trouvant à la fin d'une liste.

Effet Von Restorff Tendance à retenir plus facilement un item qui se démarque des autres d'une façon quelconque.

Égocentrisme intellectuel Dans la théorie de Piaget, phénomène selon lequel l'enfant a tendance à voir les choses uniquement de son point de vue, sans se rendre compte qu'il en existe d'autres.

Électrochocs *Voir* **Thérapie électroconvulsive**

Électroencéphalographie (EEG) Technique consistant à enregistrer les variations de l'activité électrique en un point donné du crâne par rapport à celle d'un point électriquement neutre (le lobe de l'oreille, par exemple).

Émotion État affectif qui survient à un moment défini dans le temps, en réaction à une situation ou à un objet précis ; cet état, qui implique une activation physiologique, comporte des sensations soit appétitives (c'est-à-dire agréables), soit aversives (qu'on cherche à éviter).

Empathie Dans le contexte rogérien, attitude consistant à comprendre – sans nécessairement partager – le point de vue exprimé par l'individu sur ce qu'il vit et ressent.

Empreinte *Voir* **Imprégnation**

Encodage Opération consistant à coder le matériel à retenir, c'est-à-dire à l'encoder sous une forme différente de sa forme initiale.

Encodage spécifique Phénomène selon lequel un souvenir ne serait pratiquement jamais encodé seul, mais plutôt en étroite association avec les conditions qui prévalent au moment de l'entreposage.

Énergie électromagnétique (EM) Énergie physique composée d'un champ électrique et magnétique dont les variations se propagent dans le vide à la vitesse de 300 000 km/ s. Selon la longueur d'onde d'un rayonnement électromagnétique, l'énergie EM a des propriétés différentes caractérisant différentes formes d'énergie, la lumière étant l'une d'elles.

Énergie psychique En psychanalyse, énergie d'où sont issus les pulsions et les désirs à la base de la vie comportementale et émotionnelle.

Engramme Trace physique de l'information correspondant à un souvenir.

Enquête Méthode de collecte des données consistant à demander à des individus appartenant à un groupe dont on désire connaître les comportements, les opinions ou les attitudes typiques, les éléments d'information désirés à l'aide de questions directes ou indirectes. L'enquête peut être effectuée dans le cadre d'une entrevue ou en demandant aux personnes de répondre à un questionnaire.

Enregistreur polygraphique Appareil permettant de détecter et d'enregistrer l'activité de certaines réactions physiologiques, ces réactions pouvant varier beaucoup selon le phénomène auquel on s'intéresse.

Entreposage *Aussi appelé* **Stockage** Mise en mémoire de l'information encodée.

Énurésie Trouble du sommeil survenant au cours du stade 3 ou 4 du sommeil et qui est caractérisé par le fait de mouiller son lit, en raison du relâchement du sphincter responsable de l'élimination de l'urine.

Environnement Terme désignant le milieu où se développe l'organisme dès sa conception, c'est-à-dire tout ce qui n'est pas les gènes hérités des parents.

Épisode Terme désignant une période au cours de laquelle une personne est atteinte d'un ensemble donné de symptômes, lequel fait généralement partie d'un ensemble plus global de symptômes associés à un trouble psychologique.

Équilibration Mécanisme d'autorégulation de l'assimilation et de l'accommodation entraînant la réorganisation des structures cognitives et grâce auquel s'opère le processus d'adaptation.

Espace synaptique Espace séparant un bouton terminal d'un neurone transmetteur et une dendrite, ou la membrane cellulaire, d'un neurone récepteur.

Estompage *Aussi appelé* **Détérioration spontanée** Phénomène selon lequel la trace physique de l'information correspondant à un souvenir s'efface graduellement avec le passage du temps.

État affectif Tout état dans lequel on retrouve des sensations ou impressions liées à l'aspect « plaisir/ déplaisir » ou encore à la dimension « agréable/ désagréable ».

État altéré de conscience État de conscience induit par une technique ou un produit « altérant » le fonctionnement normal de la conscience.

État de conscience État associé à une des significations que peut avoir le terme « conscience », mais caractérisé par certaines manifestations objectivement vérifiables.

État de stress post-traumatique Trouble anxieux caractérisé par des récurrences (flashbacks), à l'état d'éveil ou durant le sommeil, au cours desquelles la personne revoit un événement traumatisant qu'elle a vécu ou dont elle a été témoin de près ; la charge émotionnelle accompagnant le souvenir est pratiquement aussi vive que lors de l'événement lui-même.

Éthique Ensemble des principes de base sur lesquels s'appuie la morale d'une société.

Étiologie Étude de ce qui peut causer la survenue, graduelle ou soudaine, d'une maladie.

Étude de cas *Aussi appelée* **Histoire de cas** Méthode de collecte des données consistant à recueillir le plus d'information possible concernant un sujet ou un groupe qui constitue un cas « particulièrement rare » ou encore « particulièrement représentatif » d'un phénomène donné.

Eustress Type de stress ayant des effets bénéfiques pour l'organisme.

Exposition in vivo *Voir* **Immersion**

Extinction Phase d'une procédure de conditionnement pendant laquelle on amène un organisme à ne plus présenter une réponse acquise lors de la phase d'acquisition. Dans le conditionnement classique, c'est la phase pendant laquelle le stimulus inconditionnel ne suit plus le stimulus conditionnel. Dans le conditionnement opérant, c'est la phase pendant laquelle la réponse n'est plus renforcée.

F | **Facilitateur** Qualifie un neurotransmetteur dont l'action tend à faire générer un influx nerveux par le corps cellulaire.

Façonnement Procédure consistant à renforcer, par approximations successives, des comportements se rapprochant de plus en plus de la réponse désirée.

Facteur g Selon Spearman – Facteur qui constituerait l'élément commun à tous les aspects mesurés par les tests de QI. Sens élargi – Facteur qui constituerait l'élément commun à toutes les formes d'intelligences.

Fibre afférente *Voir* **Fibre sensorielle**

Fibre efférente *Voir* **Fibre motrice**

Fibre motrice *Aussi appelée* **Fibre efférente** Fibre nerveuse d'un neurone moteur.

Fibre nerveuse Terme général utilisé pour désigner un axone qui, même s'il ne fait pas partie d'un nerf, s'étend sur une certaine distance (comme c'est le cas par exemple dans la moelle épinière).

Fibre sensitive *Voir* **Fibre sensorielle**

Fibre sensorielle *Aussi appelée* **Fibre sensitive** *ou* **afférente** Fibre nerveuse d'un neurone sensoriel.

Fidélité Caractéristique que possède un test quand il donne la même mesure chaque fois qu'on le fait passer à un individu.

Flaveur Sensation globale résultant de l'activation conjointe de récepteurs gustatifs et olfactifs.

Formation réticulaire *Voir* **Formation réticulée**

Formation réticulée *Aussi appelée* **Formation réticulaire** *ou encore* **Système activateur réticulaire** Réseau complexe de neurones qui va de la base du tronc cérébral jusqu'au cerveau moyen.

Fovéa Région située au centre de la rétine et où la vision est la plus précise ; ne contenant que des bâtonnets, elle correspond approximativement à l'image de l'ongle du pouce tenu à bout de bras.

Frénésie alimentaire *Voir* **Hyperphagie boulimique**

Fréquence Nombre de cycles ou vibrations par seconde caractérisant une onde sonore.

Frustration État de tension engendré par la rencontre d'un obstacle ou d'une contrariété dans une démarche pour atteindre un but.

Fuseau de sommeil Brève période (1 ou 2 secondes) survenant au cours du stade 2 et dont la fréquence est plus rapide (environ 8 à 12 Hz) que le reste du tracé.

G | **Gaine de myéline** Sorte de recouvrement graisseux entourant l'axone de certains neurones et permettant au signal de voyager plus rapidement le long de l'axone.

Ganglion Sorte d'amas constitué des corps cellulaires de neurones du système nerveux autonome et généralement situé tout près, mais à l'extérieur, soit de la moelle épinière soit d'organes impliqués.

Ganglions de la base *Voir* **Noyaux gris centraux**

Généralisation Dans le conditionnement classique, tendance d'une réponse conditionnelle à se manifester en réaction à des stimuli qui ressemblent au stimulus conditionnel initial. Dans le conditionnement opérant, tendance d'une réponse à se manifester dans une situation ressemblant à celle où elle avait été précédemment renforcée.

Génétique Terme désignant l'ensemble des gènes provenant des deux parents et regroupés en paires de chromosomes.

Gestalt Terme d'origine allemande qui réfère à une forme en tant qu'entité organisée. • En perception – Ensemble structuré d'éléments constituant un tout, caractérisé par les relations entre les éléments et non par les éléments en tant que tels. • En théorie de la personnalité – Perception globale que l'individu a de lui-même, en tant que personne et dans ses relations avec son milieu.

Glande pituitaire *Voir* **Hypophyse**

Globalité de la cause Dans la théorie des attributions causales, dimension cognitive correspondant au degré perçu de généralité ou de spécificité attribué à la cause.

Gradient de généralisation Dans le conditionnement classique, phénomène selon lequel plus la ressemblance entre un stimulus donné et un stimulus conditionnel est élevée, plus la réponse conditionnelle est forte. Dans le conditionnement opérant, tendance d'une réponse à être d'autant plus forte (si elle avait été renforcée) ou plus faible (si elle avait été punie) que la situation est semblable à la situation initiale.

Gradient de texture Indice monoculaire en vertu duquel la partie d'une image qui présente un motif de texture plus fin tend à être perçue comme étant plus éloignée de l'observateur qu'une partie qui présente un motif plus grossier.

Grandeur relative *Voir* **Taille relative**

Gyrus *Voir* **Circonvolution**

H | **Habituation** Forme élémentaire d'apprentissage selon laquelle le système perceptif en vient à ne plus réagir à un stimulus constant.

Hauteur tonale *Aussi appelée* **Tonie** Dimension perceptive qui correspond au caractère aigu (ou haut) par opposition au caractère grave (ou bas) d'un son.

Hémisphère dominant Hémisphère commandant les muscles des membres situés du côté du corps dont se sert préférablement l'individu.

Hémisphères cérébraux Regroupements de neurones constituant les structures les plus évoluées du cerveau et qui se présentent comme un ensemble de plis et de replis ; les hémisphères sont au nombre de deux, le gauche et le droit, chacun comprenant quatre divisions principales, les lobes.

Héritabilité Mesure du degré auquel un trait est attribuable à des facteurs génétiques.

Hertz (Hz) Unité de mesure de fréquence ; 1 Hertz correspond à 1 vibration par seconde.

Hippocampe Structure du cerveau qui joue un rôle important dans l'emmagasinage à long terme des souvenirs.

Histoire de cas *Voir* **Étude de cas**

Homéostasie Tendance du corps à maintenir constant l'état interne de l'organisme, par exemple la température, en assurant un fonctionnement équilibré des mécanismes physiologiques qui y contribuent.

Humeur État affectif plus diffus que l'émotion, qui n'est pas nécessairement lié à un objet précis et qui s'étend davantage dans le temps que l'émotion tout en présentant, jusqu'à un certain degré, l'activation physiologique qui caractérise cette dernière.

Hyperphagie boulimique *Aussi appelée* **Frénésie alimentaire** Trouble des conduites alimentaires caractérisé par des épisodes d'absorption alimentaire accompagnés ou suivis de sentiments de culpabilité et de honte, mais sans pratiques compensatoires visant à prévenir la prise de poids.

Hypnose État de conscience caractérisé par une sensibilité accrue aux suggestions concernant des gestes à faire ou à ne pas faire, *ou encore* des perceptions, impressions, émotions ou souvenirs pouvant correspondre ou non à la réalité.

Hypocondrie Trouble somatoforme caractérisé par la crainte non fondée d'avoir un problème de nature physique.

Hypophyse *Aussi appelée* **Glande pituitaire** Glande située juste sous l'hypothalamus et régissant l'ensemble du système endocrinien.

Hypothalamus Groupe de neurones situé juste sous le thalamus et dont le rôle principal est d'assurer l'homéostasie concernant des processus vitaux tels que le contrôle de la température, et le fait de manger, de boire et de s'engager dans des activités sexuelles.

Hypothèse Affirmation formulant la réponse anticipée à une question de recherche.

Hypothèse de la rétroaction faciale Hypothèse selon laquelle le fait d'adopter la mimique caractéristique d'une émotion donnée tend à induire l'état affectif correspondant à l'émotion en question.

Hystérie Terme utilisé à l'époque de Freud pour désigner différents problèmes physiques ayant pour principal point commun de sembler s'expliquer par un problème psychologique.

I | **Illusions géométriques** Configurations géométriques simples qui produisent systématiquement certaines erreurs de perception quant à la longueur, la surface, l'orientation ou la forme de certains éléments.

Imagerie par résonance magnétique (IRM) Technique consistant à détecter la façon dont réagissent les différentes structures du cerveau à un champ magnétique auquel on les soumet.

Immersion *Aussi appelée* **Exposition in vivo** Technique béhavioriste consistant à placer la personne dans une situation provoquant de façon maximale une réaction à éliminer et à l'y maintenir jusqu'à ce que la réaction atteigne un maximum et redescende.

Impatience des jambes *En anglais :* **restless legs** Trouble du sommeil qui survient avant le coucher, ou tout au début de l'endormissement, et qui consiste dans une impression de démangeaison « interne » qui entraîne une obligation quasi insurmontable de bouger.

Imprégnation *Aussi appelée* **Empreinte** Phénomène par lequel l'environnement détermine l'objet correspondant à un comportement dont la tendance est déterminée de façon instinctive.

Impulsion nerveuse *Voir* **Influx nerveux**

Inconscient En psychanalyse, réservoir des pulsions et désirs refoulés auxquels l'individu ne peut avoir accès directement et qui constitue la source première des explications du fonctionnement humain, plus particulièrement des motivations et des émotions.

Inconscient collectif Dans la théorie jungienne, inconscient constitué par l'ensemble des divers archétypes hérités de l'espèce et présents dans toutes les cultures.

Inconscient individuel Dans le contexte jungien, inconscient correspondant essentiellement à l'inconscient tel que défini par Freud.

Indice binoculaire Indice correspondant à une information dont la détection requiert la participation des deux yeux.

Indice de distance *Aussi appelé* **Indice de profondeur** Caractéristique normalement associée à la distance à laquelle se trouve un objet par rapport à l'observateur ou par rapport à un autre objet.

Indice de profondeur *Voir* **Indice de distance**

Indice monoculaire Indice correspondant à une information dont la détection ne requiert qu'un seul œil.

Induction 1. Forme de raisonnement consistant à inférer, à partir de cas particuliers, une règle générale. 2. Processus par lequel on amène un individu dans un état hypnotique.

Influx nerveux *Aussi appelé* **Impulsion nerveuse** Signal de nature électrochimique qui est créé par un neurone à la suite de signaux reçus et qui est ensuite transmis le long de l'axone vers d'autres cellules ; correspond au passage du potentiel de repos au potentiel d'action.

Inhibiteur Qualifie un neurotransmetteur dont l'action tend à empêcher le corps cellulaire de générer un influx nerveux.

Insomnie Trouble du sommeil caractérisé par une difficulté à s'endormir, à rester endormi, des réveils spontanés trop tôt le matin ou une combinaison de ces symptômes.

Instinct Disposition héréditaire entraînant un même comportement chez tous les individus d'une même espèce.

Intelligence analytique *Aussi appelée* **Intelligence compositionnelle** Dans la théorie de Sternberg, intelligence qui consiste, devant un problème, à le « décortiquer », à relier ses composantes aux connaissances acquises et à découvrir les liens logiques sous-jacents pouvant conduire à la résolution du problème.

Intelligence compositionnelle *Voir* **Intelligence analytique**

Intelligence contextuelle *Voir* **Intelligence pratique**

Intelligence créative *Aussi appelée* **Intelligence expérientielle** Dans la théorie de Sternberg, intelligence qui consiste à faire preuve de créativité et d'intuition devant un problème.

Intelligence expérientielle *Voir* **Intelligence créative**

Intelligence pratique *Aussi appelée* **Intelligence contextuelle** Dans la théorie de Sternberg, intelligence à la base du sens commun et permettant de bien s'adapter aux exigences de l'environnement physique et social du quotidien.

Interférence proactive Effet d'interférence survenant quand un matériel appris dans un passé plus éloigné tend à inhiber le rappel d'un matériel récemment appris.

Interférence rétroactive Effet d'interférence survenant quand un matériel récemment appris tend à inhiber le rappel d'un matériel appris dans un passé plus éloigné.

Interposition Indice monoculaire en vertu duquel un objet dont le contour est interrompu par un autre tend à être perçu comme étant situé derrière.

Interprétation des résultats Étape de recherche où le chercheur dégage les implications des résultats obtenus, et ce, en fonction de l'hypothèse ou de l'objectif de recherche.

Intervention Au sens professionnel, activité consistant à utiliser des connaissances issues de la recherche pour produire un changement désiré dans une situation concrète.

Introspection Activité d'une personne observant ce qu'elle ressent intérieurement pour tenter de le décrire le plus minutieusement possible.

IRM Sigle couramment utilisé pour référer à la technique de l'imagerie par résonance magnétique.

L | **Lallation** *Voir* **Babillage**

Libido Dans la théorie freudienne, énergie sexuelle prise au sens large (c'est-à-dire non attachée uniquement au fonctionnement des organes génitaux) et recherchant la satisfaction des pulsions de vie.

Lieu de causalité Dans la théorie des attributions causales, dimension cognitive référant au lieu perçu comme étant celui auquel se rattache la cause d'un événement ; peut être interne ou externe, selon que l'individu considère que la cause réside en lui-même ou que celle-ci est liée à la chance, au hasard ou à une autre personne.

Lobe Chacune des divisions anatomiques de chaque hémisphère ; les quatre principaux lobes sont le lobe occipital, le lobe temporal, le lobe pariétal et le lobe frontal.

Lobe frontal Chacun des lobes situés, l'un du côté gauche et l'autre du côté droit, dans la partie du cerveau qui se trouve derrière l'os frontal.

Lobe occipital Chacun des lobes situés, l'un du côté gauche et l'autre du côté droit, dans la partie arrière du cerveau.

Lobe pariétal Chacun des lobes situés, l'un du côté gauche et l'autre du côté droit, dans la partie supérieure du cerveau, un peu vers l'arrière de la tête.

Lobe temporal Chacun des lobes situés, l'un du côté gauche et l'autre du côté droit, dans la partie du cerveau qui se trouve près de la tempe et des oreilles.

Lobotomie Opération consistant à sectionner des faisceaux d'axones reliant certaines régions du cerveau, généralement le thalamus et les cortex préfrontal et frontal.

Loi d'Emmert Loi spécifiant que pour l'angle correspondant à une image rétinienne donnée, la taille perçue varie en fonction de la distance perçue.

Loi de l'effet Loi formulée par Thorndike et stipulant de façon générale qu'un comportement tend à se reproduire ou à disparaître selon qu'il est récompensé ou puni.

Loi de la bonne continuation Loi de l'organisation perceptive spécifiant que dans un ensemble donné d'éléments, on tend à regrouper ensemble les éléments qui s'inscrivent en continuité les uns avec les autres.

Loi de la fermeture Loi de l'organisation perceptive spécifiant que dans un ensemble donné d'éléments, on tend à regrouper ensemble, comme s'ils appartenaient à un même sous-ensemble, les éléments qui forment ou tendent à former une figure fermée.

Loi de la proximité Loi de l'organisation perceptive spécifiant que dans un ensemble donné d'éléments, on tend à regrouper ensemble, comme s'ils appartenaient à un même sous-ensemble, les éléments qui sont plus rapprochés, que ce soit dans l'espace ou dans le temps.

Loi de la ressemblance *Voir* **Loi de la similitude**

Loi de la similitude *Aussi appelée* **Loi de la ressemblance** Loi de l'organisation perceptive spécifiant que dans un ensemble donné d'éléments, on tend à regrouper ensemble, comme s'ils appartenaient à un même sous-ensemble, les éléments qui se ressemblent par rapport à un aspect donné.

Loi de Yerkes-Dodson Loi selon laquelle le niveau d'activation optimal requis pour une performance maximale tend à être d'autant plus élevé que la tâche est facile, et d'autant moins élevé que la tâche est complexe.

Loi du mouvement commun *Aussi appelée* **Loi du sort commun** Loi de l'organisation perceptive spécifiant que dans un ensemble donné d'éléments, on tend à regrouper ensemble, comme s'ils appartenaient à un même sous-ensemble, les éléments dont la position relative change de la même façon par rapport aux autres.

Loi du sort commun *Voir* **Loi du mouvement commun**

Loi du tout ou rien Dans le cas de l'influx nerveux, loi qui fait que l'influx est créé ou non selon que la différence de charge électrique entre l'intérieur et l'extérieur de l'axone passe ou non de négative à positive.

Longueur d'onde Caractéristique d'une onde électromagnétique (EM) correspondant à la distance entre deux crêtes successives d'une onde.

M | **Maladie mentale** Trouble dénommé ainsi parce qu'on l'attribuait à un dérèglement du fonctionnement de l'esprit et qui correspond de façon générale à un trouble d'ordre psychologique.

Maniaque Terme qualifiant un état de surexcitation qui se traduit par une humeur expansive, joyeuse ou irritable, accompagnée de symptômes tels qu'une augmentation de l'estime de soi ou des idées de grandeur, une réduction du besoin de sommeil, un discours passant rapidement et sans cesse d'une idée à l'autre, de l'agitation et de l'extravagance dans les gestes.

Matériel non verbal Tout matériel qui, par opposition au matériel verbal, n'utilise pas un code symbolique comme les lettres et les chiffres.

Matériel verbal Matériel qui utilise un code symbolique comme les lettres et les chiffres.

Mécanisme de défense De façon générale, processus psychologique permettant à l'individu de composer avec les conflits émotionnels et les facteurs de stress auxquels il doit faire face, l'individu n'en étant généralement pas conscient au moment où il y a recours.

Médicament psychoactif *Voir* **Médicament psychothérapeutique**

Médicament psychothérapeutique *Aussi appelé* **Médicament psychoactif** Substance psychoactive normalement consommée sous prescription médicale, dans le cadre d'une thérapie, afin de faire disparaître ou d'atténuer une souffrance psychologique.

Membrane cellulaire Membrane renfermant le corps cellulaire.

Mémoire Capacité d'un système à encoder une information, à l'entreposer dans un format approprié et à la récupérer de façon efficace.

Mémoire à court terme *Aussi appelée* **Mémoire de travail** Mémoire traitant une information en provenance de la mémoire sensorielle et permettant de transférer l'information dans la mémoire à long terme; elle a une durée de rétention allant de quelques secondes à quelques minutes.

Mémoire à long terme Mémoire traitant une information en provenance de la mémoire à court terme; elle a une durée de rétention allant de quelques minutes à plusieurs années.

Mémoire à très court terme *Voir* **Mémoire sensorielle**

Mémoire de travail *Voir* **Mémoire à court terme**

Mémoire déclarative Mémoire portant sur un contenu qui peut être consciemment repêché et exprimé (c'est-à-dire « déclaré »); comprend la mémoire épisodique et la mémoire sémantique.

Mémoire épisodique Forme de mémoire déclarative qui porte sur les événements vécus par un individu ou dont il a été témoin.

Mémoire non déclarative Mémoire portant sur un contenu dont le rappel s'opère automatiquement, c'est-à-dire sans que l'on ait à y penser mais qui s'exprime plutôt sous la forme d'une modification du comportement; comprend la mémoire procédurale ainsi que d'autres aspects tels que les formes élémentaires d'apprentissage (habituation et sensibilisation) ainsi que les formes de conditionnement (classique et opérant).

Mémoire procédurale Forme de mémoire non déclarative qui porte essentiellement sur le savoir-faire moteur.

Mémoire sémantique Forme de mémoire déclarative qui porte sur des éléments de connaissance ou des faits généraux, et non sur des événements en tant que tels.

Mémoire sensorielle *Aussi appelée parfois* **Mémoire à très court terme** Mémoire dont l'encodage, l'entreposage et le repêchage s'effectuent au niveau des organes sensoriels; selon la modalité sensorielle, elle a une durée de rétention allant d'une fraction de seconde à quelques secondes.

Méthode clinique Étude de cas menée en milieu clinique.

Méthode corrélationnelle Méthode de collecte des données consistant à recueillir auprès de plusieurs sujets ou groupes de sujets une donnée – quantitative ou non – concernant deux ou plus de deux phénomènes entre lesquels on désire vérifier s'il y a un lien. Note: ne doit pas être confondue avec l'un ou l'autre des procédés statistiques permettant de calculer la force du lien.

Méthode expérimentale Méthode de collecte des données consistant à vérifier un possible lien de cause à effet entre un phénomène A et un phénomène B, cela en faisant varier A, tout en contrôlant les autres phénomènes susceptibles d'intervenir, puis en mesurant les effets possibles sur B.

Modèle de Plutchik Modèle basé sur l'existence de huit émotions primaires disposées en cercle et sur la combinaison d'émotions adjacentes correspondant à huit émotions secondaires, chacune présentant des variantes selon le degré d'intensité.

Moelle épinière Partie du système nerveux central formée principalement d'axones logés dans la colonne vertébrale et assurant la communication entre le cerveau et la partie du système périphérique qui n'y est pas directement reliée.

Moi Dans la théorie freudienne, instance jouant le rôle d'intermédiaire entre les pulsions du ça et les contraintes provenant de l'extérieur qui empêchent souvent la satisfaction immédiate des pulsions; on dit du moi qu'il fonctionne selon le principe de réalité.

Mongolisme *Voir* **Trisomie 21**

Morale De façon générale, « science du bien et du mal » (Petit Robert, 2009) en vigueur dans une société.

Motivation Construit hypothétique utilisé afin de décrire les forces internes ou externes produisant le déclenchement, la direction, l'intensité et la persistance du comportement.

Motivation extrinsèque Motivation où le caractère motivant provient d'un facteur autre que l'intérêt du comportement lui-même.

Motivation intrinsèque Motivation où le caractère motivant provient de l'intérêt que présente le comportement en lui-même pour l'individu, ce dernier émettant le comportement par pur plaisir.

Mouvement induit Phénomène selon lequel un objet immobile est perçu en mouvement dû au déplacement du contexte général où se trouve l'objet.

Mouvement phi *Voir* **Mouvement stroboscopique**

Mouvement stroboscopique *Aussi appelé* **Mouvement phi** Phénomène selon lequel une succession suffisamment rapide d'images fixes mais différentes sur la rétine donne l'impression qu'il s'agit du même objet en mouvement (déplacement ou rotation).

N | **Narcolepsie** Trouble du sommeil qui, dans sa forme extrême, est caractérisé par le fait de tomber endormi de façon subite et irrépressible au cours d'une période normale d'éveil. L'endormissement s'accompagne d'une perte complète de tonus musculaire analogue à ce qui se passe lors du sommeil paradoxal.

Néobéhaviorisme Forme de béhaviorisme (pris au sens large) mettant particulièrement l'accent sur l'importance de l'imitation dans l'apprentissage des comportements.

Nerf Groupe d'axones réunis dans un même faisceau.

Netteté relative Indice monoculaire en vertu duquel un objet dont le contour est flou tend à être perçu comme étant plus éloigné de l'observateur qu'un objet dont le contour est net.

Neurone Cellule constituant l'unité de base du système nerveux et dont l'action consiste à recevoir les signaux provenant d'autres cellules, à les compiler de façon à générer un nouveau signal et à transmettre ce signal aux autres cellules.

Neurone afférent *Voir* **Neurone sensoriel**

Neurone efférent *Voir* **Neurone moteur**

Neurone moteur *Aussi appelé* **Neurone efférent** Neurone transmettant aux différentes parties du corps (muscles et viscères) les commandes provenant de la moelle épinière et du cerveau.

Neurone sensoriel *Aussi appelé* **Neurone afférent** Neurone transmettant à la moelle épinière ou au cerveau les influx nerveux provenant des autres parties du corps.

Neuropsychologue Psychologue qui évalue dans quelle mesure un déficit comportemental ou, de façon générale, un mauvais fonctionnement psychologique « fait suite à un dommage au cerveau, que celui-ci soit diagnostiqué ou tout simplement suspecté » (OPQ, 2008e).

Neurosciences Ensemble des disciplines centrées sur le fonctionnement du système nerveux en lien avec les phénomènes psychologiques.

Neurotransmetteur Molécule libérée dans l'espace synaptique à l'arrivée d'un influx nerveux à un bouton terminal et qui produit un nouvel influx nerveux dans le neurone qu'il atteint.

Névrose Terme utilisé en psychanalyse pour désigner un trouble dans lequel le « moi » demeure en contact avec la réalité et, par conséquent, conscient du problème dont il souffre.

Nœud de Ranvier Endroit où la gaine de myéline présente un amincissement autour de l'axone.

Normalisation Procédure statistique faisant en sorte que les résultats d'un test obtenus auprès d'un échantillon représentatif de la population à laquelle le test est destiné se distribuent selon la courbe normale.

Norme culturelle Terme désignant ce qui, dans une culture donnée, est considéré comme acceptable, tant en ce qui a trait aux comportements qu'en ce qui concerne les valeurs.

Norme statistique Terme désignant ce qui, parmi un ensemble de possibilités, est le plus fréquent.

Noyaux gris centraux *Aussi appelés* **Ganglions de la base** Groupes de neurones situés dans la région autour du thalamus et jouant un rôle important dans la transmission des commandes motrices au cervelet et à l'ensemble du corps.

O | **Observation** Méthode de collecte des données consistant à observer et à noter, mais sans intervenir, tous les comportements survenant dans la situation faisant l'objet d'une étude.

Obsession Terme désignant une des composantes du trouble obsessionnel-compulsif caractérisée par une pensée ou une image envahissante qui revient constamment et qui crée un malaise (anxiété, souffrance, dégoût) difficile à supporter.

Odeur Terme référant aux différentes dimensions olfactives détectables par les récepteurs de l'odorat situés dans les cavités nasales.

Ombrage Indice monoculaire en vertu duquel une forme qui présente une variation graduelle de brillance tend à être perçue comme présentant un relief ou une dépression, le système perceptif « supposant » que la lumière éclairant la forme vient du haut.

Onde sonore Série de compressions et de raréfactions d'un milieu en contact avec le tympan aptes à donner lieu à la perception d'un son.

Ondes alpha Ondes EEG associées à un état d'éveil détendu et dont la fréquence est d'environ 8 à 12 Hz.

Ondes bêta Ondes EEG associées à un état d'éveil attentif et dont la fréquence se situe entre 13 et 50 Hz.

Ondes delta Ondes EEG présentes au cours du sommeil profond (surtout le stade 4) et dont la fréquence est d'environ 0,5 à 3 Hz.

Ondes thêta Ondes EEG présentes dans les trois premiers stades du sommeil lent et dont la fréquence est d'environ 4 à 7 Hz.

Opiacé Substance produisant d'une part un afflux de chaleur et de sensations (rush) et, d'autre part, un effet euphorique, analgésique ou sédatif.

Organe de Corti Structure située dans la cochlée et contenant les cellules nerveuses qui effectuent la transduction des vibrations sonores en influx nerveux.

P | **Parasomnie** Terme générique désignant un ensemble de troubles qui, sans perturber le déroulement et la qualité du sommeil lui-même, peuvent néanmoins affecter le dormeur à des degrés divers ou, souvent davantage, son entourage.

Pathologique Terme qui qualifie un phénomène traduisant un problème de fonctionnement.

Pensée symbolique Capacité de se représenter un objet ou un concept par un symbole.

Perception Processus par lequel nous prenons connaissance de notre environnement en sélectionnant, en organisant et en interprétant l'information reçue par l'intermédiaire de nos sens.

Perception subliminale Phénomène selon lequel un stimulus trop faible pour être consciemment perçu (c'est-à-dire dont l'énergie est inférieure au seuil) pourrait néanmoins l'être à un niveau inconscient et influencer le comportement.

Période de latence Dans la théorie freudienne, période s'étendant d'environ six ans jusqu'à l'arrivée de la puberté et caractérisée par une mise en veilleuse de la libido – donc du développement psychosexuel –, les événements marquant le développement lors de cette période étant plutôt d'ordre cognitif et social.

Période réfractaire Période suivant la génération d'un influx nerveux et au cours de laquelle un nouvel influx nerveux ne peut pas être généré ou ne peut l'être que si le signal est assez intense.

Permanence de l'objet Dans la théorie de Piaget, notion selon laquelle un objet continue d'exister même s'il n'est plus présent dans le champ perceptif du sujet.

Personnalité antisociale *Auparavant appelée* **Psychopathe** Trouble de la personnalité caractérisé par un mode général de mépris et de transgression des droits des autres, ainsi qu'une indifférence totale à l'égard des valeurs à la base des normes et des contraintes sociales.

Personnalité borderline *Aussi appelée* **Personnalité limite** Trouble de la personnalité caractérisé par un mode général d'instabilité des relations interpersonnelles, de l'image de soi et des états affectifs; cette instabilité s'accompagne d'une impulsivité marquée pouvant survenir dans des contextes très variés.

Personnalité dépendante Trouble de la personnalité caractérisé par un besoin envahissant et excessif d'être pris en charge qui conduit à un comportement soumis et « collant » ainsi qu'à une peur marquée de la séparation.

Personnalité histrionique Trouble de la personnalité caractérisé par des réponses émotionnelles et une quête d'attention excessives et envahissantes.

Personnalité limite *Voir* **Personnalité borderline**

Personnalité multiple *Voir* **Trouble dissociatif de l'identité**

Personnalité narcissique Trouble de la personnalité caractérisé par un besoin d'être admiré qui se traduit par un comportement démonstratif, grandiose même, et une absence d'empathie, c'est-à-dire une insensibilité aux autres.

Personnalité paranoïaque Trouble de la personnalité caractérisé par une méfiance soupçonneuse à l'égard des autres dont les intentions sont interprétées comme malveillantes.

Perspective linéaire Indice monoculaire en vertu duquel plus la partie d'une image se trouve rapprochée du point vers lequel convergent un ensemble de lignes, plus elle tend à être perçue comme étant éloignée de l'observateur.

Perturbateur Substance entraînant des effets dont les plus typiques sont des hallucinations, un sentiment intense de conscience de soi ainsi que des déficits moteurs et cognitifs; ces effets varient considérablement selon le type de substance.

Phase d'adaptation *Voir* **Phase de résistance**

Phase d'alarme Première phase du SGA survenant à la suite de la perception d'un stresseur et consistant à mobiliser, à un niveau supérieur à la normale, les ressources qui permettront à l'organisme de faire face à la situation.

Phase d'épuisement Troisième phase du SGA survenant après une exposition prolongée au stress et au cours de laquelle la résistance au stress diminue radicalement au point d'entraîner de graves problèmes sur les plans physique et psychologique.

Phase de résistance *Aussi appelée* **Phase d'adaptation** Deuxième phase du SGA au cours de laquelle l'organisme tente précisément de s'adapter à l'agent stressant, ce qui l'amène à consommer une bonne partie des ressources énergétiques qu'il avait accumulées.

Phobie Trouble anxieux caractérisé par une réaction de peur irrationnelle et incontrôlable en présence de certains objets ou situations, ou devant la perspective prochaine d'être en leur présence.

Photorécepteurs Cellules situées dans la rétine et qui effectuent la transduction de la lumière en influx nerveux ; comprennent deux types : les cônes et les bâtonnets.

Point aveugle Région de la rétine où se réunissent les fibres nerveuses formant le nerf optique et qui est dénuée de photorécepteurs.

Pont Structure du tronc cérébral dont une des fonctions consiste à servir d'intermédiaire entre, d'une part, le cervelet et, d'autre part, les centres supérieurs et le système nerveux somatique.

Potentiel d'action Différence de charge électrique, à valeur positive, entre l'intérieur et l'extérieur de l'axone et correspondant à un influx nerveux.

Potentiel de repos Différence de charge électrique, à valeur négative, entre l'intérieur et l'extérieur de l'axone en l'absence de tout signal nerveux.

Préconscient En psychanalyse, correspond à ce qui n'est pas immédiatement accessible, mais peut tout de même le devenir jusqu'à un certain point, si la personne s'y arrête.

Principe de moralité Dans la théorie freudienne, principe motivateur du surmoi qui pousse ce dernier à se plier aux interdits sociaux.

Principe de plaisir Dans la théorie freudienne, principe motivateur du ça selon lequel ce dernier tend naturellement à rechercher la satisfaction des pulsions libidinales.

Principe de réalité Dans la théorie freudienne, principe motivateur du moi selon lequel ce dernier tend à concilier les exigences du ça avec celles de l'extérieur, en particulier celles provenant du surmoi.

Problématique Au sens large – celui qui est retenu dans ce manuel –, étape de recherche où le chercheur précise, de façon générale, ce sur quoi portera sa recherche et formule un objectif ou une hypothèse.

Procédé mnémonique Tout procédé visant à favoriser la mémorisation.

Processus inconscient En psychanalyse, processus dynamique par lequel une pulsion ou un désir est refoulé ou intervient dans la vie comportementale et émotionnelle.

Programme de renforcement De façon générale, ensemble des critères en fonction desquels un renforcement est effectué.

Psychanalyse Approche psychologique dont l'inconscient constitue le concept central. Comprend une théorie explicative de la personnalité et une forme de thérapie découlant de la théorie.

Psychodrame Technique psychologique mise au point par Moreno et utilisant le jeu de rôle dans un contexte thérapeutique visant à recréer des tensions affectives liées à des problèmes vécus par un individu. Le but du psychodrame est d'amener l'individu à découvrir une autre vision du monde et une autre façon que la sienne de vivre la situation.

Psychologie Science du comportement et des processus mentaux.

Psychologie de la santé Champ de la psychologie qui traite des relations entre, d'une part, les facteurs psychologiques et, d'autre part, la prévention et le traitement de la maladie physique.

Psychologie positive Approche psychologique mettant l'accent à la fois sur l'étude des forces et des vertus qui rendent les individus et les communautés aptes à s'épanouir pleinement, et sur l'importance de travailler dans le cadre de la méthode scientifique.

Psychologue Professionnel qui détient un doctorat professionnel en psychologie et est membre de l'Ordre des psychologues du Québec.

Psychologue clinicien Psychologue qui évalue et traite les problèmes d'ordre émotionnel et comportemental (dépression, délinquance, conflits, etc.) vécus par « des individus (enfants, adultes, personnes âgées) ou des groupes (familles, patients souffrant de psychopathologies similaires) » (OPQ, 2008d).

Psychologue du consommateur Psychologue qui fait de la recherche, principalement appliquée, et de l'intervention en ce qui concerne entre autres les motivations qui poussent à la consommation et les facteurs qui influencent le consommateur dans le choix d'un produit.

Psychologue du travail et des organisations Psychologue qui fait principalement de l'intervention, mais aussi de la recherche dans l'un ou l'autre des cinq grands champs d'action suivants : « développement et changement organisationnel, sélection des ressources humaines, formation et orientation, évaluation du rendement et des compétences, santé et sécurité au travail et programme d'aide aux employés » (OPQ, 2008g).

Psychologue expert Psychologue qui témoigne à la Cour pour donner son avis sur des questions telles que la garde d'enfants en cas de séparation ou de divorce, la responsabilité d'un individu ayant commis un acte condamnable par la loi (agression sexuelle, meurtre, etc.), ou l'admissibilité à une libération conditionnelle.

Psychologue médiateur Psychologue qui fait de l'intervention et qui a « pour fonction d'instaurer et de maintenir les conditions permettant aux membres de la famille en conflit de trouver des solutions aux différends qui les opposent » (OPQ, 2008h).

Psychologue scolaire Psychologue qui aide les élèves (du primaire au collégial) éprouvant des problèmes d'apprentissage ou d'adaptation à l'environnement scolaire et qui cherche aussi à prévenir, dans la mesure du possible, l'apparition de ce type de problème (OPQ, 2008f).

Psychologue sportif Psychologue qui intervient auprès d'athlètes ou d'équipes sportives pour les aider à améliorer leurs performances en travaillant sur des aspects tels que les techniques d'entraînement et la gestion du stress.

Psychopathe *Voir* **Personnalité antisociale**

Psychopathologie Étude scientifique des troubles psychologiques.

Psychophysique Étude des relations entre, d'une part, l'intensité d'une stimulation physique donnée, et, d'autre part, la nature et l'intensité de la sensation perçue.

Psychose Terme utilisé en psychanalyse pour désigner un trouble grave caractérisé par une coupure entre le « moi » et la réalité, l'individu n'étant pas conscient de son problème.

Psychose maniaco-dépressive *Voir* **Trouble bipolaire**

Psychothérapie *Voir* **Thérapie psychologique**

Psychotrope *Aussi appelé* **Substance psychoactive** *ou encore* **Drogue psychoactive** Substance qui, en agissant sur le système nerveux, a pour effet de modifier le niveau de vigilance, l'humeur ou les processus mentaux d'un individu, ainsi que le comportement qui en découle.

Punition Toute procédure ayant pour effet de diminuer la fréquence d'apparition d'une réponse.

Punition négative Procédure consistant à faire suivre une réponse par le retrait d'un stimulus agréable déjà présent, retrait qui a pour effet de faire diminuer la probabilité d'occurrence de la réponse.

Punition positive Procédure consistant à faire suivre une réponse par la présentation d'un stimulus désagréable qui a pour effet de faire diminuer la probabilité d'occurrence de la réponse.

Pyramide de Maslow Modèle représentant la hiérarchie des besoins proposée par Maslow et selon lequel les besoins fondamentaux (besoins physiologiques d'abord, puis besoins liés à la sécurité) doivent être satisfaits avant que les besoins de croissance personnelle (appartenance, amour, estime de soi et actualisation de soi) le soient.

Q

QI *Voir* **Quotient intellectuel (QI)**

QI de déviation Maintenant appelée plus communément score pondéré, mesure du développement intellectuel établie par Wechsler et permettant de pondérer le résultat obtenu par un individu en fonction de son groupe d'âge.

Quotient intellectuel (QI) Sens premier – Mesure du niveau intellectuel calculée en multipliant par 100 le rapport entre l'âge mental et l'âge chronologique. Sens élargi – Correspond au QI de déviation, maintenant appelé plus communément score pondéré.

R

Raisonnement hypothético-déductif Forme de raisonnement consistant à tirer une conclusion à partir de situations hypothétiques non directement représentées.

Rappel Méthode de mesure de la rétention utilisant le nombre d'items correctement rapportés par une personne procédant au repêchage.

Réapprentissage Méthode de mesure de la rétention consistant à faire réapprendre le matériel préalablement appris, à noter la différence entre le nombre d'essais ou le temps pris la première fois et le nombre d'essais ou le temps pris lors du réapprentissage, et à mettre cette différence en rapport avec le nombre d'essais ou le temps pris lors du premier apprentissage.

Recherche appliquée Activité de recherche dont le but premier est de résoudre des problèmes d'ordre pratique.

Recherche fondamentale Activité de recherche dont le but premier est d'élargir les bases des connaissances scientifiques.

Reconnaissance Méthode de mesure de la rétention utilisant le nombre d'items d'une série qui sont correctement rapportés parmi ceux ayant fait partie d'une série précédemment présentée.

Recouvrement spontané Dans le conditionnement classique, réapparition d'une réponse précédemment éteinte qui survient lorsque, après une période de repos, on présente de nouveau le stimulus conditionnel. Dans le conditionnement opérant, réapparition d'une réponse précédemment éteinte qui survient lorsque, après une période de repos, on place de nouveau l'organisme dans la situation où il avait acquis précédemment la réponse.

Récupération *Aussi appelée* **Repêchage** Opération consistant à aller chercher l'information en mémoire pour la ramener à la conscience.

Refoulement Mécanisme de défense mis en œuvre par l'organisme pour se protéger des sentiments douloureux liés au souvenir, d'où l'incapacité de la conscience d'y avoir accès.

Registre sensoriel Par analogie avec le langage informatique, ensemble des structures où est entreposée l'information de la mémoire sensorielle.

Renforçateur *Voir* **Agent de renforcement positif**

Renforçateur primaire Contrairement à un renforçateur secondaire, stimulus dont la propriété de renforcement est inhérente au stimulus lui-même, n'ayant pas été apprise lors d'une procédure de conditionnement antérieure.

Renforçateur secondaire Stimulus dont la propriété de renforcement a été apprise lors d'une procédure de conditionnement antérieure.

Renforcement Toute procédure ayant pour effet d'augmenter la fréquence d'apparition d'une réponse.

Renforcement à intervalle Programme de renforcement intermittent consistant à attendre, après chaque renforcement, l'écoulement d'un intervalle de temps donné avant de renforcer la prochaine réponse.

Renforcement à intervalle fixe Programme de renforcement à intervalle où l'écoulement minimal de temps requis avant de renforcer la prochaine réponse est fixe d'une fois à l'autre.

Renforcement à intervalle variable Programme de renforcement à intervalle où l'écoulement minimal de temps requis avant de renforcer la prochaine réponse est variable d'une fois à l'autre.

Renforcement à proportion Programme de renforcement intermittent consistant à attendre, après chaque renforcement, que l'émission d'un nombre donné de réponses aient été émises avant de procéder au prochain renforcement.

Renforcement à proportion fixe Programme de renforcement à proportion où le nombre de réponses requises avant de procéder au renforcement est fixe d'une fois à l'autre..

Renforcement à proportion variable Programme de renforcement à proportion où le nombre de réponses requises avant de procéder au renforcement est variable d'une fois à l'autre.

Renforcement continu Programme de renforcement consistant à renforcer un organisme chaque fois qu'il émet la réponse qu'on attend de lui.

Renforcement intermittent Programme de renforcement consistant à renforcer un organisme seulement lors de certaines émissions de la réponse.

Renforcement négatif Procédure consistant à faire suivre une réponse par le retrait d'un stimulus désagréable, ce qui a pour effet d'entraîner une augmentation du débit de la réponse.

Renforcement positif Procédure consistant à faire suivre une réponse par la présentation d'un stimulus agréable, ce qui a pour effet d'entraîner une augmentation du débit de la réponse.

Repêchage *Voir* **Récupération**

Réponse conditionnelle (RC) Dans une procédure de conditionnement classique, réponse provoquée à la fin de la procédure par le stimulus conditionnel.

Réponse électrodermale *Aussi appelée* **Réponse psychogalvanique** Degré de résistance que la peau offre au passage d'un courant électrique, résistance qui est influencée, entre autres, par l'activité des glandes sudoripares, une des réactions dépendant du système nerveux sympathique.

Réponse inconditionnelle (RI) Dans une procédure de conditionnement classique, réponse provoquée initialement par le stimulus inconditionnel.

Réponse psychogalvanique *Voir* **Réponse électrodermale**

Résistance Dans la théorie freudienne, phénomène selon lequel un patient évite inconsciemment d'aborder les sujets conflictuels en raison de l'anxiété que ces derniers font ressortir.

Retard *Voir* **Déficience**

Rétention Terme qui, selon le contexte, peut prendre deux sens : 1. quantité d'information qui a été mémorisée ; 2. conservation de l'information en mémoire.

Rétine Couche qui tapisse l'intérieur de l'œil et à l'intérieur de laquelle se trouvent les photorécepteurs.

Rétroaction biologique *Aussi appelée* **Biofeedback** Thérapie basée sur le conditionnement opérant dans laquelle on utilise, à titre de renforçateur, une information fournie par une mesure physiologique dans le but de modifier une réponse physiologique échappant normalement au contrôle volontaire.

Réversibilité Dans la théorie de Piaget, capacité de comprendre qu'une transformation peut être annulée par la transformation inverse, ce qui permet de revenir au point de départ.

Rythme circadien Rythme biologique présentant une périodicité d'environ vingt-quatre heures à l'instar de l'alternance jour-nuit (du latin circa : « environ », et dies : « jour »).

S

Santé mentale « État de bien-être dans lequel la personne peut se réaliser, surmonter les tensions normales de la vie, accomplir un travail productif et fructueux, et contribuer à la vie de sa communauté » (OMS ; 2001).

Saturation Degré de richesse d'une couleur, qui traduit à quel point la tonalité d'une couleur est accentuée.

Saveur Terme référant aux différentes dimensions perceptives détectables par les récepteurs du goût situés sur la langue, le palais et l'arrière-gorge.

Schème Dans la théorie de Piaget, terme utilisé pour décrire les actions fondamentales de la connaissance, comprenant à la fois les actions physiques et les actions mentales.

Schizophrénie Trouble caractérisé par la présence d'au moins deux des manifestations suivantes : idées délirantes, hallucinations, discours désorganisé, comportement désorganisé ou catatonique, symptômes négatifs (aucune ou presque aucune manifestation émotionnelle, arrêt de communication par le langage, immobilité pendant de longues périodes, absence de motivation).

Scissure *Voir* **Sillon**

Scissure centrale *Voir* **Sillon central**

Score pondéré Appellation maintenant couramment utilisée pour désigner le QI de déviation défini par Wechsler, lequel « pondère » le résultat obtenu par un individu en fonction de son groupe d'âge.

Sensation Domaine de la perception qui ne concerne précisément que les impressions élémentaires associées à un sens donné.

Sensations cutanées Ensemble des sensations qui renseignent sur ce qui entre en contact avec la peau.

Sensations kinesthésiques Sensations renseignant sur la position des membres ainsi que sur la vitesse et la direction de déplacement des différents segments du corps les uns par rapport aux autres ; provient de récepteurs situés dans les muscles, les tendons et les articulations ou autour de ces derniers.

Sensations vestibulaires Type de sensations renseignant sur la position du corps par rapport à l'environnement extérieur et sur son orientation par rapport à la gravité (d'où le terme courant de sens de l'équilibre) ; proviennent de récepteurs situés dans les canaux semi-circulaires de l'oreille interne, plus précisément à la base de ces derniers.

Sensibilisation Forme élémentaire d'apprentissage selon laquelle le système perceptif en vient à réagir de plus en plus à un stimulus constant.

Sentiment État affectif qui s'étend davantage dans le temps que l'émotion mais qui, contrairement à l'humeur, est lié à un objet externe ou interne à l'individu, en l'absence de toute activation physiologique caractéristique de l'émotion.

Sentiment d'infériorité Concept central chez Adler et qui proviendrait de la vulnérabilité du nourrisson vis-à-vis de sa mère dont il dépend dès les premiers jours de sa vie.

Septum Structure qui jouerait un rôle clé dans les réponses émotionnelles, en particulier dans celles liées au plaisir.

Sériation Capacité d'ordonner des éléments selon une dimension donnée.

Seuil absolu Valeur correspondant à la quantité minimale d'énergie requise pour donner lieu à une sensation.

Sevrage *Voir* **Syndrome de sevrage**

Sillon *Aussi appelé* **Scissure** Chacun des « creux » qui séparent les circonvolutions constituant les hémisphères cérébraux.

Sillon central *Aussi appelé* **Scissure centrale** Sillon clairement visible séparant le lobe frontal du lobe pariétal.

Site récepteur Point qui, sur une dendrite ou sur la membrane cellulaire d'un neurone, est sensible au signal provenant d'une autre cellule.

Sommeil à ondes lentes *Voir* **Sommeil lent**

Sommeil léger Sommeil au cours duquel il est relativement facile de réveiller le dormeur ; comprend les stades 1 et 2.

Sommeil lent *Aussi appelé* **Sommeil à ondes lentes** *ou encore* **Sommeil NMOR** Sommeil caractérisé par des ondes en général plus lentes que celles du sommeil paradoxal et par l'absence de mouvements oculaires rapides (MOR), d'où l'appellation fréquente de sommeil NMOR ; regroupe le sommeil léger (stades 1 et 2) et le sommeil profond (stades 3 et 4).

Sommeil MOR Autre appellation du sommeil paradoxal mettant l'accent sur la présence de mouvements oculaires rapides (MOR).

Sommeil NMOR Autre appellation du sommeil lent mettant l'accent sur l'absence de mouvements oculaires rapides (MOR).

Sommeil paradoxal *Aussi appelé* **Sommeil MOR** Sommeil caractérisé par la présence d'ondes ressemblant à la fois à celles du stade 1 et à celles de l'éveil détendu, malgré un état d'endormissement profond, par la présence de mouvements oculaires rapides (MOR) et par le fait qu'un sujet réveillé à ce stade rapporte habituellement qu'il rêvait.

Sommeil profond Sommeil au cours duquel il est relativement difficile de réveiller le dormeur ; comprend les stades 3 et 4.

Somnambulisme Parasomnie consistant à se déplacer en dormant et survenant généralement au cours du sommeil profond.

Somniloquie Parasomnie consistant à parler ou à émettre des sons en dormant et pouvant survenir au cours du sommeil lent ou du sommeil paradoxal.

Sonie Dimension perceptive correspondant au caractère fort par opposition au caractère faible d'un son, c'est-à-dire à la force d'un son telle qu'elle est perçue.

Spectre visible Ensemble des longueurs d'onde électromagnétique aptes à stimuler l'œil.

Stabilité de la cause Dans la théorie des attributions causales, dimension cognitive selon laquelle la cause d'un événement survient ou non avec une certaine régularité.

Stade anal Dans la théorie freudienne, période s'étendant approximativement de l'âge de 14 mois à l'âge de 3 ans et constituant le deuxième stade du développement psychosexuel, stade au cours duquel la zone anale constitue la zone érogène privilégiée.

Stade génital Dans la théorie freudienne, période débutant avec l'apparition de la puberté et constituant le dernier stade du développement psychosexuel, stade au cours duquel l'intérêt pour l'autre sexe renaît, conduisant à l'identité et à la maturité sexuelles qu'on retrouvera normalement chez l'adulte.

Stade opératoire concret Dans la théorie de Piaget, stade caractérisé par l'apparition de la réversibilité appliquée à des situations concrètes, ce qui permet l'acquisition de la notion de conservation.

Stade opératoire formel Dans la théorie de Piaget, stade caractérisé par la capacité de raisonner de façon hypothético-déductive, c'est-à-dire de tirer une conclusion à partir de situations hypothétiques non directement représentées.

Stade oral Dans la théorie freudienne, période s'étendant de la naissance à environ 18 mois et constituant le premier stade du développement psychosexuel, stade au cours duquel la zone orale constitue la zone érogène privilégiée.

Stade phallique Dans la théorie freudienne, période s'étendant approximativement de l'âge de trois ans à l'âge de six ans et constituant le troisième stade du développement psychosexuel, stade au cours duquel la zone génitale constitue la zone érogène privilégiée.

Stade préopératoire Dans la théorie de Piaget, stade caractérisé par l'apparition de la pensée symbolique, c'est-à-dire la capacité de se représenter un objet ou un concept par un symbole.

Stade sensorimoteur Dans la théorie de Piaget, stade caractérisé par une prise de connaissance de l'environnement essentiellement basée sur l'action et les impressions sensorielles.

Standardisation Procédure consistant à déterminer la façon de faire passer (ou d'administrer) un test et d'en corriger les réponses afin que cette façon de faire soit la même pour tous les individus d'une même population.

Stimulant Substance qui a d'abord pour effet de produire une activation accrue du système nerveux central et qui peut également entraîner diverses réactions telles qu'un sentiment d'euphorie, une impression de puissance sur le plan sexuel, moteur ou intellectuel, une augmentation du niveau d'attention et de concentration, de l'angoisse et des réactions de panique.

Stimulus (au pluriel : stimuli) Objet, situation ou événement susceptible de provoquer une réponse, c'est-à-dire une réaction de la part d'un organisme.

Stimulus conditionnel (SC) Dans une procédure de conditionnement classique, stimulus initialement neutre qui a pour effet de provoquer une réponse après avoir été associé au stimulus inconditionnel qui, au départ, provoquait cette réponse.

Stimulus discriminatif Dans une procédure de conditionnement opérant, stimulus à la suite duquel une réponse déterminée sera renforcée.

Stimulus inconditionnel (SI) Dans une procédure de conditionnement classique, stimulus qui provoque, dès le départ, la réponse qu'on veut soumettre au conditionnement.

Stimulus neutre (SN) Dans une procédure de conditionnement classique, stimulus qui ne provoque pas, au départ, la réponse qu'on veut soumettre au conditionnement.

Stockage *Voir* **Entreposage**

Stress Sous l'angle biologique : réponse non spécifique de l'organisme à toute sollicitation. Sous l'angle psychologique : menace réelle ou supposée à l'intégrité psychologique ou physique de l'individu.

Stress aigu Stress observable lors de la phase d'alarme.

Stress chronique Stress qui résulte d'une exposition prolongée et répétée à des stresseurs et qui perdure au-delà de la phase d'alarme.

Stresseur Tout objet, événement ou situation qui déclenche la production des hormones du stress.

Stresseur absolu Tout objet, événement ou situation dont le caractère stressant est universel et affecte tous les individus.

Stresseur physique Tout objet, événement ou situation qui produit une tension ou une contrainte directement sur notre corps.

Stresseur psychologique Tout objet, événement ou situation qui présente un caractère négatif ou menaçant pour l'intégrité physique ou psychologique de l'individu, ou qui est perçu comme tel.

Stresseur relatif Tout objet, événement ou situation dont le caractère stressant provient de l'interprétation que l'individu en fait.

Substance blanche Terme générique désignant, dans le cas des deux hémisphères cérébraux, la plus interne des deux couches principales constituant chacun des hémisphères ; elle est essentiellement formée d'axones myélinisés.

Substance grise Terme générique désignant, dans le cas des deux hémisphères cérébraux, la plus externe des deux couches principales constituant chacun des hémisphères ; correspondant au cortex cérébral, elle comprend des corps cellulaires et des axones dépourvus de gaine de myéline.

Substance psychoactive *Voir* **Psychotrope**

Surmoi Dans la théorie freudienne, instance issue de l'intériorisation des interdits parentaux et, par la suite, des interdits sociaux concernant ce qui est bien et ce qui est mal ; on dit du surmoi qu'il fonctionne selon le principe de moralité.

Synapse Point où un influx nerveux est transmis à une autre cellule (neurone ou autre).

Syndrome d'alcoolisation fœtale Ensemble de malformations souvent associées à la consommation élevée d'alcool par la mère durant la grossesse pouvant entraîner, entre autres, des problèmes d'apprentissage et une déficience intellectuelle.

Syndrome de Down *Voir* **Trisomie 21**

Syndrome de sevrage *Aussi appelé* **Sevrage** Ensemble de réactions physiques et psychologiques pénibles survenant lorsqu'un individu cesse brusquement de consommer un psychotrope dont il était devenu dépendant et auquel son organisme avait développé un haut niveau de tolérance.

Syndrome général d'adaptation (SGA) Façon dont les différentes réactions caractéristiques du stress surviennent et évoluent. Le SGA comprend trois phases : la phase d'alarme, la phase de résistance et la phase d'épuisement.

Synesthésie Phénomène perceptif consistant à détecter un caractère commun à deux sensations provenant de modalités sensorielles différentes.

Système activateur réticulaire *Voir* **Formation réticulée**

Système endocrinien Système comprenant l'ensemble des glandes produisant les différentes hormones.

Système limbique Ensemble de structures qui jouent un rôle fondamental dans les émotions ; comprend principalement le gyrus cingulaire, une partie du cortex préfrontal, l'amygdale, certains noyaux de l'hypothalamus et du thalamus, ainsi que le septum.

Système nerveux autonome (SNA) Branche du système nerveux périphérique constituée par l'ensemble des neurones qui communiquent avec les différents organes du corps ; inclut des neurones sensoriels et des neurones moteurs.

Système nerveux central (SNC) Division du système nerveux constituée des neurones contenus dans le cerveau et la moelle épinière.

Système nerveux parasympathique Branche du système nerveux autonome qui produit des réactions visant à permettre soit la récupération de l'énergie utilisée pour combattre un danger ou y échapper, soit l'emmagasinage d'énergie en vue de nouvelles sollicitations.

Système nerveux périphérique Division du système nerveux qui assure la communication entre, d'une part, le cerveau ou la moelle épinière et, d'autre part, le reste du corps.

Système nerveux somatique Branche du système nerveux périphérique constituée par l'ensemble des neurones qui communiquent avec les parties du corps interagissant avec l'environnement, à savoir les récepteurs sensoriels et les muscles volontaires (rattachés aux différentes parties du squelette) ; inclut des neurones sensoriels et des neurones moteurs.

Système nerveux sympathique Branche du système nerveux autonome qui produit des réactions visant à mettre de l'énergie à la disposition de l'organisme pour l'aider à agir (par exemple, lutter ou fuir devant une situation menaçante).

T

Taille relative *Aussi appelée* **Grandeur relative** Indice monoculaire en vertu duquel un objet formant une image rétinienne plus petite qu'un autre tend à être perçu comme étant plus éloigné de l'observateur.

Taux spontané d'activité Rythme auquel un neurone génère spontanément des influx nerveux en l'absence de tout signal en provenance d'autres cellules.

TDM Sigle couramment utilisé pour référer à la technique de la tomodensitométrie.

Technique du miroir *Voir* **Technique du reflet**

Technique du reflet *Aussi appelée* **Technique du miroir** Dans le contexte rogérien, technique consistant à reformuler de façon objective ce que le client confie, sans proposer d'interprétation et en demeurant factuel.

Teinte *Voir* **Tonalité**

TEP Sigle couramment utilisé pour référer à la technique de la tomographie par émission de positons.

Terreur nocturne Trouble du sommeil survenant au cours du sommeil profond et qui est caractérisé par une agitation accompagnée de cris et de pleurs, suivie d'un réveil brutal.

Test collectif Test où l'examinateur, c'est-à-dire l'administrateur du test, fait passer ce dernier à plusieurs personnes à la fois.

Test individuel Test où l'examinateur, c'est-à-dire l'administrateur du test, fait passer ce dernier à une seule personne à la fois.

Thalamus Structure située au cœur du cerveau et constituant une importante station de relais qui distribue aux structures appropriées les influx nerveux lui parvenant, notamment ceux en provenance des récepteurs sensoriels.

Théorie cognitive de Schachter Théorie selon laquelle l'expérience émotionnelle proviendrait de l'interprétation cognitive que l'individu fait des changements corporels ressentis, cette évaluation se basant sur les données contextuelles dont il dispose.

Théorie de Cannon-Bard Théorie selon laquelle l'expérience émotionnelle proviendrait du cortex sous l'influence du thalamus, les sensations dues aux changements corporels n'étant que des manifestations survenant parallèlement à l'activation du cortex.

Théorie de James-Lange Théorie selon laquelle l'émotion provient de la prise de conscience des changements corporels provoqués, de façon réflexe, par la situation qui induit l'émotion.

Théorie de l'autodétermination Approche de la motivation humaine et de la personnalité qui suppose que l'être humain a une tendance innée à développer son plein potentiel, mais qui utilise la méthode scientifique pour comprendre comment cette tendance se traduit dans ce qui motive le comportement.

Théorie de l'encodage spécifique Théorie explicative de l'oubli selon laquelle ce dernier surviendrait quand on ne peut retrouver les indices avec lesquels le souvenir a été spécifiquement encodé dans le contexte où il avait été appris.

Théorie de l'homéostasie *Voir* **Théorie de la réduction des tensions**

Théorie de l'interférence Théorie explicative de l'oubli selon laquelle la difficulté à se rappeler l'item-réponse associé à un item-stimulus donné provient de l'interférence due à une autre association déjà apprise entre un item-réponse différent et le même item-stimulus.

Théorie de l'oubli motivé Théorie explicative de l'oubli selon laquelle, d'après Freud, beaucoup d'oublis sont causés par une motivation à ne pas se rappeler un souvenir, parce que ce dernier est lié à un événement générant de l'angoisse, de la culpabilité ou de la honte pour la personne.

Théorie de la réduction des tensions *Aussi appelée* **Théorie de l'homéostasie** Théorie selon laquelle les motivations trouvent leur origine dans le besoin de réduire des tensions physiques ou physiologiques.

Thérapie Intervention auprès d'un individu ou d'un groupe pour l'aider à résoudre son ou ses problèmes.

Thérapie brève Approche thérapeutique qui a essentiellement pour but de traiter le problème du patient à l'intérieur d'une durée relativement courte, c'est-à-dire à l'intérieur de 10 semaines.

Thérapie brève orientée vers les solutions (TBOS) Forme de thérapie brève dans laquelle le thérapeute centre son effort sur la découverte et l'application de solutions au problème présenté par le client.

Thérapie électroconvulsive *Aussi appelée* **Électrochocs** Thérapie médicale consistant à traiter un trouble psychologique en soumettant pendant quelques secondes le cerveau à des impulsions électriques à l'aide d'électrodes appliquées sur le cuir chevelu.

Thérapie familiale Approche thérapeutique où le symptôme présenté par une personne doit être abordé dans le contexte familial de cette dernière.

Thérapie familiale comportementaliste Forme de thérapie familiale qui aborde la famille sous l'angle du conditionnement opérant, constituant en quelque sorte une application familiale de l'approche béhavioriste.

Thérapie familiale systémique Forme de thérapie familiale où la personne présentant un symptôme doit être vue comme un élément du système que constitue la famille, la thérapie mettant l'accent sur les interactions et les processus de communication qui conduisent à un mauvais fonctionnement du système.

Thérapie médicale Thérapie psychobiologique consistant à traiter un trouble psychologique uniquement en accomplissant un geste de nature médicale sur un phénomène biologique censé influer sur le trouble psychologique.

Thérapie psychobiologique Approche thérapeutique consistant à traiter un trouble psychologique en intervenant sur un phénomène biologique, que ce soit uniquement par un geste médical ou en combinaison étroite avec une procédure psychologique.

Thérapie psychologique *Aussi appelée* **Psychothérapie** Thérapie visant à traiter un trouble psychologique dont est atteint un individu, en utilisant le langage ou en agissant sur certaines conditions dans lesquelles l'individu est placé, à l'exclusion de tout geste de nature proprement médicale.

Thérapie psychomédicale Thérapie psychobiologique consistant à traiter un trouble psychologique en combinant, dans la même intervention, une action d'ordre psychologique et un geste d'ordre médical, l'intervention psychologique consistant dans une mise en situation ou une forme d'interaction donnée.

Timbre Dimension perceptive selon laquelle un son paraît qualitativement différent d'un autre son de même hauteur tonale et de même sonie.

TOC *Voir* **Trouble obsessionnel-compulsif**

Tolérance Phénomène selon lequel une quantité de plus en plus grande d'un psychotrope est requise pour produire le même effet ou, réciproquement, selon lequel une quantité donnée produit de moins en moins d'effet.

Tomodensitométrie (TDM) Technique consistant à utiliser un appareil à rayons X sophistiqué qui, à l'aide d'un ordinateur, permet d'obtenir une image tridimensionnelle des structures du cerveau ou d'autres parties du corps en tournant autour de la personne.

Tomographie par émission de positons (TEP) Technique consistant à injecter dans le sang un produit qui réagit de façon particulière lorsqu'un neurone est actif, puis à détecter les régions où une réaction est apparue, ce qui permet de dresser un portrait des régions les plus actives à un moment donné.

Tonalité *Aussi appelée* **Teinte** Dimension perceptive qui correspond aux impressions perceptives qu'on décrit à l'aide d'étiquettes telles que rouge, jaune, vert, bleu, etc.

Tonie *Voir* **Hauteur tonale**

Toxicomanie État de dépendance physique et psychologique qui pousse à une consommation quasi quotidienne d'un produit dont la recherche est devenue prioritaire, celle-ci passant même avant les besoins fondamentaux tels que boire, manger et dormir.

Tracas de la vie quotidienne Expériences quotidiennes considérées comme contrariantes ou menaçantes, ou même dangereuses pour le bien-être d'un individu.

Transduction Transformation en influx nerveux d'une énergie captée par un organe sensoriel.

Transfert En psychanalyse, processus par lequel un patient développe un lien affectif intense envers le thérapeute et en vient à attribuer à ce dernier ou à reporter sur lui des réactions émotionnelles associées à un conflit refoulé.

Traumatisme Perturbation provoquée par un événement, psychologique ou physique, et touchant sévèrement une fonction donnée.

Trigramme non significatif Groupe de trois lettres constitué d'une voyelle entre deux consonnes (par exemple : VAJ), mais ne correspondant à aucun mot significatif.

Trisomie 21 *Aussi appelée* **Syndrome de Down (et auparavant Mongolisme)** Anomalie génétique caractérisée par la présence d'un chromosome de trop à la 21e paire et entraînant des symptômes physiques caractéristiques (yeux bridés, forme trapue), ainsi qu'une déficience sur le plan intellectuel.

Tronc cérébral Ensemble de trois structures comprenant le cerveau médian, le bulbe rachidien et le pont, et qui, de façon générale, assure le passage de l'information sensorielle et motrice entre la moelle épinière et l'ensemble du cerveau, tout en étant impliqué dans une multitude de fonctions métaboliques importantes. À noter que certains auteurs incluent également le thalamus et l'hypothalamus dans le tronc cérébral.

Tronçon Regroupement d'items facilitant la mémorisation.

Trouble anxieux Trouble caractérisé par le fait d'éprouver une anxiété, sous forme de peur ou d'inquiétude excessives.

Trouble bipolaire *Aussi appelé* **Psychose maniaco-dépressive** Trouble de l'humeur caractérisé par une alternance entre des épisodes maniaques et des épisodes dépressifs, parfois entrecoupés de périodes stables.

Trouble de conversion Trouble somatoforme caractérisé par la présence de déficits sur le plan de la motricité volontaire ou des fonctions sensorielles, déficits qui ne peuvent s'expliquer par une cause d'ordre médical.

Trouble de l'humeur Trouble caractérisé par une perturbation de l'état émotif global qui influe sur le mode de pensée et le comportement.

Trouble de la personnalité Trouble caractérisé par un mode durable des conduites et de l'expérience vécue, lesquelles dévient notablement de ce qui est attendu dans la culture de l'individu, sont inflexibles, stables dans le temps et source de détresse ou d'altération du fonctionnement.

Trouble dépressif majeur Trouble de l'humeur caractérisé par un « mal-être » se traduisant par des symptômes tels qu'un profond sentiment de tristesse, l'impression de n'avoir plus aucune énergie et de se sentir constamment fatigué, une perte d'intérêt généralisée, une perte de l'estime de soi, et même des idées suicidaires.

Trouble des conduites alimentaires Trouble caractérisé par une perturbation grave du comportement alimentaire (manger trop ou trop peu), ainsi que par une grande préoccupation concernant l'image de son corps.

Trouble dissociatif Trouble caractérisé par la survenue d'une perturbation — soudaine ou progressive, transitoire ou chronique — touchant des fonctions qui sont normalement intégrées, comme la conscience, la mémoire, l'identité ou la perception de l'environnement.

Trouble dissociatif de l'identité *Auparavant appelé* **Personnalité multiple** Trouble dissociatif caractérisé par la présence de deux ou plusieurs identités ou « états de personnalité » distincts qui prennent tour à tour la direction du comportement de la personne.

Trouble mental Expression synonyme de « trouble psychologique », mais pouvant avoir un sens plus restreint dans certains ouvrages (entre autres dans la CIM).

Trouble obsessionnel-compulsif (TOC) Trouble anxieux caractérisé par la présence de deux composantes : une obsession créant un malaise et une compulsion visant à prévenir ou à diminuer le malaise dû à l'obsession.

Trouble panique Trouble anxieux caractérisé par la présence d'attaques de panique récurrentes et inattendues, par l'inquiétude concernant une attaque donnée ou ses conséquences, ainsi que par la peur d'avoir une autre attaque.

Trouble psychologique Dysfonctionnement psychologique associé à un sentiment de détresse ou à une dégradation fonctionnelle, se manifestant par une réaction atypique ou inattendue dans un contexte culturel donné.

Trouble somatoforme Trouble caractérisé par la présence de symptômes physiques qui ne peuvent s'expliquer complètement par une affection médicale générale ou par un autre trouble psychologique.

V | **Validité** Caractéristique que possède un test quand il mesure ce qu'il est censé mesurer.

Vésicule synaptique Structure située dans un bouton terminal et contenant des neurotransmetteurs.

Y | **Yerkes-Dodson** *Voir* **Loi de Yerkes-Dodson**

Bibliographie

Aboyoun, D. C., Hamburger, Y., & Dabbs, J. M. Jr. (1998). The Hess pupil dilation findings : Sex or novelty ?. *Social Behavior and Personality, 26*, 415-419.

Adler, A. (1920/1961). *Pratique et théorie de la psychologie individuelle comparée*. Paris : Payot. [Traduction française de l'ouvrage allemand publié officiellement en 1920].

Afifi, T. O, Brownridge, D. A., Cox, B. J., & Sareen, J. (2006). Physical punishment, childhood abuse and psychiatric disorders. *Child Abuse & Neglect, 30*, 1093-1103.

Agudo, P. (1996). *La musique peut casser les oreilles*. Récupéré le 16 décembre 2006 de <http://cat.inist.fr/?aModele=afficheN&cpsidt=16779409>. Article paru dans la revue *L'humanité*, le 13 janvier 1996.

Aldrich, M. S. (1999). *Sleep medecine*. Oxford : Oxford University Press.

American Psychiatric Association. (1996). *DSM-IV : Manuel diagnostique et statistique des troubles mentaux*. Paris : Masson.

American Sleep Disorders Association. (1997). *International classification of sleep disorders : Diagnostic and coding manual*. Rev. Ed. Rochester.

Anderson, C. A., Sakamoto, A., Gentile, D. A., Ihori, N., Shibuya, A., Yukawa, S., Naito, M. & Kobayashi, K. (2008). Longitudinal Effects of Violent Video Games on Aggression in Japan and the United States. *Pediatrics, 122*, e1067-e1072.

Anderson, D. J. (1989). The treatment of migraine headaches with variable frequency photo-stimulation. *Headache, 29*, 154-155.

Anderson, J. R. (1995). *Learning and memory : An integrated approach*. New York : John Wiley.

ANEB (Association québécoise d'aide aux personnes souffrant d'anorexie nerveuse et de boulimie) (2006). *Troubles alimentaires*. Récupéré le 28 janvier 2008 de <http://www.anebquebec.com/html/fr_troublesalimentaire.html>.

Answers.com. (2006).*Projet MKULTRA*. Récupéré le 10 octobre 2006 de <http://www.answers.com/topic/project-mkultra>.

Asch, S. (1951). Effects of group pressure upon the modification and distortion of judgments. Dans H. Guetzkow (Éd.), *Groups, leadership and men* (pp. 177-190). Pittsburgh, Pa. : Carnegie Press.

Aserinsky, E., & Kleitman, N. (1953). Regularly occurring periods of eye motility during sleep. *Science, 118*, 273-274.

Atkinson, R. C., & Shiffrin, R. M. (1968). Human memory : A proposed system and its control processes. Dans K.W. Spence, & J. T. Spence (Éds.), *The psychology of learning and motivation*, vol. 2 (pp. 89-195). New York : Academic Press.

Aucoin, K. J., Frick, P. J., & Bodin, S. D. (2006). Corporal punishment and child adjustment. *Journal of Applied Developmental Psychology, 27*, 527-541.

Auger, L. (1974). *S'aider soi-même*. Montréal : Éditions de l'Homme.

Averill, J. R. (1980). A constructivist view of emotion. Dans R. Plutchik & H. Kellerman (Éds.), *Emotion : Theory, research and experience*. Vol. 1 : *Theories of emotions* (pp. 305-339). New-York : Academic Press.

Ayllon, T., & Azrin, N. (1973). Traitement comportemental en institution psychiatrique, Bruxelles : Charles Dessart. [Paru en 1968 sous le titre *A token economy : A motivational system for therapy and rehabilitation*. New-York : Appleton Century Crofts].

Baars, B. J. (2003). Introduction – Treating consciousness as a variable : The fading taboo. Dans B. J. Baars, W. P. Banks, & J. B. Newman (Éds.), *Essential sources in the scientific study of consciousness* (pp. 1-10). Cambridge (Mass.) : Massachusetts Institute of Technology.

Baddeley, A. (2002). *Human memory : Theory and practice*. Hove, United Kingdom : Psychology Press.

Baghurst, P. A., McMichael, A. J., Wigg, N. R., Vimpani, G.V., Robertson, E. F., Roberts, R. J., & Tong, S.-L. (1992). Environmental exposure to lead and children's intelligence at the age of seven years : The Port Pirie cohort study. *New England Journal of Medecine, 327*, 1279-1284.

Baharami, B., Lavie, N., & Rees, G. (2007). Attentional load modulates responses of human primary visual cortex to invisible stimuli. *Current Biology, 17*, 1-5.

Bandura, A. (1976). *L'apprentissage social*. Bruxelles : Mardaga.

Bandura, A. (1977). *Social learning theory*. Englewoods Cliffs (New Jersey) : Prentice Hall.

Bandura, A. (1986). *Social foundations of thought and action : A social-cognitive theory*. Englewood Cliffs : Prentice-Hall.

Bandura, A. (2003). *Auto-efficacité : le sentiment d'efficacité personnelle*. Bruxelles : De Boeck.

Bandura, A., Ross, D., & Ross, S. A. (1961). Transmission of aggression through imitation of aggresswive models. *Journal of Abnormal and Social Psychology, 63*, 575-582. [Disponible à l'adresse : <http://psychclassics.yorku.ca/Bandura/bobo.htm>].

Barbeau, D. (1993). La motivation scolaire. *Pédagogie collégiale, 7*, 20-27.

Barbeau, D., Montini, A., & Roy, C. (1997). Comment favoriser la motivation scolaire. *Pédagogie collégiale, 11*, 9-13.

Bard, P. (1934). The neurohumoral basis of emotion reaction. Dans C. A. Murchison (Éd.), *Handbook of general experimental psychology* (pp. 264-311). Worcester, MA. : Clark University Press.

Bargh, J. A. (Éd.). (2007). *Social psychology and the unconscious : The automaticity of higher mental processes*. Philadelphia, PA : Psychology Press.

Bargh, J. A., Chen, M., & Burrows, L. (1996). Automaticity of social behavior : Direct effects of trait construct and stereotype priming on action. *Journal of Personality and Social Psychology, 71*, 230-244.

Bartoshuk, L. M. (1988). Taste. Dans R. C. Atkinson, R. J. Herrenstein, G. Lindzey, & R. D. Luce (Éds.), *Steven's handbook of experimental psychology*, 2e é. (pp. 461-499). New York : Wiley.

Baruss, I. (2003). *Alterations of consciousness : An empirical analysis for social scientists*. Washington (DC) : American Psychological Association.

Baum, A., Fleming, R., & Singer, J. E. (1982). Stress at Three Mile Island : Applying social psychology to psychological impact analysis. Dans L. Bickman (Éd.), *Applied social psychology annual, vol. III*. Beverly Hills (CA) : Sage Publications.

Bear, M. F., Connors, B. W., & Paradiso, M. A. (2002). *Neurosciences : à la découverte du cerveau*. (Traduction française par André Nieoullon). Paris : Éditions Pradel.

Beaupré, P., Goupil, G., Boudreault, P., Aubin, M., Bouchard, J.-M., Horth, R., & Mainguy, E. (1995). Le cheminement scolaire en classe ordinaire d'élèves du primaire ayant une déficience intellectuelle moyenne. *Revue francophone de la déficience intellectuelle, 6*, 5-21.

Beck, A. T. (1967). *Depression : Causes and treatment*. Philadelphia : University of Pennsylvania Press.

Beck, A. T. (1976). *Cognitive therapy and the emotional disorders*. New York : International University Press.

Becker, A. E. (2004). Television, disordered eating, and young women in Fiji : Negotiating body image and identity during rapid social change. *Culture, Medicine, and Psychiatry, 28*, 533-559.

Bédard, L., Déziel, J., & Lamarche, L. (1999). Introduction à la psychologie sociale : vivre, penser et agir avec les autres. Saint-Laurent (Québec) : ERPI.

Bee, H., & Boyd, D. (2008). *Les âges de la vie : psychologie du développement humain* (3e éd.). Saint-Laurent (Québec) : Renouveau pédagogique. [Adaptation française de F. Gosselin, avec la collaboration de M. Bolduc et É. Rheault].

Behncke, L. (2004). Mental skills training for sports : A brief review. *Athletic Insight : Online Journal of Sport Psychology, 6 (1)*, Mars. Récupéré le 7 mai 2007 de <http://www.athleticinsight.com/Vol6Iss1/MentalSkillsReview.htm>.

Bell, G., & Gemmel, J. (2007). A digital life. *Scientific American, 296*, 58-65. [Article intégral disponible à l'adresse : <http://www.sciam.com/article.cfm?articleID=CC50D7BF-E7F2-99DF-34DA5FF0B0A22B50&pageNumber=1&catID=2>].

Bergeron, J. (2001), Rage au volant : vous et moi ou les autres. *Psychologie Québec, 18* (Mai), 33-36. [Accessible en ligne à l'adresse : <http://www.ordrepsy.qc.ca/pdf/ArtDossier_Rage_Mai01.pdf >].

Berlyne, D. E. (1971). *Aesthetics and psychobiology*. New York : Appleton-Century-Crofts.

Bertalanffy, L. von. (1950). An outline of general systems theory. *British Journal for the Philosophy of Science, 1*, 139-164.

Bertalanffy, L. von. (1960). General system theory and the behavorial sciences. Dans J. M. Tanner, & B. Inhelder (Éds), *Discussions on child development*, vol. 4 (pp. 155-175). London : Tavistock publications.

Bertalanffy, L. von, Hempel, C. G., Bass, R. E., & Jonas, H. (1951). General system theory : A new approach to unity of science. *Human Biology, 23*, 302-361.

Billiard, M. (1997). *Sommeil et éveil*. Montpellier : Éditions Espaces 34.

Binet, A., & Simon, Th. (1905). Méthodes nouvelles pour le diagnostic du niveau intellectuel des anormaux. *L'année psychologique, 11*, 191-244.

Binet, A., & Simon, Th. (1908). Le développement de l'intelligence chez les enfants. *L'année psychologique*, n° 14, 1-94.

Biscay, M.-L. (2008). *Les médicaments utilisés en santé mentale*. Récupéré le 21 août 2008 de <http://www.schizophrenies.fr/PDF/guide-info-medic.pdf>.

Bjorklund, A., & Stenevi, U. (1984). Intracerebral neural implants : Neuronal replacement and reconstruction of damaged circuitries. *Annual Review of Neuroscience, 7*, 279-308.

Blais, M. R., Lachance, L., Vallerand, R. J., Brière, N. M., & Riddle, A. S. (1993). L'inventaire des motivations au travail de Blais. *Revue québécoise de psychologie, 14*, 185-215.

Blankstein, K. R., & Flett, G. L. (1992). Specificity in the assessment of daily hassles : hassles, locus of control and adjustment in college students. *Canadian Journal of Behavioral Science, 24*, 382-398.

Bloch, H. *et al.* (Éds.), (1999). *Grand dictionnaire de la psychologie*, 2e éd. Paris : Larousse-Bordas.

Blodgett, H. C. (1929). The effect of the introduction of reward upon the maze performance of rats. *University of California Publications in Psychology, 4*, 113-134.

Blumenthal, J. A., & McCubbin, J. A. (1987). Physical exercise as stress management. Dans A. Baum & J. E. Singer (Éds.), *Hanbook of psychology and health, vol. 5* (pp. 303-331). Hillsdale (NJ) : Erlbaum.

Bonnet, C. (2003). Chapitre 8 – Les sens chimiques. Dans A. Delorme, & M. Flückiger (Éds.), *Perception et réalité : une introduction à la psychologie des perceptions* (pp. 173-196). Boucherville (Québec) : Gaëtan Morin

Boring, E. G. (1950). *A history of experimental psychology*, 2e éd. New York : Appleton-Century-Crofts.

Bormans, C. (2002). *Freud, Breuer et la méthode dite « cathartique*. Récupéré le 8 octobre 2006 de <http://www.psychanalyste paris.com/Freud Breuer et la Methode-dite.html>.

Boston Retinal Implant Project (2007). *The Boston Retinal Implant Project*. Récupéré le 24 septembre 2008 de <http://www.bostonretinalimplant.org/>

Botta, S. A. (1999). Self-hypnosis as anesthesia for liposuction surgery. *American Journal of Clinical Hypnosis, 41*, 4, 299-301.

Bouchard, S. (2008). *Laboratoire de cyberpsychologie de l'Université du Québec en Outaouais*. Récupéré le 22 septembre 2008 de <http://w3.uqo.ca/cyberpsy/fr/index_fr.htm>

Bouchard, S., Côté, S., & Richard, D. C. S. (2006). Virtual reality applications for exposure. Dans D. C. S. Richard, & D. Lauterbach (Éds), *Handbook of exposure therapies* (pp. 347-389). New York : Academic Press.

Bouchard, S., & Gingras, M. (2007). Introduction aux théories de la personnalité. Montréal : Gaëtan Morin.

Bouchard, T. J. Jr. (2007). Genetic influence on human psychological traits : A survey. *Current Directions in Psychological Science, 13*, 148-151.

Bouchard, T. J. Jr., & McGue, M. (1981). Familial studies of intelligence : A review. *Science, 212*, 1055-1059.

Brady, J. (1958). Ulcers in "executive" monkeys. *Scientific American, 199*, 95-100.

Brisson, P. (Éd.) (2000). *L'usage des drogues et la toxicomanie, vol. III*. Montréal : Gaëtan Morin.

Brody, N. (1992). *Intelligence*. New York : Academic Press.

Bronfenbrenner, U. (1979). *The ecology of human development : Experiments by nature and design*. Cambrige, Mass. : Havard University Press.

Bruck, C. S., & Allen, T. D. (2003) The relationship between big five personality traits, negative affectivity, type A behavior, and work–family conflict. *Journal of Vocational Behavior, 63*, 457-472.

Brunet , A., Bousquet-Des Groseilliers, I., Cordova, M. J., & Ruzek, J. I. (soumis). Randomized controlled trial of a new dyadic early intervention designed to mitigate the development of PTSD. Soumis à *The Lancet*.

Brunet, A., Orr, S. P., Tremblay, J., Robertson, K., Nader, K., & Pitman, R. K. (2008) Effect of post-retrieval propranolol on psychophysiologic responding during subsequent script-driven traumatic imagery in post-traumatic stress disorder. Journal of Psychiatric Research, 42 (6), 503-506. [L'article a d'abord été publié en ligne en 2007 ; la référence est la suivante : *Journal of Psychiatric Research*, on-line pre-publication, doi :10.1016/j.jpsychires.2007.05.006.]

Brunet, A., Weiss, D. S., Metzler, T., Best, S., Neylan, T. C., Rogers, C., Fagan, J., & Marmar, C. R. (2001). The peritraumatic distress inventory : A proposed measure of criterion A2. *American Journal of Psychiatry*, *158*, 1480-1485.

Buck, R. (1980). Nonverbal behavior and the theory of emotion : The facial feedback hypothesis. *Journal of Personality and Social Psychology*, *38*, 811-824.

Buckhout, Robert. (1974). Eyewitness testimony. *Scientific American*, *231*, 23-31. [L'article a été réimprimé dans *Recent progress in perception*, publié en 1976 par W. H. Freeman and Company, pp. 205-213].

Budzynski, T. (1998). Photic stimulation enhancement of peak alpha frequency and high/low alpha ratio. Seattle (WA) : SynchroMed Report.

Budzynski, T. H., & Stoyva, J. M. (1984). Biofeedback methods in the treatment of anxiety and stress. Dans R. L. Woolfolk, & P. M. Lehrer (Éds), *Principles and practice of stress management*. New York : Guilford.

Budzynski, T., Jordy, J., Budzynski, H., Tang, H., & Claypoole, K. (1999). Academic performance enhancement with photic stimulation and EDR feedback. *Journal of Neurotherapy*, *3*, 11-21.

Bush, G., Luu, P., & Posner, M. I. (2000). Cognitive and emotional influences in anterior cingulate cortex. *Trends in Cognitive Sciences*, *4*, 215-222.

Butler, R. A. (1954). Curiosity in monkeys. *Scientific American*, *190*, 70-75.

Caire, M. (2008). *Événements déterminants dans la genèse de la psychiatrie*. Récupéré le 30 mars 2008 de <http://psychiatrie.histoire.free.fr/psyhist/gene.htm>.

Cameron, J., Pierce, W. D., Banko, K. M., & Gear, A. (2005). Achievement-based rewards and intrinsic motivation : A test of cognitive mediators. *Journal of Educational Psychology*, *97*, 641-655.

Campbell, N. (2004). *Biologie*. Saint-Laurent : Éditions du Renouveau pédagogique.

Canadian Psychiatric Association (2001). Canadian clinical practice guidelines for the treatment of depressive disorders. *Canadian Journal of Psychiatry*, *46*, Supplément 1.

Canli, T., Desmond, J. E., Zhao, Z., & Gabrieli, J. D. E. (1998). Hemispheric asymmetry for emotional stimuli detected with fMRI. *NeuroReport*, *9*, 3233-3239.

Cannon, W. B. (1927). The James-Lange theory of emotions : A critical examination and an alternative theory. *American Journal of Psychology*, *39*, 106-124.

Cannon, W. B. (1932). *The wisdom of the body*. New York : Norton. [Édition française parue en 1946 : *La sagesse du corps*. Paris : Éditions de la Nouvelle Revue Critique].

Cannon, W. B. (1935). Stresses and strain homeostasis. *American Journal of the Medical Sciences*, *189*, 1-14.

Cantril, H., & Hunt, W. A. (1932). Emotional effects produced by the injection of adrenalin. *American Journal of Psychology*, *44*, 300-307.

Carey, J. (Éd.) (2005). *Brain facts : A primer on the brain and nervous system*. Washington (DC) : Society for Neuroscience. [Document en format PDF accessible à l'adresse <http://apu.sfn.org/skins/main/pdf/brainfacts/brainfacts.pdf>].

Carroll, J. B. (1993). *Human cognitive abilities : A survey of factor-analysis studies*. Cambridge (England) : The Cambridge University Press.

Carter, M. (1995). What can we do about the violence ?. *Child Information Exchange*, *26*, 62-64.

Case, R. (1980). Intellectual development from birth to adulthood : A neo-piagetion interpretation. Dans R. S. Siegler (Éd.), *Children's thinking : What develops ?* (pp. 37-71). New York : Lawrence Erlbaum.

Case, R. (1987). The structure and processes of intellectual development. *International Journal of Psychology*, *22*, 571-607.

CEE-ONU (Commission économique des Nations Unies pour l'Europe) (2004). *Sécurité routière*. Récupéré le 4 mars 2009 de <http://www.unspecial.org/UNS628/UNS_628_T21.html>

CEF (Communauté émétophobe francophone) (2009). *Liste des phobies*. Récupéré le 7 mars 2009 de <http://www.emetophobie.forumpro.fr/qu-est-ce-que-l-emetophobie-f12/liste-des-phobies-t66.htm#235>.

Centre de recherche et d'information sur le Canada. (2007). *Marijuana au Canada : légalisation ? Décriminalisation ?*. Récupéré le 7 juin 2007 de <http://www.cric.ca/fr_html/guide/marijuana/cannabis.html#sant%E9>.

Centre de recherche sur l'enfance et la famille (2008). *Anorexie mentale chez les jeunes adolescentes*. Récupéré le 12 juin 2008 de <http://francais.mcgill.ca/crcf/projects/anorexia/>.

Chalout, L. (2008). *La thérapie cognitivo-comportementale : théorie et pratique*. Montréal : Gaëtan Morin.

Chang, N. (2000). Reasoning with children about violent television shows and related toys. *Early Childhood Education Journal*, *28*, 85-89.

Channouf, A. (2000). *Les images subliminales*. Paris : Presses Universitaires de France.

Charest, R. (1993). Suzanne démasque la Joconde. *Hebdo QUI*, 12 novembre 1993, p. 66-69.

Cherry, C. (1953). Some experiments on the recognition of speech with one and two ears. *Journal of the Acoustical Society of America (JASA)*, *23*, 915-919.

Chevalier, R. (1993). *Observer le monde avec scepticisme*. Récupéré le 20 décembre 2006 de <http://www.sceptiques.qc.ca/ressources/revue/articles/qs25p20>. Extrait de la revue *Québec sceptique*, n° 25, printemps 1993, p. 20.

Chevalier, S., & Lemoine, O. (2000). Chapitre 5 : Consommation de drogues et autres substances psychoactives. Dans C. Daveluy, L. Pica, N. Audet *et al.* (Éds.), *Enquête sociale et de santé 1998*, 2e éd. (pp. 135-147). Québec : Institut de la statistique du Québec.

Chiasson, L. (1988). *Les événements stressants de la vie du cégépien : construction d'une échelle de mesure*. Lauzon : Cégep de Lévis-Lauzon.

Chicoine, J.-F., Germain, P., & Lemieux, J. (2003). Des troubles de développement. Dans J.-F. Chicoine, P. Germain, & J. Lemieux (Éds.), *L'enfant adopté dans le monde (en quinze chapitres et demi)* (chap. 13, pp. 351-396). Montréal : Hôpital Sainte-Justine.

Cohen, S., Miller, G. E., & Rabin, B. S. (2001). Psychological stress and antibody response to immunization : A critical review of the human literature. *Psychosomatic Medicine*, *63*, 7-18.

Cohen, S., Tyrrell, D. A. J., & Smith, A. P. (1991). Psychological stress and susceptibility to the common cold. *New England Journal of Medicine*, *325*, 606-612.

Cohen, S., & Wills, T. A. (1985). Stress, social supports and the buffering hypothesis. *Psychological Bulletin*, *98*, 310-357.

Comité permanent de lutte à la toxicomanie. (2003). *Drogues. Savoir plus. Risquer moins*. Montréal : Comité permanent de lutte à la toxicomanie.

Comité spécial du Sénat sur les drogues illicites (2002). Chapitre 13 : Réglementer l'utilisation du cannabis à des fins thérapeutiques. *Le cannabis : positions pour un régime de politique publique pour le Canada* (Rapport du Comité spécial du Sénat sur les drogues illicites, vol. 2, partie III). Récupéré le 6 juin 2007 de <http://www.parl.gc.ca/37/1/parlbus/commbus/senate/Com-f/ille-f/rep-f/repfinalvol2part1-f.htm#Chapitre%2013>.

Conard, M. A., & Matthews, R. A. (2008). Modeling the stress process : Personality eclipses dysfunctional cognitions and workload in predicting stress. *Personality and Individual Differences*, *44*, 171-181.

Conseil Supérieur d'Hygiène (2005). *Psychothérapies : définitions, pratiques, conditions d'agrément* (Avis du CSH n° 7855). Bruxelles : SFP Santé Publique, Sécurité de la Chaîne alimentaire et Environnement. [Texte disponible à l'adresse : <http://squiggle.be/PDF_Matiere/Avis_CSH.pdf>].

Cook-Darzens, S. (2005). La thérapie familiale : de la multiplicité à l'intégration. *Pratiques psychologiques*, *11*, 169-183.

Cooper, R., & Zubek, J. (1958). Effects on enriched and restricted early environments on the learning ability of bright and dull rats, *Canadian Journal of Psychology*, *12*, 159-164.

Cosmides, L., & Tooby, J. (1989). Evolutionary psychology and the generation of culture, Part II. Case study : A computational theory of social exchange. *Ethology and Sociobiology*, *10*, 51-97.

Cottraux, J. (2004). *Les thérapies cognitives : comment agir sur nos pensées et nos émotions*. Paris : Retz/S.E.J.E R.

Cousins, N. (1979). *Anatomy of an illness as perceived by the patient*. New York : W. W. Norton.

Cousins, N. (2003). *Comment je me suis soigné par le rire*. Paris : Éditions Payot et Rivages.

Dafflon, P., & Wandeler, P. (2002). La psychothérapie selon l'approche centrée sur la personne de Rogers. Dans N. Duruz, & M. Gennart (Éds), *Traité de psychothérapie comparée* (pp. 253-284). Paris : Médecine & Hygiène.

Damasio, H., Grabowski, T., Frank, R., Galaburda, A. M., & Damasio, A. R. (1994). The return of Phineas Gage : The skull of a famous patient yields clues about the brain. *Science*, *264*, 1102-1105.

Damasio, A. R., Grabowski, T. J., Bechara, A., Damasio, H., Ponto, L. L., Parvizi, J., & Hichwa, R. D. (2000). Subcortical and cortical brain activity during the feeling of self-generated emotions. *Nature Neuroscience*, *3*, 1049-1056.

Dantzer, R. (1992). *L'illusion psychosomatique*. Paris : Odile Jacob.

Dantzer, R. (2002). *Stress*. Paris : Encyclopaedia Universalis. [Accessible sur le site : <http:www.universalis-edu.com/index.htm> ou encore sur <http: anicet. lecorre.free.fr/stress.htm>]

Dar-Nimrod, D., & Heine, S. J. (2006). Exposure to scientific theories affects women's math performance, *Science*, *314*, 435.

Darwin, C. (1872/1998). *L'expression des émotions chez l'homme et les animaux*. Paris : C.T.H.S. [Titre original : *The expression of emotions in man and animals*].

Davidson, R. J. (1992a). Anterior cerebral asymmetry and the nature of emotion. *Brain and Cognition*, *20*, 125-151.

Davidson, R. J. (1992b). Emotion and affective style : hemispheric substrates. *Psychological Science*, *3*, 39-43.

Davidson, R. J. (2000). Affective style, psychopathology, and resilience : Brain mechanisms and plasticity. *American Psychologist*, *55*, 1196-1214.

Davidson, R. J., Schwartz, G. E., Saron, C., Bennett, J., & Goleman, D. J. (1979). Frontal versus parietal EEG asymmetry during positive and negative affect. *Psychophysiology*, *16*, 202-203.

Deci, E. L. (1971). Effects of externally mediated rewards on intrinsic motivation. *Journal of Personality and Social Psychology*, *18*, 105-115.

Deci, E. L. (1975). *Intrinsic Motivation*. New York : Plenum Press.

Deci, E. L., Connell, J. E., & Ryan, R. M. (1989). Self-determination in a work organization. *Journal of Applied Psychology*, *74*, 580-590.

Deci, E. L., & Ryan, R. M. (1985). The general causality orientations scale : Self-determination in personality. *Journal of Research in Personality*, *19*, 109-134.

Deci, E. L., & Ryan, R. M. (2000). The "what" and "why" of goal pursuits : Human needs and the self-determination of behavior. *Psychological Inquiry*, *11*, 227-268.

Deci, E. L., Koestner, R., & Ryan, R. M. (1999). A meta-analytic review of experiments examining the effects of extrinsic rewards on intrinsic motivation. *Psychological Bulletin*, *125*, 627-668.

Deci, E. L., Koestner, R., & Ryan, R. M. (2001). Extrinsic rewards and intrinsic motivation in education : Reconsidered once again. *Review of Educational Research*, *71*, 1-27.

De Kloet, E. R., Joels, M., & Holsboer, F. (2005). Stress and the brain : from adaptation to disease. *Nature Reviews Neuroscience*, *6*, 463-475.

Delgado, J. M. R. (1972). *Le conditionnement du cerveau et la liberté de l'esprit*. Bruxelles : Charles Dessart.

Delorme, A., & Flückiger. M. (2003). *Perception et réalité : une introduction à la psychologie des perceptions*. Boucherville (Québec) : Gaëtan Morin.

Demetriou, A., Efklides, A., & Platsidou, M. (1993). The architecture and dynamics of developing mind : Experiential structuralism as a frame for unifying cognitive development theories. *Monograph of the Society for Research in Child Development*, *22* 5-6, n° de série 234.

De Quervain, D. (2007). Une hormone de stress contre les troubles anxieux ? : une stratégie de recherche translationnelle. *Forum médical Suisse*, *2007*, 1032-1033.

Despland, J.-N., & Michel, L. (2002). La psychanalyse selon Freud. Dans N. Duruz, & M. Gennart (Éds), *Traité de psychothérapie comparée* (pp. 15-39). Paris : Médecine & Hygiène.

DeValois, R. L., Abromov, I., & Jacobs, G. H. (1966). Analysis of response patterns of LGN cells. *Journal of the Optical Society of America*, *56*, 966-977.

Dickerson, S. S., & Kemeny, M. E. (2004). Acute stressors and cortisol responses : A theoretical integration and synthesis of laboratory research. *Psychological Bulletin*, *130*, 355-391.

Dohrenwend, B. S., Krasnoff, L., Askenasy, A. R., & Dohrenwend, B. P. (1982). The psychiatric epidemiology research interview life events scale. Dans L. Goldberger & S. Breznitz (Éds.), *Handbook of stress : Theoretical and clinical aspects* (pp. 332-363). New York : Free Press.

Donati, R. J., Dwivedi, Y., Roberts, R. C., Conley, R. R., Pandey, G. N., & Rasenick, M. M. (2008). Postmortem brain tissue of depressed suicides reveals increased Gs localization in lipid raft domains where it is less likely to activate adenylyl cyclase. *The Journal of Neuroscience*, *28*, 3042-3050.

Doré, R. (1999). L'intégration scolaire des élèves qui présentent une déficience intellectuelle en classe ordinaire : approches, conditions de réussite et résultats scolaires. *Actes du Colloque Recherche Défi*, numéro spécial de mai 1999, 11-15.

Dorvil, H., & Carpentier, N. (1996). Discontinuité des soins, manque de support aux familles et syndrome de la porte tournante. *Sciences sociales et santé* (Article soumis, cité par Dorvil et Guttman, 1997).

Dorvil, H., & Guttman, H. (1997). Annexe I : 35 ans de désinstitutionnalisation au Québec, 1961-1996. Dans Comité de la santé mentale du Québec (Éd.), *Défis de la reconfiguration des services de santé mentale*. Rapport soumis au ministre de la Santé et des Services sociaux. Québec : Gouvernement du Québec.[Texte accessible à l'adresse : <http://msssa4.msss.gouv.qc.ca/fr/document/publication.nsf/b640b2b84246d64785256b1e00640d74/d1251d29af46beec85256753004b0df7/$FILE/97_155a1.pdf >].

Dumont, M. (2003). Rythmes circadiens et cycle éveil-sommeil. Dans G. Labrecque, & M. Sirois-Labrecque (Éds.), *Chronopharmacologie : rythmes biologiques et administration des médicaments* (pp. 17-35). Montréal : Presses de l'Université de Montréal.

Durand, V. M., & Barlow, D. H. (2002). *Psychopathologie : une perspective multidimensionnelle*. Paris : De Boeck Université.

Duruz, N., & Gennart, M. (2002). *Traité de psychothérapie comparée*. Paris : Médecine & Hygiène.

Ebbinghauss, H. (1885). *Über das gedächtnis*. Leipzig : Duncker & Humbolt. (Traduction anglaise : *Memory : A contribution to experimental psychology*, New York, Teachers College, Columbia University, 1913.)

Eich, J. E. (1980). The cue-dependent nature of state-dependent retrieval. *Memory and Cognition, 8*, 157-173.

Ekman, P. (1972). Universals and cultural differences in facial expressions of emotion. Dans J. Cole (Éd.), *Nebraska Symposium on motivation, 1971* (pp. 207-283). Lincoln (Neb.) : University of Nebraska Press.

Ekman, P. (1989). The argument and evidence about universals in facial expressions of emotion. Dans H. Wagner & A. Manstead (Éds.), *Handbook of social psychophysiology* (pp. 143-164). Chichester, England : Wiley.

Ekman, P. (1992a). An argument for basic emotions. *Cognition and emotion, 6*, 169-200.

Ekman, P. (1992b). Facial expressions of emotions : New findings, new questions. *Psychological Science, 34-38*, 169-200.

Ekman, P. (1993). Facial expression and emotion. *American Psychologist, 48*, 384-392.

Ekman, P., & Friesen, W. V. (1975). *Unmasking the face : a guide to recognizing emotions from facial clues*. Englewood Cliffs, N. J. : Prentice Hall.

Ekman, P., Levenson, R. W., & Friesen, W. V. (1983). Autonomic nervous system activity distinguishes between emotions. *Science, 221*, 1208-1210.

Ekman, P., & Oster, H. (1979). Facial expressions of emotion. *Annual Review of Psychology, 30*, 527-534.

Eliasmith, E. (2004). *Dictionary of Philosophy of Mind. Theories of color*. Récupéré le 23 septembre 2008 de <http://philosophy.uwaterloo.ca/MindDict/color.html>

Ellenbogen, J. M., Hu, P. T., Payne, J. D., Titone, D., & Walker, M. P. (2007). Human relational memory requires time and sleep. Résumé d'un article publié dans la version en ligne du 16 avril de *Proceedings of the National Academy of Sciences* (PNAS). Récupéré le 30 avril 2007 de <http://www.pnas.org/cgi/content/abstract/0700094104v1>. [Résumé en français accessible à l'adresse : <http://www.educationinfonet.com/nouvelle_detail.asp?ID=66056&B=1>].

Ellis, A. (1955). New approaches to psychotherapy techniques. *Journal of Clinical Psychology, 11*, 207-260. (Monograph Supplement).

Ellis, A. (1962). *Reason and emotion in psychotherapy*. New York : Lyle Stuart.

Ellis, A. (1977). The basic clinical theory or rational-emotive therapy. Dans A. Ellis, & R. Grieger (Éds.), *Handbook of rational-emotive therapy*. New York : Springer.

Ellis, A. (1987). The impossibility of achieving consistently good mental health. *American Psychologist, 42*, 364-375

Ellis, A., & Harper, R. A. (1975). *A new guide to a rational living*. Englewood-Cliffs (New Jersey) : Prentice Hall.

Erdmann, G., & Janke, W. (1978). Interaction between physiological and cognitive determinants of emotions : Experimental studies on Schachter's theory of emotions. *Biological Psychology, 6*, 61-74.

Erlenmeyer-Kimling, L., & Jarvik, L. F. (1963). Genetics and intelligence : A review. *Science, 142*, 1477-1479.

Ertl, J., & Schafer, E. (1969). Brain response correlates of psychometric intelligence. *Nature, 223*, 421-422.

Fantz, R. L. (1961). The origin of form perception. *Scientific American, 204*, 66-72.

Fechner, G.T. (1860). *Elemente der psychophysik*. Leipzig : Breitkopf und Härtel. (Traduction anglaise : *Elements of psychophysics*, New York, Holt, Rinehart and Winston, 1966.)

Filion, A. (1999). *La réussite et la diplomation au collégial : des chiffres et des engagements*. Montréal : Fédération de cégeps.

Finkelkurts, A. A., Fingelkurts, A. A., Kallio, S., & Revonsuo, A. (2007). Cortex functional connectivity as a neurophysiological correlate of hypnosis : an EEG case study. *Neuropsychologia, 45*, 1452-1462.

Fleury, E. (2007a). Les nouvelles drogues. *Le soleil*, samedi 17 février 2007, 14-15.

Fleury, E. (2007b). Les nouvelles drogues. *Le soleil*, dimanche 18 février 2007, 12-13.

Flynn, J. R. (2007). *What is intelligence ? Beyond the Flynn effect*. New York : Cambridge University Press.

Fondation MIRA. (2005). *À propos de MIRA*. Récupéré le 16 octobre 2008 de <http://www.mira.ca/content/ap1.html>.

Forest, M. (2007). Quand le burn-out devient systémique. *Psychologie Québec, 24* (Juillet), 16-18. [Accessible en ligne à l'adresse : <http://www.ordrepsy.qc.ca/pdf/PsyQc_Dossier_1_Forest_Juillet07.pdf>].

Fox, N., & Davidson, R. J. (1986). Taste elicited changes in facial signs of emotion and the asymmetry of brain electrical activity in human newborns. *Neuropsychologia, 24*, 417-422.

Frankel, F. H., & Covino, N. A. (1997). Hypnosis and hypnotherapy. Dans P. S. Appelbaum, L. A. Uyehara, & M. R. Elin (Éds.), *Trauma and memory : Clinical and legal controversies* (pp. 344-359). New York : Oxford University Press.

Freud, A. (1936/2001). *Le moi et les mécanismes de défense*. Paris : Presses universitaires de France. [Traduction française de l'ouvrage allemand publié en 1936].

Freud, S. (1900/1976). *L'interprétation des rêves*. Paris : Presses universitaires de France. [Traduction française de l'ouvrage allemand publié officiellement la première fois en 1900].

Freud, S. (1901/2004). *Psychopathologie de la vie quotidienne*. Paris : Payot. [Traduction française de l'ouvrage allemand publié en 1901 ; version en format PDF accessible à partir du site <http://classiques.uqac.ca/classiques/freud_sigmund/psychopathologie_vie_quotid/psychopathologie.html>].

Freud, S. (1916/1971). *Introduction à la psychanalyse*. Paris : Petite Bibliothèque Payot.

Freud, S., & Breuer J. (1895). *Études sur l'hystérie*. Paris : PUF.

Frick, R. W. (1985). Communication emotions : the role of prosodic features. *Psychological Bulletin, 97*, 412-429.

Friedman & Rosenman (1974). *Treating type A behavior and your heart*. New York : Fawcett Crest.

Friesen, W. (1972). *Cultural differences in facial expressions in a social situation : An experimental test of the concept of display rules*. Doctoral Dissertation, University of California, San Francisco.

Funk, J. B., Buchman, D. D., Jenks, J., & Bechtoldt, H. (2003). Playing violent video games, desensitization, and moral evaluation in children. *Applied Developmental Psychology, 24*, 413-436.

Gagné, F. (2005). Les jeunes doués et talentueux : comment les identifier. *Psychologie Québec*, janvier 2005, 28-31.

Gagné, F., Forget, J., Morelli, C., & Thomas, M. (1988). Le problème des p'tits génies. *La presse*, 18 juin, F-7. [Texte disponible en PDF à <http://www.adaptationscolaire.org/themes/douance/textes_doua.htm>].

Gagné, J., & Dorvil, H. (1988). L'itinérance : le regard sociologique. *Revue québécoise de psychologie, 9*, 63-78.

Gagné, M., & Deci, E. L. (2005). Self-determination theory and work motivation. *Journal of Organizational Behavior, 26*, 331-362.

Gallup Organization (1991). *Sleep in America*. Princeton, NJ : The Gallup Organization.

Gardner, H. (1974). *The shattered mind : The person after brain damage*. New York : Vintage.

Gardner, H. (1983/1993). *Frames of mind : The theory of multiples intelligences*. New York : Basic Books.

Gardner, H. (1999). *Intelligence reframed : Multiple intelligences for the 21st century*. New York : Basic Books.

Gazzaniga, M. S. (2008). *HUMAN : The science behind what makes us unique*. New York : Ecco/HarperCollins Publishers.

Gazzaniga, M. S., Ivry, R. B., & Mangun, G. R. (2001). *Neurosciences cognitives : la biologie de l'esprit*. Bruxelles : De Boeck.

Geary, D. C. (2003). *Hommes, femmes : l'évolution des différences sexuelles humaines*. Bruxelles : De Boeck.

Gendreau, P. L, & Larivée, S. (2007). Les bases neurobiologiques de l'intelligence. Dans S. Larivée (Éd.), *L'intelligence. Tome 1. Approches biocognitives développementales et contemporaines* (pp. 39-67). Saint-Laurent (Québec) : Éditions du Renouveau Pédagogique.

Giannelli, P. C. (1995). The admissibility of hypnotic evidence in U.S. courts. *International Journal of Clinical & Experimental Hypnosis, 43*, 212-233.

Giannitrapani, D. (1985). *The electrophysiology of intellectual function*. Basel : Karger.

Gingerich, W. J., & Eisengart, S. (2000). Solution-focused brief therapy : A review of the outcome research. *Family Process, 39*, 477-498.

Goebel, M. U., & Mills, P. J. (2000). Acute psychological stress and exercise and changes in peripheral leukocyte adhesion molecule expression and density. *Psychosomatic Medicine, 62*, 664-670.

Golcberg, S. (2006). *Anxiété, convulsion, apprentissage : la même origine cérébrale*. Récupéré le 31 octobre 2006 de <http://www2.cnrs.fr/presse/journal/1487.htm>.

Goldstein, D. S. (1994). Stress and science. Dans O. G. Cameron (Éd.), *Adrenergic dysfunction and psychobiology* (pp. 179-236). Washington, DC : American Psychiatric Press.

Goleman, D. (1997). *L'intelligence émotionnelle : comment transformer ses émotions en intelligence*. Paris : R. Laffont. [Traduction de *Emotional intelligence*, paru en 1995, chez Bantam Books].

Goleman, D. J., & Schwartz, G. E. (1976). Meditation as an intervention in stress reactivity. *Journal of Consulting and Clinical Psychology, 44*, 456-466.

Goodwin, D. W., Powell, B., Bremer, D., Hoine, H., & Stern, J. (1969). Eyewitness testimony. *Scientific American, 231 (6)*, 23-31.

Greenberg, J. (1990). Organizational justice : Yesterday, today, and tomorrow. *Journal of Management, 16*, 399-432.

Grigorenko, E. L., & Sternberg, R. J. (2001). Analytical, creative and practical intelligence as predictors of self-reported adaptative functioning : A case study in Russia. *Intelligence, 29*, 57-73.

Grimes, T., Bergen, L., *et al.* (2004). Is psychopathology the key to understanding why some children become aggressive when they are exposed to violent television programming ? *Human Communication Research, 30*, 153-181.

Gruzelier, J. (1999). Hypnosis from a neurobiological perspective : A review of evidence and applications to improve immune function. *Anales de psicologia, 15*, 111-132.

Hackman, J., & Oldham, G. R. (1976). Motivation through the design of work : Test of a theory. *Organizational Behavior and Human Performance, 16*, 250-279.

Hahusseau, S., & Tignol, J. (1999). Alfred Adler, un thérapeute cognitiviste. *Journal de thérapie comportementale et cognitive, 9*, 11-15.

Halpern, B. P. (2002). Taste. Dans S. Yantis (Éd.), Steven's handbook of experimental psychology, 2e éd., *1 : Sensation and Perception*, 653-690. New York : Wiley.

Harlow, H. (1958). The nature of love. *American Psychologist, 13*, 573-685.

Harlow, H. (1959). Love in infant monkeys. *Scientific American, 200*, 68-74.

Harlow, H. F., & Harlow, M. K. (1966). Learning to love. *American Scientist, 54*, 244-272.

Harlow, J. M. (1868). Recovery from the passage of an iron bar through the head. *Publications of the Massachusetts Medical Society, 2*, 329-347.

Hassin, R., Uleman, J., & Bargh, J. (Éds.). (2005). *The new unconscious*. New York : Oxford University Press.

HEC Montréal (2007). *John F. Nash, Prix Nobel d'économie, à HEC Montréal*. Récupéré le 22 janvier 2008 de <http://www.hec.ca/manchettes/2005/2005015.html>.

Heidbreder, E., Zeigler, A., Schafferhans, K., Heidland, A., & Grüninger, W. (1984). Psychomental stress in tetraplegic man : dissociation in autonomic variables and emotional responsiveness. *Journal of Human Stress, 11*, 157-164.

Heider F. (1944). Social perception and phenomenal causality. *Psychological Review, 51*, 358-374.

Heider F. (1958). *The psychology of interpersonal relations*. New-York : Wiley.

Held, J. D., Alderton, D. E., Foley, P. P., & Segall, D. O. (1993). Arithmetic reasoning gender differences : Explanations found in the Armed Services Vocational Aptitude Battery (ASVAB). *Learning and individual differences, 5*, 171-186.

Heller, W., Nitschke, J. B., & Miller, G. A. (1998). Lateralization in emotion and emotional disorders. *Current Directions in Psychological Science, 7*, 26-32.

Helmholtz, H. (1867). *Handbuch der physiologischen optik*. Hamburg, Leipzig : L. Voss. (Traduction anglaise : *Helmholtz's treatise on physiological optics*, New York, Opt. Soc. Amer., 1924-1925. Réimpression : New York, Dover, 1962.)

Henderson, N. D. (1982). Human behavior genetics. *Annual Review of Psychology, 33*, 403-440.

Henning, H. von. (1916). *Der geruch*. Leipzig : Barth.

Hernandez, L., & Hoebel, B. G. (1988). Food reward and cocaine increase extracellular dopamine in the nucleus accumbens as measured by microdialysis. *Life Sciences, 42*, 1705-1712.

Hess, E. H. (1965). Attitude and pupil size. *Scientific American, 212*, 46-54.

Hess, E. H., & Polt, J. M. (1960). Pupil size as related to the interest value of visual stimuli. *Science, 132*, 349-350.

Hess, E. H., Seltzer, A. L., & Shlien, J. M. (1965). Pupil responses of hetero- and homosexual males to pictures of men and women. *Journal of Abnormal Psychology, 70*, 165-168.

Hetherington, A. W., & Ranson, S. W. (1942). The spontaneous activity and food intake of rats with hypothalamic lesions. *American Journal of Physiology, 136*, 609-617.

Hibler, N. S. (1995). Using hypnosis for investigative purposes. Dans M. I. Kurke, & E. M. Scrivner (Éds.), *Police psychology into the 21st century* (pp. 319-336). Hillsdale (NJ) : Erlbaum.

Hilgard, E. R. (1977). *Divided consciousness : Multiple controls in human thought and action*. New York : Wiley-Interscience.

Hilgard, E. R. (1987). *Psychology in America : A historical survey*. San Diego (CA) : Harcourt Brace Jovanovich.

Hoebel, B. G., & Teitelbaum, P. (1962). Hypothalamic control of feeding and self-stimulation. *Science, 135*, 375-377.

Hohman, G. W. (1966). Some effects of spinal cord lesions on experienced emotional feelings. *Psychophysiology, 3*, 143-156.

Holmes, T. H., & Rahe, R. H. (1967). The social readjustment rating scale. *Journal of Psychosomatic Research, 11*, 213-218.

Hôpital Douglas (2006). *Les médicaments de l'esprit*. Récupéré le 22 mars 2008 de <http://www.125.douglas.qc.ca/recherche-medicaments-esprit.php?section=recherche>.

House, J. S. (1981). *Work stress and social support*. Reading (MA) : Addison-Wesley.

House, J. S. (1985). Barriers to work stress : I. Social support. Dans W. D. Gentry, H. Benson, & C. J. de Wolff (Éds.), *Behavioral medicine : Work, stress and health.* NATO ASI Series D : Behavioural and social sciences, nº 19 (pp. 157-178). Dordrecht, The Netherlands : Martinus Nijhoff.

Hudson, J. I., Hiripi, E., Pope, Jr, H. G., & Kessler, R. (2007). The prevalence and correlates of eating disorders in the national comorbidity survey replication. *Biological Psychiatry, 61*, 348-358.

Hull, C. L. (1943). *Principles of behavior : An introduction to behavior theory*, New York : Oxford University Press.

Hurwitz, T. D., Mahowald, M. W., Schenck, C. H., Schluter, J. L., & Bundlie, S. R. (1991). A retrospective outcome study and review of hypnosis as treatment of adults with sleepwalking and sleep terror. *Journal of Nervous & Mental Disease, 179*, 228-233.

Ice, G. H., & James, G. D. (2007). Conducting a field study of stress : general principles. Dans G. H. Ice, & G. D. James (Éds.), *Measuring stress in humans : A practical guide for the field* (pp. 3-24). New York : Cambridge University Press.

Inglis, J., & Lawson, J. S. (1982). A meta-analysis of sex differences in the effects of unilateral brain damage on intelligence test results. *Canadian Journal of Psychology, 36*, 670-683.

INSERM (2004). *Psychothérapie : trois approches évaluées* (Ouvrage en ligne publié par l'Institut national de la santé et de la recherche médicale). Récupéré le 21 février 2008 de <http://www.inserm.fr/fr/questionsdesante/mediatheque/ouvrages/expertisecollectivepsychotherapie.html>. [Également disponible à l'adresse : <http://ist.inserm.fr/basisrapports/psycho.html>].

Ionescu, S., Jacquet, M.-M., & Lhote, C. (1997). *Les mécanismes de défense : théorie et clinique*. Paris : Nathan.

IUSMD (Institut universitaire en santé mentale Douglas). (2008). *Les troubles de l'alimentation.* Récupéré le 28 janvier 2008 de <http://www.douglas.qc.ca/mental-health-info/eating-disorders/eating-a-z/causal-factors.asp?l=f>.

IUSMD (Institut universitaire en santé mentale Douglas). (2009). *Le burn-out – C'est quoi ?* Récupéré le 5 mars 2009 de <www.leburnoutsesoigne.com/burn-out/cest-quoi.html>.

Iwata, B. A., Pace, G. M., Dorsey, M. F. *et al.* (1994). The functions of self-injurious behavior : An experimental epidemiological analysis. *Journal of Applied Behavior Analysis, 27*, 215–240.

Izard, C. E. (1972). *Patterns of emotions : A new analysis of anxiety and depression.* New York : Academic Press.

Izard, C. E. (1975). Patterns of emotions and emotion communication in hostility and aggression. Dans P. Pliner, L. Krames, & T. Alloway (Éds.), *Nonverbal communication of aggression* (pp. 77-101). New York : Academic Press.

Izard, C. E. (1977). *Human emotions.* New York : Plenum.

Izard, C. E. (1979). Facial expression, emotion, and motivation. Dans A. Wolfgang (Éd.), *Nonverbal behavior* (pp. 00-99). New York : Academic Press.

Izard, C. E. (1991). *The psychology of emotion.* New York : Plenum Press.

James, W. (1884). What is an emotion ?. *Mind, 9*, 188-205.

James, W. (1890). *The principles of psychology*. New York : Henry Holt and Company.

Janicak, P. G., O'Reardon, J. P., Sampson, S. M., Husain, M. M. *et al.* (2008). Transcranial magnetic stimulation in the treatment of major depressive disorder : a comprehensive summary of safety experience from acute exposure, extended exposure, and during reintroduction treatment. *Journal of Clinical Psychiatry, 69*, 222-232.

Janos, T. M., & Hakmiller, K. I. (1975). Some effects of lesion level and emotional cues on affective expression in spinal cord patients. *Psychological Reports, 37*, 859-870.

Jenkins, K. (2004). *Plus courant qu'on ne le croit... Ce que les parents doivent savoir au sujet de l'incontinence urinaire nocturne*. Récupéré le 11 juin 2007 du site du Réseau canadien de la santé à <http://www.canadian-health-network.ca/servlet/ContentServer?cid=1074435655677&pagename=CHN-RCS%2FCHNResource%2FCHNResourcePageTemplate&lang=Fr&c=CHNResource>.

Johnson-Laird, P. N., & Oatley, K. (1992). Basic emotions, rationality, and folk theory. *Cognition and Emotion, 6*, 201-223.

Jouvet, M. (1992). *Le château des songes*. Paris : Éditions Odile Jacob.

Jouvet, M. (2000). *Le sommeil et le rêve*. Paris : Éditions Odile Jacob.

Judd, T. A. (2004). Promote job satisfaction through mental challenge. Dans E. A. Locke (Éd.), *The Blackwell handbook of principles of organizational behavior* (pp. 75-89). Malden (Mass.) : Blackwell.

Juhasz, J. B., & Sarbin, T. R. (1966). On the false alarm metaphor in psychophysics. *Psychological Record, 16*, 323-327.

Jung, C. G. (1936/1971). *Les racines de la conscience*. Paris : Buchet-Chastel. [Traduction française de l'ouvrage allemand publié en 1936].

Kazdin, A. E. (1982). The token economy : A decade later. *Journal of Applied Behavior Analysis, 15*, 431-445.

Kelley H. H. (1967). Attribution in social psychology. Dans L. Levine (Éd.), *Nebraska symposium on motivation* (pp. 192-238). Lincoln : University of Nebraska Press.

Kindt, M., Soeter, M., & Vervliet, B. (2009). Beyond extinction : erasing human fear responses and preventing the return of fear. *Nature Neuroscience*. Published online : 15 February 2009 | doi : 10.1038/nn.2271.

Koch, C. (2006). *À la recherche de la conscience : une enquête neurobiologique*. Paris : Éditions Odile Jacob.

Köhler, W. (1925). *The mentality of apes*. New York : Hartcourt Brace Jovanovich.

Kupfer, D. J., First, M. B., & Regier, D. A. (2002). *A research agenda for DSM-V*. Washington : American Psychiatric Association.

Kurjak, A., Azumendi, G., Andonotopo, W., & Salihagic-Kadic, A. (2007). Three- and four-dimensional ultrasonography for the structural and functional evaluation of the fetal face. *American Journal of Obstetrics & Gynecology, 196*, 16-28.

Kurjak, A., Azumendi, G., Vecek, N., Kupesic, S., Solak, M., Varga, D., & Chervenak, F. (2003). Fetal hand movements and facial expression in normal pregnancy studied by four-dimensional sonography. *Journal of Perinatal Medicine, 31*, 496-508.

Kurjak, A., Stanojevic, M., Andonotopo, W., Salihagic-Kadic, A., Carrera, J. M., & Azumendi, G. (2004). Behavioral pattern continuity from prenatal to postnatal life : a study by four-dimensional (4D) ultrasonography. *Journal of Perinatal Medicine, 32*, 346-53.

Laberge, D. (1988). D'une forme instituée à une autre : considérations sur l'analyse de la désinstitutionnalisation. *Revue internationale d'action communautaire, 17/57*, 33-40.

Lachapelle, J. (2003). Santé : mémoire et stress : la mémoire qui flanche. *La presse*, mercredi 15 octobre 2003. Récupéré le 14 juin 2007 de <http://www.colba.net/~piermon/SanteMemoireStress.htm>.

Laird, J. D. (1974). Self-attribution of emotion : The effects of expressive behavior on the quality of emotional experience. *Journal of Personality and Social Psychology, 29*, 475-486.

Lalande, P. (2000). *Évolution des politiques pénales et du discours à propos de l'emprisonnement au Canada et au Québec : de 1969 à 1999*. Sainte-Foy : Ministère de la Sécurité publique. [Ce document est disponible en format PDF à l'adresse suivante : <www.msp.gouv.qc.ca>].

Landis, C., & Hunt, W. A. (1932). Adrenalin and emotion. *Psychological Review, 39*, 467-485.

Lange, C. (1885 / 1922). *The emotions*. Baltimore : Williams & Wilkins.

Langlois, S., & Morrison, P. (2002). Suicide deaths and suicide attempts. *Health Reports, 13*, 9-22. (Statistique Canada, 83-003 au catalogue).

La Puente. M. de. (1970). *Carl R. Rogers : de la psychothérapie à l'enseignement*. Paris : Épi.

Larivée, S. (2007). *L'intelligence. Tome 1. Approches biocognitives développmentales et contemporaines*. Saint-Laurent (Québec) : Éditions du Renouveau Pédagogique.

Lassonde, M., Lavoie, M., Thériault, M., & Gosselin, N. (2003). *Effets des commotions cérébrales chez les athlètes*. Montréal : Groupe de recherche en neuropsychologie et cognition, Université de Montréal (Résumé présenté dans le programme du 26ᵉ congrès de la SQRP). Document PDF récupéré le 21 janvier 2007 de <http://www.psy.ulaval.ca/~sqrp/communications2003/Programme%20complet_SQRP2003.pdf>.

Lavie, P. (2001). Sleep-wake as a biological rhythm. *Annual Review of Psychology, 52*, 277-303.

Law, D. J., Pellegrino, J. W., & Hunt, E. B. (1993). Comparing the tortoise and the hare : Gender differences and experience in dynamic spatial reasoning tasks. *Psychological Science, 4*, 35-40.

Lazarus, R. S. (1984). The trivialization of distress. Dans B. L. Hammonds, & C. J. Scheirer, (Éds.), *Psychology and health : The master lecture series* (pp. 121-144). Washington : American Psychological Association.

Lazarus R. S. (1999). *Stress and emotion : A new synthesis*. New York : Springer.

Lazarus, R. S., DeLongis, A., Folkman, S., & Gruen, R. (1985). Stress and adaptational outcomes : The problem of confounded measures. *American Psychologist, 40*, 770-779.

Lazarus, R. S., & Folkman, S. (1984). *Stress, appraisal, and coping*. New York : Springer.

Lecompte, J. (1994). L'origine des troubles mentaux. *Sciences humaines*, juin (nº 40), 27-31.

Lefcourt, H. M., Miller, R. S., Ware, E. E., & Sherk, D. (1981). Locus of control as a modifier of the relationship between stressors and moods. *Journal of Personality and Social Psychology, 41*, 357-369.

Lemieux, J. (2006). Qu'est-ce que le temps ? Bonne question... *Le soleil*, mercredi 7 juin 2006, p. 38.

Le-Niculescu, H., Kurian, S. M., Yehyawi, N., Dike, C., Patel, S. D., Edenberg, H. J., Tsuang, M. T., Salomon, D. R., Nurnberger Jr, J. I., & Niculescu, A. B. (2008). Identifying blood biomarkers for mood disorders using convergent functional genomics. *Molecular Psychiatry*. Récupéré le 26 février 2008 de <http://www.neurophenomics.info/docs/Mood2008.pdf>.

Léonard, L., & Ben Amar, M. (2002). *Les psychotropes : pharmacologie et toxicomanie.* Montréal : Les Presses de l'Université de Montréal.

Leuzinger-Bohleber, M., Stuhr, U., Rüger, B., & Beutel, M. (2003). How to study the quality of psychoanalytic treatments and their long-term effects on patients well-being : A representative, multi-perspective follow-up study. *International Journal of Psychoanalysis, 84*, 263-290.

Levenson, R. W., Carstensen, L. L., Friesen, W. V., & Ekman, P. (1991). Emotion, physiology, and expression in old age. *Psychology and Aging, 6*, 28-35.

Levenson, R. W., Ekman, P., & Friesen, W. V. (1990). Voluntary facial action generates emotion-specific autonomic nervous system activity. *Psychophysiology, 27*, 363-384.

Lindemann, E., & Finesinger, J. E. (1940). The subjective response of psychoneurotic patients to adrenalin and mecholyl (acetyl-B-mehtyl-choline). *Psychosomatic Medicine, 2*, 231-248.

Lloyd, C., Alexander, A. A., Rice, D. G., & Greenfield, N. S. (1980). Life events as predictors of academic performance. *Journal of Human Stress, 6*, 15-25.

Loftus, E. F. (1975). Leading questions and the eye witness report. *Cognitive Psychology, 7*, 560-572.

Loftus, E. F. (1996). *Eyewitness testimony*. Cambridge (MA) : Harvard University Press. [Édition révisée de la première édition parue en 1979].

Loftus, E. F. (2003a). Our changeable memories : legal and practical implications. *Nature Reviews : Neuroscience, 4 (3)*, 231-234.

Loftus, E. F. (2003b). Make-believe memories. *American Psychologist, 58 (11)*, 867-873.

Lorenz, K. (1935). Der Kumpan in der Umwelt des Vogels. *Journal für Ornithologie, 83*, 137-215 et 289-413.

Lupien, S. J. (2008). Communication personnelle.

Lupien, S. J., Buss, C., Schramek, T. E., Maheu, F., & Pruessner, J. (2005). Hormetic influence of glucocorticoids on human memory. *Nonlinearity in Biology, Toxicology, and Medicine, 3*, 23-56.

Lupien, S. J., Fiocco, A., Wan, N., Maheu, F., Lord, C., Schramek, T., & Tu, M. T. (2005). Stress hormones and human memory function across the life span. *Psychoneuroendocrinology, 30*, 225-242.

Luria, A. R. (1970). *Une prodigieuse mémoire : étude psycho-biographique*. Paris : Delachaux et Niestlé. [Réédité en français en 1995, préface d'Oliver Sacks : Luria, A. (1995). *L'homme dont le monde volait en éclats : une mémoire prodigieuse*. Paris : Seuil].

Lynn, R. (1994). Sex differences in intelligence and brain size : A paradox resolved. *Personality and Individual Differences, 17*, 257-271.

Lynn, S. J., Kirsch, I., Barabasz, A., Cardena, E., & Patterson, D. (2000). Hypnosis as an empirically supported clinical intervention : The state of the evidence and a look to the future. *International Journal of Clinical & Experimental Hypnosis, 48*, 239-259.

MacCoby, E., & Jacklin, C. (1974). *The psychology of sex differences*. Stanford (CA) : University Press.

Mackintosh, N. J. (2004). *QI et intelligence humaine*. Bruxelles : De Boeck & Larcier.

MacLean, C. R. K., Walton, K. G., Wenneberg, S. R. *et al.* (1997). Effects of the transcendental meditation program on adaptive mechanisms : Changes in hormone levels and responses to stress after four months' practice. *Psychoneuroendocrinology, 22*, 277-295.

MacNichol, E. F. Jʳ. (1964). Three-pigment color vision. *Scientific American, 211* (nº 6), 48-56.

Maheu, F., & Lupien, S. (2003). La mémoire aux prises avec les émotions et le stress : un impact nécessairement dommageable ? *Médecine/Sciences, 19*, 118-24

Makdissi, P. *et al.* (2006). *Une leçon de discrimination inutilement traumatisante !*. Récupéré le 29 janvier 2006 de <http://www.cyberpresse.ca/article/20061014/CPSOLEIL/61014006/5287/CPOPINIONS>.

Mandler, G. (1984). *Mind and body.* New York : Norton.

Mandler, G. (1990). A constructivist theory of emotion. Dans N. L. Stein, B. Leventhal, & T. Travasso (Éds.), *Psychological and biological approaches to emotion* (pp. 21-43). Hillsdale, N.J. : Lawrence Erlbaum.

Maranon, G. (1924). Contribution à l'étude de l'action émotive de l'adrénaline. *Revue française d'endocrinologie*, *2*, 301-325.

Martin, R.A., & Lefcourt, H. M. (1983). Sense of humor as a moderator of the relation between stressors and moods. *Journal of Personality and Social Psychology*, *45*, 1313-1324.

Maslow, A. H. (1943). A theory of human motivation. *Psychological Review*, *50*, 370-396. [La première publication décrivant la « hiérarchie des besoins »].

Maslow, A. H. (1954). *Motivation and personality*. New York : Harper.

Mason, J. W. (1968). A review of psychoendocrine research on the pituitary-adrenal cortical system. *Psychosomatic Medicine*, *30* (5 Suppl.), 576-607.

Matsumoto, D. (2007). Emotion judgments do not differ as a function of perceived nationality. *International Journal of Psychology*, *42*, 207-214.

Mayer, J. D., & Salovey, P. (1997). What is emotional intelligence ? Dans P. Salovey, & D. Sluyter, *Emotional development and emotional intelligence : Implications for educators* (pp. 3-31). New York : Basic Books.

McElwain, N. L., & Booth-LaForce, C. (2006). Maternal sensitivity to infant distress and nondistress as predictors of infant-mother attachment security, *Journal of Family Psychology*, *20*, 247-255.

McEwen, B. S. (1998a). Protective and damaging effects of stress mediators. *New England Journal of Medicine*, *338*, 171-179.

McEwen, B. S. (1998b). Stress, adaptation, and disease : Allostasis and allostatic load. *Annals of the New York Academy of Sciences*, *840*, 33-44.

McEwen, B. S. (2000). Allostasis and allostatic load : Implications for neuropsychopharmacology. *Neuropsychopharmacology*, *22*, 108-124.

McEwen, B. S. (2001). From molecules to mind : Stress, individual differences, and the social environment. *Annals of the New York Academy of Sciences*, *935*, 42-49.

McEwen, B. S. (2002). *The end of stress as we know it.* Washington (DC) : Joseph Henry Press.

McEwen, B. S. (2004). Protective and damaging effects of the mediators of stress and adaptation : allostasis an allostatic load. Dans J. Schulkin (Éd.), *Allostasis, homeostasis and the cost of physiological adaptation* (pp. 65-98). New York : Cambridge University Press.

McEwen, B. S., & E. Stellar. (1993). Stress and the individual : Mechanisms leading to disease. *Archives of Internal Medicine*, *153*, 2093–2101.

McLachlin, B. (2005). *La médecine et le droit : les défis de la maladie mentale.* Récupéré le 12 août 2008 de <http://www.scc-csc.gc.ca/court-cour/ju/spe-dis/bm05-02-17-fra.asp>.

McMichael, A. J., Baghurst, P. A., Wigg, N. R., Vimpani, G. V., Robertson, E. F., & Roberts, R. J. (1988). Port Pirie cohort study : Environmental exposure to lead and children's abilities at the age of four years. *New England Journal of Medecine*, *319*, 468-475.

Merikle, P. M., & Daneman, M. (1998). Psychological investigations of unconscious perception. *Journal of Consciousness Studies*, *5*, 5-18.

Merz, C. N. B., Dwyer, J., Nordstrom, C. K., Walton, K. G., Salerno, J. W., & Scheider, R. H. (2002). Psychosocial stress and cardiovascular disease : Pathophysiological links. *Behavioral Medicine*, *27*, 141-147.

Mesquita, B., & Frijda, N. H. (1992). Cultural variations in emotions : a review. *Psychological Bulletin*, *112*, 179-204.

Miermont, J. (2004). *Thérapies familiales et psychiatrie*. France : Doin.

Miller, G. A. (1956). The magical number seven, plus or minus two : Some limits on our capacity for processing Information. *Psychological Review*, *63*, 81-97.

Miller, M., & Rahe, R. H. (1997). Life changes scaling for the 1990s. *Journal of Psychosomatic Research*, *43*, 279-292.

Ministère de la Justice du Québec. (2005). *Justice Québec/Médiation familiale*. Récupéré le 9 octobre 2006 de <http://www.justice.gouv.qc.ca/francais/publications/generale/mediation.htm>.

Monroe, S. M. (1982). Life events and disorder : Event-symptom associations and the course of disorder. *Journal of Abnormal Psychology*, *91*, 14-24.

Moore, M. M. (1985). *Nonverbal courtship patterns in women : Context and consequences*. Récupéré le 13 octobre 2006 de <http://www.webster.edu/depts/artsci/bass/faculty/mm1985.htm>. [Article paru originellement en 1985 dans *Ethology and Sociobiology*, *6*, 237-247.]

Morin, C. M. (2004). Traitement de l'insomnie et autres troubles du sommeil, *Psychologie Québec*, janvier, 18-22.

Mueller, F.-L. (1960). *Histoire de la psychologie : de l'Antiquité à nos jours.* Paris : Payot.

Muercke, S. (2005). Effects of rotating night shifts : literature review, *Journal of Advanced Nursing*, *50*, 433-439.

Nadeau, L. (1989). La mesure des événements et des difficultés de vie : un cas particulier des problèmes méthodologiques liés à l'étude de l'étiologie des troubles mentaux. *Santé mentale au Québec*, *14*, 121-131.

Nader, K., Schafe, G. E., & LeDoux, J. E. (2000). Fear memories require protein synthesis in the amygdala for reconsolidation after retrieval. *Nature*, *406*, 722-726.

Nash, J. F. (1995). Autobiography. Dans T. Frängsmyr, *Les Prix Nobel/The Nobel Prizes 1994*. Stocklolm : Nobel Foundation. [Texte accessible à partir du site : <http://nobelprize.org/nobel_prizes/economics/laureates/1994/nash-autobio.html>].

Neisser (Éd.) (1996). Intelligence : knowns and unknowns. *American Psychologist*, *51*, 77-101.

Nimchinsky, E. A., Gilissen, E., Allman, J. M., Perl, D. P., Erwin, J. M., & Hof, P.R. (1999). A neuronal morphologic type unique to humans and great apes. *Proceedings of the National Academy of Science, USA*, *96*, 5268-5273.

NIMH (National Institute of Mental Health) (2008). *How is dépression detected and treated?*. Récupéré le 28 janvier 2008 de<http://www.nimh.nih.gov/health/publications/depression/treatment.shtml>.

Nisbett, R. (2003). *The geography of thought : How Asians and Westerners think differently... and why*. New York : Free Press.

Noschis, K. (2002). La psychologie analytique de Jung. Dans N. Duruz, & M. Gennart (Éds), *Traité de psychothérapie comparée* (pp. 41-65). Paris : Médecine & Hygiène.

O'Connor, J. J., & Robertson, E. F. (2002). *John Forbes Nash.* Récupéré le 22 janvier 2008 de <http://www-groups.dcs.st-and.ac.uk/~history/Biographies/Nash.html>.

Office des professions du Québec (2005). *Modernisation de la pratique professionnelle en santé mentale et en relations humaines.* Gouvernement du Québec, Comité d'experts dirigé par le Dr Jean-Bernard Trudeau.

Öhman, A., Flykt, A, & Lundqvist, D. (2000). Dans R. D. Lane, & L. Nadel (Éds.), *Cognitive neuroscience of emotion* (pp. 296-327). New York : Oxford University Press.

Olds, J. (1958). Self-stimulation experiments and differentiating reward systems. Dans H. H. Jasper, L. D. Proctor, R. S. Knighton, W. C. Noshay, & R. T. Costello (Éds.), *Reticular formation of the brain* (pp. 671-687). Boston : Little & Brown.

Olds, J., & Milner, P. (1954). Positive reinforcement produced by electrical stimulation of the septal area and other regions of the rat brain. *Journal of Comparative and Physiological Psychology*, *47*, 419-427.

OMS (Organisation mondiale de la santé) (2001). *Santé mentale : renforcement de la promotion de la santé mentale.* Récupéré le 12 juin 2008 de <http://www.who.int/mediacentre/factsheets/fs220/fr/>.

OPQ. (2006). *Stress et santé : une relation problématique*. Récupéré le 2 juin 2008 de <http://www.ordrepsy.qc.ca/pdf/Comm_SemAntistress_01mai06.pdf>.

OPQ. (2008a). *Protection du public/Code de déontologie*. Récupéré le 17 septembre 2008 de <http://www.ordrepsy.qc.ca/fr/protection/code_deontologie.html>.

OPQ. (2008b). *Le psychologue/Secteur de pratique*. Récupéré le 17 septembre 2008 de <http://www.ordrepsy.qc.ca/fr/psychologue/pratique.html>.

OPQ. (2008c). *Publications/Rapports annuels*. Récupéré le 17 septembre 2008 de <http://www.ordrepsy.qc.ca/fr/rapports/index.html>.

OPQ. (2008d). *Le psychologue/Secteur de pratique/Clinique*. Récupéré le 17 septembre 2008 de <http://www.ordrepsy.qc.ca/fr/psychologue/clinique.html >.

OPQ. (2008e). *Le psychologue/Définition*. Récupéré le 17 septembre 2008 de <http://www.ordrepsy.qc.ca/fr/psychologue/definition.html>.

OPQ. (2008f). *Le psychologue/Secteur de pratique/Milieu scolaire*. Récupéré le 17 septembre 2008 de <http://www.ordrepsy.qc.ca/fr/psychologue/milieu_sc.html>.

OPQ. (2008g). *Le psychologue/Secteur de pratique/Psychologie du travail*. Récupéré le 17 septembre 2008 de <http://www.ordrepsy.qc.ca/fr/psychologue/psychologie_tr.html>.

OPQ. (2008h). *Le psychologue/Secteur de pratique/Neuropsychologie*. Récupéré le 17 septembre 2008 de <http://www.ordrepsy.qc.ca/fr/psychologue/neuropsychologie.html>.

OPQ. (2008i). *Le psychologue/Orientations théoriques*. Récupéré le 21 août 2008 de <http://www.ordrepsy.qc.ca/fr/psychologue/orientations.html>.

Orne, M. (1983). Hypnosis "Useful in medicine, dangerous in court.". *U.S. News & World Report,* Récupéré le 12 décembre de <http://www.psych.upenn.edu/history/orne/>. [Entrevue accordée par Martin Orne et accessible sous la rubrique « Background »].

Owen, A. M., Coleman, M. R., Davis, M. H., Pickard, J. D., Laureys, S., & Boly, M. (2006). « Detecting Awareness in the Vegetative State ». *Science*, *313*, 1402.

Pagel, M., & Becker, J. (1987). Depressive thinking and depression : Relations with personality and social resources. *Journal of Personality and Social Psychology*, *52*, 1043-1052.

Pascual-Leone, J. (1970). A mathematical model for the transition rule in Piaget's developmental stages. *Acta Psychologica*, *32*, 301-345.

PasseportSanté.net. (2008). *Épuisement professionnel*. Récupéré le 9 juin 2008 de <http://www.passeportsante.net/fr/Maux/Problemes/Fiche.aspx?doc=epuisement_professionnel_pm>.

Patterson, D. R., & Ptacek, J. T. (1997). Baseline pain as a moderator of hypnotic analgesia for burn injury treatment. *Journal of Consulting and Clinical Psychology*, *65*, 60-67.

Pavlov, I. (1903). *La psychologie et la psychopathologie expérimentales sur les animaux*. Discours prononcé au Congrès médical international à Madrid, en avril 1903. [Reproduit dans *Œuvres choisies* (2e éd.). Moscou : Éditions en langues étrangères, pp. 167-168.].

Pekala, R. J., & Kumar, V. K. (2000). Operationalizing "trance" I : Rationale and research using a psychophenomenological approach. *American Journal of Clinical Hypnosis*, *43*, 107-135.

Peleg, G., Katzir, G., Peleg, O., Kamara, M., Brodsky, L., Hel-Or, H., Keren, D., & Nevo, E. (2006). Hereditary family signature of facial expression. *Proceedings of the National Academy of Sciences*, *103*, 15921-15926.

Pelletier, L. G., & Vallerand, R. J. (1993). Une perspective humaniste de la motivation : les théories de la compétence et de l'autodétermination. Dans R. J. Vallerand, & E. E. Thill (Éds.), *Introduction à la psychologie de la motivation* (pp. 233-281). Laval (Québec) : Études Vivantes.

Perkins, D. (1982). The assessment of stress using life events scales. Dans L. Goldberger, & S. Brenitz (Éds.), *Handbook of stress : Theoretical and clinical aspects* (pp. 320-331). New York : Free Press.

Perls, F., Hefferline, R., & Goodman, P. (1951/1994). *Gestalt therapy : Excitement and growth in the human personality*. New York : The Gestalt Journal Press.

Petot, J.-M. (1993). La motivation et l'inconscient : l'interprétation psychanalytique et la métapsychologie des motivations. Dans R. J. Vallerand, & E. E. Thill (Éds.), *Introduction à la psychologie de la motivation* (pp. 181-231). Laval (Québec) : Études Vivantes.

Piaget, J. (1945/1968). *La formation du symbole chez l'enfant : imitation, jeu et rêve, image et représentation* (5e éd.). Neuchâtel : Delachaux et Niestlé.

Pichersky, E. (2005). Le parfum des fleurs : séduction et défense. *Pour la science*, n° 329 (mars), 84-89.

Pinsof, W. M., Wynne, L. C., & Hambright, A. B. (1996). The outcomes of couple and family therapy : Findings, conclusions, and recommendations. *Psychotherapy, Research, Practice, Training*, *33*, 321-331.

Plutchik, R. (1980). *Emotion : A psychoevolutionary synthesis*. New York : Harper and Row.

Poirier, L. (2007). Les épouses de l'armée. Récupéré le 26 juin 2008 de <http://sisyphe.org/article.php3?id_article=2708>.

Polosan, M., Millet, B., Bougerol, T., Olie, J.-P., & Devaux, B. (2003). Traitement psychochirurgical des TOC malins : à propos de trois cas. *L'encéphale*, 2003, *29*, Cahier 1, 545-552.

Pomini, V., Neis L., & Perrez, M. (2002). L'approche cognitive et comportementale en psychothérapie. Dans N. Duruz, & M. Gennart (Éds), *Traité de psychothérapie comparée* (pp. 285-312). Paris : Médecine & Hygiène.

Positive Psychology Center (2007a). Home. Récupéré le 16 septembre 2008 de <http://www.ppc.sas.upenn.edu/positivepsychologyresearch.htm>.

Positive Psychology Center (2007b). Frequently asked questions. Récupéré le 16 septembre 2008 de <http://www.ppc.sas.upenn.edu/faqs.htm >.

Poulin, C., & Massé, R. (1994). De la désinstitutionnalisation au rejet social : point de vue de l'ex-patient psychiatrique. *Santé mentale au Québec*, *19*, 175-194. [Texte accessible à l'adresse : <http://benhur.teluq.uquebec.ca/smq/1994019/1994v19n1a13.p>.

Pruessner, J. C., Dedovic, K., Khalili-Mahani, N., Engert, V., Pruessner, M., Buss, C., Renwick, R., Dagher, A., Meaney, M. J., & Lupien, S. (2007). Deactivation of the limbic system during acute psychosocial stress : Evidence from positron emission tomography and functional magnetic resonance imaging studies. *Biological Psychiatry*, *63*, 234-240.

Psychotech (2007). *Test d'aptitudes informatisé, adolescents et adultes (TAI-ADO/ADULTES)*. Récupéré le 21 août 2007 de <http://www.psychotech.qc.ca/logiciels/taia.htm>.

Purves, D. *et al.* (2003). *Neurosciences*, 2e éd. Bruxelles : De Boeck.

Purves, D. *et al.* (2005). *Neurosciences*, 3e éd. Bruxelles : De Boeck.

Purves, W. K., Orians, G. H., Heller, H. C., & Sadava, D. (2000). *Le monde du vivant* (2e éd.). Paris : Flammarion.

Rabkin, J. G. (1980). Stressful life events and schizophrenia : A review of the literature. *Psychological Bulletin*, *87*, 408-425.

Radio-Canada (2006). *Enjeux – La leçon de discrimination*. Récupéré le 11 octobre 2006 de <http://www.radiocanada.ca/actualite/v2/enjeux/niveau2_10939.shtml>.

Radio-Canada (2007). *Fin des témoignages sous hypnose*. Récupéré le 24 mai 2007 de <http://www.radio-canada.ca/nouvelles/National/2007/02/02/005-Hypnose-cour-supreme.shtml>.

Rahe, R. H., Ryman, D. H., & Ward, H. W. (1980). Simplified scaling for life change events. *Journal of Human Stress, 6*, 22-27.

Ramachandran, V. S. (2002). *Encyclopedia of the human brain, 3, Men-Ph*. San Diego : Academic Press.

Rapport Prévost (1970). *La société face au crime*. Rapport de la Commission d'enquête sur l'administration de la justice en matière criminelle et pénale au Québec, vol. 5 : « Omnibus ». Québec : Éditeur officiel/Ministère de la Justice du Québec.

Ratelle, C. F., Baldwin, M., & Vallerand, R. J. (2005). On the cued activation of situational motivation. *Journal of Experimental Social Psychology, 41*, 482-487.

Rathus, S. A. (1991). *Psychologie générale* (2e éd.). Montréal : Études Vivantes.

Reinberg, A. E. (2003). *Chronobiologie médicale : chronothérapeutique*. Paris : Flammarion.

Richter, C. P. (1957). On the phenomenon of sudden death in animals and man. *Psychosomatic Medecine, 19*, 191-198.

Rioux, J. (1999). *Désinstitutionnalisation (ou virage ambulatoire?)*. Récupéré le 27 août 2008 de <http://www.ajmq.qc.ca/archives/desinstitutionalisation.htm>.

Rogers, C. (1942/2005). *La relation d'aide et la psychothérapie*. Issy-les-Moulineaux : ESF.

Rogers, C. (1971). *Autobiographie*. Traduit de l'anglais par Jacques Hochmann et Catherine Dubernard, Paris : Epi S.A. Éditeurs.

Rook, K. S., & Dooley, D. (1985). Applying social support research : Theoretical problems and future directions. *Journal of Social Issues, 41*, 5-28.

Rosenbaum, J. F., & Pollock, R. (2002). *DSM V – Plans and perspectives*. Récupéré le 13 août 2008 de <http://www.medscape.com/viewarticle/436403>.

Rosenbaum, M. E., & DerCharms, R. (1960). Direct and vicarious reduction of hostility. *Journal of Abnormal and Social Psychology, 60*, 105-111.

Roy, J., Mainguy, N., Gauthier, M., & Giroux, L. (2005). *Étude comparée sur la réussite scolaire en milieu collégial selon une approche d'écologie sociale*. Québec : Cégep de Sainte-Foy.

Ruppenthal, G. C. et al. (1976). A ten-year perspective on motherless-mother monkey behavior, *Journal of Abnormal Psychology, 85*, 341-349.

Ruzyla-Smith, P., Barabasz, A., Barabasz, M., & Warner, D. (1995). Effects of hypnosis on the immune response : B-cells, T-cells, helper and suppressor cells. *American Journal of Clinical Hypnosis, 38*, 71-79.

Ryan, R. M., & Deci, E. L. (2000). Self-determination theory and the facilitation of intrinsic motivation, social development, and well-being. *American Psychologist, 55*, 68-78.

Sabbatini, R. M. E. (1997a). *Making holes in the skull : Ancient psychosurgery?*. Récupéré le 30 mars 2008 de <http://www.cerebromente.org.br/n02/historia/trepan.htm>.

Sabbatini, R. M. E. (1997b). *The history of lobotomy*. Récupéré le 30 mars 2008 de <http://www.cerebromente.org.br/n02/historia/lobotomy.htm>.

Sabbatini, R. M. E. (1997c). *Modern psychosurgery*. Récupéré le 30 mars 2008 de <http://www.cerebromente.org.br/n02/historia/modern.htm>.

Sackheim, H. A., Gur, R. C., & Saucy, M. C. (1978). Emotions are expressed more intensely on the left side of the face. *Science, 202*, 434-436.

Sacks, O. (1993). *L'éveil*. Paris : Éditions du Seuil.

Santé Canada. (2000). *Les drogues : faits et méfaits*. Ottawa : Publications Santé Canada.

Santé Canada. (2002). *Rapport sur les maladies mentales au Canada*. Ottawa : Santé Canada.

[Disponible en PDF à l'adresse Web suivante : <http://www.phac-aspc.gc.ca/publicat/miic-mmac/index-fra.php>].

Satir, V. (1995). *Thérapie du couple et de la famille*. Paris : Desclée de Brouwer.

Schachter, S., & Singer, J. E. (1962) Cognitive, social and physiological determinants of emotional states. *Psychological Review, 69*, 379-399.

Schacter, D. L. (1995). Memory distortion : History and current status. Dans D. L. Schacter (Éd.), *Memory distortion : How minds, brains, and societies reconstruct the past* (pp. 1-43). Cambridge (MA) : Harvard University Press.

Scherer, K. R. (1984). Emotion as a multicomponent process : A model and some cross-cultural data. *Review of Personality and Social Psychology, 5*, 37-63.

Scherer, K. R. (1989a). Vocal correlates of emotional arousal and affective disturbance. Dans H. Wagner, & A. Manstead (Éds.), *Handbook of social psychophysiology* (pp. 165-197). New York : Wiley.

Scherer, K. R. (1989b). Vocal measurement of emotion. Dans R. Plutchik, & H. Kellerman (Éds.), *Emotion : Theory, research, and experience* (pp. 233-259). New York : Academic Press.

Schiff, N. D., Giacino, J. T., Kalmar, K., Victor, J. D., Baker, K., Gerber, M., Fritz, B., Eisenberg, B., O'Connor, J., Kobylarz, E. J., , S. M., Machado, A., McCagg, C. O., Plum, F., Fins, J. J., Rezai, A. R. (2007). Behavioural improvements with thalamic stimulation after severe traumatic brain injury. *Nature, 448* (Août), 600-603.

Schmidt, F. L., & Hunter, J. E. (1998). The validity and utility of selection methods in personal psycholgy : Practical and theoretical implications of 85 years of research findings. *Psychological Bulletin, 124*, 262-274.

Schramek, T., & Lupien, S. (2008a). *Les stresseurs*. Récupéré le 9 juin 2008 de <http://www.douglas recherche.qc.ca/groups/stress/general-public/what-is-stress/stressors.asp?l=f>.

Schramek, T., & Lupien, S. (2008b). *Pouvez-vous reconnaître votre stress?*. Récupéré le 9 juin 2008 de <http://www.douglasrecherche.qc.ca/groups/stress/general-public/deconstructing-stress/recognize-stress.asp?l=f>.

Schramek, T., & Lupien, S. (2008c). *À la loupe... La biologie du stress*. Récupéré le 9 juin 2008 de <http://www.douglasrecherche.qc.ca/groups/stres/general-public/deconstructing-stress/cl-biology-stress.asp?l=f>.

Schramek, T., & Lupien, S. (2008d). *Les types de stress*. Récupéré le 9 juin 2008 de <http://www.douglas recherche.qc.ca/groups/stress/general-public/deconstructing-stress/types-stress.asp?l=f>.

Schramek, T., & Lupien, S. (2008e). *À la loupe... Le stress chronique*. Récupéré le 9 juin 2008 de <http://www.douglasrecherche.qc.ca/groups/stres/general-public/deconstructing-stress/cl-chronic-stress.asp?l=f>.

Schramek, T., & Lupien, S. (2008f). *Les étapes du stress chronique*. Récupéré le 9 juin 2008 de <http://www.douglasrecherche.qc.ca/groups/stress/general-public/deconstructing-stress/stages-chronic-stress.asp?l=f>.

Schramek, T., & Lupien, S. (2008g). *La recette du stress*. Récupéré le 9 juin 2008 de <http://www.douglas recherche.qc.ca/groups/stress/general-public/deconstructing-stress/recipe.asp?l=f>.

Schramek, T., & Lupien, S. (2008h). *Les hormones du stress et la mémoire : bonne ou mauvaise influence?*. Récupéré le 3 janvier 2008 de <http://www.douglasrecherche.qc.ca/groups/stress/general-public/stress-memory/introduction.asp?l=f>.

Schreiber, F. R. (1974). *Sybil*. Paris : Albin Michel.

Seay, B., Alexander, B. K., & Harlow, H. F. (1964). Maternal behavior of socially deprived rhesus monkeys, *Journal of Abnormal and Social Psychology, 69*, 345-354.

Seligman, M. E. P., & Csikszentmihalyi, M. (2000). Positive psychology : An introduction. *American Psychologist, 55*, 5-14.

Seligman, M. E. P., Steen, T., Park, N., & Peterson, C. (2005). Positive psychology progress : Empirical validation of interventions. *American Psychologist, 60*, 410-421.

Selye, H. (1936/1998). A syndrome produced by diverse nocuous agents. *Nature, 138*, 32. [Article original de 1936 ré-imprimé en 1998 dans *Journal of Neuropsychiatry, 10*, 230-231 et accessible dans Internet à l'adresse : <http://neuro.psychiatryonline.org/cgi/reprint/10/2/230.pdf>.]

Selye, H. (1974). *Stress sans détresse*. Ottawa : Hans Selye [Réimprimé en 1978 par Les Éditions La Presse.]

Selye, H. (1975). *Le stress de la vie*. Ottawa : Les Éditions Lacombe. [Nouvelle édition mise à jour de l'édition de 1962 parue chez Gallimard, la première traduction française de l'édition originale anglaise publiée en 1956 chez McGraw-Hill.]

Senécal, C., Austin Fernet, S., & Fernet, C. (2006). La psychologie sociale appliquée : contributions aux secteurs de la santé, de la justice et du travail. Dans R. J. Vallerand (Éd.), *Les fondements de la psychologie sociale* (2e éd.) (pp. 601-645). Montréal : Chenelière.

Shadish, W. R., Montgomery, L. M., Wilson, P., Wilson, M. R., Bright, I., & Okwumabua, T. (1993). Effects of family and marital psychotherapies : A meta-analysis. *Journal of Consulting and Clinical Psychology, 61*, 992-1002.

Shepovalnikov, A. N., Tsitserochin, M. N., Rozhkov, V. P., Galperina, E. I., Zaitseva, L. G., & Shepovalnikov, R. A. (2005). Interregional cortical interactions at different stages of natural sleep and the hypnotic state : EEG evidence. *Human Physiology, 31*, 34-48.

Sherry, J. L. (2001). The effects of violent video games an aggression : A meta-analysis. *Human Communication Research, 627*, 426-431.

Shi, Y., Devadas, S., Greeneltch, K. M., Yin, D., Allan Mufson, R., & Zhou, J. N. (2003). Stressed to death : implication of lymphocyte apoptosis for psychoneuroimmunology. *Brain, Behavior, and Immunity, 17*, 18-26.

Shields, M. (2006). Le stress et la dépression au sein de la population occupée. *Rapports sur la santé, 17*, 11-31.

Shin, H., Park, Y.-J., & Kim, M. J. (2006). Predictors of maternal sensitivity during the early postpartum period, *Journal of Advanced Nursing, 55*, 425-434.

Shipley, R. H., Butt, J. H., Horwitz, B., & Farbry, J. E. (1978). Preparation for a stressful medical procedure : Effect of amount of stimulus preexposure and coping style. *Journal of Consulting and Clinical Psychology, 46*, 499-507.

Siegel, H. (1986). Hormonal basis of maternal behavior in the rat, *Annals of the New York Academy of Sciences, 474*, 202-215.

Sillamy, N. (1983). *Dictionnaire usuel de psychologie*. Paris : Borduas.

Sinelnikoff, N. (1998). *Les psychothérapies : dictionnaire critique : concepts, principaux théoriciens, techniques, pathologies, symptômes*. Paris : ESF Éditeur.

Skinner, B. F. (1938). *The behavior of organisms : An experimental analysis*. New York : Appleton.

Skinner, B. F. (1959/1972). Pigeons in a pelican. Dans B. F. Skinner, *Cumulative record : A selection of papers* (pp. 574-591). New York : Appleton-Century-Crofts. [Reproduit dans *American Psychologist, 15*, 28-37].

Smart, R., Mann, R. E., & Stoduto, G. (2003). The prevalence of road rage : Estimates from Ontario. *Canadian Journal of Public Health, 94*, 247-250.

Smith, D. (2003). Angry thoughts, at-risk hearts. *Monitor on Psychology, 34*, 46-48.

Smith, D., & Margolskee, R. (2003). « Le sens du goût ». Dans Les illusions des sens. *Pour la science*, 106-112. Dossier hors série (avril/juin).

Smith, M. (2007). Je suis une épouse de militaire et fière de l'être. Récupéré le 26 juin 2008 de <http://www.cyberpresse.ca/article/20071118/CPSOLEIL/71114163/6732/CPOPINIONS>.

Smoller, J. W., Paulus, M. P., Fagerness, J.A., Purcell, S. et al. (2008). Influence of RGS2 on anxiety-related temperament, personality, and brain function. *Archives of General Psychiatry, 2008*, 298-308.

Spanos, N. P. (1991). A sociocognitive approach to hypnosis. Dans S. J. Lynn, & J. W. Rhue (Éds.), *Theories of hypnosis : Current models and perspectives* (pp. 324-361). New York : Guilford Press.

Spearman, C. (1927). *The abilities of man*. New York : Macmillan.

Spector, P. E., Zapf, D., Chen, P. Y., & Frese, M. (2000). Why negative affectivity should not be controlled in job stress research : Don't throw out the baby with the bath water. *Journal of Organizational Behavior, 21*, 79-95.

Sperling, G. (1960). The information available in brief visual presentations. *Psychological Monographs, 74*, no 498 au complet.

Sperry, R. W. (1974). Lateral specialization in the surgically separated hemispheres. Dans F. O. Schmitt, & F. G. Worden (Éds.), *Neuroscience 3rd Study Program*. Cambridge (Mass.) : Massachusetts Institute of Technology.

Spiegel, H., & Spiegel, D. (1978). *Trance and treatment : Clinical uses of hypnosis*. Washington (DC) : American Psychiatric Press.

Spigel, A. (2007). Un projet titanesque : le catalogue des maladies mentales. *Cerveau & psycho*, septembre (no 23), 78-83.

Squire, L. R., & Kandel, E. R. (2002). *La mémoire*. Bruxelles : De Boeck Université.

Stanley, G. B., Li, F. F. & Dan, Y. (1999) Reconstruction of Natural Scenes from Ensemble Responses in the Lateral Geniculate Nucleus. *The Journal of Neuroscience, 19*, 8036-8042.

Statistique Canada. (2001). *Indicateurs de la santé* (Catalogue no 82-221-XIF). Ottawa.

Statistique Canada. (2002). *Enquête sur la santé dans les collectivités canadiennes*. Ottawa : Statistique Canada.

Staub, E., Tursky, B., & Schwartz, G. (1971). Self-control and predictability : Their effects on reactions to aversive stimulation. *Journal of Personality and Social Psychology, 18*, 157-162.

Steiger, H. (2007). *Les troubles de l'alimentation : société ou hérédité?*. Récupéré le 28 janvier 2008 de <http://www.anebquebec.com/html/fr_heredite.html>.

Steiger, H., & Séguin, J. R. (1999). Eating disorders : Anorexia nervosa and bulimia nervosa. Dans T. Million, P. H. Blaneyu, & R. David (Éds.), *Oxford textbook of psychopathology* (pp. 365-388). New York : Oxford University Press.

Sterling, P., & Eyer, J. (1988). Allostasis : A new paradigm to explain arousal pathology. Dans S. Fisher, & J. Reason (Éds), *Handbook of life stress, cognition and health* (pp. 629-649). New York : John Wiley & Sons.

Sternberg, R. J. (1985). *Beyond IQ : A triarchic theory of human intelligence*. New York : Cambridge University Press.

Sternberg, R. J. (1994). La théorie triarchique de l'intelligence. *L'orientation scolaire et professionnelle, 23*, 119-136.

Stokols, D., & Novaco, R. W. (1981). Transportation and well-being. Dans I. Altman, J., F. Wohlwill, & P. Everett (Éds.), *Transportation and behavior* (pp. 85-130). New York : Plenum Press.

Strayer, D. L. & Drews, F. A. (2004). Profiles in Driver Distraction : Effects of Cell Phone Conversations on Younger and Older Drivers. *Human Factors, 46*, 640-649.

Strayer, D. L., Drews, F. A., & Crouch D. J. (2006). A Comparison of the Cell Phone Driver and the Drunk Driver. *Human Factors, 48*, 381 -391.

Streissguth, A. P., Aase, J. M., Clarren, S. K., Randels, S. P., LaDue, R. A., & Smith, D. F. (1991). Fetal alcohol syndrome in adolescents and adults. *JAMA, 265*, 1961-1967.

Streissguth, A. P., Barr, H. M., Sampson, P. D., Darby, B. L., & Martin, D. C. (1989). IQ at age 4 in relation to maternal alcohol, use and smoking during pregnancy. *Developmental Psychology, 25*, 3-11.

Teplin, L. (1984). Criminalizing mental disorder : The comparative arrest rate of the mentally ill. *American Psychologist, 39*, 794-803.

Terkel, J., & Rosenblatt, J. S. (1972). Hormonal factors underlying maternal behavior at parturition : Cross transfusion between freely moving rats, *Journal of Comparative and Physiological Psychology, 80*, 365-371.

Terril, R., & Ducharme, R. (1994) *Passage secondaire-collégial : caractéristiques étudiantes et rendement scolaire*. Montréal : SRAM.

Thoits, P. A. (1983). Dimensions of life events as influences upon the genesis of psychological distress and associated conditions : An evaluation and synthesis of the literature. Dans H. B. Kaplan (Éd.), *Psychosocial stress : Trends in theory and research* (pp. 33-103). New York : Academic Press.

Thorndike, E. L. (1911). *Animal intelligence*. New York : MacMillan. [Contenu accessible à l'adresse : <http://psychclassics.yorku.ca/Thorndike/Animal/>].

Thurstone, L. L. (1938). *Primary mental abilities*. Chicago : University of Chicago Press.

Tolman, E. C. (1932). *Purposive behavior in animals and men*. New York : Appleton-Century-Crofts.

Tolman, E. C., & Honzik, C. H. (1930). Introduction and removal of reward, and maze performance in rats. *University of California Publications in Psychology, 4*, 257-275.

Tomkins, S. S. (1962). *Affect, imagery and consciousness : The positive affects*, vol. 1. New York : Springer.

Tomkins, S. S. (1963). *Affect, imagery and consciousness : The negative affects*, vol. 2. New York : Springer.

Tooby, J., & Cosmides, L. (1992). The psychological foundations of culture. Dans J. Barkow, L. Cosmides, & J. Tooby (Éds.), *The adapted mind : Evolutionary psychology and the generation of culture* (pp. 19-136). New York : Oxford University Press.

Tourangeau, R., & Ellsworth, P. (1979). The role of facial response in the experience of emotion. *Journal of Personality and Social Psychology, 37*, 1519-1531.

Treisman, A. M. (1964). Selective attention in man. *British Medical Bulletin, 20*, 12-16.

Tryon, R. C. (1940). Genetic differences in maze-learning ability in rats. *Thirty-ninth Yearbook of the National Society for the Study of Education*. Chicago : The University of Chicago Press, Part I, pp. 111-119.

Tulving, E., & Pearlstone, Z. (1966). Availabilité versus accessability of information in memory for words. *Journal of Verbal Learning and Verbal Behavior, 5*, 381-391.

Vaillant, G. E. (1993). *The wisdom of the ego*. Cambridge : Harvard University Press.

Vaiva, G., Ducrocq, F., Jezequel, K., Averland, B., Lestavel, P., Brunet, A. *et al.* (2003). Immediate treatment with propranolol decreases posttraumatic stress disorder two months after trauma. *Biological Psychiatry, 54*, 947-949.

Vallerand, R. J. (2006a). Les attributions : déterminants et conséquences. Dans R. J. Vallerand (Éd.), *Les fondements de la psychologie sociale* (2ᵉ éd.) (pp. 187-234). Montréal : Chenelière.

Vallerand, R. J. (2006b). Une introduction à la psychologie sociale contemporaine. Dans R. J. Vallerand (Éd.), *Les fondements de la psychologie sociale* (2ᵉ éd.) (pp. 3-35). Montréal : Chenelière.

Vallerand, R. J., & Houlfort, N. (2003). Passion at work : Toward a new conceptualization. Dans D. Skarlicki, S. Gilliland, & D. Steiner (Éds.), *Research in social issues in management, 3*, (pp. 175-204). Information Age Publishing Inc.

Vallerand, R. J., & Miquelon, P. (2007). Passion for sport in athletes. Dans S. Jowett, & D. Lavallée (Éds.), *Social psychology in sport*. Champaign, IL : Human Kinetics.

Vallerand, R. J., & Thill, E. E. (1993). Introduction au concept de motivation. Dans R. J. Vallerand, & E. E. Thill (Éds.), *Introduction à la psychologie de la motivation* (pp. 3-39). Laval (Québec) : Études Vivantes.

Vallerand, R. J., Blais, M. R., Lacouture, Y., & Deci, E. L. (1987). L'échelle des orientations générales à la causalité : validation canadienne française du General Causality Orientations Scale. *Canadian Journal of Behavioral Science, 19*, 1-15.

Vallerand, R. J., Blanchard, C. M., Mageau, G. A., Koestner, R., Ratelle, C., Léonard, M., Gagné, M., & Marsolais, J. (2003). Les passions de l'âme : On obsessive and harmonious passion. *Journal of Personality and Social Psychology, 85*, 756-767.

Vallerand, R. J., Fortier, M. S., & Guay, F. (1997). Self-determination and persistence in a real-life setting : Toward a motivational model of high school dropout. *Journal of Personality and Social Psychology, 72*, 1161-1176.

Vallerand, R. J., Salvy, S. J., Mageau, G. A., Denis, P., Grouzet, F. M. E., & Blanchard, C. B. (2007). On the role of passion in performance. *Journal of Personality, 75*, 505-533.

Vannoti, M., Onnis, L., & Gennart, M. (2002). La thérapie d'orientation systémique. Dans N. Duruz, & M. Gennart (Éds), *Traité de psychothérapie comparée* (pp. 313-343). Paris : Médecine & Hygiène.

Wagstaff, G. F. (1984). The enhancement of witness memory by "hypnosis" : A review and methodological critique of the experimental litterature. *British Journal of Experimental and Clinical Hypnosis, 2*, 3-12.

Wald, G. (1964). The receptors of human color vision. *Science, 145*, 1007-1017.

Walen, S. R., Digiuseppe, R, & Wessler, R. L. (1980). *A practitioner's guide to rational-emotive therapy*. New York : Oxford University Press.

Walsh, T., McClellan, J. M., McCarthy, S. E., Addington, A. M., Pierce, S. B. *et al.* (2008). Rare structural variants disrupt multiple genes in neurodevelopmental pathways in schizophrenia. *Science, 320*, 539–543.

Warren, R. M., & Warren, R. P. (1968). *Helmholtz on perception : Its physiology and development*. New York : John Wiley and Sons.

Watson, J. B. (1913). Psychology as the behaviorist views it. *Psychological Review, 29*, 158-177.

Watson, J. B. (1924). *Psychology from the standpoint of a behaviorist*, 2ᵉ éd. Philadelphia : Lippincott.

Watson, J. B. (1926). *Behaviorism*. New York : The People's Institute Publishing Company.

Watson, J. B. (1930). *Behaviorism*. Chicago : The University of Chicago Press.

Watson, J. B., & Rayner, R. (1920). Conditioned emotional reactions. *Journal of Experimental Psychology, 3*, 1-14. [Réimprimé sous le même titre en 2000 dans la revue *American Psychologist, 55*, 313-317].

Weiner, B. (1979). A theory of motivation for some classroom experiences. *Journal of Educational Psychology, 71*, 3-25.

Weiner, B. (1986). *An attributional theory of motivation and emotion*. New York : Springer-Verlag.

Weiss, J. M. (1972). Psychological factors in stress and disease. *Scientific American, 226*, 104-113.

Westen, D. (2000). *Psychologie : pensée, cerveau et culture*. Bruxelles : De Boeck Université.

Whitton, E. (2003). *Humanistic approach to psychotherapy*. London : Whurr.

WHO (2004). *Neuroscience of psychoactive substance use and dependance*. Genève : World Health Organization. [Disponible à l'adresse <http://www.who.int/substance_abuse/publications/psychoactives/en/index.html>.

Williams, L. M. (1994). Recall of childhood trauma : A prospective study of women's memories of child sexual abuse. *Journal of Consulting and Clinical Psychology, 62*, 1167-1176.

Witelson, S. F, Kigar, D. L., & Harvey, T. (1999). L'exceptionnel cerveau d'Einstein. *La recherche*, nᵒ 326, 31-35.

Wittchen, H. U., Zhao, H. S., Kessler, R. C., & Eaton, W.W. (1994). *DSM-III-R* general anxiety disorder in the national comorbidity survey. *Archives of General Psychiatry, 51*, 355-364.

Wolfe, J. B. (1936). Effectiveness of token rewards for chimpanzees. *Comparative psychology monographs, 12*, nᵒ 60.

Wolpe, J. (1975). *La pratique de la thérapie comportementale*. Paris : Masson.

Wood, D. P., & Sexton, J. L. (1997). Self-hypnosis training and captivity survival. *American Journal of Clinical Hypnosis, 39*, 201-211.

Wu, W., Yamaura, T., Murakami, K., Murata, J., Matsumoto, K.,Watanabe, H., & Saiki, I. (2000). Social isolation stress enhanced liver metastasis of murine colon 26-L5 carcinoma cells by suppressing immune responses in mice. *Life Sciences, 66*, 1827-1838.

Wundt, W. (1862). *Beiträge zur theorie der sinneswahrnehmung*. Heidelberg : Winter.

Wundt, W. (1874). *Grundzüge der physiologischen psychologie*. Leipzig : Engelmann. (Traduction française (2 tomes) : *Éléments de psychologie physiologique*, Paris, Félix Alcan, 1886.)

Yan, J. (2008). *DSM-V* : Development will be complex and open process. *Psychiatric News, 43*, 12.

Zekri, J. (2004). L'hypnonaissance. *Le médecin du Québec, 37*, 117-118.

Ziegler, I. (1994). *Au pays magique du «subliminal»*. Récupéré le 20 décembre 2006 de <http://www.pseudo-sciences.org/spip.php?article63>. Article paru dans la revue *Science… et pseudo-sciences*, nᵒ 207, janvier-février 1994.

Zimbardo, P. G., Weber, A. L., & Johnson, R. L. (2003). *Psychology : Core concepts*, 4ᵉ éd. Boston : Allyn & Bacon.

Zoccolillo, M., Vitaro, F., & Tremblay, R. E. (1999). Problem drug and alcohol use in a community sample of adolescents. *Journal of American Academy of Child and Adolescent Psychiatry, 38*, 900-907.

Zwanzger, P., & Rupprecht, R. (2006). Selective GABAergic treatment for panic ? Investigations in experimental panic induction and panic disorder (Résumé). Récupéré le 31 octobre 2006 de <http://cat.inist.fr/?aModele=afficheN&cpsidt=16779409>.

Sources des photographies et des figures

Index